Werner Bests korrespondance med Auswärtiges Amt
og andre tyske akter vedrørende besættelsen
af Danmark 1942-1945

Die Korrespondenz von Werner Best mit dem
Auswärtigen Amt und andere Akten zur
Besetzung von Dänemark 1942-1945

Danish Humanist Texts and Studies

Volume 43

Edited by Erland Kolding Nielsen

THE ROYAL LIBRARY · COPENHAGEN

Werner Bests korrespondance med Auswärtiges Amt og andre tyske akter vedrørende besættelsen af Danmark 1942-1945

Udgivet af

John T. Lauridsen

Under medvirken af

Jakob K. Meile

BIND 8:

Oktober – december 1944

DET KONGELIGE BIBLIOTEK
&
SELSKABET FOR UDGIVELSE AF KILDER TIL DANSK HISTORIE

I kommission hos Museum Tusculanum Press

KØBENHAVN 2012

Werner Bests korrespondance med Auswärtiges Amt
og andre tyske akter vedrørende besættelsen af Danmark 1942-1945
Udgivet af John T. Lauridsen under medvirken af Jakob K. Meile

© 2012 Det Kongelige Bibliotek & Selskabet for Udgivelse af Kilder til dansk Historie

Tilsynsførende: Knud J.V. Jespersen & Aage Trommer
Oversættelse: Johannes Wendland, LanguageWire A/S
Layout & sats: Forlagsbureauet/Ole Klitgaard (†)
Reproduktioner: Fotografisk Atelier, Det Kongelige Bibliotek

Bogen er sat med Adobe Garamond Pro
og trykt på 115g Scandia 2000 Smooth Ivory
Dette papir overholder de i ISO 9706:1994
fastsatte krav til langtidsholdbart papir.

Printed in Denmark by Special-Trykkeriet Viborg A/S

ISBN (værket) 978-87-7023-296-8
ISBN (dette bind) 978-87-7023-304-0
ISSN (DHTS) 0105 8746

Udgivet med støtte fra
Carlsbergfondet
Oticon Fonden
Kulturministeriets Forskningspulje
Det Kongelige Bibliotek

I kommission hos
Museum Tusculanum Press
University of Copenhagen
Njalsgade 126
DK-2300 Copenhagen S
www.mtp.dk

Die Korrespondenz von Werner Best mit dem Auswärtigen Amt und andere Akten zur Besetzung von Dänemark 1942-1945

Herausgegeben von
John T. Lauridsen

Unter der Mitarbeit von
Jakob K. Meile

BAND 8:

Oktober – Dezember 1944

KÖNIGLICHE BIBLIOTHEK
&
GESELLSCHAFT FÜR DIE HERAUSGABE VON QUELLEN ZUR DÄNISCHEN GESCHICHTE

In Kommission bei Museum Tusculanum Press

KOPENHAGEN 2012

Die Korrespondenz von Werner Best mit dem Auswärtigen Amt und andere Akten zur Besetzung von Dänemark 1942-1945
Herausgegeben von Dr. phil. John T. Lauridsen
unter der Mitarbeit von M.A. Jakob K. Meile

© 2012 Königliche Bibliothek & Gesellschaft für die Herausgabe von Quellen zur dänischen Geschichte

Herausgeberbeirat:	Prof., Dr. phil. Knud J.V. Jespersen & Rektor i. R., Dr. phil. Aage Trommer
Übersetzung:	M.A. Johannes Wendland, LanguageWire A/S
Layout & Satz:	Forlagsbureauet/M.A. Ole Klitgaard (†)
Repro:	Fotografisk Atelier, Det Kongelige Bibliotek

Das Werk wurde in der Adobe Garamond Pro gesetzt und auf 115g Scandia 2000 Smooth Ivory gedruckt. Dieses Papier erfüllt die Anforderungen an Nachhaltigkeit nach ISO 9706:1994.

Printed in Denmark by Special-Trykkeriet Viborg A/S

ISBN (ges. Werk)	978-87-7023-296-8
ISBN (dieser Band)	978-87-7023-304-0
ISSN (DHTS)	0105 8746

Herausgegeben mit Unterstützung von
Carlsbergfondet
Oticon Fonden
Forschungspool des Dänischen Kulturministeriums
Königliche Bibliothek

In Kommission bei
Museum Tusculanum Press
University of Copenhagen
Njalsgade 126
DK-2300 Copenhagen S
www.mtp.dk

Indhold

Oktober 1944 9

November 1944 137

December 1944 317

Inhalt

Oktober 1944 9

November 1944 137

Dezember 1944 317

OKTOBER 1944

1. Politische Informationen für die deutschen Dienststellen in Dänemark 1. Oktober 1944

Best måtte i sin månedsberetning for oktober 1944 holde tungen lige i munden ved omtalen af deportationen af de danske fanger og af politiaktionen, og han undlod ikke at lade de negative sider derved for tyske interesser komme frem. Ved udvalget af citater fra den fjendtligtsindede presse kunne han indirekte selv lade sin kritik af Panckes fremfærd komme til orde. Best vurderede, at "invasionspsykosen" hos både danskere og tyskere i løbet af september var kulmineret og ebbet ud, ligesom de illegale aktiviteter i månedens sidste del var taget af. Man regnede ikke længere med en invasion af Danmark. Månedens mest positive meddelelse var, at der kunne forventes de samme leverancer til Tyskland i 1944/45 som i 1943/44, såfremt den politiske og økonomiske situation ikke blev væsentligt forringet.

Kilde: PA/AA R 101.041. RA, pk. 232. RA, Centralkartoteket, pk. 681. RA, Vesterdals nye pakker, pk. 2.

Der Reichsbevollmächtigte in Dänemark — *Kopenhagen, d. 1. Oktober 1944.*

Nur für den Dienstgebrauch!

P o l i t i s c h e I n f o r m a t i o n e n
für die deutschen Dienststellen in Dänemark.

Betr. I. Die politische Entwicklung in Dänemark im September 1944.
II. Mitteilungen aus der Außenpolitik.
III. Mitteilungen aus der Wirtschaft.
IV. Feindliche Stimmen über Dänemark.

I. Die politische Entwicklung in Dänemark im September 1944

1.) Die Lage in Dänemark war im Monat September durch die Kulmination der Invasionspsychose – bei Dänen und Deutschen – bestimmt. Sowohl die Kriegsereignisse an den Fronten wie auch die deutschen Maßnahmen in Dänemark – Evakuierung und Verlegung von Dienststellen, Familien usw., sowie Einberufung von Reichsdeutschen und Volksdeutschen zu Befestigungsarbeiten – ließen eine Invasion in Dänemark als unmittelbar bevorstehend erscheinen. Die Spannung und Gereiztheit der Bevölkerung wuchs außerordentlich und entlud sich mehrmals im ganzen Lande durch Proteststreiks gegen deutsche Maßnahmen (16.-18.9.1944 Proteststreik gegen die Deportation von 200 dänischen Häftlingen in das Reich; 19./20.9.1944 Proteststreik gegen die Auflösung der dänischen Polizei und die Deportation von 2.182 dänischen Polizeibeamten).[1]

In der ersten Monatshälfte stieg die Zahl der politischen Morde in Kopenhagen plötzlich stark an,[2] ebenso in Jütland die Zahl der Eisenbahnsabotagen. Auch diese Erscheinungen wirkten wie ein Auftakt zu einer letzten Auseinandersetzung.

1 Antallet af deporterede danske politifolk blev opgivet lidt højere end fra dansk side, hvor der regnes med knapt 2.000 personer.

2 Antallet af likvideringer, clearingmord og mordforsøg blev omtrent fordoblet mellem juli og august (se tillæg 3 og Emkjær 2000, s. 17).

Gegen Ende des Monats ebbte die Spannung im Lande und die illegale Aktivität wieder ab. Um die Monatswende war die allgemeine Auffassung, daß b.a.w. mit einer Invasion in Dänemark nicht zu rechnen sei.

2.) Am 19.9.1944 hat der Höhere SS- und Polizeiführer gemäß erhaltenem Befehl die dänische Polizei und ihre als "CB" (Civil Beskyttelsestjeneste) bekannte Hilfsorganisation aufgelöst. Die wichtigsten Polizeidienstgebäude wurden besetzt. In den Städten Kopenhagen, Odense, Aarhus und Aalborg wurden 2.182 Polizeibeamte interniert und alsbald in das Reich verbracht. Bis zu einer Neuordnung hat die deutsche Polizei die Verantwortung für die öffentliche Ruhe und Sicherheit im Lande übernommen.

Die Aktion gegen die dänische Polizei ist (bis auf eine auf Irrtum beruhende Schießerei) ohne Zwischenfälle durchgeführt worden. Die Erregung der Bevölkerung äußerte sich nur in dem befristeten Proteststreik am 19. und 20.9.1944. Im übrigen herrscht äußere Ruhe im Lande. Hinsichtlich der öffentlichen Ordnung wahrt die Bevölkerung eine außerordentliche Selbstdisziplin. Gegen kriminelle Verbrechen wird Selbstschutz ausgeübt. Am stärksten macht sich das Ruhen der verwaltungsmäßigen Funktionen der Polizei bemerkbar, – z.T. auch zum Nachteil deutscher Interessen, wenn z.B. den nach Deutschland angeworbenen Arbeitern ihre Papiere nicht ausgestellt, oder wenn für deutsche Zwecke einzusetzende Kraftwagen nicht zugelassen werden können; – bei längerer Dauer dieses Zustandes würde insbesondere der Wegfall der gesamten Wirtschaftspolizei zu weittragenden Folgen führen.[3]

Die dänische Zentralverwaltung bemüht sich, die wichtigsten Funktionen der Polizei in Anlehnung an die Gemeindeverwaltungen wieder aufnehmen zu lassen. Dies gilt insbesondere für die verwaltungsmäßigen Aufgaben und für die Wahrung der öffentlichen Ordnung, während hinsichtlich der Verbrechungsbekämpfung noch keine Klärung erkennbar ist.

3.) Die deutsche Sicherheitspolizei hat im September 1944 festgenommen:[4]

Wegen Sabotageverdachts	136	Personen
wegen Spionageverdachts	43	–
wegen illegaler Tätigkeit (Kommunismus und nationale Widerstandsgruppen)	268	–

Durch die Festnahmen sind 25 Sabotageakte aufgeklärt worden.

Bei polizeilichen Aktionen sind wegen Widerstandes gegen die Festnahme, wegen Widersetzlichkeit gegen Polizeistreifen usw. 9 Personen erschossen worden.

In Jütland, wo in der letzten Zeit der Abwurf von Fallschirmlasten und – ohne Erfassung solcher – von Fallschirmspringern beträchtlich zugenommen hatte, sind große Mengen von Sabotagematerial, Waffen usw. erfaßt worden.

II. Mitteilungen aus der Außenpolitik

1.) Nach dem Abbruch der deutsch-finnischen Beziehungen hat die Finnische Gesandtschaft Kopenhagen am 11.9.1944 verlassen. Nach der bereits vorher erfolgten Schlie-

3 Best fik på denne måde udtrykt en kritik af politiaktionen uden at være illoyal.

4 Se Bovensiepens aktivitetsberetning for august, september og oktober 1944 videresendt til AA af Best 6. november.

ßung der argentinischen und der türkischen Vertretung in Dänemark und nach der größtenteils illegal erfolgten Ausreise der Angehörigen der Rumänischen Gesandtschaft[5] befinden sich nunmehr in Dänemark nur noch diplomatische Vertreter Schwedens, Spaniens, Ungarns und Islands (Stellung völkerrechtlich nicht ganz geklärt), sowie ein mit der Wahrnehmung der italienischen Interessen beauftragter konsularischer Agent. Die diplomatischen Vertreter einer ganzen Reihe von anderen Staaten sind zwar in Kopenhagen akkreditiert, haben aber ihren Dienstsitz in Berlin bezw. in Stockholm.

2.) Nach der Schließung der Finnischen Gesandtschaft in Kopenhagen hat der Dänische Gesandte in Helsinki Kammerherr [Flemming] Lerche, der sich bisher gegenüber der dänischen Zentralverwaltung loyal verhalten hatte, dem dänischen Außenministerium telegrafisch mitgeteilt, daß er mit dem Personal der Dänischen Gesandtschaft in Helsinki darüber einig sei, daß den dänischen Interessen in Finnland am besten gedient sei, wenn er auf seinem Posten verbliebe und sich in seiner Amtsführung als freigestellt betrachte. Nunmehr bestehen – außer in Berlin – noch in den folgenden Ländern diplomatische bezw. berufskonsularische Vertretungen Dänemarks, die über das dänische Außenministerium Weisungen der dänischen Zentralverwaltung entgegennehmen: Belgien (konsularische Vertretung), Brasilien (der Gesandte Sehested hat sich allerdings Stellungnahme von Fall zu Fall vorbehalten), China, Frankreich, Italien, Japan, Mandschukuo, Norwegen (konsularische Vertretung), Portugal, Rumänien, Schweden, Schweiz, Spanien, Thailand und Ungarn.

3.) Aus einem Bericht der isländischen Gesandtschaft in Kopenhagen über die Wirtschaftslage in Island geht hervor, daß man in isländischen Regierungskreisen mit einer weiteren Verschlechterung der Wirtschaftslage Islands rechnet. Es sind einschneidende Maßnahmen auf dem Gebiet der Preisgestaltung und weitere Einschränkungen des freien Handels vorgesehen. Die Geldreichlichkeit im Lande ist sehr groß; eine im Frühjahr d.Js. aufgelegte Staatsanleihe wurde siebenfach überzeichnet. Der isländische Staatshaushalt zeigt ein verhältnismäßig günstiges Bild. Die Einkünfte im Jahre 1943 betrugen 109,5 Millionen Kronen, die Ausgaben dagegen nur 93,1 Millionen Kronen.

III. *Mitteilungen aus der Wirtschaft*
1.) Die ernährungswirtschaftlichen Lieferungen.
a.) Am 30.9.1944 ist das Wirtschaftsjahr 1943/44 zu Ende gegangen.

Was in diesem Wirtschaftsjahr an Leistungen für das Reich aus dem Lande Dänemark herausgeholt wurde, ergibt sich aus der folgenden vergleichenden Übersicht über die wichtigsten Lieferungen landwirtschaftlicher Erzeugnisse in den letzten 3 Jahren:[6]

5 Der er ikke lokaliseret noget forudgående telegram om den illegale rumænske udrejse, men et sådant er givetvis blevet afsendt.

6 En sammenligning med opgivelserne hos Jensen 1971, s. 229 og Nissen 2005, s. 247f. vanskeliggøres af, at Best bruger erhvervsåret og ikke kalenderåret, men tallene for den samlede kødeksport er nogenlunde overensstemmende, og for smørrets vedkommende markant afvigende, idet Best opgiver betydeligt højere mængder.

Wirtschaftsjahr	Fleisch to	Butter to	Fische to	Pferde Stck.
1941/42	99.000	37.500	91.000	18.000
1942/43	77.000	51.000	91.000	27.000
1943/44	157.000	60.000	87.000	34.000

Die dänische Fleischausfuhr in das Reich hat in diesem Wirtschaftsjahr 157 Millionen Monatsrationen deutscher Normalverbraucher oder den Bedarf von 78,5 Millionen Deutschen für 2 Monate gedeckt.[7]

Mit Butter sind aus Dänemark 90 Millionen deutsche Normalverbraucher für 5 bis 6 Wochen versorgt worden.[8]

Die Fischausfuhr ist aus Gründen des Treibstoffmangels und der Einengung der Fanggebiete etwas zurückgegangen, spielt aber für die Versorgung der deutschen Großstädte weiter eine entscheidende Rolle.[9]

Hinsichtlich der Ausfuhr von Pferden nach Deutschland steht Dänemark an erster Stelle der Lieferländer.

Auch in dem abgeschlossenen Wirtschaftsjahr hat die Lieferung von Sämereien aus Dänemark eine entscheidende Rolle für den deutschen Futteranbau gespielt. Aus Dänemark wurden 80 % des deutschen Bedarfs an Grassaaten gedeckt.

Von weiteren Lebensmitteln, die in erfreulicher Menge in das Reich geliefert wurden, sind Käse, Milchkonserven, Obst, Blutalbumin, Därme usw. zu nennen.

b.) Außer den Exportlieferungen in das Reich sind aus dem Lande Dänemark weitere beträchtliche Mengen landwirtschaftlicher Erzeugnisse für die deutschen Truppen in Dänemark und in Norwegen entnommen worden. Es handelt sich bei den wichtigsten Lebens- und Futtermitteln um die folgenden Mengen:

Kartoffeln	rd.	85.000	to
Mehl	–	41.000	–
Gemüse	–	16.000	–
Zucker	–	5.000	–
Hafer	–	15.000	–
Heu	–	17.500	–
Stroh	–	17.000	–

c.) Die dargestellte Leistungssteigerung der dänischen Landwirtschaft ist um so höher zu bewerten, als sie bei sinkender Belieferung mit Betriebsmitteln – Eisen, Düngemitteln, Schädlingsbekämpfungsmitteln, Textilien usw. – und bei unzureichender Versorgung mit Arbeitskräften (Fehlbetrag etwa 35.000 Arbeiter) erzielt wurde. Der dänische Bauer

7 Brandenborg Jensen vurderer bl.a. den danske kødeksport til Tyskland som sekundær i forhold til Tysklands egenproduktion, hvilket jo er indlysende og ikke noget, som Ebner eller Best ville have bestridt, men når kødeksporten fra Danmark til Tyskland udgjorde 21 % af den samlede tyske kødimport, så er her et godt tal at bedømme kødeksportens betydning ud fra (Brandenborg Jensen 2005, s. 364).

8 For en diskussion af smøreksportens betydning for de tyske forbrugere, se kommentaren til Backe til Steengracht 22. september 1943.

9 Dansk fiskeeksports betydning for de tyske byer har delt danske historikere, se kommentaren til Backe til Steengracht 22. september 1943.

ist bis jetzt der über die landwirtschaftlichen Organisationen ergangenen Aufforderung zur Leistungssteigerung und nicht der feindlichen Propaganda zur Leistungsminderung gefolgt.
d.) Nach der Schätzung der Sachverständigen können, wenn sich die politische und wirtschaftliche Lage in Dänemark nicht wesentlich verschlechtert, für das Wirtschaftsjahr 1944/45 etwa die gleichen Ertragsschätzungen wie für das Wirtschaftsjahr 1943/44 zu Grunde gelegt werden. Für das Wirtschaftsjahr 1943/44 wurden z.B. für Fleisch 125-130.000 to und für Butter 56.000 to geschätzt, welche Schätzungen – wie oben dargelegt – durch die wirklichen Leistungen übertroffen wurden.

2.) Gewerbliche Fertigungsaufträge.
Nachdem unter III, 1. festgestellt werden konnte, daß die landwirtschaftlichen Leistungen Dänemarks für das Reich trotz der Entwicklung der Kriegslage und trotz der politischen Verschärfung der Lage im Lande nicht abgesunken sind, sondern gesteigert werden konnten, erscheint eine entsprechende Prüfung der gewerblichen Leistungen interessant.

Nach Mitteilung des Rüstungsstabes Dänemark sind bis zum 31.8.1944 Wehrmachtaufträge (A-Aufträge) im Gesamtbetrage von 562.187.144 RM – das sind 1.124.374.288 Kronen – nach Dänemark verlagert worden.[10]

Der durchschnittliche Auftragseingang pro Monat betrug vom 1.5.1940-31.12.1942	9.926.000,- RM.
Der durchschnittliche Auftragseingang pro Monat betrug vom 1.1.1943-31.8.1944	13.717.303,- RM.
Die durchschnittliche Auslieferung pro Monat betrug vom 1.5.1940-31.12.1942	7.243.000,- RM.
Die durchschnittliche Auslieferung pro Monat betrug vom 1.1.1943-31.8.1944	9.632.812,- RM.

Aus diesen Ziffern ergibt sich, daß auch hinsichtlich der gewerblichen Fertigungsaufträge in der politisch und psychologisch ungünstigen Zeitspanne der letzten 1½ Jahre keine Verschlechterung sondern eine Verbesserung der dänischen Leistungen erzielt wurde, indem höhere Auftragsbestände untergebracht wurden und indem auch die Auslieferungsquote nicht etwa sank, sondern mit den Aufträgen Schritt hielte.

Außer den Wehrmachtaufträgen (A-Aufträgen) sind über den Rüstungsstab Dänemark Aufträge des kriegswichtigen zivilen Bedarfs (O-Aufträge) im Gesamtbetrag von 75.637.355,- RM – das sind 151.274.710,- Kronen – (Stand vom 31.7.1944) nach Dänemark verlagert worden.

3.) Holzwirtschaft
Der Schnittholzverbrauch der Wehrmacht in Dänemark ist in dem am 30.9.1944 abgelaufenen Wirtschaftsjahr von rd. 100.000 auf rd. 110.000 cbm. gestiegen. Die vereinbarte Lieferung des Ersatzholzes aus Finnland und Schweden ist bis Ende August planmäßig

10 Best gengav de oplysninger, som Forstmann fremkom med i Rü Stab Dänemarks måneds- og kvartalsberetninger. Her konkret de oplysninger, som Forstmann på opfordring havde givet 27. september 1944.

verlaufen. Nach der Kapitulation Finnlands ist dieses Land, abgesehen von kleinen Restlieferungen, für die Holzversorgung ausgefallen. Ob aus Schweden in der Zukunft noch nennenswerte Mengen zu erwarten sind, ist durchaus fraglich. Damit ist die Durchführung der Ersatzlieferungen, die nach den geltenden deutsch-dänischen Vereinbarungen eine Voraussetzung für die Abgabe von Holz aus dänischen Beständen an die deutsche Wehrmacht bilden, in Frage gestellt. Falls die dänische Regierung nicht wider Erwarten auch ohne Ersatzlieferung Holz zur Verfügung stellt, wird die Wehrmacht in ausgedehntem Umfange zu Beschlagnahmen gezwungen sein, die wiederum erhebliche Schwierigkeiten im dänischem Wirtschaftsleben nach sich ziehen werden. Nennenswerte Nachschublieferungen aus Deutschland, das ebenfalls in großen Umfange auf die finnischen und schwedischen Lieferungen angewiesen war, sind nicht zu erwarten.

Der Rundholzbedarf der Wehrmacht in Dänemark ist im laufenden Wirtschaftsjahr auf Grund der Befestigungen in Jütland ständig gestiegen. Nachschublieferungen aus Deutschland kommen wegen des hohen Eigenbedarfs und der Transportschwierigkeiten nur in geringem Umfange für Spezialsortimente in Frage. Die Hauptmasse muß aus dem dänischen Wald, besonders in Jütland, entnommen werden. Diese Entnahme beläuft sich schätzungsweise auf 160-170.000 fm.[11] Da sie sich aus Transportgründen auf ein verhältnismäßig kleines Gebiet in Nord-, West- und Mitteljütland beschränken muß, machen sich schon jetzt erhebliche forstwirtschaftliche Schäden bemerkbar, die bei dem zu erwartenden weiteren Steigen des Bedarfs in den betroffenen Gebieten zu schweren, in Jahrzehnten nicht wieder auszuheilenden Zerstörungen fahren werden.

4.) Die finanziellen Leistungen Dänemarks.
Der Kronenverbrauch der Wehrmacht in Dänemark beträgt zur Zeit rund 500 Millionen Kronen im Vierteljahr. Der von der Dänischen Nationalbank für diese Zwecke zur Verfügung gestellte Kredit ist nunmehr auf fast 4 Milliarden Kronen angewachsen. Dazu kommt die von der Nationalbank vorgenommene Bevorschussung der Exportclearingforderungen einschließlich der Verlagerungsaufträge in Höhe von rund 2,5 Milliarden Kronen. (Zum Vergleich: Der dänische Staatshaushalt beträgt zur Zeit etwa 1 Milliarde Kronen.) Die zur Neutralisierung dieser Geldfülle durchgeführten Bindungs- und Abschöpfungsmaßnahmen halten sich in ihrem Gesamtresultat weiterhin in der Höhe der für die Wehrmacht zur Verfügung gestellten Beträge. Etwa 4 Milliarden Kronen flüssige Gelder sind abgeschöpft oder gebunden. Diese Maßnahmen haben es bisher im Verein mit Rationierungs- und besonders Preisüberwachungsmaßnahmen vermocht, das Geldwesen in Ruhe zu halten.

IV. Feindliche Stimmen über Dänemark

1.) Der englische und schwedische Rundfunk.
Aus technischen Gründen unterbleibt in dieser Folge der "Politischen Informationen für die deutschen Dienststellen in Dänemark" die Mitteilung englischer und schwedischer Rundfunkstimmen.[12]

11 Se Lambert til RWM 15. september 1944.

12 Med de "tekniske grunde" menes sandsynligvis, at HSSPF havde trængt sig ind på presse- og radioområdet den 19. september.

2.) Die schwedische Presse.
Nach Mitteilung des "Dansk Pressetjänst" hat der dänische Freiheitsrat jetzt damit begonnen, über den Einsatz der Freiheitsbewegung im Kampf gegen die Unterdrücker Communiqués herauszugeben. Diese sollen b.a.w. einmal wöchentlich erscheinen. Das erste Communiqué, welches am 15.9.1944 ausgesandt wurde, lautet folgendermaßen:[13] "Unsere Kräfte haben während der letzen Wochen verschiedene Angriffe auf Eisenbahnlinien, deutsche Transporte, Autos und Fahrzeuge in Jütland durchgeführt, um die deutschen Truppenbewegungen zu stören. Mehrere dänische Bürger, welche als Angeber in deutschem Dienst standen, sind unschädlich gemacht und Sabotagewächtern bei einer Reihe von Betrieben sind Waffen abgenommen worden. In der jetzigen Phase sollen der Einsatz der Freiheitsbewegung und die nationale Pflichterfüllung durch Sabotage gegen klar bezeichnete Ziele und durch systematische Unterhöhlung aller von den Deutschen kontrollierten Betriebe geschehen. Wir ermahnen die dänischen Freiheitskämpfer, diszipliniert und geduldig das Signal zur Aktion abzuwarten."

Über die Aktion gegen die dänische Polizei schrieb "Dagens Nyheter" vom 20.9.1944: "Man kann nicht sagen, daß dieser Schlag unerwartet kam. Die unerschütterliche Wacht der dänischen Polizei für die Reste der dänischen Rechtssicherheit ist der Okkupationsmacht schon länger ein Dorn im Auge gewesen, und seit der Krise vom 29. August 1943 wartete man ständig auf eine deutsche Aktion, welche die Ordnungsmacht des Landes außer Spiel setzen würde. Eine solche Aktion scheine auch mehrfach geplant oder bevorstehend gewesen zu sein, wurde aber jedesmal abgewehrt oder aufgeschoben – damals gab es noch deutliche Hemmungen in den Kreisen, welche mit der Gestapo um die Führung stritten. ... Aber diesmal nahm die Gestapo also die Sache in die Hand und die Deutschen schlugen zu. Der Zeitpunkt scheint mit Rücksicht darauf gewählt worden zu sein, daß man die Alliierten durch ihre Luftlandungen an der holländischen Front für einige Zeit als gebunden ansehen konnte. Die ganze Inszenierung des Coups mit dem falschen Luftalarm beleuchtet wieder einmal die deutschen Methoden. ... Herrn Panckes bombastische Proklamation ist in sich selbst ein Zeugnis der Ohnmacht. ... Dieser Versuch, den Terror des 29. August zu überbieten – die Proklamationen und Vorschriften sind nach dem gleichen Muster abgefaßt – wird die deutsche Herrschaft in Dänemark weder stärken noch verlängern. Der Tag der Vergeltung kommt. Die dänische Heimatfront war nicht unvorbereitet, bereits am Dienstag Abend lag die Antwort des Freiheitsrates vor: Proteststreik und im übrigen Ruhe. Aber es soll nicht vergessen werden, daß die Deutschen mit all ihrer ohnmächtigen Wut nur eines erreichen können: eine Periode vollkommener Gesetzlosigkeit, während der es für das Volk immer schwerer wird, die nötige Selbstbeherrschung zu bewahren – und ein Zerschlagen derjenigen Organisation, welche bereit war, mit ihrer anerkannten Autorität zu verhindern, daß dem Tage der Befreiung eine Nacht der langen Messer folge. ..."

Die schwedische Polizei hat in der Presse einen Protest veröffentlicht, in dem es u.a. heißt: "Die schwedischen Polizisten fühlen sich tief betroffen über die rohen Gewalttaten und abscheulichen Methoden, die die Deutschen angewandt haben. Früher schon sind sie in gleicher Weise mit der norwegischen Polizei verfahren. Solche Gewalttaten,

13 Aftrykt hos Alkil, 1, 1945-46, s. 264.

welche dem nordischen Rechtsempfinden völlig fremd sind, scheinen bei dem Umgang der Deutschen mit den geplagten und gepeinigten Völkern die Regel zu sein. Wir fragen, ob es nicht an der Zeit sei, daß die schwedischen Behörden dagegen einschreiten. Wir hoffen von ganzem Herzen, daß die unterdrückten Völker recht bald ihre Freiheit wiedergewinnen und unsere Kollegen wieder in ihre Heimat zurückkehren können und über Recht und Ordnung wachen, die jetzt so rücksichtslos mit Füssen getreten worden sind."

"Sydsvenska Dagbladet" schreib am 22. September 1944: zwischen 5 und 6.000 dänische Polizisten seien den Deutschen bei ihrer Aktion entschlüpft und hielten sich "unter der Erde" verborgen. Unter ihnen befänden sich der Chef des Kopenhagener Überfallkommandos Vizepolizeiinspektor Thor Dahl-Jensen und der Staatsadvokat für besondere Angelegenheiten Troels Hoff. Die deportierten Polizisten scien, wie man annehme, nach Stutthof geführt worden,[14] wo auch die dänischen Kommunisten gefangen säßen. Die Polizeistationen in Kopenhagen seien durch dänische und deutsche SS besetzt. Man nehme an, daß das Schalburg-Korps den Grundstein für eine neue Polizei bilden solle.

"Göteborgs Handels- und Seefahrtszeitung" vom 28. September gab eine ausführliche Schilderung der "unmenschlichen Behandlung" durch deutsche Militärkommandanten, welcher die nordjütländischen Städte Hjörring und Brönderslev während der Proteststreiks gegen die Deportierung der dänischen Polizei ausgesetzt waren.[15] Sie seien mehrere Tage völlig von der Außenwelt abgetrennt worden, nachdem man ihnen Gas, Wasser und Elektrizität abgesperrt hätte. Die Frauen seien von den Brunnen, wo sie Wasser holen wollten, vertrieben worden und die Soldaten hätten den Leuten auf der Straße Brot und Milch geraubt. Schließlich sei es einem dänischen Beamten geglückt, durch die Sperre zu schlüpfen und sich mit dem deutschen Hauptquartier in Silkeborg in Verbindung zu setzen. Daraufhin seien die Restriktionen aufgehoben worden und die Leute hätten ihre Arbeit wieder aufgenommen.

2. Hermann von Hanneken an Werner Best 1. Oktober 1944

På baggrund af det intensiverede fæstningsbyggeri øgede von Hanneken presset på Best for at få fremskaffet den ønskede arbejdskraft. Best havde da udarbejdet et udkast til en forordning vedr. byggearbejderne (den kendes ikke), men von Hanneken afviste den og fremsendte sit eget forslag til en forordning, ifølge hvilken Best fik tillagt retten til at gribe ind i eksisterende arbejdsforhold og at flytte arbejdere fra et sted til et andet, gribe ind over for bestemte erhvervsgrupper og at udøve tvang, såfremt forordningen ikke blev fulgt.

En forordning som af von Hanneken foreslået fremkom ikke. Best har kategorisk afvist den, og forhandlingerne mellem dem fortsatte, som det fremgår af von Hanneken til Best 13. oktober.

Kilde: KTB/WB Dänemark 1. oktober 1944, Anlage.

14 Det var ikke tilfældet. De deporterede politifolk kom til andre tyske lejre.

15 En sådan skildring havde forud været bragt i *Information* 27. og 29. september 1944.

Abschrift

F e r n s c h r e i b e n

Herrn Reichsbevollmächtigten Dr. Best, Kopenhagen.

Den dortigen Vorentwurf zur Verordnung betreffen Bauarbeiten der Wehrmacht in Dänemark muß ich ablehnen. Die Beschränkung auf die Bauarbeiter bedeutet Schlechterstellung dieser Berufsgruppe und führt daher zur Abwanderung dieser Arbeiter.

Ich schlage vor, in erster Linie durch Verhandlungen mit den dän. Zentralstellen zu erreichen, daß auf freiwilligem Wege die von der OT für nötig erklärten Umsetzungen von Arbeitskräften herbeigeführt werden. Als eventuelles Druckmittel halte ich in Aussichtstellen allgemeiner Arbeitspflicht nicht für geeignet, da dän. Stellen, um sich der Verantwortung zu entziehen, erfahrungsgemäß vorziehen, daß deutsche Verordnungen ergehen. Es könnte aber in Aussicht gestellt werden und dafür als Ersatz eine entsprechende Anzahl Dänen zwangsweise nach Deutschland verbracht würden.

Scheitern diese Verhandlungen, so schlage ich vor, eine Verordnung etwa folgenden Inhalts zu erlassen:

"1.) Der Reichsbevollmächtigte in Dänemark oder die von ihm beauftragten Stellen können Arbeitsgebern und Arbeitsnehmern die Begründung, Lösung oder Fortsetzung von Arbeitsverhältnissen sowie im Rahmen bestehender Arbeitsverhältnisse Arbeitsleistungen an einem anderen als dem ursprünglichen Arbeitsort innerhalb Dänemarks auferlegen.

Mit der Bekanntgabe der Anordnung an die Beteiligten treten die darin auferlegten arbeitsrechtlichen Folgen ein.

2.) Der Reichsbevollmächtigte kann den Arbeitsämtern und sonstige[n] Stellen, welche Arbeitsverhältnisse nachweisen oder vermitteln verbieten, an der Begründung oder Fortsetzung von Arbeitsverhältnissen in bestimmten Berufsgruppen mitzuwirken. Er kann ihnen auferlegen, einzelnen Personen oder Gruppen nur Arbeitsverhältnisse in bestimmten Berufen nachzuweisen oder zu vermitteln.

3.) Wer Anordnungen, die auf Grund dieser Verordnung ergangen sind zuwider handelt, wird mit Gefängnis und Geldstrafe oder einer dieser Strafen bestraft.

Außerdem können diese Anordnungen durch unmittelbaren Zwang durchgeführt werden."

Diese Verordnung würde die Handhabe geben, um einerseits im Baugewerbe die erforderlichen Umsetzungen vorzunehmen, andererseits Arbeiter aus übersetzten Berufen in Mangelberufe (Baugewerbe und Landwirtschaft) zu überführen. Propagandistisch kann dabei die Landwirtschaft in den Vordergrund geschoben werden.

Ich kann nicht beurteilen, in wie weit die dän. Arbeitsbehörden diese Maßnahmen durchführen können. Äußerstenfalls verbleibt noch der erwähnte Zwangsaustausch von Arbeitern zwischen Deutschland und Dänemark

Gef.St., den 1.10.44.

WB Dän. Ia – Nr. 5746/44 geh.
gez. v. **Hanneken**
General der Inf.

3. Seekriegsleitung an Hans-Heinrich Wurmbach 2. Oktober 1944

Seekriegsleitung gjorde skibsfartsafdelingens indvendinger af 27. september (mod forberedelse af sprængning af havnene i Århus og Ålborg) til sine egne og befalede Wurmbach at forhandle med von Hanneken om at få fjernet sprængladningerne og i stedet få indrettet en organisation, der rettidigt kunne stå for en sprængning.

Se Skl Adm Qu VI til Seekriegsleitung 20. oktober 1944.

Kilde: BArch, Freiburg, RM 7/1812. RA, Danica 628, sp. 7, nr. 5739.

[Seekriegsleitung 1/Skl 29617/44 g K] *Berlin den 2.10.1944*

Geheime Kommandosache

Fernschreiben an 1.) Adm. Skagerrak
nachrichtl.: 2.) MOK Ost Führstb.

– SSD – G.Kdos. –

1.) Zur Frage Sprengungsvorbereitungen Aalborg und Aarhus hatte wie mit 1/Skl. I c 29 217/44 g.Kdos. vom 24.9. übermittelt, OKW den mit 1/Skl. Ic 290303/44 g.Kdos vom 20.9.[16] eingereichten Vorschlag abgelehnt.
2.) Inzwischen hat Skl. Adm. Qu VI darauf hingewiesen,[17] daß durch Anbringen Sprengstoffes in Sprengkammern Häfen stark gefährdet sind, was bei Bedeutung beider Häfen für Versorgung Norwegens und U-Boote Nachschub untragbar sei. Es genüge nach Erfahrungen in anderen Ländern Luftangriff, Blitz, Saboteur oder Unvorsichtigkeit, um Häfen sofort unbrauchbar zu machen, abgesehen von dabei eintretenden Verlusten an Menschen, Material und Schiffen. Sprengstoffe müssen daher aus Sprengkammern wieder entfernt oder durch geeignete Organisation sichergestellt werden, daß Häfen gegebenenfalls trotzdem rechtzeitig gesprengt werden könnten.
3.) Adm. Skagerrak klärt mit WB Dänemark Angelegenheit und meldet Ergebnis Besprechungen.

Seekriegsleitung 1/Skl 29617/44 g K

4. Rüstungsstab Dänemark: Aktenvermerk 2. Oktober 1944

Der blev afholdt et møde hos Rüstungsstab Dänemark med repræsentanter for BMW og Nordværk A/S om vilkårene for afviklingen af samarbejdet. Værdierne skulle fordeles mellem de to virksomheder, ligesom udestående til anden side skulle betales. I den forbindelse skulle kontoen på 2,5 mio. kroner hos Danmarks Nationalbank, der var blevet spærret, søges ophævet hos den danske regering.

Det var BMW, der ønskede samarbejdet ophævet, som Forstmann nævner i sin situationsberetning 31. oktober 1944 (Lundbak 2002).

Kilde: BArch, Freiburg, RW 27/17, KTB Rü Stab Dän 4. Vierteljahr 1944, Anlage (uden nr.).

16 Trods nummerforskellen må det være Seekriegsleitungs skrivelse til OKW/WFSt 20. september trykt ovenfor.

17 Ved skrivelse til Seekriegsleitung 27. september.

Abschrift.
Rüstungsstab Dänemark *Kopenhagen, den 2. Oktober 1944.*

Aktenvermerk
über Besprechung beim Chef Rü Stab Dänemark am 2. Oktober 1944.

Anwesend waren:

Herr Kolk Herr Baller	} BMW-Vertreter
Herr Dir. Lindendahl	Geschäftsführer der Nordvärk A/S
Herr Due-Petersen	Vorstand der Nordvärk A/S
Herr Hamann	Sekretär des Herrn Due-Petersen
Kapitän z.S. Dr. Forstmann	Chef Rü Stab Dänemark
Major Kuhlmann	Rü Stab Dän., Stabsoff. Luftw.

1.) Es herrschte Übereinstimmung darüber, daß alle Umstände dafür sprechen, daß Materialien, die in einer Liste zusammengestellt sind und einen Wert von rd. 20.000,- d.Kr. haben, versehentlich verladen worden sind. Es ist nachträglich die Ausfuhrgenehmigung der dänischen Regierung hierfür einzuholen.
Bei einem geschätzten Einkaufswert des vorhandenen Materials von rd. 750.000,- bis 1.000.000,- D.Kr handelt es sich also um 2 bis 3 % des Einkaufswertes des Gesamtmaterials.
2.) Die Vertreter von BMW schlagen vor, bei der dänischen Regierung zu versuchen, einige Materialien, die ihrer Ansicht nach für die dänische Industrie kein Interesse haben können, zu übernehmen. Hierüber muß mit der dänischen Regierung verhandelt werden. BMW wird eine Liste dieser Materialien mit Wertangabe dem Rü Stab Dän. umgehend einreichen.
3.) Bei der Nationalbank befinden sich auf Sperrkonto rd. 2,5 Mill. D.Kr. zugunsten Nordvärk A/S. Die Nationalbank hat die Auszahlung aus diesem Fonds gesperrt. Da aber Gehälter, Löhne, Werkspolizei, Miete, Schulden an Kreditoren usw. weiter bezahlt werden müssen, muß bei der dänischen Regierung um Freigabe der fälligen Beträge gebeten werden.
4.) Eine neutrale Kommission, bestehend aus einem dänischen Ingenieur und einem dänischen Meister, einem deutschen Meister und einem deutschen Monteur, überwacht das Einpacken der BMW gehörenden Materialien, das sind diejenigen Materialien, die von Deutschland nach Dänemark zur Bewirtschaftung des Werkes eingeführt worden sind.
5.) Es herrscht Einigkeit darüber, daß keinerlei Geschäftsbücher der Nordvärk A/S, weil Eigentum der Gesellschaft, aus Dänemark entfernt werden dürfen. Ebenso ist es selbstverständlich, daß keinerlei Geschäftsbücher vernichtet werden dürfen.
6.) In Zukunft werden – bevor dänische und deutsche Behörden von der einen oder anderen Seite angerufen werden, zunächst Streitpunkte beim Chef Rü Stab Dän. verhandelt.

7.) Am 3.10.44 nachmittags 4 Uhr findet eine Besprechung über die Abwicklung zwischen Nordvärk und BMW bei Herrn Abteilungschef Wassard im Außenministerium statt. An dieser Sitzung werden teilnehmen Dir. Lindendahl, Herr Kolk, Herr Baller, Kapitän Forstmann und Major Kuhlmann.

gez. **Forstmann** gez. **Kolk**
gez. **Kuhlmann** gez. **Baller** gez. **Due-Petersen**
gez. **Lindendahl** gez. **Hamann**

5. Der Reichsminister der Finanzen an OKW 2. Oktober 1944

For RFM var det afgørende at opretholde tilliden til valutaen og alle de statslige foranstaltninger, der sikrede pengeværdien i Danmark. Han støttede derfor tiltag, der sikrede en effektiv priskontrol med værnemagtsbyggerierne, og da de fleste tyske byggerier nu blev foretaget af OT, ønskede han en OT-generalingeniør for Danmark, der skulle have ansvaret for byggeriet og sørge for de rette priser. RFM foreslog også foranstaltninger, der lagde loft over OKWs månedlige udgifter i Danmark, uden at OKW hver gang skulle tage stilling dertil. Dertil kom, at han ville begrænse værnemagtsmedlemmers mulighed for selv at udføre levnedsmidler til Tyskland. Det mindskede den mængde, der var til rådighed for Tyskland og øgede inflationen i Danmark. Det skulle være tilstrækkeligt, hvis den rigsbefuldmægtigede i samarbejde med WB Dänemark udstedte en særforskrift i den sag.

En afskrift af brevet blev sendt til AA (von Behr), RFM (Breyhan), REM (Walter), RRK (Brummer), præsidenterne for Rechnungshof des Deutschen Reiches og OT (Daub).

OKW fulgte op til Wehrmachtsintendant 12. november 1944. Se endvidere Hans Meyer-Böwigs notat 22. november 1944.

Kilde: PA/AA R 105.210. RA, pk. 282 (afskrift). BArch, R 2/30.668 (udat. udkast september 1944).

Abschrift
Der Reichsminister der Finanzen *Berlin W 8, 2. Oktober 1944*
T 5104/1 – 282 V g

Chef des Oberkommandos der Wehrmacht,
z.Hd. von Herrn Oberregierungsrat Dowaldt – o.V.i.A. –
(1) Berlin W 35,
Tirpitzufer 72/76

Steuerung der Geldmittel- und Waren – Bewirtschaftung der deutschen Wehrmacht in Dänemark, unter Bezugnahme auf das Schreiben vom 13. Mai 1944[18] – 3 f 31/3133/44 g /AWA/Ag WV 3 (VIII), sowie auf das Schreiben des Reichsministers für Ernährung und Landwirtschaft vom 5. Juni 1944[19] – V B 4/518 g

Es kann wohl festgestellt werden, daß zwischen allen Ressorts Einigkeit darüber besteht, daß den Fragen der Preis- und Lohngestaltung und der Finanzgebarung in Dänemark gerade in der gegenwärtigen Zeit die größte Bedeutung zukommt, weil es darum geht, ei-

18 Skrivelsen er ikke lokaliseret.
19 Skrivelsen er ikke lokaliseret.

nerseits die militärisch notwendigen Anlagen in Dänemark zu erstellen und zu erhalten, andererseits besonders die landwirtschaftliche Erzeugung und die landwirtschaftliche Lieferung Dänemarks zugunsten der deutschen Kriegswirtschaft zu sichern oder gar zu steigern.[20] Ebenso ist wohl festzustellen, daß die geldliche und preisliche Überwachung der in Dänemark eingesetzten deutschen Firmen bis in die jüngste Zeit unbefriedigend war, und daß in vielen Fällen auch unsere Wehrmachtdienststellen und deutsche Firmen ohne Einhaltung der vereinbarten Vorschriften eigenmächtig Überpreise bezahlt haben. Angesichts des verhältnismäßig kleinen Gebietes, in dem sich diese Wehrmachtskäufe abwickeln, darf die psychologische Auswirkung selbst kleinerer Übertretungen von Wehrmachtangehörigen auf die allgemeine Währungssituation nicht übersehen werden. Das Entscheidende ist die Aufrechterhaltung des Vertrauens in die Währung und in alle staatlichen Maßnahmen, die der Erhaltung des Geldwertes dienen.

Besprechungen in der letzten Zeit dienten der Preisgestaltung und Preisprüfung bei Aufträgen durch die OT und die Wehrmacht und der Devisenzuteilung. Es muß damit gerechnet werden, daß ein ausreichender deutscher Prüferstab nicht zur Verfügung steht. In diesem Falle sollen die deutschen Baufirmen hinsichtlich der Kronenausgaben durch *dänische* Behörden geprüft werden, die als Beauftragte des Reichs auftreten. Da der weitaus überwiegende Teil der Bauten durch die OT-Dienststellen ausgeführt wird, ist es dringend erwünscht, für Dänemark eine von Oslo unabhängige OT-Einsatzstelle durch Ernennung eines Generalingenieurs für Dänemark zu schaffen.[21] Dieser hätte auch die Verantwortung für die richtigen Baupreise und deren Einhaltung und Prüfung zu tragen, und zwar auch, soweit ausnahmsweise noch Bauten durch Truppeneinheiten selbst ausgeführt werden.

Ich lege außerdem besonderen Wert darauf, daß die deutschen und dänischen Baufirmen hinsichtlich der Lohnsteuer laufend und gründlich geprüft werden. Die gerechte und pünktliche Abführung der Steuern auf einem Hauptwirtschaftsgebiet ist eine der wirksamsten Voraussetzungen für eine geordnete Finanzwirtschaft und die Stabilerhaltung der Währung. Die Wehrmachtdienststellen in Dänemark wären anzuweisen, daß gerade in dieser Hinsicht keine unnötigen Schwierigkeiten unter dem Gesichtspunkt der Geheimhaltung gemacht werden.

Die Besatzungskosten in Dänemark, soweit sie der Wehrmacht zugute kommen, hatten im ersten Halbjahr 1944 eine monatliche Höhe von etwa 86 Mio. RM. Der Reichsbevollmächtigte begrüßte im Juni d.J. die Anregung, es möchten zur wirksamen Steuerung der Wehrmachtausgaben die Anforderungen der Besatzungskosten in der Weise stattfinden, daß solche über einen bestimmten Betrag hinaus nur mit besonderer jeweiliger Zustimmung des OKW erfolgen sollten. Ein solches Genehmigungsverfahren kann gegenwärtig auf Schwierigkeiten stoßen, weil es – wenn es wirklich zweckentsprechend durchgeführt werden soll – voraussetzt, daß dem OKW ein Stab zur Verfügung steht, der in der Lage wäre, die Berechtigung der Mehranforderung sofort zu prüfen. An dieser Voraussetzung wird es auch hier schon wegen des Personalmangels fehlen.

20 Se Niederschrift über die Besprechung … 7. juni 1944.

21 Forslaget om en generalingeniør for Danmark blev først fremsat i Preispolitischer Lagebericht 9. maj 1944.

Hinzu kommt, daß wir uns in einem Kriegsstadium befinden, in dem auch die laufenden Ausgaben der Wehrmacht in Dänemark je nach den Truppenverschiebungen sprunghaft steigen oder fallen können, ohne daß durch eine Prüfung daran etwas geändert werden könnte. Da das Schwergewicht der Finanzgebarung, wie oben ausgeführt, auf die Preisdisziplin zu legen ist, sollten die Prüfer, die noch verfügbar sind, auf die auszubauende und einzurichtende Preisprüfung in Dänemark mit angesetzt werden, sei es bei der Wehrmacht, sei es bei der OT. Demgemäß sollte die Sondergenehmigung des OKW nicht für die Überschreitung einer bestimmten Monatssumme, sondern für die Planung größerer Bauvorhaben vorgeschrieben werden. Die Genehmigung des OKW müßte sich alsdann allerdings nicht nur auf die Art der Ausführung, sondern auch auf ihre Finanzierung (Voranschlag und Preis) erstrecken.

Der Reichsminister für Ernährung und Landwirtschaft hat in seinem Schreiben vom 15. Juni 1944[22] auf weitere Maßnahmen hingewiesen, die geeignet sind, die von der Preisseite und von der Bewirtschaftungsseite her drohenden Inflationsgefahren auf dem Gebiet der Wehrmachtausgaben in Dänemark einzudämmen. Er denkt dabei vor allem an den unmittelbaren Aufkauf von bewirtschafteten Lebensmitteln durch Angehörige der Wehrmacht und an deren Ausfuhr nach Deutschland. Daß die hier für die Preisbildung und die Wirtschaftsordnung liegenden Gefahren angesichts des starken Truppenwechsels in Dänemark nicht gering zu veranschlagen sind, dürfte allen Ressorts bekannt sein. Die Konzentrierung aller Kräfte auf die Kriegführung bedingt, daß auch die in Dänemark für die Ausfuhr zur Verfügung stehenden Lebensmittel der *allgemeinen* Versorgung im Reich erhalten bleiben. Aus diesem Grunde ist es m.E. unerläßlich, den Wehrmachtangehörigen in Dänemark über den Wehrsold hinaus alle Kronenmittel zu beschneiden, die eine geregelte Ausfuhr nach Deutschland beeinträchtigen. Der Wehrsold in Dänemark liegt ohnehin mit 25 v.H. über dem im Reich gezahlten Wehrsold. In anderen Gebieten haben wir bereits früher unter dem Druck der Verhältnisse und in der Sorge um die Erhaltung von Wirtschaft und Währung dazu übergehen müssen, die Wehrsoldauszahlung in Devisen weitgehend zu beschränken. Ich trete deshalb, wie ich es schon seit jeher hinsichtlich anderer besetzter Gebiete getan habe, auch bei Dänemark für eine Beseitigung des sogenannten Sondertransfers der Wehrmachtangehörigen ein. Was die Ausfuhr von Waren (Mitnahme, Versendung) betrifft, so hatte der Reichsmarschall des Großdeutschen Reichs, Beauftragter für den Vierjahresplan, bereits in einem Erlaß vom 15. Mai d.J. die Einfuhr von Mehl, Fett und Fleisch aus den besetzten Gebieten verboten. Der Erlaß sollte aber – entgegen der Auffassung des Reichsministers für Ernährung und Landwirtschaft in seinem Schreiben vom 15. Juni – nicht für Dänemark gelten. Inzwischen sind infolge veränderter Lage die Ausführungsbestimmungen zu dem Verbotserlaß nicht in Kraft getreten. Es wäre also im Fall Dänemark denkbar und m.E. ausreichend, wenn der Reichsbevollmächtigte im Einvernehmen mit dem Wehrmachtbefehlshaber wegen der besonderen Lage in Dänemark eine Sondervorschrift über die Ausfuhr von Lebensmitteln erließe.

Ich bitte, in Ergänzung Ihrer bereits herausgegebenen Steuerungserlasse die hier vorgeschlagenen Maßnahmen baldmöglichst anzuordnen und mich darüber zu verständigen.

22 REM skrev 5. og 15. juni 1944.

Das Auswärtige Amt, der Reichsmarschall des Großdeutschen Reichs, Beauftragter für den Vierjahresplan, der Reichswirtschaftsminister, der Reichsminister für Ernährung und Landwirtschaft, der Reichsminister für Rüstung und Kriegsproduktion, der Reichskommissar für die Preisbildung, der Rechnungshof des Deutschen Reichs und das Reichsbankdirektorium haben Abschrift erhalten.

Im Auftrag
gez. **Dr. Litter**

Auswärtiges Amt,
z.Hd. von Herrn Amtsrat Hofrat
Schimpke – o.V.i.A. –
(1) Berlin W 8
Wilhelmstr. 74/76

Abschrift mit der Bitte um Kenntnis

Im Auftrag
gez. **Dr. Litter**

6. Personalreferent des Amtes A im Pers. Stab RFSS: Betr.: SS-Untersturmführer Dr. Karl Kersten 3. Oktober 1944

Før sin indkaldelse fik Karl Kersten lejlighed til at redegøre for sine forhold hos RFSS' personlige stab (Amt A), på hvilket grundlag der blev udarbejdet et notat. Heraf fremgik, at Kersten var blevet formelt udnævnt til direktør for det forhistoriske museum i Kiel, at ledende danske arkæologer var af den opfattelse, at det var meget nødvendigt, at han fortsatte beskyttelsen af danske fortidsminder, og endelig bad han om, i tilfælde af en fjendtlig invasion i Danmark, straks at måtte drage til Schleswig-Holstein for at tage sig af de skjulte museumsskatte.

Notatet må formodes at være gået videre til rette vedkommende (dvs. RFSS) i lighed med den udtalelse om Kerstens virksomhed som sagkyndig i Ahnenerbe, som Sievers udfærdigede 9. oktober 1944.

Kilde: BArch, DS/G 124.

[Personalreferent des Amtes "A" im Pers. Stab RF-SS]

V e r m e r k

Betr.: SS-Untersturmführer (F) Dr. Karl Kersten.

Bevor SS-Untersturmführer (F) Dr. Kersten sich befehlsgemäß bei der Truppe meldete, hatte ich mit ihm eine längere Unterredung. Er machte dabei die Meldung, daß er nunmehr offiziell zum Direktor des Museums vorgeschichtlicher Altertümer in Kiel eingesetzt worden wäre.

Er machte die Mitteilung, daß nochmals der Direktor des Nationalmuseums in Kopenhagen, Dr. Nörlund, und der dortige Abteilungsleiter der vorgeschichtlichen Sammlung, Dr. Mathiasen, es ihm gegenüber ausdrücklich ausgesprochen hätten, er möge dafür Sorge tragen, daß der von ihm eingeleitete Denkmalschutz innerhalb der Wehrmachtsbefestigungsbauten nicht aufhören möge. Das Nationalmuseum könne dieses von sich aus nicht durchsetzen, sondern es wäre unbedingt ein deutscher Sachbearbeiter dafür notwendig, am besten Dr. Kersten selbst.

SS-Unterstuf. Dr. Karl Kersten bittet ferner um folgendes: Im Falle einer Landung feindlicher Kräfte in Dänemark sollte durchgesetzt werden, daß Dr. Kersten sofort für einige Zeit von der Truppe zurückgerufen wird, um die zum größten Teil in Schleswig in Sicherheit gebrachten Museumsschätze des Kieler Museums schnellstens nach Mitteldeutschland in Sicherheit zu bringen. Auf die besondere Wichtigkeit gerade der in Kiel untergebrachten Funde (etwa Nydam, Thorsberg usw.) für die gesamte germanische Vorgeschichte wäre dabei besonders hinzuweisen. Diese Funde sind alle gut in Kisten verpackt. Die Unterbringungsorte weiß zu einem großen Teil nur SS-Unterstuf. Dr. Kersten selbst. Er bittet darum, gegebenenfalls an den Reichsführer-SS heranzutreten, daß er im Fall einer Landung sofort für eine Bergungsaktion freigegeben wird.

Berlin, am 3.10.1944

[underskrift]
SS-Hauptsturmführer

Dr. Sch./Kg.

7. Oberzugführer Strössner: Bericht über die Besprechungen in Aarhus mit Herrn Major Kruse 4. Oktober 1944

Erfaringerne med iværksættelsen af operation "Monsun" blev formidlet til de tyske kommandanter i de større byer af TN-kommandoens leder, Oberzugführer Strössner. Han fik ved en rundrejse meddelelse om, hvad hver enkelt kommandant havde forberedt. Referatet af besøget hos kommandant Kruse i Århus er knapt, men det fremgår, at Kruse forud skriftligt var gjort bekendt med erfaringerne fra København under generalstrejken.

Kruse synes ikke videre begejstret ved udsigten til at gennemføre en operation "Monsun." Strössner vandt større lydhørhed i Odense, se 6. oktober 1944. Se endvidere TN-beretningen 21. november 1944 om "Monsuns" anvendelse i Esbjerg.[23]

Kilde: RA, Danica 1000, T-77, sp. 695.

Aarhus, den 4. Oktober 1944.

B e r i c h t

über die Besprechungen in Aarhus mit Herrn Major Kruse.

Herr Major Kruse war am Mittwoch den 4. Oktober 1944 dienstlich verreist, sodaß ich mich erst am Donnerstag den 5. Oktober 1944 beim Herrn Major melden konnte.

Ich war auf 9.30 Uhr bestellt. Herr Major Kruse erklärte, daß er im Besitze des Erfahrungsberichtes in Buchform vom ca. 10 Seiten von Kopenhagen sei. Für die Abschaltung und Betreuung der Werke hat Herr Major Kruse einen Ing,-Stab eingesetzt, der voll und ganz mit den einzelnen Werken vertraut ist. Die Stillegung der einzelnen

23 Strössner var kommet til Danmark 9. september 1944 sammen med Oberabteilungsleiter der TN Engelbrecht, der skulle være TN-forbindelsesofficer ved BdO i Danmark, samt Bereitschaftsführer der TN Mittelberger og Zugführer der TN, Petersen. Strössner blev udnævnt til TN-forbindelsesofficer 2. november 1944, en udnævnelse der blev ophævet samme dag. Hans efterfølger blev Zugführer Rauh, der ankom 22. november 1944 (BArch, R 70 Dänemark 6, KTB/BdO 27. september og 2. og 22. november 1944).

Werke geschieht somit wie in Kopenhagen der Reihe nach, erst Gas, dann Wasser und zum Schluß die E-Werke. Es sei die Gewähr gegeben, daß die Abschaltung der Werke einwandfrei vor sich geht.

Obgleich ich zuerst die Empfindung hatte, daß Herr Major Kruse sich anfänglich etwas ablehnend verhielt, machte er sich doch wiederholt während meinen techn. Ausführungen Notizen, und ich gewann den Eindruck, daß mein Besuch fruchtbarem Boden fiel.

Strössner
Oberzugführer d. TN

8. Werner Best an das Auswärtige Amt 5. Oktober 1944

Efter en henvendelse fra Nils Svenningsen anbefalede Best, at de deporterede danske politifolk blev overført til en civil interneringslejr. Best begrundede det med hensynet til stemningen hos de deporteredes familier, der for en stor dels vedkommende kom fra landbefolkningen, og med hensynet til mulighederne for at få genopbygget et dansk politi.

Best fik svar fra AA 16. oktober 1944 (Hæstrup, 2, 1966-71, s. 127f.).

Kilde: PA/AA R 101.041. RA, pk. 232.

Telegramm

Kopenhagen, den	5. Oktober 1944	19.15 Uhr
Ankunft, den	5. Oktober 1944	21.00 Uhr

Nr. 1136 vom 5.9.[44.][24] Supercitissime!

Der Direktor des dänischen Außenministeriums Svenningsen hat an mich unter dem 5.10.44 ein Schreiben des folgenden Inhalts gerichtet:

"Dem Außenministerium ist die Mitteilung zugegangen, daß die am 19. September 1944 festgenommenen und nach Deutschland deportierten Polizeibeamten nunmehr in einem Konzentrationslager und zwar im Lager Buchenwald bei Weimar untergebracht sind.

Während die Behandlung von Kriegsgefangenen durch die Internationale Konvention vom 27. Juli 1929 geregelt ist, kann bezüglich der Behandlung von Zivilinternierten auf eine positive völkerrechtliche Vorschrift nicht hingewiesen werden. Nichtsdestoweniger ist es ein sowohl in der Theorie als auch in der Praxis allgemein anerkannter Grundsatz, daß Zivilinternierte mindestens eine ebenso gute Behandlung beanspruchen können, wie die, die den Kriegsgefangenen zuteil wird. Im Artikel 17 des von Internationalen Roten Kreuz ausgearbeiteten Entwurfs für eine Konvention betreffend die Behandlung von Zivilinternierten wird ausdrücklich gesagt, daß die Kriegsgefangenenkonvention hinsichtlich der Zivilinternierten analogisch Anwendung finden soll, sowie,

24 Fejldatering; dokumentet er rettelig fra den 5. oktober.

daß die Behandlung dieser in keinem Fall geringer sein darf als die in der genannten Konvention vorgeschriebene.

Die Deutsche Regierung hat in der Praxis anerkannt, daß Zivilinternierte gemäß der Kriegsgefangenenkonvention zu behandeln sind, vgl. die Zusage die im Juli 1940 der Dänischen Regierung gegeben wurde hinsichtlich der Behandlung einiger britischer und französischer Zivilpersonen, die in Dänemark festgenommen und daraufhin nach einem Interniertenlager in Deutschland überführt worden waren.

Die nach Deutschland deportierten dänischen Polizeibeamten müssen als Zivilinternierte betrachtet werden, und können somit die Behandlung als Kriegsgefangene beanspruchen.

Gegen die Deportation an sich habe ich bereits durch die diesseitige Note vom 22. September 1944 Einspruch erhoben. Im Anschluß daran erhebe ich hierdurch im Namen der dänischen Zentralverwaltung Einspruch dagegen, daß die deportierten Polizeibeamten völkerrechtswidrig in einem Konzentrationslager untergebracht worden sind, und richte die Bitte an Sie, Herr Reichsbevollmächtigter, baldmöglichst veranlassen zu wollen, daß die betreffenden Polizeibeamten in der hoffentlich nur kurzen Zeit bis zu ihrer Rückführung nach Dänemark gemäß der Internationalen Kriegsgefangenenkonvention behandelt werden und daher in einer entsprechenden Unterkunft untergebracht werden."

Ich bitte um Weisung, welche Antwort ich dem dänischen Außenministerium erteilen soll. Da die Behandlung der internierten Polizeibeamten Rückwirkungen sowohl auf den Wiederaufbau einer dänischen Polizei wie auch auf die stimmungsmäßige und politische Haltung der Familien- und Bekanntenkreise der (zum großen Teil aus der Landbevölkerung stammenden) Polizeibeamten hat, halte ich es für erwünscht, daß diese aus dem Konzentrationslager in ein Zivilinterniertenlager überführt werden.

Dr. Best

9. Seekriegsleitung Adm Qu VI an Hans-Heinrich Wurmbach 5. Oktober 1944

Seekriegsleitungs skibsfartsafdeling konstaterede, at Dansk Røde Kors og den danske forvaltning havde nægtet at udruste et lazaretskib. Derfor skulle Wurmbach i forståelse med Best overtage skibet "Prins Olaf" til brug som lazaretskib.

Den 10. oktober 1944 reagerede Best over for AA på dette beslaglæggelsesønske.

Kilde: BArch, Freiburg, RM 7/1813. RA, Danica 628, sp. 7, nr. 5895.

SSD MBEB 15668 5/10 12.05 =
M AÜ = SSD Nachr OKM 1 Skl =

GLTB SSD ADM Skagerrak =
SSD Seetr Chef Skagerrak =
SSD Reichsbevollmächtigter Dänemark =
SSD Nachr OKM 1 Skl =
SSD Nachr OKM Mar Wehr G =

Geheim

Nachdem sich dänisches Rotes Kreuz und dänische Verwaltung weigern, ein Lazarettschiff auszurüsten, wird Adm Skagerrak beauftragt durch Seetransportchef im Einvernehmen mit RB Dr. Best M/S "Prinz Olaf" zu erfassen, da es als Lazarettschiff dringend benötigt wird.

OKM Skl Adm Qu VI 10362/44 geh.

10. Werner Best an das Auswärtige Amt 5. Oktober 1944

Best sendte AA indholdet af et brev, som Nils Svenningsen havde skrevet til ham. Svenningsen frygtede, at de danske grænsegendarmer, der var interneret i Frøslevlejren, ville blive deporteret til Tyskland. Svenningsen bad i stedet om deres frigivelse, og om det ikke kunne overvejes, at de genoptog deres arbejde. Svenningsens brev havde været forelagt HSSPF, der afviste at der kunne blive tale om en løsladelse af gendarmerne. Nu havde Svenningsen været hos Best for at protestere over, at gendarmerne var blevet deporteret til Tyskland. Best var ikke orienteret derom forud, og han bad AA om at få at vide, hvad han skulle svare UM.

Best fik svar fra AA 7. oktober (Hæstrup, 2, 1966.71, s. 128).

Kilde: PA/AA R 101.041. RA, pk. 232.

T e l e g r a m m

Kopenhagen, den	5. Oktober 1944	19.30 Uhr
Ankunft, den	5. Oktober 1944	21.00 Uhr

Nr. 1137 vom 5.10.44. Supercitissime!

Der Direktor des dänischen Außenministeriums, Svenningsen, hat unter dem 28.9.44 ein Schreiben des folgenden Inhalts an mich gerichtet:

"Die deutsche Polizei hat am 19. September 1944 gleichzeitig mit der gegen die dänische Polizei gerichteten Aktion die Grenzgendarmerie entwaffnet und die Gendarmen nach des Lager Fröslev geführt. Es wird befürchtet, daß eine Deportation der Gendarmen beabsichtigt ist.

Die Grenzgendarmerie ist ein Zollbewachungskorps, dessen Aufgabe darin besteht, zu überwachen, daß keine Zollunterschlagungen stattfinden, und den örtlichen Zollbeamten bei der Ausführung ihrer Dienstgeschäfte beizustehen. Die polizeilichen Aufgaben des Korps sind ganz untergeordnet und bestehen hauptsächlich in der Wahrnehmung des Paßkontrolldienstes bei einzelnen Grenzübergängen.

Die Grenze liegt jetzt für Schmuggler und Überläufer offen. Eine baldige Wiederaufnahme der Bewachung der Grenze ist dringend notwendig. Wenn das Gendarmeriekorps nicht sofort entlassen werden kann, um seine Dienste wie früher zu übernehmen, würde das Generaldirektorat für das Zollwesen eine Wiederaufnahme der Bewachung durch eine Reorganisation der Gendarmerie als ein rein ziviles Zollbewachungskorps, einem zivilen Chef unterstellt, für möglich halten. Eine Voraussetzung hierfür ist aber, daß das Korps seine bisherige Mannschaft fortgesetzt zur Verfügung hat, indem nur diese Leute geschult und mit den besonderen zollmäßigen Aufgaben vertraut sind. Es wäre notwendig, daß sämtliche frühere Angehörige des Korps freigelassen werden, weil es nicht möglich sein wird, die erforderliche sachverständige Mannschaft anderweitig zu beschaffen. Ferner wäre es für eine solche Regelung eine Voraussetzung, daß das Korps wie bisher allein den dänischen Zollbehörden ohne deutsche Kontrolle untersteht. Das Korps ist hauptsächlich aus älteren Leuten zusammengesetzt. 2/3 der Mannschaft, d.h. etwa 225 Mann, sind mehr als 45 Jahre, 60 mehr als 50 Jahre alt.

Ich bitte Sie, sich dafür einsetzen zu wollen, daß die befürchtete Deportation der dänischen Grenzgendarmen nicht stattfindet, sondern daß sämtliche Gendarmen entlassen werden. Ferner bitte ich um Mitteilung darüber, ob deutscherseits Bedenken dagegen bestehen, daß die Grenzgendarmen nach ihrer Entlassung ihre Dienste wie bisher wieder aufnehmen können bezw. ob der obenerwähnte Vorschlag zur Reorganisation des Korps als rein ziviles Zollkorps ohne Bewaffnung unter der Leitung eines zivilen Zollchefs angenommen werden kann."

Der Höhere SS- und Polizeiführer hat zu dem Schreiben des dänischen Außenministeriums wie folgt Stellung genommen:

"Bei der Aktion gegen die dänische Polizei wurde auch die Grenzgendarmerie entwaffnet und interniert, weil gerade gegen sie besonders belastendes Material vorlag. Inwieweit Einzelentlassungen aus der Internierung vorgenommen werden können, bedarf noch der weiteren Untersuchung. Im großen und ganzen besteht nach meiner Auffassung keine Möglichkeit, die Grenzgendarmerie wieder freizugeben. Da im übrigen die Zollbeamten an den Grenzübergangsstellen weiterhin belassen worden sind und die übrige Grenze vom deutschen Grenzschutz überwacht wird, besteht auch keine Notwendigkeit, eine derartige Einrichtung von dänischer Seite während des Krieges wieder einzurichten."

Heute hat mich der Direktor des dänischen Außenministeriums angerufen und dagegen protestiert, daß heute die Internierten und bisher im Haftlager Fröslev befindlichen Grenzgendarmen in das Reich deportiert werden. Ich habe erst hierdurch von der Deportation der Grenzgendarmen erfahren. Auf Anfrage ist mir von der deutschen Polizei mitgeteilt worden, daß diese Deportation (es handelt sich um 185 Mann) in Ausführung der früher erteilten Befehle erfolge.

Ich bitte, eine Entscheidung darüber herbeizuführen, ob jetzt – 2½ Wochen nach der Polizeiaktion und nach mehrfacher Erklärung, daß die Aktion abgeschlossen sei – diese Deportation erforderlich ist, und bitte um Weisung, welchen Bescheid ich dem dänischen Außenministerium erteilen soll.

Dr. Best

11. Oberzugführer Strössner: Bericht über Besprechung mit Oberst Schirrmeister 6. Oktober 1944

TN-kommandoens leder, Oberzugführer Strössner, berettede om sit møde med den tyske kommandant i Odense, oberst Schirrmeister, vedrørende forberedelsen af "Monsun". Det fremgår, at både TN og kommandanturen trak på en beretning om erfaringerne i København, modtaget fra kommandanturen i København, men hvis ophav var Rüstungsstab Dänemark. Det fremgår, at det var forbundet med betydelige problemer at aktivere "Monsun" både på grund af det begrænsede antal fagfolk, der var til rådighed, og de problemer af forsyningsmæssig art, også for værnemagten, som lukning af de offentlige værker ville medføre. Schirrmeister udtrykte det håb, at det udsendte opråb i påkommende tilfælde hurtigt ville bringe befolkningen til fornuft.

Se endvidere TN-beretningen 21. november 1944 om "Monsuns" anvendelse i Esbjerg.

Kilde: BArch, Freiburg, RW 19: Wi I E1: Dänemark. RA, Danica 1000, T-77, sp. 695.

Odense, den 6. Oktober 1944.

Bericht
über die Besprechung in Odense mit Herrn Oberst Schirrmeister.

Bei der Besprechung mit dem Herrn Oberst war auch der Adjutant Herr Hauptmann Salek [Salecker?] zugegen.

Herr Oberst erklärte mir, daß auch er einen Bericht über Erfahrungen usw. beim Stillsetzen der Werke durch die höhere Kommandostelle Kopenhagen Citadelle Ia, Herrn Oberstleutnant Löwekorn habe. Herr Oberst las mir den Bericht vor. Es ist derselbe, der auch uns zur Verfügung stand! Herr Oberst erklärte mir später, daß der Bericht vom Rüstungsstab Dänemark stamme![25] Auch Herr Oberst Schirrmeister hat einen kleinen Stab Fachlaute. Auch war Herr Oberst über die Reihenfolge der Abschaltung im Bilde. Nur die zeitliche Durchführung ist in Odense eine andere. Da Herr Oberst nur über sehr wenige Fachkräfte verfügt, begeben sich hier je nach dem ein oder zwei Fachleute gleich mit der Besetzungstruppe in die Werke. Zur Befehlsübermittlung bekommt jeder Besatzungstrupp einen Radfahrer als Melder mit. In Odense dauert dadurch die Stillegung der Werke 20-24 Stunden.

Herr Oberst Schirrmeister hat aber für den Fall der Auslösung des Stichwortes einen Aufruf an die Bevölkerung ausgearbeitet der heute fertig wurde und nun zur Genehmigung weitergeleitet wird. Auch diesem Aufruf las mir Herr Oberst vor. Herr Oberst Schirrmeister will hauptsächlich die Zivilbevölkerung empfindlich in der Bewegungsfreiheit und in ihrem Privatleben treffen und sie dadurch schnell zur Vernunft und Arbeitsaufnahme bringen.

25 Der foreligger et udateret udkast til vejledning til nedlukning af forsyningsvirksomhederne (Allgemeine Richtlinien zum Abschaltung von Gas, Wasser- und Elektrizitätswerken) på 15 sider, sandsynligvis udarbejdet efter juli 1944, som forefindes sammen med bl.a. denne indberetning og den korte indberetning fra Århus. Den er påskrevet BdO Abt. TN, men kan være udarbejdet i Rüstungsstab Dänemarks regi. Det var i Rüstungsstab Dänemarks regi, at der var en særlig interesse for de danske forsyningsvirksomheder fra et tidligt tidspunkt (tilbage til 1939/40). Forstmann havde 26. september 1944 udarbejdet et memorandum om ødelæggelser i Danmark i tilfælde af en tysk tilbagetrækning, der rummer en fortegnelse over gas-, vand- og elektricitetsværker, med en plan for at sætte disse ud af drift, trykt ovenfor.

So soll z.B. jeder Verkehr mit Autos und Fahrrädern nach außerhalb der Stadt völlig gesperrt werden. Sämtliche Waffen, auch Kleinkaliber- und Jagdgewehre müssen längstens innerhalb 2 Stunden nach Verkündigung des Aufrufes gegen Quittung beim Standortältesten oder anderen Dienststellen abgeliefert werden. Die Fenster auf Straßen und Plätzen müssen geschlossen bleiben, auch Kellerfenster. Die Werke werden vollständig stillgelegt, also auch Krankenhäuser und Kühlanlagen, Schlachthaus usw., sowie alle anderen Betriebe. Das Abhalten von Versammlungen ist verboten, es dürfen unter Türen und Hofeinfahrten keine Besprechungen abgehalten werden. Die Kinder sind von der Straße zu entfernen und die Sperrstunde wird möglichst früh gelegt. Während der Sperrzeit darf sich niemand auf der Straße sehen lassen!

Dieser Aufruf soll jetzt sofort nach Genehmigung gedruckt werden und in Verwahrung genommen werden. Auf meine Frage hin, wie Herr Oberst die Bevölkerung verständigen will, wenn die Druckereien nicht mehr arbeiten, erklärte Herr Oberst Schirrmeister, daß er für diesen Zweck einen Lautsprecherwagen hat, der dann sofort eingesetzt wird. Herr Oberst erklärte mit, daß bei einer im Sommer stattgefundenen Stillegung der Betriebe und des Verkehrs die Einwohner auf Rädern in die Umgebung gefahren sind, die Jäger 30-40 an der Zahl, auf die Jagd gingen und die Autos unter dem Vorwand, wichtige Fahrten für den Ausbau des Krankenhauses machen zu müssen, sich der Stillegung entzogen. Die Sägewerke mußten damals in Betrieb bleiben, weil sie für die Holzzerkleinerung für den Generatorbetrieb dieser Wagen arbeiten usw. Es war dadurch kein großer empfindlicher Druck und Zwang eingetreten. Notstromaggregate und Brennstoff, zumal für ca. 8 Tage sind überhaupt nicht vorhanden. Aus diesem Grund hofft Herr Oberst Schirrmeister bei kommenden Aktionen die Bevölkerung durch diesen Aufruf in kürzester Zeit zur Vernunft zu bringen.

+) Herr Oberst ersuchte mich, meiner Dienstelle vorzutragen, ob es nicht zweckmäßig sei, daß eventl. durch Bildmaterial den zur Stillegung der Werke heranzuziehenden Männern der Wehrmacht durch einen Vortrag der einzelnen Fachgruppen, wie Gas und Wasser und E-Werke nochmals alles ins Gedächtnis zurückzuführen sei, um eventl. Fehlgriffe zu vermeiden.

Auch wäre Herr Oberst dankbar, wenn er durch weitere Erfahrungsmitteilungen auf dem laufenden gehalten würde. Zum Abschluß drückte Herr Oberst Schirrmeister mir den Wunsch aus, daß die TN ihn weitgehendst auch in der Folgezeit mit ihren techn. Kenntnissen unterstützen möchte.

+) Dieser Absatz ist auch für Aalborg von größter Wichtigkeit.

[signeret]
(Strössner)
Oberzeugführer d. TN

12. OKW/WFSt an WB Dänemark u.a. 6. Oktober 1944

WFSts transportafdeling beordrede beslaglæggelse af cyklerne i Italien, Holland og Danmark pga. brændstofmangel og for at sikre værnemagtens bevægelighed. I Danmark bestemte den rigsbefuldmægtigede omfanget af beslaglæggelserne (Müller 1999, s. 637, Lauridsen 2006b).

Se Schnurre til Ribbentrop 11. oktober 1944.

Kilde: BArch, Freiburg, RW 4/v. 485.

WFSt/ Qu. 1 (Trsp.) *6.10.1944.*

Geheime Kommandosache
5 Ausfertigungen
1. Ausfertigung.

S S D – F e r n s c h r e i b e n

An 1.) Bev. General d. Dt. Wehrm. in Italien
2.) W. Bfh. Niederlande
3.) W. Bfh. Dänemark
nachr.: 4.) Ob. Südwest
– 5.) Ob. West
– 6.) Chef H Rüst u. BdE.

Betr.: Beschlagnahme von Fahrrädern.

Treibstoff- und Kfz,-Lage erfordern, daß zur behelfsmäßigen Beweglichmachung von Verbänden weitgehendst Fahrräder verwendet werden.

Bev. General Italien und W. Bfh. Niederlande und Dänemark leiten zu ihrer Beschaffung umgehend mit zuständigen zivilen Dienststellen Erfassung und Abtransport aller gängigen Markenräder und Ersatzteile bei Handel und gesamter Zivilbevölkerung ein. Rücksicht ist nur auf Arbeiter in kriegswichtigen Betrieben zu nehmen. In Dänemark bestimmt Reichsbevollmächtigter in diesem Rahmen Umfang und Verfahren der Beschlagnahme.

OKW/WFSt/Org wird Angaben über weitere Verwendung der sichergestellten Räder geben, Anzahl ist dorthin zu melden.

I.A. gez.
Fhr. v. Buttlar
OKW/WFSt/Qu. 1 (Trsp.)
Nr. 0012010/44 g.Kdos.

Nach Abgang:

Org. 1. Ausf.
Org. F 2. –
Op (H) 3. –
Ic/Ktb. 4. –
Qu. (Entw.) 5. – zgl. FS.

13. Otto Bovensiepen: Berichte aus Dänemark 6. Oktober 1944

Hvornår Bovensiepen begyndte at udarbejde sine beretninger og senere meddelelser fra Danmark på grundlag af stemningsberettere og pressen er uvist. Rimeligvis har han gjort det fra sin ankomst, blot med ændret form og overskrift undervejs for endelig at nå frem til den form med faste punkter, som i øvrigt af RSHA blev benyttet ved udarbejdelse af informationsmateriale fra de besatte lande og fra Tyskland selv. Der foreligger bl.a. fra Norge fra et langt tidligere tidspunkt "Meldungen" på 40-60 sider udarbejdet hver 10.-14. dag, der gav et omfattende overblik over den politiske udvikling i landet, som gjorde det muligt for den tyske ledelse i Berlin at følge med (Boberach 1965 og 1984, Bohn 2000, s. 90, Wildt 2003, s. 383).

Indholdets kvalitet ufortalt har beretninger som denne af Bovensiepen i lige så høj grad været et beskedent led i magtkampen mellem Best og Pancke/Bovensiepen, som den har skullet orientere rigsledelsen om stemningen i den danske befolkning. Best, som var den første til at modtage beretningen, kunne bl.a. her som noget af det sidste i beretningen læse, at rygtet ville vide, at han ville blive afløst af Pancke. Det var ikke tilfældigt, at netop dette rygte blev udvalgt. Det var også en måde at føre magtkamp på.[26]

For videreførelsen af denne type indberetning, se Best til AA 22. november.

Af nedenstående "Berichte aus Dänemark" er kun del 1 lokaliseret.

Kilde: BArch, R 58/875. RA, Danica 201, pk. 82, læg 1112. RA, Danica 1069, sp. 12, nr. 15.833-839. EUHK, nr. 142 (uddrag).

Der Befehlshaber des Sicherheitspolizei und des SD in Dänemark

Berichte aus Dänemark

1.) Meldungen über die Entwicklung der öffentlicher Meinungsbildung.
Allgemeine Stimmung und Haltung der Bevölkerung
2.) Politische und wirtschaftliche Meldungen

vom [ulæseligt]

Verteiler:

1.) Reichsbevollmächtigter SS-Obergruppenführer Dr. Best
2.) Höhere SS- und Polizeiführer SS-Obergruppenführer Pancke
3.) BdS
4.) Reichssicherheitshauptamt, Amt III A 4
5.) – Amt III B 5
6.) – Amt III C 4
7.) – Amt III D W
8.) – Amt III D 1
9.) – Amt III D 2
10.) – Amt III D 3
11.) – Amt III D 4
12.) – Amt III D 5
13.) – Amt IV D 4

26 Ole Kiilerich skriver i Outze, 4, 1962-68, s. 350f. at Bovensiepens rapporter til Berlin var både "hjerteligere" og mere åbne end Bests og Panckes, og at han havde pustet til ilden i Kaltenbrunners kontorer og havde opnået at få flere og flere beføjelser. De fåtallige rapporter og indberetninger, der kendes fra Bovensiepen (og er trykt her) rummer ingen hjertelighed, og da der tillige slet ingen rapporter foreligger fra Pancke, savner Kiilerichs fremstilling ethvert samtidigt grundlag.

14.) Befehlshaber der Sipo und des SD in Norwegen
15.) Abt. IV, im Hause
16.) SD-Außenstelle Aalborg
17.) SD-Außenstelle Aarhus
18.) SD-Außenstelle Apenrade
19.) SD-Außenstelle Kolding
20.) SD-Außenstelle Kopenhagen
21.) SD-Außenstelle Odense

III C 4 *Kopenhagen, den 6. Oktober 1944*
Pe/Je

Betrifft: Meldungen zur Entwicklung der öffentlichen Meinungsbildung. Stimmung und Haltung der Bevölkerung in Dänemark.

Berichterstatter: SS-Untersturmführer Perl.

Die dänische Presse wird weiterhin von den Ereignissen an der Westfront beherrscht. Alle Berichte und Meldungen weisen auf den zu erwartenden entscheidenden Sturmlauf der Anglo-Amerikaner gegen den Westwall hin. Auf beiden Seiten seien gewaltige Aufmärsche erfolgt, die "gigantische Schlachten" erwarten ließen. Meistens handelt es sich um Meldungen aus Berlin. Eine eigene Stellungnahme bringt lediglich "Fädrelandet", das betont, daß die Initiative jetzt an Deutschland übergegangen und die deutsche Front im Westen nach vielen Krisen wieder stabilisiert sei. Gleichzeitig wird in fast allen Blättern hervorgehoben, die Alliierten hätten nach englischen Aussagen nur noch 14 Tage Zeit, wenn sie den Krieg noch in diesem Jahre gewinnen wollten. Regen und Nebel des Herbstes machten größere Luftoperationen unmöglich. Sie allein seien bisher ausschlaggebend gewesen für die Erfolge unserer Gegner. Es sei nicht damit zu rechnen, daß in den nächsten 14 Tagen die Entscheidung falle, vielmehr würde die augenblickliche Linie der Westfront während des bevorstehenden Winters gehalten werden. Im ähnlichen Sinne berichten die beiden jütländischen Blätter "Folket" und "Himmerland." In Verbindung mit der Westfront wurde die Rede Dr. Goebbels in Westdeutschland von vielen Zeitungen am 5.10.44 gut sichtbar gebracht. Allerdings mußte man aus der Art der Berichterstattung vereinzelt entnehmen, daß Deutschland sich auf Partisanenkämpfe im eigenen Lande vorbereite.

Die Berichte über die *Kämpfe an der Ostfront und auf dem Balkan* stehen hinter den Ereignissen im Westen zurück. Eine Ausnahme macht die *Niederwerfung des Aufruhrs in Warschau.*

In den übernommenen deutschen Berichten wurde hervorgehoben, daß rund 250.000 Einwohner getötet und 85 % der Stadt zerstört wurden.

Die letzte *Rede Churchills* wurde in einer Form gebracht, die sich stimmungsmäßig günstig für Deutschland auswirkte. In allen Überschriften wurde betont, daß Churchill das Kriegende nicht vor Frühjahr 1945 erwarte.

Durch die große Aufmachung der Mitteilungen über die *alliierten Kommandounter-*

nehmen gegen die dalmatinischen Inseln entstand allgemein der Eindruck, die Alliierten hätten eine neue Invasionsfront geschaffen. Die Enttäuschung in der Bevölkerung war groß, als die Presse am anderen Tage (30.9.44) – allerdings in bescheidener Form – die Mitteilung brachte, daß es sich nur um Kommandounternehmen und nicht um eine Invasion handele.[27] *Die innerpolitische Lage* fand in der Presse durch verschiedene Berichte über Aufstellung von Wachkorps und Selbstschutz der Bevölkerung gute Beachtung. Das Attentat auf die Aarhus-Halle in Aarhus, wobei 5 Personen getötet wurden, erregte großes Aufsehen und löste eine starke Empörung aus. Die Zeitungen brachten in den Überschriften ihre Abscheu gegen derartige Attentate zum Ausdruck.[28] Schließlich schrieben die Zeitungen mit großem Eifer über den seit Wochen andauernden *Bunkerstreik in Kopenhagen*, wobei sich alle für eine baldige Beendigung entsetzen.[29]

In der Beurteilung der militärischen Lage ist bei der Bevölkerung eine Änderung nicht unwesentlicher Art eingetreten. Man glaubt heute nicht mehr, daß der Krieg in wenigen Tagen oder Wochen zu Ende ist, sondern rechnest damit, daß der Krieg noch mindestens ein halbes Jahr und vielleicht noch länger dauern kann. Nach wie vor ist man jedoch davon überzeugt, daß Deutschland diesen Krieg verlieren wird. Schwere und blutige Kämpfe ständen noch bevor, die Alliierten Deutschland endgültig geschlagen hätten. Schuld an diesem Stimmungsumschwung ist in erster Linie die Rede des Premierministers Churchill und die auch von dänischer Seite anerkannte Stabilisierung der Fronten, vor allem im Westen. Die Churchill-Rede bedeutete für die Masse der Bevölkerung eine große Enttäuschung.

Vor allem die Tatsache, daß Churchill einen neuen Kriegswinter prophezeite, stimmte die Dänen nachdenklich. Einwände besonders radikaler Elemente, daß auch der Führer und andere deutsche Persönlichkeiten sich in ihren Voraussagen geirrt hätten, wurde mit der Behauptung abgetan, daß dies keine Entschuldigung für Churchill sei. Man befürchtet nunmehr *den Einsatz deutscher Vergeltungswaffen im kommenden Winter* und damit eine weitere Hinauszögerung des Kriegsendes.

Die deutschen militärischen Erfolge gegen die englischen Luftlandetruppen in Westholland sind bei der hiesigen Bevölkerung nicht ohne Eindruck geblieben.

Der Vordringen der Roten Armee im baltischen Raum wird in bäuerlichen Kreisen mit großer Sorge betrachtet. Auch Finnlands Lage wird lebhaft erörtert, trotzdem in den Zeitungen kaum noch auf die dortigen Ereignisse eingegangen wird.

Die Niederschlagung des Aufruhrs in Warschau hat vielen Dänen zu denken gegeben. Deutschland sei doch noch stark genug, um Aufstände niederzuhalten.

Die *Polizeifragen* und das Problem der *Sabotage und des Terrors* interessieren die Bevölkerung auch weiterhin. Nach den Sprengungen in Aarhus ist ein zunehmender Haß gegen alles Deutsche festzustellen. Allgemein heißt es, daß die Deutschen ihre Hand im Spiele hätten, oder zumindestens die Sabotage auf "Schalburgtage" zurückführen sei. Nachdem die dänische Polizei außer Funktion gesetzt sei, benutze man deutscherseits die Gelegenheit, das dänische Volk zu provozieren und zu unüberlegten Handlungen

27 Allierede luftlandetropper var 27. september blevet landsat på øer ved den dalmatiske kyst.
28 Det var Peter-gruppen, der schalburgterede Århus-hallen 1. oktober (Bøgh 2004, s. 156-158, tillæg 3 her).
29 Arbejderne ved opførelse af cementbunkers i København havde strejket siden 24. august.

hinzureißen. Man werde aber den Deutschen nicht die Möglichkeit geben, mit noch schärferen Maßnahmen vorzugehen, sondern man werde die Anweisungen der Illegalen befolgen, um im gegebenen Augenblick gemeinsam mit den Alliierten die Deutschen aus dem Lande zu vertreiben. Die letzten deutschen Maßnahmen – so ist die Meinung eines großen Teile der dänischen Bevölkerung – seien nur dazu angetan, den *Haß gegen die Deutschen* zu verstärken und Personen, die sich bisher loyal verhielten, den Illegalen in die Arme zu treiben.

Vor allen Dingen würde mancher dänische Polizeibeamte durch die Verhältnisse gezwungen, sich den Saboteuren anzuschließen. Die von der Deutschen Sicherheitspolizei durchgeführten Großrazzien gegen asoziale Elemente haben der Bevölkerung imponiert.[30] Es sei unbedingt an der Zeit gewesen, mit diesen Menschen, die sich außerhalb des Rechts gestellt hätten, aufzuräumen. Der Hinweis, daß die Berufsverbrecher nach Deutschland transportiert werden, wurde ohne Stellungnahme zur Kenntnis genommen.

Fast allgemein – zum Teil auch in deutschfreundlichen Kreisen – beklagt man sich über die *von Tag zu Tag zunehmende Rechtsunsicherheit.* Dieser gesetzlose Zustand dürfe auf keinen Fall zu einem Dauerzustand werden. Viele Dänen meinen, daß diese Änderung schon in allernächster Zeit durch die Alliierten erfolgen wurde.

Die neue *Verordnung über das Verbot des Waffentragens* und die Bestrafung des Waffenbesitzes mit dem Tode wird nicht ernst genommen.[31] Viele Dänen, besonders jüngere Männer, befänden sich noch im Besitze von Waffen. In der letzten Zeit seien auch einige von ihren festgenommen worden. Eine Erschießung sei aber nicht erfolgt, wahrscheinlich aus Angst, weil die Illegalen sich sofort revanchieren würden.

Gerüchte

In Kopenhagen läuft das Gerüchte um, daß der Höhere SS- und Polizeiführer Pancke in Berlin versucht habe, 40.000 Mann Elitetruppen zur Klärung der Situation in Dänemark zu bekommen. Dieser Bitte sei aber nicht entsprochen worden, nur 300 Mann seien in Dänemark angekommen.[32]

In vielen Städten des Landes wird behauptet, die Deutschen wollten einen "Reichsrat" aufstellen. Dieser stelle die einzige dänische Behörde das, die für die Deutschen maßgebend sein soll. Die Zusammensetzung des Rates erfolge aus Schalburg- und DNSAP-Männern. Der Reichsrat erhielte gleichzeitig ein unbeschränktes Verfügungsrecht über die dänischen Nachrichtenmittel, Presse und Rundfunk.

Auch eine Aufstellung einer neuen Polizei aus Schalburg-Männern und dänischen SS-Freiwilligen stünde bevor.

30 Aktionerne mod de såkaldt "asociale" var begyndt 27. september (jfr. Alkil, 2, 1945-46, s. 903, Lundtofte 2003, s. 181-185, Tresoglavic 2009, s. 146ff.).

31 Pancke havde 27. september ladet udsende en meddelelse om, at våben og ammunition af enhver art skulle afleveres (trykt hos Alkil, 2. 1945-46, s. 903).

32 Ankomsten af flere tyske politistyrker lader sig bekræfte. Muligvis var rygterne forårsaget af, at der i september var dannet en ny politivagtbataljon "Danmark" ved en sammenlægning af gendarmeri- og politistyrker, som ankom til København 27. september. Endvidere ankom der frem til 5. oktober 152 mand, der blev tildelt II. Pol. Wachbatl. og 7. oktober ankom 200 mand fra en politiuddannelsesafdeling til København, som straks tog videre til Horserødlejren og opslog kvarter der (BArch, R 70 Dänemark 6, KTB/BdO anf. dato, Neufeldt, Huck og Tessin 1957, s. 82).

In Kopenhagen geht nach wie vor das Gerücht um, der Reichbevollmächtigte Dr. Best werden aus Dänemark abberufen. Sein Nachfolger sei SS-Obergruppenführer Pancke.

Die deutschen Behörden, so wird behauptet, hätten einige der neuaufgestellten Wachkorps verboten, u.a. in Charlottenlund. Eine Erklärung, warum dies deutscherseits getan wurde, findet man nicht.

gez. **Bovensiepen**
SS-Standartenführer

F.d.R.

14. Das Auswärtige Amt an die Volksdeutsche Mittelstelle 6. Oktober 1944

Efter de indhentede udtalelser, sammenfattet af Wagner 25. september, tilsluttede Ribbentrop sig næsten ordret Inland IIs indstilling, hvorefter Thadden kunne meddele VOMI resultatet: Det tyske mindretal i Danmark skulle ikke evakueres ved en invasion.

Kilde: RA, pk. 232. PKB, 14, nr. 132 (udkast). ADAP/E, 8, nr. 264.

Berlin, den 6. Oktober 1944

z.Hd. von SS-Hstuf. Dr. Sichelschmidt
Auf das Schreiben vom 11. 9. — Az IX/16/11/25/Dr. Si/Hk.[33]

Der Herr Reichsaußenminister hat in Übereinstimmung mit dem Reichsbevollmächtigten in Kopenhagen dahin entschieden, daß im Falle einer feindlichen Invasion in Jütland der überwiegende Teil der deutschen Bevölkerung in Nordschleswig entsprechend dem Standpunkt des Volksgruppenführers Dr. Möller an Ort und Stelle verbleiben kann und nur einige exponierte Familien, die den Wunsch dazu äußern, ins Reich zurückgeführt werden.

Maßgebend für diese Entscheidung war insbesondere, daß

1.) durch einen Abzug der deutschen Bevölkerung ohne entscheidende Gefährdung alter deutscher Volksboden aufgegeben würde und voraussichtlich dann schwer wiederzugewinnen wäre;
2.) bei einer etwaigen Rückkehr die Volksdeutschen sich den Dänen gegenüber in einer moralisch schwachen Position befinden würden;
3.) eine zusätzliche Belastung der Bahnen und Straßen vom Wehrmachtbefehlshaber Dänemark nicht für tragbar gehalten wird und außerdem die Angehörigen der Volksgruppe für Zwecke der Wehrmacht eingesetzt werden sollen.

Es wird gebeten, das Erforderliche zu veranlassen.

Im Auftrag
v. Thadden

33 Skrivelsen fra VOMI er indeholdt i Horst Wagners telegram til Best 14. september 1944.

15. Horst Wagner an Werner Best [6.] Oktober 1944

Behandlingen af de deporterede danske politifolk blev forhandlet mellem Steengracht og Kaltenbrunner. RSHA var indstillet på, som ønsket af AA, at politifolkene skulle behandles som krigsfanger, og at overførslen til Buchenwald kun var midlertidig.

Dokumentet er med håndskrift påført: "Cessat." (dvs. bortfalder), men giver udtryk for de rådende holdninger, som kom til udtryk i telegram nr. 2218, 16. oktober 1944. Det her bragte telegram er muligvis et udkast til det senere afsendte telegram.

Kilde: PA/AA R 101.041. RA, pk. 232. PKB, 13, nr. 785.

F e r n s c h r e i b e n

St. S.
Akt. Z. Inl. II g — *Berlin, den ... Okt. 1944.*

Diplogerma Kopenhagen
Nr. ...
Referent: VR Dr. Sonnenhol.
Betreff: Behandlung dänischer Polizeibeamter in Deutschland.

Auf Telegramm Nr. 1136 vom 5.10.[34]

Die Frage der Behandlung der nach Deutschland verbrachten dänischen Polizeibeamten ist vom Herrn Staatssekretär mit SS-Obergruppenführer Kaltenbrunner besprochen worden. Kaltenbrunner teilte mit, es sei von vornherein beabsichtigt gewesen, die Polizeibeamten als Kriegsgefangene zu behandeln. Die vorläufige Unterbringung im Konzentrationslager Buchenwald sei lediglich aus Unterbringungsschwierigkeiten erfolgt. Sie seien bereits aus dem eigentlichen Konzentrationslager in Buchenwald herausgenommen worden und würden nicht als KZ-Häftlinge, sondern als Kriegsgefangene behandelt. Letzteres trifft ebenfalls auf die Grenzgendarmen zu. Obergruppenführer Kaltenbrunner hat an seine nachgeordneten Stellen die Weisung gegeben, in dieser Frage den Wünschen des Auswärtigen Amts weitestgehend entgegenzukommen.

Wagner

16. Joachim von Ribbentrop an Horst Wagner 7. Oktober 1944

AA støttede Best i ønsket om, at de deporterede danske politifolk blev overført til en civil interneringslejr, men det fremgår, at afgørelsen alene var RSHAs. Ribbentrop kunne kun bede om at blive orienteret om svaret fra RSHA.

Kilde: RA, pk. 232. PKB, 13, nr. 784.

Büro RAM — zu Inl. II 2169 g
Betr.: Deportierte dänische Polizeibeamte.

Der Herr RAM bittet Sie, der zuständigen SS-Stelle Kenntnis von dem Inhalt des Telegramms aus Kopenhagen Nr. 1136 vom 5.10.[35] zu geben und dabei zu fragen, ob die

34 Trykt ovenfor.
35 Trykt ovenfor.

Möglichkeit besteht, daß die nach Deutschland deportierten dänischen Polizeibeamten aus dem Konzentrationslager in ein Zivilinterniertenlager überführt werden. Der Herr RAM bittet Sie, hierbei seinen Wunsch zu betonen, daß die Frage der Überführung in ein Interniertenlager baldigst geprüft wird.

Der Herr RAM bittet darüber unterrichtet zu werden, was für einen Bescheid die SS erteilt.

"Westfalen," den 7. Oktober 1944

Brenner

17. Horst Wagner an Werner Best 7. Oktober 1944

Best blev orienteret om, hvordan det tyske mindretal skulle forholde sig ved en invasion, og Best blev bedt om at orientere mindretallets leder Jens Møller.

Kilde: PA/AA R 100.944.

Telegramm

Berlin, den 7. Oktober 1944

Diplogerma Kopenhagen Nr. 1160.
Referent: LR Dr. Reichel
Betreff: Evakuierung Nordschleswig.

Auf Nr. 1090 vom 15.9. und S 11 vom 18.9.[36]

Reichsaußenminister hat entschieden, daß im Falle feindlicher Invasion in Jütland überwiegender Teil deutscher Bevölkerung Nordschleswigs an Ort und Stelle verbleiben kann und nur einige exponierte Familien, die Wunsch dazu äußert, ins Reich rückgeführt werden. Maßgebend für Entscheidung war neben Argumenten Wehrmachtsbefehlshabers, daß durch Abzug deutscher Bevölkerung ohne entscheidende Gefährdung alter deutscher Volksboden aufgegeben und voraussichtlich dann schwer wiederzugewinnen wäre, sowie daß bei etwaiger Rückkehr Volksdeutsche sich Dänen gegenüber in moralisch schwacher Position befinden würden.

Bitte Volksgruppenführer Dr. Möller entsprechend zu verständigen.

Wagner

36 Begge trykt ovenfor.

18. Wilhelm Keitel an Herbert Backe 8. Oktober 1944

Keitel meddelte REM, at der hverken var befalet eller gennemført tvangsudskrivning af danske arbejdere til fæstningsbyggeri.

Hvordan denne formodning var opstået, vides ikke, men der foreligger den mulighed, at Best havde udtrykt den bekymring over for Walter i REM, at det kunne komme dertil, for dermed at fremkalde det dementi, som Keitel leverede. Walter og Best arbejdede ved denne tid tæt sammen for at afbøde skadevirkningerne af deportationen af dansk politi. Se Walter til AA 9. oktober 1944.

Kilde: KTB/OKW, 4:1, s. 927.

[...]

Am 8.10. teilte der Chef OKW dem Reichsminister für Ernährung und Landwirtschaft mit, eine Zwangsaushebung von dänischen Arbeitskräften für den Stellungsbau, sei weder befohlen noch durchgeführt; dagegen würden auf dem Wege der freien Arbeitsvermittlung zur Zeit 9.000 dänische Arbeiter angenommen.

[...]

19. Axel Walter an das Auswärtige Amt 9. Oktober 1944

Forud for de tysk-danske regeringsudvalgsforhandlinger havde Walter haft en samtale med Nils Svenningsen og M. Wassard. De havde begge især talt om de tilbageslag, som de danske leverancer til Tyskland, især landbrugseksporten, ville komme ud for i kraft af politiaktionen. For øjeblikket var der ikke tale om en produktionstilbagegang, men en sådan kunne indtræde, hvis ikke der skete en vidtgående ophævelse af de tyske foranstaltninger. Det gjaldt specielt på transportområdet, hvor transportmulighederne var blevet betydeligt indskrænket og besværliggjort. Fra dansk side havde man forståelse for, at der blev grebet ind over for danske politifolk, der havde begået illegale handlinger, men det store flertal havde ikke gjort noget. Fra dansk side foreslog man derfor, at de belastede politimænd blev interneret i Danmark og de andre straks frigivet. Der kunne kun dannes et nyt dansk politi, hvis det skete. Walter havde ikke diskuteret dette, men lovet at videregive de danske synspunkter.

Dernæst gav Walter sin egen vurdering videre: Han var bekymret for, om den danske eksport til Tyskland kunne opretholdes på det hidtidige niveau og pegede på de nye tyske foranstaltninger som årsag dertil. Hvis ikke disse forholdsregler grundlæggende blev revideret, betragtede Walter det som sin tjenestepligt indtrængende at råde til, at de fremtidige tyske ernæringsrationer blev sat ned, da importmulighederne fra Danmark på ingen måde kunne anses for sikre. Walter opfordrede derfor stærkt til, at de under den såkaldte politimæssige undtagelsestilstand indførte trafikbegrænsninger straks blev ophævet. Walter stillede spørgsmålet, om det tyske politi i Danmark var klar over betydningen af den danske landbrugseksport. Sluttelig anbefalede han, at hans skrivelse blev sendt til REM og RWM.

Når Best stod som "medunderskriver", hang det formelt sammen med, at Walters meddelelse blev sendt over gesandtskabets fjernskriver, men reelt var Bests interesse deri, at han, som set i andre tilfælde, fik sine egne synspunkter viderebragt gennem en anden. Walter forklarede 1947 under sagen mod Best, at skrivelsen var gået til Best for at blive kontrasigneret af denne. Da Walter ca. otte dage efter var i Berlin, kunne han imidlertid fastslå, at telegrammet ikke var ankommet i AA, hvorfor han foreviste en kopi af telegrammet og fik udvirket, at der fandt en konference sted i Berlin med dansk politi på dagsordenen (konferencen i AA 30. oktober 1944, se nedenfor). Han kunne kun tænke sig, at det var Best, der havde holdt telegrammet tilbage, selv om det ikke kunne udelukkes, at det var gået tabt. Walters forklaring stemmer ikke med, at telegrammet er registreret modtaget i AA 9. oktober 1944 kl. 23, og ej heller stemmer det, at det var Walter, der tog initiativet til det omtalte møde i AA. Der er også en åbenlys forklaring på uoverensstemmelserne mellem Walters senere forklaring og det samtidige materiale, nemlig at Walter 1947 var et vidne, der helt igennem var Best fjendtligt stemt. I dette tilfælde ville han få det til at se ud som, at Best ikke gik ind for at få de deporterede danske politifolk tilbageført (Walters forklaring 11. juni 1947 (LAK, Best-sagen), Rosengreen 1982, s. 137).

Kilde: PA/AA R 101.041. RA, pk. 228. LAK, Best-sagen (afskrift).

Telegramm

Kopenhagen, den	9. Oktober 1944	20.30 Uhr
Ankunft, den	9. Oktober 1944	23.00 Uhr

Nr. 1151 vom 9.10.44.

Eilt sehr
Geheime Reichssache.

1.) Vor Beginn der Regierungsausschußverhandlungen habe ich Gelegenheit zu eingehender Aussprache mit Direktor Svenningsen und Abteilungschef Wassard vom dänischen Außenministerium gehabt. Beide Herren erörterten dabei besonders die Frage, ob und welche Rückwirkungen die letzte deutsche Polizeiaktion auf die Produktions- und Lieferwilligkeit der dänischen Wirtschaft, insbesondere der Landwirtschaft, haben würde. Sie erklärten, daß im Augenblick von einem erkennbaren Produktionsrückgang aus natürlichen Gründen zwar noch nicht gesprochen werden könne, zumal man im dänischen Volk die Entwicklung in der nächsten Zeit abwarte, die nach dänischer Auffassung nur in einer weitgehenden Rückgängigmachung der deutschen Maßnahmen bestehen könne. Man dürfe sich deutscherseits aber nicht darüber täuschen, daß die englische Rundfunkpropaganda, nichts für Deutschland zu produzieren und damit den Krieg nicht zu verlängern, dann sehr schnell und wirkungsvoll Raum gewinnen werde, wenn die Polizeifrage nicht schnell und positiv gelöst werden würde. Von einer allgemeinen und gar zentral geleiteten Propaganda im Sinne einer Produktionsbeschränkung könne zur Zeit noch nicht gesprochen werden.

Es sei völlig falsch, etwa zu glauben, bei einer aus sogenannten nationalen Gründen einsetzenden stärkeren unterirdischen Propaganda gegen Beibehaltung der jetzigen landwirtschaftlichen Erzeugung durch höhere Preise die Landwirtschaft bestimmen zu können, ihren gegenwärtigen Produktions- und Lieferwillen aufrecht erhalten zu können. Die Landwirtschaft würde sich – wenn es zu Preiserhöhungen käme – den Unwillen und die Empörung der gesamten dänischen Bevölkerung zuziehen. Das werde sie umsoweniger auf sich nehmen, als sie infolge der zunehmenden Warenknappheit irgendwelche wirklichen Vorteile von den Preiserhöhungen nicht erwarte. Das Zerschlagen der dänischen Polizei habe zu einer weitgehenden Zerstörung der Verwaltungsexekutive auch auf wirtschaftlichem Gebiet geführt. Es gäbe z.B. keine Krisenpolizei mehr, die Preise-, Löhne-, Handel-, Rationierungsbestimmungen usw. überwachen könne. Infolgedessen sei mit baldigen unkontrollierten Preissteigerungen, Lohnerhöhungen und mit einem sehr schnellen Zunehmen des Schwarzhandels zu rechnen. Alles dieses gehe weitgehend zu Lasten Deutschlands. Die dänische Zentralverwaltung habe auch auf wirtschaftlichem Gebiet keine Möglichkeit mehr, die Durchführung der getroffenen Maßnahmen sicherzustellen. Ruhe und Ordnung auch auf dem Wirtschaftsgebiete seien deshalb auf das Schwerste gefährdet.

Die aus Anlaß der Verhängung des polizeilichen Ausnahmezustandes getroffenen deutschen Maßnahmen auf wirtschaftlichem Gebiet, insbesondere auf dem Verkehrsgebiet, seien auf die Dauer untragbar und hätten schon jetzt zu Schädigungen geführt, die keineswegs oder auch nur in erster Linie Dänemark beträfen. Nicht nur der Verkehr mit Braunkohle und Torf, die weitgehend für die Landwirtschaft, aber auch für die für Deutschland arbeitenden industriellen Betriebe bestimmt seien, sei durch die den Lastkraftwagenverkehr einengenden Beschränkungen stark behindert, sondern auch der Verkehr mit landwirtschaftlichen Erzeugnissen. Wenn der Bauer seine Milch, Rinder, Schweine usw. wegen der künstlich geschaffenen Verkehrsschwierigkeiten nicht rechtzeitig los werden könne, müsse er zu der Auffassung kommen, daß Deutschland diese Erzeugnisse gar nicht haben wolle, daß also deutscherseits eine Erzeugung in dem bisherigen Umfange nicht mehr für notwendig gehalten werde.

Zusammenfassend erklärte Svenningsen, man habe dänischerseits Verständnis, wenn einzelne Polizisten, denen man deutscherseits illegale Handlungen vorwerfen könne, festgehalten blieben, man sei aber dänischerseits der Auffassung, daß der großen Mehrzahl der Polizisten keine illegale Haltung vorgeworfen werden könne. Man schlage dänischerseits vor, die wirklich belasteten Polizisten in Dänemark zu internieren, alle anderen aber, denen nichts vorgeworfen werden könne, sofort zu entlassen. Nur dann werde die dänische Polizei neu aufgebaut werden können, wozu die Mitwirkung der bisher im Amt befindlichen Polizisten unbedingt erforderlich sei.

Ich habe daraufhin erklärt, daß ich über die von den dänischen Herren aufgeworfenen Fragen nicht diskutieren könne, ihre Erklärungen aber weiterleiten würde. Das eine könne ich aber sagen, daß Deutschland das größte Interesse an der Aufrechterhaltung der dänischen Erzeugung und Lieferwilligkeit habe, was ja schon aus der deutschen Lieferung von Produktionsmitteln usw. hervorgehe.

2.) Ich habe aus eigener Sachkenntnis, aber auch auf Grund von Unterhaltungen mit anderen Dänen und mit Deutschen, die ernste Besorgnis, daß bei Fortdauer des gegenwärtigen Zustandes und insbesondere bei neuen deutschen Maßnahmen ähnlicher Art die immer noch vorhandene Produktions- und Lieferfreudigkeit der dänischen Landwirtschaft bald nachlassen und der bisher kaum ins Gewicht fallende Schwarzhandel einen größeren Umfang annehmen wird. Dadurch wird in erster Linie die Ausfuhr nach Deutschland betroffen werden. Ein Zeitpunkt hierfür läßt sich natürlich nicht angeben, zumal im Augenblick die künftigen Liefermöglichkeiten Dänemarks bei Wiederkehr normaler Zustände als günstig beurteilt werden können. Die dänische Versorgung wird immer, wenn auch notdürftig, sichergestellt sein. Ohne Mitwirkung der dänischen Behörden und Organisationen wird bei Verschärfung der Lage eine nennenswerte Erfassung von landwirtschaftlichen Erzeugnissen nur möglich sein, wenn wir selbst einen umfangreichen Apparat aufziehen, für den aber die geeigneten Kräfte nicht in ausreichendem Maße vorhanden sein dürften. Zudem würde in letzterem Falle mit einer völligen passiven Resistenz der Bauern zu rechnen sein.

Wenn deutscherseits keine grundlegende Revision der letzthin getroffenen Maßnahmen erfolgt, kann ich pflichtgemäß nur dringend raten, bei der Planung der künftigen deutschen Rationen die bisher angenommenen Einfuhrmöglichkeiten aus Dänemark keineswegs als gesichert anzusehen und die künftigen Rationsbemessungen rechtzeitig danach einzurichten. Ich halte es deshalb für dringend erforderlich, daß die auf Grund des sogenannten polizeilichen Ausnahmezustandes getroffenen Verkehrsbeschränkungen sofort aufgehoben werden, zumal sie einer rechtlichen Grundlage überhaupt entbehren. Hält man aus militärischen Gründen den bisherigen Verkehr nicht länger für vertretbar, so muß man den Rückgang der Erfassung landwirtschaftlicher Erzeugnisse und damit ihre Ausfuhr nach Deutschland in Kauf nehmen und sich bei Bemessung der deutschen Rationen danach einrichten. Ich habe den Eindruck, daß den militärischen und polizeilichen deutschen Stellen in Dänemark die Bedeutung der dänischen landwirtschaftlichen Ausfuhren für die deutsche Ernährung usw. keineswegs, zum mindesten nicht in vollem Umfange bekannt ist.

Ich mäße mir kein Urteil darüber an, ob es möglich ist, den dänischen Vorschlägen über Rückführung der dänischen Polizei stattzugeben. Nur ist m.A. unbezweifelbar, daß, wenn dies nicht möglich sein sollte, die vorstehend dargelegten Rückwirkungen sehr bald eintreten und dann die großen Schäden für die deutsche Ernährungswirtschaft sehr bald sichtbar zum Ausdruck kommen werden.

Ich darf empfehlen, Abschrift dieses Fernschreibens dem Reichsernährungsminister und dem Reichswirtschaftsminister zuzuleiten.

Dr. Walter
Dr. Best

20. Werner Best an das Auswärtige Amt 9. Oktober 1944

Von Hanneken havde henvendt sig til Best for at få hans tilslutning til indskrænkninger i den civile togdrift, som foranstaltning mod de talrige jernbanesabotager mod tyske godstransporter. Best orienterede AA om, at han havde afvist dette, da man dermed bl.a. ikke afskrækkede sabotørerne og ikke hindrede yderligere sabotage. Best var kun indforstået med foranstaltningen, hvis det drejede sig om en militær transportnødvendighed.

Von Hanneken reagerede ved i samarbejde med HSSPF med hvert værnemagtstog at indsætte en G-vogn med fængslede sabotører. Meddelelse om at troppetransporttogene medførte fængslede sabotører blev offentliggjort af HSSPFs pressekontor 8. oktober (KTB/WB Dänemark 10. oktober 1944, Alkil, 2, 1945-46, s. 904, Petersen 1980, s. 123).

Kilde: RA, pk. 282.

Telegramm

Kopenhagen, den	9. Oktober 1944	21.25 Uhr
Ankunft, den	10. Oktober 1944	00.30 Uhr

Nr. 1155 vom 9.10.44.

Der Wehrmachtsbefehlshaber Dänemark hat an mich das folgende Fernschreiben gerichtet:

"Die in der letzten Zeit stark gehäuften Bahnsprengungen treffen überwiegend den deutschen Wehrmachtverkehr, nur gelegentlich dänischen Güterverkehr und wohl nur unabsichtlich in seltenen Fällen dänischen Personenverkehr. Um die Sabotagetätigkeit auch für die Bevölkerung fühlbar zu machen, schlage ich vor:

1.) Auf Streckenbereichen (z.B. Padborg-Lund[er]skov), in denen Sprengungen vorkommen, wird der gesamte zivile Reiseverkehr auf die Dauer von etwa 1 Woche eingestellt. Verlängerung bei neuen Sprengungen.

2.) Ausnahme:
   a.) Nur in dringenden Fällen (Todesfall und schwere Erkrankung nächster Angehöriger, Dienstverkehr dänischer Behörden, Wirtschaftsverkehr, soweit im deutschen Interesse liegend).
   b.) Volksdeutsche mit Bescheinigung der Volksgruppe.
   c.) Reichsdeutsche mit Dienstreiseausweis oder Bescheinigung der Landesgruppenleitung oder gültigen Grenzübergangspapieren.

   Bewilligung durch Außenstellen des Reichsbevollmächtigten, Außenstellen der Sicherheitspolizei, Bahnhofsoffiziere, Standortälteste, Reihenfolge der Zuständigkeit entsprechend vorstehender Aufzählung, nachstehende nur zuständig, wenn vorausgehende am Ort nicht vorhanden.

   Reisende mit Ausnahmebewilligung sind auf Personenwagen in Güterzügen angewiesen. Reichs- und Volksdeutsche können auf dem gesperrten Strecken, soweit Platz vorhanden, die SF-Züge benutzen.

3.) Öffentliche Bekanntgabe mit Begründung, daß die Maßnahmen im Interesse der Reisenden und zur Schonung des ohnehin knappen dänischen Wagenmaterials geschähe.

   Anträge auf Sperrung werde ich jeweils an S[?] stellen."

Ich habe auf das Fernschreiben des Wehrmachtbefehlshabers Dänemark wie folgt geantwortet:

"Auf das dortige Fernschreiben vom 2.10.1944 (I e 3181/44 geh.) nehme ich zu dem Vorschlag, in Streckenbereichen, in denen Sprengungen vorkommen, den zivilen Reiseverkehr für bestimmte Zeiten einzustellen, wie folgt Stellung:

1.) Wenn der erstrebte Zweck eine Abschreckung der Saboteure und Verminderung der Sabotage sein soll, so bin ich der Auffassung, daß dieser Zweck nicht erreicht wird. Die Saboteure werden vielmehr in den gegen die Bevölkerung gerichteten Maßnahmen einen erwünschten politischen Nebenerfolg ihrer Tätigkeit sehen.
2.) Wenn die vorgeschlagenen Maßnahmen nur den "optischen" Zweck haben, gegebenenfalls getroffene Maßnahmen melden zu können, um unzweckmäßigere Befehle zu verhüten, so will ich insoweit nicht widersprechen, da nach meiner Auffassung allgemeine Rückwirkungen mit Beeinträchtigung mittelbarer deutscher Interessen kaum zu befürchten sind.
3.) Wenn die vorgeschlagenen Maßnahmen aus technischen Gründen getroffen werden sollen, um die Durchführung militärischer Transporte zu erleichtern oder zu beschleunigen, so bin ich ausdrücklich damit einverstanden, weil in diesem Falle die militärischen Transportnotwendigkeiten eindeutig allen sonst zu berücksichtigenden Gesichtspunkten vorgehen."

Best

21. Ferdinand Goeken: Aufzeichnung 9. Oktober 1944

Goeken havde talt med RSHA om de deporterede danske politifolks forhold. RSHA havde på baggrund af Bests henvendelse til AA samt AAs ønsker givet besked om, at de danske politifolk ikke skulle behandles som koncentrationslejrfanger, men som krigsfanger. På grund af pladsmangel kunne de ikke føres til en særlig krigsfangelejr, men de blev behandlet som krigsfanger, f.eks. blev de ikke klippet skaldet. Et rygte om politifolkenes tilbageførsel til Danmark troede RSHA ikke på.

Det fremgår af RSHAs svar til AA, at henvendelsen ikke blev taget videre alvorligt. Det var jo ikke spørgsmålet, om fangerne fik klippet håret eller ej, der gjorde forskellen på krigsfangelejre og koncentrationslejre.

Kilde: PA/AA R 101.041. RA, pk. 232.

zu Inl. II B.

A u f z e i c h n u n g

Betr.: Drahtbericht Kopenhagen vom 5. September 1944 Nr. 1136.[37]

Die Angelegenheit wurde fernmündlich mit Kriminalrat Rauch, Ausweichquartier, besprochen. Dieser teilt folgendes mit:

Er sei durch SS-Gruppenführer Müller bereits von dem Schritt Dr. Bests beim Auswärtigen Amt unterrichtet und habe Weisung, den Wünschen des Auswärtigen Amts zu entsprechen und dafür zu sorgen, daß die nach Deutschland überstellten dänische[n] Polizeibeamten nicht wie KL-Häftlinge, sondern wie Kriegsgefangene behandelt würden. Er habe gerade vor einer halben Stunde noch ein Telefongespräch auch wegen der Frage des Arbeitseinsatzes der dänischen Polizeibeamten im Sinne des Arbeitseinsatzes [mit?] Kriegsgefangenen geführt. Wegen der Durchführung der ihm erteilten Weisung, die infolge der derzeitigen Läge (u.a. Platzmangel) auf Schwierigkeiten stoße, stehe er ständig in Verbindung mit den zuständigen Stellen, so z.B. mit der Inspektion der KL. Er denke u.a. auch noch an eine Rückfrage in Kopenhagen. Jedenfalls könne er sagen, daß die dänischen Beamten – z.B. auch in Bezug auf den Haarschnitt – bisher nicht wie KL-Häftlinge sondern wie Kriegsgefangene behandelt worden seien.

Es sei das Gerücht aufgetaucht, daß alle dänischen Polizeibeamten zu entlassen seien; er selbst habe aber hieran Zweifeln.

Berlin, den 9. Oktober 1944

Goeken

22. Paul Barandon: Aufzeichnung 9. Oktober 1944

Barandon orienterede AA om, at forholdet mellem Pancke og Best ikke var blevet forbedret, siden han sidst havde orienteret ministeriet derom. Heller ikke Ribbentrops mellemkomst havde haft nogen virkning. Pancke var tværtimod begyndt at forfølge nogle af Bests nærmeste medarbejdere, herunder Barandon selv. På dansk side kunne man naturligvis ikke undgå at bemærke Bests og Barandons [illegible] position, den var uværdig. Barandon lagde op til at blive forflyttet.

Barandons optegnelse blev fulgt op af von Grundherr samme dag (Rosengreen 1982, s. 135f.).

Kilde: RA, pk. 233. LAK, Best-sagen (afskrift).

37 Trykt ovenfor.

Gesandter Barandon

Aufzeichnung

Nachdem ich Ende August d.J. in einer Aufzeichnung über das Verhältnis zwischen dem Reichsbevollmächtigten und dem Höheren SS- und Polizeiführer in Dänemark berichtet und auf dringende Notwendigkeit einer Klärung der Zuständigkeiten hingewiesen hatte,[38] erfolgte am 19. September ohne Wissen des Reichsbevollmächtigten und seiner Stellvertreters die Entwaffnung und Gefangensetzung der dänischen Polizei und ihr Abtransport nach Deutschland. Diese Vorgänge und ihre politischen Folgen sind durch die mündliche und drahtlichen Berichterstattung des Herrn Reichsbevollmächtigten bekannt. Leider hat der im Hinblick auf die genannten Vorgänge ergangene Erlaß des Herrn Reichsaußenministers, wonach der Reichsbevollmächtigte in Dänemark die alleinige politische Verantwortung trägt und der Höhere SS- und Polizeiführer keine Maßnahme von politischer Tragweite ohne das Einverständnis des Reichsbevollmächtigten anzuordnen hat,[39] die erhoffte Klärung nicht gebracht. Nachdem der Höhere SS- und Polizeiführer zunächst eine Beachtung der Anordnungen des Reichsaußenministers rundweg abgelehnt, sodann aber ihre Befolgung mündlich zugesagt hatte, ist er schließlich doch bei seiner ablehnenden Haltung und bei der Praxis verblieben, wichtige Anordnungen eigenmächtig zu treffen und durchzuführen. Die Lage ist wieder so, daß der Reichsbevollmächtigte der ihm von Führer übergetragenen Verantwortung nicht gerecht werden kann, solange nicht der Höhere SS- und Polizeiführer ihm nicht nur in politischer Einsicht unterstellt sondern auch durch direkte eindeutige Weisungen zur Befolgung der vom Herrn Reichsaußenminister gegebenen Richtlinien angehalten wird.

Wie mir der Herr Reichsbevollmächtigte unmittelbar vor meiner Abreise nach Berlin mitteilte und wie ich aus persönlichen Wahrnehmungen bestätigen kann, läßt die andere Seite den guten Willen zu einer sachdienlichen Zusammenarbeit vermissen. Die äußert sich auch, gleichfalls nach einer Mitteilung des Herrn Reichsbevollmächtigten, durch direkte Angriffe gegen seine Mitarbeiter, deren Entfernung offenbar betrieben wird. Die Angriffe richten sich, soweit mir bekannt insbesondere gegen den Rundfunkattaché Lohmann, den Presseattaché Schroeder und gegen mich.[40]

Den Rundfunkattaché Lohmann wird zum Vorwurf gemacht, daß er Dänen deutschfeindlicher Haltung zu Vorträgen im Rundfunk herangezogen habe. Es handelt sich dabei um Schauspieler und Künstler, die im Rundfunkprogramm unpolitische Darbietungen brachten, welche der Einkleidung und Tarnung unserer politischen Propaganda dienen, die ohne eine solche Einkleidung von den Dänen nicht angehört würde. Des weiteren hält man Herrn Lohmann seine dänische von einer englischen Mutter stam-

38 Andor Henckes optegnelse 31. august 1944.

39 Ribbentrops telegram nr. 2091, 26. september 1944.

40 Pancke havde benyttet politiaktionen 19. september til for en tid at underlægge sig kontrollen med presse og radio med henvisning til den politimæssige undtagelsestilstand (*Information* 25. og 28. september 1944, Christiansen/Nørgaard 1945, s. 210f., Bindsløv Frederiksen 1960, s. 496, 499-501, Boisen Schmidt 1965, s. 270). Lohmann og Schröder havde ikke stiltiende fundet sig i at blive sat ud af spillet. Det havde givet en modsætning til Pancke under alle omstændigheder, mens Panckes modsætningsforhold til Barandon meget vel kan have baggrund i, at han kendte til Barandons henvendelse til AA vedrørende forholdet Best-Pancke.

menden Frau vor. Er wird, soweit mir bekannt, an der Wahrnehmung seiner Dienstes gehindert.

Die gegen den Presseattaché Schroeder erhobenen Vorwürfe sind mir im einzelnen nicht bekannt. Ich weiß nur, daß der Höhere SS- und Polizeiführer eine eigene Pressestelle unterhält,[41] die mit mehr Personal besetzt ist als diejenige des Reichsbevollmächtigten und eine eingehende Kontrolle der Dienststelle des Herrn Schroeder beansprucht, auch unabhängig vom Reichsbevollmächtigten wichtige Verlautbarungen zu veröffentlichen pflegt.

Gegen mich sollen nach Mitteilungen des Herrn Reichsbevollmächtigten Vorwürfe wegen des Inhalts meiner Telefonate mit dem Auswärtigen Amt erhoben werden.[42] Worum es sich dabei im Einzelnen handeln soll, ist mir nicht mitgeteilt worden, ich kann mich daher auch nicht dagegen verteidigen, sondern nur soviel sagen, daß ich meine pflichtmäßigen Meldungen über wichtige Ereignisse in Dänemark pünktlich und nach bestem Wissen und Gewissen erstatte und daß, wenn die Vorwürfe irgendwie berechtigt wären, dies doch wohl auch meinen Gesprächspartnern im Auswärtigen Amt aufgefallen sein müßte.

Alles in Allem kann ich nur wiederholen, daß der gegenwärtige Zustand unhaltbar ist und sowohl der Herr Reichsbevollmächtigte wie ich als sein Vertreter uns in einer unwürdigen Lage befinden, die natürlich auch auf dänischer Seite auf die Dauer nicht unbemerkt bleiben kann. Mein eigenes Arbeitsgebiet ist, seitdem fast alle fremden Missionen (außer Schweden, Spanien und Ungarn) aus Dänemark verschwunden sind, so gut wie nicht mehr vorhanden. Die routinemäßige Kontrolle der schriftlichen und telegraphischen Korrespondenz des dänischen Außenministeriums könnte auch von einem jüngeren Beamten wahrgenommen werden.

Berlin, den 9. Oktober 1944.

gez. **Barandon**

23. Werner von Grundherr an Adolf von Steengracht 9. Oktober 1944

Von Grundherr tog Barandons notits om forholdet mellem Pancke og Best alvorligt. Det drejede sig ikke om personen Pancke, men om at få retningslinjer, så HSSPF var underlagt den rigsbefuldmægtigede. Skete det ikke, ville den befuldmægtigedes funktioner fuldstændigt blive overtaget af HSSPF. Von Grundherr anbefalede Barandons hjemkaldelse.

Von Grundherrs tilkendegivelse var det første virkelige udtryk for, at der var nogen i AA, der tog den tilspidsede krise mellem den rigsbefuldmægtigede og HSSPF i Danmark alvorligt. Det var ikke sædvanlig læsning for embedsmændene i AA, at en af de erfarne diplomater indberettede, at de selv og deres overordnede fungerede under uværdige forhold. Barandon var ikke typen, der overdrev. På den anden side viser von Grundherrs forslag til krisens løsning selve problemet for AA: nye retningslinjer i sig selv gjorde det ikke i en situation, hvor det reelt drejede sig om et ændret magtforhold. AA kunne ikke sætte sig igennem over for SS (Rosengreen 1982, s. 135).

Kilde: RA, pk. 228.

41 Pressekontoret hos HSSPF i Danmark sendte sine egne meddelelser ud fra midten af august 1944 og til kort før besættelsens ophør.

42 Se kommentaren til Bests telegram nr. S 14, 19. september 1944 og Sonnenhol til Wagner 26. oktober 1944.

Abschrift
Gesandter v. Grundherr
Pol. VI

In der Anlage wird eine Aufzeichnung des Gesandten Barandon, Kopenhagen vorgelegt.[43] Aus ihr ergibt sich, daß trotz den vom Herrn Reichsaußenminister erteilten Weisungen (vgl. anliegenden Drahterlaß Nr. 1139 (2091) v. 26.9. nach Kopenhagen)[44] die einheitliche Führung der Politik in Dänemark durch die Person des Reichsbevollmächtigten nicht sichergestellt ist. Ein neues Beispiel aus den letzten Tagen ist hierfür u.a., daß laut Drahtbericht Nr. 1137 vom 5.10. aus Kopenhagen der Höhere SS- und Polizeiführer neuerdings die dänische Grenzegendarmerie hat entwaffnen und nach dem Lager Fröslev führen lassen, von wo sie nach Deutschland gebracht würde. Der Reichsbevollmächtigte hat von dieser Maßnahme erst durch eine Demarche der dänischen Zentralverwaltung erfahren.[45] SS-Obergruppenführer Pancke beschränkt sich demnach nach wie vor nicht nur auf die *technische* Seite der Durchführung von Sicherheitsmaßnahmen, sondern bearbeitet solche Sicherheitsmaßnahmen ohne vorherige Beteiligung des Reichsbevollmächtigten auch insoweit, als sie von grundsätzlichen *politischen* Auswirkungen sind. Es kann keinem Zweifel unterliegen, daß er in dieser Weise nicht vorgehen würde, wenn er nicht der Zustimmung des Reichsführers-SS sicher sein könnte. Daraus ergibt sich, daß auch ein etwaiger Wechsel der Person des Höheren SS- und Polizeiführers in Kopenhagen keine wesentliche Änderung der Sachlage herbeiführen würde, notwendig wäre vielmehr, daß der Reichsführer-SS den Höheren SS- und Polizeiführer mit anderen grundsätzlichen Weisungen versieht.[46] Falls sich dies nicht erreichen läßt, bliebe diesseitigen Erachtens auch im Hinblick auf die zunehmenden Schwierigkeiten, die den Beamten und Angestellten des Auswärtigen Amts persönlich und sachlich seitens der Dienststellen des Höheren SS- und Polizeiführers gemacht werden nur übrig, daß die dem Reichsbevollmächtigten und seiner Behörde zustehenden Funktionen endgültig und vollständig von Höheren SS- und Polizeiführer übernommen werden.

Eine Ablösung des Gesandten Barandon wird aus den von ihm dargelegten Gründen befürwortet.

Wegen der Behandlung der Fälle Lohmann und Schroeder hat sich Ministerialdirektor Schroeder mit Gesandten Rühle bzw. Gesandten Dr. Schmidt in Verbindung gesetzt.[47]

Hiermit über Herrn U.St.S. Pol dem Herrn Staatssekretär vorgelegt.

Berlin, den 9. Oktober 1944.

gez. **Grundherr**

43 Barandons optegnelse 9. oktober, trykt ovenfor.

44 Trykt ovenfor.

45 Det var tilfældet. Se Bests telegram nr. 1137.

46 Her hentydes til, at Kaltenbrunner fortroligt havde meddelt von Steengracht, at Pancke ville blive hjemkaldt. Se von Steengracht til Ribbentrop 4. september 1944 (jfr. Rosengreen 1982, s. 123f.).

47 Lohmann og Schröder blev ikke berøvet deres embedsområder, men de fik dem indskrænket i kraft af HSSPFs fremtrængen med eget pressekontor, egne tvangsartikler og egne radioprogrammer, der ikke var underlagt deres autoritet. Kun undtagelsesvis lykkedes det Lohmann at få SS-radioudsendelser aflyst pga. deres indhold (se Boisen Schmidt 1965, s. 302). Se endvidere Rühle til Fritzsche 11. december 1944.

24. Wolfram Sievers an den Reichsführer-SS Persönlicher Stab 9. Oktober 1944

Sievers fremsendte til RFSS en varm anbefaling af Kerstens virke som sagkyndig i Ahnenerbe, som på alle måder var sket på fornemste vis. Han havde vist sig god til at omgås danskerne og hans resultater var blevet rost af Best og Pancke, som begge ville benytte ham endnu mere i det kulturpolitiske arbejde i Danmark.

I mellemtiden var Kersten afrejst til militærtjeneste,[48] og i hans sted lod Sievers Kerstens assistent Søren Telling virke til beskyttelse af fortidsminderne i Schleswig-Holstein, specielt Dannevirke (Telling til RFSS-Persönlicher Stab 29. oktober, Sievers til Telling 1. november 1944 (BArch, NS 21/314), Leube 2002, s. 420f.).

Sievers skrev til Rudolf Brandt 2. november 1944 i et nyt forsøg på at påvirke RFSS' afgørelse vedr. Kersten.

Kilde: BArch, SS-Führerpersonalakten 165 A og NS 21/52.

Das Ahnenerbe
Der Reichsgeschäftsführer

Waischenfeld/Ofr., 9.10.1944
Nr. 135

An den Reichsführer-SS Persönlicher Stab,
Berlin SW 11
Prinz-Albrecht-Str. 8

Betr.: Beurteilung des SS-Schützen Karl Kersten während seiner Tätigkeit als Fachführer im Amt "Ahnenerbe".
Bezug: Dortiges Schreiben vom 28.9.1944/Tgb. Nr. Pers./K 1236/44/27

SS-Untersturmführer (F) Dr. Kersten hatte den Auftrag, den Schutz der vorgeschichtlichen- und Natur-Denkmäler in Dänemark in Verbindung mit den deutschen militärischen Dienststellen, wie mit den zuständigen dänischen Behörden zu organisieren und durchzuführen. Dieser Auftrag hatte infolge der besonderen Einstellung, die die skandinavischen Völker ihren vorgeschichtlichen Denkmälern gegenüber einnehmen, nicht nur eine kulturelle, sondern auch eine politische Bedeutung. Kersten, der auf seinem Fachgebiet der deutschen, vor allem der nordischen Vorgeschichte ein vorzüglicher Gelehrter ist, hat diese Aufgaben mit Energie, Umsicht, Geschick, Klugheit und Fleiß durchgeführt. Seine guten Sprachkenntnisse und sein Vertrautsein mit Land und Leuten leisteten ihm dabei gute Dienste. Besonders hervorgehoben zu werden verdient sein Geschick im Umgang mit den Dänen, wie auch sein Fleiß und seine Gewissenhaftigkeit. Seiner Tätigkeit ist die Erhaltung vieler vorgeschichtlicher Denkmäler in Dänemark zu verdanken. Kerstens erfolgreiche Tätigkeit wurde sowohl vom Reichsbevollmächtigten in Dänemark, SS-Obergruppenführer Dr. Werner Best, als auch dem Höheren SS- und Polizeiführer in Dänemark, SS-Obergruppenführer Pancke lobend anerkannt. SS-Obergruppenführer Dr. Best, wie auch SS-Obergruppenführer Pancke hatten den Wunsch, ihn in noch stärkerem Masse für die kulturpolitische Arbeit in Dänemark einzusetzen.

gez. Sievers
SS-Standartenführer

48 Det blev ikke Tölz, men SS-Panzer Grenadier Ausbildung Ersatzbataillon 1 i Berlin-Spreehagen (Schreiber Pedersen 2005, s. 164).

25. Kriegstagebuch/WB Dänemark 10. Oktober 1944

Meddelelsen om, at von Hanneken og Pancke var blevet enige om at søge at stoppe jernbanesabotagen ved at medtage fangne sabotører på troppetransporttogene, havde HSSPFs pressekontor bragt 8. oktober (Alkil, 2, 1945-46, s. 904).

Kilde: KTB/WB Dänemark 10. oktober 1944.

[...]

In Zusammenarbeit mit dem Ic wurde mit dem Höh. SS- u. Pol. Führer zur Sicherung der Wehrm. Transporte vereinbart, in jeden Transportzug einen G-Wagen mit verhafteten Saboteuren einzureihen. Dies wurde in der Presse veröffentlicht und den Divisionen mit Durchführungsbestimmungen übersandt.

[...]

26. Werner Best an das Auswärtige Amt 10. Oktober 1944

Best orienterede AA om forhandlingerne vedrørende Dansk Røde Kors' udrustning af et lazaretskib. Der havde været rejst både økonomiske og folkeretlige spørgsmål. Imidlertid havde aktionen mod det danske politi og deporteringen af over 2.000 betjente fået UM til ikke længere frivilligt at ville bidrage til udrustning af et lazaretskib til fordel for tyske marineinteresser. Det kunne først komme på tale igen, når virkningen af politiaktionen på dansk retsfølelse og de stadige forsikringer om at opretholde den danske suverænitet var bragt i orden fra tysk side på passende måde.

Med denne meddelelse kunne Best med politiaktionen som begrundelse demonstrere, hvilke skader aktionen ville komme til at betyde for det fremtidige dansk-tyske samarbejde. Det var ham ikke ubehageligt at formulere begrundelsen for samarbejdets ophør i denne konkrete sag.

AA lod 1. november 1944 en kopi af meddelelsen tilgå Seekriegsleitung, der dog allerede havde haft en drøftelse af sagen med Best 18. oktober, se Seekriegsleitungs notat 20. oktober 1944.

Kilde: BArch, Freiburg, RM 7/1813. RA, Danica 628, sp. 7, nr. 5896f.

Der Reichsbevollmächtigte in Dänemark *Kopenhagen, den 10. Oktober 1944.*
S/Sch/Versch.

Auf Schrifterlaß vom 13.9.1944[49]
R 13 698

Betr.: Die Bereitstellung eines Lazarettschiffes durch das dänische Rote Kreuz.
2 Durchschläge

Unter Bezugnahme auf das dortige Schreiben vom 13. September 1944 (R 13698)[50] berichte ich, daß die Frage der Bereitstellung eines Lazarettschiffes durch das dänische Rote Kreuz nunmehr aus politischen Gründen Hemmungen erfahren hat.

Das dänische Rote Kreuz, das nicht über ausreichende eigene Betriebsmittel verfügt, hatte sich dieserhalb an die dänische Zentralverwaltung gewandt. Im dänischen Außenministerium wurden bisher die völkerrechtlichen Fragen, die mit dem Einsatz eines dänischen Lazarettschiffes auftauchen konnten, geprüft, so z.B. in welchen Gewässern das

49 Skrivelsen er ikke lokaliseret.
50 Skrivelsen er ikke lokaliseret.

Schiff fahren dürfe, ob ein dänisches Lazarettschiff in Kriegszonen operieren könne, was mit den von diesem Schiff geborgenen Angehörigen der Feindmächte zu geschehen habe usw.

In einer neuen Verhandlung mit dem dänischen Außenministerium ist nunmehr geklärt worden, daß man sich nach den Ereignissen des 19. September 1944 – der Auflösung der dänischen Polizei und der Deportierung von über 2.000 Polizeibeamten – nicht mehr in der Lage sehe, durch die Ausrüstung eines Lazarettschiffes einen freiwilligen Beitrag für deutsche Marineinteressen zu leisten. Erst wenn die Auswirkungen der Polizeiaktion in einer dem dänischen Rechtsgefühl und der immer wieder von deutscher Seite zugesicherten dänischen Souveränität entsprechenden Weise in Ordnung gebracht sein würden, sei man bereit, die Frage eines dänischen Lazarettschiffes erneut aufzugreifen.

gez. **Dr. Best**

Auswärtiges Amt
R 15763

Berlin, den 1. November 1944

In Abschrift dem Oberkommando der Kriegsmarine 1. Abteilung Skl. z.Hd. v. Herrn Admiralrichter Eckhardt zur Kenntnisnahme übersandt.

Im Auftrag
Roediger

27. Gottlob Berger an Rudolf Brandt 11. Oktober 1944

Gennem Brandt modtog Berger en kopi af Panckes brev til Himmler 27. september og tog til genmæle mod det. Berger havde aldrig haft til hensigt at trække danske SS-frivillige hjem og gøre dem til et dansk politi, men han prøvede at bygge et nyt germansk SS op. Pancke havde intet lært af katastrofen Schalburgkorpset, som han og Best havde på samvittigheden. Yderligere var korpsets leder og hans adjudant nu så svært belastet, at de blev kaldt til Tyskland. Pancke havde aldrig drøftet Germanische Leitstelle med Berger, Germanische Leitstelle var ikke underlagt den rigsbefuldmægtigede, og Berger kunne heller ikke se det hensigtsmæssige i, at det blev underlagt Pancke.

Berger kunne ikke opvise resultater med hensyn til det nye germanske korps, som han prøvede at få fremmet i Danmark. Til gengæld var det ham meget om at gøre at få placeret Pancke og Best som de ansvarlige for Schalburgkorpsets fiasko. Når Berger hævdede, at Germanische Leitstelle ikke var "underlagt" den rigsbefuldmægtigede, er det måske formelt korrekt, men Germanische Leitstelle var tilknyttet den rigsbefuldmægtigede fra Bests ankomst til Danmark,[51] og Bergers og Bests bestræbelser med Germanische Leitstelle gik længe hånd i hånd. Selv i december 1943, da der kom en HSSPF til Danmark, bevarede Germanische Leitstelle tilknytningen til den rigsbefuldmægtigede, mens ansvaret for Schalburgkorpset blev delt mellem HSSPF og den rigsbefuldmægtigede (BArch, R 70 Dänemark 11 (Geschäftsverteilungsplan 1. december 1943, tillæg 6b her), Birn 1986, s. 295).

RFSS' svar er ikke lokaliseret, men der blev ikke trukket SS-frivillige hjem til Danmark til polititjeneste. Til gengæld fortsatte Berger bestræbelserne på at få opstillet et germansk SS i Danmark, se SS-Hauptamt til SS-Brigadeführer Katz 7. december 1944.

Kilde: BArch, NS 19/247. RA, Danica 1069, s. 6, nr. 7058f. RA, pk. 443.

51 Se SS-Hauptamts Monatsbericht Oktober 1942, 20. november 1942.

Der Reichführer-SS *Berlin-Grünewald, den 11.10.44.*
Der Chef des SS-Hauptamtes Geheim
CdSSHA/Be/Steg/VS Tgb. Nr. 6371/44 g.
Adj. Tgb. Nr. 2715/44 g

Betr: Dänische SS-Freiwillige
Bezug: Schrb. d. HSSuPF Dänemark v. 27.9.44[52] u. dort. Schrb. Tgb. Nr. 486/44 Ads. Bra/H. g. v. 5.10.44.
Anlg.: 1 Vorgang.

An SS-Standartenführer Dr. Brandt
Persönlicher Stab RFSS
Berlin SW 11
Prinz Albrechts-Str. 8

Lieber Doktor!
Das Schreiben des Höheren SS- und Polizeiführers in Dänemark, SS-Obergruppenführer Pancke, ist in wesentlichen Dingen nicht richtig.

1.) Ich habe nie daran gedacht und zu keinem Menschen auch nur ein Wort davon gesprochen, daß von mir aus dänischen Freiwillige in der Heimat als Polizei eingesetzt werden sollen. Wenn ein Einsatz in Dänemark je möglich wäre, dann konnte er nur in geschlossenen Verbänden der Waffen-SS gegen einen eindringenden äußeren Feind, keinesfalls aber als Polizei gegen die eigenen Landsleute erfolgen. Wohl aber sprach SS-Obergruppenführer Pancke sehr oft davon, daß er beim RF-SS beantragen wolle, die dänischen Freiwilligen als Polizei zu erhalten.

Polizeiliche Maßnahmen durchzuführen gegen die eigenen Landsleute, ist meiner Ansicht nach die Aufgabe der in Dänemark stationierten 4 Polizeibataillone, zu denen noch 1.300 Mann Zollgrenzschutz getreten sind.[53] Wie ich dem Reichführer-SS gemeldet habe, bauen wir aus den Trümmern eine germanische SS auf.[54] SS-Ogruf. Pancke beabsichtigt, dieselbe – so wie sie aufgestellt ist – ebenfalls als Polizei einzusetzen.

Er zeigt auch hier, daß er für Fragen der Menschenführung in den germanischen Ländern keinen Sinn aufzubringen vermag. Er hat an der Katastrophe des Schalburgkorps, das er mit Dr. Best zusammen durch die unglückselige Bewaffnung wirklich auf dem Gewissen hat, nichts gelernt.

Wie Ihnen wohl bekannt ist, sind bei der Beschlagnahme von Papieren der Dänischen Polizei durch den BdS[55] Schriftstücke gefunden worden, die den Kommandeur des Schalburg-Korps und seinen Adjutanten auf das Schwerste belasten. Ich habe aus

52 Trykt ovenfor.
53 De fire politibataljoner, som Berger henviste til, var to for mange. Han var sandsynligvis fejlinformeret.
54 Berger hentyder sandsynligvis til SS-Ausbildungsbataillon Schalburg, der juli 1944 blev udskilt fra Schalburgkorpset. Bataljonen blev stationeret i Ringsted og var underlagt tysk kommando. Pancke overlod enheden politimyndigheden i Ringsted 26. september 1944 (Alkil, 2, 1945-46, s. 753).
55 Otto Bovensiepen.

diesem Grunde die beiden Herrn hierher bestellt, damit sie hier in Deutschland bei SS-Gruppenführer Müller die Möglichkeit haben, sich zu verteidigen. Sollte sich der Verdacht bestätigen, werden sie für die Dauer des Krieges in Deutschland festgesetzt.[56]

2.) SS-Ogruf. Pancke hat noch nicht ein einziges Mal bei mir davon gesprochen, daß die germanische Leitstelle ihm unterstellt werden soll. Im übrigen ist die germanische Leitstelle stets selbständig gewesen, werter ihm noch Dr. Best unterstellt, und hat durch diese selbständige Stellung, wenn auch nicht das ganze Unheil verhüten können, so doch immer wieder die Möglichkeit gehabt, wirklich auf bauwillige Kreise Dänemarks – trotz aller Fehler die wir machten – dem Reichsführer-SS zu verpflichten. Eine unmittelbare Unterstellung unter SS-Ogruf. Pancke – so wie er es sich vorstellt, – würde nicht zum Guten ausfallen.

Ich schicke SS-Sturmbannführer Ströhm, der in Finnland wie in Frankreich seine Sache sehr geschickt gemacht, sich durchgesetzt und keinen Anstoß erregt hat, nach Dänemark.

Heil Hitler!
Ihr
G. Berger
SS-Obergruppenführer

28. OKW an den Reichskommissar für die Preisbildung 11. Oktober 1944

OKW svarede Reichskommissar für die Preisbildung, at for værnemagtsbyggeri skulle værnemagtsintendanten fortsat være ansvarlig for overholdelsen af valuta- og prisforskrifterne. Såfremt det var militært forsvarligt, skulle værnemagtsintendanten for fremtiden inddrage danske embedsmænd ved bedømmelsen af tyske firmaers priser. OKW gik ind for et samarbejde med OT om overvågningen af prisdannelsen i Danmark. Til gengæld kunne OKW ikke gå ind for indsættelsen af en OT-generalingeniør i Danmark. En sådan ingeniør ville kun kunne tage sig af OT-byggeri, ikke generelt tage sig af det tyske byggeri i Danmark.

Reichskommissar für die Preisbildung svarede 21. oktober 1944.

Kilde: PA/AA R 105.210. RA, pk. 282.

Ha Pol VI
Oberkommando der Wehrmacht
2 f 32/65 b/IV AWA Ag WV 3 (I)/16421/44

Abschrift zu A-480-4420/44
Berlin W 35, den 11. Oktober 1944
Tirpitzufer 72-76

An den Beauftragten für den Vierjahresplan
Reichskommissar für die Preisbildung

Betr.: Preisfragen Dänemark
Bezug: A-480-3716/44 vom 6.9.44.[57]

56 K.B. Martinsen og hans adjudant Knud Thorgils havde 10. oktober fået besked om, at de skulle melde sig hos Berger i SS-Hauptamt (Monrad Pedersen 2000, s. 132).
57 Trykt ovenfor.

Mit Rücksicht auf die zu erwartende Sitzung bei dem Herrn Reichsminister der Finanzen war von einer Stellungnahme zu dem nachrichtlich übermittelten Bezugsschreiben zunächst abgesehen worden. Da die geplante Sitzung bisher noch nicht zustande kam, bittet OKW/AgWV von folgenden Abweichungen seiner Auffassung über das Ergebnis der Besprechung vom 24.8.44[58] beim Herrn Reichskommissar f.d. Preisbildung Kenntnis nehmen zu wollen:

zu Ziff. 2 des Bezugsschreibens:

Soweit es sich um Bauten handelt, die von der Wehrmacht in Auftrag gegeben wurden, wird nach Weisung des Oberkommandos der Wehrmacht der Wehrmacht-Intendant wie bisher, so auch weiterhin preisüberwachend in dem Sinne tätig werden, daß bei der Zuweisung der zur Bauausführung angeforderten Mittel die Anforderungen der Wehrmachtteile und der angeschlossenen Verbände auch hinsichtlich der eingesetzten Preise nachgeprüft werden. Überdies ist der Wehrmachtintendant angewiesen, die von den Wehrmachtteilen und den angeschlossenen Verbänden mit der Bauausführung beauftragten Firmen im Rahmen der gegebenen personellen Möglichkeiten während oder nach der Bauausführung durch Wehrmachtdienststellen auf die Einhaltung der Devisen- und Preisvorschriften überprüfen zu lassen.

Zu Ziff. 4 des Bezugsschreibens:

Soweit es sich um Wehrmachtbauten handelt, wird künftig vom *Wehrmachtintendanten*, soweit militärisch vertretbar, eine Einschaltung der dänischen Preisbehörden in die Prüfungen der deutschen Baufirmen betrieben werden.

Zu Ziff. 5 des Bezugsschreibens:

Wehrmachtintendant Dänemark wird für Wehrmachtbauten dafür eingesetzt, daß im Zusammenwirken mit der Abteilung "Vertrag und Preisbildung der OT," Einsatzgruppe Dänemark, die Einhaltung der gebildeten Baupreise zu Überwachen.

Da die OT als der Wehrmacht angeschlossener Verband, soweit es sich um Wehrmachtbauten handelt, die Mittel vom Wehrmachtintendanten Dänemark bezieht, kann sie folgerichtig nicht die alleinige Verantwortung für die Innehaltung der Baupreise tragen. Diese Verantwortung trägt innerhalb des Wehrmachtsektors der für die Geldmittelbewirtschaftung allein zuständige Wehrmachtintendant. Die vom Oberkommando der Wehrmacht zunächst vorgesehene Schaffung von Generalingenieuren ist aus gewichtigen Gründen allgemein, also für Dänemark, zurückgestellt.

Es wird gebeten, bei der Vorbereitung der beim Herrn Reichsminister der Finanzen geplanten Besprechung die vorstehenden Ausführungen zu berücksichtigen.

I.A. gez. **Dr. Kersten**

58 I det brev, som OKW henviser til af 6. september, henføres det afholdte møde til 1. august 1944.

29. Karl Schnurre an Joachim von Ribbentrop 11. Oktober 1944

De senest foretagne foranstaltninger i Danmark, især aktionen mod det danske politi og nu WB Dänemarks forudsete beslaglæggelse af alle brugbare cykler, gav den allerstørste frygt for den uhindrede videreførelse af de danske leverancer til Tyskland, især landbrugseksporten. Senest havde REM 26. september gjort Ribbentrop opmærksom på de danske levnedsmiddelleverancers betydning. En indskrænkning ville medføre en nedsættelse af de tyske fødevarerationer. Walter og Best var enige om, at en fortsættelse af de tilstande, som var fremkaldt på grund af politiaktionen, snart ville skærpe de opståede spændinger. Det samme ville beslaglæggelsen af cyklerne. Best foreslog, at kun de nye cykler blev beslaglagt. Schnurre foreslog, 1) at WFSt ændrede sin ordre til WB Dänemark, så kun nye cykler skulle beslaglægges og 2) at politiforanstaltninger blev drøftet med henblik på deres skadevirkninger. Schnurre gjorde opmærksom på, at Hitler for kort tid siden havde beordret, at den danske produktionskraft skulle opretholdes (Nissen 2005, s. 259).

Se Brenners optegnelser 12. og 13. oktober.

Kilde: RA, pk. 228. LAK, Best-sagen (afskrift). ADAP/E, 8, nr. 265.

Fernschreiben

Geheime Reichssache *Berlin, den 11. Oktober 1944*

Zu den Telegrammen aus Kopenhagen Nr. 1151 vom 9.10.[59] und Nr. 1162 vom 10.10. 1944.[60]

Die letzten deutschen Maßnahmen in Dänemark, insbesondere die gegen die dänische Polizei durchgeführte Aktion und die nunmehr vom Wehrmachtbefehlshaber Dänemark beabsichtigte Beschlagnahme aller brauchbaren Fahrräder in Dänemark müssen die allergrößten Befürchtungen hinsichtlich des ungestörten Fortgangs der dänischen Lieferungen nach dem Reich, insbesondere der für uns so wichtigen landwirtschaftlichen Erzeugnisse hervorrufen.

Die Bedeutung der dänischen Lieferungen von Lebensmitteln für die Ernährung des deutschen Volkes wurde noch kürzlich im Schreiben des Herrn Reichsministers Backe an Herrn RAM vom 26.9. dargelegt.[61] Die im Wirtschaftsjahr Oktober 1943 – September 1944 bedeutend gestiegenen Lieferungen an Fleisch betragen etwa 1/5 der gegenwärtigen Zuteilungen an die deutsche Zivilbevölkerung oder 1/4 des Bedarfs der deutschen Wehrmacht. Die dänischen Butterlieferungen betragen gegenwärtig etwa 1/12 bis 1/10 des Verbrauchs der deutschen Zivilbevölkerung oder 1/4 des Wehrmachtbedarfs. Die dänischen Lieferungen spielen also eine außerordentlich große Rolle in den Planungen des Reichsernährungsministeriums bei der Festsetzung der Rationen. Auch bei der für die nächsten Zuteilungsperioden vorgesehenen Kürzung der Fettration bei gleichzeitigem Ersatz derselben durch erhöhte Belieferung mit Fleisch ist das Reichsernährungsministerium von der Voraussetzung ausgegangen, daß die dänischen Lieferungen in der bisherigen Höhe weiter erfolgen. Ein wesentlicher Rückgang der dänischen Lieferungen, wie er bei längerer Dauer der gegenwärtigen politischen Spannung in Dänemark zu befürchten ist, müßte unzweifelhaft zu fühlbaren Kürzungen der Rationen führen, was unter den gegenwärtigen Verhältnissen stärksten Bedenken begegnen müßte.

59 Trykt ovenfor.

60 Telegrammet er ikke lokaliseret.

61 Brevet er ikke lokaliseret.

Nach übereinstimmender Ansicht des Reichsbevollmächtigten Dr. Best und des Min. Dir. Dr. Walter ist bei einer Fortdauer des durch die Polizeiaktion geschaffenen Zustandes schon bald mit einer weiteren Verschärfung der bestehenden Spannung in Dänemark zu rechnen. Eine solche müßte sich aber auch auf alle unsere kriegswichtigen Warenbezüge aus Dänemark und die Durchführung unserer rüstungswichtigen Verlagerungsaufträge an die dänische Industrie auswirken.

Die gleiche Wirkung würde unzweifelhaft die beabsichtigte Beschlagnahme der Fahrräder haben, da sie zu einer völligen Paralyse des gesamten dänischen Wirtschaftslebens führen würde, weil bei weitem der größte Teil der Arbeiter und Angestellten der Möglichkeit beraubt würde, ihre Arbeitsstätten zu erreichen. Gemäß dem Vorschlage des Reichsbevollmächtigten käme meines Erachtens nur die Beschlagnahme der laufenden dänischen Produktion an Fahrrädern sowie der zur Zeit im Handel befindlichen Fahrräder in Frage.

Ich darf darauf hinweisen, daß der Führer erst kürzlich die Weisung gegeben hat, daß alles getan werden müßte, um im Interesse der Versorgung des deutschen Volkes mit Lebensmitteln die Produktionskraft Dänemarks zu erhalten. Der Führer hat bei dieser Gelegenheit (vergl. Schreiben des Herrn Reichsministers Lammers vom 9.4. d.J.[62]) insbesondere angeordnet, daß die für die dänische Produktion unentbehrlichen Lieferungen von den Obersten Reichsbehörden durchgeführt werden müßten. Mit dieser Anordnung des Führers, auf die deutschen kriegswichtigen wirtschaftlichen Belange in Dänemark Rücksicht zu nehmen, sind die getroffenen Maßnahmen unvereinbar. Daher schlage ich vor:

1.) durch Herrn Botschafter Ritter an den Wehrmachtführungsstab heranzutreten, um den ergangenen Befehl an den Wehrmachtbefehlshaber in Dänemark entsprechend den Anregungen Dr. Bests abzuändern.
2.) Die im Polizeisektor getroffenen Maßnahmen im Hinblick auf die von Ministerialdirektor Walter dargelegten Rückwirkungen einer Überprüfung zu unterziehen.

Um Weisung wird gebeten. Die beiden Berichte aus Kopenhagen sind dem Herrn Reichsminister für Ernährung und Landwirtschaft und dem Herrn Reichswirtschaftsminister zugeleitet worden.

Schnurre

30. Horst Wagner: Behandlung deportierter dänischer Polizeibeamter 11. Oktober 1944

Wagner havde drøftet de deporterede danske politifolks forhold med Kaltenbrunner og Heinrich Müller. Politifolkene ville blive behandlet som krigsfanger, og de skulle allerede være taget ud af den egentlige koncentrationslejr i Buchenwald. De danske gendarmer blev også behandlet som krigsfanger.

Trods de givne løfter forblev de deporterede politimænds forhold i Buchenwald langtfra som krigsfangers, og gendarmerne i Neuengamme kom heller ikke til at nyde en særlig status.

Kilde: RA, pk. 232.

62 Trykt ovenfor. Der står fejlagtigt datoen 9.10.1944 i skrivelsen.

Berlin, den 11. Oktober 1944. Inl. II 2169 g
Geheim

V o r t r a g s n o t i z

Betrifft: Behandlung deportierter dänischer Polizeibeamter; Drahtberichte Kopenhagen Nr. 1136 und 1137 vom 3. Oktober 1944.[63]

Die Frage der nach Deutschland verbrachten dänischen Polizeibeamten wurde mit SS-Obergruppenführer Kaltenbrunner und SS-Gruppenführer Müller dahingehend geklärt, daß es seitens des Chefs der Sicherheitspolizei und des SD von vornherein beabsichtigt gewesen sei, die Polizeibeamten als Kriegsgefangene zu behandeln. Die vorläufige Unterbringung im Konzentrationslager Buchenwald sei lediglich aus Unterbringungsschwierigkeiten erfolgt. Sie seien bereits aus dem eigentlichen Konzentrationslager in Buchenwald herausgenommen worden und würden nicht als KZ-Häftlingen, sondern als Kriegsgefangene behandelt. Letzteres trifft ebenfalls auf die Grenzgendarmen zu. Obergruppenführer Kaltenbrunner hat an seine nachgeordneten Stellen die Weisung gegeben, in dieser Frage den Wünschen des Auswärtigen Amts weitestgehend entgegenzukommen.

Kopenhagen ist entsprechend verständigt.

gez. **Wagner**

Zur Vorlage bei dem Herrn Reichsaußenminister über den Herrn Staatssekretär.

31. Harro Brenner an Franz von Sonnleithner 12. Oktober 1944

Ribbentrop ville ikke selv tage stilling til von Hannekens ønske om beslaglæggelse af alle danske cykler, men ville have sagen forelagt Hitler med anbefaling af, at det kun blev de nye cykler. Spørgsmålet om tilbageførsel af de deporterede danske politifolk ville Ribbentrop have Hitlers endelige afgørelse af. Derefter skulle sagen drøftes på et møde mellem allerede interesserede tyske instanser for at få alle enkeltheder drøftet og fastlagt.

For det videre forløb se Brenner til Steengracht 13. oktober.

Kilde: PA/AA R 101.041. RA, pk. 228.

Büro RAM

Betr.: Polizeimaßnahmen in Dänemark.

Herrn Gesandten von Sonnleithner vorgelegt.
Die anliegenden Telegramme aus Dänemark Nr. 1151 und 1162 vom 9.[64] und 10.10.[65] sowie die Aufzeichnung des Gesandten Schnurre[66] bittet Sie der Herr RAM dem Führer vorzulegen. Falls zeitlich möglich, bittet Sie der Herr RAM, dem Führer das Telegramm des Ministerialdirektors Walter vom Reichsernährungsministerium und die Aufzeichnung des Gesandten Schnurre vorzulegen, damit sie der Führer überfliegt.

63 Indberetningerne er trykt ovenfor under 5. oktober 1944.
64 Trykt ovenfor.
65 Telegrammet er ikke lokaliseret.
66 Af 11. oktober. Trykt ovenfor.

Ferner bittet Sie der Herr RAM, dem Führer hierzu noch folgendes vorzutragen:
1.) Hinsichtlich der Frage der Beschlagnahme der Fahrräder in Dänemark schließt sich der Herr RAM dem Vorschlag von Dr. Best an, nur die laufende dänische Produktion an Fahrrädern sowie die zur Zeit im Handel befindlichen Fahrräder zu beschlagnahmen.[67]
2.) Was die Frage der Rückkehr der unbelasteten dänischen Polizeibeamten und die Aufhebung gewisser polizeilicher Verkehrsbeschränkungen betrifft, so bittet Sie der Herr RAM, wegen der damit verbundenen Folgen auf wirtschaftlichem – insbesondere auf ernährungswirtschaftlichem Gebiet – die grundsätzliche Entscheidung des Führers hierzu einzuholen. Der Herr RAM würde sodann in Berlin eine Sitzung abhalten lassen, an der alle beteiligten Stellen (Auswärtiges Amt, Reichsführung-SS, OKW, Reichsernährungsministerium, Reichswirtschaftsministerium) sowie Best und Pancke teilnehmen, und in der die Einzelheiten erörtert und festgelegt werden.

Falls Sie darauf der Führer fragen sollte, warum nicht zuerst Verbindung mit den zuständigen Stellen aufgenommen würde, bittet Sie der Herr RAM zu sagen, daß er eine Abänderung nicht vornehmen könne, da die Deportierung der dänischen Polizeibeamten auf eine persönliche Weisung des Führers zurückgeht, und dies auch der Reichsführer-SS dem Herrn RAM mitgeteilt habe.

"Westfalen," den 12. Oktober 1944

Brenner

32. Hermann von Hanneken: Besprechung über der Arbeiten an den Riegelstellungen 13. Oktober 1944

Med de forøgede krav om fæstningsbyggeri stod von Hanneken gang på gang med problemet med at skaffe de til formålet nødvendige arbejdere og materialer. I efteråret 1944 blev presset øget af en ny førerordre. Ganske vist var det tyske mindretal i september trådt til for at udføre en del af skansegravningen tværs over Jylland, mens UM samtidigt under trusler havde nægtet at fremskaffe 9.000 arbejdere til opgaven (Hæstrup, 2, 1966-71, s. 45-49). På den måde kunne mangelen på arbejdere i længden alligevel ikke afhjælpes, og allerede i oktober var problemet igen akut.

Von Hanneken vendte sig da til Best med krav om arbejdere, materialer og transportmidler, der langt oversteg, hvad der blev forlangt i september. Nu drejede det sig om 60.000 arbejdere og kolossale mængder af andre ressourcer, som Best fik som opgave at skaffe fra det civile Danmark, om nødvendigt med brug af tvangsforanstaltninger (Andersen 2007, s. 230f.).

Da kravene blev formuleret ved en konference med underordnede, kan von Hanneken have ønsket at demonstrere, at han havde en bestemt vilje til at gennemtrumfe førerordren, og at hvis det ikke skete, lå ansvaret ikke på ham. Han kan derimod ikke have satset på, at en svækket Best nu ville være villig til at følge kravene op. Von Hannekens krav til Best siden politiaktionen var i øvrigt blevet mødt med afvisning.

Brevet til Best blev afsendt 13. oktober, og Best svarede 16. oktober.

Kilde: KTB/WB Dänemark 13. oktober 1944.

In der gestern und heute stattgefundenen Besprechung über die Fortführung der Arbeiten an den 2 Riegelstellungen und den Beginn der 3. Stellung sowie über die Fortfüh-

67 Bests forslag blev givetvis fremsat i telegram nr. 1162, 10. oktober 1944, hvor han også havde indberettet von Hannekens krav.

rung der festungsmäßigen Bauten wurden von OT, Fest. Pi. Stab 31, TK Aarhus und Quartiermeister die Forderungen für Materiel usw. angemeldet. Daraus war zu ersehen, daß gegenüber den Arbeiten im Wehrkr. X durch Schwierigkeiten in der Arbeiter- und Materialfrage sowie im Transportwesen bereits jetzt ein erheblicher Rückstand beim Bau der Riegelstellungen in Süd-Jütland eingetreten ist, obwohl die Truppe in höchstmöglichen Massen mit herangezogen wurde. Um dem Führerbefehl über den Ausbau der Riegelstellungen zum Schutz der Reichsgrenze nachkommen zu können, wird an den Reichsbevollmächtigten in Dänemark folgende Forderung gestellt:

1.) Dänische Arbeiter:
Zusätzlich zu den bisher für OT arbeitenden Kräften:

Entweder 60.000 ungelernte Angehörige der Bevölkerung oder 49.000 Arbeiter im Baueinsatz.

Hierzu teilweise Stillegung des dän. Baugewerbes unumgänglich. Bauaufsicht durch Truppenteile des Heeres unter gleichzeitiger Mitarbeit. Verlängerte Arbeitszeit ist dabei notwendig.

Falls durch den Arbeitsmarkt nicht genügend Kräfte aufgebracht werden können, steht zur Erwägung, ob durch Aufgebot ganzer Landgemeinden im Stellungsbereich der Ausbau vollzogen werden kann.

Diese Maßnahme nur unter militärischer Oberhoheit und erheblichem Zwang möglich.

Die Arbeiten sind auszuführen:
a.) in der Küstenzone Skagen-Esbjerg
b.) in 3 Riegelstellungen (Ost-West Richtung)
  1.) Vejle-Grindsted-Varde-Esbjerg
  2.) Kolding-Ribe
  3.) Hadersleben-Scherrebäk.

Unterbringung im Zuge der Stellungen in Privatmassenquartieren in Dörfern und Landgemeinden auf Grund des hier anzuwenden – Wehrleistungsgesetzes.
Schanzzeug (Shippen, Spaten, Hacken) sind von. dän. Regierung aufzubringen.

Die Verpflegung der Arbeiter durch Quartiergeber. Bereitstellung ausreichender Verpflegungsmittel muß durch dän. Wirtschaft erfolgen. Hilfe durch Truppenverpflegungslager nur im Notfall.
Sanitäre Betreuung übernimmt WB Dän. Die im Zuge der Stellungen ansässigen Zivilärzte müssen Weisung erhalten, sich zur Verfügung zu stellen.

2.) Transportraum:
Es fehlen: 1.000 Lkw. und 2.000 Reifen.

Ist es nicht möglich, auf Zeit wenigstens einen größeren Prozentsatz aus jetzt laufenden Lkw. der dän. Wirtschaft herauszuholen? Verstärkte Heranziehung der dän. Staatsbahn für Arbeiter- und Materialtransporte unter teilweiser Einschränkung des dän. Verkehrs. Dazu Weisungsrecht an Dän. Staatsbahn und Privatbahnen erforderlich.

3.) An Feldstellungsbaumaterial für Fest. Pi. Stab 31 und OT werden benötigt: 60.000 cbm. Bauholz und 600.000 hl. Generatorholz.
[...]

33. Axel Walter/Werner Best an das Auswärtige Amt 13. Oktober 1944

I forlængelse af det "fælles" brev 9. oktober 1944, skrev Walter og Best et dobbelttelegram, hvis hensigt var den samme som få dage tidligere: at understrege, at fjernelsen af et dansk politi truede den tyske forsyning med danske landbrugsprodukter. Walter bad om oprettelse af organer, der kunne sørge for kontrolforanstaltninger til sikring af leverancer, og Best fulgte op med at meddele, at han havde sat etableringen af sådanne organer i gang. Det kunne imidlertid ikke komme på tale at få genoptaget det kriminalistiske arbejde, da der ikke var faguddannede personer dertil (Nissen 2005, s. 259f.).

Kilde: PA/AA R 101.041. RA, pk. 228. LAK, Best-sagen (afskrift).

Telegramm

Kopenhagen, den	13. Oktober 1944	13.35 Uhr
Ankunft, den	13. Oktober 1944	15.10 Uhr

Nr. 1165 vom 13.10.44.

Im Anschluß an hiesiges Telegramm Nr. 1151[68] vom 9.10.
Auch für Reichsernährungsministerium.

In den Sachverständigen-Besprechungen über die künftigen Fleischlieferungen Dänemarks nach Deutschland hat sich ergeben, daß die Ausfuhr im Wirtschaftsjahr 1944/45 bei vorsichtiger Schätzung mit rd. 130.000 t, wahrscheinlich mehr, angenommen werden kann. Dänischerseits wurde jedoch mit Ernst darauf aufmerksam gemacht, daß mit einer solchen Liefermenge nur dann gerechnet werden könne, wenn in Dänemark wieder normale Verhältnisse einträten. Insbesondere das Fehlen jeder dänischen Polizei mache es unmöglich, die getroffenen Maßnahmen zur Herabsetzung des dänischen Inlandsverbrauchs zu überwachen. Es sei infolgedessen mit einer starken Zunahme der Hausschlachtungen und der illegalen Schlachtungen zu rechnen. Der verbotene Versand von Fleisch mit der Eisenbahn durch Private, der Verkauf durch Bauern und Schlächter an Schwarzhändler und Private sowie Wehrmachtsangehörige könne nicht mehr verhindert werden. Es sei daher zu befürchten, daß die Ablieferung von Schweinen und Rindern für die Ausfuhr stark rückläufig werden würde. Wenn nicht die dänische Verwaltung wieder in die Lage versetzt würde, die erforderlichen Kontrollmaßnahmen wieder durch zuverlässige Organe vornehmen zu lassen.

Wie ich in meinem Vortelegramm bereits ausgeführt habe, teile ich diese Befürchtungen und habe daher ernsthafte Sorge, ob das geschätzte Lieferprogramm eingehalten werden kann.

Walter

68 Ha Pol. gRs. Trykt ovenfor.

Dem vorstehenden Bericht des Ministerialdirektors Dr. Walter füge ich an, daß die Bemühungen um die Schaffung eines Ersatzes für die aufgelöste dänische Polizei den folgenden Stand erreicht haben.

1.) Für die Aufrechterhaltung der öffentlichen Ordnung hat die dänische Zentralverwaltung mit meiner Genehmigung die Bildung kommunaler Wächterkorps angeordnet.[69]
2.) Die administrativen Aufgaben der früheren dänischen Polizei sollen von neuen Verwaltungsdienststellen, die den Amtmännern angegliedert werden, wahrgenommen werden. Die Vorarbeiten werden voraussichtlich in den nächsten Tagen abgeschlossen werden.[70]
3.) Hinsichtlich der Rekonstruktion einer Kriminalpolizei hat die dänische Zentralverwaltung mir mitgeteilt, daß hier die große Schwierigkeit besteht, daß kriminalpolizeiliche Aufgaben nur von Fachkräften wahrgenommen werden können, die zur Zeit nicht zur Verfügung stehen. Soweit die bisherigen dänischen Polizeibeamten nicht interniert und in das Reich deportiert worden seien, seien sie zum größeren Teil geflüchtet und würden nur schwer zur Rückkehr und Wiederaufnahme ihres Dienstes zu veranlassen sein, da sie Wiederholungen der Aktion vom 19.9.44 befürchten. Mit unausgebildeten Kräften aber könne eine kriminal-polizeiliche Arbeit nicht aufgenommen werden.

Dr. Best

34. Werner Best an das Auswärtige Amt 13. Oktober 1944

HSSPF havde 25. september opfordret til oprettelsen af et dansk kommunalt politi, men det var Best, der førte forhandlingerne med den danske centraladministration igennem med et positivt resultat. Det kunne han meddele AA samtidig med, at han med tilfredshed kunne melde ophævelsen af den "politimæssige undtagelsestilstand" og de af Pancke indførte "ulovlige" forordninger, hvoraf Best dog opretholdt en enkelt.

Tilsyneladende var situationen ved at stabilisere sig for Best (Hæstrup, 2, 1966-71, s. 123-130).

Kilde: PA/AA R 101.041. RA, pk. 228. LAK, Best-sagen (afskrift).

Telegramm

aus Kopenhagen
Nr. 1167 vom 13.10.44. Supercitissime!

Nachdem heute in der dänischen Presse die von der dänischen Zentralverwaltung mit meiner Genehmigung angeordnete Bildung kommunaler Wächter bekanntgegeben worden ist,[71] habe ich mit dem Höheren SS- und Polizeiführer vereinbart, daß morgen (14.10.) die förmliche Aufhebung des am 19. September 1944 verkündeten "polizeili-

69 Der var efter forhandling med Best 11. oktober udsendt et justitsministerielt cirkulære, hvorefter der skulle dannes kommunale vagtværn i alle bymæssige bebyggelser med mere end 2.000 indbyggere (Hæstrup, 2, 1966-71, s. 123-132).

70 Politiets civile funktioner skulle i det væsentlige overgå til amtmænd og dommere (Hæstrup, 2, 1966-71, s. 127).

71 Se telegram nr. 1165, 13. oktober 1944.

chen Ausnahmezustandes" bekanntgegeben wird.[72] Der Höhere SS- und Polizeiführer hat seit dem 28. September 1944, an dem er mir die Befolgung der Weisungen des Herrn Reichsaußenministers und meiner Ersuchen zusagte, (siehe mein Telegramm Nr. 1125 vom 28.9.1944)[73] von dem "polizeilichen Ausnahmezustand" praktisch keinen Gebrauch mehr gemacht und insbesondere keine Verordnungen mehr erlassen. Von den durch seine (an sich ungültigen) Verordnungen getroffenen Anordnungen halte ich nur die Bestimmungen über den Überlandverkehr mit Kraftfahrzeugen aufrecht (mit der aus wirtschaftlichen Gründen notwendigen Maßgabe, daß Lastkraftwagen grundsätzlich zum Überlandverkehr zuzulassen sind). Neu ordne ich an, daß künftig nur noch deutsche Waffenscheine und entsprechende zum Besitz von Waffen, Munition und Sprengmittel berechtigende Ausweise in Dänemark Geltung haben und daß die von den dänischen Behörden ausgestellten Ausweise dieser Art ungültig sind.[74]

Dr. Best

35. Harro Brenner an Adolf von Steengracht 13. Oktober 1944

Fra førerhovedkvarteret kunne Brenner meddele AA Hitlers beslutning vedrørende beslaglæggelsen af cykler i Danmark. Den skulle kun berøre nye cykler. Endvidere var Hitler indforstået med, at Ribbentrop indkaldte til et møde til drøftelse af eventuel frigivelse af de deporterede danske politifolk. Ritter skulle give von Hanneken og Best besked vedrørende cyklerne. Ved drøftelsen af politifolkenes eventuelle frigivelse skulle Panckes argumenter ikke bare fejes til side af erhvervsmæssige, især ikke ernæringsøkonomiske, betænkeligheder. Ribbentrop ville forbeholde sig den endelige beslutning.

Det er et udtryk for AAs svækkelse, at beslutningen vedrørende beslaglæggelse af cykler i Danmark skulle afgøres af Hitler personligt. Von Hannekens forlangende om alle brugbare cykler var i sit udgangspunkt så uigennemtænkt, at det burde være stoppet allerede i AA, rent bortset fra at det ikke var en korrekt videregivelse af OKWs ordre, men en skærpelse af den. Hvorfor von Hanneken valgte at skærpe den, hvis det var ham, får stå hen. Det kan også være Best selv, der valgte at skærpe den besked, som han 10. oktober sendte AA. Det kan vi ikke vide, da hverken von Hannekens brev til Best ellers Bests til AA er bevaret. Det er imidlertid enten i kommunikationen mellem dem, at OKWs ordre er blevet skærpet eller mellem Best og AA. Med et kendskab til von Hanneken og Best ville det ligne den sidste mest at manipulere en ordre, så den røg helt til Hitler, hvis det på anden vis kunne tjene Bests sag, aktuelt at få fokus på værnemagtens urimelige dispositioner i Danmark.

Anderledes med spørgsmålet om hjemførelsen af de danske politifolk. Ved at forelægge denne sag direkte for Hitler havde Ribbentrop en mulighed for at øve større indflydelse på beslutningen, men den mulighed blev afsvækket af, at han selv måtte give besked til AA om, at Panckes argumenter ikke måtte fejes til side ved det kommende møde om sagen. Denne anvisning skyldtes ikke Ribbentrop selv, men Hitler lod sig høre her (Duckwitz' erindringer u.å. kap. VI, s. 19f., der omtaler, at Rüstungsstab Dänemark henvendte sig til OKW for at få omgjort ordren om cykelbeslaglæggelser (PA/AA, Nachlass Georg F. Duckwitz, bd. 29), Rosengreen 1982, s. 137, der ikke gør noget ud af indholdet! Herbert 1996, s. 395 og Lauridsen 2006b vedr. cykelbeslaglæggelsen).[75]

Se Ritter til Best 14. oktober.

Kilde: RA, pk. 228.

72 Bekendtgørelsen blev udsendt af HSSPFs pressekontor og er trykt på dansk hos Alkil, 2, 1945-46, s. 905.

73 Trykt ovenfor.

74 Trykt 14. oktober 1944 og gengivet hos Alkil, 2, 1945-46, s. 905.

75 Herbert 1996, s. 623 note 205 henviser til Bests telegram nr. 1162, 10. oktober 1944, som om det eksisterer. Telegrammet er ikke i det af Herbert påberåbte arkivfond, og hverken udgiverne af ADAP/E eller af nærværende udgave har kunnet lokalisere det.

Abschrift
Büro RAM

Betr.: Polizeimaßnahmen in Dänemark.

Herrn St.S. von Steengracht vorgelegt:
Zu den Telegrammen aus Kopenhagen Nr. 1151 und 1162 vom 9.[76] und 10.10.[77] sowie zu der Aufzeichnung des Gesandten Schnurre vom 11.10.[78] hat der Führer am 12.10. entsprechend dem Vorschlag des Herrn RAM folgendes geäußert:

"Der Führer ist der Meinung, daß in Dänemark zur Erhaltung der dänischen Lieferwilligkeit nicht alle Fahrräder beschlagnahmt werden könnten, sonder daß man tatsächlich nur die laufende dänische Produktion und die im Handel befindlichen Fahrräder einziehen solle.

Der Führer ist ferner damit einverstanden, daß die Frage der evtl. Freilassung dänischer Polizisten vom Herrn Reichsaußenministers mit den beteiligten Ressorts geprüft werde. Der Führer fügte aber hinzu, daß man dabei sehr vorsichtig sein müsse, denn die Dänen könnten durch den Hinweis darauf, daß sonst ihre Lieferungen an uns zurückgehen würden, letztenendes alles von uns erpressen."

Der Herr RAM bittet Herrn Botschafter Ritter, die Frage der Beschlagnahme der dänischen Fahrräder im obigen Sinne mit Wehrmachtsführungsstab aufzunehmen, damit der Wehrmachtsbefehlshaber Dänemark entsprechend instruiert wird. Gleichzeitig müßte auch Dr. Best entsprechend Weisung erhalten.

Wegen der Frage einer evtl. Freilassung der dänischen Polizisten bittet der Herr RAM den Herrn St.S., in Berlin eine Sitzung einzuberufen, an der die beteiligten Ressorts (Auswärtiges Amt, Reichsführung SS, OKW, Reichsernährungsministerium, Reichswirtschaftsministerium) sowie Best und Pancke teilnehmen, und in der die Einzelheiten der Rückführung der unbelasteten dänischen Polizeibeamten erörtert werden. In dieser Sitzung soll nicht etwa Pancke durch die Ressorts mit dem Hinweis auf die wirtschaftlichen, insbesonder ernährungswirtschaftlichen Bedenken einfach an die Wand gedrückt, sondern auch seine Argumente sollen gehört werden. Der Herr RAM hat angeordnet, daß er zunächst die Vorschläge dieser Ressortbesprechung vorgelegt haben möchte und daß er sich dann die definitive Entscheidung über die Rückführung dänischer Polizeibeamter nach Dänemark persönlich vorbehalte.

Wolfschanze, den 13. Oktober 1944.

gez. **Brenner**

Doppel für Herrn Botschafter Ritter.

76 Trykt ovenfor.
77 Telegrammet er ikke lokaliseret.
78 Trykt ovenfor.

36. Hermann von Hanneken an Werner Best 13. Oktober 1944

Se von Hanneken: Besprechung 13. oktober 1944.
Best svarede 16. oktober.
Kilde: KTB/WB Dänemark 18. oktober 1944, Anlage.

Anlage 1 zu WB Dän. Ia Nr. 2224/44 g.K. v. 18.10.44.[79]
Abschrift

Geheime Kommandosache
7 Ausfertigungen
. Ausfertigung

An den Reichsbevollmächtigten i. Dänemark	1. Ausf.
Durch Kurier:	
OT Einsatz Dänemark – Vejle	2. Ausf.
Abt. Qu	3. Ausf.
Abt. Ic	4. Ausf.
Abt. IIa/b	5. Ausf.
Fest. Pi. Stab 31	6. Ausf.
Trspt. Kommandantur Aarhus	7. Ausf.

Durch Führerbefehl wurde verstärkter Ausbau der Küstenbefestigungen Deutsche Bucht und Dänemark sowie Bau von Riegelstellungen in Südjütland zum Schutz der Reichsgrenze befohlen. Durch Schwierigkeiten in der Arbeiter- und Materialfrage sowie im Transportwesen bereits jetzt erheblicher Rückstand gegenüber den arbeiten im Wehrkreis X (dort Einsatz von 250.000 Menschen).

Neu befohlener Ausbau wurde in der Mehrzahl durch Truppenteile geleistet, die in Kürze nur noch in geringstem Umfang zur Verfügung stehen.

Um Führerbefehl in notwendigen Umfang und im Einklang mit Arbeiten beim Führungsstab Nordküste ausführen zu können, sind erforderlich:

1.) *Dänische Arbeiter:*

Zusätzlich zu den bisher für OT arbeitenden Kräften:

Entweder 60.000 ungelernte Angehörige der Bevölkerung *oder* 49.000 Arbeiter im Baueinsatz.

Hierzu teilweise Stillegung des dänischen Baugewerbes umgänglich. Bauaufsicht durch Truppenteile des Heeres unter gleichzeitiger Mitarbeit. Verlängerte Arbeitszeit ist dabei notwendig.

Falls durch den Arbeitsmarkt nicht genügend Kräfte aufgebracht werden können, steht zur Erwägung, ob durch Aufgebot ganzer Landgemeinden im Stellungsbereich der Ausbau vollzogen werden kann.

Diese Maßnahme nur unter militärischer Oberhoheit und erheblichem Zwang möglich.

Die Arbeiten sind auszuführen:

a.) in der Küstenzone Skagen – Esbjerg

79 Trykt nedenfor.

b.) in 3 Riegelstellungen (Ost-West Richtung)
1.) Vejle-Grindsted-Varde-Esbjerg
2.) Kolding-Ribe
3.) Hadersleben-Scherrebäk.

Unterbringung im Zuge der Stellungen in Privatmassenquartieren in Dörfern und Landgemeinden auf Grund des hier anzuwendenden Wehrleistungsgesetzes.

Schanzzeug (Schippen, Spaten, Hacken) sind von der dänischen Regierung aufzubringen.

Die Verpflegung der Arbeiter durch Quartiergegeben. Bereitstellung ausreichender Verpflegungsmittel muß durch dänische Wirtschaft erfolgen. Hilfe durch Truppenverpflegungslager nur im Notfall.

Sanitäre Bestreuung übernimmt WB Dän. Die im Zuge der Stellungen ansässigen Zivilärzte müssen Weisung erhalten, sich zur Verfügung zu stellen.

2.) *Transportraum:*
Es fehlen:
1.000 Lkw. und
2.000 Reifen.
Ist es nicht möglich, auf Zeit wenigstens einen größeren Prozentsatz aus jetzt laufenden Lkw. der dänischen Wirtschaft herauszuholen?

Verstärkte Heranziehung der Dänischen Staatbahn für Arbeiter- und Materialtransporte unter teilweiser Einschränkung des dänischen Verkehrs. Dazu Weisungsrecht an Dänische Staatbahn und Privatbahnen erforderlich.

3.) An Feldstellungsbaumaterial für Fest. Pi. Stab. 31 und OT werden benötigt:
60.000 cbm Bauholz
600.000 hl Generatorholz.

Gef.St., den 13.10.1944

Wehrmachtbefehlshaber Dänemark
Ia – Br. B. Nr. 2179/44 g.Kdos. –
gez. **von Hanneken**
General der Infanterie

37. Karl Ritter an Werner Best 14. Oktober 1944

Ritter orienterede Best om beslutningen om, at kun de nye cykler i Danmark skulle beslaglægges. OKW havde til Ritter oplyst, at ifølge dets ordre skulle Best afgøre omfanget af beslaglæggelsen. Det var altså fra begyndelsen OKWs mening, at Best skulle bestemme omfanget, hvilket Ritter tydeliggjorde over for Best.

Hermed var det et åbent spørgsmål, hvem der havde ansvaret for, at OKWs ordre var blevet fordrejet, så det angivelige krav gik videre til AA og Hitler selv. Der burde slet ikke have været en sag. Men Ritters formulering til Best indikerer, at Best ikke skulle bryde sig om at udnytte tilfældet.

Meddelelsen om den tyske værnemagts opkøb af alle nye cykler af "tvingende grund" blev givet den danske offentlighed 26. oktober, samme dag som beslaglæggelserne fandt sted over det meste af landet. Motorcykler blev medtaget (den tyske meddelelse 26. september 1944 (tryk hos Alkil, 2, 1945-46, s. 907), KB, Bergstrøms dagbog 26. og 27. oktober (øjenvidneberetning), *Information* 27. oktober og 1. november 1944, Henningsen 1955, s. 203, Lauridsen 2006b).

Kilde: PA/AA R 101.041. RA, pk. 232.

Telegramm

S. Westfalen, den	14. Oktober 1944	19.37 Uhr
Ankunft, den	14. Oktober 1944	20.10 Uhr

Nr. 2206 vom 14.10.[44.] Geheim

Botschafter Ritter Nr. 919
Deutsche Gesandtschaft Kopenhagen

Auf Drahtbericht Nr. 1162[80] vom 10. Oktober.
I.) Bezüglich Beschlagnahme der Fahrräder in Dänemark ist Entscheidung dahin ergangen, daß in Dänemark nicht alle Fahrräder beschlagnahmt werden sollen, sondern daß tatsächlich nur die laufende dänische Produktion und die im Handel befindlichen Fahrräder eingezogen werden sollen.
II.) Ich habe das Oberkommando der Wehrmacht hiervon verständigt. Das Oberkommando der Wehrmacht hat darauf hingewiesen, daß in dem betreffenden Befehl des Wehrmachtführungsstabes der Satz enthalten ist: "In Dänemark bestimmt Reichsbevollmächtigter in diesem Rahmen Umfang und Verfahren der Beschlagnahme."
Es war also von vornherein die Absicht des Wehrmachtführungsstabes, daß in Dänemark allein der Reichsbevollmächtigte auch den "Umfang" der Beschlagnahme bestimmt. Das Oberkommando der Wehrmacht hat zugesagt, daß der Wehrmachtsbefehlshaber Dänemark im Sinne der Ziffer I verständigt wird.

Ritter

Vermerk:
Unter Nr. 1194 an Deutsche Gesandtschaft Kopenhagen weitergeleitet.
Telko, 15.10.44.

38. OKW/WFSt an OKM u.a. 15. Oktober 1944

OKW/WFSt beordrede en øjeblikkelig beslaglæggelse af fire færger, som skulle bruges til operation "Nordlicht" til søtransport i Nordnorge. Beslaglæggelserne skulle finde sted uanset generne for den danske trafik. Ordren tilgik alle de relevante tyske myndigheder i Danmark, ligesom AA modtog ordren med anmodning om at støtte den.

Ordren lod forstå, at trænering af dens udførelse ikke ville blive tålt. Operation "Nordlicht" var kodenavnet for den aktion, hvorefter alle tyske styrker skulle trækkes tilbage fra Finland til Lyngen-stillingen i Norge inden nytår. Det skete i henhold til et finsk ultimatum i september, hvor det tysk-finske våbenbroderskab ophørte. Aktionen var hastende og fandt sted under vanskelige vejrforhold, idet man fra tysk side samtidigt ødelagde mest muligt under sin tilbagetrækning og tvangsevakuerede omkring 50.000 nordmænd (Lang 1995, Zimmermann 2008, s. 381f.).

Der var næste dag udpeget de fire færger, der skulle beslaglægges.[81] Der blev holdt møde i bl.a. denne

80 bei Pol. VI (V.S.). Indberetningen er ikke lokaliseret.
81 Ifølge Fragtnævnet beslaglagde besættelsesmagten de fire statsbanefærger som repressalie for, at de to danske isbrydere "Mjølner" og "Holger Danske" 18. september 1944 var flygtet til Sverige. Begrundelsen

sag 18. oktober. Se Bests kalenderoptegnelser anf. dato, trykt nedenfor.
Kilde: BArch, Freiburg, RM 7/1813. RA, Danica 628, sp. 7, nr. 5880.

Abschrift!
[...] 025493
Eingegangen 15.10.44 02.36 Uhr
Fernschreiben von: KR GWMOL 018914 15.10. 00.40
mit A.Ü. –

nachr.: OKM 1. Skl. (Koralle)
Gltd. WB Dänemark – Admiral Skagerrak
Seetransport Chef Skagerrak
nachr. Ausw. Amt
nachr. Reichsbev. in Dänemark
nachr. OKM/Skl. Adm. Qu VI (Bismarck)
nachr. OKM/1. Skl. (Koralle)
nachr. MOK Norwegen
nachr. Seetransportchef Norwegen
nachr. Reichskommissar f.d. Seeschiffahrt
– gKdos –

Betr.: Fährschiffe für Unternehmen "Nordlicht"

1.) Für Durchführung Bewegung "Nordlicht" werden im Nord-Norwegen zur Überbrückung von Fährstellen dringend 4 Fährschiffe aus dänischem Raum benötigt.
2.) Seetransportamt Skagerrak hat 4 geeignete Fährschiffe abzuwählen und über W. Befh. Dänemark deren Beschlagnahme bei Reichsbevollmächtigten in Dänemark zu erwirken.
Die Fährschiffe sind umgehend dem Seetransportchef Norwegen zur Verfügung zu stellen und nach Nord-Norwegen im Marsch zu setzten.
3.) Nachteile für dänischen Fährverkehr sind in Kauf zu nehmen, da Durchführung "Nordlicht" vordringlich.

Zusatz für Ausw. Amt: Unterstützung der Maßnahme erbeten.

i.A. geh. **Frhr. v. Buttlar**, OKW/WFSt/OP (M)
eins A Nr. 0012361/44 GKdos

blev givet af besættelsesmagten direkte til nævnet, som også fik besked om, at der for hvert dansk skib, der flygtede til Sverige, ville blive beslaglagt to danske skibe (*Beretning om Fragtnævnets Virksomhed*, 1950, s. 35, *Skibsfartsberetning for årene 1939 1945*. II, 1950, s. 117). Det er imidlertid klart, at de fire færger blev beslaglagt mere end fire uger senere på baggrund af et helt konkret akut tysk behov for tonnagen. Repressalien var en belejlig begrundelse, der ville være en trussel for fremtiden. Den tyske beslutning om at anvende repressalier, når skibe flygtede til Sverige, blev givetvis truffet på mødet i København 18. oktober med Kriegsmarines repræsentanter.

39. Feldwirtschaftsoffizier Lambert: Lagebericht 15. Oktober 1944

I sin anden situationsberetning til Feldwirtschaftsamt gennemgik WB Dänemarks Feldwirtschaftsofficer punkt for punkt de samme forhold, som Forstmann havde indberettet til Rüstungsamt. Den fortsatte vigende tilførsel af brændstof og råmaterialer påvirkede den tyske aktivitet i Danmark og dansk erhvervsliv i øvrigt. Der var ekstraordinært tilført en stor kulmængde for at sikre den danske cementproduktion bestemt for de tyske befæstningsanlæg, hvor alt i alt over 42.000 danskere var beskæftiget. Der var igen tæret ved forskud på de danske træbeholdninger for at imødekomme de tyske enheders behov. Genbrug af materialer var kommet på dagsordenen, og der var indsat en særlig betroet medarbejder på området. Trafiksituationen var meget anspændt på grund af forlægninger af de tyske tjenestesteder, yderligere havde den svenske regering stoppet for transitten til Norge og Finland, hvilket gjorde 180.000 tons yderligere skibstonnage nødvendig hver måned. HSSPF havde 19. september indført en forordning om bilkørsel, der stadig gjorde sig gældende på hæmmende vis.

Kilde: BArch, Freiburg, RW 27/18. KTB/Fwi bei WB/Dänemark, Anlage.

Der Feldwirtschaftoffizier *Kopenhagen, 15. Okt. 1944.*
beim Wehrmachtbefehlshaber Dänemark Geheim
Gr. Ia Az. 66 d 1 Nr. 1258/44geh.

Betr.: Lagebericht.
Bezug.: OKW W Stab Inland 1/III v. 4.4.1944.

An das Feldwirtschaftsamt im Oberkommando der Wehrmacht,
Frankfurt/Oder

Der Feldwirtschaftoffizier beim Wehrmachtbefehlshaber Dänemark überreicht in der Anlage Lagebericht über September 1944 gemäß o.a. Bezugsverfügung.

[uden underskrift]

Der Feldwirtschaftoffizier *Kopenhagen, den 15.10.1944.*
beim Wehrmachtbefehlshaber Dänemark
Gr. Ia Az. 66 d 1 Nr. 1258/44geh.

Lagebericht

Allgemeines

In der bereits mehrfach gemeldeten Verstreifung der dänischen Regierung und der Bevölkerung gegenüber den Forderungen der Besatzungstruppe infolge der politischen Hochspannung, ist keine Änderung eingetreten. Trotzdem wurden die Anforderungen der Besatzungstruppe befriedigt, teilweise mußten allerdings Zwangsmaßnahmen (Beschlagnahmen) durchgeführt werden.

Generatorholz

Aus dänischen Beständen sind wie in den Vormonaten, auch im vergangenen Monat 6.000 rm Generatorholz geliefert worden. Der Abtransport dieser Menge nach Fünen und Jütland, der früher größtenteils auf dem Wasserwege erfolgte, aber infolge Treibstoffmangel (Dieselöl) nicht mehr durchgeführt werden kann, muß deshalb per Achse geschehen. Die Gestellung der hierfür benötigten 200 Waggons stößt infolge der angespannten Transportlage auf Schwierigkeiten. Für Schiffstransporte fehlen monatlich 3.000 ltr. Dieselöl, die bei OKH Gen. d. mot. im August zusätzlich für OT beantragt, aber nicht bereitgestellt wurden.

Seitens Chef WKW, bezw. OKH Gen. d. Mot. sind als Nachschub aus dem Reich monatlich 10.000 rm Generatorholz für die Truppe und für Festungsbauten zur Verfügung gestellt, wovon die Truppe 4.500 rm benötigt. Hiernach stehen also für die Durchführung der Festungsbauten aus dem Reich 5.500 rm und aus dänischen Bestände 6.000 rm – insgesamt ca. 11.500 rm zur Verfügung. Benötigt wurden jedoch ca. 13.000 rm. Die Fehlmengen sind z.T. durch freie Aufkäufe im Lande gedeckt worden.[82]

Schwelkoks für Generatoren

Die Beschaffung der monatlich benötigten 500 to war nicht möglich, da RWKS infolge der veränderten Lage bei den Hydrierwerken nicht genügend entteerten Schwelkoks liefern kann. Infolgedessen können ca. 35 Schwelkoks-Generator-Fahrzeuge nicht eingesetzt werden.

Holzkohle

Die von der Generator-Kraft AG im Juli d.J. einmalig zugesagten 30 to konnten bisher nicht geliefert werden. Da die dänische Holzkohlenproduktion relativ gering ist und für den innerdänischen Bedarf nicht ausreicht, ist eine Entnahme aus dem Lande nicht möglich. Durch Verhandlungen konnte lediglich ein einmalige Lieferung von 10 to erreicht werden, sodaß auf diesem Gebiete die Schwierigkeiten fortbestehen.

Torf und Braunkohle

Der Brennstoffbedarf der im Raume Dänemark eingesetzten Truppen ist durch die verstärkte Belegung stark angestiegen. Da mit zusätzlichen Kohlenlieferungen auf dem Nachschubwege infolge der veränderten Kriegslage im Westen nicht zu rechnen ist, sind Verhandlungen des Reichsbevollmächtigten mit der dänischen Regierung eingeleitet, um zusätzlich 50.000 to Torf und 5.000 to Braunkohle aus dänischen Beständen zu erhalten. In der Zeit von Januar bis Juli 1943 wurden 30.000 to Torf und 15.000 to Braunkohle dänischerseits zur Lieferung an die Wehrmacht freigegeben.

Betriebskohle

Im III. Quartal konnten die angeforderten 2.345 to *monatlich* durch RWKS bereitgestellt werden. Störungen sind nicht aufgetreten. Die Anforderungen der OT und der Luftwaffe für das IV. Quartal sind geringer und belaufen sich auf monatlichen [ulæseligt] to.

Rohgummi

In der Zeit vom 1. Mai 1944 bis 18. September 1944 sind an der Westküste Jütlands 177

82 Se Lambert til RWM 15. september 1944 og Lamberts oversigt 25. november. Endvidere Bests reaktion i brev til von Hanneken 16. oktober 1944.

Ballen – ca. 17,7 to durch deutsche Einheiten und durch dänische Stellen als Strandgut geborgen worden. Im Einvernehmen mit OKW Fwi Amt, der Reichsstelle Kautschuk sowie dem Reichsbevollmächtigten wurden der dänischen Regierung von obiger Bergung insgesamt 66 Ballen – 6,6 to unter Anrechnung auf das innerdänische Kontingent zur Verfügung gestellt. 97 Ballen – 9,7 to sind bisher ins Reich abtransportiert worden. Die Restbergung soll ebenfalls dem Reich zugeführt werden.[83]

Aufträge der Besatzungstruppe
Von dem Feldwirtschaftsoffizier beim Wehrmachtbefehlshaber Dänemark wurden im Monat September 1944 Rohstoffsicherungen von [Ferti]gungs- und Bauaufträgen sowie Wareneinkäufe der Besatzungstruppe in Dänemark soweit hierzu Eisen, Stahl, NE Metalle und andere [ulæseligt] benötigt wurden, in Höhe von RM 412.972,- durchgeführt.

Holzversorgung
Für Aufträge der Besatzungstruppe in Dänemark sind Monat September 1944 von dem Feldwirtschaftsoffizier Bedarfsbescheinigung über

5.785,9	cbm	Schnittholz	
1.110,2	fm	Rundholz	und
1.050,0	qm	Sperrholz	

für die vorschußweise Freigabe aus den Beständen der dänischen Wirtschaft ausgestellt worden.

Der Verbrauch der einzelnen Wehrmachtteile gliedert sich wie folgt:

Heer	913,8	cbm	und	72,7	fm
Marine	659,8	–	–	36,5	–
Luftwaffe	235,9	–	–	kein Rundholz	
OT	2.000,0	–	–	1.000,0	fm
Fe Pi Stab	1.750,2	–	–	1,0	–
BdO u. BdS	89,0	–	–	kein Rundholz.	

Hinzu kommen für Schiffsreparaturen 137,2 cbm Schnittholz.

Die Beschaffung von Rundholz machte auf Grund der großen Anforderungen seitens des Festungs-Pionierstabes und Marine-Festungspionierstabes besondere Schwierigkeiten. Da die Mengen auf dem üblichen Wege durch Holzwanderkarten nicht gedeckt werden konnten, wurden ca. 33.000 fm, durch Beschlagnahme im Einverständnis mit dem Beauftragten für Forstwirtschaft beim Reichsbevollmächtigten, aus dänischen Forsten, Waldungen usw. entnommen.

Besondere Bauholzsorten, Schnittlisten sowie Spezialhölzer für Schiffsbau waren schwer einzudecken. Aus diesem Grunde wurde vom Feldwirtschaftsamt und OKM Rüstungsamt Holzscheine freigegeben und dafür Hölzer mit größeren Durchmessern eingekauft, so daß hieraus der dringendste Bedarf angeschnitten werden konnte. Ebenfalls wurden für die ausgefallene Lieferung an Sperrholz aus Finnland, ca. 54 cbm Sperrholz aus Deutschland zur Deckung des dringendsten Bedarfs beschafft. Desgleichen

83 Se om rågummisagen Bests telegram nr. 817, 6. juli 1944.

konnten für besondere Zwecke insges. 4.000 qm Hart- und Weichfaserplatten beschafft werden. Die geforderte Lagerauffüllung für die Marine Ausrüstungsstelle Aarhus, sowie für das Marinelager in Kopenhagen konnte aus dänischen Schnittholzbeständen und in den übrigen Anforderungen aus den in Deutschland beschafften Mengen erfolgen.

Anstrichmittel
Die Anforderungen an Farbe, Tarnstoffen, Imprägnierungsmitteln usw., insges. ca. 119 to, wurden voll erfüllt.

Zement
Für die Zementherstellung im Raume Dänemark sind aus dem Reich 80.000 to Kohle zur Anlieferung bis 31. Dezember 1944 zugesagt. Die ersten Transporte mit ca. 8.000 to Kohle sind bereits in Aalborg und Mariager gelöscht. Bei Einhaltung dieser Lieferzusage kann mit einer Monatsproduktion von 54.000 to Zement bis Anfang nächsten Jahres gerechnet werden. Hiervon erhalten Wehrmacht und OT 38.000 to, die dänische Wirtschaft 16.000 to. Schwierigkeiten bestehen in der Verteilung im Lande selbst, da die Eisenbahnverkehrslage sehr angespannt ist. (siehe Verkehrslage).

9.000 to Gipssteine aus dem Harzgebiet sind zugesagt und bereits teilweise im Anrollen. 10.000 to Zement sind im September zusätzlich auf dem Nachschubwege aus dem Reich angeliefert.

Von den für dänische Luftschutzzwecke bis Ende Juli 1944 zur Verfügung gestellten 56.000 to Zement sind die nicht verbrauchten 13.000 to absprachegemäß dem deutschen Kontingent wieder zugeführt.

Sprengstoff
Die im Bericht des Reichsbevollmächtigten erwähnte Entwaffnung der dänischen Polizei und ihrer Organe wirkte sich erheblich auf die Überwachung des Sicherheitssprengstoffes aus. Die früher vom Justizministerium überprüften und von der dänischen Polizei ausgestellten Erlaubnisscheine zum Bezuge von Sicherheitssprengstoff kamen in Fortfall. Zur Fortführung der Sprengarbeiten für die dänische Wirtschaft sollen in Zukunft die Erlaubnisscheine durch die deutschen Behörden ausgestellt werden. Die Kontrolle der Sicherheitssprengstoffbücher und der Importeure und Großhändler sowie der militärisch gesicherten Sicherheitssprengstofflager in der alten Orlogswerft Kopenhagen sowie Boserup bei Roskilde wird vom Fwi O wie bisher durchgeführt.

Aus der einzigen in Dänemark bestehenden Sicherheitssprengstofffabrik "De Danske Sprängstoffabriker A/S" in Jyderup sind die dort vorhandenen Trotylmengen und Sprengkapseln in das mitgesicherte Lager Boserup überführt und werden von dort gegen Bescheinigungen des Fwi O Dänemark nur in kleinen Mengen ausgegeben. Der Fabrik sind nur die zur Aufrechterhaltung aller Betriebe unbedingt notwendigen Mengen belassen.

Altmaterial
Um die befohlene Altmaterialerfassung in verstärktem Masse fortzusetzen, hat OKW Fwi Amt im Einvernehmen mit dem Wehrmachtbefehlshaber Dänemark einen mit die-

ser Materie vertrauten Sachbearbeiter zur Einweisung der Truppe zum Fwi O Dänemark kommandiert.

Kohlenversorgung
In der Zeit vom 1. bis 30. September 1944 wurden folgende Mengen in Dänemark eingeführt:

	42.000	to	westfälische	Kohle
	48.700	to	–	Koks
	130.400	to	oberschles.	Kohle
	15.600	to	–	Koks
	21.500	to	Sudetenkohle und	
ca.	40.000	to	Braunkohlenbriketts	
insges.	288.500	to		

Aus diesen Zahlen ergibt sich, daß im Monat September 1944 eine Verschiebung stattgefunden hat, indem 40.000 to Kohlen weniger, aber 20.000 to Koks mehr als im Monat August geliefert wurden.

Die in Westfalen eingetretene Streckensperre hat bewirkt, daß in der letzten Zeit von den Nordseehäfen keine bedeutenden Mengen [Kohlen?], insbesondere Koks, verschifft werden konnten.

Arbeitseinsatz
Die Zahl der Arbeitslosen betrug am 29. September 1944 – 19.684 Personen und zwar 13.892 Männer und 5.792 Frauen. Gegenüber dem Vormonat ist ein Zugang von 7.249 Personen zu verzeichnen.

Für Festungsbauten sind auf Jütland eingesetzt

für Fe Pi Stab	37	deutsche	und	100 dänische Firmen
mit	13.402	Arbeitern	und	Angestellten,
für OT einschl. Lw	54	deutsche	und	152 dänische Firmen
mit	26.946	Arbeitern	und	Angestellten,
für Bauvorhaben des Heeres	2	deutsche	und	97 dänische Firmen
mit	1.200	Arbeitern	und	Angestellten,
für Bauvorhaben der Kriegsmarine	1	deutsche	und	36 dänische Firmen
mit	850	Arbeitern	und	Angestellten beschäftigt,
Insgesamt sind also:	42.383	Arbeiter	und	Angestellte für OT und Wehrmachtbauten eingesetzt.[83]

Dem Reich wurden im September 288 Arbeitskräfte zugeführt.

Transport- und Verkehrslage
a.) *allgemeine Lage* – Die Gesamtverkehrslage in Dänemark war im Monat September

84 Se tillæg 7.

sehr angespannt. Die Verlegungen von Dienststellen innerhalb Dänemarks sowie die Herausnahme und Rückführung von Engpaßfertigung ins Reich, stellten hohe Anforderungen an die Eisenbahn.

b.) *Eisenbahn* – Die schwedische Regierung hat mit Wirkung vom 9. September 1944 den Transitverkehr nach Norwegen und Finnland eingestellt. Unter Zugrundelegung von durchschnittlich 40 gestellten Waggons pro Tag, die bisher für Eisenbahnnachschub gestellt wurden, sind somit im Monat 180.000 to zusätzlicher Schiffsraum für Norwegen und Finnland erforderlich.

Zwei Teilstreiks vom 16. bis 18.9. und 19. bis 21.9.1944 haben keine nennenswerten Störungen verursacht. Die Truppentransporte auf Jütland wurden in den Streiktagen von deutschen Eisenbahnern gefahren. Der Wehrmachtbedarf der angeforderten Wagenmenge konnte im Berichtmonat nur zu 70 %, der zivile Bedarf zu 50 % gedeckt werden.

c.) *Fährverkehr* – Der zivile Verkehr über Warnemünde – Gedser ist weiter kontingentiert, der Personenverkehr normal.

Nachstehend der Wagenübergang nach Dänemark:

Padborg:	1.651	Wagen	–	33.000	to	Truppentransporte
	2.900	–	–	66.700	–	Wehrmachtnachschub
	2.339	–	–	58.470	–	Wirtschaftsgut
Tondern:	1.070	–	–	6.420	–	Truppentransporte
	1.306	–	–	19.443	–	Wehrmachtnachschub
	486	–	–	9.851	–	Wirtschaftsgut
Warnemünde:	86	–	–	1.290	–	Truppentransporte
	194	–	–	1.437	–	Wehrmachtnachschub
	602	–	–	6.385	–	Wirtschaftsgut

d.) *Seeschiffahrt* – Die dänische Seeschiffahrt war tonnagemäßig in folgender Rangfolge eingesetzt:

1). Kohlenfahrt auf Dänemark
2). Erzfahrt auf Deutschland
3). Holzfahrt auf Dänemark
4). Innerdänische Fahrt
5). Transporte von Deutschland nach dritten Ländern.

Für die OT wurden im Berichtsmonat 4.860 to Zement und 3.552 to Kies mit deutschen Schiffen gefahren.

e.) *Straßenverkehr* – Die Lkw-Transporte über die Frachtenleitstelle des RKW Flensburg sind im Monat wie folgt durchgeführt worden:

235 Transporte mit	Fischen	–	2.262 to.
170 – –	Fleisch	–	1.711 to.

Der Rücklauf der Waggon war gut. Genügend Frachtraum für Dänemark war vorhanden, sodaß volle Auslastung erfolgte. Die Treibstofflage war ungenügend. Durch den sehr unregelmäßigen Nachschub an Treibgas kann es zu erheblichen Störungen. Ein Teil der für Deutschland bestimmten Lebensmittel mußte daher mit der Eisenbahn nach Deutschland transportiert werden.

Der innerdänische Kraftwagenverkehr wurde durch eine Verordnung des Höheren SS- und Polizeiführers in Dänemark vom 19.9.1944 als Gegenmaßnahme gegen Streik und Sabotage stark durch zeitlich begrenzte Stillegung sämtlicher Pkw und Lkw für den Überlandverkehr beeinträchtigt.[85] Lockerungen dieser Anordnung haben die Auswirkungen heute noch nicht ganz behoben.

Ernährungslage
Die Gesamtausgaben des Heeres, der Marine, der Luftwaffe und der OT im Monat September 1944 gehen aus folgenden Zahlen hervor:

Heer	d.Kr.	59.541.451,-
Marine	–	14.246.000,-
Luftwaffe	–	57.330.500,-
OT	–	79.535.000,-
Insgesamt:	d.Kr.	210.652.951,-

Die Leistungen aus den Lebensmittelbeständen des Landes für die deutschen Truppen in Dänemark und Norwegen im Monat August 1944 betragen wertmäßig:

für	Dänemark	d.Kr.	8.312.278,-
–	Norwegen	–	7.942.003,-

Rüstungslage
Ausnutzung der besetzten Gebiete durch Wehrmachtaufträge
Berichtsmonat September 1944.
A.) Unmittelbare Wehrmachtaufträge über RM 10.000,- Einzelauftragswert
B.) Unmittelbare Wehrmachtaufträge unter " 10.000,- und erkennbare mittelbare Wehrmachtaufträge.
C.) Öffentliche Bedarfsträger.

	Auftragsbestand am Ende des Vormonats in RM	Veränderung des Auftragsbestandes im Berichtsmonat in RM	Neuzugang im Berichtsmonat in RM	Auslieferung im Berichtsmonat in RM	Auftragsbestand am Ende des Berichtsmonats in RM
A.)	111.854.396,-	+ 506.683,-	3.807.830,-	6.470.457,-	109.698.452,-
B.)	57.120.229,-	– 40.069,-	2.857.264,-	4.215.164,-	55.722.260,-
A.) + B.)	168.974.625,-	466.614,-	6.665.094,-	10.685.621,-	165.420.712,-
C.)	955.934,-	–	–	73.408,-	882.526,-
Insgesamt	169.930.559,-	+ 466.614,-	6.665.094,-	10.759.029,-	166.303.238,-

Ein politischer Informationsbericht des Reichsbevollmächtigten in Dänemark wird beigefügt.[86]

85 HSSPF forbød 19. september al bilkørsel i landkommunerne fra samme dag kl. 16 (undtaget var mælkevogne og lægekørsel), og tillod den igen fra 21. september kl. 15 for biler, der havde sikret sig en særlig kørselstilladelse udstedt af tysk politi eller en tysk kommandant (forordningen er trykt på dansk hos Alkil, 2, 1945-46, s. 898).
86 *Politische Informationen* 1. oktober 1944.

40. Seetransportchef an OKM u.a. 16. Oktober 1944

Kriegsmarines skibstransportchef gav OKM meddelelse om de fire danske færger, der var udset til beslaglæggelse til brug for operation "Nordlicht."

Beslaglæggelserne var blevet drøftet samme dag hos marinekommandanten i København med Duckwitz og Rigsbanens repræsentant, OR Claus, hvor det nødvendige blev aftalt. Alle beslaglæggelser fandt sted i løbet af 17. oktober, idet fire kommandoer på hver en officer og 10 mand beslaglagde skibene. Det sidste, "Heimdal", blev besat kl. 23 i Middelfart.

Her var tale om et tilfælde af beslaglæggelser, hvor hverken Best eller Duckwitz vovede at gøre indsigelser endsige forsinke sagen. Sagens prioritet på højeste sted gjorde ethvert forsøg derpå til halsløs gerning, og beslaglæggelsernes nødvendighed var indlysende set fra et tysk synspunkt (KTB/Kriegsmarinekommandostelle Kopenhagen 16. og 17. oktober 1944, RA, Danica 628, sp. 6, nr. 4325, *Information* 18. og 19. oktober 1944).

Kilde: BArch, Freiburg, RM 7/1813. RA, Danica 628, sp. 7, nr. 5881.

Abschrift
MBBS 025652 38 18.00
Eingegangen: 16.10.44 17.52 Geheime Kommandosache!

Fernschreiben von: KR MDKP 09607 16.10. 15.35
mit AÜ
KR nachr. OKM 1/Skl. (Koralle)
Gltd. KR Wm. Befh. Dän.
KR nachr. OKW/WFSt Op (M)
KR nachr. OKM Skl. Adm. Qu A VI
KR nachr. OKM 1. Skl. (Koralle)
KR nachr. Adm. Skag.
KR nachr. Reichsbevollmächtiger Dän.
KR nachr. Seetr. Chef Norw.
KR nachr. Reichskomm. Seeschiffahrt =

Gkdos
Vorg OKW WFSt Op (M) I A Nr. 0012361 G K v. 15/10. Frhr v. Buttlar.[87]

Zu beschlagnahmende Fähren sind:
1.) Motorfähre "Freya" 1.428 BRT (z.Zt. z.Vfg. Wbef. Dän. für A-Fall).
2.) Motorfähre "Heimdall" 991 BRT (Ersatz bei Ausfall Kl. Belt-Brücke).
3.) Dampferfähre "Overhoeved" 795 BRT (Ersatz bei Ausfall Storströmsbrücke Strecke K[open]hagen-Gedser-W[arne]münde).
4.) Dampffähre "Christian Neunte" 1.589 BRT (fährt Volleinsatz Korsör-Nyborg).
Ursprünglich vorgesehene schnelle Motorseitenfähren "Kalundborg" und "Jylland" benötigen nach Auskunft dtsch. Reichsbahnvertr. mindestens 3 Wochen bis Infahrtsetzung. Beide können wegen Spez. Bauart und Fehlens Gleise Gr Belt nicht eingesetzt werden. Übrige im Gr Belt nicht laufende Fähren ungeeignet. Helsingörfähren zur Hälfte schwed. Kapital.

Seetr. Chef Gkdos 328144

87 Trykt ovenfor.

41. Paul von Behr an Werner Best 16. Oktober 1944

Best havde 18. juli ønsket, at betalingen til tysk politi, herunder Waffen-SS og Waffen-SS' forsorgsofficer i Danmark fortsat skulle betales over værnemagtskontoen, og det havde AA 1. august tilsluttet sig. Imidlertid fastholdt OKW, at udgifterne til SS-Ersatzkommandos og Waffen-SS' forsorgsofficers behov skulle udskilles. Medsendt blev et brev fra RFM. Best skulle tage stilling til begge instansers skrivelser.

Best svarede 1. december 1944.

Kilde: BArch, R 901 113.555. RA, pk. 271.

Durchdr. als Konzept
Reinschr. 1b. *den 16. Oktober 1944*
zu Ha Pol 5019/44 g
Ref.: LR Baron v. Behr

An den Bevollmächtigten des Großdeutschen Reichs in Dänemark, Kopenhagen

Das Oberkommando der Wehrmacht, Abteilung Wehrmachtsverwaltung, ~~hat~~ dem der dortige Bericht vom 18. Juli d.Js. – III/10246/44[88] –, betreffend Zahlungsmittelbereitstellung für die Waffen-SS und Polizei in Dänemark nebst Anlagen zugeleitet wurde, hat mit dem abschriftlich beigefügten Schreiben vom 27. v.Mts. Stellung genommen.[89] Obgleich das Auswärtige Amt in seinem Begleitschreiben vom 1.8. d.Js. der derzeitigen Auffassung beigetreten war und die Beibehaltung der bisherigen Ordnung befürwortet hatte, hält das Oberkommando der Wehrmacht seinen Standpunkt aufrecht, soweit es sich um Ausgaben für den persönlichen und sächlichen Bedarf des SS-Ersatzkommandos und der Dienststelle Fürsorgeoffizier der Waffen-SS handelt.[90]

Ich füge ferner Abschrift eines Schreibens des Reichsfinanzministeriums vom 25. August d.Js. an das Oberkommando der Wehrmacht bei.[91]

Ich bitte um Stellungnahme zu diesen beiden Schreiben.

Im Auftrag
gez. v. **Behr**

42. Werner Best an Hermann von Hanneken 16. Oktober 1944

Best svarede på von Hannekens krav 13. oktober om tusinder af arbejdere og betydelige mængder af andre ressourcer til befæstningsbyggeri i Jylland. Best gav von Hanneken en indgående beskrivelse af mulighederne for at skaffe arbejderne og hvilke konsekvenser, hver af de valgte muligheder ville få for de danske leverancer til Tyskland og for den rolle, værnemagten ville komme til at spille. Han frarådede på det kraftigste at tage tvangsmidler i brug. Også med hensyn til anskaffelse af manglende materialer og transportmidler anbefalede han at gå de allerede kendte veje med forhandling og ikke at gribe til beslaglæggelser, der kunne føre til skadevirkninger for Tyskland.

Bests brev forsynede von Hanneken med argumenter over for OKW, hvad der måske også først og

88 Bests indberetning er ikke lokaliseret.

89 OKWs skrivelse 27. september 1944 er trykt ovenfor. RFM tilsluttede sig den 26. oktober 1944 (RA, pk. 271).

90 AAs følgeskrivelse 1. august 1944 er ikke lokaliseret.

91 Trykt ovenfor.

fremmest var hensigten, idet von Hanneken 18. oktober lod Bests argumenter gå videre til OKW med indtrængende anmodning om på anden måde at få tilført ressourcer (se nedenfor).

Presset på den danske arbejdskraft fortsatte hele efteråret, og der blev siden fra tysk side truet med tvangsforanstaltninger. Truslen virkede ikke, og truslerne blev ikke realiseret. Heller ikke et tysk krav om at man fra dansk side skulle stå for og organisere forplejningen af tusindvis af arbejdere under OT i forbindelse dermed, blev efterkommet (Hæstrup, 2, 1966-71, s. 152f., Andersen 2007, s. 231).

Kilde: KTB/WB Dänemark 18. oktober 1944, Anlage 2.

Geheime Kommandosache   Abschrift
Anlage 2 zu WB Dän. Ia Nr. 2224/44 g.Kdos. v. 18.10.1944

Fernschreiben Reichsbevollmächtigter Dän. Dr. Best – Nr. – vom 16.10.1944. – geheim.

An Wehrmachtbefehlshaber Dänemark
Herrn Gen. d. Inf. von Hanneken – Silkeborg

Unter Bezugnahme auf das heutige Ferngespräch teile ich die folgende Stellungnahme zu dem dortigen FS Ia Br. B. Nr. 2179/44 g.Kdos. vom 13.10.1944 mit, die ich auch meinem Bericht an das Auswärtige Amt zugrunde legen beabsichtige.[92]

I. Beschaffung von Arbeitskräften:

A.) Möglichkeiten:

1.) Durch die dänischen Arbeitsämter werden in der z.Zt. laufenden Werbeaktion etwa 10.000 Arbeiter für die im Auftrage der OT arbeitenden Firmen angeworben werden. Diese Zahl entspricht der Zahl der einsatzfähigen Arbeitslosen und wird kaum gesteigert werden können, zumal in der dänischen Landwirtschaft noch immer ein Fehlbedarf von 35.000 Arbeitskräften besteht.

2.) Durch völlige Einstellung der bereits stark eingeschränkten Bautätigkeit würden nach Schätzung meiner Sachverständigen höchstens 5.000 Bauarbeiter freigesetzt werden, wie viele von diesen sich freiwillig für die Befestigungsarbeiten anwerben ließen, ist nicht zu übersehen.

3.) Aus übersetzten Berufen Arbeitskräfte herauszunehmen und für die Befestigungsarbeiten einzusetzen, wäre nur durch Zwang möglich. Dieser Zwang kann jedoch nicht verwirklicht werden, weil infolge der Auflösung der dänischen Polizei und der Schwäche der deutschen Polizei weder dänische noch deutsche Organe vorhanden sind, die die arbeitspflichtigen Personen ermitteln, bestimmen und der Arbeit zuführen könnten.

4.) Deshalb bliebe zur Beschaffung dänischer Arbeitskräfte nur der allgemeine Arbeitszwang für alle Landeseinwohner oder der Regionale Arbeitszwang für die Bevölkerung bestimmter Bereiche übrig. Da zur Verwirklichung dieses Zwanges weder dänische noch deutsche Vollzugsorgane zur Verfügung stehen, müßte es der Wehrmacht überlassen werden, die Arbeitskräfte einzufangen und der Arbeit zuzuführen.

5.) Wenn dänische Arbeitskräfte weiterhin nicht mit Zwang sondern auf Grund freiwil-

92 Se von Hanneken til Best 13. oktober. Bests indberetning til AA herom er ikke lokaliseret.

liger Anwerbung herangezogen werden sollen (was nach I.A) I. etwa 10.000 Ergeben wird, könnte der verbleibende Fehlbedarf an Arbeitskräften nach meiner Auffassung am besten durch die Heranziehung von Kriegsgefangenen gedeckt werden. Die Ankündigung dieser Maßnahme würde auch wohl die dänischen Behörden veranlassen, die freiwillige Arbeiteranwerbung nach Möglichkeit zu steigern, um die Belastung des Landes durch größere Massen von Kriegsgefangenen zu verbringen.

B.) Folgen:

1.) Da der gesamte dänische Produktionsapparat außer für die Versorgung der 3,8 Mill. Landeseinwohner ausschließlich für deutsche kriegswirtschaftliche Interessen arbeitet, muß gegenüber dem militärischen Interesse an der Beschaffung von Arbeitskräften abgezogen werden, welche Folgen zum Nachteil anderer deutscher Interessen die Einführung des Arbeitszwanges hätte. Da ein auf die deutschen kriegswirtschaftlichen Interessen Rücksicht nehmendes Auskommen der Arbeitskräfte mangels dänischer und deutscher Vollzugsorgane nicht möglich ist, müßten die von der Wehrmacht benötigten Arbeitskräfte da eingefangen werden, wo man sie gerade finden kann. Hierdurch würden überwiegend Arbeitskräfte betroffen, deren bisherige Arbeit unmittelbar oder mittelbar deutschen kriegswirtschaftlichen Zwecken diente. Da außerdem bei der augenblicklichen Einstellung der dänischen Bevölkerung mit Massenflucht und passiven Widerstand zu rechnen ist, muß angenommen werden, daß fast die gesamte Arbeitsleistung und Erzeugung für deutsche kriegswirtschaftlichen Zwecke, Landwirtschaft und Gewerbe zum Erliegen kommen wurde.

2.) Die Auflehnung gegen den Arbeitszwang wurde auch die 60-70.000 dänischen Arbeitskräfte, die z.Zt. unmittelbar oder mittelbar für die deutsche Wehrmacht in Dänemark arbeiten, erfassen, so daß auch diese neben den 60.000 neu einzufangenden Arbeitskräften als Zwangsarbeiter bewacht und zur Arbeit gezwungen werden müßten. Um die neuen Arbeitskräfte einzufangen, um alle Zwangsarbeiter zu bewachen und zur Arbeit zu zwingen und um die durch die Massenflucht, Bandenbildung usw. gestörte Ordnung im Lande wiederherzustellen, müßten nach meiner Auffassung stärkere Kräfte der Wehrmacht neu in Dänemark eingesetzt werden, als bisher zur Ausführung von Befestigungsarbeiten eingesetzt waren.

3.) Zusammenfassend ist festzustellen, daß die Einführung des Arbeitszwanges in Dänemark zur Folge hätte, daß der einmalige Einsatz von 60.000 Arbeitsunwilligen und widerspenstigen Zwangsarbeitern mit dem Verlust des größten Teils der wirtschaftlichen Leistungen Dän. für das Reich bezahlt würde, die – wenn keine weiteren Erschütterungen der hiesigen Lage stattfinden – noch für Jahre auf der jetzt erreichten optimalen Höhe gehalten werden könnten. Ich müßte in diesem Falle Wert darauf legen, von meiner Verantwortung für die Aufrechterhaltung der wirtschaftlichen Leistungen Dän. für das Reich ausdrücklich entbunden zu werden.

II. Beschaffung von Material:

A.) Werkzeuge:

Da die vom Führer angeordneten Lieferungen von Eisen usw. für die dänische Landwirtschaft nicht durchgeführt wurden, stehen Werkzeuge (Spaten, Hacken usw.) in Industrie und Handel kaum zur Verfügung. Die Wegnahme aus Privatbesitz – insbesondere der Bauern – wäre kaum durchführbar und würde nachteilige Folgen zeitigen. Es wird deshalb zweckmäßig sein, die Werkzeuge im Nachschubwege anzufordern.

B).

1.) Nach Mitteilung der OT können mit etwa 2.000 Reifen fast 1.000 z.Zt. nicht fahrbereite Lastkraftwagen fahrbar gemacht werden, so daß dann hiermit der Bedarf an Kraftwagentransportraum gedeckt wäre. Meine Vorstellung beim Rüstungsministerium und bei der Reichsstelle Kautschuk wegen der Lieferungen von Reifen im Nachschubwege haben dort großes Erstaunen hervorgerufen, da solche Nachschubanträge niemals gestellt worden seien. 5.000 Reifen sind sofort zugesagt worden, auch größere Mengen können nachgeschoben worden. Es wird deshalb empfohlen, unverzüglich die erforderlichen Anträge zu stellen.

2.) Eine Verbesserung der Transportleistungen der dänischen Staatsbahn ist nach meinen Feststellungen allein eine Lokomotivfrage. Die Dänische Staatsbahn will jetzt 6 Lokomotiven an die Deutsche Reichsbahn zurückgeben, weil ihr die Miete zu teuer ist. Wenn die Deutsche Reichsbahn (einschließlich dieser Lokomotiven) 15 Lokomotiven stellt, dürfte das Problem der Bahntransport gelöst sein.

3.) Die Beschaffung von 54.000 cbm Rundholz ist, wenn Nachschub unmöglich sein sollte, durch Kahlschlag in Jütland möglich, dagegen bereitet die Beschlagnahme von 6.500 cbm Schnittholz Schwierigkeiten, weil Schweden die Schnittholzlieferungen nach Dänemark einstellen will, wenn in Dänemark Schnittholz für Wehrmachtzwecke beschlagnahmt wird.

Es wäre deshalb unter kriegswirtschaftlichen Gesichtspunkten richtiger, das Schnittholz für die Befestigungsarbeiten in Dänemark aus dem Reich nachzuschieben, um dadurch die auch im deutschen wirtschaftlichen Interesse wertvollen schwedischen Lieferungen zu erhalten.

4.) Die Steigerung des Verbrauchs von Generatorholz auf 600.000 hl bedeutet eine weitere Einschränkung des Verbrauches für wirtschaftliche Zwecke des Landes um etwa 25 Prozent.[93] Hierauf müßten die an dem dänischen Export nach Deutschland interessierten Reichsressorte hingewiesen werden.

Reichsbevollmächtigter Dänemark
gez. **Dr. Best**

43. Adolf von Steengracht an Werner Best 16. Oktober 1944

UMs ønske om at få de deporterede danske politibetjente overført til en civil interneringslejr, som Best havde viderebragt og støttet, blev oversendt fra AA til RSHA. Steengracht kunne efter en samtale med Kaltenbrunner meddele, at de danske politifolk blev behandlet som krigsfanger, og at lejren i Buchenwald muliggjorde denne adskillelse. Wagner ville tage sig af det videre fornødne (Rosengreen 1982, s. 137).

Se Wagner til Kaltenbrunner 18. oktober.

Kilde: PA/AA R 101.041. RA, pk. 232. Udkast til ikke afsendt svar af Horst Wagner trykt i PKB, 13, nr. 785 og her 6. oktober.

93 Se Lamberts situationsberetning 15. oktober 1944.

Telegramm

Sonderzug, den	16. Oktober 1944	19.10 Uhr
Ankunft, den	16. Oktober 1944	19.25 Uhr

Nr. 2218 vom 16.10.[44.]

Diplogerma Kopenhagen
Für Ministerialdirektor Best persönlich.

Auf Telegramm Nr. 1136 vom 5. Oktober.[94]

Die Frage der Behandlung der nach Deutschland verbrachten dänischen Polizeibeamten ist von mir mit SS-Obergruppenführer Kaltenbrunner besprochen worden. Wie mit Ihnen seinerzeit besprochen, hatte ich die Frage der Behandlung der dänischen Polizisten in Deutschland mit SS-Obergruppenführer Kaltenbrunner dahingehend geregelt, daß diese wie Kriegsgefangene behandelt werden. Auf Grund Ihres neuerlichen Berichts hat sich SS-Obergruppenführer Kaltenbrunner dahingehend geäußert, daß
1.) die Verbringung nach Buchenwald sehr wohl eine Behandlung der Polizeibeamten als Kriegsgefangene bzw. Zivilinternierte ermögliche,
2.) der Chef der Sicherheitspolizei schon vor Ankunft der Gefangenen ausdrücklich Befehl gegeben hatte, daß die dänischen Polizeibeamten als Kriegsgefangene zu behandeln seien.
SS-Obergruppenführer Kaltenbrunner hat gegen eine Weitergabe dieser zwei Punkte, falls erforderlich, auch an die Dänen, keine Bedenken.

Nur zu Ihrer Information bemerkt SS-Obergruppenführer Kaltenbrunner, daß die vorläufige Unterbringung im Konzentrationslager Buchenwald lediglich aus allgemeinen Unterbringungsschwierigkeiten erfolgt sei. Die Polizisten seien nicht im inneren Ring untergebracht gewesen. Ihrem Wunsche, die Gefangenen in ein Zivilinterniertenlager zu überführen, werde grundsätzlich gern Rechnung getragen, doch müßten die technischen Voraussetzungen dafür erst geschaffen werden. SS-Obergruppenführer Kaltenbrunner hat erneuten Bericht von seinen nachgeordneten Instanzen für Beginn nächster Woche angefordert. Ich werde Ihnen sodann berichten.

Vortragenden Legationsrat Wagner habe ich gebeten, die Angelegenheit weiterzuverfolgen und zu behandeln.

Steengracht

Vermerk:
Unter Nr. 1199 an Diplogerma Kopenhagen weitergeleitet.
Tel. Ktr., 16.10.44.

94 Trykt ovenfor.

44. Lutz Schwerin von Krosigk an Walther Funk 16. Oktober 1944

RFM svarede på rigsbankpræsident Funks forslag om at imødekomme det danske ønske om at opgøre clearingkontoen i danske kroner. Han fandt ikke, at det var det rette tidspunkt, da den tyske valuta var under stærkt pres. Endvidere var han af den opfattelse, at en imødekommelse af ønsket ikke ville påvirke den danske leveringsvillighed. Skulle ønsket imødekommes, måtte danskerne samtidig påtage sig et krigsbidrag. I sidste ende fandt RFM, at spørgsmålet om omstilling af clearingkontoen var politisk.

Spørgsmålet blev taget op igen af Schwerin von Krosigk over for Ribbentrop 10. november 1944.

Kilde: PA/AA R 105.210. RA, pk. 282 (afskrift). RA, Danica 201, pk 81A (afskrift) og i BArch, R 2/30. 668 (udkast med notat af Breyhan).

Abschrift — zu Y 5104/1-289 V g
Der Reichsminister der Finanzen — *Berlin, den 16. Oktober 1944*
Y 5104/1-331 V

Herrn Präsidenten der Deutschen Reichsbank
Berlin

Lieber Herr Funk!
Zu ihrem Schreiben vom 15. September 1944[95] über eine Umstellung des dänischen Clearing Guthabens auf dänische Kronen möchte ich auf folgende Gesichtspunkte hinweisen.

Es besteht wohl kein Zweifel darüber, daß der dänische Wunsch nach Umstellung des Clearing-Guthabens außer durch notenbanktechnische Gründe auch vor allem durch das Mißtrauen in die Reichsmark diktiert ist. Ich habe Herrn Wassard bei seinem Besuch am 20. Juni eindeutig darauf hingewiesen, daß die Gründe, die er für die Umstellung auf Dänenkronen anführe – nämlich die Kräftigung des Vertrauens in die Landeswährung –, ebenso meinerseits für die Währungspolitik des Reichs in Anspruch genommen werden müßten.

Auszugehen ist doch davon, daß unabhängig von dem seinerzeit geschlossenen Verrechnungsvertrag eine seit Jahren geübte und voll durch den Krieg entwickelte Praxis durch eine andere abgelöst werden soll. Die in Reichsmark fakturierten dänischen Leistungen spielen ja kaum eine Rolle.

Ich bin der Ansicht, daß in einem Zeitpunkt, in dem das Reich und damit auch seine Währung schwersten Belastungen ausgesetzt sind, es währungspolitisch nicht vertretbar wäre, den Wunsch der Dänen zu erfüllen. Wir müssen im Gegenteil darauf sehen, daß die an unserem Wirtschaftsverkehr besonders beteiligten Länder an der Reichsmark und ihrer pfleglichen Behandlung interessiert bleiben.

Ich glaube nicht, daß die Ablehnung des dänischen Wunsches die befürchteten Rückwirkungen auf die Lieferfreudigkeit der dänischen Landwirte haben sollte, zumal der veröffentlichte Notenbankausweis die dänischen Forderungen in dänischer Währung angibt. Dänemark zwingt uns heute auf anderen Gebieten zu Maßnahmen, die m.E. schwerwiegender sind als die Umstellung des Clearing-Guthabens. Die Dänen können sich auch über mangelndes Entgegenkommen des Reichs in finanziellen Dingen nicht

95 Trykt ovenfor.

beklagen. Ich erinnere an die Aufwertung der Dänenkrone, an die Umstellung des Besatzungskostenguthabens auf Kronen und an die Tatsache, daß die gesamte Versorgung der Besatzungstruppe mit Lebensmitteln in Dänemark nicht aus dem Besatzungskostenkredit gezahlt, sondern über Clearing erstattet wird.

Ich kann daher eine Erfüllung des dänischen Wunsches über das gegenwärtig laufende Verfahren der Kronenkäufe hinaus gerade im gegenwärtigen Zeitpunkt und solange nicht befürworten, als die Dänen nicht endlich zu einem Kriegsbeitrag herangezogen werden, der den schweren Lasten, die das übrige Europa zu tragen hat, entspricht. Ich habe bereits wiederholt darauf hingewiesen, daß ein solcher Beitrag wegen der ständig steigenden Geldfälle in Dänemark auch den finanzpolitischen Interessen Dänemarks selbst dient. Die Notwendigkeit eines solchen Kriegsbetrags ist m.E. heute in jeder Weise gegeben. Das Problem der Heranziehung Dänemarks zu einem entsprechenden Kriegsbeitrag ist auf Bitte verschiedener Ressorts im Frühjahr d. Js. vorläufig zurückgestellt worden. Ich verlange auch nicht, daß es jetzt alsbald aufgerollt und gelöst wird. Ich wehre mich aber dagegen, daß auf eine für die Dänen wichtige Gegenleistung, die von Ihnen gewünschte Umstellung des Clearing-Guthabens, vorzeitig und ohne Not verzichtet wird. Wir würden einen der stärksten Trümpfe für die Verhandlungen über den Kriegsbeitrag damit aus der Hand geben.

Es handelt sich bei der Frage der Clearingumstellung um eine in hohem Grade *politische* Angelegenheit. Ein Vergleich mit dem Clearingverfahren gegenüber der Schweiz und Schweden entspricht m.E. nicht den tatsächlichen politischen Gegebenheiten, wie sie den Vorgängen in Dänemark an den letzten Monaten zum Ausdruck kommen.

Heil Hitler!
Ihr
gez. **Graf Schwerin von Krosigk**

45. Der Reichsbevollmächtigte in Dänemark an das Auswärtige Amt 17. Oktober 1944

Den rigsbefuldmægtigede ønskede oplyst, om betalingen til Lorenz Christensen skulle fortsætte. Den havde fundet sted i henhold til en skrivelse fra 16. marts 1942.

Se Ripken til Best 2. december 1944.

Lorenz Christensen havde været på Det Tyske Gesandtskabs lønningsliste siden begyndelsen af 1942, hvor han først var beskæftiget med registrering af danske jøder og antisemitisk skribentvirksomhed og siden – efter oktober 1943 – ved den tyske censur (Sofie Bak i *Hvem var hvem*, 2005, s. 64f. og Lauridsen 2008a).

Kilde: RA, pk. 220.

Der Reichsbevollmächtigte in Dänemark — *Kopenhagen, den 17. Oktober 1944.*
RBZ: Pers. R 17d

An das Auswärtige Amt,
Berlin.

Unter Bezugnahme auf den Erlaß vom 16.3.1942 – D III 1439 –

Betr.: Zahlungen an Dr. Christensen, Kopenhagen.
– 2 Durchdrucke –

Ich bitte um Weisung, ob die mit obengenannten Erlaß angeordneten Zahlungen an Dr. Lorenz Christensen in Kopenhagen auch weiterhin zu leisten sind.

Im Auftrag:
A. Pollow

46. Hermann von Hanneken an OKW/WFSt u.a. 18. Oktober 1944

Best havde 16. oktober forsynet von Hanneken med et katalog af argumenter, som han kunne tage i brug over for OKW for at undgå at anvende tvangsmidler i Danmark med det formål at skaffe arbejdskraft og andre ressourcer til det igangværende store fæstningsbyggeri. De blev genanvendt over for OKW. I stedet anmodede von Hanneken om ressourcer og hjælp sydfra (Andersen 2007, s. 231).

Endnu før von Hanneken havde modtaget et svar, fremsendte han 21. oktober et forslag til, hvorfra arbejdskraften kunne skaffes. Forslaget var Bests.

Kilde: KTB/WB Dänemark 18. oktober 1944, Anlage.

Wehrmachtbefehlshaber Dänemark — *Gef.St., den 18.10.1944*
Abt. Ia Br. B. Nr. 2224/44 g.Kdos. — 8 Ausfertigungen
7. Ausfertigung

Betr.: Bau der Befestigungsanlagen im Befehlsbereich.

Auf Grund der Notwendigkeit, die Befestigungsarbeiten im Reich und in Dänemark zeitlich gleichzuziehen, sind von mir Überlegungen angestellt worden, in welcher Weise die gegenüber den Arbeiten im Reich zurückstehenden Stellungsbauten vorwärts getrieben werden könnten.

Die Schwierigkeiten liegen in Dänemark in erster Linie daran, daß sämtliche Arbeiter in ihrem Arbeitsverhältnis ohne Zwang sind. Der Arbeiter will, dann aber auch, wo er Arbeit leisten möchte. Ein Arbeitsamt im Sinne der deutschen Arbeitssteuerung gibt es nicht.

So kommt es, daß die Arbeiter naturgemäß nach wie vor dorthin gehen, wo sie eine bequeme Arbeit finden, wo die Arbeitsverhältnisse günstig sind (Unterbringung, Vergnügen pp.). Arbeiter in den Küstenstrich zu bekommen ist besonders schwierig, da dort die Invasion gefürchtet wird. Dazu kommt, daß der dänische Arbeiter infolge der Aufstandswelle, die seit über 1 Jahr im steigenden Masse über Dänemark rollt, nur sehr ungern für die Befestigung arbeitet, weil er fürchtet, dem Terror seiner Volksgenossen ausgesetzt zu sein. Wenn auch der Däne das Verdienen groß schreibt und dadurch mancher sich bewogen fühlt, für uns zu arbeiten, so hindern wieder die Steuergesetze eine Ausnutzung dieser Volkseigenschaft.

Es sind z.Zt. bei der OT, d.h. bei den für die OT arbeitenden dänischen Firmen, etwa 30.000 Arbeiter tätig. Von dieser Gesamtsumme arbeiten etwa 18.000 an Bauvorhaben der Luftwaffe.

Es ist nicht möglich, von diesen 18.000 erheblichere Kräfte für die Arbeiten der Befestigungen an der Küste zu verlegen, weil eben der dänische Arbeiter nicht gezwungen werden kann.

Um die notwendigen Gesamtbefestigungsarbeiten in einem Zeitraum durchführen zu können, der der Arbeit im Reich angepaßt ist, müßten zusätzlich 60.000 ungelernte oder 49.000 Bauarbeiter für die Befestigungen gewonnen werden.

Anl. 1/ Es sind die entsprechenden Forderungen von mir beim Reichsbevollmächtigten erhoben worden.

Anl. 2/ Der Reichsbevollmächtigte hat darauf verwiesen, daß eine derartige umstürzlerische Arbeitsgesetzgebung zu den größten Schwierigkeiten führen würde und so starke Polizei und Wehrmacht-Kräfte zugeführt werden müßten, um einmal den Arbeitszwang durchzuführen, dann aber auch die Ausführung zu sichern, daß schon dadurch das Problem hinfällig würde.

Nach Rücksprache mit dem Höh. SS- u. Polizeiführer würde das Aufgreifen von etwa 60.000 Dänen mit vorhandenen deutschen Polizeikräften nach und nach durchgeführt werden können. Die Folgen einer solchen Aktion werden auch vom Höh. SS- u. Pol. Führer als schwerwiegend angenommen. Mit Recht weist der Reichsbevollmächtigte gleichfalls auf die schwersten wirtschaftlichen Folgen für Deutschland hin. Es ist daher durch nach m.A. dieser Weg ungangbar.

Auf die Lösung der Materialfrage braucht nicht eingegangen zu werden, bevor das Problem der Arbeiterbeschaffung nicht einer befriedigenden Regelung zugeführt ist. 500 Bereifungen sind über WFSt/Qu. bereits vermittelt worden. Wegen Lok und Verbilligung der Miete ist Transportkommandantur angewiesen, mit Chef Transportwesen zu verhandeln.

Der vom Reichsbevollmächtigten vorgeschlagene Einsatz von Kriegsgefangenen ist nur dann möglich, wenn ausreichendes und gutes Bewachungspersonal mit hierher verlegt wird. Gerade hier in Dänemark, wo die Gegenbewegung immer stärker wird halte ich es für gefährlich, erhebliche Massen Gefangener, noch dazu auf engem Raum im Gelände arbeitend, einzusetzen. Die Gefahren der Verbindung mit aufsässigen Dänen und englischen Agenten sind sehr groß.

Es bleibt daher m.E. nur übrig:

1.) Auf freiwilliger Arbeitsbasis zu bleiben und hier zu werben, was zu werben ist.
2.) Durch Einsatz schwächerer Gefangenkräfte – etwa 10.000 Mann – (mit entsprechenden Wachorganen) den Stellungsbau zu verbessern.
3.) Daß trotz aller Versuche, die Arbeiter an die Küste zu bekommen, immer wieder mehr und bessere Arbeiter für die im Lande liegenden Flugplätze arbeiten werden.
4.) Einwandfrei festzustellen, daß es nicht möglich wird, die Befestigungsarbeiten so zu forcieren, wie das im Reich durch Einsatz der Bevölkerung erreicht werden kann.

Auf jeden Fall ist es erforderlich, mit allen zu Gebote stehenden Mitteln den Ausbau Jütlands weiter zu betreiben. Je größer der Rückstand der Arbeiten im Gegensatz zu anderen Küsten (Deutsche Bucht), um so wahrscheinlicher der Entschluß des Feindes, die schwachen Stellen zu Landungsoperationen zu benutzen. In diesem Falle wäre die Versorgung Deutschlands mit dänischen Erzeugnissen erst recht nicht mehr möglich.

Es muß daher das ernste Problem des Rückstandes der dänischen Befestigungen klar sein. Es wird gebeten, daß WFSt die Lage in Dänemark aufgreift und seine äußerst mögliche Hilfe dem Wehrmachtbefehlshaber Dänemark angedeihen läßt.

General der Infanterie
[uden underskrift]

Verteiler:
OKW/WFSt/Op. (H) Nord
Reichsbevollmächtigten
Höh. SS- u. Pol. Führer

47. Horst Wagner an Ernst Kaltenbrunner 18. Oktober 1944

Wagner orienterede Kaltenbrunner om, at Walters telegram om de mulige erhvervsmæssige skader for det tyske folks levnedsmiddelforsyning, som følge af politiforanstaltningerne, havde været forelagt Hitler. Ribbentrop havde dertil foreslået, at der blev afholdt en ressortdrøftelse i AA med deltagelse af RSHA, RWM og REM, hvor det skulle diskuteres, om de ubelastede deporterede danske politiembedsmænd kunne føres tilbage til Danmark. Hitler havde erklæret sig indforstået dermed. Wagner bad om Kaltenbrunners medvirken og ville kontakte ham telefonisk (Rosengreen 1982, s. 137).

Kilde: RA, pk. 233. LAK, Best-sagen (afskrift).

Inl. II *Feldqu., 18.10.*

An SS-Obergruppenführer Kaltenbrunner
Berlin SW. 11

Sehr verehrter Obergruppenführer!

Das Telegramm von Dr. Walter aus Kopenhagen über die wirtschaftlichen Schäden, die sich aus den Polizeimaßnahmen möglicherweise für die Ernährung das Deutschen Volkes ergeben können, hat dem Führer vorgelegen.[96] Der Herr Reichsaußenminister hat dazu den Vorschlag gemacht, daß in Berlin in einer vom Auswärtigen Amt einzuberufenen Ressortbesprechung unter Beteiligung des Reichssicherheitshauptamtes, des Reichswirtschaftsministeriums und des Reichsministeriums für Ernährung und Landwirtschaft die Möglichkeiten einer Rückführung unbelasteter dänischer Polizeibeamten nach Dänemark geprüft und danach die erforderlichen Entschlüsse getroffen werden sollen.

Der Führer hat sich damit einverstanden erklärt.

Der Herr Staatssekretär beabsichtigt, diese Ressortbesprechung in den nächsten Tagen einzuberufen, möchte jedoch vorher Ihre Stellungnahme zu dem Gesamtproblem zwecks gegenseitiger Abstimmung kennen.

Ich wäre dankbar, wenn Sie den Fragenkomplex überprüfen lassen und mir Ihre Stellungnahme mir bekanntgeben würden. Ich werde mir erlauben, Sie zu diesem Zweck von hier aus am 19.10. in dieser Angelegenheit anzurufen.

Heil Hitler!
[uden underskrift]

96 Walters telegram nr. 1151, 9. oktober er trykt ovenfor.

48. Werner Best: Kalenderaufzeichnung 18. Oktober 1944

Blandt Bests møder 18. oktober var en drøftelse om eftermiddagen med deltagelse af Admiralrichter Kurt Eckhardt, Kapitän zur See Zimmer og Duckwitz. Den aktuelle anledning var beslaglæggelsen af fire DSB-færger til brug for operation "Nordlicht" (jfr. OKW/WFSt til OKM u.a. 15. oktober), men der blev endvidere drøftet Dansk Røde Kors' udrustning af et lazaretskib til Kriegsmarine (se Seekriegsleitungs notat 20. oktober), planer for at hindre danske skibes flugt til Sverige (se OKM til MOK Ost 1. november), samt hvilke repressalier der skulle sættes i værk fremover, når danske skibe flygtede (se KTB/ADM Skagerrak 10. november 1944).

Forud samme dag havde Wurmbach haft et møde med Kriegsmarines repræsentanter (se KTB/ADM Skagerrak 10. november). Den samme dag tilgik der UM meddelelse om beslaglæggelsen af de fire færger, hvor Svenningsen af Best mundtligt fik at vide, at beslaglæggelsen skete af krigsnødvendige grunde, men at begrundelsen også var, at nogle vigtige transporter skulle afgå, så om skibene blev tilbagegivet ved krigsafslutningen eller ved transporternes gennemførelse, kunne ikke oplyses (KB, Herschends dagbog nr. 239, 18. oktober).

Kilde: Bests kalenderoptegnelser 18. oktober 1944.

Mittwoch, 18. Oktober 1944
Vormittags im Dagmar-Haus. Morgenbespr. gem. Vert. 3.
Bespr. mit:
Ges. Dr. Barandon.
Kontorchef Stahr.
Konsul Valentin (Kalundborg). SS-Hstuf. Lorenzen.
Mittags: zu Hause.
Nachmittags im Dagmar-Haus.
Bespr. mit:
Admiralrichter Eckhardt, Kap. z.S. Zimmer (Berlin),
Schiffahrtsachverst. Duckwitz. SS-Stuff. Eden. Ges. Rat Schacht.
Abends: Zu hause. Frau Hilde Best in Kopenhagen angekommen.

49. Hans Clausen Korff an Christian Breyhan 18. Oktober 1944

Som medlem af det tysk-danske regeringsudvalg kunne Korff meddele Breyhan i RFM, at det ikke var lykkedes at opnå en aftale om de danske skibe, som Kriegsmarine ville beslaglægge. Den danske administration ville ikke betale skadeserstatningerne over clearingkontoen, men krævede fri valuta. Derfor havde den rigsbefuldmægtigede afbrudt forhandlingerne og underrettet AA. Duckwitz erklærede på Korffs forespørgsel, at de danske redere ikke ville komme i finansielle problemer af den grund, og han kunne også fortælle, at der ville komme flere beslaglæggelser, uden at Best kunne modsætte sig det (hos Hæstrup, 2, 1966-71, s. 157f. kun en delvis gengivelse af det senere forløb i november uden kontekst).

Se om beslaglæggelserne Engelhardt til OKM 24. november 1944.

Kilde: BArch, R 2/30.668. RA, Danica 201, pk. 91, læg 1257.

ORR Korff
Mitglied des Reg. Ausschusses für Dänemark *Oslo, 18. Oktober 1944*

Betr. Entschädigung für in Dänemark beschlagnahmte Schiffe.

1. Aktenvermerk
Der Schiffahrtssachverständige Duckwitz teilte am 10. ds.Mts. in Kopenhagen mit, daß die Verhandlungen über eine Entschädigung für die vom Reichsbevollmächtigten zugunsten der Kriegsmarine beschlagnahmten Schiffe gescheitert seien. Die dänische Regierung habe die Zahlung von Entschädigungen über das deutsch-dänische Clearing definitivt abgelehnt und freie Devisen verlangt. Daraufhin seien die Verhandlungen seitens des Reichsbevollmächtigten nicht fortgeführt worden. Das Auswärtige Amt sei in diesem Sinne unterrichtet worden.

Auf die Frage des Unterzeichneten erklärte Duckwitz, daß keine Befürchtungen beständen, daß die Reeder durch Nichtzahlung der Entschädigungen in finanzielle Schwierigkeiten geraten würden. Die betroffenen Reeder hätten durchweg andere Schiffe in Fahrt und dadurch beträchtliche Einkünfte. Die Entschädigungsregelung könne daher durchaus bis nach Kriegsschluß aufgeschoben werden.

Duckwitz teilte noch mit, daß nach den Ankündigungen der Marine weitere Beschlagnahmen durchgeführt werden müßten. Der Reichsbevollmächtigte würde keine Handhabe haben, sich diesen Wünschen der Marine zu widersetzen.

gez. **Korff**

Herrn MinRat D. Breyhan
mit der Bitte um Kenntnisnahme.

50. Hans Clausen Korff an Christian Breyhan 18. Oktober 1944

Samme dag meddelte Korff Breyhan, at der var opnået en aftale om betalingen af de sabotagevagter, der efter Karl Kaufmanns/RKS' ønske skulle bevogte de skibe, der for tysk regning anløb danske havne. Best var indforstået med, at det blev over kontoen for civile besættelsesudgifter og ikke over clearingkontoen.

Forhandlingen havde fundet sted i København 13. oktober med Duckwitz, og det fremgår af en notits af Korff fra 18. oktober, at Duckwitz påfølgende havde forsøgt at overtale Ludwig til at lade betalingen ske over clearingkontoen, hvilket Ludwig havde afvist. Det var i stedet blevet aftalt mellem Walter, Duckwitz og Heinrich Esche, at det skulle være over kontoen for civile besættelsesudgifter (RA, Danica 201, pk 81A).

Best var ikke direkte involveret i drøftelserne, men sanktionerede efterfølgende den indgåede aftale. Han havde møde med både Walter og Esche 13. oktober, men ikke samtidigt (Bests kalenderoptegnelser, anf. dato). Best havde her den tilfredsstillelse at se sin forkætrede særkonto benyttet efter sit formål, og han skulle ikke over værnemagtskontoen for at få bevilget pengene, når det ikke kunne ske via clearingkontoen.

Vagterne skulle sandsynligvis rekrutteres blandt de talrige civile danskere, der indgik i et af de mange vagtkorps (Christiansen 1955, s. 39-48). Blot er det spørgsmålet, om denne bevogtningsform overhovedet blev taget i brug, herunder om den blev anset for tilstrækkelig effektiv i marineledelsen. Noget tyder på, at Kaufmanns initiativ ikke blev vurderet som tilstrækkeligt. Se Seekriegsleitung til RSHA 20. oktober 1944.

Kilde: RA, Danica 201, pk 81A.

ORR Korff
Mitglied des Reg. Ausschusses für Dänemark

Oslo, 18. Oktober 1944

Herrn Reichsminister der Finanzen,
z.Hd. von Herrn MinRat Dr. Breyhan
Berlin W 8
Wilhelmplatz 1/2

Betr. Zivile Besatzungskosten in Dänemark,
hier: Aufwendungen des RK See

Der RK See stellt in Dänemark besondere Sabotagewachen auf, die die Schiffe, die für deutsche Rechnung in dänischen Häfen anlaufen, bewachen sollen. Die Aufwendungen werden etwa 10.000 Kr. monatlich betragen.

Im Einverständnis mit Min. Dir. Walter wurde mit den Vertretern des Reichsbevollmächtigten am 13. ds.Mts. vereinbart, daß die Aufwendungen für Sabotagewachen nicht über das deutsch-dänische Clearing nach Dänemark überführt, sondern den zivilen Besatzungskosten entnommen werden. Der Reichsbevollmächtigte hat sich mit dieser Regelung einverstanden erklärt.

Korff

51. Günther Pancke an Heinrich Himmler 19. Oktober 1944

Pancke havde siden august sit eget pressekontor, der løbende udsendte meddelelser til den danske offentlighed. Det var et led i hans nye kurs, som han i dette brev til Himmler selv kaldte en storstilet og intensiv oplysningskampagne over for den danske befolkning. Efter den politimæssige undtagelsestilstands ophør var censuren imidlertid atter kommet på Bests hænder, og Pancke anmodede Himmler om at få et propagandatog fra Standarte "Kurt Eggers" sendt til Danmark, så han kunne byde den fjendtlige propaganda trods. Det var mere end en underforstået kritik af den rigsbefuldmægtigedes politik, der var skyld i, at fjenden uhindret kom til ordre, og at dansk presse var farveløs og præget af ængstelig neutralitet.[97]

Himmler lod svare positivt til Pancke 26. oktober via Brandt (se nedenfor), men allerede den 25. oktober begyndte SS-Standarte "Kurt Eggers" sin virksomhed i Danmark. Det skyldtes, at der i dagene forud for afsendelsen af Panckes anmodning havde været ført intense forhandlinger i København om den tyske propagandas fremtid i Danmark.[98] Lederen af Standarte "Kurt Eggers" SS-Standartenführer Günter d'Alquen havde været hos Best på Dagmarhus 14. oktober sammen med Unterführer Björnsson og påfølgende været til middag hos Best på Rydhave både 15. og 16. oktober (Bests kalenderoptegnelser). Nogen fælles ordning var de ikke nået til; det kan sluttes af Panckes anmodning til RFSS. Til gengæld havde d'Alquen været klar til at gå i gang i Danmark.

Det var et selvstændigt SS-telegrambureau, der tilsendte den danske presse meddelelser, som skulle optages, de såkaldte KE-telegrammer eller -meddelelser. KE-telegrammerne skulle også passere censuren, så Best og hans pressemedarbejder Jürgen Schröder stod i den situation at skulle formidle tysk materiale gennem UMs Pressebureau uden selv at have indflydelse på indholdet. Yderligere skulle Schröder videregive SS-pressebureauets kritik af den danske presses behandling af stoffet. Bureauet betjente sig også af falske telegrammer, hvilket tillige med dets øvrige propagandavirksomhed blev grundigt behandlet i den illegale presse. Der var i december 1944 16 ansatte ved bureauet (Bindsløv Frederiksen 1960, s. 434-439, Boisen Schmidt 1965, s. 293f., Rosengreen 1982, s. 136, Birn 1986, s. 295, Moll 1997, s. 219, Augustinovic/Moll 2000, s. 109, BArch, R 70 Dänemark 7 (Stärkemeldung 12. december 1944). Se tillige Lundtofte 2003, s.

97 Ifølge en efterkrigsforklaring af Best 1945 skulle Standarte "Kurt Eggers" i april 1944 have forsøgt at overtage al tysk propaganda i Danmark, da Oberscharführer Björnsson meddelte ham, at han havde fået ordre derom. Det afviste Best, og Björnsson fik alene lov til at drive propaganda efter de af Best givne retningslinjer (HSB, CI Preliminary Interrogation Report CI PIR 115, 14. maj 1946, s. 32). Det eneste samtidige belæg er Bests kalenderoptegnelse 2. april 1944, der blot bekræfter et møde mellem de to.

98 Den 13. oktober holdt Best møde med Ministerialdirektor Dr. Walter, som var direktør i Reichsrundfunk, en hr. Winkelnkämpfer og Gesandtschaftsrat Heinrich Gernand fra RMVP (Bests kalenderoptegnelser). Det kan sluttes, at emnet for mødet har været den tyske radiopropaganda i Danmark, og at Best ikke har givet køb.

185-187 om Panckes pressekontor og nedenfor 4. december RSHAs forsøg på at involvere RMVP).
Kilde: BArch, NS 19/427. RA, Danica 1069, sp. 6, nr. 7056f. RA, Danica 1000, T-175, sp. 17, nr. 521.049f. RA, pk. 443.

Der Höhere SS- und Polizeiführer in Dänemark *O.U., den 19.10.1944*
Tgb. Nr. 1337/44 g Geheim

An den Reichsführer-SS
Feldkommandostelle

Reichsführer!
Wie Ihnen Bekannt sein wird, befindet sich die dänische Presse und der Rundfunk seit Jahren in einem Zustand völliger Apathie, Farblosigkeit und ängstlicher Neutralität. Die gegnerischen Propagandamittel, sowohl illegale Presse wie feindliche Sender, haben dagegen größte Aktivität gezeigt und sich besonders in der letzten Zeit noch schärfer als je für die Durchdringung der dänischen Bevölkerung mit anti-deutschen Parolen eingesetzt.

Der von mir eingeschlagene neue Kurs einer großzügigen und intensiven Aufklärung der dänischen Bevölkerung in Presse und Rundfunk, der schon in seinem Anfangsstadium bedeutsame Erfolge zu erzielen vermochte, konnte nach der Rückgabe von Presse und Rundfunk an den Reichsbevollmächtigten nicht mehr fortgeführt werden, da dieser selbst und seine Referenten jeder Aktivierung der Propaganda völlig ablehnend gegenüber stehen.

Ich habe nun in dieser Angelegenheit mit Standartenführer d'Alquen gesprochen und dieser hat mich gebeten, Ihnen vorzuschlagen, daß für Dänemark ein Propagandazug der Standarte "Kurt Eggers" zur Verfügung gestellt wird, um der Feindpropaganda tatkräftig und wirkungsvoll entgegentreten zu können. Standartenführer d'Alquen will für diese Aufgabe befähigte Kräfte mir gerne zur Verfügung stellen, wenn Sie, Reichsführer, ihm den Befehl dazu erteilen.

Wie überall, so ist auch hier in Dänemark unser Gegner in den Widerstandsbewegungen sowohl nationalsozialistischer wie kommunistischer Färbung zu sehen. Beide werden taktisch geführt und geistig geleitet durch die feindlichen Sender. Man kann also nur durch einen entsprechenden Kampf gegen diese Sender die geistige Führung der Widerstandsbewegung bekämpfen und die feindliche Propaganda schwächen.

Ich wäre Ihnen, Reichsführer, daher sehr dankbar, wenn Sie dem Standartenführer d'Alquen die Genehmigung bezw. den Befehl geben würden, nach Dänemark einen Propagandazug in Marsch zu setzen.

Heil Hitler!
Pancke
SS-Obergruppenführer
und General der Polizei

52. Werner Best an Joachim von Ribbentrop 19. Oktober 1944

Det var en frustreret Best, der rettede en lang redegørelse til sin øverste chef om magtkampen med Pancke. Ribbentrops retningslinjer for kompetenceforholdene, udmøntet i telegrammet 26. september, havde ikke ændret situationen. Med støtte fra RFSS lagde Pancke sin egen kurs med hensyn til politiforholdsreglerne i Danmark, og Best blev ikke holdt orienteret. Pancke havde bedt WB Dänemark om kopier af alle de skrivelser, som Best sendte ham. Nu bad Best med talrige argumenter om en nyordning af det tyske besættelsesstyre i Danmark med de nødvendige fuldmagter til den rigsbefuldmægtigede. Hvis ikke forudså Best det værste.

Svaret på Bests direkte henvendelse fremgår af Brenners skrivelse til von Steengracht 20. oktober 1944 (Rosengreen 1982, s. 138).

Kilde: PA/AA R 101.041. RA, pk. 228. LAK, Best-sagen (afskrift).

Telegramm

Kopenhagen, den	19. Oktober 1944	13.40 Uhr
Ankunft, den	19. Oktober 1944	14.45 Uhr

Nr. 1189 von 19.10.[44.] Supercitissime!

Für Herrn Reichsaußenminister persönlich.
Nachdem ich das Telegramm des Herrn Reichsaußenministers Nr. 1139 vom 26.9.44[99] erhalten hatte, habe ich den Wehrmachtsbefehlshaber Dänemark von dem Inhalt dieses Telegramms unterrichtet mit dem Anfügen: "Ich darf Sie bitten, künftig über polizeiliche Angelegenheiten, die nach dem vorstehenden Telegramm unter mein Weisungsrecht fallen, nur noch mit mir und nicht mehr unmittelbar mit dem höheren SS- und Polizeiführer Verhandlungen führen."

Der Wehrmachtsbefehlshaber Dänemark hat mir nunmehr mitgeteilt, der höhere SS- und Polizeiführer habe ihn ersucht, nicht im Sinne meiner Aufforderung zu verfahren sondern alle polizeilichen Angelegenheiten unmittelbar mit ihm zu verhandeln, denn er habe vom Reichsführer-SS die Weisung erhalten, daß er für alle polizeilichen Angelegenheiten ausschließlich zuständig sei. Weiter teilte mir der Wehrmachtsbefehlshaber mit, der höhere SS- und Polizeiführer habe ihn gebeten, daß der Wehrmachtsbefehlshaber ihm von jedem an mich gerichteten Schreiben oder Fernschreiben ein Doppel zuleiten möge.

Damit ist das Verhältnis zwischen dem höheren SS- und Polizeiführer, der – wie er mir mitteilte – nicht nur keine Weisung im Sinne des Telegramms Nr. 1139 vom 26.9.44 sondern eine ausdrückliche Weisung des Reichsführers-SS im entgegengesetzten Sinne erhalten hat, wieder auf den Stand vor dem Telegramm Nr. 1139 vom 26.9.44 gelangt, dies ist aus den folgenden Gründen auf die Dauer untragbar:

1.)[100] Die Autorität der Repräsentation des Reichs gegenüber den Dänen und gegenüber dem Ausland geht durch den Pluralismus der hier eingesetzten Gewalten verloren, schon im Verhältnis zwischen dem Wehrmachtsbefehlshaber und dem Reichsbevollmächtigten, die von verschiedenen Reichszentralstellen ihre Weisungen erhalten, war es in der Vergangenheit nicht leicht, nach außen das Bild einheitlichen deutschen

99 Trykt ovenfor.
100 Trods dette er dokumentet ikke delt op i flere punkter.

Handelns zu wahren, deshalb hat der aufmerksame Gegner schon seit 2 Jahren immer wie der von Gegensätzen zwischen diesen beiden Exponenten des Reichs gesprochen und geschrieben. Nachdem nunmehr der höhere SS- und Polizeiführer als Dritter selbständiger Repräsentant des Reichs neben den Reichsbevollmächtigten und den Wehrmachtsbefehlshaber getreten ist, verstärkt sich der Eindruck uneinheitlicher Vertretung des Reiches in Dänemark, was in der Feindpropaganda schon sehr stark ausgenutzt wird. Die Uneinheitlichkeit des deutschen Handelns fällt besonders auf, wenn auf dem zivilen Sektor einerseits polizeiliches Handeln und andererseits politisches, wirtschaftliches und verwaltungsmäßiges Handeln divergieren. Durch die Aufspaltung des zivilen Sektors wird außerdem die zwischen mir und dem General von Hanneken allmählich erzielte Koordinierung des militärischen und politischen Handelns gefährdet, da der Wehrmachtsbefehlshaber bei der Unklarheit der zivilen Zuständigkeit mit Recht wieder weniger nach den politischen Gesichtspunkten zu fragen und wieder selbständiger eigene Maßnahmen zu treffen beginnt. Zusammenfassend stelle ich fest, daß die Aufsplitterung der Repräsentation des Reiches in drei selbständige Spitzen (Wehrmachtsbefehlshaber, höherer SS- und Polizeiführer und Reichsbevollmächtigter), die von drei verschiedenen Reichszentralstellen (einander häufig widersprechende) Weisungen erhalten, dem Ansehen des Reiches und der Wahrung der Reichsinteressen in Dänemark abträglich ist und auf die Dauer nicht verantwortet werden kann.

Hinter dem Problem der Organisation und der Zuständigkeiten steht das Problem der in Dänemark durchzuführenden Politik. Jede deutsche Maßnahme, gleich aus welchem deutschen Interesse sie getroffen wird, ruft Wirkungen und Reaktionen im Lande hervor, die alle hier zu wahrenden deutschen Interessen berühren. Deshalb müssen, wenn überhaupt eine einheitliche Politik in diesem Lande durchgeführt werden soll, alle deutschen Maßnahmen von einer über den Einzelinteressen stehenden Warte aus beurteilt und koordiniert werden. Die Wehrmacht und die Polizei vertreten mit Recht – nur ihre speziellen Interessen und bemühen sich, die Weisungen der ihnen vorgesetzten zentralen Reichsstellen hundertprozentig zu erfüllen. Es ist ihnen dabei gleichgültig, ob andere deutsche Interessen durch ihre Maßnahmen entscheidend beeinträchtigt werden. Extrem ausgedrückt erstrebt die Wehrmacht ein Ausschlachten des ganzen Landes für Verteidigungszwecke und die Polizei die Ruhe eines Kirchhofs im Lande, wenn dies als Inhalt der in Dänemark durchzuführenden Politik – mit dem Bewußtsein, daß damit auf jede positive Ausnützung des Landes verzichtet wird, – gewollt wäre, so sollte dies klar und eindeutig entschieden werden, solange aber noch die dem Reichsbevollmächtigten erteilte Weisung des Führers gilt, daß die wirtschaftlichen Leistungen Dänemarks für das Reich unbedingt auf der jetzt erzielten Höhe gehalten werden sollen, ist der Reichsbevollmächtigte immer wieder genötigt, sich bestimmten, auf hundertprozentige Sicherheit bei erwarteten Katastrophen zielenden Maßnahmen der Wehrmacht und der Polizei entgegenzustellen, wenn durch diese Maßnahmen zu früh die wirtschaftliche Ausnützung des Landes zerschlagen oder unnötig die außenpolitischen Interessen des Reiches (im Verhältnis zu dritten Ländern oder auch in der Zukunft zu Dänemark) beeinträchtigt würden. Von einer alle Interessen zusammenfassenden Warte aus kann keinem Einzelinteresse das erstrebte Maximum zugestand[en] werden, wenn insgesamt für Deutschland das Optimum herausgeholt werden soll. Bis jetzt ist unbestreitbar ein

Optimum erzielt worden:

a.) Die wirtschaftlichen Leistungen des Landes sind ungeachtet der politischen Lageverschlechterung zu einer für die deutsche Volksversorgung sehr bedeutsamen Höhe gesteigert worden,

b.) die Bedürfnisse der Wehrmacht, soweit sie aus dem Lande zu befriedigen waren, sind befriedigt worden,

c.) die Störversuche des Feindes (Sabotage usw.) haben bis jetzt die deutschen Interessen fast nicht beeinträchtigt.

d.) Trotz einschneidender faktischer Eingriffe in die inneren Verhältnisse Dänemarks konnte außenpolitisch das Bild einer alle Möglichkeiten offen lassenden Behandlung des Landes aufrechterhalten werden.

Dieses Optimum der gleichzeitigen Wahrung aller deutschen Interessen in Dänemark kann nur dann erhalten bleiben, wenn weiterhin alle Einzelinteressen einer einheitlichen politischen Führung untergeordnet werden. Hierfür ist eine klare und eindeutige Entscheidung über die in Dänemark durchzuführende Politik erforderlich. Wird eine Politik befohlen, die nicht auf eine nahe bevorstehende Katastrophe sondern auf langfristige aktive Ausnutzung des Landes abgestellt ist, so muß der mit der Durchführung dieser Politik Beauftragte mit den erforderlichen Vollmachten gegenüber den Trägern von Einzelinteressen ausgestattet werden. Es ist untragbar, daß der Reichsbevollmächtigte, der mit der Durchführung einer einheitlichen Politik in Dänemark beauftragt ist, mit den Trägern von Einzelaufgaben auf gleicher Ebene um jede einzelne Maßnahme ringen muß und, da er ihnen meist nicht das gewünschte Maximum zugestehen kann, in wachsendem Masse als "weich" und "schlapp" diffamiert wird. Wenn dem Reichsbevollmächtigten eindeutig die Zuständigkeit zur Wahrung aller deutschen Interessen zugesprochen wird, wird er z.B. auch auf dem polizeilichen Gebiet selbst die notwendigen Maßnahmen anordnen und betreiben, nachdem er sie vorher gegenüber den übrigen zu wahrenden Reichsinteressen abgewogen hat.

Es erscheint deshalb im Reichsinteresse notwendig, daß erneut eine klare Entscheidung über die in Dänemark durchzuführende Politik gefällt wird, aufgrund deren dann die Frage der Repräsentation des Reiches in Dänemark zu regeln sein wird.

Best

53. Kriegstagebuch/OKW 20. Oktober 1944

Anvendelsen af tysk arbejdskraft til fæstningsbyggeri i Danmark blev forbudt.

Der gik meddelelse til AA herom 26. oktober (ikke lokaliseret), men forbuddet blev ophævet igen 8. november.

Kilde: KTB/OKW, 4:1, s. 927.

[...]

Am 20. Oktober wurde wegen des Kräftemangels im Heimatkriegsgebiet der Einsatz deutscher Arbeitskräfte auf dänischem Boden verboten; der Stellungsbau sollte nunmehr mit dänischen Kräften fortgesetzt werden.

[...]

54. Seekriegsleitung an RSHA 20. Oktober 1944

Seekriegsleitung sendte RSHA en liste over skibe, der siden 1. juni 1944 var blevet sænket eller beskadiget i Danmark. Listen var ledsaget af spørgsmålet, om ikke RSHA kunne gøre noget for at stoppe dette sabotageuvæsen, da der var stærkt behov for skibstonnagen.

Det fremgår af kommentaren til skibslisten, at der ikke i tiden op til 20. oktober havde været en særlig høj frekvens af skibssabotager i Danmark. Det var derimod et stigende aktuelt behov for tonnagen, der fik Seekriegsleitung til at kaste blikket bagud med hensyn til sabotagerne, muligvis hjulpet af Forstmanns situationsberetning 30. september 1944, såfremt den nåede Seekriegsleitung. Der er i første omgang ikke kendt noget svar fra RSHA; det skulle komme senere. I stedet henvendte storadmiral Karl Dönitz sig 23. oktober til både Alfred Jodl og Himmler i spørgsmålet, der dermed blev bragt op på højeste plan.

Kilde: BArch, Freiburg, RM 7/1813. RA, Danica 628, sp. 7, nr. 5882f.

Neu 1/Skl. Ia 31622/44 gK
SSD

Geheime Kommandosache!
Berlin, den 20.10.44.

Fernschreiben an: 1.) RSHA für V.O. Marine
Nachr. 2.) MOK Ost
3.) Adm. Skagerrak
4.) RKS

Nachstehende Schiffe sind seit dem 1. Juni 44 in Dänemark durch Sabotage gesunken oder beschädigt:

a.) *Gesunken:*

1.)	31.8. D. Hever[101]	441	Brt.
2.)	27.9. Saugbagger[102]	98	–
3.)	Bau 88 Aalborg Werft[103]	5.000	–
4.)	Bau 677 Kopenhagen[104]	3.000	–
5.)	Bau 102 Odense[105]	3.000	–

b.) *Beschädigt:*

1.)	10.6. FD. Schoppenstehl[106]	266	Brt.
2.)	10.6. Torp.-Trsp. Schiff 51		
3.)	10.6. Sperrbr. Neubau 190		
4.)	10.6. FD. Zwickau	244	–

101 Damperen "Hever" blev med en eksplosion sænket i Odense havn 31. august 1944, samme dag som den skulle være afsejlet til Hamborg (RA, BdO Inf. nr. 73, 31. august 1944, tilfælde 24, Alkil, 2, 1945-46, s. 1234).

102 Den tyske lægter "Sauger II" blev sænket i Svendborg havn 28. september 1944 (RA, BdO Inf. nr. 84, 29. september 1944, tilfælde 21).

103 Bygning 80 på Ålborg værft blev saboteret 4. september 1944 (Alkil, 2, 1945-46, s. 1234).

104 Bygning 677 var S/S "Irene Oldendorf" på 3.000 BRT, som atter (fejlagtigt) optræder som beskadiget nedenfor.

105 Bygning 102 var S/S "Røsnæs", se bilag 2 i Lamberts situationsberetning 15. september 1944.

106 Om de fire sabotager i Svendborg 10. juni 1944, se KTB/Seekriegsleitung 10. juni 1944 og Himmler til Best og Pancke 15. juni 1944.

5.)	16.8. D. Lavinia[107]		
6.)	14.9. D. Irene Oldendorf[108]	1.923	–
7.)	10.10. D. Scharhörn[109]	2.642	–
8.)	Zwei weitere Schiffe mit zus.	9.067	–

Diese hohen Verluste sind angesichts Knappheit an Schiffsraum und der starken Belastung der Werften besonders unangenehm. Kriegsmarine bittet zu prüfen, ob seitens RSHA zur Abstellung dieses Sabotageunwesens etwas getan werden kann.

Seekriegsleitung B. Nr. 1/Skl Ia 31620/44 gK

55. Paul von Behr an Werner Best 20. Oktober 1944

RFM havde i 1943 foreslået, at finansieringen af tysk politi i Danmark skete på samme måde som værnemagtsudgifterne. De to udgifter kunne opdeles med checks af forskellig farve. Da de relevante akter i AA var brændt, ville von Behr have Bests stillingtagen.

Best svarede AA 31. oktober 1944.

Kilde: BArch, R 901 113.555. RA, pk. 271.

Berlin, den 20. Oktober 1944 zu Ha Pol VI 2697/44.

An den Reichsbevollmächtigten in Dänemark
Kopenhagen.

Unter Bezugnahme auf das dortseitige Telegramm Nr. 1096[110] vom 20. September 1943, betreffend Finanzierung der in Dänemark eingesetzten deutschen Polizeikräfte, teile ich mit, daß das Reichsfinanzministerium mit Schreiben vom 6. November 1943[111] vorgeschlagen hatte, "*alle* zivilen Aufgaben – den *gesamten* Bedarf des Bevollmächtigten des Deutschen Reiches und der Polizei – in derselben Weise zu finanzieren wie die Wehrmachtsausgaben, d.h. über das Besatzungskostenkonto der Hauptverwaltung der Reichskreditkassen bei Danmarks Nationalbank. Die Aufteilung der Kosten auf Wehrmacht und zivilen Sektor könnte durch verschiedenfarbige Schecks (wie in Norwegen) gesichtet werden.

Da ein Teil der Akten verbrannt ist, kann hier nicht festgestellt werden, ob dieser Vorschlag seinerzeit dorthin weitergeleitet worden ist und ob seitdem tatsächlich verschiedenfarbige Schecks für Ausgabe für die Wehrmacht und für den zivilen Sektor in

107 Damperen "Lavinia" lå på Ålborg værft, da den blev udsat for sabotage i kedelrummet. Skaden var begrænset (RA, BdO Inf. nr. 71, 25. august 1944, tilfælde 21, Alkil, 2, 1945-46, s. 1234. Jfr. bilag 2 i Lamberts situationsberetning 15. september 1944).

108 Se Rü Stab Dänemarks situationsberetning 30. september 1944. "Irene Oldendorf" blev ikke kun beskadiget, men sænket. Den er fejlplaceret, og BRT-angivelsen stemmer heller ikke.

109 Se Rü Stab Dänemarks situationsberetning 31. oktober 1944.

110 HA Pol VI 3939/43. Trykt ovenfor.

111 Trykt ovenfor. AA havde 29. september 1944 modtaget afskrift af skrivelsen efter at have bedt om det 6. september.

Gebrauch sind. Da für die Finanzierung der Ausgaben für die deutschen Polizeikräfte in Dänemark ein besonderes Konto bei der Nationalbank eingerichtet wurde, so dürfte die Verwendung verschiedenfarbiger Schecks kaum notwendig sein.

Ich bitte um Bericht.

(gez.) **von Behr**

56. Harro Brenner an Adolf von Steengracht 20. Oktober 1944

Hvad Walters, Barandons, von Grundherrs og Schnurres skrivelser i løbet af oktober ikke havde formået, lykkedes omsider med Bests lange telegram 19. oktober. Ressortfordelingen mellem Pancke og Best skulle drøftes og entydigt afklares på det i forvejen af AA berammede møde med en anden dagsorden.

Se von Thadden til Brandt 25. oktober.

Kilde: PA/AA R 101.041. RA, pk. 228. LAK, Best-sagen (afskrift).

Büro RAM

Betr. Ressortbesprechung von Dänemark.

Herrn St.S. von Steengracht vorgelegt.

Zu dem Telegramm aus Kopenhagen Nr. 1189 vom 19.10.[112] bittet Sie der Herr RAM, die Frage des Verhältnisses zwischen Reichsbevollmächtigen und Polizeiführer in Dänemark auf der kommenden Ressortbesprechung eindeutig zu klären. Der Herr RAM hält es deshalb auch für erforderlich, daß vor allem Best, Pancke und ein Vertreter des Reichsführers-SS in der Sitzung teilnehmen.

Zu dem Inhalt des obenbezeichneten Telegramms äußerte der Herr RAM, daß der Reichsbevollmächtigte in Dänemark alle Vollmachten besitze und es nur darauf ankomme, daß er sich gegenüber den ihm beigeordneten Stellen entsprechend durchsetzt.

Der Herr RAM bittet Sie, die Ressortbesprechung so schnell wie möglich einzuberufen.

Ferner bittet Sie der Herr RAM, vor der Ressortbesprechung um Anruf zu dem Telegramm aus Kopenhagen Nr. 1189 vom 19.10.

"Wolfsschanze," den 20. Oktober 1944

Brenner

57. Konrad Engelhardt an Seekriegsleitung 20. Oktober 1944

Wurmbach havde som ønsket 2. oktober forhandlet med von Hu[illegible] om forberedelsen af ødelæggelse af havnene i Ålborg og Århus. Det kunne ikke lade sig gøre at vente med at anbringe sprængladningerne til en invasion fandt sted. Wurmbach prøvede nu, om der kunne gøres en undtagelse med de allervigtigste havnepladser. Til dette gentog Seekriegsleitungs skibsfartsafdeling, at sprængningsforberedelserne var for farlige for kajanlæggene, og bombeangreb blev nævnt som en ny mulighed, der kunne udløse ødelæggel-

112 Trykt ovenfor.

serne. Seekriegsleitung blev endnu engang bedt om, at der blev fundet en anden løsning.

Se Seekriegsleitungs notat 29. oktober 1944.

Kilde: BArch, Freiburg, RM 7/1812. RA, Danica 628, sp. 7, nr. 5742.

Skl./ Adm. Qu VI 7556/44 Gkdos *Bismarck, d. 20. Oktober 1944*

Geheime Kommandosache!

An 1. Skl.
Betrifft: Z.-Vorbereitungen in den Häfen Aalborg und Aarhus.

Die durch Skl./Adm. Qu VI gegebenen Hinweise auf die starke Gefährdung der Häfen Aalborg und Aarhus durch die ausgebrachten Sprengladungen haben bisher nicht zum Erfolg geführt.

Admiral Skagerrak meldet: "Ausbringen der Ladungen im A-Fall unmöglich. Transportschwierigkeiten, Sabotage und Feindeinwirkung lassen es nicht so weit kommen. Vom Adm. Skagerrak wurde dem Wehrmachtbefehlshaber vorgeschlagen, Kaianlagen, mit Ausnahme der allerwichtigsten Liegeplätze zu laden. Zurzeit Untersuchungen bei den einzelnen Häfen, ob dies durchgeführt."

Da der Nachschub nach Norwegen von den Häfen Aalborg und Aarhus abhängig ist, muß nochmals eindringlichst auf die Gefahren hingewiesen werden, die für diese Häfen durch die ausgebrachten Sprengladungen bestehen. Nach den vorliegenden Erfahrungen kann die Zerstörung des Hafens ohne weiteres durch Blitzschlag oder Bombenangriffe ausgelöst werden und so der Nachschub nach dem Norden plötzlich entscheidend gestört werden.

Durch rollenartige Organisation kann Häfen sichergestellt werden, daß die Ladung der Sprengkammern nötigenfalls in kurzer Zeit durchgeführt wird.

Es wird gebeten, von dort aus nochmals an die maßgebenden Dienststellen heranzutreten, um die vorzeitige Zerstörung dieser wichtigen Häfen, einschl. der an den Kais liegenden Schiffe zu verhindern.

Skl./Adm. Qu
i.A. Skl./Adm. Qu VI
gez. **Engelhardt**

58. Seekriegsleitung: Ausrüstung eines Lazarettschiff durch das dänische Rote Kreuz 20. Oktober 1944

Repræsentanter for Seekriegsleitung havde under mødet i København 18. oktober drøftet Dansk Røde Kors' udrustning af et lazaretskib. Best forklarede, at Røde Kors stadig var interesseret, men skulle have pengene dertil fra den danske forvaltning, der under de nuværende forhold havde afvist det. Tilbage var kun muligheden at beslaglægge et skib.

På den baggrund måtte Seekriegsleitung tage stilling til, om der overhovedet skulle foretages en beslaglæggelse, da det kunne tage lang tid at få det sat i stand på et tysk værft, og at danske værfter ikke kunne komme i betragtning pga. sabotagefaren (Bests kalenderoptegnelser 18. oktober 1944).

Se Seekriegsleitung til skibsfartsafdelingen (Skl. Adm. Qu VI) 22. november 1944.

Kilde: BArch, Freiburg, RM 7/1813. RA, Danica 628, sp. 7, nr. 5898f.

Seekriegsleitung
Zu B-Nr. 1. Skl. I i 37 870/44 geh.

Berlin, den 20.10.1944.
Geheim

I.) Vermerk
Betr.: Ausrüstung eines Lazarettschiffs durch das dänische Rote Kreuz.

Die Angelegenheit wurde am 18. d.M. mit dem Reichsbevollmächtigten Dr. Best persönlich besprochen. Er ergänzte den Inhalt des Fernschreibens noch dahin, daß der Präsident des dänischen Roten Kreuzes an der Anregung durchaus interessiert war, daß das dän. Rote Kreuz aber eigene Geldmittel für diesen Zweck nicht besitze und sich daher an die dänische Verwaltung habe wenden müssen. Letztere habe die Bereitstellung von Geldmittel aus den aus dem Eingang ersichtlichen Gründen abgelehnt. Es bestehe während der Fortdauer der gegenwärtigen Verhältnisse keine Aussicht, daß der dän. Standpunkt geändert werde. Wenn die deutsche Kriegsmarine das in Aussicht genommene Fahrzeug unbedingt als Lazarettschiff benötige, so bliebe daher nur übrig, es durch den Reichsbevollmächtigten beschlagnahmen zu lassen und es für deutsche Rechnung auf einer deutschen Werft zu einem Lazarettschiff herzurichten.

II.) Bei
1.) Skl. Adm. Qu I
2.) Skl. Adm. Qu VI

m.d.B. um Kenntnisnahme und um Mitteilung, ob unter den gegebenen Umständen auf die Durchführung des Planes ganz verzichtet oder aber og wegen dringenden Bedarfs das in Aussicht genommene Fahrzeug nunmehr beschlagnahmt werden soll. Letzteres wäre aber nur sinnvoll, wenn sichergestellt sein würde, daß die Herrichtung des Schiffes in absehbarer Zeit auf einer deutschen Werft erfolgen könnte, da d.E. eine dän. Werft wegen Sabotagegefahr dafür nicht mehr in Frage kommt, nachdem der Plan, das Laz.-Schiff unter dän. Flagge und im Auftrage des dänischen Roten Kreuzes laufen zu lassen, entfallen ist.

1. Skl.

59. Werner Best an das Auswärtige Amt 21. Oktober 1944

Best viderebragte en skrivelse fra Nils Svenningsen angående dansk politi, dels om de deporterede betjente, dels om mulighederne for at stille et nyt dansk kriminalpoliti på benene. Som forudsætning for det sidste krævede man fra dansk side, at alle fængslede eller deporterede danske politifolk og grænsegendarmer blev hjemsendt. Best havde forelagt Svenningsens skrivelse for Kaltenbrunner, der havde afvist, at en frigivelse af de internerede kunne komme på tale. For sit eget vedkommende mente Best, at det var et prestigespørgsmål, om de deporterede politifolk kunne sættes fri eller i det mindste bringes tilbage på dansk grund, mens han ikke kunne se nogen grund til, at de i arrest holdte danske politiledere og departementschef Eivind Larsen ikke skulle kunne sættes fri.

Dette var alene Bests mening. Nogen indflydelse derpå havde hverken han eller AA. Imidlertid havde Kaltenbrunners beslutning gjort en del af grundlaget for det berammede fællesmøde med en drøftelse af de danske politifolks skæbne overflødig. RSHA havde allerede truffet beslutning i den sag (Hæstrup, 2, 1966-71, s. 129-132).

Kilde: PA/AA R 101.041. RA, pk. 232. LAK, Best-sagen (afskrift).

Telegramm

Kopenhagen, den	21. Oktober 1944	15.05 Uhr
Ankunft, den	21. Oktober 1944	17.15 Uhr

Nr. 1193 vom 21.10.[44.]

Das dänische Außenministerium hat mir unter dem 12.10.44 das folgende Schreiben übergeben:

"Es sind ungefähr 3 Wochen verstrichen, seitdem die dänische Polizei am 19. September 1944 durch Verordnung des höheren SS- und Polizeiführers in Dänemark aufgelöst wurde. Die Erfahrungen dieser 3 Wochen haben die Befürchtungen der dänischen Behörden hinsichtlich der Wirkungen des Mangels an Polizei zur Genüge bestätigt. Wenn sich die Verhältnisse rein äußerlich im Großen und Ganzen ruhig gestalten, sodaß zum Beispiel das Straßenbild einigermaßen unberührt geblieben ist, so ist dies [?] von der dänischen Bevölkerung in der ernstesten Stunde der Besetzung an den Tag gelegten Selbstdisziplin zu verdanken. Diese Selbstdisziplin reicht jedoch nicht aus, um die Gesellschaft auf die Dauer vor Verbrechen und einer allgemeinen Zersetzung zu bewahren. Es wird für jeden Tag deutlicher, welcher unermeßlicher Schaden dem dänischen Volk durch die Aktion vom 19. September 1944 zugefügt worden ist. Die nach Deutschland deportierten Polizeimannschaften machen rund gerechnet ein Viertel der gesamten dänischen Polizeistärken aus. Die von der deutschen Aktion nicht betroffenen Polizeibeamten haben sich, soweit sie nicht aus dem Lande geflüchtet sind, so gut wie alle verborgen, und es muß damit gerechnet werden, daß sie nicht bereit sind, sich am Polizeidienst zu betätigen, solange der jetzige Zustand hinsichtlich der Polizei besteht. Ihre Beweggründe hierfür sind verschiedene: Schon die Gefährdung der eigenen Sicherheit, die mit einer Wiederaufnahme des Dienstes verbunden sein würde, hält selbstverständlich viele zurück. Hinzu kommt das Solidaritätsgefühl den gefangenen Kameraden gegenüber sowie die Rücksicht auf die durch die Ereignisse des 19. September 1944 geschaffene allgemeine Einstellung der ganzen dänischen Bevölkerung. Schließlich macht sich auch die Befürchtung geltend, daß eine Wiederaufnahme des Dienstes neuen Konfliktstoff im Verhältnis zur deutschen Polizei schaffen würde. Die dänische Justizverwaltung hat sich im Interesse der Bevölkerung die größte Mühe gemacht, zu untersuchen, ob und wie in dieser Notsituation einstweilig ein Ersatz für die aufgelöste Polizei auf ihren verschiedenen Tätigkeitsgebieten gefunden werden könne. Was die Verwaltungsfunktionen der Polizei anbelangt, war zunächst in Aussicht genommen, diese Funktionen durch Vermittlung der Stadtverwaltungen auszuführen zu lassen. Nach eingehender Überlegung stellte sich jedoch heraus, daß sich dieser Weg nicht beschreiten ließ, weshalb nun in Erwägung gezogen worden ist, zu versuchen, diese Frage durch Errichtung von Zweigstellen der Amtmännerbüros zu lösen. Anstatt der weggefallenen Ordnungspolizei wird beabsichtigt, einen Ordnungsdienst durch Errichtung von Wächterkorps zu schaffen. Es ist vorgesehen, diese Frage auf kommunaler Basis zu regeln, eventuell so, daß bereits bestehende private Wächterkorps den kommunalen angegliedert bezw. unter kommunaler Aufsicht gestellt werden, vgl. das beigefügte Zirkularschreiben des Justizministeriums an sämtliche Kommunalverwaltungen Dänemarks. Eine Voraussetzung für die reibungslose Durchführung eines Ordnungsdienstes durch die geplanten Wächterkorps ist es natürlich, daß diesen von deutscher Seite keine Hindernisse in den Weg gelegt werden, bezw. daß deutscherseits keine Ordnungsorgane geschaffen werden, deren Tätigkeit mit der der Wächterkorps konkurrieren würde. Während es hiernach nicht als ausgeschlossen betrachtet werden kann, unter großen Schwierigkeiten einen notdürftigen Ersatz für die Verwaltungspolizei und die Ordnungspolizei zu schaffen, ist die Lage hinsichtlich der Funktionen der Kriminalpolizei eine ganz andere. Diese Funktionen können ja nur von ausgebildeten Fachleuten versehen werden, die mit dänischen Kriminalverhältnissen völlig vertraut sind. Solche Fachleute sind aber nicht vorhanden. Die dänische Justizverwaltung ist sich selbstverständlich der überragend großen Bedeutung der Bekämpfung der Kriminalität bewußt, vermag jedoch unter den gegebenen Verhältnissen einen Ersatz für die Kriminalpolizei nicht aufzustellen. Sie ist gezwungen, zu erkennen, daß dies einfach undurchführbar ist. Nach Erachten der dänischen Justizverwaltung würde erst dann eine Möglichkeit für eine Rekonstruktion der Kriminalpolizei vorhanden sein, wenn Departementschef Eivind Larsen und die übrigen festgenommenen Polizeichefs freigegeben und sämtliche nach Deutschland deportierten Polizeibeamten und Grenzgendarmen nach Dänemark zurückgeführt und entlassen würden. Aufgrund vorliegender Aufschlüsse kann damit gerechnet werden, daß die Kriminalbeamten unter diesen Voraussetzungen bereit sein würden, in eine rekonstruierte dänische Kriminalpolizei einzutreten. Es müßten für die Tätigkeit einer neugebildeten dänischen Kriminalpolizei im voraus genaue Richtlinien aufgezogen werden, und es müßte – in Übereinstimmung mit dem prinzipiellen Standpunkt der hiesigen deutschen Polizeileitung – als unerläßlicher Grundsatz festgelegt werden, daß die dänische Kriminalpolizei sich mit Sachen betreffend deutschfeindliche Tätigkeit irgendwelcher Art überhaupt nicht zu befassen habe, sodaß solche Sachen lediglich von der deutschen Sicherheitspolizei behandelt werden würden, gleichgültig ob es sich um Morde, Sabotageakte und ähnliche Handlungen oder um weniger schwere Verletzungen wie zum Beispiel Herstellung und Verbreitung von illegalen Schriftstücken handelt. Die dänische Kriminalpolizei würde sich also ausschließlich mit rein dänischen Sachen unter rein dänischer Jurisdiktion zu befassen haben."

In einem Begleitschreiben des Direktors Svenningsen vom 12.10.44: Zu der Seite 3 in dieser Aufzeichnung erwähnten Voraussetzung für die Rekonstruktion einer Kriminalpolizei möchte ich noch folgendes bemerken:

"Die Deportation war eine en Bloc-Maßnahme und wurde ohne individuelle Prüfung der Sache jeder einzelnen Person geführt. Die dänische Justizverwaltung fühlt sich davon überzeugt, daß es unter den Deportierten – wenn überhaupt – nur ganz vereinzelte geben kann, gegen die man deutscherseits eine begründete Klage würde erheben können. Sollte es sich nach Rückführung der Deportierten bei näherer Prüfung ergeben, daß in Ausnahmefällen an Hand eines konkreten Beweismaterials Grundlage für Verhaftung besteht, so müßte man es dänischerseits hinnehmen, daß die Betreffenden von der Entlassung ausgenommen würden."

Der höhere SS- und Polizeiführer, dem ich das Schreiben des dänischen Außenministeriums zur Stellungnahme zugeleitet habe, hat mir unter dem 19.10.44 folgendes geantwortet:

"SS Auf das o.a. Schreiben und die Äußerung der dänischen Zentralverwaltung teile ich Ihnen mit, daß meiner Ansicht nach eine Entlassung der internierten Polizei- und Gendarmerieangehörigen nicht in Frage kommt. Der dänischen Justizverwaltung muß daher anheimgestellt werden, ohne die internierten Kriminalpolizeibeamten die Kriminalpolizei wieder aufzubauen."

Ich nehme zu diesen Fragen wie folgt Stellung:

1.) Ob die deportierten dänischen Polizeibeamten freigelassen oder – als minderes Entgegenkommen – auf dänischem Boden interniert werden können, ist in erster Linie eine Prestigefrage, vor deren Entscheidung sich ein Eingehen auf die sachlichen Argumente der dänischen Zentralverwaltung erübrigt.
2.) Hinsichtlich des Departementschefs Eivind Larsen und der übrigen leitenden Polizeibeamten, die sich hier im Gewahrsam der deutschen Polizei befinden, habe ich mich seit einem Monat vergeblich bemüht, die Ermittlungsergebnisse und die gegen sie erhobenen Vorwürfe in Erfahrung zu bringen. Nach meiner Auffassung könnten diese Beamten, soweit ihnen nicht individuelle Handlungen zum Nachteil des Reiches nachgewiesen werden, aus der Haft entlassen werden, ohne daß hierdurch das deutsche Prestige beeinträchtigt würde.[113]

Dr. Best

60. Kriegstagebuch/WB Dänemark 21. Oktober 1944

Best havde meddelt, at 18.000 sovjetiske krigsfanger fra Norge skulle passere Danmark og havde foreslået, at de indtil videre blev anvendt til befæstningsarbejde. Von Hanneken lod forslaget gå videre med påpegning af, at krigsfangerne kunne landsættes i Kolding.

Et afvisende svar fik von Hanneken muligvis før 23. oktober, da han atter skrev om, hvordan problemerne i forbindelse med befæstningsarbejdet kunne løses. Imidlertid blev ideen med anvendelse af sovjetiske krigsfanger ikke opgivet, som det fremgår af OKMs skrivelse til OKW 7. november 1944.

Kilde: KTB/WB Dänemark 21. oktober 1944.

[...]

Im Nachgang zu der Meldung an den WFSt über den Bau Befestigungsanlagen an die damit verbundenen Schwierigkeiten im Bef. Bereich wird OKW gebeten, die nach Mitteilung des Reichsbevollmächtigten in Kürze durch den Bereich rollenden 18.000 russischen Kriegsgefangenen aus Norwegen zum Schanzeinsatz bis auf weiteres nach Süd-Jütland zuzuführen. Als Ausladehafen wird Kolding genannt.

[...]

113 Den danske politiledelse blev sat i æresarrest på "Turisthotellet" (Hoff 1946, s. 736).

61. Der Reichsminister der Justiz an das Auswärtige Amt und OKW 21. Oktober 1944

Det tyske justitsministerium forespurgte AA og OKW, om private tyske firmaer var berettiget til erstatning, når de havde været udsat for sabotage i Danmark. Der blev henvist til drøftelserne i juni 1943 (se Roedigers notits 25. juni 1943), og om der forelå en skriftlig aftale.

Svaret kendes ikke, men der forelå en aftale mellem Tyskland og Danmark vedr. sabotageskader til civile tyske firmaer. Den var lavet af Rüstungsstab Dänemark og blev udsendt 1. november 1944.[114] Derimod blev der udbetalt erstatning for værnemagtsskader, se Hermann von Hanneken til Rüstungsstab Dänemark 12. februar 1944, *Politische Informationen* 1. februar 1945, afsnit III.2. og Vang Hansen/Kjeldbæk/Maurer 1984, s. 10f.

Kilde: RA, pk. 284. PKB, 13, nr. 715.

Der Reichsminister der Justiz — *Berlin W 8, den 21. Oktober 1944*
VI a 347/44 — Wilhelmstrasse 65

Sachbearbeiter: Oberlandesgerichtsrat Dr. Feaux de la Croix
(11a) Böhmisch-Leipa, Landgericht, Abt. M
Fernruf: Böhm.-Leipa 49

Betr.: Haftung des dänischen Staats für Sabotageschäden.

An
a.) das Auswärtige Amt
b.) das Oberkommando der Wehrmacht
(zum dort. Vorgr. Az 60g Beih. 6/Nr. 7635/44 Ag WV 1 (V) v. 22.4.44)

Nr. 7635/44
Nachrichtlich an das Oberkommando der Kriegsmarine.

Eine deutsche Firma hat bei mir angefragt, ob der dänische Staat zum Ersatz eines Sabotageschadens, der einem Schiffsneubau in Dänemark zugefügt worden ist, verpflichtet ist.

Bei den Besprechungen in Kopenhagen vom Juni 1943 über ein deutsch-dänisches Abkommen betreffend den Ausgleich von Wehrmachtsschäden hat die Frage der Sabotageschäden eine besondere Rolle gespielt. Nach Auffassung der örtlichen Wehrmachtstellen bestand eine Verpflichtung des dänischen Staates, für alle Sabotageschäden aufzukommen. Diese Verpflichtung sollte wohl auch ausdrücklich schriftlich festgelegt werden. Ich bitte um gefl. Mitteilung, ob etwa inzwischen eine entsprechende schriftliche Vereinbarung über die Sabotageschäden zustandegekommen ist. Bejahendenfalls bitte ich um Auskunft, ob auch Sabotageschäden an Sachen privater deutscher Firmen unter die Vereinbarung fallen. Für die Übersendung eines etwa vorhandenen Vertragstextes wäre ich dankbar.

Im Auftrag
Staud
Beglaubigt
Drews
Justizobersekretär

114 Se tillægget til Forstmanns månedsberetning for november 1944.

62. Reichskommissar für die Preisbildung an OKW 21. Oktober 1944

Efter OKWs brev 11. oktober var Reichskommissar für die Preisbildung kommet til den forståelse, at værnemagten og OT ville overvåge og tage ansvaret for prisdannelsen i Danmark sammen. Dog spurgte han til, om der ikke hos værnemagtsintendanten skulle oprettes et særligt organ til at håndtere prisspørgsmål. Endelig beklagede han, at der ikke kunne opnås tilslutning til indsættelsen af en OT-generalingeniør.

Se OKWs opfølgning til værnemagtsintendanten 12. november 1944.

Kilde: PA/AA R 105.210. RA, pk. 282.

Abschrift! Ha Pol 2818/44

Der Beauftragte für den Vierjahresplan *Berlin W 9, den 21. Oktober 1944*

Reichskommissar für die Preisbildung

Rf Dr. A-480-4420/44

An das Oberkommando der Wehrmacht
Berlin W 35
Tirpitzufer 72-76

Betr.: Preisfragen Dänemark.
Zum dortigen Schreiben vom 11. Oktober d.J.,[115] 2 F 32/65b IV/AWA Ag WV/3 (I) 16421/44
Sachbearbeiter: Dr. v. Hagenow

Aus dem dortigen Schreiben entnehme ich im Gegensatz zum Verlauf der bei mir am 19. und 24. August abgehaltenen Besprechungen, daß der Wehrmachtsintendant Dänemark im Zusammenwirken mit der Abteilung "Vertrag und Preisbildung der OT", Einsatzgruppe Dänemark, die Einhaltung der gebildeten Baupreise zu überwachen hat und damit auch für die Richtigkeit der eingesetzten Baupreise verantwortlich ist. Diese Verantwortung erstreckt sich auch auf die von der OT ausgeführten Bauten, die in erster Linie Wehrmachtsbauten sind. Im Hinblick hierauf bitte ich, von *dort* aus die erforderlichen Maßnahmen – auch für den Bausektor der OT – zu ergreifen, damit die vom Rechnungshof des Deutschen Reiches gerügten Mängel im Baupreiswesen abgestellt und in Zukunft weitere Beanstandung ausgeschaltet werden.

Ob und inwieweit die Einrichtung besonderer Preisprüfungs- und –überwachungsstellen beim Wehrmachtsintendant Dänemark erforderlich ist, bitte ich bei Ihrer Entschließung zu erwägen. Ich bitte ferner zu überprüfen, ob es sich nicht empfiehlt, beim Wehrmachtsintendanten ein Preisreferat zu errichten, um die preislichen Fragen in einer Hand zusammenzufassen und deren Bearbeitung nach einheitlichen Gesichtspunkten auszurichten. Für eine gefl. Mitteilung des Veranlaßten wäre ich dankbar.

Lebhaft bedaure ich, daß die Frage der Schaffung eines General-Ingenieurs auch für Dänemark zurückgestellt ist. Bei den dänischen Verhältnissen auf dem Baumarkt kann ich vom Standpunkt der Preispolitik die Einrichtung einer solchen Stelle nur begrüßen.

Abschrift dieses Schreibens habe ich dem Auswärtigen Amt, dem Herrn Reichsmini-

115 Trykt ovenfor.

ster der Finanzen, dem Herrn Reichsminister für Ernährung und Landwirtschaft, dem Herrn Reichsminister für Rüstung und Kriegsproduktion, dem Herrn Präsidenten des Rechnungshofs des Deutschen Reichs sowie der Organisation Todt übersandt.

An
a.) das Auswärtige Amt
z.Hd. von Herrn Leg. Rat von Behr
Berlin W 8
Wilhelmstr. 76/77
b.) den Herrn Reichsminister der Finanzen
z.Hd. von Herrn Min. Rat Breyhan
Berlin W 8
Wilhelmplatz 1-2
c.) den Herrn Reichsminister für Ernährung und Landwirtschaft
z.Hd. von Herrn Min. Dir. Walter
Berlin W 8
Wilhelmstr. 72
d.) den Herrn Reichsminister für Rüstung und Kriegsproduktion
Amtsgruppe Preisbildung z.Hd. von Herrn Baurat Brummer
Bln.-Charlottenburg
Knesebeckstr. 98
e.) den Herrn Präsidenten des Rechnungshofs des Deutschen Reichs
Potsdam
Waisenstr. 30/33
f.) die Organisation Todt – Zentralverwaltung – Amt Bau – Abt. IV
z.Hd. von Herrn RegRat Dr. Daub
Belzig
Weitzgraeberweg 3

Abschrift übersende ich zur gefl. Kenntnisnahme.
Im Auftrag
gez. **Mosthaf**

63. Karl Dönitz an Heinrich Himmler und Alfred Jodl 23. Oktober 1944

I de sidste fire måneder havde Tyskland lidt store tab af skibstonnage ved sabotager i Danmark. Det var særligt uantageligt, da værfterne i Holland, Belgien og Frankrig var gået tabt for Tyskland. Der ville blive en stigende mangel på skibstonnage. Derfor skulle der gøres alt for at stoppe skibssabotagen i Danmark. Dönitz mente, at det måtte betros en central instans at stå for løsningen af opgaven i nært samarbejde med de politiske myndigheder, da han formodede, at der ville være politiske virkninger forbundet med de militære eller politimæssige foranstaltninger.

Presset af mangel på tysk skibstonnage blev OKMs opmærksomhed rettet mod nord, rimeligvis godt hjulpet på vej af bl.a. Forstmanns indberetning til Rüstungsamt 30. september 1944, og i hvert fald Seekriegsleitungs henvendelse til RSHA 20. oktober.[116] Når Dönitz slog ned på skibssabotagen i Danmark var det næppe så meget pga. denne sabotages omfang, som den generelt trængte situation, hvor krigsudviklingen berøvede Kriegsmarine stærkt tiltrængt skibstonnage.

Dönitz' budskab blev hørt: OKW kontaktede WB Dänemark 25. oktober 1944, mens RFSS først satte sig i bevægelse 11. november, da Brandt kontaktede Wagner. Muligvis var HSSPF blevet kontaktet forud, men der er ikke spor deraf (Rosengreen 1982, s. 142).

Kilde: BArch, Freiburg, RW 4/754. RA, Danica 1069, sp. 1. nr. 327. EUHK, nr. 143 (uddrag).

Geheim *23.10.1944*

S S D - F e r n s c h r e i b e n

Reichsminister Himmler – Sicherungshauptamt
OKW/WFSt, Gen. Oberst Jodl
nachr.: Reichskomm. für die Seeschiffahrt
Gauleiter Kaufmann, Hamburg
MOK Ost
OKW/WFSt/Op (M)

Betr.: Sabotage in Dänemark.

In den letzten 4 Monaten wurden durch Sabotage in Dänemark 5 Handelsschiffsneubauten mit insgesamt etwa 12.000 BRT versenkt und außerdem 2 Kriegsschiffe und 9 Handelsschiffe mit ca. 20.000 BRT mehr oder weniger schwer beschädigt.

Diese hohen Verluste sind besonders nach dem Ausfall von Werften in Holland, Belgien und Frankreich auf die Dauer unerträglich, die Tonnagelage der dt. Handelsschiffahrt ist im übrigen durch stark anwachsende Feindeinwirkung auf dt. Häfen und Werften weiter verschärft, sodaß nur mit Mühe das Transportprogramm — besonders der Wehrmacht in Norwegen und im Osten — erfüllt werden kann. Ein wesentlicher Zuwachs der Gesamttonnage ist nicht zu erwarten. Es wird daher gebeten, alles zu tun, um die Sabotage gegen den Schiffsraum in Dänemark zu verhindern. Es erscheint mir notwendig, eine Dienststelle mit dieser Aufgabe zentral zu betrauen, die gleichzeitig bei der Lösung eng mit den politischen Stellen zusammenarbeitet, da politische Einwirkung bei milit. oder polizeilichen Maßnahmen vermutet werden.

gez. **Dönitz**
Großadmiral
OKM/Skl. Adm. Qu VI 9715/44 geh.

116 Karl Heinz Hoffmann mente i en forklaring 16. maj 1947, at indberetninger om den stigende skibssabotage nåede til Berlin ved indberetninger fra admiral Mewis og Duckwitz (LAK, Best-sagen). Dermed kom han udenom, at sabotagerne lige såvel måtte være indberettet til RSHA fra det tyske politi i Danmark.

64. WB Dänemark an OKW 23. Oktober 1944

OKW fik besked om, at von Hanneken kun kunne stille arbejdskraft til rådighed, hvis de kunne tages fra de igangværende befæstningsarbejder. I stedet ville WFSt Nordküste indsætte ca. 2.800 tyske arbejdere i det nødvendige tidsrum. Best var indforstået dermed. WFSt skulle lave de nødvendige aftaler med WFSt Nordküste.

Det gik på tværs af den 20. oktober givne ordre om kun at anvende dansk arbejdskraft, men det blev givetvis på grund af situationen accepteret, og ordren af 20. oktober lod Hitler ophæve 8. november 1944 (Andersen 2007, s. 231). Der blev dog fortsat arbejdet på at skaffe dansk arbejdskraft. På et møde mellem Casper og Herschend 26. oktober stillede Casper i udsigt, at man kunne blive nødt til at anvende russiske krigsfanger, såfremt der ikke blev skaffet danske arbejdere, og det mente man fra tysk side ikke, at danskerne ville være interesseret i. Dette pressionsforsøg mislykkedes, ligesom man fra dansk side ikke ville skaffe forplejning til de danske arbejdere ved fæstningsbyggeriet, som kunne skaffes (KB, Herschends dagbog, nr. 246 og 249, 26. og 28. oktober 1944).

Kilde: KTB/WB Dänemark 23. oktober 1944.

[...]

Auf den Befehl des Wehrmachtführungsstabes, daß der Wehrm. Bef. Dän. dän. Arbeitskräfte zum Bau der auf dän. Seite verlaufenden Abschnitte der Grenzstellung dem Führungsstab Nord-Küste zur Verfügung stellen hat, wird unter Hinweis auf den am 18.10.44 vorgelegten Bericht über die Arbeiterlage in Dänemark gemeldet, daß Arbeitskräfte nur dann zur Verfügung gestellt werden können, wenn sie aus der Küstenbefestigung oder von Bau der Riegelstellung im Jütländischen Raum abgezogen werden. Der Wehrm. Führungsstab Nordküste beabsichtigt, deutsche Arbeitskräfte (etwa 2.800) nur für die Arbeitszeit auf dän. Boden einzusetzen. Mit diesem Verfahren ist der Reichsbevollmächtigte besonders einverstanden. Daher wird der WFSt fernschriftlich gebeten, die Abmachungen mit dem Führungsstab Nordküste bestehen zu lassen.

[...]

65. OKW/WFSt an WB Dänemark 25. Oktober 1944

OKW/WFSt videresendte Dönitz' brev til Himmler og Jodl vedr. skibssabotagen til von Hanneken med den besked, at opgaven lå hos Pancke og Best, men at von Hanneken inden for det mulige skulle medvirke ved en skærpet overvågning.

Von Hanneken svarede efter at være blevet rykket 6. november omsider på henvendelsen den 11. november (Rosengreen 1982, s. 142).

Kilde: BArch, Freiburg, RW 4/754. RA, Danica 1069, sp. 1, nr. 325.

WFSt/Qu. 2 (Nord) *F.H.Qu., den 25.10.1944*
Geheime Kommandosache Eine Ausfertigung

S S D F e r n s c h r e i b e n

an 1.) W. Befh. Dänemark
2.) nachr.: OKM/1. Skl.

Betr.: Sabotage in Dänemark.

Ob.d.M. meldet:
"In den letzten 4 Monaten wurden durch Sabotage in Dänemark 5 Handelsschiffsneubauten mit insgesamt etwa 12.000 BRT versenkt und außerdem 2 Kriegsschiffe und 9 Handelsschiffe mit ca. 20.000 BRT mehr oder weniger schwer beschädigt.

Diese hohen Verluste sind besonders nach dem Ausfall von Werften in Holland, Belgien und Frankreich auf die Dauer untragbar. Die Tonnagelage der deutschen Schifffahrt ist im übrigen durch stark anwachsende Feindeinwirkung auf deutsche Häfen und Werften weiter verschärft, sodaß nur mit Mühe das Transportprogramm — besonders der Wehrmacht in Norwegen und im Osten — erfüllt werden kann. Ein wesentlicher Zuwachs der Gesamttonnage ist nicht zu erwarten.

Es wird daher gebeten, alles zu tun, um die Sabotage gegen den Schiffsraum in Dänemark zu verhindern. Es erscheint mir notwendig, eine Dienststelle mit dieser Aufgabe zentral zu betrauen, die gleichzeitig bei der Lösung eng mit den politischen Stellen zusammenarbeiten, da politische Einwirkung von militärischen oder polizeilichen Maßnahmen vermutet wird."

Hierzu wird angeordnet:

1.) Bewachung von Kriegsschiffen ist Aufgabe der Kriegsmarine. Schutz von Schiffsneubauten und Handelsschiffen gegen Sabotage ist Aufgabe des Reichsbevollmächtigten, für dessen Durchführung ihm der Höhere-SS- und Polizeiführer Dänemark mit Polizeikräften zugeteilt ist.
2.) W. Befh. Dänemark wird beauftragt, Forderungen des Ob.d.M. gegenüber Reichsbevollmächtigten zu vertreten und ihm, sofern politisch unbedenklich und kräftemäßig möglich, für die Durchführung einer verschärften Überwachung von Werft[en], Häfen usw. personelle Unterstützung anzubieten.

I.A.
gez.: [underskrift]
OKW/WFSt/Qu. 2. (Nord) Nr. 008195

66. Eberhard von Thadden an Rudolf Brandt 25. Oktober 1944

Von Thadden meddelte RFSS, at Pancke ville blive indbudt til en drøftelse i AA.

Emnet blev ikke oplyst; at det var efter Hitlers ønske, at mødet fandt sted, var tilstrækkeligt. Brandt svarede den følgende dag.

Kilde: RA, pk. 228.

Telegramm

Berlin, den 25. Oktober 1944

Diplogerma Nr.
Referent: LR v. Thadden
Betreff:

An Standartenführer Brandt
Persönlicher Stab Reichsführer-SS
(Transport 44) Citissime

Auf Weisung Führers wird Staatssekretär des Auswärtigen Amts verschiedene Ressorts von Dänemark-Besprechung am Freitag, den 27. Oktober, 16.30 Uhr laden. Teilnahme Obergruppenführers Pancke erscheint hier zweckmäßig. Auf Weisung Standartenführer Wagner wäre ich Ihnen für Entscheidung Reichsführers und gegebenenfalls Erwirkung Befehls an Pancke zur Besprechung nach Berlin zu kommen verbunden. Gesandter Best wird gleichfalls für wenige Stunden in Berlin anwesend sein.

Für sofortige Unterrichtung über Entscheidung wäre ich dankbar.

v. Thadden
Leg. Rat

67. Horst Wagner an Werner Best 26. Oktober 1944

Wagner meddelte, at det aftalte møde i AA var udskudt. Han bad Best sikre, at Pancke kom til drøftelsen i AA på det nye tidspunkt, da RFSS ikke var til at komme i kontakt med.

Kilde: PA/AA R 101.041.

Telegramm

Berlin, den 26.10.1944 Geheim

Diplogerma Kopenhagen Nr. 1229
Referent: LR 1. Kl. v. Thadden
Betreff: Ressortbesprechung Dänemark

Für Reichsbevollmächtigten persönlich Citissime

Für Freitag sollte Ressortbesprechung in Dänemarkfragen angesetzt werden, zu der auch Sie und über Reichsführer Obergruppenführer Pancke gebeten werden sollte. Termin mußte verschoben werden, Einladung an Sie folgt.

Da Reichsführer zurzeit nicht erreichbar, bitte ich Sie sicherzustellen, daß Pancke, sofern er Befehl Reichsführers in dieser Angelegenheit erhält, nicht bereits morgen herkommt, sondern neuen Termin abwartet.

Wagner

68. Der Reichsminister der Finanzen an das Auswärtige Amt 26. Oktober 1944

RFM gengav udførligt Bests fremstilling af, hvordan han finansierede tysk politi og Waffen-SS i Danmark. Ministeriet gjorde dernæst opmærksom på, at det 6. november 1943 havde anvist en anden betalingsmåde, og at OKW 27. september 1944 havde krævet, at Waffen-SS blev finansieret på samme måde som værnemagten i øvrigt. Det svarede til, hvad RFM havde krævet af AA 25. august 1944.

Hermed støttede RFM igen over for AA OKWs krav.

Se Best til AA 31. oktober 1944.

Kilde: BArch, R 2/11.598. RA, Danica 201, pk. 81, læg 1083.

Abschrift
Der Reichsminister der Finanzen — *Berlin, 26. Oktober 1944*
Y 5104/1 – 332 V g — Geheim

Geldversorgung der Deutschen Wehrmacht in Dänemark, Zahlungsmittelbereitstellungen für Waffen-SS und Polizei

Vermerk: Die Zahlungsmittelbereitstellungen für Waffen-SS und Polizei in Dänemark erfolgen nach dem Bericht des Reichsbevollmächtigten in Dänemark vom 18. Juli 1944[117] – III/10246/44 – in der folgenden Weise:

a.) Die beiden in Dänemark eingesetzten *Wachbataillone der Ordnungspolizei*, die truppenmäßig organisiert und kaserniert sind, werden durch den Wehrmachtintendanten mit Geldmitteln aus dem Besatzungskostenkonto versorgt.

b.) Die anderen Angehörigen der Polizei:
der höhere SS- und Polizeiführer mit Stab,
der Befehlshaber der Sicherheitspolizei und des SD mit seinem gesamten Personal,
der Befehlshaber der Ordnungspolizei mit Stab,
werden aus den vom Reichsbevollmächtigten erhobenen "Sicherungsmitteln" mit Kronen versorgt. Der haushaltsmäßige Ausgleich soll über das RJM an die Reichshauptkasse erfolgen.

c.) Als Teile der Waffen-SS befinden sich in Dänemark
das *SS-Ersatzkommando* mit der finanziell angegliederten "Germanischen Leitstelle", das seit Herbst 1943 aus den "Sicherungsmitteln" des Reichskommissars finanziert wird, und
der *Fürsorge-Offizier*, der die erforderlichen Mittel für Unterhaltszahlungen über Clearing erhält.

Der Reichsbevollmächtigte begründet die von ihm gewählte Finanzierung (Finanzierung neben der Wehrmacht) mit der besonderen politischen Arbeitsweise der Polizei und des SS-Ersatzkommandos. Der Reichsbevollmächtigte hat im Einvernehmen mit der *Hauptverwaltung der Reichskreditkassen* mit der Dänischen Nationalbank im Herbst 1943 vereinbart, daß die Bereitstellung dänischer Zahlungsmittel für Sicherungszwecke nicht über das Konto der Feldkasse (Wehrmacht-Besatzungskosten), sondern über das besondere Konto "Zahlstelle der Behörde des Reichsbevollmächtigten in Dänemark"

117 Skrivelsen er ikke lokaliseret.

erfolgen soll ("Sicherungsmittel"). Die Bereitstellung geschieht im Rahmen der Vereinbarung, die am 17./26. August 1940 zwischen der Hauptverwaltung der RKKassen und der Nationalbank geschlossen worden ist und die eine besondere Sicherstellung der Nationalbank durch die dänische Regierung vorsieht. Abt. V und das GenB. haben von der Zusatzvereinbarung 1943 bisher keine Kenntnis gehabt. Das RFM hatte dem AA mit Schreiben vom 6. November 1943 empfohlen, *alle* zivilen Ausgaben (einschl. der sog. Gesandtschaftsausgaben) über das *Besatzungskostenkonto* der Hauptverwaltung der Reichskreditkassen bei Danmarks Nationalbank zu finanzieren und die Aufteilung der Kosten auf Wehrmacht und zivilen Sektor durch verschiedenfarbige Schecks (wie in Norwegen) zu sichern. Darauf hat das AA bisher nicht geantwortet. Hinweis auf den Vorgang Y 5104/1 – 205 V g.

Das OKW verlangt durch Schreiben vom 27. September 1944[118] (Vorgang Y 5104/1 – 332 V g), daß die Geldversorgung des SS-Ersatzkommandos und der Dienststelle Fürsorge-Offizier der Waffen-SS, soweit es sich um Ausgaben für den persönlichen und sächlichen Bedarf der Dienststelle selbst handelt, durch den Wehrmachtintendanten aus dessen Mitteln erfolgt, und daß für die über die "Sicherungsmittel" laufenden Ausgaben Steuerungsbestimmungen in gleicher Weise wie bei der Wehrmacht erlassen werden. Das letztere entspricht unserer Forderung vom 25. August 1944[119] – Y 5104/1 – 302 V g.

Geheim
Geldversorgung der Deutschen Wehrmacht in Dänemark,
Zahlungsmittelbereitstellungen für Waffen-SS und Polizei,

Mein Schreiben vom 6. November 1943[120] – Y 5104/1 – 205 V g –,
Ihr Schreiben vom 6. September 1944[121] – Ha Pol 4566/44 g –,
Schreiben des OKW vom 27. September 1944 – 2 f 31/3968/44g/AWA/Ag WV 3 (VIII)

Auswärtiges Amt,
Berlin

Abschrift

Ich stimme den Ausführungen des Oberkommandos der Wehrmacht vom 27. September 1944 zu. Ich bitte um Beantwortung meines Schreibens vom 25. August 1944 – Y 5104/1 – 302 V g –.

Im Auftrag
gez. **Dr. Berger**

118 Trykt ovenfor.
119 Trykt ovenfor.
120 Trykt ovenfor.
121 AA udbad sig 6. september 1944 kopi af de akter, som RFM henviste til, da AAs eksemplarer var brændt (RA, pk. 271).

69. Rudolf Brandt an Günther Pancke 26. Oktober 1944

Brandt meddelte på RFSS' vegne, at han var indforstået med Panckes forslag om at opstille Standarte "Kurt Eggers" i Danmark, og at d'Alquen var underrettet derom (Moll 1997, s. 219).

Kilde: BArch, NS 19/166. RA, Danica 1000, T-175, sp. 17, nr. 521.048.

Fernschreibstelle
Datum: 26.10.1944 Uhr: 20.25

An SS-Obergruppenführer Pancke
Kopenhagen
Dänemark

Bezug: Dort. Schr. v. 20.10.1944[122] – Tgb. Nr. 1337/44g

Obergruppenführer!
Der Reichsführer-SS hat Ihren Brief vom 19.10.44 erhalten. Er ist mit dem Vorschlag einverstanden. Ich habe SS-Standartenführer Gunter d'Alquen entsprechend unterrichtet.[123]

Heil Hitler!
gez. **Brandt**
SS-Standartenführer

70. Gustav Adolf Sonnenhol an Horst Wagner 26. Oktober 1944

Gestapochef Heinrich Müller havde af RFSS fået til opgave at forhøre Barandon på grund af hans telefonsamtaler efter politiaktionen den 19. september. I den anledning havde man fra RSHA ringet til Sonnenhol i AA for at få at vide, hvornår Barandon igen skulle tjenstligt til Berlin. Sonnenhol havde svaret, at han mente, at den sag var afgjort efter en drøftelse mellem Kaltenbrunner og von Steengracht.[124] Efter Sonnenhols mening havde AA en anden opfattelse af sagen end SS. Dog stod Müllers krav ved magt. I telefonsamtalen blev også de deporterede danske politimænd nævnt. Her var det RSHAs hensigt at sende en kommission til Buchenwald for at udskille og afsondre de tyskfjendtlige elementer. Bovensiepen var imod en hjemsendelse af de ubelastede elementer, da han frygtede for deres sikkerhed.

RSHAs henvendelse gør det klart, at RSHA ikke havde tænkt sig at lade sagen mod Barandon falde. Det var givetvis Bovensiepen og måske tillige Pancke, der pressede på for at sagen blev forfulgt fra Berlin, for på den måde at presse og genere Best ved at ramme hans stedfortræder. Bovensiepens angivelige bekymring ved at de ubelastede danske politimænd vendte hjem, herunder at de kunne blive udsat for sabotage og hævnakter, når de var stemplet som tyskvenlige, viser tydeligt, hvem det var, der ønskede at opretholde en spændt situation i Danmark. Bovensiepen ville med sin indstilling opretholde den krisesituation, som politiaktionen og -deportationen havde medført i forhold til den danske centraladministration. Det var den mest effektive måde, hvorpå han fik den rigsbefuldmægtigedes politiske handlemuligheder begrænset mest muligt. Så længe de uretmæssigt deporterede politifolk ikke kom tilbage til Danmark, kunne den danske administrations samarbejdsvilje ikke forventes at blive genetableret, og de tusinder af politifolk, der var gået under jorden, ville ikke bidrage til roens genoprettelse. Deportationen af politifolkene vakte i det hele

122 Trykt ovenfor.
123 Meddelelsen til d'Alquen er ikke medtaget.
124 Afhørt 25. juni 1948 i Nürnberg forklarede Steengracht, at det var lykkedes ham at afværge anklagen mod Barandon for landsforræderi (RA, Danica 234, pk. 88, læg 1148).

taget dansk mod- og modstandsvilje. Bovensiepen stod her i det dilemma, at heller ikke en hjemføring og frigivelse af de "ubelastede" politifolk ville føre til en afspænding af situation. Han måtte regne med, at de hjemførte i givet tilfælde ville være potentielle støtter for eller blive medlemmer af modstandsbevægelsen.

For sagens videre forløb se Bests kalenderoptegnelse 27. november 1944, trykt nedenfor.

Kilde: PA/AA R 100.686.

Vizekonsul Dr. Sonnenhol
Inl. II B

Eilt Sehr!
Sofort auf den Tisch!

Betr.: Gesandten Barandon.

Gestern Nachmittag erschien bei mir Kriminalrat Rauch vom Chef der Sicherheitspolizei im Auftrage von Gruf. Müller – Amt IV – und teilte mit, er habe vom Reichsführer-SS den Auftrag, Gesandten Barandon hierher zu bestellen und zu vernehmen wegen des bekannten Telefongesprächs.[125] Gruppenführer Müller habe ihm angeraten, zuvor mit mir Fühlung zu nehmen, um in Erfahrung zu bringen, ob nicht Gesandter Barandon aus dienstlichem Anlaß in der nächsten Zeit in Berlin anwesend wäre, um dann bei dieser Gelegenheit eine Unterhaltung mit ihm herbeizuführen.

Ich teilte Krim. Rat Rauch mit, daß ich seinen Wunsch weiterleiten würde und ihn dann im Laufe des heutigen Tages von der Stellungnahme des AA zu dieser Frage unterrichten würde. Soweit mir bekannt, sei der Fall Barandon von höchsten Stellen behandelt und meines Wissens auch vom Herrn Staatssekretär mit SS-Obergruppenführer Kaltenbrunner besprochen worden.[126] Soviel ich wisse, habe das AA über die Beurteilung dieses Falles eine etwas andere Auffassung als die SS. Krim. Rat Rauch erwiderte, er habe eine formelle Weisung, Gesandten Barandon zu vernehmen über das Telefongespräch, dessen Inhalt ja im Wortlaut feststehe.

Ich darf in diesem Zusammenhang darauf hinweisen, daß Inl. II B mit Krim. Rat Rauch sehr gut zusammenarbeitet und dieser sich immer die größte Mühe gibt, unsere Anfragen so schnell wie möglich zu erledigen. Zur Fragen der norwegischen Studenten wollte Rauch wissen, ob die Entscheidung des Führers schon gefallen sei und warum diese Studenten nicht nach Norwegen überstellt würden.[127] Zur Frage der dänischen Polizei erklärte er, man beabsichtige demnächst eine Kommission nach Buchenwald zu schicken, um an Hand des polizeilichen Materials die absolut deutschfeindlichen Elemente unter der Polizei von den übrigen abzusondern. Gegen die Rückführung der unbelasteten Elemente nach Dänemark habe Standartenführer Bovensiepen, Kopenhagen, jedoch Bedenken, da er Sabotage- und Racheakte gegen diese Beamten fürchte, da sie durch ihre Rückkehr ja als prodeutsch abgestempelt seien.

Hiermit Herrn Gruppenleiter Inl. II vorgelegt.

Berlin, den 26. Oktober 1944

Sonnenhol

125 Se kommentaren til Bests telegram S 14, 19. september 1944.

126 Der er ikke lokaliseret et notat om denne drøftelse.

127 Det drejede sig om spørgsmålet om hjemførslen af norske studenter fra Tyskland, som Terboven havde ladet deportere.

71. Rüstungsstab Dänemark: Sabotage an dänischen Konfektionsfabriken 26. Oktober 1944

Rüstungsstab Dänemark konstaterede, at der som noget nyt blev stjålet konfektionsvarer bestilt af værnemagten, når varerne havde forladt fabrikationsstedet. Der var to aktuelle eksempler med få dages mellemrum i København. Forstmann havde på den baggrund henvendt sig til det tyske ordenspoliti for indtil videre at få to civile politimænd med maskinpistoler med den slags transporter.

Kilde: BArch, Freiburg, RW 27/17. KTB/Rü Stab Dänemark 4. Vierteljahr 1944, Anlage 6.

Anl. 6

Rüstungsstab Dänemark
Stabsoffizier Verwaltung

Kopenhagen, den 26. Oktober 1944

Sabotage an dänischen Konfektionsfabriken.

Nachdem die Saboteure früher darauf aus waren, neben der Vernichtung des Wehrmachtgutes auch die dänische Fertigungsstätte selbst zu zerstören, suchten sie in der letzten Zeit in den dänischen Konfektionsfabriken die Uniformen zu entwenden, ohne die Betriebsanlagen selbst anzugreifen. So drangen am 23. Oktober 44 vormittags 6.30 Uhr etwa 20 Saboteure mit vorgehaltener Pistole in eine Kopenhagener Konfektionsfabrik ein und entwanden an Zuschnitte und Fertigware 157 Arbeitsjacken und 378 Arbeitshosen, welche dem Heeresbekleidungsamt Stettin gehörten.[128] – Am 25. Oktober 1944 wurde ferner ein mit 530 Drillichröcken des Heeresbekleidungsamtes Stettin beladener Lastkraftwagen, der gerade eine Kopenhagener Konfektionsfabrik verlassen hatte, um die Drillichröcke im Lager Kopenhagen des Heeresbekleidungsamtes Stettin abzuliefern, auf offener Straße von 3 Saboteuren mit vorgehaltener Pistole angehalten. Der Chauffeur nebst Mitfahrer wurden gezwungen, den LKW zu verlassen, worauf die 3 Saboteure mit Wagen und Ladung davon fuhren.[129]

Dieser Anlaß war Gegenstand einer Verhandlung mit dem Chef des Stabes beim Befehlshaber der deutschen Ordnungspolizei in Kopenhagen mit dem Ergebnis, daß derartige Transporte bis auf weiteres von 2 Polizeibeamten in Zivil mit Maschinenpistole begleitet werden.

128 Aktionen fandt sted på Frits Neuberts Fabrik, Finsensvej 6D (RA, BdO Inf. nr. 91, 25. oktober 1944, tilfælde 24, *Daglige Beretninger*, 1946, s. 340).

129 Det drejede sig om uniformer fra skrædderfirmaet P. Hochheim, Nørrebrogade 54. Ifølge *Information* kørte vognen fra firmaet under stærk bevogtning, men på gaden udenfor blev chaufføren og bevogtningsmandskabet holdt op af fire bevæbnede mænd, der kørte med vognen og 500 uniformer (*Information* 30. oktober 1944). Der blev givetvis pyntet på historien fra nyhedsbureauets side.

72. Rudolf Brandt an Eberhard von Thadden 26. Oktober 1944

Brandt meddelte von Thadden, at Pancke naturligvis kom til drøftelsen i AA.

Kilde: RA, pk. 228.

Telegramm

K R – SS Z S Nr. 489 26.10.44 15.50

An Herrn Legationsrat von Thadden,
Auswärtiges Amt Berlin.

Bezug: Dort. FS. v. 25.10.44.[130]

Der Reichsführer-SS ist selbstverständlich mit der Teilnahme des SSA Obergruppenführer Pancke an der vorgesehenen Besprechung einverstanden. Ich habe ein Fernschreiben nach Kopenhagen geschickt.

gez. **Dr. Brandt**
SS-Standartenführer
Sonderzug Steiermark

73. Werner Best an das Auswärtige Amt 27. Oktober 1944

Nationalbankdirektør C.V. Bramsnæs havde 17. oktober holdt et foredrag i Nationaløkonomisk Forening om Danmarks erhvervsmæssige udvikling i efterkrigstiden. På grund af Bramsnæs' position havde talen vundet stor genklang. Hovedpunkterne i talen blev refereret (Frisch, 3, 1948, s. 227).

Kilde: RA, Danica 465, Moskva, Osobyj Archiv, 1458/21/120.

Durchdruck
Der Reichsbevollmächtigte in Dänemark
H/W 2 Nr. 1/299.

Ha Pol VI 2917/44
27. Oktober 1944.

An das Auswärtige Amt in Berlin.

Betr.: Vortrag des Nationalbankdirektors Bramsnäs.
2 Durchschläge.

Der Nationalbankdirektor Bramsnäs hat in einem am 17. Oktober d.J. vor der Nationalökonomischen Vereinigung gehaltenen Vortrag sich mit der Stellung Dänemarks in der wirtschaftlichen Entwicklung der Nachkriegszeit beschäftigt. Die von ihm entwikkelten Gedanken haben infolge der besonderen Stellung Bramsnäs in der dänischen Wirtschaft – er war vorher langjähriger, energischer Finanzminister – hier einen starken Wiederhall gefunden.

130 Trykt ovenfor.

Die besondere konjunkturelle Empfindlichkeit Dänemarks hat bekanntlich zu einer Einfuhrregelung bereits im Jahre 1932 geführt, einer Regelung zugunsten der beiden Hauptabnehmer Dänemarks: England und Deutschland. England nahm vor dem Kriege etwa 2/3 der dänischen landwirtschaftlichen Ausfuhr auf. Der Aktivsaldo der dänischen Aus- und Einfuhr gegenüber England brachte Dänemark freie Devisen in Höhe von über 300 Millionen Kronen, ein Vorteil, der Dänemark den Einkauf seiner Rohstoffe an den billigsten Stellen gestattete.

Daß diese gute Zeit nach dem Kriege nicht ohne Weiteres zurückkehren wird, ist allgemein anerkannt. Über die Zukunft herrscht eine beunruhigende Unsicherheit.

Zu der Frage, inwieweit Staatsorgane nach dem Kriege die Wirtschaft lenken sollen, erklärte Bramsnäs, die Produktion müsse gefördert werden und dabei habe der Staat eine wichtige Aufgabe zu erfüllen, jedoch in intimer Zusammenarbeit mit den Organen der privaten Wirtschaft; die private Initiative sei ein so bedeutungsvoller Faktor für Dänemarks Wirtschaftsleben, daß sie nicht behindert werden dürfe. Der Kern des wirtschaftlichen Lebens sei die Produktion. Da Dänemark aber nicht selbst die Preise seiner Ausfuhrwaren bestimmen könne, dürfe es nicht ein wesentlich höheres Lohnniveau als seine Nachbarländer aufrechterhalten. Man müsse mit einem Preisfall auf dem dänischen Markt nach dem Kriege rechnen.

Durch Manipulationen wie Absperrung, Ausfuhrprämien oder Währungssenkung lasse sich kaum Wesentliches erzielen. Solche Manipulationen würden gegen alle wirtschaftlichen Gesetze und gesunde Vernunft sein. Andererseits würde man aber in der Zeit unmittelbar nach dem Kriege die Devisen zur Einfuhr rationieren müssen. Eine Preiskontrolle sei aufrechtzuerhalten und durch harten Steuerdruck müsse der Verbrauch gedrosselt werden. Um Fehlinvestierungen zu verhindern, sollte ein entsprechender Ausschuß gebildet werden. Arbeitsbeschaffung durch Wegebau, Flugplätze und dergleichen lehnt er ab.

~~Einen Abdruck des Vertrages füge ich bei.~~

gez. **Dr. Best**

74. Werner Best an das Auswärtige Amt 27. Oktober 1944

WB Dänemark havde ytret ønske om at drøfte de økonomiske spørgsmål, der også vedrørte værnemagten, med Alex Walter, hvilket Best hilste velkomment. Han bad derfor AA om, at Walter fik lejlighed dertil ved sit næste møde i Danmark.

Af en påtegning på telegrammet fremgår det, at AA tilsluttede sig Bests ønske, og at Schnurre skulle sætte sig i forbindelse med Walter.

Best var med telegrammet ikke i gang med at varetage WB Dänemarks interesser, men ønskede at få ham gjort mere ansvarlig i forhold til de interesser, som Walter og Best varetog. Det var blevet mere nødvendigt end nogensinde efter 19. september.

Kilde: RA, pk. 270.

Fernschreibstelle des Auswärtigen Amts
DG Kopenhagen Nr. 101 21.10. 18.00 Uhr

An Ausw[ärtiges Amt] B[er]l[i]n
G Schreiber Nr. 1218 v. 27.10.

Der Wehrmachtsbefehlshaber Dänemark General der Infanterie von Hanneken hat den Wunsch geäußert, in einer Aussprache mit mir und dem Vorsitzenden des Regierungsausschusses Ministerialdirektor Dr. Walter wirtschaftliche Fragen die auch die Wehrmacht berühren zu erörtern und zu klären. Ich würde eine solche Aussprache sehr begrüßen und bitte deshalb, daß Ministerialdirektor Dr. Walter zu dem nächsten Ihm möglichen Zeitpunkt zu diesem Zwecke nach Dänemark kommt und mich über seine zeitlichen Dispositionen rechtzeitig unterrichtet.

Dr. Best

75. Werner Best an das Auswärtige Amt 27. Oktober 1944

Som led i offensiven over for Best brugte Bovensiepen en reorganisering i RSHA og deraf følgende omstrukturering i RIM som påskud til at kræve, at den rigsbefuldmægtigede i Danmark rettede ind derefter og afgav en række ressortområder med tilhørende embedsmænd til SS. Best mente ikke, at dette berørte AAs område, men bad om ministeriets afgørelse.

Et forslag til svar skrev Horst Wagner 5. december 1944 til von Steengracht.

Kilde: PA/AA R 101.041. RA, pk. 232.

Telegramm

Kopenhagen, den 27. Oktober 1944 17.55 Uhr
Ankunft, den 27. Oktober 1944 18.45 Uhr

Nr. 1219 vom 27.10.44. Citissime!

Der hiesige Befehlshaber der Sicherheitspolizei und des SD hat mir einen Erlaß des Reichsministers des Innern vom 7.9.1943 (S III A 5 C Nr. 495/43-177-2) und einen Erlaß des Reichssicherheitshauptamtes vom 19.4.1944 (III A 5 C 495/43-177-2) vorgelegt,[131] durch die eine Neuverteilung von Sachgebieten des Reichsinnenministeriums auf die Abteilungen I und I R dieses Ministeriums, das Hauptamt Ordnungspolizei und das Reichssicherheitshauptamt erfolgt ist. Der hiesige Befehlshaber der Sicherheitspolizei und des SD wünscht, daß diese Erlasse auch hier angewendet werden, und daß ich die Bearbeitung derjenigen Sachgebiete, die vom Reichsinnenministerium an das Reichssicherheitshauptamt abgegeben worden sind, auch hier aus meiner Behörde an ihn abgebe. Ich bin der Auffassung, daß Erlasse, durch die Zuständigkeiten innerhalb des Geschäftsbereiches des Reichsministers des Innern neu verteilt werden, nicht auf das Verhältnis zwischen dem Reichsbevollmächtigten in Dänemark und der in Dänemark eingesetzten Deutschen Polizei angewendet werden können. Nach meiner Auffassung umfaßt meiner Behörde die Zuständigkeiten ausschließlich mit dem Zwecke der

131 Begge skrivelser fremsendte Best til AA 28. oktober.

Bekämpfung von Widerstandskräften eingesetzt ist.[132] Nach den erwähnten Erlassen, deren Abschriften ich durch Kurier übersende, wünscht der Befehlshaber der Sicherheitspolizei und des SD die Übertragung der Zuständigkeit für:

Vereins- und Versammlungsrecht,
Strafrecht,
Politisches Strafrecht,
Judenangelegenheiten,
Blutschutzangelegenheiten,
Waffenrecht,
Presserecht,
Kirchenfragen,
Reichsbürger- und Staatsangehörigkeitsrecht.

Ich bitte um Herbeiführung einer Entscheidung, ob die oben erwähnten Erlasse in Dänemark Anwendung finden sollen oder nicht.

Dr. Best

76. Horst Wagner an Werner Best 27. Oktober 1944

Wagner bad Best om at give Pancke besked om, hvornår det berammede møde i AA skulle finde sted. RFSS havde givet grønt lys for Panckes deltagelse. Hovedemnet for mødet angav Wagner også: en ressortdrøftelse.

Indkaldelsen til mødet blev udsendt umiddelbart før, at Bests telegram om Bovensiepens forsøg på at overtage en række af sine ressortområder nåede AA.

Kilde: PA/AA R 101.041. RA, pk. 228.

Telegramm

Berlin, den	27. Oktober 1944	
Ankunft, den	27. Oktober 1944	18.20 [?] Uhr

Diplogerma Kopenhagen
Nr. 1231
Referent: LR [ulæseligt]
Betreff: Ressortbesprechung Dänemark

Staatssekretär bittet Obergruppenführer Pancke zu verständigen, daß Ressortbesprechung in Dänemarkfragen am Montag, den 30. Oktober 16.30 Uhr im Auswärtigen Amt stattfinden wird.

Reichsführer-SS hat, wie hierher mitgeteilt wurde, Teilnahme Obergruppenführer Pancke an Ressortbesprechung zugestimmt.

Wagner

132 fehlt anscheinend Klartext.

77. Wilhelm Keitel an WB Dänemark u.a. 27. Oktober 1944

Danmark var under det meste af krigen et meget yndet rejsemål for de tyskere, der kunne finde et påskud dertil. Dels de rolige forhold, dels og især de tilgængelige og ellers svært opnåelige dagligvarer tiltrak. I efteråret 1944 havde antallet af tjenesterejser nået et så voldsomt omfang, at det påkaldte sig opmærksomhed i den øverste tyske militære ledelse. En stikprøve på fem lokaliteter havde vist, at der i løbet af fire uger kom 3.800 officerer og embedsmænd på besøg. Keitel ville have dette uvæsen bragt til ophør og indført skærpede krav for indrejse for at komme det til livs.

Sagen var ikke et anliggende for Best, da det ikke var personale under hans ressort, der stod for det tusindtallige besøg. Problemet bestod i fuldt omfang året efter, se resultatet af Rigsinspektionen 4. februar 1945 og OKW/WFSts ordre 23. februar 1945, samt Keitel til chefen for værnemagtspatruljetjenesten 29. november 1944.

Kilde: RA, Danica 1069, sp. 1, nr. 489f.

WFSt/ Qu. 2 (Nord) *F.H.Qu., den 27.10.1944*

S S D - F e r n s c h r e i b e n

An:

1.) Ob.d.L.
2.) Ob.d.M.
3.) Reichsführer-SS u. Chef d. Dt. Polizei
4.) Chef Gen.St. d.H.
5.) Chef H Rüst u. BdE, z.Hd. SS-Obergruppenführer Jüttner
6.) W. Befh. Dänemark
7.) Chef Wehrm. Streifendienst

Das Unwesen der Dienstreisen nach Dänemark hat unhaltbare Formen angenommen. Eine Stichprobe nur in 5 dänischen Orten hat ergeben, daß in 4 Wochen 3.800 Offiziere und Beamte sich zu Besuchen eingefunden haben.

Ich habe mir für den Bereich des OKW bereits seit Juni 1943 die Genehmigung von Dienstreisen ins Ausland persönlich vorbehalten und dieses Recht lediglich für den Bereich des Wehrmachtführungsstabes an den Chef WFSt übertragen.

Ich bitte die Oberbefehlshaber der Wehrmachtteile und der Waffen-SS, für das Heer den Chef Gen. St. D. II und den Chef H Rüst u BdE, sich für ihren Befehlsbereich nunmehr dieser Handhabung anzuschließen und eine rigorose Drosselung des Dienstreiseverkehrs in die wenigen noch "lohnenden" und daher in immer steigendem Umfange aufgesuchten ausländischen Gebiete durchzusetzen.

Von einer Übertragung des Genehmigungsrechtes für Ausland-Dienstreisen bitte ich aus Gründen der Kontrollmöglichkeit an den Landesgrenzen nur im unumgänglich notwendigen Umfange und innerhalb des eigenen Oberkommandos Gebrauch zu machen und mir Dienstelle bzw. Namen der Berechtigten zwecks Bekanntgabe an den W. Bfh. Dänemark bis zum 15.11 mitzuteilen.

Ich werde den W. Befh. Dänemark ermächtigen, die Dienstreise-Berechtigung an der Grenze zu prüfen und alle, die nur einen Scheinauftrag haben, abzuschieben und zu melden.

Darüber hinaus hat der Chef des Wehrmachtstreifendienstes Auftrag, den Auslands-

Dienstreiseverkehr schärfer als bisher zu überwachen.

gez. **Keitel**
OKW/WFSt/Qu. 2 (Nord) Nr. 08144/44 geh.
F.d.R.
[signeret]
Oberstlt. d.G.

78. Werner Best an das Auswärtige Amt 28. Oktober 1944

Best fremsendte til AA de to bilag, som var grundlaget for, at Bovensiepen ønskede, at den rigsbefuldmægtigede skulle afgive en stribe ressortområder til RSHA. Af de to bilag fremgår, at en række ressortområder i september 1943 (!) var gået fra det tyske indenrigsministerium til RSHA. Kaltenbrunner havde fulgt op derpå 19. april 1944 ved skrivelser til cheferne for sikkerhedspolitiet i de respektive lande og til efterretning for bl.a. alle HSSPF'er.

De omtalte ressortområder var de samme, som Bovensiepen over et halvt år senere krævede, at Best afgav. Hvorfor Bovensiepen havde tøvet så længe med at fremsætte dette krav, er et spørgsmål, som Best havde måttet stille sig selv og også havde svaret på. Det var et led i HSSPFs og Bovensiepens offensiv over for den rigsbefuldmægtigede, og udtryk for en magtforskydning mellem SS og AA, der også satte sig spor i Danmark.

Kilde: PA/AA R 101.041. RA, pk. 232.

Der Reichsbevollmächtigte in Dänemark — *Kopenhagen, den 28.10.1944.*
II 2075/44.
– 2 Anlagen –

Betr.: Die Zuständigkeitsregelung zwischen der Behörde des Reichsbevollmächtigten und der Polizei.

An das Auswärtige Amt
Berlin

Unter Bezugnahme auf mein Telegramm Nr. 1219 vom 27.10.44[133] übersende ich in Anlage Abschriften der in dem Telegramm erwähnten Erlasse.

[sign. W. Best]

Abschrift.
Reichssicherheitshauptamt — *Berlin, den 19. April 1944.*
III A 5 c – 495/43-177-2

An
a.) die Befehlshaber der Sicherheitspolizei und SD,
b.) die Chefs der Einsatzgruppen der Sicherheitspolizei und des SD,
c.) Den Beauftragten des Chefs der Sicherheitspolizei und des SD in Brüssel,

133 Trykt ovenfor.

nachrichtlich
den Höheren SS- und Polizeiführern,
den Inspekteuren der Sicherheitspolizei und des SD,
den Kommandeuren der Sicherheitspolizei und des SD,
den SD-(leit)-Abschnitten,
den Staatspolizei(leit)stellen,
den Kriminalpolizei(leit)stellen,
dem Reichssicherheitshauptamt nach Verteiler C.

Betr.: Übernahme von Zuständigkeiten der Abteilungen I und IR des RMdI und des Hauptamtes Ordnungspolizei durch das Reichssicherheitshauptamt.
Anlg.: – 1 –

Die in den einzelnen Territorien außerhalb des großdeutschen Reiches getroffenen Zuständigkeitsabgrenzungen zwischen allgemeiner und innerer Verwaltung, Ordnungspolizei und Sicherheitspolizei bauen durchweg auf der im Reichsministerium des Innern bestehenden Zuständigkeitsabgrenzung zwischen Reichssicherheitshauptamt, Hauptamt Ordnungspolizei und Abtlg. I – VI des RMdI auf. Da diese durch den als Anlage beigefügten Erlaß des RFSS vom 7.9.43 eine wesentliche Änderung erfahren hat, werden die für die Dienststellen der Sicherheitspolizei maßgeblichen örtlichen Zuständigkeitsabgrenzungen zweckmäßigerweise dieser Änderung angepaßt. Ich ersuche daher, die hierzu erforderlichen Schritte in die Wege zu leiten.

Soweit die Übernahme der neuen Sachgebiete personalmäßig zu Schwierigkeiten führt, und daher die Übernahme der mit der bisherigen Sachbearbeitung betrauten Personen zur Sicherheitspolizei notwendig ist, ist mir zu berichten. Ich werde alsdann im Einvernehmen mit dem Hauptamt Ordnungspolizei wegen der zu übernehmenden Beamten entscheiden.

Die Dienststellen der Ordnungspolizei werden entsprechend angewiesen.

gez. **Dr. Kaltenbrunner**
Beglaubigt:
gez. Rahse (LS)
Kanzleiangestellte

Abschrift von Abschrift.
Der Reichsführer SS und Chef der Deutschen Polizei *Berlin, den 7.9.1943.*
Der Reichsminister des Innern
S III A 5 c Nr. 495/43-177-2

An
den Staatssekretär des Innern
den Chef der Ordnungspolizei
den Chef der Sicherheitspolizei und des SD

Betr.: Hauptamt Ordnungspolizei, Reichssicherheitshauptamt und Abteilungen I und I R des RMdI.

Unter grundsätzlicher Beibehaltung ihrer bisherigen Aufgabengebiete übernehmen das Hauptamt Ordnungspolizei und das Reichssicherheitshauptamt aus den Geschäftsbereichen der Abteilungen I und I R des RMdI alle Angelegenheiten, die zur polizeilichen Sicherung der deutschen Volksordnung gehören. Gleichzeitig wird eine Bereinigung der Geschäftsbereiche des Hauptamtes Ordnungspolizei und des Reichssicherheitshauptamtes durchgeführt.

Im einzelnen ordne ich an:

a.) Das Hauptamt Ordnungspolizei übernimmt aus dem bisherigen Geschäftsbereich der Abteilung I R die federführende Bearbeitung der Angelegenheiten, die die Katastrophenabwehr und die Abwehr innerer Unruhen betreffen.

Jedoch bleibt Abteilung I R für alle fürsorgerischen und wirtschaftlichen Maßnahmen vor und nach Luftangriffen und bei sonstigen Feindeinwirkungen, insbesondere für die Unterbringung der geschädigten Bevölkerung, die Behelfsbauten, Ausweichunterkünfte (Behördenverlegung) federführend. Ebenso bleibt die Zuständigkeit der Abteilungen I und I R für Angelegenheiten, die verfassungsrechtlichen Charakter haben, unberührt.

b.) Das Reichssicherheitshauptamt übernimmt aus dem bisherigen Geschäftsbereich der Abteilung I die federführende Bearbeitung folgender Sachgebiete:

Vereins- und Versammlungsrecht,
Strafrecht,
Politische Strafrecht,
Judenangelegenheiten,
Blutschutzangelegenheiten,
Waffenrecht,
Presserecht,
Kirchenfragen,
Anwendung und Durchführung des Reichsbürger- und Staatsangehörigkeitsrechts,

Die Fragen der Gesetzgebung auf dem Gebiete des Reichsbürger- und Staatsangehörigkeitsrechts verbleiben beim Staatssekretär des Innern.

c.) An Stelle des Hauptamtes Ordnungspolizei bearbeitet zukünftig das Reichssicherheitshauptamt das polizeiliche Melde- und Registerwesen, das allgemeine Polizeirecht, sowie Frage[n] der allgemeinen Polizeiorganisation, soweit sie das Verhältnis der Gesamtpolizei zu anderen Behörden betreffen.

d.) Die haushaltsmäßige und personelle Betreuung der Kriminalpolizei geht vom Hauptamt Ordnungspolizei auf das Reichssicherheitshauptamt über. Die Dienststellen der staatlichen und Gemeindekriminalpolizei scheiden aus den Behörden der örtlichen Polizeiverwalter aus und sind selbständige Dienststellen im Rahmen des sicherheitspolizeilichen Behördenaufbaues. Die Leiter der Kriminalpolizei(leit)stellen haben die örtlich zuständigen Polizeiverwalter über die kriminalpolizeilichen Angelegenheiten ihres Dienstbereichs laufend zu unterrichten.

gez. **H. Himmler**

79. Seekriegsleitung: Zerstörung der Häfen Aalborg und Aarhus 29. Oktober 1944

Efter henvendelsen fra skibsfartsafdelingen 20. oktober om vigtigheden af at hindre en utidig ødelæggelse af havnene i Ålborg og Århus, valgte Seekriegsleitung endnu engang at henvende sig til OKW, idet skibsfartsafdelingens indstilling blev fulgt. OKW blev bedt om, at der kun blev indbygget sprængladninger i et begrænset omfang, så ind- og udskibning i havnene ikke blev truet. Det var af ringere betydning, at sprængladningerne i givet fald ikke blev anbragt end at løbe den risiko, at havnene utidigt kunne blive ødelagt.

Jodl svarede 2. november til von Hanneken med kopi til OKM.

Kilde: BArch, Freiburg, RM 7/1812. RA, Danica 628, sp. 7, nr. 5743f.

OKM — *Berlin, den 29.10.1944*
I. Skl. ca B. Nr. 31695/44 Gkdos — Eilt!

Betr.: Zerstörung der Häfen Aalborg und Aarhus.

1.) Auf die Weisung der Skl. hin, die Frage der Unbrauchmachung der dänischen Häfen mit dem WB Dänemark nochmals aufzunehmen und vom Standpunkt der augenblicklichen Gefährdung dieser Häfen aus (durch die bereits ausgebrachten Sprengladungen) zu klären, hat Adm. Skagerrak bis heute 1/Skl trotz Mahnung nicht geantwortet. Indessen meldete Adm. Skagerrak zu Skl Adm Qu VI, daß das Ausbringen der Ladungen im A-Fall unmöglich sei, daher sei WB Dänemark vorgeschlagen worden, die Kai-Anlagen mit Ausnahme der allerwichtigsten Liegeplätze zu laden.[134]

Dagegen hat Skl Adm Qu VI nochmals Stellung genommen unter Hinweis auf die ausschlaggebende Bedeutung der Häfen für den notwendigen Nachschub dabei in erster Linie vor den Nachschub der U-Boot-Basen in Norwegen.

2.) Die Stellungnahme des Adm. Skagerrak zu der Frage der Sprengungsvorbereitungen läßt erkennen, daß eine Lösung im Sinne des von Skl Adm Qu VI erstrebten und als notwendig anzuerkennen [ulæseligt ord] nicht zu erreichen ist, solange die Forderung auf restlose Zerstörung der Häfen aufrechthalten bleibt, denn wenn auch Skl Adm Qu VI glaubt, das Anbringen der Ladungen erst im A-Falle müsse durch eine rollenartige Organisation sichergestellt werden, so muß dem Adm. Skagerrak als örtlichen Befehlshaber zugebilligt werden, daß er die Verhältnisse dort besser überseht.

3.) Es erscheint daher notwendig, nochmals an das OKW heranzutreten, um eine Entscheidung ~~hinein~~zuführen, die einerseits den Belangen der Sicherstellung des dringend notwendigen Nachschubs gerecht wird, andererseits eine Zerstörung der Häfen im A-Falle so weitgehend wie möglich gewährleistet.

Daher

II. Fernschreiben an — SSD 1.) OKW/WFSt op (M)
SSD 2.) OKW/Adm. F.H.Qu.
nachrichtl. — SSD 3.) MOK Ost
SSD 4.) Adm. Skagerrak

1.) Häfen Aalborg und Aarhus für Nachschub Norwegen und U-Boot-Kriegführung nicht zu entbehren. Im Zuge Zerstörungsvorbereitungen für A-Fall in beiden Hä-

134 Se Skl. Adm Qu VI til Seekriegsleitung 20. oktober 1944.

fen an Kais und anderen für Schiffahrt unentbehrlichen Anlagen Sprengladungen angebracht. Diese gefährden Häfen in hohem Masse, da Luftangriffe oder Sabotage dazu führen kann, daß Häfen durch Entzündung Sprengladungen vorzeitlich zerstört werden.

2.) Nach Meldung Adm. Skagerrak Forderung auf Sicherstellung restloser Zerstörung Häfen im A-Falle nur zu erfüllen, wenn Sprengladungen eingebaut bleiben. Solange Forderung aufrechterhalten wird, sind dafür Häfen latent gefährdet.

3.) Skl. hält es für erforderlich, eine Gefährdung für den lebenswichtigen Seenachschub auszuschalten und deshalb Sprengladungen nur in dem Umfange einzubauen, daß Be- und Entladung nicht bedroht wird. Es muß dann als geringerer Nachteil Risiko gelaufen werden, daß möglicherweise einige Anlagen nicht zerstört werden, falls im Bedarfsfall trotz sorgfältiger Vorbereitung das Einbringen der Sprengladung nicht mehr rechtzeitig möglich sein sollte. Entsprechende Anweisung an WB Dänemark erbeten; Einzelheiten sind hs.E. durch örtliche Stellen festzulegen.

1. Skl. I ca B. Nr. 31695/44 Gkdos

80. Günther Pancke: An alle Dienststellen 29. Oktober 1944

Med begrundelse i de stadige overfald på tyske soldater og danske nazister befalede HSSPF, at danskere, der uretmæssigt blev antruffet med våben ved razziaer, personkontrol m.v. på stedet skulle skydes ned. Det samme gjaldt, når medlemmer af tysk politi blev overfaldet. Endelig blev det indskærpet til stadighed at gå med skudklare våben.

Hvorfor Pancke valgte at udstede denne ordre netop 29. oktober er uvist. I dagene forud havde der ikke været særlige tilfælde, der kunne foranledige dertil.[135] Desuden var ordren i grunden overflødig, da den tidligere førerordre af 30. juli netop gjaldt i tilfælde, som de af Pancke beskrevne. Det aktuelle formål med ordren kan også have været at påvirke von Hanneken, Best eller måske især de foresatte i Berlin, som både Best og Pancke stod overfor at skulle møde. Med ordren understregede Pancke sin handlekraft, hvis der skulle blive spurgt til hans indsats over for "terroristerne". Noget andet er, at det var undtagelsen, når tysk politi gjorde brug af førerordren af 30. juli og Himmlers ordre af 27. september, og heller ikke dets danske terrorgrupper gjorde videre brug deraf, selv om der er en del voldsomme eksempler fra især foråret 1945 (Umbreit 1999, s. 146, tillæg 3 her).

Kilde: BArch, R 70 Dänemark 11.

Abschrift
Der Höhere SS- u. Pol. Führer in Dänemark — *Kommandostelle, den 29.10.1944*
AZ. Ia/44

An alle Dienststellen.

Aufgrund der in letzter Zeit sich ständig wiederholenden Überfälle auf Soldaten und dän. Nationalsozialisten befehle ich:

135 Oberzahlmeister Dr. Bernd Goetzen blev fundet død af et skud i hjertet på Christianshavn 25. oktober (RA, BdO Inf. nr. 93, 1. november 1944), men det førte ikke til officielle tyske reaktioner.

1.) Wenn bei Razzien, Personenkontrollen usw., die nicht sicherheitspolizeilicher Art sind, dän. Staatsangehörige unrechtmäßig mit Waffen angetroffen werden, so sind diese an Ort und Stelle niederzumachen.
2.) Bei Überfällen auf Angehörige meines Befehlsbereiches sind die ergriffenen Täter an Ort und Stelle rücksichtslos niederzumachen.
3.) Alle Posten und Streifen haben ihre Gewehre und MP schußfertig auf der rechten Seite unter dem Arm gesichert, Mündung zur Erde zeigend, zu führen. Bei Meldungen wird die Gewehr- und MP-Haltung beibehalten. Im Straßenverkehr sind die Pistolen durchgeladen und gesichert in der Hosen oder Manteltasche zu führen. Bei Überfällen ist notfalls aus der Tasche zu schießen.

Alle Einheitsführer haben in ständig sich wiederholenden Appellen, die Offz. und Männer darauf hinzuweisen, daß sowohl im Postendienst als auch im Straßenverkehr oder bei Aufenthalt in Lokalitäten ständig die Umgebung beobachtet werden muß. (Augen auf!)

Im übrigen wird auf den Tagesbefehl Nr. 12 verwiesen.

gez. **Pancke**
SS-Obergruppenführer u. General der Polizei.
F.d.R.d.A.
[underskrift]

Augwachtmstr.
II. Pol. Wach-Batl. "Dänemark" *Kopenhagen, den 7.11.44*

Vorstehenden Befehl des Höheren SS-und Polizeiführers zur Beachtung und eingehenden Unterweisung aller Angehörigen der Einheiten.

I.A.
[underskrift]
Oberlt. u. Batls. Adj.

81. Oberst d. G. Meyer-Detring: Reisebericht 30. Oktober 1944

Oberst Meyer-Detring havde været på inspektionsrejse i Danmark og videregav til OKW WB Dänemarks ønsker om forstærkning. Den danske fronts svageste område var Nordjylland, der næsten udelukkende var forsvaret af østtropper. Derfor bad WB Dänemark om at få en kamperfaren division forlagt dertil. Han anmodede endvidere om tilførsel af mere politi, da tropperne var belastet med befæstningsopgaver, samt at få 500 jernbanefolk, da man ikke kunne forlade sig på det danske personale.

Det gav delvis resultat: "Durch die Überführung der 560. Inf. Div. nach Nordjütland (s. 926) erfolgte im November eine vorübergehende Verstärkung." (kilde som nedenfor s. 926).

Kilde: KTB/OKW, 4:1, s. 924.

[...]

In einem Reisebericht des Oberst d.G. Meyer-Detring wurde am 30.10. darauf hingewiesen, daß die Hauptschwäche der dänischen Front darin liege, daß Nordjütland jetzt

ausschließlich mit Osttruppen belegt war und der Wehrm. Befehlshaber deshalb (in Anbetracht der Wichtigkeit des Raumes für die Verbindung nach Norwegen) um die Verlegung einer abgekämpften Division dorthin bitte. Ferner beantrage er die Zuführung von Polizei-Kräften, da die Truppe mit Befestigungs-Aufgaben belastet sei, und von 500 Eisenbahnern, da auf die dänischen Kräfte kein Verlaß sei.
[...]

82. Harro Brenner an Horst Wagner 30. Oktober 1944

Da Bests telegram vedrørende udvidelse af Bovensiepens ressortområder skulle forelægges von Ribbentrop, bad Büro RAM om at få udarbejdet et behandlingsforslag.

Et forslag til svar skrev Wagner 5. december 1944 til von Steengracht.

Kilde: RA, pk. 232.

Büro RAM
Betr.: Zuständigkeit des SD-Führers in Dänemark.

Über St.S. VLR Wagner vorgelegt:

Zu dem Telegramm aus Kopenhagen Nr. 1219 vom 27.10.[136] betreffend Erweiterung der des Befehlshabers der Sicherheitspolizei und des SD in Dänemark bittet Büro RAM um einen Behandlungsvorschlag, falls Vorlage bei dem Herrn RAM für erforderlich gehalten wird.

Sonderzug Westfalen, den 30.10.1944

Brenner

83. Rudolf Bobrik an Horst Wagner 30. Oktober 1944

Der blev ikke fremsendt en dagsorden til den personkreds, der var indbudt til en drøftelse i AA 30. oktober. Mødedeltagerne blev ikke opregnet af Bobrik, men det var med sikkerhed von Steengracht, Kaltenbrunner, Pancke, Best, von Grundherr, Walter, Ludwig og Hencke og muligvis flere (Bests kalenderoptegnelser 30. oktober 1944, von Grundherrs forklaring 23. juni 1948).

Skønt mødet oprindeligt skulle have drejet sig om den eventuelle tilbageføring af de til Tyskland deporterede danske politifolk, kom AAs dagsorden til at have ressortfordelingen mellem Best og Pancke som første punkt, mens politispørgsmålet nu blot var et af mange mindre spørgsmål på dagsordenen, ganske enkelt fordi det ikke længere var til drøftelse. RSHA havde afgjort den sag forud for så vidt angik en tilbageførsel.

Det fremgår af dagsordenen, at AA ville have Pancke til at undlade al aktivitet, som kunne genere tysk udenrigspolitik. Pancke skulle rådgive Best om politimæssige spørgsmål og holde ham underrettet om presserende nyheder. Fremtidige aktioner med muligt udenrigspolitisk tilbageslag skulle Pancke forud afstemme med Best. Pancke skulle endeligt løbende rapportere til Best.

På dagsordenen var dernæst de ressortområder, som Best 27. oktober havde meddelt AA, at Bovensiepen ønskede at overtage fra den rigsbefuldmægtigede. Til sidst var programsat emner af almen betydning. Her optrådte politiet som emne kun for så vidt, det skulle drøftes, om de skulle behandles som krigsfanger

136 Trykt ovenfor.

eller civilinternerede, mens en evt. tilbageføring af de danske grænsegendarmer nu var på dagsordenen. Punkt 4 om beslaglæggelsen af cykler var allerede kun af historisk interesse, da beslaglæggelsen havde fundet sted 26. oktober. De øvrige punkter var af mindre, men dog ikke uvæsentlig betydning.

Protokollen fra mødet er ikke kendt, men Steengracht refererede mødets resultat 1. december, og Walter forklarede 1947, at han anmodede om at få de deporterede danske politifolk tilbageført. "Best gav ham praktisk ingen Støtte, idet han næsten ikke aabnede Munden." Walters forklaring står i grel modsætning til von Grundherrs, ifølge hvilken Best over for Kaltenbrunner i en lang udredning gjorde sig til en stærk fortaler for tilbageførsel og frigivelse af de danske politifolk. Der kan på baggrund af det videre forløb ikke være tvivl om, at von Grundherrs forklaring kom sandheden nærmest[137] (Walters forklaring 11. juni 1947 og von Grundherrs 23. juni 1948 (LAK, Best-sagen), Rosengreen 1982, s. 139f.).

Kilde: PA/AA R 101.041. RA, pk. 228.

Aufzeichnung

zu der Besprechung über die Abgrenzung der Zuständigkeiten zwischen dem Reichsbevollmächtigen und dem Höheren SS- und Polizeiführer in Dänemark.

I. *Allgemeine Fragen:*

a.) Abgrenzung der Zuständigkeiten

Enthaltung jeder außenpolitischen Betätigung, die Außenpolitik des Reiches stören könnte (desgleichen alle dem Reichsführer-SS bezw. dem Höheren SS- und Polizeiführer unterstehenden Dienststellen und Personen in Dänemark)

Beratung des Reichsbevollmächtigen in Angelegenheiten des Polizeiwesens,

Unterrichtung des Reichsbevollmächtigen über alle ihn interessierenden, insbesondere eiligen Nachrichten,

Aktionen, die eine außenpolitische Rückwirkung haben könnten, müssen vorher mit dem AA abgestimmt werden. Der Höhere SS- und Polizeiführer trägt gegenüber dem Reichsbevollmächtigen die Verantwortung für die gesamte Tätigkeit der in Dänemark befindlichen Angehörigen der Dienststellen des Reichführers-SS.

b.) Berichterstattung.

c.) Absprache grundsätzlicher Fragen des Polizeigebietes mit dem Reichsbevollmächtigen, soweit nicht bereits durch a.) geklärt.

II. *Einzelfragen:*

a.) Von grundsätzlicher Bedeutung:

1.) Vereins- und Versammlungsrecht
2.) Strafrecht
3.) Politisches Strafrecht
4.) Judenangelegenheiten
5.) Blutschutz-Angelegenheiten
6.) Waffenrecht
7.) Presserecht

137 Af uigennemskuelige grunde var Walter i 1947 et fjendtligt vidne over for Best, hvilket førte ham til flere forklaringer, der strider mod det samtidige materiale.

8.) Kirchenfragen
9.) Reichsbürger- und Staatsangehörigkeitsrecht

b.) Allgemeiner Bedeutung:
1.) Behandlung der deportierten Polizisten als Kriegsgefangene oder Zivilinternierte
2.) Grenzgendarmen
3.) Rückführung der unbelasteten Polizisten und Grenzgendarmen
4.) Beschlagnahme der laufenden Produktion im Handel befindlichen Fahrräder
5.) Aufhebung von Verkehrsbeschränkungen
6.) Herbeiführung normaler Verhältnisse durch Einführung einer dänischen Polizei (Sicherung von Lebensmittellieferungen nach Deutschland).

Hiermit Herrn Gruppenleiter Inl. II. vorgelegt.

Berlin, 30. Oktober 1944.

Bobrik

84. Kriegstagebuch/WB Dänemark 30. Oktober 1944

Von Hanneken drøftede tyngdepunktet for det danske kystforsvar med admiral Kummetz og Wurmbach med udgangspunkt i opstillingen af 28 nye marinekystbatterier. Man nåede ikke til enighed, hvilket også KTB/Skl 31. oktober konstaterede. Afgørelsen måtte da træffes af OKW. WB Dänemark gjorde det klart, at gik afgørelsen ham imod, ville han anmode om at få tilført to divisioner (Andersen 2007, s. 244f.).

Kilde: KTB/WB Dänemark 30. oktober 1944.

[...]

09.00 Uhr Lagebesprechung, in der neben den allgemeinen Ereignisse den Abt. Leitern mitgeteilt wird, daß aus Norwegen ein Korpsstab mit Korpstruppen und 5 Divisionen in Jütland zu versammeln sind und kurzfristig aufzufrischen sind. Die fernmündliche Vororientierung des Wehrm. Führungsstabes über die Zuführung der 560. Volks Gren. Div. von Norwegen nach Jütland wird ebenfalls bekanntgegeben.

Um 11.00 Uhr Besprechung des Befehlshabers (mit Chef, Ia, Arko und Kdr. H. Küst. Art. Rgt. 180) mit Gen. Admiral Kummetz (OB des MOK Ost) und dem kommandierenden Admiral Skagerrak über den Einsatz der vom OKM in Aussicht gestellten 28 Marine-Küsten-Battrn. Das Ergebnis wird fernschriftlich Wehrm. Führungsstab gemeldet und um Entscheidung gebeten, ob am bisherigen Schwerpunktgedanken Westküste festzuhalten sei und demzufolge 6 Battrn. zur Verdichtung der Abwehr an der Westküste einzusetzen sind (Forderung des WB Dän.) oder ob dem neuen Schwerpunktgedanken des MOK Ost (Ostküste) beizutreten ist. Für den 2. Fall wird um Zuführung von 2 bodenständigen Divisionen für die Nordküste von Seeland und Fünen und die Ostküste von Jütland gebeten.[138]

[...]

138 Fjernskrivermeddelelsen 30. oktober 1944 til MOK Ost er indsat som bilag 20 i KTB/MOK Ost for tiden 16. til 31. oktober 1944 (RA, Danica 628, sp. 9, nr. 7610f.) og er ikke medtaget, da KTB/WB Dänemark 30. oktober 1944 dækkende refererer indholdet.

85. Werner Best an das Auswärtige Amt 31. Oktober 1944

Best meddelte, at han ikke havde kendt RFMs forslag til finansiering af tysk politi i Danmark fra 1943 og ikke fandt det anvendeligt inden for rammerne af den civile sektor, hvor der skulle betales over clearingkontoen. AA havde billiget, at udgifterne til tysk politi blev betalt som værnemagtsomkostningerne. Anvendelsen af forskelligt farvede checks var ikke nødvendig, da der var en særlig konto i Nationalbanken til politiudgifterne.

Bests vedholdenhed i spørgsmålet om konteringen af udgifterne til tysk politi og angående betalingen af det forhøjede bidrag til SS-Ersatzkommando og Waffen-SS forsorgsofficeren i Danmark førte til, at OKW 28. november indkaldte AA og andre til møde.

Kilde: BArch, R 901 113.555. RA, pk. 271.

Der Reichsbevollmächtigte in Dänenmark *Kopenhagen, den 31. Oktober 1944*
III/10506/44 Geheim!

Betr.: Ausgaben der deutschen Polizei usw. in Dänemark
Auf den Erlaß vom 20. Oktober 1944[139] – Ha Pol VI 2697/44 –

An das Auswärtige Amt
Berlin

Der Vorschlag des Reichsfinanzministeriums vom 6. November 1943[140] ist hier nicht bekannt. Eine Anforderung des *gesamten* Bedarfs für den zivilen Sektor im Rahmen dieses Schreibens ist m.E. auch nicht vertretbar, da für bestimmte Zweige meiner Verwaltung nach wie vor Clearingmittel (über Kronenkonto IV) zur Verfügung gestellt werden. In dem seinerzeit übersandten Telegramm, mit welchem die erweiterte Inanspruchnahme der Dänischen Nationalbank vom Auswärtigen Amt genehmigt wurde (die Unterlagen sind vor einiger Zeit aus Sicherheitsgründen in das Reich geschickt worden), war auch nur gesagt, daß der Kronenbedarf "für die Bedürfnisse der deutschen Polizeikräfte usw. in Dänemark" in derselben Weise zu finanzieren sei wie die Wehrmachtausgaben. Von der Schaffung eines Begriffes "zivile Besatzungskosten" wurde ausdrücklich abgesehen.

Die Verwendung verschiedenfarbiger Schecks ist nicht notwendig, da bei der Nationalbank ein besonderes Konto für die Ausgaben der deutschen Polizeikräfte geführt wird, und die Hauptverwaltung der Reichskreditkassen bzw. die Reichshauptkasse an Hand der für die genannten Zwecke eingerichten grünen Schecks die entsprechenden Buchungen im Reich veranlaßt.

Best

139 Paul von Behr til Best, trykt ovenfor.
140 Trykt ovenfor.

86. Werner Koeppen: Stichwort-Protokoll 31. Oktober 1944

Koeppen resumerede en orientering, som Utikal havde givet rigsleder Rosenberg efter en rejse til København. Utikal havde først måttet afværge, at Einsatzstaben blev sendt hjem i henhold til OKWs befaling. Aktionen mod det danske politi havde givet den rigsbefuldmægtigede store bekymringer. Der var stor usikkerhed i landet på grund af det manglende politi. Danskerne håbede ikke mere på at blive befriet af England, men af Rusland. De havde intet lært af det finske eksempel.

Koeppen fulgte op med endnu et møderesumé dagen efter.

Kilde: BArch, NS 8/132.

Stichwort-Protokoll des Termins von *Pg. Utikal* beim Reichsleiter am 30.10.1944 12.08-12.24 Uhr.

Bericht über seine Reise nach Kopenhagen. Er habe dort zunächst die Gefahr beseitigen müssen, daß der Einsatzstab auf Befehl der Wehrmacht nach Deutschland abgeschoben werden solle.[141] Dazu wären eine Reihe von Besprechungen und Besuchen notwendig gewesen, die Angelegenheit hätte aber günstig beigelegt werden können. Von dem Bevollmächtigten, Dr. Best, der gesundheitlich keinen guten Eindruck machte, überbrachte Pg. Utikal Grüße für den RL.[142] Durch die Auflösung der dänischen Polizei, die zum Teil nach Deutschland verbracht wurde, habe der Bevollmächtigte sehr viel Ärger gehabt, da diese Aktion von der SS in seiner Abwesenheit vorgenommen worden sei. Die allgemeine Unsicherheit in Dänemark sei durch das Fehlen der Polizei sehr groß. Einen sehr guten Eindruck habe nach wie vor der Landesgruppenleiter der AO, Pg. Dalldorf, gemacht. Auch der Leiter des Kontors der Nordischen Gesellschaft, Pg. Schäfer, hätte ihnen bei jeder Gelegenheit geholfen und sie mit deutschfreundlichen Dänen zusammengebracht. Die große Masse der Dänen hoffe nicht mehr auf England, sondern auf eine Befreiung durch Rußland. Aus dem finnischen Beispiel wollen sie nichts lernen, da sie niemals gegen Rußland gekämpft hätten und deshalb von diesen auch anders behandelt werden würden. – Pg. Utikal fragte den RL, ob bei der Aufstellung des Volkssturms Angehörige der Dienststelle in die Sondereinheit "Gauleitung" aufgenommen werden sollten.[143] Nach verschiedenen Erörterungen über die Zweckmäßigkeit wurde beschlossen, daß jeder Angehörige der Dienststelle bei der Einheit seiner Wohnortsgruppe Dienst tun solle. – Überreichung einer Denkschrift des Kreisamtsleiters Hauptmann Pöhmerer über "Wie denkt der Frontsoldat über das Ostproblem?" – Der RL unterzeichnete den Band I seiner "Schriften und Reden" als Hochzeitsgeschenk für die Pgg. Tenschert und Wölpl.

Berlin, den 31.10.1944

W. Koeppen

Dr. Kp./Ho.

141 Se om denne befaling Keitel til WB Dänemark 4. september 1944.

142 Utikal og Ebeling var hos Best 25. oktober 1944 (Bests kalenderoptegnelser).

143 Ved en førerordre af 25. september 1944 skulle der lokalt dannes troppeenheder, Volkssturm, af alle hidtil ikke indkaldte mænd mellem 16 og 60 år.

87. Hans Clausen Korff an Christian Breyhan 31. Oktober 1944

Korff orienterede Breyhan om den erhvervsmæssige og finansielle situation i Danmark efter opløsningen af det danske politi 19. september. Konsekvenserne havde været betydelige. Samarbejdet mellem tyske og danske embedsmænd var gået helt i stå, og selv om man fra dansk side optrådte korrekt, skete der ikke noget. Den danske administration havde ikke længere politiet som eksekutiv til at sørge for overholdelsen eller gennemførelsen af erhvervsmæssige bestemmelser. Kriminaliteten var stigende og et planlagt kommunalt vagtkorps udstyret med stokke og fløjter ville få en begrænset virkning. Politiet havde overvåget rationeringerne, nu var sortbørshandelen i stedet taget kraftigt til. Korff forventede, at politiets fjernelse ville få vidtgående betydning for dansk erhvervsliv og for omfanget af leverancer af danske levnedsmidler til Tyskland. På den baggrund var det udelukket igen at tage spørgsmålet om et dansk bidrag til besættelsesomkostningerne op. Nu drejede det sig om at opretholde den hidtidige ordning og gøre alt for at bibeholde det danske initiativ på det finanspolitiske område.

Korff dystre indberetning synes at have fundet genklang i RFM, se Schwerin von Krosigk til Ribbentrop 10. november 1944. Også OKW ytrede bekymring over den finansielle situation i Danmark og ville i det mindste verbalt være med til at gøre noget ved forholdene, se OKW til værnemagtsintendanten ved WB Dänemark 12. november og til RFM 25. november 1944. For Korffs eget vedkommende var han med flere års forskydning nået til en opfattelse af situationen i Danmark, der lå på linje med den rigsbefuldmægtigedes. Aktionen mod det danske politi blev vendepunktet for Korff, der også var påvirket af krigens øvrige udvikling for Tyskland.

Kilde: BArch, R 2/11.598. RA, Danica 201, pk. 81, læg 1083.

Abschrift
Oberregierungsrat Korff
Mitglied des Regierungsausschusses für Dänemark

Oslo, 31. Oktober 1944
Streng vertraulich!

Herrn MinRat Dr. Breyhan, Reichsfinanzministerium
Berlin, W 8
Wilhelmplatz 1/ 2

Betr. Wirtschafts- und Finanzlage in Dänemark

Sehr geehrter Herr Breyhan!
Die innerpolitische Lage in Dänemark hat sich durch die Auflösung der dänischen Polizei am 19.9.1944 und die anschließende Deportation der Polizeibeamten ins Reich völlig verändert. Diese Maßnahmen wurden durch den Höheren SS- und Polizeiführer durchgeführt, weil die dänische Polizei sich an der Sabotagebekämpfung nicht beteiligte und auch Beziehungen zwischen Polizeibeamten und Sabotagegruppen festgestellt waren.

Da die Polizei gerade in Dänemark in der Bevölkerung stärker als in irgend einem anderen Lande verwurzelt ist, hat sich daraus ein völlig verändertes Bild der Lage ergeben. Die Zusammenarbeit zwischen den deutschen und dänischen Behörden ruht seitdem nahezu völlig. In allen Verwaltungszweigen ist die sogenannte Kontorsabotage festzustellen. Die dänischen Behörden nehmen deutsche Anweisungen zwar korrekt entgegen, veranlassen aber nichts. Von sich aus entwickeln die dänischen Zentralbehörden ebenfalls keine Initiative, sondern führen nur im unbedingt notwendigen Rahmen die Verwaltung weiter. Der gesamte Verwaltungsapparat tritt dadurch auf der Stelle. Dies wird besonders fühlbar, weil durch die Beseitigung der Polizei der dänische Staat ohne jegliche Exekutive ist. Die dänischen Behörden sind dadurch in der Lage, deutschen Forderungen gegenüber darauf hinzuweisen, daß sie mangels einer Polizei keine Maßnahmen erzwingen können.

Im äußeren Erscheinungsbild tritt dies erstaunlich wenig zutage. Der Verkehr wikkelt sich wie bisher reibungslos ab. Wo Übergriffe Einzelner vorkommen, werden sie von Passanten auf der Stelle geahndet. Dies hindert nicht, daß ein starkes Ansteigen der Kriminalität, insbesondere der Raubüberfälle auf Banken, öffentliche Kassen usw., zu verzeichnen ist. Da die Täter ausnahmslos gut bewaffnet sind, liegt die Vermutung nahe, daß es sich um Mitglieder illegaler Organisationen handelt, die sich auf diese Weise "auf Anweisung" oder für eigene Rechnung Geld beschaffen.

Die Bekämpfung der Kriminalität und Sicherung der Ruhe und Ordnung sollen durch Wachkorps erfolgen, die auf Veranlassung des Höheren SS- und Polizeiführers durch die Gemeinden errichtet werden. Da die Angehörigen dieser Wachkorps jedoch nicht mit Waffen, sondern nur mit Stöcken und Signalpfeifen ausgerüstet sind, ist ihr Wirkungskreis von vornherein äußerst begrenzt.

Weit einschneidender wirkt sich die Beseitigung der Polizei auf den Gebieten der Bewirtschaftung, Preisüberwachung, Gewerbeaufsicht und Anklageerhebung aus. Die Übertretung der Rationierungsbestimmungen galt in Dänemark von jeher als zum guten Ton gehörig. Die dänische Polizei führte hiergegen einen zielbewußten und erfolgreichen Kampf. Durch ihre Beseitigung ist gerade auf diesem Gebiet jegliche Hemmung fortgeräumt. Der Schwarzhandel, insbesondere mit rationierten Lebensmitteln, hat bereits stark zugenommen. Die Schwarzhandelspreise für Butter weichen beispielsweise von den offiziellen Preisen nur ganz unwesentlich ab. Die an sich bestehende Gesetzestreue der Bevölkerung wird nicht zuletzt durch die Erwägung ausgehöhlt, daß die Butter, die auf den schwarzen Markt kommt, nicht etwa der dänischen Versorgung entzogen wird, sondern nur die Ausfuhr nach dem Reich schmälert.

Welche Auswirkung die Beseitigung der Polizei auf die Bewirtschaftung von industriellen Rohstoffen, auf die Beachtung von Herstellungsverboten usw. hat, ist gar nicht zu übersehen. Hinzu kommt, daß selbst offenkundige Verstöße vielfach nicht gerichtlich geahndet werden können, da in Dänemark die Polizei für die Anklageerhebung der kleineren Strafsachen zuständig ist. Das Verbot der Polizei wird daher weitgehende Auswirkungen auf den Ordnungsmäßigen Wirtschaftsablauf in Dänemark und auf den Umfang der Ausfuhr von Lebensmitteln nach dem Reich haben. Die kommunalen Wachkorps, die aus völlig ungeschulten Personen zusammengesetzt sind, werden jedenfalls keinesfalls geeignet sein, die Aufgaben der Polizei auf wirtschaftlichem Gebiet zu übernehmen.

Bei dieser Gesamtentwicklung erscheint es auch als völlig ausgeschlossen, die Frage eines Besatzungskostenbeitrags in absehbarer Zeit wieder aufzugreifen. Das dänische Finanzministerium würde sich unzweifelhaft weigern, entsprechende Maßnahmen zutreffen. Deutsche Anordnungen auf finanziellem Gebiet würden als einzige Folge die noch bestehende Ordnung beseitigen. Vielmehr muß m.E. alles getan werden, um die noch vorhandene dänische Initiative auf finanzpolitischem Gebiet zu erhalten. Bisher haben das Finanzministerium und das Steuerdepartement die seinerzeit vom Reichstag eingeschlagene finanzpolitische Linie fortgeführt. Die zeitliche begrenzte Umsatzabgabe und die sogenannten Krisenabgaben sind Anfang des Monats auf ein weiteres Jahr vom Generaldirektor für das Steuerwesen verlängert worden. Außerdem hat das dänische Finanzministerium im September ds.Js. eine weitere Staatsanleihe über 60 Mio. Kr. aufgelegt. Wenn diese Maßnahmen auch im Hinblick auf die stark steigenden Wehrmachtausgaben nicht als ausreichend bezeichnet werden können, so stellen sie doch einen gewissen Beitrag zur Bekämpfung der Gefahren der Geldreichlichkeit dar.

Heil Hitler!
Ihr
gez. **Korff**

88. Kriegstagebuch/Seekriegsleitung 31. Oktober 1944

Striden om invasionsforsvarets tyngdepunkt forblev uafklaret; von Hanneken stod på sit, og Wurmbach – bakket op af OKM – på sit. På baggrund af en fjernskrivermeddelelse fra von Hanneken og det resultatløse møde med ham 30. oktober bad Seekriegsleitung om, at OKW afgjorde, hvor tyngdepunktet i forsvaret skulle ligge (Andersen 2007, s. 244f.).

Der forelå et svar 17. november 1944, se KTB/Skl anf. dato.

Kilde: KTB/Skl 31. oktober 1944, s. 750-53.

[...]

d.) Auf Grund Rücksprache zwischen Chef Skl und OB MOK Ost legt dieser folgendes Fs. Des WB Dänemark an OKW/WFSt zur Frage der Küstenverteidigung Jütlands vor:

"1.) MOK Ost hat auf Anordnung OKM Zuführung von 28 Küstenbattr. aller Kaliber zur Sicherung jütischer Ostküste sowie der Inseln Seeland und Fünen gegen eine durch Skagerrak-Kattegat durchbrechende engl. Flotte befohlen. Lagebeurteilung MOK Ost und OKM nach Rücksprache Gen. Adm. Kummetz dahingehend, daß Schwerpunkt feindl. Landungen im dänischen Raum auf Grund günstiger Wasserverhältnisse an der Ostküste Jütlands (Aalbäk-Bucht) und auf Seeland und Fünen zu erwarten. Vor allem in kommenden Wintermonaten, da Witterungsverhältnisse in dieser Zeit feindl. Landungen an Westküste Jütlands so gut wie ausschließen.

2.) Demgegenüber grundsätzlich entgegengesetzte Auffassung W. Bef. Dänemark, der nach wie vor Schwerpunkt der Abwehr an jütischer Westküste sieht. – Truppengliederung und Ausbau der Küstenbefestigungen tragen diesem bisher auch vom Adm. Skagerrak angenommenen Standpunkt (Schwerpunkt Hafen Esbjerg) Rechnung.

3.) Nach Kenntnisnahme über beabsichtigten Einsatz von 28 Küstenbattr. der Marine ausschließlich in den Ostraum gegen Vorschlag W. Bef. Dänemark zur Verdichtung der schwerpunktmäßigen Abwehr an der Westküste Jütlands 6 von den 28 Battr. an bisher ungenügend gesicherten Punkten der Westküste einzuschieben. (Skagen, Lönstrup, Lemvig, Vert.-Bereich Esbjerg – Fanö, Insel Röm). Auswahl der 6 abzuziehenden Batterien wurde so vorgeschlagen, daß Überlappung der verbleibenden 22 Batterien an Ostküste Jütlands, sowie Nordküsten Seeland und Fünen auch weiterhin gewährleistet und wesentliche Schwächung der Abwehr damit nicht gegeben ist.

4.) W. Bef. Dänemark vertritt weiterhin den Standpunkt, daß mit 28 oder 22 Mar. Küstenbattr. an Ostküste allein *ohne* abwehrkräftige Verbände des Heeres in genügender Stärke lediglich von einer lockeren Sicherung der Küste gesprochen werden kann. Die Battr. sind nach hiesiger Auffassung nicht in der Lage, bei einem Groß-Landeunternehmen die Verteidigung allein wirksam durchzuführen, zumal Einbau der Battr. bis auf weiteres nur feldmäßig erfolgen kann.
5.) Eine am 30/10.44 zwischen OB MOK Ost und W. Bef. Dänemark stattgefundene Besprechung brachte keine Lösung der für Verteidigung Dänemark vordringlichen Frage.
6.) Es wird daher um Entscheidung WFSt gebeten, ob
 1.) am bisherigen Schwerpunkt Gedanken Westküste festzuhalten sei und demzufolge 6 Batterien zur Verdichtung der Abwehr Westküste an den oben bezeichneten Punkten einzusetzen sind oder
 2.) neuem Schwerpunktgedanken OKM – MOK Ost beizutreten ist. Im Falle zu 2.) ist umgehender Einsatz von Verbänden des Heeres (etwa 2 bodenständige Div.) an Nordküste der Inseln Seeland und Fünen sowie Ostküste Jütlands (Schwerpunkt nördl. Limfjord) unumgänglich. Diese Kräfte stehen W. Bef. Dänemark *nicht* zur Verfügung."

Stellungnahme OB MOK Ost folgt.

e.) Bezüglich Zerstörungsvorbereitungen in dänischen Hafen (vgl. KTB 22/9.) richtet Skl folgendes Fs. an OKW/WFSt Op (M), Adm. F.H.Qu. nachr. MOK Ost und Adm. Skagerrak:

"1.) Häfen Aalborg und Aarhus für Nachschub Norwegen und U-Bootkriegführung nicht zu entbehren. Im Zuge Zerstörungsvorbereitungen für A-Fall in beiden Häfen an Kais und anderen für Schiffahrt unentbehrlichen Anlagen Sprengladungen angebracht. Diese gefährden Häfen in hohem Maße, da Luftangriff oder Sabotage dazu führen kann, daß Häfen durch Entzündung Sprengladungen vorzeitig zerstört werden.
2.) Nach Meldung Adm. Skagerrak Forderung auf Sicherstellung restloser Zerstörung Häfen im A-Falle nur zu erfüllen, wenn Sprengladungen eingebaut bleiben. Solange Forderung aufrechterhalten wird, sind daher Häfen latent gefährdet.
3.) Skl hält für erforderlich, Gefährdung für den lebenswichtigen Seenachschub auszuschalten und deshalb Sprengladungen nur in dem Umfange einzubauen, daß Be- und Entladung nicht bedroht wird. Es muß dann als geringerer Nachteil Risiko gelaufen werden, daß möglicherweise einige Anlagen nicht zerstört werden, falls im Bedarfsfall trotz sorgfältiger Vorbereitung Einbringen der Sprengladung nicht mehr rechtzeitig möglich sein sollte. Entsprechende Anweisung an WB Dänemark erbeten; Einzelheiten sind h.E. durch örtliche Stellen festzulegen."

Angelegenheit war erneut durch Adm. Qu VI angestoßen.

[...]

89. Rüstungsstab Dänemark: Lagebericht 31. Oktober 1944

Oktober bragte ingen politisk afspænding, selv om befolkningen var lidt roligere og strejkelysten ikke helt så stor. For rustningsproduktionen var der ingen ændring, industrisabotagen var ikke tiltagende. Til gengæld var der en tilbagegang i antallet af nye ordre til danske virksomheder, der både skyldtes krigsbegivenheder, tyske foranstaltninger i Danmark og evakueringen af tyskere, der ikke var absolut nødvendige i landet. Det gav tysk industri et indtryk af, at en invasion var umiddelbart forestående. På grund af både energi- og råstofmangel blev en del leverancer forsinket.

Kilde: BArch, Freiburg, RW 27/17. RA, Danica, T-78, sp. 273, nr. 6.230.343-47. KTB/Rü Stab Dänemark, Anlage 7.

Anl. 7

Rüstungsstab Dänemark *Kopenhagen, den 31. Okt. 1944*
des Reichministers für Rüstung und Kriegsproduktion
ZA/Ia Az. 66 dl/Wi-Ber. Nr. 820/44 geh.

Bezug: OKW/Wi Rü Amt/Rü IIIb Nr. 21755/42 v. 9.5.42
Betr.: Lagebericht.

An das Rüstungssamt des Reichsministers für Rüstung und Kriegsproduktion,
Berlin W 7
Unter den Linden 36.

Rü Stab Dänemark übersendet in der Anlage den Lagebericht für Monat Oktober 1944.

Forstmann

Rüstungsstab Dänemark *Kopenhagen, den 31. Okt. 44*
des Reichsministers für Rüstung und Kriegsproduktion
ZA/Ia Az. 66dl/Wi-Ber. Nr. 820/44 geh.

Beurteilung der gesamtrüstungswirtschaftlichen Lage
Der Monat Oktober brachte der politischen Lage in Dänemark keine Entspannung. Wohl ist ein gewisses Ruhebedürfnis unter der Bevölkerung und Streikunlust bei der Arbeiterschaft zu beobachten.

Die beabsichtigte Neuaufstellung einer dänischen Polizei ist z.T. durch die Errichtung einer kommunalen Ordnungspolizei erfolgt, dagegen ist die Aufstellung der Verwaltungs- und Kriminal-Polizei noch nicht durchgeführt.

Auf rüstungswirtschaftlichem Gebiet sind keine nennenswerten Veränderungen eingetreten. Eine Zunahme der Sabotage gegen Industriebetriebe ist nicht zu verzeichnen.

Erwähnenswert an schweren Sabotagefällen ist die Zerstörung der Kesselanlage von drei in Arbeit befindlichen schweren Güterzug-Lokomotiven bei der Fa. A/S Frichs, Aarhus[144] und die schwere Beschädigung des Achterschiffs von Dampfer "Scharhörn",

144 Sabotagen fandt sted 2. oktober og blev udført af 5. Kolonne (RA, BdO Inf. nr. 85, 4. oktober 1944, Hauerbach 1945, s. 25, Christiansen 1998, s. 26f. Jfr. Alkil, 2, 1945-46, s. 1235, der opgiver 3. oktober).

2.500 Br. Rgt. auf der Werft "Derby."[145]

Im Monat Oktober ist ein Rückgang der Auftragsverlagerung zu verzeichnen. Dieser ist sowohl auf die Kriegsereignisse wie auch auf die deutschen Maßnahmen in Dänemark – Evakuierung und Verlegung von Dienststellen, Familien usw.[146] – zurückzuführen, die eine Invasion in Dänemark den deutschen Industriellen als unmittelbar bevorstehend erscheinen ließen.

Deutsche Auftraggeber schlossen aus diesen Maßnahmen ferner, daß eine Räumung Dänemarks unmittelbar bevorstände und hielten deshalb mit der Auftragserteilung zurück.

Auch die vielen Sabotageakte gegen die Verkehrsanlagen im dänischen Raum ließen in Deutschland die Meinung aufkommen, daß sie die letzte Vorbereitung der Alliierten für die Invasion in Dänemark seien.

Schließlich hat auch das Fehlen einer Lösung der Entschädigungsfrage für Verluste der deutschen Industrie in der früher besetzten Westgebieten nach Ansicht des Reichsverbandes der deutschen Industrie zur Zurückhaltung deutscher Auftraggeber geführt.

Die Ereignisse im September 44 (Streiks, Ablösung der Polizei) haben aber keine nachhaltige Auswirkung auf die Arbeitsintensität gezeigt. Bei verschiedenen Firmen (Jeko-Finsensvej, Globus Cykler) ist sogar eine Leistungssteigerung festgestellt worden, die es ermöglichte, einen Teil der Ausfälle im September aufzuholen. Die Auftragsauslieferung ist im Monat Oktober als sehr gut zu bezeichnen.

Vordringliches

Die bei General Motors A/S durch Rückführung des BMW Motor-Reparaturbetriebes freigewordenen Kapazitäten sollen durch Generatorenfertigung ausgenutzt werden.[147]

Es ist ferner alles vorbereitet, die Mangellage auf dem Gebiet der Anfachgebläse für Generatoren durch Aufarbeitung der überholungsbedürftigen Gebläse (Bau von Austauschgebläsen) zu beheben. Mit dem Eintreffen der Gebläse Anfang nächsten Monats ist zu rechnen.

Der Reichstelle für technische Erzeugnisse sind freie Kapazitäten in Haushaltartikeln nachgewiesen worden.

Kugellagerlieferungen, auch für dringende Programme Zi, kommen nur sehr schleppend. Dadurch entstehen beträchtliche Auslieferungsverzögerungen.

Bei den in letzter Zeit vorgenommenen Betriebsüberprüfungen wurde festgestellt, daß viele Lieferungsverzögerungen durch unpünktliche Materiallieferungen aus dem Reich verursacht wurden; auch über den verspäteten Eingang von Zahlungen wird vielfach Klage geführt. Wo es erforderlich war, hat Rü Stab Dän. sich eingeschaltet, um Mißstände zu beheben.

145 10. oktober blev det tyske skib S/S "Scharnörn" sprængt i Århus havn af 5. Kolonne (Fisker 1945, s. 288, Alkil, 2, 1945-46, s. 1236 (opgiver 11. oktober)).

146 Jfr. Keitels ordre til von Hanneken 4. september 1944, trykt ovenfor.

147 Om BMWs tilbagetrækning, se Rü Stab Dänemarks notat 2. oktober 1944.

1a. Stand der Fertigung

a.) *mittelbare und unmittelbare Wehrmachtaufträge (A-Aufträge):*

Gesamtverlagerung nach Dänemark vom 9. April 1940 – 30. Sept. 1944		RM 578.672.734,-
Auftragsbestand am 30. August 1944 an noch zu erledigenden Aufträgen		RM 169.930.559,-
Wertveränderungen durch Auftragserhöhungen bzw. Auftragsermäßigungen im Sept. 1944	+	RM 466.614,-
	=	RM 170.397.173,-
Auftragszugang im September 1944	+	RM 6.665.094,-
	=	RM 177.062.267,-
Auslieferungen im September 1944	–	RM 10.759.029,-
Auftragsbestand am 30.9.1944 an noch zu erledigenden Aufträgen	=	RM 166.303.238,-

b.) *Aufträge des kriegswichtigen zivilen Bedarfs (C-Aufträge):*

Gesamtverlagerung nach Dänemark vom 9. April 1940 – 30. September 1944		RM 75.174.019,-
Auftragsbestand am 31. August 1944 an noch zu erledigenden Aufträgen		RM 26.414.809,-
Wertveränderungen durch Auftragserhöhungen bzw. Auftragsermäßigungen im Sept. 44	–	RM 44.502,-
	=	RM 26.370.307,-
Auftragszugang im September 1944	+	RM 341.464,-
	=	RM 26.711.771,-
Auslieferungen im September 1944	–	RM 575.073,-
Auftragsbestand an noch zu erledigenden Aufträgen	=	RM 26.136.698,-

Energieversorgung

Die bei Fa. AEG bestellten Turbogeneratoren für die Elt-Werke Apenrade und Esbjerg kommen auch 1945 nicht zur Auslieferung, deshalb wurde Einstufung in eine höhere Dringlichkeitstufe beantragt.

1c. Versorgung der Betriebe mit Roh- und Betriebsstoffen

Der deutsche Lieferungsrückstand an Eisen und Stahl betrug am 31.8.44 – 12.841 t, d.h. also 1.408 t mehr als im Vormonat.

Für NE Metalle ist der Lieferungsrückstand 231 t, mithin 46 t mehr als im Vormonat.

Die durch Runderlaß 40/44 der Reichsstelle Eisen und Metalle vom 19.9.44 verhängte Auftragsannahmesperre für Walzwerkserzeugnisse vom 15.9.44 bis 15.10.44, verlängert durch Runderlaß 45/44 vom 12.10.44 bis 31.10.44, wirkt sich auf die Durchführung der Verlagerungsaufträge verzögernd aus, da ausgleichende Reserven in Dänemark nicht vorhanden sind.

Bezgl. Anordnungen E I 11 und E 72 vom 18.9.44 bestätigt die Reichstelle Eisen und Metalle mit Fernschreiben vom 2.10.44, daß diese nicht in Dänemark gelten. Die von Dänemark nach den westlichen Gebieten, sowie die vor dem 1.1.44 erteilten Aufträge auf Lieferung von Eisen- und Stahlmaterial sind jedoch gleichfalls gestrichen. Auch diese Maßnahme hemmt die Material*anlieferungen* für die Verlagerungsaufträge. Da den dänischen Auftragsnehmern ein Verzicht auf die verfallenden Eisenbezugs- und Bestellrechte nicht zugemutet werden kann, müssen diese Einkaufsgrundlagen beim Planungsamt neu beantragt werden.

2b. Lage der Treibstoffversorgung:

		Dieselöl	Benzin
Es wurden im Monat Oktober	angefordert:	82 t	1.625 l
	zugewiesen:	77 t	1.300 l

Wesentliche Betriebseinschränkungen sind nicht eingetreten.

2c. Lage der Kohlenversorgung:
Im Monat September wurden eingeführt:

Kohle *)	172.800 t	(August 216.800 t)
Koks	65.400 t	(– 48.800 t)
Sudetenkohle	21.400 t	(– 36.000 t)
Braunkohlenbriketts	40.000 t	(– 43.700 t)
Insgesamt:	299.600 t	(August 354.300 t)

*) davon entfallen auf die dänische Staatsbahn 20.200 t gegenüber 42.400 t im Monat August 1944.

NOVEMBER 1944

90. Politische Informationen für die deutschen Dienststellen in Dänemark 1. November 1944

Best lagde ikke skjul på, at den danske befolknings forventning om et tysk nederlag ikke gav gode forudsætninger for en positiv udvikling i forholdet til besættelsesmagten. Dog var sabotagen fortsat uden betydelige skader for tyske interesser, og strejker havde der ingen været af i oktober. Det var et problem, at dansk politi var fjernet, for der var ikke noget at sætte i stedet i forhold til kriminalitetsbekæmpelsen. Det blev også omtalt, at cykelrazziaen 26. oktober havde foruroliget befolkningen, da cyklen var et vigtigt transportmiddel. Tysk sikkerhedspoliti kunne opvise fremragende resultater i oktober med betydelige oprulninger og arrestationer, men ellers var det erhvervsudviklingen og et fyldigt uddrag af "Fjendtlige stemmer," der prægede månedens information. Igen fik Best gennem de fjendtlige stemmer sagt noget af det, som ikke kunne fremkomme i hans egne kommentarer.

Kilde: RA, Centralkartoteket, pk. 681. RA, Vesterdals nye pakker, pk. 2.

Der Reichsbevollmächtigte in Dänemark *Kopenhagen, den 1. November 1944.*

Nur für den Dienstgebrauch!

Politische Informationen
für die deutschen Dienststellen in Dänemark.

Betr: I. Die politische Entwicklung in Dänemark im Oktober 1944.
II. Mitteilungen aus der Außenpolitik.
III. Mitteilungen aus der Wirtschaft.
IV. Der Kriegseinsatz der Deutschen Volksgruppe in Nordschleswig.
V. Feindliche Stimmen über Dänemark.

I. Die politische Entwicklung in Dänemark im Oktober 1944

1.) Die Lage in Dänemark war im Monat Oktober im wesentlichen durch die allgemeine Überzeugung der Bevölkerung bestimmt, daß die "Befreiung" zwar nicht durch eine unmittelbar bevorstehende Invasion zu erwarten, aber daß sie durch die bereits besiegelte Niederlage Deutschlands durchaus sicher sei. Aus dieser Grundhaltung der Bevölkerung ergibt sich ein latenter Spannungszustand, in dem einerseits akute Zusammenstöße vorläufig möglichst vermieden werden, andrerseits aber keine Voraussetzungen für irgendeine positive Entwicklung des Verhältnisses zwischen der Bevölkerung und der Besatzungsmacht gegeben sind.

Die Zahl der Sabotagefälle im Oktober entsprach ungefähr der des Monats September, Angriffsobjekte waren weiterhin in erster Linie Verkehrsmittel (Eisenbahnen, Kraftwagen, Schiffe), ohne daß besonders schwere Schäden für deutsche Interessen verursacht wurden. Bei Eisenbahntransporten der Wehrmacht wird jetzt stets ein Waggon mit verhafteten dänischen Saboteuren mitgeführt.[1]

Streiks fanden im Monat Oktober nicht statt.

1 HSSPFs pressekontor meddelte 8. oktober, at tyske troppetransporttog fremover ville medtage fangne danske sabotører (meddelelsen er optrykt hos Alkil, 2, 1945-46, s. 904).

2.) Die Funktionen der am 19.9.1944 aufgelösten dänischen Polizei sind nur zu einem kleinen Teil von Ersatzeinrichtungen wieder aufgenommen worden. Die dänische Zentralverwaltung hat im Monat Oktober mit deutscher Genehmigung die Einrichtung kommunaler Wachkorps zur Aufrechterhaltung der öffentlichen Ordnung, sowie die Fortsetzung der Luftschutzarbeit angeordnet. Die administrativen Aufgaben der ehemaligen dänischen Polizei sollen von neuen Verwaltungsdienststellen, die bei den Amtmännern eingerichtet werden, wieder aufgenommen werden. Die Einrichtung dieser Dienststellen stößt jedoch noch auf Personalschwierigkeiten. Das Ruhen dieser Funktionen macht sich vor allem auf wirtschaftlichem Gebiete immer unangenehmer bemerkbar. Völlig ungeklärt ist weiterhin die Frage der Verbrechensbekämpfung, da – wie die dänische Zentralverwaltung in einer Note mitteilte – die kriminalpolizeilichen Fachkräfte, die teils interniert und teils geflüchtet seien, nicht mehr zur Verfügung stehen. Die deutsche Sicherheitspolizei vermag aus naheliegenden Gründen nur summarische Aktionen wie Razzien nach vorbestraften Personen, nicht aber die normale Verfolgung jetzt begangener Verbrechen durchzuführen.[2]

3.) Am 26.10.1944 wurden gemäß ergangenem Befehl in allen Werkstätten, Verkaufslagern, usw. Dänemarks die vorhandenen fabrikneuen und in der Zusammensetzung begriffenen Fahrräder für militärische Zwecke beschlagnahmt und auf Grund der Verordnung über Lieferungen und Leistungen für die deutsche Wehrmacht, vom 23.5.1944 zwangsweise angekauft. Die Aktion verlief ohne Zwischenfälle, verursachte aber eine starke Beunruhigung der dänischen Bevölkerung für die das Fahrrad das wichtigste Mittel des Berufsverkehrs ist, und deren Belieferung mit Fahrrädern bereits auf ein Minimum zusammengeschrumpft war, weil die zur Fahrradherstellung benötigten Materialien, die als Gegenleistungen für dänische Lieferungen aus dem Reich geliefert werden, in immer geringerem Masse so zufließen.[3]

4.) Die deutsche Sicherheitspolizei hat im Monat Oktober einige hervorragende Erfolge in der Bekämpfung der feindlichen und der illegalen Kräfte erzielt. Eine umfangreiche Sabotageorganisation in Südjütland wurde vollständig aufgerollt. Die Zentrale einer bedeutenden Spionageorganisation wurde erfaßt.[4] Ein führender Kopf des sogenannten "dänischen Freiheitsrates", der Professor der Medizin Dr. Mogens Fog nebst einigen wichtigen Mitarbeitern dieses illegalen Führungsgremiums wurde festgenommen.[5] Der unter dem Namen "Flammen" bekannte Führer der gefährlichsten illegalen Mord-Gruppe Bent Faurschou-Hvid wurde beim Versuch der Festnahme erschossen und einige seiner Mitarbeiter festgenommen.[6] Außerdem wurden wieder größere Mengen von Sprengmaterial, Waffen, usw. teils unmittelbar nach dem Abwurf mit Lastfallschirmen und teils in illegalen Lagern erfaßt.

2 HSSPF lod foretage razziaer for at fange asociale og forbrydere, hvilket hans pressekontor gav meddelelse om 27. oktober 1944 (meddelelsen er aftrykt hos Alkil, 2, 1945-46, s. 907. Jfr. Lundtofte 2003, s. 183-185).

3 Herom Lauridsen 2006b.

4 Se Bovensiepens aktivitetsberetning for august-oktober 1944 (Best til AA 6. november).

5 Mogens Fog blev arresteret 14. oktober 1944.

6 Se Bovensiepens aktivitetsberetning for august-oktober 1944 (Best til AA 6. november).

Festgenommen wurden im Oktober 1944:[7]

Wegen Sabotageverdachts	265	Personen,
wegen Spionageverdachts	50	–
wegen illegaler Tätigkeit (Kommunismus und nationale Widerstandsgruppen)	297	–

Durch die Festnahmen sind 28 Sabotageakte aufgeklärt worden.

Bei polizeilichen Aktionen sind wegen Widerstandes gegen die Festnahme, wegen Widersetzlichkeit gegen Polizeistreifen usw. 16 Personen erschossen worden.

II. Mitteilungen aus den Außenpolitik

1.) Neue Regierung in Island.

Der Vorsitzende der isländischen Unabhängigkeitspartei Olafur Thors bildete am 21.10.1944 ein Kabinett zusammen mit Kommunisten und Sozialdemokraten. Von jeder dieser Parteien finden sich zwei Vertreter im Kabinett; nur die Fortschrittspartei nimmt nicht daran teil.

Der neue Premierminister Thors fungiert auch als Außenminister. Petur Magnusson von der Unabhängigkeitspartei, der im Zivilleben Direktor der isländischen Nationalbank ist, übernimmt die Finanz-, Handels- und Landwirtschaftsministerien. Die beiden kommunistischen Minister sind der Rechtsanwalt Aki Jacoobsson, der Arbeitsminister wird, und Oryn Brynjolfur Bjarnason, der Vorsitzende der Kommunistischen Partei, der das Erziehungsministerium übernimmt. Die beiden sozialdemokratischen Minister sind Finnur Jonsson als Justizminister und Emil Jonsson als Verkehrsminister.

Das nichtparlamentarische Kabinett, das im Dezember 1942 von dem Präsidenten Sveinn Björnsson ernannt wurde, trat vor kurzer Zeit zurück. Seither wurde über die Bildung eines neuen parlamentarischen Parteienkabinetts verhandelt.

2.) Der bisherige ungarische Geschäftsträger in Kopenhagen Gesandter von Kristoffy hat sich in den Tagen *vor* der Abdankung des Reichverwesers von Horthy nach Schweden begeben.

Von ausländischen Gesandten befinden sich jetzt nur noch der schwedische Gesandte von Dardel und der spanische Gesandte Agramonte y Cortijo in Kopenhagen; außerdem sind noch mehrere Gesandte mit auswärtigem Dienstsitz in Dänemark akkreditiert.

III. Mitteilungen aus der Wirtschaft

1.) Landwirtschaft

Nachdem in den landwirtschaftlichen Betrieben mit dem Dreschen begonnen worden ist, muß festgestellt werden, daß die Getreideerträge nicht die Höhe erreichen, die man erwartet hat. Sie werden nicht unerheblich unter denen des Jahres 1943 liegen. Insbesondere das Sommergetreide hat stark unter der Trockenheit gelitten.

Diese Tatsache wird sich dahingehend auswirken, daß weniger Futtergetreide zur Verfügung stehen wird als im letzten Wirtschaftsjahr. Da auch bei den Hackfrüchten nur mit

7 Se Bovensiepens aktivitetsberetning for august-oktober 1944 (Best til AA 6. november).

einer knappen Mittelernte gerechnet werden kann, wird es besonders für die Schweinehaltung an Futter fehlen, wenn der augenblickliche Bestand beibehalten wird. Die letzte Schweinezählung zeigt daher bereits eine fallende Tendenz bei den Zuchtschweinen, ein Anzeichen dafür, daß man weniger Schweine nachziehen und aufstellen will.

Da die Rüben- und Grünfuttererträge ebenfalls unter denen des letzten Jahres liegen werden, ist zu erwarten, daß auch bei den Erzeugnissen der Rindviehhaltung trotz der guten Heuernte kaum die in den entsprechenden Monaten des letzten Jahres erzeugte Menge erreicht wird. Insbesondere für die erwünschten höheren Milch- und Butterleistungen wird das erforderliche Futter fehlen. Auch eine von verschiedenen Seiten angeregte Erhöhung des Butterpreises würde unter diesen Voraussetzungen keine Steigerung der Buttererzeugung zur Folge haben. Eine Erhöhung des Butterpreises brächte vielmehr die Gefahr, daß die Landwirte ihren Rindviehbestand vergrößern würden, sodaß für das einzelne Tier dann noch weniger Futter zur Verfügung stände. Die Einzelleistung und damit die Gesamterzeugung stände. Die Einzelleistung und damit die Gesamterzeugung an Butter müßte dann zwangsläufig zurückgehen, da jedes Tier zunächst eine bestimmte Menge Erhaltungsfutter braucht und erst das darüber hinaus gereichte Futter in Milch bezw. Butter umgesetzt wird. Außerdem brächte eine Erhöhung des Butterpreises die Gefahr, daß Futtermittel von der Schweinehaltung auf die Rindviehhaltung verlagert würden, was den deutschen Interessen an möglichst hohem Schweineexport zuwiderliefe. Eine Erhöhung des Butterpreises ist deshalb zur Zeit abgelehnt worden.

Auf Grund der günstigen Witterung konnte die Herbstbestellung bisher ordnungsgemäß und reibungslos durchgeführt werden. Die Belieferung der dänischer Landwirtschaft mit Handelsdüngemitteln wird im kommenden Jahre aller Voraussicht nach nicht in demselben Umfange erfolgen können wie im Jahre 1944. Insbesondere die unzureichende Stickstoffdüngung wird auf die landwirtschaftliche Erzeugung nicht ohne Auswirkungen bleiben.

Das Fehlen der Wirtschaftspolizei macht sich in steigendem Masse auf dem landwirtschaftlichen Sektor bemerkbar. So nehmen u.a. die illegalen Schlachtungen, der Schwarzhandel und die Preisüberschreitungen einen immer größeren Umfang an.

2.) Gewerbliche Wirtschaft

Im Oktober fanden wiederum Verhandlungen der deutsch-dänischen Regierungsausschüsse statt, die den Warenverkehr zwischen Deutschland und Dänemark im letzten Vierteljahr 1944 zum Gegenstand hatten.[8] Der gewerbliche Sektor der dänischen Wirtschaft ist auf verschiedenen Gebieten zufriedenstellend versorgt. Insbesondere haben die deutschen Lieferungen an Festbrennstoffen den gestellten Erwartungen im Großen und Ganzen entsprochen; auch die für die nächsten Monate erteilten Zusagen werden den Verbrauch decken, wenn die Transportlage den Abtransport aus Deutschland zuläßt. Dagegen konnten bei Schwelkoks die deutschen Zusagen infolge von besonderen Lieferschwierigkeiten nicht eingehalten werden, sodaß in absehbarer Zeit ein Mangel eintreten wird, der auf den Transportverkehr mit Generatorfahrzeugen schädigend einwirken wird.

Bei Mineralöl ist Deutschland in der Lage gewesen, diejenigen Mengen Rohöl zu

8 Herom Jensen 1971, s. 243f. og Nissen 2005, s. 228-230.

liefern, die den früheren Lieferungen von Benzin und Dieselöl nach Dänemark entsprachen. Wenn auch das in Dänemark raffinierte Öl nicht überall dort zum Einsatz kommen kann, wo früher Dieselöl verbraucht wurde, so ist doch zu hoffen, daß nach Überwindung der Umstellungsschwierigkeiten der vordringlichste Bedarf an Dieselöl gedeckt wird. Es hat sich gezeigt, daß das gewonnene Dieselöl nicht für schnelllaufende Motoren verwendbar ist und insbesondere nicht für die im deutsch-dänischen Lebensmittelverkehr fahrenden Fernlastzüge eingesetzt werden kann. Es wird deshalb eine Sonderregelung mit dem Reich erforderlich werden, um diese Transporte sicherzustellen. Im übrigen ist bei den Verhandlungen der Bedarf der Fischerei an Mineralöl für die nächsten Monate sichergestellt. Am schwierigsten auf dem Mineralölgebiet ist die Versorgung Dänemarks mit Petroleum. Hier sind in den vergangenen Monaten keine deutschen Lieferungen möglich gewesen. Es konnte jetzt eine besondere Lieferung von 400 t Petroleum zugesagt werden, die den landwirtschaftlichen Kleinbetrieben zugute kommen sollen.

Wie schon in früheren Verhandlungen in Aussicht gestellt, war Deutschland in der Lage, im letzten Vierteljahr 1944 der dänischen Textilwirtschaft über das normale Kontingent hinaus 300 t Zellwolle zuzusagen. Dänemark wird dadurch in die Lage versetzt, den nicht gedeckten Bedarf an Arbeiterkleidung und Unterzeug für die arbeitende Bevölkerung in größerem Masse sicherzustellen.

Eine besondere Schwierigkeit ergibt sich auf dem Gebiete der Versorgung mit Papier und Papiergewebe. Hier hat sich der Ausfall der finnischen Lieferungen so ausgewirkt, daß der dringendste Bedarf nicht mehr gedeckt werden kann. Deutschland ist nicht in den Lage, diesen Ausfall zu decken, sodaß die dänische Wirtschaft in eine äußerst schwierige Lage kommen wird. Dies wird sich einerseits auswirken bei der Herstellung von Futterstoffen in der Bekleidungs- und Schuhindustrie, darüber hinaus aber ist insbesondere die Herstellung des für die Lieferungen nach Deutschland erforderlichen Verpackungsmaterials gefährdet.

Die Versorgung Dänemark mit Kautschuk hat sich dadurch verschlechtert, daß seit den letzten Monaten laufend Kürzungen der deutschen Bunalieferungen vorgenommen werden mußten. Auch in der Lieferung von fertigen Lastkraftwagenreifen sind nicht unerhebliche Kürzungen notwendig geworden, die die Inganghaltung der lebenswichtigen Transporte gefährden. Soweit dänische Lastkraftwagen bei der deutschen Wehrmacht (einschließlich OT) eingesetzt sind, konnten Sonderlieferungen ohne Anrechnung auf das dänische Kontingent aus dem Reich erwirkt werden, die zwar den Bedarf nicht dekken aber doch eine wesentliche Erleichterung darstellen.

Am schwierigsten ist nach wie vor die Belieferung Dänemarks mit Eisen und Eisenwaren. Hier konnten die deutschen Lieferzusagen nicht eingehalten und feste Zusagen für die nächste Zeit überhaupt nicht abgegeben werden. Deutschland wird bemüht bleiben, im Rahmen des Möglichen Dänemark mit diesen Waren – insbesondere mit Nägeln und Bandeisen für den Export dänischer Waren nach Deutschland – zu versorgen.

3.) Schiffahrt

a.) Für dringende militärische Zwecke außerhalb des dänischen Raumes hat der Reichsbevollmächtigte am 17.10.1944 die der dänischen Staatsbahn gehörenden Dampffähren "Christian IX." und "Orehoved" und Motorfähren "Freia" und "Heimdal" beschlagnahmt.[9]

b.) Am 12.10.1944 ist der dänische Frachtdampfer "Hilma Lau" (2414 BRT), der mit Kohlen nach Dänemark unterwegs war, bei Bornholm von einem Unterseeboot, das nach den Beobachtungen als ein russisches anzusehen ist, versenkt worden.[10]

IV. Der Kriegseinsatz der Deutschen Volksgruppe in Nordschleswig

Das Kontor der Deutschen Volksgruppe beim Staatsministerium hat gemeldet, daß am 1.10.1944 der Kriegseinsatz der Deutschen Volksgruppe in Nordschleswig die Zahl von 6.201 Männern erreicht hatte, die wie folgt eingesetzt sind.[11]

1.) Freiwillige:		
a.) Waffen-SS	1.355	
b.) Wehrmacht	490	
c.) bei der FLAK	36	
d.) beim Grenzzollschutz	89	
e.) beim Luftgaukommando als Fahrer	108	
f.) beim landwirtschaftlichen Osteinsatz	8	
g.) beim RAD	21	2.107
2.) Arbeitseinsatz		
a.) im Süden als Facharbeiter usw.	2.261	
b.) im Norden auf Fliegerhorsten	1.833	4.094
Gesamteinsatz		6.201

An Verlusten hat die Deutsche Volksgruppe in Nordschleswig nach den bis zum 30.9.1944 eingegangenen Mitteilungen gehabt:

1.) Gefallene:		
a.) Waffen-SS	251	
b.) Wehrmacht	60	
c.) Arbeitseinsatz	3	319
2.) Vermißte		
a.) Waffen-SS	28	
b.) Wehrmacht	6	34
Gesamteinsatz		353

9 Se Seetransportchef til OKM u.a. 16. oktober 1944. "Orehoved" blev allerede tilbagegivet til DSB 2. november 1944 (KTB/Kriegsmarinedienststelle Kopenhagen 2. november 1944, RA, Danica 628, sp. 6, nr. 4327).

10 "Hilma Lau" blev sænket 13. oktober af den sovjetiske ubåd "L 3" (Tortzen, 4, 1981-85, s. 135-139).

11 Se tillige tillæg 11.

V. Feindliche Stimmen über Dänemark
1.) Der englische und schwedische Rundfunk

London 2.10.1944.
Dänemarks Freiheitsrat hat einen neuen Aufruf herausgegeben, welcher die dänische Bevölkerung vor deutschen Provokationen warnt, teilt der Dänische Pressedienst mit. Er lautet:[12] "Alles deutet darauf hin, daß die Deutschen jetzt unter der Leitung General Panckes daran interessiert sind, eine neue Konfliktsituation in Dänemark hervorzurufen. Ihre Absicht ist, die Widerstandsbewegung zu früh hervorzulocken, um dadurch zu probieren, die Moral des Volkes durch gewaltsame Repressalien zu brechen. Die Deutschen werden nicht aufhören, durch Provokationen Unruhen hervorzurufen. Dies versuchten sie z.B. am Ende des vorigen Streiks. Wir dürfen uns aber nicht provozieren lassen. Der Freiheitsrat fordert dringend die Bevölkerung und die Widerstandsbewegung dazu auf, in jeder Sachlage den Kopf klar zu behalten und übereilten Handlungen zu entgehen. Wir werden alles tun, um den Feind zu schwächen, wir werden aber nicht uns selbst ohne Grund schaden. Der Freiheitsrat beauftragt lokale Komitees und andere organisierte Gruppen zu versuchen, Streikbefehle, welche innerhalb ihres Gebietes ausgestellt werden, bestätigt zu erhalten und sichere Methoden zu finden, um der Bevölkerung Bescheid geben zu können, inwiefern diese Streikbefehle authentisch oder falsch sind."

London 8.10.1944.
Eine Organisation, die sich als "Das dänische Freikorps" bezeichnet, hat Aufforderungen erlassen, die Widerstandsbewegung finanziell zu unterstützen. Es wird mitgeteilt, daß "Das dänische Freikorps" die Absicht hegt, die Einsammlung morgen zu beginnen. Wir haben allen Grund zu der Annahme, daß dieses ein neuer Versuch seitens der Deutschen ist, patriotische Dänen dazu zu provozieren, ihre Sympathien zu früh zu zeigen. Wir warnen deshalb davor, zu diesem sogenannten "Dänischen Freikorps" sowie zu seiner Einsammlung auf falscher Grundlage irgendwelche Beziehungen zu haben.[13]

London 9.10.1944.
Die Deutschen verwenden jetzt das Vergeltungsprinzip in vollem Masse bei ihren Clearing-Morden, teilt der dänische Pressedienst mit. In Aalborg z.B. holten die Deutschen der bekannten Dr. Richard Raetzel und brachten ihn an eine Stelle, wo der Spitzel Mikkelsen kürzlich liquidiert wurde. Hier erschossen sie Dr. Raetzel.[14] Sonnabend Abend wurde ein Anschlag auf den bekannten konservativen Reichstagsabgeordneten Henning Hasle gerichtet. Ein Mann stieg aus einem Auto in der Nähe von Hasles Villa und feuerte einen Schuß auf Hasle ab, der jedoch nicht getroffen wurde.[15] Man vermutet, daß

12 Opråbet af 29. september 1944 er aftrykt hos Alkil, 1, 1945-46, s. 267.

13 Best lod advarslen gengive for at udlevere denne tvivlsomme fremgangsmåde fra tysk politis side.

14 Læge Richard Raetzel i Ålborg blev myrdet 7. oktober af Peter-gruppen som gengæld for likvideringen af stikkeren Ernst Laurits Mikkelsen (Lauritzen 1947, s. 1389, Bøgh 2004, s. 160f., tillæg 3 her).

15 Den 7. oktober ved 18-tiden blev Hasle udsat for et revolverattentat i nærheden af sit hjem i Rosenvænget. En mand stod ud af en bil og skød et skud mod ham. Hasle flygtede og nåede uskadt sin gadedør (*Information* 9. oktober 1944, *Daglige Beretninger*, 1946, s. 310).

ein Zugattentat in Jütland vor ein paar Tagen, genauso wie das Attentat bei Lilleröd,[16] als Rache für die neulich stattgefundene Sabotage in Sönderjylland verübt wurde, die 7 Deutschen das Leben kostete.[17] Die Tatsache, daß man nach der Explosion in einem Eisenbahnwagen 30 Sprengladungen fand, deutet darauf hin, daß keine Saboteure hinter dem Attentat steckten. Saboteure arbeiten nie auf diese Weise.

London 11.10.1944.
Die Anzahl der Sittlichkeitsverbrechen in Dänemark die von deutschen Soldaten oder dänischen SS-Leuten begangen werden, hat sich in der letzten Zeit unheimlich gesteigert.[18] Der angebliche Grund ist die geschwächte Moral unter den deutschen Soldaten, unter denen die Offiziere die Disziplin nicht mehr aufrechterhalten können. Die Soldaten treten jetzt ohne Bedenken als Sittlichkeitsverbrecher auf, selbst wenn sie oder ihre Opfer sich in Gesellschaft mit anderen befinden. Es wird z.B. gemeldet, daß in vielen Fällen die männlichen Begleiter der Frauen von einem Kameraden des Untäters mit dem Revolver in Schach gehalten worden sind, während der Täter seine Untat vollzog. Z.B. sollen deutsche Soldaten ganzen Gesellschaften mit Revolvern gedroht, die Gesellschaft dann in zwei Teile geteilt und die Frauen weggeführt haben, während die Männer von den Soldaten in Schach gehalten wurden. Diese erschreckende Entwicklung geht aus vielen übereinstimmenden Berichten aus der letzten Zeit hervor hauptsächlich aus Kopenhagen, aber auch aus den Provinzstädten.

London 12.10.1944.
Der Transport von dänischen Lebensmitteln nach Deutschland bereitet den Deutschen jetzt größere Schwierigkeiten als je zuvor, weil der Transport nach dem Kieler Kanal nach den Angriffen der Alliierten für jeden Verkehr gesperrt ist. Deshalb müssen die dänischen Schiffe mit landwirtschaftlichen Erzeugnissen, die früher Hamburg anliefen, von wo aus die Verteilung stattfand, nunmehr Lübeck anlaufen, dessen weit kleinerer Hafen ohnehin stark belastet ist. Die weiteren Transportmöglichkeiten sind augenblicklich auch stark begrenzt.[19]

London 14.10.1944.
Den letzten Mitteilungen aus Dänemark zufolge scheinen die Deutschen jetzt Ernst mit ihren Drohungen machen zu wollen, gefangene dänische Patrioten als Geiseln mit den deutschen Militärzügen transportieren zu wollen, um auf diese Weise die ständigen Bombenattentate auf den deutschen Militärverkehr zu verhindern.[20] Der dänische

16 Der henvises til Peter-gruppens togattentater ved Hobro 7. oktober og ved Lillerød 27. juli 1944.

17 Togattentatet i Tobberup nord for Hobro var gengæld for en sabotage mod et troppetransporttog samme sted udført af modstandsbevægelsen (Bøgh 2004, s. 162, Bøgh 2004a, tillæg 3 her).

18 Rygterne om de talrige tyske voldtægter af danske kvinder blev næret af den illegale presse. *Information* bidrog til rygterne, men trak i land, da en undersøgelse fra Sundhedsstyrelsen dementerede, at det var et udbredt fænomen. Nyhedsbureauet trak imidlertid sit dementi tilbage, da en fortrolig skrivelse til Socialdemokratiets partiledelse skrev om de overdrevne rygter (*Information* 9., 11., 19. og 28. oktober 1944, *Daglige Beretninger*, 1946, s. 316f., 321).

19 Jfr. *Information* 11. oktober 1944.

20 Se Bests telegram nr. 1155, 9. oktober 1944 (kommentaren).

Pressedienst teilt heute Morgen mit, daß man kürzlich im Bahnhof von Fredericia einen deutschen Militärzug sah, wo vorne 2 Wagen mit vergitterten Fenstern angekoppelt waren. Hinter den Gittern konnte man Gesichter erspähen, und eine Hand winkte den Leuten da draußen zu. Nach diesen beiden Wagen folgten 5-6 leere Wagen und daß erst kamen die Wagen mit deutschen Soldaten.

London 14.10.1944.
Die deutsche Polizei macht keinen Hehl daraus, daß die Bombenattentate der letzten Zeit gegen Zeitungsgebäude, sowie das Attentat gegen den Schnellzug bei Hobro Maßnahmen zur Bestrafung der dänischen Bevölkerung sind. Die Deutschen verheimlichen auch nicht, daß die Aktion auf Harsdorfsvej, wo die Villa des Grossisten Bomhoff in die Luft gesprengt und der Schwager des Grossisten getötet wurde, von den Deutschen durchgeführt wurde.[21] Laut dem dänischen Pressedienst haben die Deutschen jetzt 21 cm Haubitzen in dem "Middelgrund"-Fort aufgestellt. Die Kanonen sind alle auf Kopenhagen gerichtet.[22]

London 21.10.1944.
Das dänische Volk weiß ganz genau, daß von den 150 Menschen, die im vergangenen Jahr ihr Leben lassen mußten, 40 % oder 65 Menschen gute dänische Patrioten sind, die von der Gestapo selbst oder von bezahlten Verrätern ermordet wurden. Der erste Ermorderte unter diesen war Kaj Munk. Es sind dies 65 politische Morde, die größenteils von Landsleuten an Landsleuten begangen wurden, und die dänischen Gerichte, die z.Zt. machtlos sind, werden einst darüber ihr Urteil sprechen. Die übrigen 85 sind liquidiert worden. Das dänische Volk hat sich des Rechtes der Notwehr bedient um solche Individien zu vernichten, die in der Notstunde Dänemark das Leben des dänischen Volkes bedrohten. Hätten sie weiterleben dürfen, hätte ihre fortgesetzte Arbeit dänischen Patrioten das Leben kosten und die Arbeit der patriotischen Front bedrohen können, und kein einziger Däne ist darüber im unklaren, was Mord an Patrioten ist und Liquidierung von Spitzeln ist. Der Unterschied ist genau so klar wie der Unterschied zwischen der Sabotage, die die Deutschen bekämpft, und der Schalburgtage, die sucht, das dänische Volksleben zu terrorisieren und lahmzulegen. Die Listen über diejenigen, die sich heute auf verräterische Weise ein Luxusdasein erkaufen, liegen für den Tag der Abrechnung bereit. Genauso wie in anderen Ländern wird auch Dänemark mit seinen Quislingen abrechnen.

London 23.10.1944.
Die Terrorpolitik der Deutschen in Dänemark, die Massenverhaftungen in Verbindung mit umfassenden Razzien sowie ihre Schießereien auf Geradewohl in den Straßen, wobei unschuldige Passanten getroffen werden, ist ein typisches Zeichen dafür, daß die Nerven des Feindes schwach geworden sind. Den letzten Mitteilungen zufolge sollen

21 Sprængningen af grosserer Bomhoffs villa 12. oktober 1944 blev meddelt af HSSPFs pressekontor (Alkil, 2, 1945-46, s. 904).
22 Jfr. *Information* 12. oktober 1944.

während der letzten Woche 20 Personen bei dieser rücksichtslosen Menschenjagd erschossen worden sein.[23]

2.) Die schwedische Presse
Dem "Land ohne Ordnungsmacht" widmete "Göteborg Handels- und Seefahrtszeitung" am 7. Oktober einen Leitartikel, in dem die Aufrechterhaltung der Ordnung in einem Dänemark, welches weder eine Regierung, einen fungierenden König oder ein Heer und eine Flotte hat, bewundert wird. Bis vor kurzem sei es der Polizei noch vergönnt gewesen, in wahrhaft equilibristischer Geschmeidigkeit ihre für die Allgemeinheit wichtige Arbeit durchzuführen, ohne auf der einen Seite ihre Landsleute und auf der anderen Seite die Deutschen, welche vielleicht eine Bekehrung der Polizei zum Nazismus erhofften, allzu sehr vor den Kopf zu stoßen. Damals am 29. August ließ man die Polizei unangetastet, verlangte aber von ihr eine Loyalitätserklärung von den Polizeichefs. Unter Hinweis auf die Bestimmungen der Haager Konvention wurde diese abgelehnt. Auch spätere deutsche Forderungen im Bezug auf die Stellung einer Sabotagewacht und Teilnahme an der Jagd auf Saboteure und Patrioten seien zurückgewiesen worden. Natürlich hätten sich die Deutschen von einer solchen Polizei keinen großen Nutzen versprechen können, besonders, da man im Falle eine[r] Invasion einen Aggressiven Gegner in ihr sehen mußte. Wahrscheinlich das Letztere habe zu der kürzlichen vielbesprochenen deutschen Aktion gegen die Polizei geführt. Diejenigen, die den Deutschen entronnen seien, bildeten jetzt einen beträchtlichen Zustrom zur unterirdischen dänischen Armee.

In einem Stimmungsbild aus Kopenhagen, welches "Aftontidningen" am 9. Oktober aus der Feder Bent Demers veröffentlichte, heißt es u.a.: "Gewiß liegt heute Ernst über der Stadt Kopenhagen – man sieht die vielen zerschossenen Fensterscheiben und Straßen, die noch von den kürzlichen Barrikadenkämpfen zeugen – aber das dänische Lächeln ist nicht verschwunden, ebensowenig wie der Glaube an einen baldigen Sieg. Es ist einzig dastehend in der Geschichte, daß eine Millionenstadt einmütig das Gesetz in ihre Hand genommen hat, als Ehrenbezeugung für die Polizei, welche nun selbst als "Verbrecherbande" gesucht wird, und als Dementi der Behauptung der fremden Eroberer, daß Kopenhagen zu einem europäischen Chikago geworden sei. Niemals ist der Verkehr mit Rad, Auto oder Pferdewagen in der Königsstadt so rücksichtsvoll und kultiviert vor sich gegangen, und wenn jemand einmal die Fahrtgeschwindigkeit übertritt, so kann man sicher sein, daß es sich um ein Auto der Deutschen oder des Freikorps handelt, welches sich auf der Jagd befindet. Mit Hilfe der privaten Rettungskorps sind überall Wachmannschaften gebildet worden, welche sich aus den Einwohnern der verschiedenen Stadtviertel rekrutieren. Diese Wachtposten sind unbewaffnet, weil das Waffentragen bei Todesstrafe verboten ist, aber auch Fäuste können Wunderdinge ausrichten. Das sah man in Randers, wo ein paar starke Schmiedelehrlinge im Laufe einer halben Stunde einen Markt so gründlich von den Haien der Schwarzen Börse reinigten, daß diese einer zufällig anwesenden Rote-Kreuz-Abteilung übergeben werden mußten."

"Sydsvenska Dagbladet" vom 12. Oktober teilte mit, daß die Zeitung "De frie Danske" in einem Artikel über die kommende dänische Regierung folgendes geschrieben

23 Det opgivne antal af personer, der var blevet skudt inden for den seneste uge, var stærkt overdrevne.

habe: "Wir wissen, daß es eine Sammlungsregierung wird, aber wir wissen noch eines, daß nämlich das dänische Volk eine starke nationale Regierung erwartet, deren Mitglieder sich während der vierjährigen Besetzung keinen Fleck auf ihrer Ehre zugezogen haben. Das wird nämlich eine der Hauptbedingungen für die Wiedereinführung geordneter Verhältnisse nach dem Abschluß des eigentlichen Freiheitskampfes sein." Weiter heißt es, daß kompromittierte dänische Politiker wie der frühere Staats- und Außenminister Scavenius, Verkehrsminister Gunnar Larsen, Sozialminister Laurits Hansen, Verteidigungs- und Finanzminister Alsing Andersen, Arbeitsminister Kjärböl und Justizminister, Chef der Reichspolizei Thune Jacobsen für die dänische Politik tot sein werden. Der Artikel fährt fort: "wir sind uns darüber einig, daß unsere Armee und Flotte nach jahrelanger Mißhandlung eine Auferstehung verdient, und daß dies von der freien Regierung unmittelbar in Angriff genommen werden muß. Es ist unsere Überzeugung, daß die dänische kommunistische Partei sowie Dansk Samling und ein Repräsentant des Freiheitsrates in der ersten freien Regierung vertreten sein müssen, und unser Land kann sich glücklich preisen, wenn sich alle guten Kräfte, die politisch geschulten wie diejenigen der unterirdischen Front, vereint zur Bildung einer stark nationalen Regierung beitragen, die das ganze Volk erwartet und fordert."

Nach "Aftonbladet" vom 12. Oktober sollte der Adjutant des Reichkommissars Seyss-Inquart in Kopenhagen gelandet sein, um Vorbereitungen für die Ankunft einer "hochgestellten Persönlichkeit" zu treffen.[24] In Berlin sehe man Dr. Best's Stellung als unhaltbar an. – Über Seyss-Inquart heißt es weiter, er werde, nachdem die Kriegsentwicklung ihn in Holland "überflüssig" mache, sich ebenso "auszeichnen" wie in Holland. Gutinformierte holländische Kreise geben an, Seyss-Inquart sei zwar nach Holland zurückgekehrt, aber nur um einen Nachfolger zu bestellen, welcher das Deutsche Reich für die Zeit, wo noch deutsche Truppen im Lande seien, vertreten könne. Seyss-Inquarts SS-Leibwache werde ihm nicht folgen, sondern statt dessen die Aufgabe erhalten, soviel Holländer wie möglich nach Deutschland abzutransportieren. Der Luftverkehr zwischen Holland und Dänemark sei in den letzten Tagen äußerst lebhaft gewesen. Ein Teil von Seyss-Inquart's persönlicher Habe sei schon nach Dänemark transportieret worden.[25]

Zu der Zurückziehung des TT-Korrespondenten Hermansson aus Kopenhagen schrieb "Dagens Nyheter" vom 17. Oktober unter der Überschrift "Isolierungsversuch" den folgenden Leitartikel: "In Dänemark und Norwegen hat die deutsche Nachrichtenpolitik Schweden gegenüber verschiedene Phasen durchlaufen, und diese sind ganz vielsagend in sich. Es ist ganz deutlich, daß die auf verschiedene Weise neben den deutschkontrollierten Kanälen laufende Nachrichtenübermittlung an die schwedischen Zeitungen auf die Machthaber in Kopenhagen und Oslo stark irritierend gewirkt hat.

Das letzte Beispiel hierfür sind die Bedingungen, welche man von deutscher Seite in Kopenhagen dem Tidningernas Telegrambyro zu stellen versucht hat und welche nun dazu geführt haben, daß das schwedische Büro beschlossen hat, seinen Korrespondenten

24 Seyss-Inquart var i oktober 1944 på besøg i København og tilbragte megen tid med familien Best, som det også havde været tilfældet december 1943 (Bests kalenderoptegnelser december 1943 og oktober 1944, *Politische Informationen* 1. januar 1944, afsnit VII).

25 Der var tale om upålidelige rygter.

in Dänemark Redakteur Valter Hermansson zurückzuziehen.[26] Im Falle einer Weiterarbeit Herrn Hermansson's in Kopenhagen forderten die Deutschen, daß Tidningernas Telegrambyro kein dänisches Material aus anderen Quellen benutzen solle, d.h. solche Nachrichten, welche ohne deutsche Kontrolle nach Stockholm gelangten und hier vom dänischen Pressedienst herausgegeben wurden. Auf solche Bedingungen einzugehen, war selbstverständlich eine völlig unnatürliche Zumutung für ein unter den üblichen Formen arbeitendes Nachrichtenbüro, dessen Aufgabe es ist, authentische Nachrichten zu schaffen, wo immer sie sich finden lassen, und sie an seine Abnehmer weiterzugeben. Besonders unmöglich mußten sie erscheinen, weil der deutsche Septembercoup die dänische Polizei und damit die wichtigste rein dänische Quelle zerschlagen hatte, durch welche ein schwedischer Korrespondent die von den Deutschen erhaltenen Angeben über Vorkommnisse und Verhältnisse in Dänemark kontrollieren konnte. Es hätte den Deutschen sicher ausgezeichnet gepaßt, sich eine Garantie dafür zu verschaffen, daß TT keine anderen als die von den Deutschen selbst servierten Nachrichten aussandte." …

"Die schwedische Presse hat während der ganzen Besetzungszeit starkes Interesse für die Entwicklung in den nordischen Nachbarländern gezeigt. Was Dänemark angeht, so wird sich dies Interesse sicher nicht durch erneuten deutschen Versuche, das Land von der Außenwelt zu isolieren, vermindern lassen. Im Gegenteil, die Mitteilungen über deutsche Verschanzungen im Innern Kopenhagens, Bomben- und Kanonendrohungen gegen dänische Wohnviertel, Deportierungspläne und Provokationsversuche gegen die Widerstandsarmee, welche nur die früher erwähnten deutschen Pläne einer verschärften Schreckensherrschaft bekräftigen, haben die Wachsamkeit verstärkt. Ein bezeichnendes Detail in den deutschen Isolierungsversuchen ist das kürzlich veröffentlichte Militärdekret, daß alle Kleinfahrzeuge in den dänischen Gewässern vor Ende Oktober auf Land gesetzt werden sollen, widrigenfalls sie mit Beschlagnahme und Abtransport zu rechnen haben.[27] Es wäre merkwürdig, wenn hinter diesen drastischen Maßnahmen nicht zugleich das Ziel stände, eine der Möglichkeiten für heimlichen Verkehr über den Öresund zu stoppen der nicht nur Flüchtlinge sondern auch Nachrichten befördert hat. Das dänische Gefängnis soll hermetisch verschlossen werden. Man kann nur lebhaft hoffen, daß dieser Zweck nicht erreicht wird. Die Dänen haben bisher gezeigt, daß sie imstande sind, alle deutschen Hindernisse zu überwinden. Es ist für sie wichtig, daß das auch in Zukunft gelingt."

"Um Thune Jacobsen, den Polizeichef, der Dänemarks letzter Justizminister wurde, hat es viel Streit gegeben, schrieb "Dagens Nyheter" am 23. Oktober in einem Leitartikel. "Seit er im Mittsommer 1941 die Verantwortung dafür auf sich nahm, die dänischen Kommunisten als Verbrecher abzustempeln und zu internieren galt er lange bei der aktiven Widerstandsbewegung als der "opportune Jacobsen", ein typischer Vertreter der "elastischen Strategie" der Scaveniusregierung gegenüber der Okkupationsmacht. Scharfe Worte fielen gegen ihn, denn die unterirdische Diskussion in Dänemark ist und war immer leidenschaftlich in ihren Ausdrucksformen. Aber nicht einmal damals stellte man ihn auf die gleiche Ebene mit denen, die nach allgemeiner Ansicht wirklich den

26 Se Bests telegram nr. 631, 18. maj 1944.

27 Bekendtgørelsen fremkom 15. oktober (trykt hos Alkil, 2, 1945-46, s. 905).

Locktönen der Zusammenarbeit wenigstens zeitweise zum Opfer gefallen waren, z.B. Verkehrsminister Gunnar Larsen (auch diesem bat man übrigens nach dem einmütig festen Stand der Regierung vom 28. August 1943 manches ab.) Zu Gunsten Thune Jacobsens hat außerdem der Geist gezeugt, den die lange unter ihm geschulte dänische Polizei in der Stunde der Bewährung gezeigt hat. Und nach den am Sonntag veröffentlichten Informationen ist es vollkommen klar, daß er als "guter dänischer Mann" persönlich durch die Verfolgung der Gestapo geehrt, nach Schweden gekommen ist.[28] Der Versuch, Thune Jacobsen zu fangen, war Teil einer größeren Razzia, über die erst jetzt langsam Nachrichten durchzusickern beginnen. In den Listen der unterirdischen Presse über die Verhafteten kommen außer Offizieren, Polizisten, Geschäftsleuten, Journalisten, Schauspielern und Verlegern auch zwei in Schweden bekannte Namen vor: Pastor Harald Sandbäk, das erste Opfer der Kirche nach Kaj Munk, und der berühmte Mediziner Professor Mogens Fog, der wegen seiner heißen und freimütigen Freiheitsliebe schon im Winter 1942/43 einem Anschlag ausgesetzt war.[29] Die zündende und stärkende Wirkung der Namen dieser beiden Männer wird dadurch nicht geringer, daß sie sich in den Klauen der Gestapo befinden. Die Tätigkeit der Heimatfront unter der festen Leitung des Freiheitsrates wird nach der Razzia unvermindert fortgesetzt. Auch dieses Mal hat die Okkupationsmacht nicht die Initiative in der Kriegsführung in Dänemark in die Hand bekommen."

"Aftonbladet" schrieb am 23. Oktober, der Vicekommandant der Gestapo in Dänemark Hoffmann habe vor einigen Tagen Kontakt mit dem dänischen Freiheitsrat gesucht, unter dem Vorgeben, daß die Deutschen durch ihre Polizeiaktion in eine unhaltbare Lage gekommen seien, gab er ein feierliches Versprechen für freies Geleit ab, falls sich ein Repräsentant des Rates mit ihm treffen würde.[30] Es heißt weiter, daß die Deutschen gerne die Bedingungen des dänischen Freiheitsrates für eine Wiederrichtung der dänischen Polizei wissen wollten, da die deutschen Polizisten sich nicht für die neuen Aufgaben eigneten und die Verhältnisse im Lande außerhalb jeder Kontrolle seien. Hoffmann's Aufforderung wurde zunächst vom Freiheitsrat abgewiesen. Beim nächsten Mal erklärte sich der Freiheitsrat bereit, einen Vertreter nach Malmö zu senden, wo Hoffmann ihn treffen sollte. Dies wurde von der Gestapo abgelehnt. Hoffmann wandte sich später an Kreise, die ihn mit der abgeschafften dänischen Polizei und vor allem mit dem früheren Staatsadvokaten für besondere Angelegenheiten Troels Hoff in Verbindung bringen sollten. Unter dem Versprechen eines freien Geleits sei ein Frühstück zwischen Hoffmann und Troels Hoff verabredet worden. Jetzt sei eine Mitteilung über die Verhaftung Hoffs eingelaufen.[31]

Eine neue Behandlungsweise für "Stikker" in Dänemark sei kürzlich an den Tag gekommen, schieb "Göteborgs Handels- und Seefahrtszeitung" am 23. Oktober, als ein

28 *Information* refererede og kommenterede 24. oktober *Dagens Nyheters* artikel om Thune Jacobsen og stillede sig skeptisk til hans virke.

29 Harald Sandbæk blev anholdt af Gestapo 15. september 1944. Mogens Fog blev anholdt 14. oktober 1944.

30 Se *Politische Informationen* 1. april 1945 under afsnittet "Fjendtlige stemmer".

31 Statsadvokat Troels Hoff havde aftalt et møde hos tysk politi 19. oktober og blev efterfølgende anholdt (*Information* 19. oktober 1944, *Daglige Beretninger*, 1946, s. 329).

bewußtloser Däne in Schweden landete und von der Polizei in Gewahrsam genommen wurde. Es stellte sich heraus, daß es sich um einen "Stikker" schlimmster Sorte handelte, dessen Taten bekannt waren. Anstatt den Verräter zu erschießen, hatte man ihn in seiner Wohnung gefaßt, ihm ein paar starke Morphiumspritzen gegeben und mit samt Beweismaterial nach Schweden abgeschoben.[32]

91. Adolf von Steengracht an Joachim von Ribbentrop 1. November 1944

Fra mødet mellem Kaltenbrunner og repræsentanterne for AA 30. oktober vedrørende bl.a. kompetencefordelingen mellem HSSPF og den rigsbefuldmægtigede, videregav Steengracht mødets forløb på dette ene punkt til Ribbentrop. Det understreger punktets betydning for AA, men ikke den vægt, det havde fået på selve mødet. Steengracht havde for Kaltenbrunner refereret Ribbentrops telegram af 26. september med den fortolkning af forholdet mellem den rigsbefuldmægtigede og den højere SS- og politifører, som Hitler havde godkendt. Kaltenbrunner havde taget dette til efterretning, men havde derpå bemærket, at han ikke kunne tage stilling til spørgsmålet, da Pancke var direkte underlagt Himmler. For trods det at komme et skridt videre ønskede Best, at Pancke fra Himmler fik fremsendt Ribbentrops brev med besked om, at indholdet var bindende for ham. Det lod Steengracht derpå Wagner gå videre med.

Som præcist formuleret af Bjørn Rosengreen nåede AA ikke skyggen af et resultat på det punkt, der havde stået øverst på mødets dagsorden. AAs repræsentanter synes at have været uden vilje, lyst eller evne til at støtte Bests sag, når de blev direkte konfronteret med Kaltenbrunner. Trods mangel af mødeprotokollen kan det antages, at AA heller ikke vedrørende de øvrige dagsordenspunkter nåede meget ud over orienteringsstadiet. De til Tyskland deporterede danskere var RSHAs sag, AA kunne kun komme med indstillinger. Best skrev 28. november (telegram nr. 1334), at Kaltenbrunner på mødet 30. oktober havde lovet en etapevis løsladelse af de internerede politifolk. En mindre andel politifolk blev løsladt i december, og det var i det mindste en mindre imødekommelse af ønskerne fra AA og Best. Med hensyn til om de deporterede politifolks status som krigsfanger var reel, nærede man i AA efter mødet fortsat tvivl (se Bobriks notat 4. december). At politifolkene påfølgende blev flyttet fra Buchenwald, kan have ændret den opfattelse, men næppe afgørende, og for de øvrige punkter på dagsordenen var det bare at afvente RSHAs afgørelser. Best havde umiddelbart før mødet (27. oktober) meddelt AA, at Bovensiepen havde ønsket en stribe ressortområder overført fra den rigsbefuldmægtigede til sig selv. Dette åbne angreb på AAs status i Danmark synes efter Bobriks notat 4. december ikke at være kommet til drøftelse på mødet. Det var ellers en sag, som Kaltenbrunner som Bovensiepens overordnede kunne have taget stilling til (Rosengreen 1982, s. 139f.).

Best vendte tilbage til ressortspørgsmålet med telegram nr. 1277, 16. november og nr. 1325, 27. november.

Kilde: RA, pk. 228.

St.S. Nr. 269 *Berlin, den 1. November 1944*

Der Herr Reichsaußenminister hatte mich beauftragt, mit Obergruppenführer Kaltenbrunner die Frage des Verhältnisses zwischen Reichsbevollmächtigten und Polizeiführer in Dänemark eindeutig zu klären.

Weisungsgemäß habe ich unter Hinweis auf den vom Führer angeordneten und gebilligten Drahterlaß die mir vom Herrn Reichsaußenminister angewiesenen Ausführungen gemacht.

Obergruppenführer Kaltenbrunner nahm diese Ausführungen zur Kenntnis und er-

32 Den beskrevne fremgangsmåde blev anvendt i visse tilfælde.

klärte, sie auch dem Reichsführer übermitteln zu wollen. Er bemerkte jedoch, daß der Höheren SS- und Polizeiführer des Reichsführer unmittelbar unterstehe, und er daher für diese Frage nicht zuständig sei.

Der Reichsbevollmächtigte bat darum, daß Obergruppenführer Pancke der diesbezügliche Erlaß des Herrn Reichsaußenministers durch den Reichsführer zugesandt würde mit dem Befehl des Reichsführers an Pancke, daß dieser Erlaß für ihn bindend sei. Ein derartiger Befehl würde für Pancke grundsätzliche Bedeutung haben.

Ich schlage deshalb vor, daß VLR Wagner beauftragt wird, den Reichsführer-SS zu bitten einen entsprechenden Befehl Obergruppenführer Pancke zugehen zu lassen, um den Befehl des Führers auch für den Polizeisektor in Dänemark verbindlich zu gestalten.

Hiermit den Herrn Reichsaußenminister mit der Bitte um Genehmigung vorgelegt.

gez. **Steengracht**

92. Günther Pancke an alle Dienststellen und Einheiten 1. November 1944

Pancke udsendte en afskrift af en aftale indgået mellem Keitel og Himmler, hvorefter tysk politi fik alle kontrolbeføjelser over for alle medlemmer af værnemagten, Waffen-SS og andre tyskere i civil tjeneste.

Kilde: BArch, Freiburg, R 70 Dänemark 11.

Der Höhere SS- und Polizeiführer in Dänemark *Kommandostelle, den 1.11.1944*

An alle Dienststellen und Einheiten.

Nachstehende Verfügung des Oberkommandos der Wehrmacht zu Kenntnisnahme.

I.A.
[underskrift]
SS-Hauptsturmführer
u. Hauptmann d.Sch.

Verteiler:

BdO	12
BdS	10
SS- u. Pol. Gebietsführer	4
SS- u. Pol. Standortführer	1
SS-Ersatzkommando	1
Germanische Leitstelle	1
Fürsorgekommando	2
SS- u. Pol. Gericht XXX	1
SS-A.-Batl. Schalburg	1

Abschrift
Oberkommando der Wehrmacht *den 20.9.44*
4600/44 AWA/W Allg. (II)

Betr.: Kontrollbefugnis der Polizei gegenüber Angehörigen der Wehrmacht und der Waffen-SS und von Wehrmachtstreifen gegenüber allen Personen, auch wenn sie nicht der Wehrmacht oder Waffen-SS angehören.

Der Chef des Oberkommandos der Wehrmacht und der Reichsführer-SS und Chef der Deutschen Polizei sind übereingekommen, die Kontrollbefugnis der Deutschen Polizei gegenüber Angehörigen der Wehrmacht und der Waffen-SS sowie von diesen gegenüber Personen des zivilen Bereiches den Erfordernissen des totalen Krieges entsprechend durch folgenden Erlaß neu zu regeln.

I.

Die Fahndung nach feindlichen Agenten, Saboteuren, Spionen, politischen und kriminellen Rechtsverbrechern sowie nach Fahnenflüchtigen, wegen anderer Straftaten gesuchten Wehrmachtangehörigen, flüchtigen Kriegsgefangenen und vertragsbrüchigen in- oder ausländischen Arbeitern hat im Zuge des kriegerischen Geschehene von Jahr zu Jahr eine größere Bedeutung gewonnen. Die Fahndungstätigkeit muß sich dem trickreichen Verhalten solcher Reichsfeinde anpassen. Die Zusammenfassung aller verfügbar Kräfte unter Ausschaltung von Zuständigkeitsfragen ist unerläßlich.

Für den Fall, daß gemeinsame Streifen von Polizei und Wehrmacht bzw. Waffen-SS nicht zur Stelle sind, muß jedes Fahndungsorgan berechtigt sein, jeden Verdächtigen zu überprüfen.

Unter Aufhebung der im Kriegsfahndungserlass des Reichsführers-SS vom 5.12.42 und in den Kriegsfahndungsbefehlen des Oberkommandos der Wehrmacht vom 14.4.43 enthaltenen Beschränkungen der Kontrollbefugnis wird daher zu dem gemeinsamen Runderlaß des Reichsministers des Innern und des Oberkommandos der Wehrmacht vom 15.2./16.11.35 "Polizei und Wehrmacht" (HDV.3/4, MDV.15, LDV.3/4) für die Dauer des Krieges ergänzend bestimmt.

II.

1.) Die Deutsche Polizei einschließlich ihrer als solche gekennzeichneten oder mit Ausweis versehenen Hilfskräfte in Exekutivdienst (auch Stadt- und Landwacht) ist befugt, die Ausweise (Soldbuch, Truppenausweis, Marschpapiere) von Trägern der Uniform der Wehrmacht und der Waffen-SS zu überprüfen, um festzustellen, ob es sich tatsächlich um Angehörige der Wehrmacht oder der Waffen-SS handelt, ob diese wegen einer Straftat gesucht werden oder ob die Uniform durch einen Staatsfeind oder Verbrecher mißbraucht wird. Zu diesem Zweck sind die Ausweispapiere den polizeilichen Kontrollorganen zur Einsichtnahme kurz auszuhändigen.
2.) Wehrmachtstreifen sind in gleicher Weise befugt, ihrerseits alle nicht der Wehrmacht oder der Waffen-SS angehörenden Personen zu überprüfen.

Verbände der Wehrmacht und der Waffen-SS, die bei einer besonderen Fahndung oder sonst zur Unterstützung der Polizei eingesetzt werden, erhalten im Rahmen der ihnen jeweils gestellten Aufgaben von Fall zu Fall die gleiche Befugnis.

3.) Die Überprüfungen sind so vorzunehmen, daß das Ansehen der Überprüften nicht beeinträchtigt und auch den Anschein einer Taktlosigkeit vermieden wird.

4.) Der Pflicht zur Ausweisleistung hat jeder bereitwillig nachzukommen. Die Kontrolle scheut nur der, der etwas zu verbergen hat.

5.) Gegenseitige Überprüfungen der Kontrollorgane sind unzulässig. Bei begründeten Zweifeln an der Rechtmäßigkeit des Auftretens sowie bei Zuständigkeits- und Zweifelsfragen sind die beiderseitigen vorgesetzten Dienststellen in Anspruch zu nehmen.

III.

1.) Nach Möglichkeit werden gemeinsame Streifen der Deutschen Polizei und des Wehrmachtstreifendienstes (bzw. anderer gem. II 2 zur Mitfahndung aufgerufener Verbände der Wehrmacht und der Waffen-SS) gebildet, die sich kameradschaftlich ergänzen.

2.) Einsichtnahme in Geheimpapiere ist unstatthaft. Bei Zweifeln, ob der Kontrollierte sich zu Recht auf den Geheimcharakter beruft, sind Angehörige der Wehrmacht oder der Waffen-SS zur nächsterreichbaren Dienststelle der Wehrmacht oder der Waffen-SS, alle anderen Personen zur nächsterreichbaren Polizeidienststelle zu leiten, die unverzüglich die weitere Überprüfung zu veranlassen hat.

3.) Machen unzureichende Ausweise oder Verdacht einer strafbaren Handlung die vorläufige Festnahme erforderlich, so sind der festgenommenen Person die Waffen abzunehmen. Festgenommene sowie deren Gepäck und Fahrzeuge sind in jedem Fall unverzüglich auf Waffen und, falls Verdacht einer strafbaren Handlung besteht, auch auf Beweismittel zu durchsuchen. Der Geheimcharakter von Geheimsachen ist unbedingt zu wahren.

4.) Festgenommene Angehörige der Wehrmacht oder der Waffen-SS sind ohne Verzögerung der nächsterreichbaren Dienststelle der Wehrmacht oder der Waffen-SS, alle übrigen Festgenommenen unverzüglich der nächsterreichbaren Polizeidienststelle zuzuführen.

Festgenommene sind bei den Transport so unterzubringen, daß sie sich weder untereinander noch mit anderen Personen verständigen können. Beweismittel – Schriftstücke, Geld usw. – sowie Fahrzeuge sind der übernehmenden Stelle gegen Quittung zu übergeben. Grund und Umstände der Festnahme sind hierbei schriftlich oder mündlich darzulegen.

5.) Die Berechtigung zur Benutzung von Kraftfahrzeugen ist gemäß OKW Nr. 5151/44 AWA/W Allg (IIc) v. 11.8.44 und RF-SS u. Ch. d. Dt. Pol.-O-Kdo I Org/Ia (1) Nr. 486/44 vom 22.8.44 nachzuprüfen.

Der Zweck der Fahrt und des berechtigten Einsatzes von Kraftfahrzeugen wird, sofern es sich um Fahrzeuge der Wehrmacht oder der Waffen-SS handelt, nur durch Organe der Wehrmacht oder der Waffen-SS, in allen anderen Fällen nur durch Polizeiorgane überprüft. Für gemischte Kraftfahrzeugstreifen der Wehrmacht, der Waffen-SS, der Polizei und des NSKK-Transportkontrolldienstes gilt OKW Nr. 5399/44 AWA/W Allg (IIc) v. 29.8.44.

Der Chef des Oberkommandos der Wehrmacht gez. **Keitel**	Der Reichsführer-SS Reichsminister des Innern gez. **Himmler**

93. OKM an MOK Ost 1. November 1944

Ved møderne i København den 18. oktober[33] var det blevet drøftet, hvordan man forhindrede, at de danske handelsskibe sejlede til Sverige i tilfælde af en fjendtlig invasion. Best forsikrede, at det var forudset, hvad der i givet fald skulle gøres. I et forudgående møde havde Wurmbach gjort det klart, at der ikke forelå planer for at hindre skibenes flugt, hvilket også fremgik af en beretning udarbejdet af Seetransportchef Skagerrak. Der var ikke tilstrækkeligt personale til rådighed. Foreløbigt var der ingen planer om at beslaglægge den danske handelsflåde, men der skulle udarbejdes planer for at hindre, at dansk tonnage undslap i tilfælde af en invasion eller i forbindelse med andre truende omstændigheder.

Sådanne planer er ikke lokaliseret.

Kilde: BArch, Freiburg, RM 7/1813. RA, Danica 628, sp. 7, nr. 5885f.

Abschrift.
Oberkommando der Kriegsmarine
B. Nr. 1/Skl. II 32237/44 gKdos

Berlin W 35, den 1. November 1944
Tirpitzufer 72-76
Geheime Kommandosache!

Schnellbrief!

An Marineoberkommando Ostsee/Führerstb.
nachrichtlich: Admiral Dänemark

Betrifft: Sicherstellung dänischer Tonnage.

Bei den Besprechungen am 18.10. in Kopenhagen über Maßnahmen zur Verhinderung der Abwanderung dänischer Tonnage nach Schweden wurde beim Reichsbevollmächtigten auch die Frage einer vorsorglichen Beschlagnahme der dänischen Handelsflotte erörtert und hierbei seitens des Herrn Dr. Best u.a. darauf hingewiesen, daß eine Erfassung der dänischen Tonnage für den Invasionsfall vorgesehen sei. In der vorausgegangenen Besprechung bei Admiral Skagerrak war jedoch festgestellt worden, daß eine Reihe von dänischen Häfen deutscherseits überhaupt nicht besetzt und das Auslaufen der dort liegenden dänischen Schiffe weder zu überwachen noch zu verhindern sei. Die Problematik der Angelegenheit wird unterstrichen durch den abschriftlich beigefügten Bericht des Seetransportchefs Skagerrak an Admiral Skagerrak,[34] wonach das zur Durchführung einer schlagartigen Erfassung der dänischen Tonnage im dänischen Raum zur Verfügung stehende Personal völlig unzureichend ist. Zur Klarstellung wird auf folgendes hingewiesen:

33 Se Bests kalenderoptegnelser 18. oktober 1944.
34 Beretningen er ikke lokaliseret.

Eine Beschlagnahme der dänischen Handelsflotte ist vorläufig nicht beabsichtigt. Die Notwendigkeit einer schlagartigen Sicherstellung kann jedoch jeden Augenblick eintreten, und zwar dann, wenn eine unmittelbare Gefahr für die Erhaltung der dänischen Tonnage im deutschen Machtbereich droht. Eine solche Lage ist als gegeben anzusehen

a.) im Falle einer feindlichen Großlandung im dänischen Raum,

b.) bei Eintreten von Umständen, die einen Verlust der Masse der dänischen Tonnage infolge von Abwanderung oder Sabotage als unmittelbar bevorstehend befürchten lassen.

In diesen Fällen ist unverzüglich zur schlagartigen Sicherstellung der dänischen Handelsflotte im gesamten Bereich des MOK's zu schreiten. Die zur Durchführung erforderlichen Maßnahmen sind vorzubereiten und zu melden. Bei auftretenden Schwierigkeiten (Personalmangel) sind sachdienstliche Vorschläge zu ihrer Behebung, z.B. durch Einschaltung des WB oder BdS, vorzulegen.

Im Auftrage
gez. **Meyer** (Hans)

94. Paul Barandon an das Auswärtige Amt 1. November 1944

Telegrafisk meddelte Barandon i Bests fravær AA, at Gestapos hovedkvarter i Århus var blevet bombet ved et luftangreb og at en lang række tyske politifolk, herunder stedets leder Sturmbannführer Eugen Schwitzgebel, var omkommet.

Bombardementet blev foretaget af RAF og havde til formål at ramme tysk politi og dets arkiver vedrørende den danske modstandsbevægelse. Fra tysk side var man ikke i tvivl om, at angrebet skete efter aftale med modstandsbevægelsen. Allerede 1. november ankom en stor del af de københavnske Gestapofolk under ledelse af Otto Bovensiepen og Erich Bunke for hurtigst muligt at få etableret et nyt hovedkvarter (*Budstikken.* Udg. af Frit Danmarks Aarhusgruppe 10. november 1944 (med liste over dræbte og sårede tyskere og danskere i tysk tjeneste).[35] Om angrebet: Skov Kristensen u.a. 1988, s. 429-460).

Bombardementet førte til, at der øjeblikkeligt blev sat en udbygning og forstærkning af beskyttelsesrummet i kælderen under Dagmarhus i værk. Vægge og loft blev forstærket, gasslusen forbedret m.m. til en pris af ca. 150.000 kr. Rummet skulle i givet fald huse Best med stedfortrædere og centralafdeling, HSSPF og BdO med stabe (AA til RFM 25. november 1944 (RA, Danica 201, pk. 81, læg 1083).

Kilde: PA/AA R 101.041.

Telegramm

Kopenhagen, den	1. November 1944	11.05 Uhr
Ankunft, den	1. November 1944	12.30 Uhr

Nr. 1232 vom 1.11.[44.]

Zu dem gestrigen Fliegerangriff auf Aarhus hat der Befehlshaber der Ordnungspolizei die folgenden Einzelheiten mitgeteilt:

35 Det var østrigske Gestapofolk i Århus, der videregav listen (Andrésen 1945, s. 252). Best beså 18. december det ødelagte BdS-hovedkvarter (Bests kalenderoptegnelser anf. dato).

Das Gebäude des Befehlshabers der Sicherheitspolizei ist vollkommen zerstört, die angreifenden Verbände hatten es besonders auf dieses Gebäude abgesehen und bewarfen es immer wieder mit Bomben. Außerdem ist das Universitätsviertel stark mitgenommen und eine Kaserne stark angeschlagen. An Verlusten stehen bis jetzt fest: 35 Tote, davon 26 Angehörige der Sicherheitspolizei einschließlich des Leiters der Außenstelle, Sturmbannführer Schwitzgebel. Die restlichen Toten gehören mit Ausnahme von 2 oder 3 Dänen, der Wehrmacht oder dem Wehrmachtsgefolge an. Ferner über 50 Verletzte und 20 Vermißte.

Barandon

Vermerk: Inl. II hat Abdruck.

95. Seekriegsleitung an OKW/WFSt 1. November 1944

Seekriegsleitungs chef delte MOK Osts opfattelse af, hvor tyngdepunktet i invasionsforsvaret i Danmark skulle være, idet der blev henvist til WB Dänemarks anderledes stillingtagen. Synspunkterne stod stejlt over for hinanden.

Afgørelsen faldt 17. november 1944.

Kilde: RA, Danica 628, sp. 10, nr. 9379 og KTB/Seekriegsleitung 1. november 1944, 6f.

Abschrift!
1/Skl. 32578/44 gKdos
MBBS 027039 eing. 1.11.[44] 17.30

Fernschreiben an Kr. OKW/WFSt Op M

Betr.: Verteidigung dänischen Raumes.
Vorg.: Wehrmachtbefehlshaber Dänemark Ia Nr. 2310/44 gKdos[36]

Nachstehend wird Stellungnahme Ob. MOK Ost zu genannten Vorgang vorgelegt.

1.) Hinsichtlich Lagebeurteilung weise ich hin auf 1 Skl. 2658/44 gKdos Chefs. vom 30.8., die sich mit meiner deckt. Während Wintermonate halte ich Landung an westjütischer Küste so gut wie ausgeschlossen, Landung dagegen an ostjütischer Küste und auf dän. Inseln bei augenblicklichem Kräfteverhältnis und mit Rücksicht auf Wetterbedingungen jederzeit möglich. Daher halte ich es für erforderlich Schwerpunkt der Küstenverteidigung in diesen Raum zu legen und noch vorhandene Schwächen der Küstenverteidigung an Westküste in Kauf zu nehmen. Abzug von 6 Batterien von Ostküste nach Westküste würde eine Schwächung des besonders bedrohten Raumes bedeuten und daher nicht vertretbar.

   Kalibermäßig bleibt Ostküste und dän. Inseln unzureichend bestückt, Zahl der Batterien vermittelt allein kein richtiges Bild der Verteidigungskraft.

2.) Für Verteidigung Küste westl. Ostsee einschl. Fehmern bisher nichts geschehen. So-

36 Se KTB/WB Dänemark 30. oktober 1944 med noten.

lange Jütland und dän. Inseln in unserem Besitz keine Bedrohung für westl. Ostsee. Habe daher jedes verfügbare Geschütz zur Verteidigung ostjütischer Küste und dän. Inseln eingesetzt, um die wenigen Kräfte nicht zu zersplittern.

3.) Jede schwache Stelle unsererseits an ostjüt. Küste und auf dän. Inseln muß Gegner im Hinblick auf günstige Anlandungsbedingungen (Seeküste) Anreiz für Landeunternehmungen bieten.

4.) Auf Notwendigkeit, daß die übrigen Wehrmachtstelle gleichfalls für Verteidigung dieses Raumes Kräfte zuführen müssen, ist in 1 Skl. 2658/44 gKdos Chefsache bereits hingew.

5.) Bezüglich Forderung W. Bef. dän. auf Inseln Röm eine Batterie aufzustellen, Hinweise ich darauf, daß Röm MOK Nord unterstellt.

Ob. MOK Ost 06754

Zusatz: Seekriegsleitung stimmt der Stellungnahme Ob. MOK Ost zu.

Chef Seekriegsleitung
1/Skl. B. Nr. /44. gKdos

96. Werner Koeppen: Stichwort-Protokoll 1. November 1944

Koeppen gav et referat af Utikals og Ebelings møde hos Reichsleiter Alfred Rosenberg 13. oktober vedrørende situationen i Danmark. Aktionen mod det danske politi var næsten mislykkedes, da politiet havde meldt sig til modstandsbevægelsen. Dog var det ikke acceptabelt med fuldstændig lovløshed i landet pga. landbrugseksporten til Tyskland, men det tyske politi var ikke tilstrækkeligt til at klare opgaven. Der var to regeringer i Danmark, Bests og Panckes. Det var kommet til kontroverser mellem Himmler og Ribbentrop over Danmark. Ebeling kunne igen komme på bogindkøb i Danmark, da der var stillet valuta til rådighed.

Der er bevaret enkelte breve fra november og december vekslet mellem Koeppen og Ebeling, hvoraf det fremgår, at Ebeling var tilbage i København i hele november og forventede at skulle fortsætte arbejdet der i tiden derefter (Koeppen til Ebeling 14. november, Ebeling til Koeppen 28. november og Koeppen til Ebeling 2. december 1944 (BArch, NS 8/262)). Af Bests kalenderoptegnelser 25. oktober 1944 fremgår det, at han den dag havde møde med stabsleder Utikal og Ebeling i København. I en efterkrigsafhøring forklarede Best, at de var i Danmark for at samle videnskabelige bøger til det superuniversitet (Hohe Schule), som Alfred Rosenberg ville oprette i Tyskland (Best afhørt 31.8.1945 (CI Preliminary Interrogation Report CI PIR 115, 14 maj 1946, s. 36 (kopi i HSB)). Se om Hohe Schule Piper 2005, s. 462-476.

Kilde: BArch, NS 8/132.

Stichwort-Protokoll
des Termins von Pg. Utikal und Pg. Ebeling beim Reichsleiter
am 13.10.1944 12.06-12.31 Uhr

Bericht über die Lage in Dänemark. Die von der SS unternommene Aktion gegen die dänische Polizei sei im wesentlichen gescheitert, da diese in Streit getreten sei. Auf der anderen Seite könnten wir in Dänemark nicht einen Zustand der völligen Unsicherheit dulden, weil ein großer Teil von Fett, Fleisch, Eiern und Sämereien von dort ins Reich kommen. Die deutsche Polizei und Feldgendarmerie reiche bei weitem für diese Aufgabe nicht aus. Der Bevollmächtigte Dr. Best sei von dieser Aktion vorher nicht verständigt worden. Er habe zwar anschließend vom FHQu große Vollmachten bekommen, aber dadurch sei das deutsche Ansehen nicht wieder hergestellt worden. Der SS-Gruppenführer Panke habe vom Reichsführer-SS ebenfalls daraufhin große Vollmachten erhalten. Es beständen auch hier praktisch 2 Regierungen nebeneinander. Durch Dänemark sei eine Kontroverse zwischen Himmler und Ribbentrop zum Ausbruch gekommen. Die Haltung von Presse und Rundfunk in Dänemark sei verheerend, aber es gäbe sich auf diesem Gebiet auch niemand die Mühe, sich einzuschalten. – Da der Reichsschatzmeister jetzt die Devisen für Dänemark zur Verfügung gestellt hat, soll Pg. Ebeling mit Dr. Wagner zum Bücherankauf nach Dänemark fahren. Der RL erklärte sich damit einverstanden, daß auch für die Kantine der Dienststelle Lebensmittel beschafft werden sollten.

Berlin, den 1.11.1944

W. Koeppen

Dr. Kp./Ho.

97. SS-Richter beim Hauptamt SS-Gericht an den SS-Richter beim Reichsführer-SS 2. November 1944

Efter at K.B. Martinsen i første del af oktober af Berger var blevet kaldt til Berlin, var undersøgelsen mod ham blevet gennemført, mens han sad fængslet i RSHA. SS-rettens redegørelse og indstilling faldt i tre dele. For drabet på baron von Eggers blev Martinsen fundet skyldig, ligeledes blev han kendt skyldig i det andet anklagepunkt, at have afgivet falske meldinger til Pancke, mens han blev frikendt for at have røbet til danske myndigheder, at modterroren blev gennemført af tyske myndigheder. Hvordan afstraffelsen skulle finde sted, var anderledes kompliceret. Det var ikke et retsligt, men et politisk spørgsmål, og Best udfoldede alle sine evner for at få en løsning, så besættelsesmagten i Danmark hverken led et prestigetab inden for eller uden for Danmarks grænser, idet der samtidigt blev taget hensyn til de daværende og fremtidige danske SS-frivillige. Martinsen måtte hverken komme til at stå som syndebuk eller forbryder. Best så derfor helt bort fra muligheden af at lade Martinsen henrette. Indstillingen blev da, tydeligvis påvirket af Best og med Panckes billigelse, at Martinsen (og hans adjudant Knud Thorgils) skulle holdes fængslet til krigens afslutning. Det ville også lette opløsningen af Schalburgkorpset og nyorganiseringen af medlemmerne (*Højesteretstidende* 1949, s. 134-139, Monrad Pedersen 2000, s. 133 (hvor dokumentet er dateret 2. december 1944 (!), og Bergers brev til Himmler 28. november (se nedenfor) gøres til forlæg. Som det vil fremgå her, var SS-rettens indstilling 2. november i stedet forlægget for Bergers brev)).

Kilde: RA, pk. 442.

SS-und Polizeigericht z.b.v.
beim Hauptamt SS-Gericht

Prien a/Ch., den 2.11.44

Betr.: SS-Obersturmbannführer Martinsen.
Bezug: Dort. Schreieben v. 23.5.44, Tgb. Nr. VI 289/44 g – Be/Wi.[37]
Anlg.: 1 Bd. Akten
1 Bd. Heftakten
1 Umschlag mit Akten.

Geheime Kommandosache!

37 Bender til Fiedler 23. maj 1944, trykt ovenfor.

An den SS-Richter beim Reichsführer-SS
Berlin.

Anliegend überreiche ich nach Abschluß der Ermittlungen die Akten mit folgendem Bericht und Stellungnahme:

1.) Tötung des Barons von Eggers.
Baron von Eggers gehörte seit etwa Ende 1939 dem Schalburg-Korps an, im Februar 1944 wurde er als Schreiber zu dem in Ringsted liegenden Bataillon des Korps versetzt. In Ringsted lernte v. Eggers die in der dortigen Kaserne wohnende Frau des SS-Obersturmbannführers Martinsen kennen und begann mit ihr ein Liebverhältnis. Am 1.3.44 wurde er zur Überbringung irgendwelcher Geheimbefehle oder sonstiger Befehle von Ringsted zum Stabe des Schalburgkorps geschickt. Er fuhr bereits am Tage vorher in Begleitung der Frau Martinsen ab und übernachtete mit ihr in ihrer früheren Wohnung in Roskilde. Am 1.3.44 trafen beide in Kopenhagen ein. Nach ihrer Ankunft in Kopenhagen rief Frau Martinsen den Hauptmann Holm an, der ziviler Adjutant des SS-Obersturmbannführers Martinsen und mit Martinsen ebenso wie mit dessen Frau befreundet ist. Frau Martinsen teilte Holm, der auf den Anruf Frau Martinsen und v. Eggers in der Bahnhofgaststätte aufsuchte, mit, daß sie sich von ihrem Mann scheiden lassen und v. Eggers heiraten wolle. V. Eggers wollte sich ebenfalls von seiner Frau scheiden lassen. Am gleichen Tag holte v. Eggers beim Schalburgkorps seine Löhnung ab, ohne die mit ihm mitgegebenen Papiere abzuliefern. Er wohnte dann bis 3. März mit Frau Martinsen zusammen in einem Hotel in Kopenhagen. Martinsen wußte von dieser ganzen Angelegenheit nicht. Holm zog zunächst über v. Eggers Erkundigungen ein und vereinbarte mit dem Leiter der ET (Nachrichtendienst des Schalburgkorps), SS-Untersturmführer Spleth, daß Martinsen nicht zu unterrichten und v. Eggers bei nächster Gelegenheit wegen unerlaubter Entfernung festzunehmen sei. Als Frau Martinsen Holm am Nachmittag des 3. März vom Restaurant "Italiano" aus anrief, ließ er v. Eggers dort durch den SS-Untersturmführer Schroder und den Oberleutnant Rehold[38] vom Schalburgkorps festnehmen. V. Eggers wurde im Dagmar-Haus dem Ic im Stabe des Höheren SS- und Polizeiführers, Oberleutnant d. Schp. Mayr, vorgeführt. Diesem war vorher schon berichtet worden, daß v. Eggers mit Frau Martinsen durchgebrannt sei und daß man ihn suchen und verhaften lassen wolle, um einen öffentlichen Skandal zu vermeiden. Durch Mayr wurde Baron von Eggers, gegen den ein gewisser Verdacht bestand, mit deutschfeindlichen Kreisen in Berührung zu stehen, vernommen. Die Vernehmung verlief ergebnislos. Die ihm mitgegebenen Befehle des Bataillons hatte v. Eggers noch in verschlossenem Umschlag in seiner Tasche. Oberleutnant Mayr lehnte daher das an ihn gestellte Ansinnen, v. Eggers zu verhaften, ab und ließ diesen zu Obersturmbannführer Martinsen führen. Martinsen was inzwischen durch seine Frau, die sofort nach der Verhaftung des v. Eggers zu ihm gefahren war, unterrichtet worden. Nach dem Eintreffen des v. Eggers ließ Martinsen diesen sofort in den Keller führen und traf Vorbereitung zu seiner Erschießung. Er bestimmte 10 oder 12 ausgesuchte Offiziere, Unterführer und Männer des Schalburgkorps, die der Erschießung beiwohnten. Vor der Erschießung

38 Mogens Reholt.

befragte er in Gegenwart des Hauptmanns Holm und des Untersturmführers Spleth v. Eggers, ob er sich schuldig bekenne, was v. Eggers bejahte. Von dem Gegenstand der Beschuldigung war dabei nicht die Rede. Martinsen erklärte v. Eggers darauf, daß es dafür nur eine Strafe gäbe und das sei die Todesstrafe. Baron von Eggers erkannte dies an und bat, sich selbst erschießen zu dürfen, was abgelehnt wurde. Er wurde darauf in den im Keller befindlichen Schießstand geführt. Dort gab Martinsen den angetretenen Angehörigen des Schalburgkorps bekannt, daß v. Eggers erschossen werde, weil er gegen die Ideale und Gesetze des Schalburgkorps verstoßen habe. Er gab v. Eggers den Befehl, kehrtzumachen, und tötete ihn durch Genickschuß.

Die Leiche wurde in der Nacht nach Ringsted geschafft und im Kasernenbereich vergraben.

SS-Obersturmbannführer Martinsen gibt diesen durch Vernehmung des Oberleutnants d. Schp. d.R Mayr, des Hauptmann Holm, des Oberleutnants Rehold und des SS-Untersturmführers Schroder festgestellten Sachverhalt im wesentlichen zu. Er behauptet, daß der SS-Untersturmführer Spleth ihm nach der Festnahme des v. Eggers gemeldet habe, v. Eggers habe bei seiner Vernehmung im Dagmar-Haus zugegeben, dem Feind Mitteilung über Gliederung und Stärke des Schalburgkorps gegeben zu haben.

Als Grund für die Erschießung gibt Martinsen an, daß sowohl der Verrat gegenüber dem Schalburgkorps als auch der ihm persönlich gegenüber begangene Verrat für diese Erschießung bestimmend gewesen sei. Er behauptet, daß er den Befehl zur Erschießung auch dann gegeben haben wurde, wenn der persönliche Grund nicht vorgelegen hätte. Die Erschießung durch ihn sei deswegen notwendig gewesen, weil v. Eggers weder der deutschen Gerichtsbarkeit unterstanden habe, noch den dänischen Behörden wegen der besonderen Art seiner Verfehlungen zur Aburteilung übergeben werden konnte. Er habe es auch für richtig gehalten, diesem ersten Verrat innerhalb des Schalburgkorps durch ein drastisches Exempel entgegenzutreten.

Die eigenmächtige Erschießung des Barons von Eggers durch Martinsen kann nach den getroffenen Feststellungen durch nichts gerechtfertigt werden. Nach den durch Oberleutnant Mayr getroffenen Feststellungen lag zumindest bis zur Erschießung des Barons von Eggers keinerlei Beweis für einen von diesem begangenen Geheimnisverrat gegenüber dem Schalburgkorps vor. Der Untersturmführer Spleth will zwar in den Tagen nach der Erschießung gewisse Feststellungen darüber getroffen haben, daß v. Eggers Beziehungen zu feindlichen Kreisen unterhalten habe; es handelt sich aber nur um nachträgliche Feststellungen, zu denen v. Eggers keine Stellung nehmen konnte und die keinesfalls ausgereicht hätten, ein endgültiges Urteil über ihn zu fällen. Es ist allerdings möglich, daß Obersturmbannführer Martinsen durch Untersturmführer Spleth falsch unterrichtet wurde und daß Spleth ihm in dem Bestreben, v. Eggers zu belasten, mehr gesagt hat, als er verantworten konnte. Insoweit wird die Einlassung des Obersturmbannführers Martinsen nicht zu widerlegen sein. Spleth kann dazu nicht mehr gehört werden, da er an der Ostfront gefallen ist. Trotzdem kann es aber als sicher gelten, daß Martinsen die Erschießung des v. Eggers in seiner ersten Erregung durchgeführt hat, nachdem er zuvor von seiner Frau von deren Verhältnis mit v. Eggers erfahren hatte. Alle anderen Momente müssen demgegenüber als Beiwerk angesehen werden, das zusammengetragen wurde, um die begangene Tat nachträglich zu rechtfertigen.

Wenn v. Eggers tatsächlich Verrat gegenüber dem Schalburgkorps begangen haben sollte, wäre es notwendig gewesen, diesen Sachverhalt zunächst aufzuklären; v. Eggers hatte alsdann der deutschen Sicherheitspolizei überstellt werden können, die das Weitere veranlaßt haben würde.

Martinsen hat sich daher durch die Erschießung des Barons von Eggers eines Totschlags schuldig gemacht.

2.) Falschmeldung gegenüber SS-Obergruppenführer Pancke:
Nach Angabe des SS-Obergruppenführers Pancke hat sich SS-Obersturmbannführer Martinsen etwa im März oder April 1944 weiterhin einer Falschmeldung in einer hochpolitischen Sache schuldig gemacht.

Durch den Reichsbevollmächtigten, SS-Obergruppenführer Dr. Best, der aus politischen Gründen eine Zusammenarbeit mit den dänischen Sozialdemokraten anstrebte, war ausdrücklich verboten worden, irgendwelche Vergeltungsmaßnahmen gegenüber dänischen Sozialdemokraten durchzuführen. Entgegen diesem ihm bekannten Verbot hat SS-Obersturmbannführer Martinsen, der mit dieser politischen Haltung des Reichsbevollmächtigten nicht einverstanden war, einen dänischen Sozialdemokraten, und zwar den Lektor Ibsen, durch Angehörige des Schalburgkorps erschießen lassen. Es handelt sich dabei um eine Vergeltungsmaßnahme gegenüber der Erschießung von dänischen Nationalsozialisten durch Terroristen.[39] SS-Obersturmbannführer Martinsen wurde nach der Erschießung des Ibsen von SS-Obergruppenführer Pancke befragt, ob er diese Erschießung durchgeführt oder veranlaßt habe. Martinsen stritt dies wahrheitswidrig ab und blieb auch dabei, nachdem Obergruppenführer Pancke ihn darauf aufmerksam gemacht hatte, daß es sich um eine dienstliche Meldung gegenüber einem Vorgesetzten handle. Nachdem SS-Obergruppenführer Pancke durch Ermittlungen den wahren Sachverhalt festgestellt hatte, gab Martinsen diesen zu. Auf Befragen, warum er SS-Obergruppenführer Pancke belogen habe, erklärte er, daß er dadurch einen Konflikt herbeiführen wollte, um deutsche Dienststellen zu zwingen, ihre tolerante Haltung gegenüber den dänischen Sozialdemokraten aufzugeben und sie zu einem schärferen Vorgehen gegen die dänischen Dienststellen und die dänische Polizei zu veranlassen.

Er kommt demnach weiterhin eine Falschmeldung im Sinne des § 139 MStGB. in Betracht.

Die Durchführung des Verfahrens gegen Obersturmbannführer Martinsen bringt im jetzigen Zeitpunkt gewisse politische Schwierigkeiten mit sich. Das Schalburgkorps hat nach der Darstellung des Reichsbevollmächtigten, SS-Obergruppenführer Dr. Best, und des Höheren SS- und Polizeiführers, SS-Obergruppenführer Pancke, völlig versagt. Das Bestreben, eine nationalsozialistische Regierung in Dänemark zu bilden, ist völlig aussichtslos, da es an jeder Grundlage dafür fehlt. Da das Schalburgkorps die deutsche politische Führung in eine schwierige Lage gebracht hat, wird es für notwendig erachtet, dieses völlig umzugestalten. Es ist beabsichtigt, das Ausbildungsbataillon des Schalburgkorps in der Waffen-SS aufgehen zu lassen und mit dem übrigen Teil des

39 Lektor Jens Ibsen, Slagelse blev myrdet 9. april 1944 af medlemmer af ET som gengæld for likvideringen af det nazistiske ægtepar Fischer (Monrad Pedersen 2000, s. 101, tillæg 3 her).

Schalburgkorps eine besondere politische Gruppe zu bilden, der keine große Bedeutung mehr zukommt. Diese Bestrebungen sind dem Schalburgkorps bekannt. Ebenso ist es bekannt, daß diesen geplanten Veränderungen nur die Persönlichkeit ihres Führers, SS-Obersturmbannführer Martinsen, im Wege steht. Aus diesen Gründen erblickt SS-Obergruppenführer Dr. Best in der Durchführung des Verfahrens gegen SS-Obersturmbannführer Martinsen im jetzigen Zeitpunkt eine doppelte Gefahr:

Einmal sei zu befürchten, daß im Schalburgkorps der Eindruck erweckt würde, als ob Martinsen nunmehr den Eselstritt bekommen solle, und zu diesem Zweck die bereits als erledigt betrachtete Angelegenheit v. Eggers wieder ausgegraben würde. Auf diese Weise könnten die letzten wenigen Anhänger Deutschlands in Dänemark vor den Kopf gestoßen werden.

Außerdem befürchtet SS-Obergruppenführer Dr. Best, daß durch die Aburteilung des Falles Eggers diese bisher vom Ausland nicht aufgegriffene Angelegenheit bekannt und von der Feindpropaganda in dem Sinne ausgewertet würde, daß die führenden Männer, deren sich die Deutschen bedienten, Mörder und Verbrecher seien.

SS-Obergruppenführer Dr. Best hat daher vorgeschlagen, das Verfahren gegen Obersturmbannführer Martinsen wegen Totschlags und Falschmeldung zur Zeit nicht durchzuführen.

SS-Obersturmbannführer Martinsen befindet sich seit dem 12.10.44 im Hausarrest des RSHA, in Berlin in Haft. Grund für die Verhaftung war der Verdacht, Martinsen habe dänischen Dienststellen gegenüber dadurch Geheimnisverrat begangen, daß er angegeben habe, die Gegenterrormaßnahmen würden von deutschen Dienststellen ausgehen. Nach Rücksprache mit dem Sachbearbeiter dieses Verfahrens, Kriminalrat Rauch, sollen die Ermittlungen in dieser Sache gegen Martinsen abgeschlossen sein. Der Verdacht, daß Martinsen den Geheimnisverrat begangen habe, soll sich nicht bestätigt haben, wohl soll der ebenfalls festgenommene Adjutant des SS-Obersturmbannführers Martinsen solche Äußerungen gegenüber dänischen Dienststellen getan haben. Trotzdem ist seitens des Reichssicherheitshauptamtes beabsichtigt, den SS-Obersturmbannführer Martinsen für Kriegsdauer in Haft zu behalten, da nach seiner jetzigen Einstellung und Haltung zu befürchten sei, daß er gegen die deutschen Dienststellen in Dänemark arbeiten werde.

Der Vorgang wegen Landesverrats ist durch das RSHA. dem Chef des SS-Hauptamtes, SS-Obergruppenführer Berger, zur Stellungnahme zugeleitet worden. SS-Obergruppenführer Pancke hat den Wunsch geäußert, daß SS-Obergruppenführer Berger auch in dieser Sache Gelegenheit zur Stellungnahme gegeben werden. Während meines Aufenthaltes in Berlin auf der Rückreise von Kopenhagen war es mir jedoch nicht möglich, SS-Obergruppenführer Berger zu sprechen. Falls die Einholung seiner Stellungnahme noch für erforderlich gehalten wird, bitte ich dies unmittelbar von dort aus zu veranlassen.

Die Personalunterlagen des SS-Obersturmbannführers Martinsen sind angefordert und werden nachgereicht.

Der Untersuchungsführer:
[signeret]
SS-Sturmbannführer
und SS-Richter d.R

98. Alfred Jodl an Hermann von Hanneken 2. November 1944

OKW/WFSt svarede imødekommende på Seekriegsleitungs henvendelse af 29. oktober 1944 vedrørende forberedelse af havneødelæggelser i Ålborg og Århus. Det blev von Hannekens og Wurmbachs opgave at finde en løsning efter de retningslinjer, som Seekriegsleitung havde foreslået.

Der forelå en aftale 15. november 1944, se OKM til Seekriegsleitung anf. dato.

Kilde: KTB/Skl 2. november 1944, s. 34f. (ordret gengivelse af ordren med denne tilføjelse: "Die Gefahr, der vorgebeugt werden soll, besteht darin, daß durch Luftangriffe oder Sabotage Sprengladungen zur Entzündung gebracht werden, und die Hafenanlagen zerstören.") og BArch, Freiburg, RM 7/1812. RA, Danica 628, sp. 7, nr. 5731 (fjernskrivermeddelelsen).

+SSD GWNOL 020157 2/11 14.00 =
M Aü = SSD OKM 1. Skl =

GLTD WB Dänemark = SSD OKM 1 Skl =
Nachr MOK Ost
Nachr Adm Skagerrak = gKdos

Damit die Häfen Aalborg und Aarhus, die für Nachschub Norwegen und U-Boot-Krieg unentbehrlich sind, durch eingebaute Sprengladungen nicht gefährdet werden, sind Sprengladungen nur in dem Umfang einzubauen, daß Be- und Entladung nicht bedroht wird. Damit zusammenhängende Nachteile werden in Kauf genommen. WB Dänemark veranlaßt das Erforderliche in Zusammenarbeit mit Adm. Skagerrak.

Die Sicherung der beiden Häfen bedarf größter Aufmerksamkeit aller verantwortlichen Dienststellen.

gez. I A **Jodl**
Gen Oberst
OKW/WFSt/Op nr. 0013000/44 gKdos

99. Wolfram Sievers an Rudolf Brandt 2. November 1944

I en til Brandt personlig rettet henvendelse gjorde Sievers opmærksom på, at det var nødvendigt at sikre samlingerne fra det forhistoriske museum i Kiel i tilfælde af en fjendtlig invasion i Danmark. Karl Kersten var den eneste, der med kort varsel kunne stå for opgaven, som han i forvejen havde forberedt. Derfor bad Sievers Brandt rette en henvendelse til RFSS i denne sag (Schreiber Pedersen 2005, s. 164).

Brandts henvendelse til RFSS gav resultat. Den 22. november kunne SS-Führungshauptamt IIa meddele RFSS-Persönlicher Stab, at Kersten på RFSS' ordre med virkning fra 20. november igen var blevet sagkyndig i RFSS-Persönlicher Stab og skulle tage sig af overvågningen af Dannevirkes befæstningsanlæg (BArch, SS-Führerpersonalakten 165A). Ved årsskiftet takkede Kersten Sievers for, hvad han havde gjort for ham og fortalte, at han foruden bevaringen af Dannevirke havde taget sig af redningen af kostbare museumsgenstande (brev 2. januar 1945, BArch, NS 21/52). I Danmark kom han ikke til at virke igen.[40]

Kilde: BArch, NS 21/52.

40 Se om Kerstens og Tellings virke fra november 1944: Sievers til Paul Baumert 9. februar 1945 (NS 21/52), Kersten til Sievers 6. marts 1945 (BArch, DS/G 124), Kühl 1999, s. 9-12, Leube 2002, passim, Schreiber Pedersen 2005, s. 164 og 2008, s. 304 (som lader Kerstens virke foråret 1945 være et åbent spørgsmål), Rasmussen 2007, s. 815.

Das Ahnenerbe
Der Reichsgeschäftsführer

(13a) Waischenfeld/Ofr., 2.11.1944
Nr. 135 Tel. Nr. 2
Tgb. Nr. A1213k5 SI/St.

An SS-Standartenführer
Ministerialrat Dr. R. Brandt,
Berlin SW 11
Prinz-Albrecht-Str. 8

Betr.: Sicherstellung der Sammlungen des Museums vorgeschichtlicher Altertümer in Kiel im Falle einer Invasion in Jütland.

Lieber Kamerad Brandt!
Obwohl SS-Obergruppenführer Best und SS-Obergruppenführer Pancke beide im Interesse ihrer Arbeit dringend wünschten Dr. Kersten zu behalten und für die germanische Arbeit einzusetzen und obwohl gerade jetzt auch hinsichtlich der Schutzmaßnahmen für die Bodendenkmäler angesichts der Befestigungsarbeiten in Jütland sehr viel für Kersten zu tun wäre, haben wir Kersten zur Truppe abgegeben. Trotzdem möchte ich Ihnen noch eine wesentliche Frage vortragen und Sie bitten, eine entsprechende Anordnung des Reichsführer-SS zu erwirken.

Sie wissen, daß das Schleswig-Holsteinische Museum vorgeschichtlicher Altertümer in Kiel über einzigartige Sammlungen verfügt, die zum höchsten Kulturbestand unseres Volkes gehöre. Kersten, der mit und an dem Museum groß geworden ist und kürzlich zu seinem Direktor ernannt wurde, hat die wertvollsten Sammlungen verpackt und in Schleswig-Holstein untergebracht. Drei Tage nachdem die letzten größeren Werte geborgen waren, brannte das Museum infolge eines Fliegerangriffs ab.

In Schleswig-Holstein sind die Sammlungen zwar im Augenblick relativ sicher verwahrt. Im Falle einer feindlichen Invasion in Jütland aber, würden sie neuerdings in Gefahr geraten und müßten dann ins Innere des Reiches abtransportiert werden. Daß man dabei nicht schnell genug vorgehen kann, zeigt allein das Beispiel des Teppichs von Bayeux, der schließlich doch in die Hände der Amerikaner fiel. Dieses Schicksal müssen wirhaber auf jeden Fall den Kieler Sammlungen ersparen, die zum heiligsten Ahnenerbe unseres Volkes gehören, d.h. es muß schnell gehandelt werden. Kersten ist der einzige, der über die Sammlungen Bescheid weiß, da er selbst ihre Bergung durchgeführt hat. Er müßte also, tritt der angenommene Fall ein, sofort abkommandiert werden, um die sofortige Fortschaffung der Sammlungen zu ermöglichen. Er hat an Ort und Stelle bereits alle Vorbereitungen für die Durchführung einer solchen Aktion getroffen.

Damit im Ernstfall ein langer Dienstweg nicht die praktische Verwirklichung verhindert, schlage ich vor, Kersten eine Bescheinigung in die Hände zu geben, aufgrund deren er sofort abrücken kann. Entwurf eines solchen Schriftstückes füge ich als Anlage bei.

Mit herzlichem Gruß und Heil Hitler!

Ihr
Sievers

/Anlage

100. Werner Best an das Auswärtige Amt 3. November 1944

Best bekræftede, at han i henhold til Ribbentrops ordre siden juli 1944 ikke på grundlag af sin forordning af 24. april havde ladet SS- og Politiretten gælde for danske statsborgere. Fremover omfattede retten kun danske statsborgere indrulleret i SS. Best havde hidtil været imod, at danske statsborgere i visse tilfælde af WB Dänemark blev overladt HSSPF til strafforfølgelse. Best havde ment, at han i stedet skulle have dem overladt for at have mulighed for at overgive dem til dansk politi og danske myndigheder med henblik på at sikre et fortsat samarbejde. Efter dansk politis fjernelse opgav han sin modstand.

Kilde: PA/AA R 101.041. RA, pk. 228.

Telegramm

Kopenhagen, den	3. November 1944	14.10 Uhr
Ankunft, den	3. November 1944	15.10 Uhr

Nr. 1242 vom 3.11.[44.]

Auf das dortige Schreiben vom 2.10.1944 (R 875 g)[41] bestätige ich, daß das SS- und Polizeigericht – den Weisungen des Herrn Reichsaußenministers entsprechend – seit Juli 1944 nicht mehr auf Grund meiner Verordnung vom 24.4.1944 über die Erweiterung der Zuständigkeit des SS- und Polizeigerichts gegen dänische Staatsangehörige tätig geworden ist. Um die erweiterte Zuständigkeit des SS- und Polizeigerichts auch formal zu beseitigen, habe ich unter dem 23.10.1944 die folgende Verordnung erlassen:

"Verordnung – über die Aufhebung der Verordnung vom 24. April 1944 über die Erweiterung der Zuständigkeit des SS- und Polizeigerichts in Kopenhagen – vom 23. Oktober 1944.

Einziger Paragraph – die Verordnung vom 24. April 1944 über die Erweiterung der Zuständigkeit des SS- und Polizeigerichts in Kopenhagen tritt am 25. Oktober 1944 außer Kraft."

Das SS- und Polizeigericht kann nunmehr gegen dänische Staatsangehörige nur noch Recht sprechen, wenn es sich um Angehörige einer SS- oder Polizeiformation handelt, die als solche der normalen SS- und Polizeigerichtsbarkeit unterstehen.

Zu dem Bericht des Chefrichters beim Wehrmachtbefehlshaber Dänemark vom 1.9.1944 an den Chef des Wehrmachtsrechtswesens nehme ich wie folgt Stellung:[42]

Der Absicht des Wehrmachtbefehlshabers, die bei Wehrmachteinheiten und -Dienststellen anfallenden, unter Punkt C 4 des fraglichen Befehls des Wehrmachtführungsstabes aufgeführten Strafsachen gegen dänische Staatsangehörige an den Höheren SS- und Polizeiführer zur weiteren Entscheidung abzugeben, hatte ich bei den Erörterungen, die ich im August 1944 mit dem Chefrichter geführt hatte, widersprochen. Es lag mir damals daran, daß diese Fälle mir zur Verfügung gestellt wurden, weil ich damit die Möglichkeit erhielt, die dänische Polizei und die dänische Justiz durch Abgabe eines Teiles dieser Verfahren an sie in unserem Sinne zu binden und zu beeinflussen. Nachdem diese Möglichkeit, die fraglichen Verfahren für uns auszunutzen, durch die Auflösung der

41 Skrivelsen er ikke lokaliseret.

42 Beretningen er ikke lokaliseret.

dänischen Polizei zunächst gegenstandslos geworden ist, stimme ich dem Vorschlage, daß die Strafsachen von den Wehrmachtstellen unmittelbar an den Höheren SS- und Polizeiführer geleitet werden, zu.

Dr. Best

101. Werner Best an das Auswärtige Amt 3. November 1944

Best havde modtaget et eksemplar af Otto Bovensiepens aktivitetsberetning 26. oktober, som han tog til genmæle imod for så vidt angik det danske politis deltagelse i illegale aktiviteter som sådan. Efter Bests opfattelse var det enkelte betjente, der deltog i illegalt arbejde og ikke politiorganisationen som sådan. Med den opfattelse fastholdt han også, at politiaktionen havde været unødvendig.

Kilde: PA/AA R 101.041. RA, pk. 232. LAK, Best-sagen (afskrift).

Telegramm

Kopenhagen, den	3. November 1944	21.55 Uhr
Ankunft, den	3. November 1944	22.40 Uhr

Nr. 1243 vom 3.11.[44.]

Auf das dortige Telegramm Nr. 1262[43] vom 2.11.44 teile ich mit, daß der hiesige Befehlshaber der Sicherheitspolizei in einem Tätigkeitsbericht vom 26.10.44, den ich mit Schriftbericht übersenden werde, über die Belastung der dänischen Polizei folgendes ausgeführt hat:[44]

"Die dänische Polizei hat auf dem politisch-polizeilichen Sektor lediglich gegen Deutschland gearbeitet und hat ihre Hauptaufgaben darin gesehen, jeden Deutschen und jeden deutschfreundlichen Dänen zu registrieren. Gegenüber der schwedischen Polizei, mit der auf illegale Weise Verbindung bestand, gab die dänische Polizei unbeschränkt Auskunft über die politische Einstellung der in Schweden angehaltenen politischen Flüchtlinge. Der Staatsadvokat für besondere Angelegenheiten Troels Hoff stand nicht nur in illegaler Verbindung mit der schwedischen Polizei, sondern hatte auch darüber hinaus engste Beziehungen zum dänischen Freiheitsrat, von dem er spezielle Weisungen erhielt. Der Freiheitsrat erhielt insbesondere aus der Abteilung des Staatsadvokaten für besondere Angelegenheiten, aber auch von allen anderen dänischen Polizeidienststellen täglich alle gewünschten Auskünfte, insbesondere jedoch alle Auskünfte über Festnahmen und die Tätigkeit der deutschen Polizei. Es war bereits von leitenden dänischen Polizeibeamten ein sogenannter Arrestations- und Stikker-Ausschuß gebildet worden, durch den alle deutschfreundlich oder nationalsozialistisch eingestellten dänischen Staatsangehörigen abgeurteilt werden sollten. Die Verurteilung sollte entweder nach Beendigung des Krieges erfolgen oder erfolgte bereits durch eine sofortige Ermordung.

43 BRAM 66. Telegrammet er ikke lokaliseret.
44 Best fremsendte Bovensiepens aktivitetsberetning til AA 6. november 1944.

Bezeichnend für die Einstellung der dänischen Polizei ist die Tatsache, daß dänische Sabotagewächter, die aus Anlaß eines Sabotageversuches auf verdächtige Personen Schüsse abgaben, von der dänischen Polizei vorgeladen und mit einer mehrjährigen Gefängnisstrafe bedroht wurden, wenn sie diese ungesetzliche Schießerei in Zukunft nicht unterlassen würden.

Darüber hinaus konnte der Nachweis erbraucht werden, daß Proklamationen des Freiheitsrates und illegale Hetzschriften in großem Ausmaß von dänischen Polizeirevieren und vom Politigaarden (Polizeidirektion Kopenhagen) verbreitet wurden. Im Politigaarden konnte insbesondere festgestellt werden, daß dort das illegale Blatt "Nordisk Front" gedruckt wurde.

Dänische Polizeibeamte haben darüber hinaus nachweislich den Mordorganisationen Bilder von Personen, die im Verdacht standen, deutschfreundlich oder Nationalsozialisten zu sein und die liquidiert werden sollten, zur Verfügung gestellt. In vielen Fällen wurde auch aus dem Material der dänischen Polizei an die Mordorganisationen Anregungen zur Liquidierung dänischer Staatsangehöriger gegeben.

Darüber hinaus ergab das Material, daß die dänischen Polizeiformationen bereits aktiv in die illegalen Militärorganisationen eingegliedert waren. So wurde beispielsweise ein Befehl für die dänische Grenzgendarmerie vorgefunden, aus dem sich eindeutig ergab, daß die dänische Grenzgendarmerie im Invasionsfall militärische Aufgaben gegen deutsche Truppen im Grenzgebiet durchführen sollte. In einem vertraulichen Rundschreiben des dänischen Polizeibeamten-Verbandes an seine Mitglieder war insbesondere auch zum Ausdruck gebracht, daß die dänische Polizei 24 Stunden vor einer Invasion in Dänemark unterrichtet werden sollte und daß die dänische Polizei dann die ihr übertragenen Aufgaben durchführen sollte. Für den Ernstfall, d.h. für den Invasionsfall, war ein Geheimcode bereits ausgearbeitet."

Ich bemerke hierzu, daß es sich bei den vorstehenden Feststellungen jeweils um selbständige Handlungen einzelner Polizeibeamter gehandelt hat, während die Leitung und die Behörden der Polizei offiziell bemüht waren, ein korrektes Verhalten an den Tag zu legen. Also nicht die Institutionen der dänischen Polizei haben amtlich die gegen die deutsche Besatzung gerichteten Maßnahmen getroffen, sondern zahlreiche einzelne Polizeibeamte, die sowohl mit den illegalen Kreisen wie auch teilweise untereinander in Verbindung standen.

Wieviele dänische Polizisten nach der Auflösung der Polizei geflüchtet und wieviele wieder zurückgekehrt sind, kann nicht mit annähernder Genauigkeit angegeben werden. Die dänische Zentralverwaltung hat gelegentlich der Meinung Ausdruck gegeben, daß mindestens ebensoviele Polizeibeamte geflüchtet seien, als interniert worden seien.

Dr. Best

102. Paul Otto Schmidt: Aufzeichnung über die Unterredung zwischen Joachim von Ribbentrop und Otto Mohr 3. November 1944

Den danske gesandt Mohr havde bedt om et møde med von Ribbentrop, da udviklingen i det tysk-danske forhold så temmelig sort ud. Drøftelsen blev udførligt refereret af Schmidt. Det var næsten udelukkende Ribbentrop, der – med indskudte bemærkninger fra Mohr – førte ordet, og han kom vidt omkring, idet dog det tilbagevendende tema var Tysklands krig mod kommunismen og Sovjetunionen. Den krig var en eksistenskamp, der satte alle andre hensyn til side, også når det gjaldt Danmark. Danskerne synes ikke at forstå betydningen og vigtigheden af krigen for Europas fremtid, og dog var Danmark blevet behandlet bedre end andre besatte lande. Endvidere var der leveret råstoffer. Aktionen mod det danske politi havde været nødvendig, da man ikke kunne have en fjende i ryggen ved et fjendtligt angreb. Mohr mente, at det var lykkedes at inddæmme sabotagen, og at en tredjedel af alle sabotager og mord blev udført af Schalburgkorpset og danske nazister. Mødets eneste resultat var, at Ribbentrop lovede at lade listen over danske politifolk gennemgå med henblik på, hvem der havde arbejdet aktivt mod besættelsesmagten. Mohr mente, at det ville være ganske få. Ribbentrop lovede, at Best skulle få ordre derom. I øvrigt blev Best rost af sin minister som en særlig korrekt, rolig, saglig og velovervejet mand.

Ordren til Best vedrørende politifolkene er ikke lokaliseret, men Best forfulgte sagen. Se Bests telegram nr. 1334, 28. november 1944.

Kilde: RA, pk. 310. PKB, 13, nr. 786. ADAP/E, 8, nr. 287.

RAM 40/44 *Berlin, den 3. November 1944*

A u f z e i c h n u n g
über die Unterredung zwischen dem Herrn RAM und
dem Dänischen Gesandten Mohr am 2.11.44 in Berlin

Mohr begründete seine Bitte, vom Herrn RAM empfangen zu werden damit, daß dieser ihm seinerzeit erklärt habe, er möge getrost zu ihm (dem RAM) kommen, wenn ihn irgend etwas bedrücke. Nun sehe er (Mohr) in Bezug auf die Entwicklung des deutsch-dänischen Verhältnisses ziemlich schwarz und habe aus diesem Grunde den Wunsch gehabt, mit dem Herrn RAM in Verbindung zu treten.

Seiner (Mohrs) Ansicht nach habe die dänische Regierung bisher immer recht gut gearbeitet. Jetzt sei sie jedoch ohne Polizei, sodaß es für sie immer schwerer werde, die Regierungsverantwortung zu tragen. Dänischerseits habe man sich bemüht Aushilfen zu schaffen. Dies sei in Bezug auf die Ordnungspolizei und die Verwaltungspolizei auch möglich. Für die Kriminalpolizei jedoch lasse sich kein Ersatz schaffen. Deshalb müsse seiner Ansicht nach auf diesem Gebiet etwas geschehen. Ein paar Monate lang würden sich die Dinge vielleicht noch hinziehen lassen, dann aber würden bei dem weiteren Ausfall der Kriminalpolizei chaotische Zustände in Dänemark einreißen, deren nachteilige Rückwirkungen sich auch in wirtschaftlicher Hinsicht bemerkbar machen würden. Gerade der Herr RAM habe stets besonderes Interesse für die dänische Wirtschaft gezeigt, der durch sein (des RAM) Verständnis viel geholfen worden sei.

Der Herr RAM bemerkte dazu, daß er tatsächlich sehr für die Wünsche nach Versorgung der dänischen Wirtschaft eingetreten sei. Er habe dem Führer hinsichtlich der Versorgung Dänemarks mit Eisen und anderen Rohstoffen gewisse Vorschläge unterbreitet, mit denen sich dieser im Hinblick auf die glatte Abwicklung der dänischen Lieferungen nach Deutschland auch einverstanden erklärt habe. Leider sei die Durchführung der Lieferungen nicht immer so möglich gewesen wie dies ursprünglich in der Absicht Deutschlands gelegen habe. Im totalen Kriege stehe aber nun einmal die Erzeugung von Kriegsmaterial an erster Stelle, so daß die von Deutschland belieferten Länder manchmal bei gewissen Waren zu kurz kämen, am allerkürzesten jedoch käme das deutsche Volk selbst.

Mohr bemerkte dazu, daß dänischerseits die große Hilfe Deutschlands auf dem wirtschaftlichen Gebiet auch durchaus gewürdigt würde.

Der RAM erwiderte, Dänemark stehe hinsichtlich der Versorgung durch Deutschland sicherlich günstiger da als viele andere Länder, die im Warenaustausch mit Deutschland stünden. Das Reich habe diese Haltung, wie bereits bemerkt, im Hinblick auf die glatte Abwicklung der landwirtschaftlichen Lieferungen Dänemarks eingenommen.

Mohr warf dazu ein, daß diese Haltung ja auch tatsächlich "gute Zinsen" erbringe.

Der RAM wies in diesem Zusammenhange darauf hin, daß er sich in Bezug auf Dänemark stets für Befriedung und gegenseitiges Verständnis eingesetzt habe. Aus diesem Grunde habe er auch den Rücktritt der Regierung Scavenius bedauert. Deutschland habe jedoch die politische Entwicklung nicht immer völlig in der Hand gehabt, da im Kriege militärische Notwendigkeiten hinsichtlich der Sicherheit der deutschen Truppen oder der Abwehr einer feindlichen Landung auf dänischen Gebiete den Vorrang haben, denen gegenüber die Politik schweigen müsse. Er (der RAM) habe diese Notwendigkeiten bedauert, denn er hätte lieber weiter mit der Regierung Scavenius zusammengearbeitet.

Trotzdem wolle er (der RAM) sich dem Verwaltungsausschuß gegenüber bemühen, auf der gleichen politischen Linie weiter zu marschieren wie früher gegenüber der dänischen Regierung, so daß keine dauernde Feindschaft zwischen beiden Ländern aufkäme.

Es sei leider nicht immer möglich, diese Linie einzuhalten, weil Sabotageakte und sonstige gegen Deutschland gerichtete Aktionen dies oft hinderten. Er (der RAM) glaube allerdings, daß die Dänen in Dänemark für derartige Dinge weniger verantwortlich zu machen seien als die Dänen in London unter Führung Möllers, die Dänemark mit Fallschirmagenten verseuchten, deren Einflüsse sich bis in die dänische Polizei erstreckt hätten. Nur ungern hätte man deutscherseits die dänische Polizei entwaffnet, sei aber angesichts gewisser Entwicklungen dazu gezwungen gewesen, um unvernünftige Elemente daran zu hindern, bei einer feindlichen Landung den deutschen Truppen in den Rücken zu fallen.

Die Notwendigkeit derartiger Maßnahmen könne man nur begreifen, wenn man sie in dem größeren Rahmen des Existenzkampfes um Europa sähe; in Dänemark verstehe man die Bedeutung dieses Kampfes immer noch nicht. Noch weniger Verständnis bringe man allerdings dafür in den anderen skandinavischen Ländern, vor allen Dingen in Schweden auf.

Mohr warf hier ein, daß die klugen Leute in Dänemark die Lage sehr richtig beurteilten.

Der RAM bemerkte dazu, daß diese richtige Beurteilung in Dänemark aber leider nicht in sehr weite Kreise hineinreiche. Auch in anderen Ländern habe sich ähnliches gezeigt. In Frankreich z.B. hätten die Wenigsten den Existenzkampf Europas verstanden. Es sei dies für Deutschland eine große Enttäuschung gewesen. Er (der RAM) wäre allerdings von dieser Entwicklung weniger überrascht worden, weil er sich der Entwicklung in Rußland selbst stets bewußt gewesen sei, wo auch weder der Zar[45] noch Kerenski, noch die Menschewiken an die Größe der Gefahr von Seiten des Bolschewismus geglaubt hätten. Erst als die GPU die Bürger aus ihren Häusern herausholte und ihnen den Genickschuß gab, hätten sie zu spät das wahre Wesen des Bolschewismus erkannt.

Dieselbe tragische Erfahrung mache man jetzt in den vom Bolschewismus besetzten Ländern. Keines von ihnen habe richtig an die Gefahr glauben wollen, bis es zu spät gewesen sei. Heute bestehe ja in Rußland im Gegensatz zu 1918 kein Vakuum mehr, sondern es befänden sich dort 650 russische Divisionen.

Roosevelt habe, um die Hilfe Rußlands gegen Japan zu erhalten, Europa völlig abgeschrieben, während Churchill die Folgen seines Zusammengehens mit Rußland immer unangenehmer empfinde. Auf dem Balkan, an den Meerengen, im Iran und in Norwegen drängen die Russen immer weiter vor. Dagegen könne Churchill nichts tun. Das einzige Land, das noch etwas gegen die Ausbreitung des russischen Einflusses machen könne, sei Deutschland.

Der Kampf, den das Reich führe, sei daher auch ein Kampf für die Aufrechterhaltung der bestehenden Ordnung in Dänemark, genau so wie für die Ordnung in Deutschland. Die Entwicklung der Verhältnisse in Italien und Frankreich beweise dies in beispielhafter Weise. Was Deutschland früher in seiner Propaganda stets behauptet habe, würde jetzt durch die Praxis erwiesen.

Bräche die deutsche Armee zusammen – ein Fall, der sicherlich nicht eintreten würde – so würden bald zu den 650 russischen Divisionen noch 200 bolschewistisch deutsche Divisionen treten, und diese Macht würde Europa völlig überfluten, ohne daß auch nur der geringste Widerstand dagegen möglich wäre. Den Kampf gegen eine derartige Katastrophe führe Deutschland jetzt allein und sehe sich dabei einer unerhörten Undankbarkeit aller anderen Länder gegenüber, welche vergessen, daß es gegen die vorerwähnte deutsch-russische Front, die sich bei einem Zusammenbruch des deutschen Heeres bilden würde, keinerlei Schutzwall mehr gäbe. Eigentlich müßte Churchill dafür beten, daß dem Führer nichts zustieße, denn geschehe dies, wäre auch England erledigt und den Bolschewisten ausgeliefert.

In diesem Rahmen müsse auch das dänische Problem gesehen werden. Er (der RAM) verstehe durchaus, daß es für Dänemark unangenehm sei, deutsche Truppen im Lande zu haben. Es sei aber immer noch besser, als Kriegsschauplatz zu sein oder von den Bolschewisten überflutet zu werden. Deutschland müsse verlangen, daß die Völker, die es gegen die äußeren Feinde schütze, ihm nicht in den Rücken fielen. Wenn daher Sabotageakte verübt würden, Streiks ausbrächen oder die Polizei nicht mehr sicher sei, müsse das Reich rücksichtslos durchgreifen, und zwar geschähe dies auch im Interesse der Länder wie Dänemark selbst, denn wenn heute Deutschland zusammenbräche, so könne sich Dänemark an dem Beispiel Bulgariens, Rumäniens und Serbiens selbst die Frage beantworten, ob eine Rettung vor dem Bolschewismus möglich sei.

Wie weit der Einfluß Stalins auf die Entwicklung in den von Deutschland geräumten Ländern gehe und wie wenig die Engländer dagegen tun könnten, zeigte der RAM

45 Nikolaus II.

an dem Beispiel des bulgarischen Waffenstillstandes. Eden hatte bereits fremden Diplomaten gegenüber erklärt, daß England und Amerika, an die Bulgarien sich wegen eines Waffenstillstandes gewandt hatte, einen solchen mit der bulgarischen Delegation vereinbart hätten, so daß die Hoffnung bestehe, ihn am folgenden Tage, nachdem er Stalin zur Kenntnis gebracht worden sei, zu unterzeichnen. Als Antwort auf dieses Vorgehen Englands und Amerikas habe jedoch Stalin am nächsten Tage Bulgarien den Krieg erklärt und sich in unmißverständlicher Weise jede Einmischung Englands und Amerikas verbeten. Von den schriftlichen Unterlagen zu diesen Vorgängen habe Deutschland Kenntnis erhalten. Wenn Stalin bereits jetzt, wo er immerhin noch ein starkes Deutschland als Gegner zu bekämpfen habe, derartig gegen England und Amerika vorgehe, könne man sich leicht vorstellen, wie er nach einer eventuellen Niederringung des Reiches mit diesen beiden Ländern umspringen würde.

Zum deutsch-dänischen Verhältnis zurückkehrend wiederholte der RAM, daß er Dänemark gegenüber seine alte politische Linie weiter einhalten wolle. Zu diesem Zwecke habe er in dem Reichsbevollmächtigten Best einen besonders überlegten, ruhigen, sachlichen und gerechten Mann ausgesucht, der immer wieder versuchen würde, diese Linie herzustellen.

In dem jetzt auszukämpfenden Konflikt gäbe es keinerlei Kompromißlösung. Es käme entweder ein Europa dabei zustande, in dem Deutschland als stärkste Macht nach klaren Richtlinien für Ordnung sorge, im anderen Falle würde sich eine russisch-deutsche oder vielmehr asiatisch-bolschewistische Herrschaft mit all ihren katastrophalen Folgen für Europa ergeben. Deutschland wolle die kleineren Nationen keineswegs absorbieren. Es wolle nichts zerschlagen, sondern die alten Traditionen, wie dies schon aus dem Namen *National*sozialismus hervorgehe, durchaus wahren. Es wende sich zwar gegen Verräterciquen, habe aber im Gegensatz zu den Bolschewisten niemals eine Führerschicht als solche beseitigt.

Auf eine Bemerkung des RAM, daß das Verschwinden Möllers ihm (dem RAM) bzw. seinen angeblich zu konzilianten Methoden vielfach in Deutschland zum Vorwurf gemacht würde, erwiderte Mohr, daß der größte Schaden in Dänemark durch die "politischen Greuelmärchen" angerichtet würde, die hauptsächlich auch von den Mitgliedern der nationalsozialistischen Partei Dänemarks ausgestreut würden und wonach Dänemark nie wieder seine Unabhängigkeit erhalten würde.

Auf eine Frage des RAM, was man der dänischen Polizei denn deutscherseits vorgeworfen habe, da ja die deutschen Behörden doch nicht grundlos gegen die dänische Polizei vorgegangen seien, erwiderte Mohr, daß man der dänischen Polizei vor allen Dingen zu wenig Energie bei der Behandlung politischer Angelegenheiten vorgeworfen habe. Tatsächlich sei die dänische Polizei an derartige Angelegenheiten mit einer gewissen Unlust herangegangen. Dies führte Mohr einerseits darauf zurück, daß die Schalburgleute ständig erklärt hätten, es sei ihnen deutscherseits zugesichert worden, daß sie über kurz oder lang die dänische Polizei ablösen würden, und andererseits darauf, daß sich im Schalburgkorps zumindest am Anfang zahlreiche Kommunisten und Vorbestrafte befunden hätten, die sowieso "alte Bekannte" der Polizei gewesen seien, und deren Erklärung, daß sie diese Polizei demnächst ablösen würden, um so niederdrückender gewirkt habe.

Der RAM erwiderte, daß die große Tragik im gegenwärtigen Konflikt in der bereits erwähnten Verständnislosigkeit gegenüber der bolschewistischen Gefahr bestehe. Man müsse sich angesichts der Haltung Schwedens die Frage vorlegen, ob die Schweden denn völlig den Verstand verloren hätten. Es sei ein erbärmliches Schauspiel mitanzusehen, wie dieses von einer Judenpresse beherrschte Land dem Vordringen der Bolschewisten Beifall spende, als warte es nur auf den Augenblick, auch in Schweden einen Stanoff[?] einziehen zu sehen. Die hinter dieser Haltung der Presse stehenden jüdischen Kreise hätten ihr Geld natürlich längst nach London und New York verbracht und würden im kritischen Augenblick im Flugzeug verschwinden.

Zu den Verhandlungen mit Finnland übergehend bemerkte der RAM, daß er seinerzeit auf Ryti keinerlei Druck ausgeübt habe, sondern in großzügigster Weise die bereits anlaufende Hilfe Deutschlands in Aussicht stellte, wobei es selbstverständlich war, daß Deutschland, ehe es diese materielle Hilfe stellte, sich vergewisserte, daß nicht etwa eines Tages das deutsche Material gegen Deutschland selbst an der baltischen Front oder anderswo eingesetzt würde. Nach dem deutsch-finnischen Bündnis, das auf diese Weise zustandekam, hätten die schwedischen Sozialdemokraten immer von neuem auf Ryti eingewirkt, bis dieser, schließlich wohl auch auf Grund der rückläufigen Bewegung an der baltischen Front, mit den Nerven zusammengebrochen sei.

Mohr erwiderte, daß man in Dänemark eine vernünftigere Haltung einnehme und vor den Russen große Furcht besäße.

Zu Schweden zurückkehrend erklärte der RAM, daß, wenn er nicht seinen Glauben an das deutsche Volk, das den Konflikt unbedingt durchstehen würde, hätte, er angesichts der Haltung Schwedens und Norwegens zu dem Schlüsse kommen müsse, daß die germanische Rasse zum Untergang verurteilt sei, und daß ein slawisches Jahrtausend anbrechen würde.

Mohr erwiderte darauf, daß er in Dänemark immer für eine vorbeugende Politik gegen die unvernünftigen antideutschen Kreise eingetreten sei. Besonders der Jugend gegenüber habe er diese Haltung eingenommen. Sobald ein Jugendlicher durch seine Reden gegen Deutschland aufgefallen sei, sei er unter irgendeinem Vorwand verhaftet worden und wurde so auf einige Monate daran gehindert, irgendwelche "politische Dummheiten" zu begehen. Auf diese Weise sei es gelungen, die Sabotage einzudämmen. Er müsse allerdings sagen, daß das Schalburgkorps auch seinerseits Sabotage und Meuchelmorde verübt habe. Die dänische Polizei habe darüber genaues Material beizubringen versucht und sich dadurch noch mehr in Gegensatz zum Schalburgkorps gesetzt als bisher. Aufgrund dieses Materials, das in einer Kartothek niedergelegt sei, könne er feststellen, daß ungefähr ein Drittel der Sabotage und Morde von den dänischen Nationalsozialisten verübt worden sei und zwei Drittel von den sogenannten "Patentpatrioten." Bei den Morden könne man allein schon an den Objekten genau erkennen, wer die Urheber seien.

Der RAM wies demgegenüber darauf hin, daß mit den Sabotageakten von den Engländern und den Helfern Möllers begonnen worden sei und daß danach lediglich eine verständliche Gegenaktion von Seiten derjenigen dann eingesetzt habe, die ein besseres Verhältnis mit Deutschland anstrebten. Es sei schließlich zu verstehen, wenn in diesem Zusammenhang gegen die Agenten des Bolschewismus, als die sich ja doch die Abgesandten der Engländer erwiesen hätten, etwas rabiatere Gegenschläge geführt worden seien.

Im weiteren Verlauf wurde das Gespräch von Mohr wiederholt auf die dänische Polizei gebracht. Er bedauerte, daß die dänischen Polizisten zunächst in Konzentrationslager nach Deutschland gebracht worden seien. Man habe mit einer gewissen Erleichterung danach festgestellt, daß sie inzwischen als Kriegsgefangene behandelt würden. Von den 7.000 Polizeibeamten stünden seiner Ansicht nach nur ungefähr 20 in Verbindung mit dem Feinde. Nur 2.000 Polizeiangehörige, d.h. diejenigen, die zufällig am Tage der Verhaftungsaktion Wache hatten, seien von den deutschen Behörden ergriffen worden, die übrigen 5.000 seien verschwunden und bisher nicht wieder aufgetaucht. Sie würden auch nicht wieder zurückkehren, bis nicht außer den tatsächlich schuldigen Polizisten alle übrigen unschuldig verhafteten wieder freigelassen seien.

Auf eine Rückfrage des RAM, ob denn tatsächlich 5.000 Polizisten verschwunden seien, verbesserte sich Mohr dahingehend, daß vielleicht nur die Kriminalbeamten verschwunden seien, die anderen Polizeibeamten aber nach wie vor dienstbereit wären. Im übrigen hielte er es für das beste, in gemeinsamen deutsch-dänischen Besprechungen die Liste der Polizeibeamten durchzugehen und festzustellen, wer denn tatsächlich zu beanstanden sei. Die Zahl würde sehr gering sein. Diesem Vorschlag stimmte der RAM zu. Er würde Best die entsprechende Weisung erteilen. Außerdem erklärte er sich bereit, sich nach der jetzigen Behandlung der internierten dänischen Polizeibeamten zu erkundigen und auch genauere Erkundigungen über einen als besonders schädlich wirkenden früheren Kommunisten namens Anker Petersen einzuziehen, der nach Angabe Mohrs in dem dänischen Nationalsozialismus eine wichtige Rolle spiele.

Schließlich las der RAM noch die Punkte 1) (mit Ausnahme des letzten Satzes), 2), 3) und 4) (mit Ausnahme des letzten Satzes) aus der Aufzeichnung St.S. Nr. 270[46] vor.

Bei der Verabschiedung überreichte Mohr noch zwei an den Reichsbevollmächtigten am 26. und 28. August 1944 gerichtete Schreiben mit Anschuldigungen gegen das Schalburgkorps oder das Wachkorps der Luftwaffe in Dänemark, die angeblich gefälschte kommunistische Aufrufe als Provokation verbreitet hätten.

gez. **Schmidt**

103. Alfred Jodl an Heinrich Himmler 5. November 1944

Efter aktionen mod det danske politi var der behov for øget tysk politi i Danmark, mente man i den tyske hærledelse efter henvendelser fra von Hanneken. De allerede formindskede tyske troppestyrker i Danmark kunne ikke overtage politiopgaver, og Jodl bad derfor Himmler overveje muligheden af at tilføre mere tysk politi.

Se Ritter til Best 11. november 1944 (Rosengreen 1982, s. 142).

Kilde: RA, pk. 232.

F e r n s c h r e i b e n

1.) Infolge der sehr geringen Stärke der Dt. Polizei in Dänemark müssen zahlreiche

46 Optegnelsen er ikke lokaliseret (jfr. ADAP).

polizeiliche Aufgaben nach Entwaffnung der dänischen Polizei von den an sich schon schwachen Truppen der Wehrmacht mit übernommen werden, deren Zahl sich infolge Entwicklung der Lage an anderen Fronten noch weiter vermindert hat. Abwehrbereitschaft und Sicherheit Dänemarks leiden darunter, weil für polizeiliche Aufgaben die Wehrmachtteile weder eine ausreichende Stärke noch entsprechende Schulung besitzen.

2.) Ich bitte zu prüfen, ob die Polizeikräfte in Dänemark nicht verstärkt werden können.

i.A. **Jodl**
Nr. 00 12987/44 gKdos.

104. Werner Best an das Auswärtige Amt 6. November 1944

Best videresendte som vanligt Bovensiepens aktivitetsberetning om det tyske politiarbejde, denne gang for de tre måneder august, september og oktober, uden kommentarer. Vurderingen af modstandsbevægelsen, sabotagen og sabotagebekæmpelsen henlagde han til *Politische Informationen*.

Kilde: PA/AA R 101.041. RA, pk. 232.

Der Reichsbevollmächtigte in Dänemark — *Kopenhagen, den 6.11.1944*
Tgb. Nr.: II/2137/44. — Geheim!

Betr.: Die deutsche Sicherheitspolizei in Dänemark, – hier: Tätigkeitsbericht.
2 Durchschläge
1 Anlage

An das Auswärtige Amt in Berlin.

In Anlage lege ich den Bericht des hiesigen Befehlshabers der Sicherheitspolizei und des SD vom 26.10.1944 betreffend die sicherheitspolizeiliche Tätigkeit in der Zeit vom 1.8.-1.11.1944 vor.

W. Best

Der Befehlshaber der Sicherheitspolizei — *Kopenhagen, den 26. Okt. 1944.*
und des SD in Dänemark
L IV – 63/44 g – — Geheim

An
das Reichssicherheitshauptamt – IV –,
z.Hd. von SS-Gruppenführer Müller – o.V.i.A. –,
Reichssicherheitshauptamt – III –,
z.Hd. von SS-Brigadeführer Ohlendörf – o.V.i.A –,
Berlin

den Reichsbevollmächtigten in Dänemark
SS-Obergruppenführer Dr. Best – o.V.i.A. –,
Höheren SS- und Polizeiführer in Dänemark
SS-Obergruppenführer Pancke – o.V.i.A. –,
Kopenhagen
Wehrmachtbefehlshaber in Dänemark
General von Hanneken – o.V.i.A –,
Silkeborg
Admiral Skagerrak
Admiral Wurmbach – o.V.i.A –,
Aarhus
Befehlshaber der Sicherheitspolizei und des SD in Norwegen
SS-Oberführer Fehlis – o.V.i.A. –,
Oslo.

Betrifft: Die sicherheitspolizeiliche Tätigkeit in der Zeit vom 1. August bis 1. November 1944.

1.) Kommunismus:
In der Berichtszeit wurden in Gross-Kopenhagen weg. illegaler kommunistischer Betätigung 228 Personen, von den Außendienststellen 120 Personen festgenommen.

Es wurden insgesamt 6 Druckstellen,
3 Vervielfältigungsapparate und
2 Waffenlager
ausgehoben.

Unter den Festgenommenen befinden sich aus dem allgemeinen
Parteiapparat 2 Unterdistriktsleiter,
17 Funktionäre illegaler Abteilungsleitungen,
11 Kuriere, davon 2 Kuriere des ZK
Innerhalb der kommunistischen Militär-Organisation der DKP
wurden 2 Instrukteure,
4 Abteilungsleiter,
8 Gruppenleiter und
27 Mitglieder
festgenommen. Die Außenstelle Aarhus konnte u.a. auch den Leiter des Bezirkes Nord-Jütland der illegalen DKP festnehmen.[47]

Es konnte in der Berichtszeit auch festgestellt werden, daß der linke Flügel der dänischen Sozialdemokratischen Partei und der dänischen Sozialdemokratischen Jugend sich mit der Herausgabe illegaler Schriften befaßte. Als Herausgeber der Hetzschriften “Frie Presse” und “Dansk Presse” konnte der Reklamechef der sozialdemokratischen Ta-

47 Johannes Poulsen blev arresteret 22. august 1944 (*Gads leksikon Hvem var hvem 1940-1945*, 2005, s. 297. Skov Kristensen 2007a, s. 72).

geszeitung "Sozialdemokraten" festgenommen werden. Das gesamte Vervielfältigungsbüro und die Helfer wurden erfaßt.[48] Die Links-Sozialdemokraten hatten sich auch mit der Aufstellung von militär-politischen Gruppen befaßt und diese der kommunistischen Leitung unterstellt.

In Kopenhagen wurde ferner der Parteisekretär Moulin-Nielsen der Sozialdemokratischen Partei festgenommen, weil er deutsche Deserteure nach Schweden brachte und Hetzschriften über Deutschland herstellte und verbreitete.[49]

2.) Sabotage und Attentate:

a.) Festnahmen weg. Sabotage u. Waffenbesitzes 508 Pers.

b.) Beschlagnahme von Waffen und Munition:

aa.) Waffen:

	575	Maschinenpistolen,
	175	amerikan. Karabiner, Kal. 7.65,
	85	Gewehre,
	1	Maschinengewehr,
	177	Pistolen versch. Kal.,
	512	Handgranaten,
	2	Granatwerfer,
	12	panzerbrechende Waffen, und zwar:
	4	Anti-Tank MK 1, engl. Fabrikat nebst
	80	Granaten, und
	8	Launcher M 1 A 1, amerikan. Fabrikat,
	nebst 112	Raketen.

bb.) Munition:

	136.550	Schuß 9 mm für MP.,	
	555	Magazine und	
	30.000	Schuß	Munition für amerik. Karab., Kal. 7.65,
	16.725	–	Gewehrmunition,
	7.900	–	Pistolenmunition (versch. Kal.).

c.) Beschlagnahme von Sabotagematerial:

etwa	3.850	kg Sprengstoff,
	3.980	Zünder versch. Art,
–	13.100	Sprengkapseln,
–	6.130	Übertragungsladungen,
–	43	Brandsätze und Brandkörper,
–	437	magnet. Haftladungen,

48 12 medlemmer af *Dansk Presse* blev anholdt, men de ni blev dog hurtigt løsladt igen (*Besættelsestidens illegale blade og bøger*, 1954, s. 58).

49 Sekretær i Socialdemokratisk Forbund, Viggo Molin Nielsen, blev arresteret 19. oktober 1944 (*Information* 21. oktober 1944, Bertolt, Christiansen og Hansen 1955, s. 226).

–	30	Sprengladungen versch. Art,
–	1.960	Zündbleistifte,
–	1.420	Schienenzünder,
–	3.585	Reibzünder,
–	18.900	m Knallzündschnur u. Zeitzündschnur und andere Sabotagemittel,
	12.000	Ltr. Benzin,
	200	Ltr. Öl.

d.) Erfaßte Abwürfe aus Feindmaschinen: 6.
e.) Erschossene Terroristen: 28.

Lage auf dem Gebiet der Sabotage:
Nach wie vor wird nach engl. Weisung keine Industriesabotage ausgeführt.[50] Sabotageakte richten sich fast ausschließlich gegen Verkehrs- und Transportmittel. Infolge starker Truppenbewegungen in Jütland zahlreiche Sabotageakte gegen Eisenbahnlinien. Daneben Anschläge gegen Autoreparaturwerkstätten und Lkw. Auf Seeland und Fünen vorwiegend Schiffssabotage und, wie in Jütland, Sabotage gegen Autoreparaturwerkstätten und wehrmachtseigene Kraftfahrzeuge.

Zunahme der Abwürfe von Sabotagematerial, Waffen und Munition in Jütland; Ende Oktober auch erstmalig feststellbare Abwürfe auf Seeland.[51]

Erfaßte Abwürfe:
Im August:
Bei Aalborg 13 Fallschirmlasten mit Waffen und Sabotagematerial sichergestellt;
in Aarhus 20 Fallschirmlasten erfaßt, 8 Teilnehmer des Empfangskomitees festgenommen.[52]
Im September:
Festnahme eines Empfangskomitees in Aarhus, Rest des erhaltenen Sabotagematerials sichergestellt.[53]
Im Oktober:
Erfaßter Abwurf auf Fünen 12 Lastenfallschirme, vorwiegend mit Waffen und Munition sichergestellt;
teilweise Erfassung eines Abwurfes durch Nebenstelle Holstebro, bestehend aus Maschinenpistolen, Panzerabwehrwaffen und Munition;
30 Lastenfallschirme mit Waffen, Munition und Sprengstoff, darunter automatische Karabiner und panzerbrechende Waffen durch Außendienststelle Aalborg erfaßt.

50 Det var ikke tilfældet. Forklaringen var snarere en kombination af udmattelse hos sabotørerne, arrestationer og mangel på sprængstof og oplagte mål (Vang Hansen/Kjeldbæk/Maurer 1984, s. 64).

51 Den første nedkastning på Sjælland fandt sted 25. september 1944 (Bjørnvad 1988, s. 239).

52 I henhold til Ernst Fiskers fremstilling 1945, s. 279f. blev der tilsyneladende ikke taget en århusiansk modtagegruppe.

53 Se foregående note.

Aufgerollte Sabotagegruppen:

Am 2.9.44 Festnahme von 2 Fallschirmagenten in Kopenhagen:

1.) Frants Axel Lassen, geb. 8.4.22 in Mern/Seeland.
Lassen war Sabotageinstrukteur und Verbindungsmann zum Chefagenten, hat mehrere Monate in Jütland gearbeitet und dort den Funkbetrieb aufgezogen, zuletzt in Seeland für Schiffssabotage eingesetzt.

2.) Knud Herschend, geb. 11.3.16 in Aarhus.
Herschend war Propagandaleiter in Seeland.[54]

Durch die weiteren Ermittlungen Festnahme der Fallschirmagenten:

3.) Preben Lok-Lindblad, Deckname "Peter", geb. 18.2.17 in Kopenhagen.
Lok-Lindblad war einer der ältesten Agenten in Dänemark. Er war zuletzt unmittelbar dem Chefagenten Flemming Muus, Kopenhagen, Deckname u.a. Jörgen Möller, zugeteilt, der gleichzeitig Mitglied des Freiheitsrates ist und dort die englischen Interessen vertritt.[55]

4.) Christian Hansen, Deckname "Alto", geb. 30.3.04 in Horsens.
Christian Hansen hat zuletzt in Jütland als Instrukteur und Verbindungsmann zu Flemming Muus gearbeitet. Sollte ursprünglich drahtlose Telefonverbindung mit Schweden aufziehen.

5.) Holger Henning Finn Ibsen, Deckname "Börge", geb. 14.12.13. in Kopenhagen.
Finn Ibsen war bereits im Jahre 1943 als Fallschirmagent tätig, ist Anfang 1944 nach England geflüchtet und von dort im August 1944 als Funker zurückgekehrt. Er war dem Chef in Jütland, Oberstleutnant Bennike, unmittelbar zugeteilt.[56]

Nach Festnahme der 5 Agenten waren in Dänemark nur noch 4 Fallschirmagenten im Einsatz:[57]

1.) Flemming Muus, Kopenhagen (Chefagent),
2.) Jens Peter, Kopenhagen (Sabotageinstrukteur, Sprengstoffverwalter),[58]
3.) Lofty auf Fünen (Sabotageinstrukteur),[59]
4.) Bent auf Jütland (dem Chef, Oberstleutnant Bennike, zugeteilt).[60]

Außer wertvollen Erkenntnissen grundsätzlicher Art über die Pläne und Ziele der Sabotage- und Militärorganisationen in Dänemark konnten mehrere Waffen- und Sabotagelager ausgehoben und insgesamt noch 40 Personen in Haft genommen werden.

Im September Festnahme des Leiters der Sabotageorganisation in Südjütland, Premierleutnant Broder Börge Iversen, geb. 17.12.14 in Kogtved bei Svendborg, durch

54 Lassen og Herschend blev arresteret i en villa i Hellerup efter en uforsigtighed fra Lassens side (Birkelund/Dethlefsen 1986, s. 95f., Jespersen, 2, 1998-2000, s. 228-233).

55 Lok-Lindblad blev arresteret 3. september (Birkelund/Dethlefsen 1986, s. 96).

56 Christian Hansen og Holger Ibsen blev begge arresteret i Århus (Birkelund/Dethlefsen 1986, s. 96).

57 Det er ikke korrekt på tidspunktet for aktivitetsberetningens udarbejdelse, men rigtigt nok efter den sidste anholdelse. Der var nedkastet nye SOE-agenter 30. september og 1. og 4. oktober (Birkelund/Dethlefsen 1986, s. 140f.).

58 Erik Jens Peter Petersen.

59 J.E. Hecht-Johansen.

60 Frits T. Vang (Bent) var tilknyttet nedkastningschef Toldstrup og ikke Vagn Bennike. Det var J.V. Helk, der var tilknyttet Bennike (Birkelund/Dethlefsen 1986, s. 116f.).

Außendienststelle Kolding.[61] Diese Organisation hat insbesondere Bahnsprengungen in Süd- und Mitteljütland durchgeführt. Durch Festnahme des I[versen] konnte die gesamte Organisation für Südjütland zerschlagen werden. Insgesamt 115 aktive Terroristen in Haft, darunter einige Städte- und Gruppenleiter. Die im Besitze dieser Gruppen befindlichen Waffen- und Sprengstofflager restlos erfaßt. Nach der Zerschlagung dieser Gruppen haben die Bahnsprengungen in Südjütland zunächst fast restlos aufgehört.[62]

Auf Fünen wurde im August die sogenannte "Invasionsgruppe" zerschlagen. Dadurch Aufklärung fast sämtlicher Sabotageakte und Attentate in der letzten Zeit auf Fünen. Insgesamt 20 aktive Terroristen verhaftet.[63]

In Kopenhagen gelang es, in die maßgebende Kopenhagener Sabotagegruppe "Holger Danske" einzubrechen. Einer der beiden Chefs der 300 Mann starken "Holger Danske"-Gruppe, Lehrer Knud Larsen, festgenommen. Durch seine Aussagen konnten einige Waffen- und Sprengstofflager ausgehoben werden. Larsen verstarb nach kurzer Haft.[64] 4 Untergruppen der "Holger Danske"-Gruppe aufgerieben. Insbesondere gelang es, die Mordabteilung der "Holger Danske"-Gruppe restlos zu liquidieren (Näheres siehe, unten).

Darüber hinaus wurden noch weitere kleinere Sabotagegruppen unschädlich gemacht und ihre Waffen- und Sprengstofflager ausgehoben. Bemerkenswert die Sabotagegruppe des dänischen Pastors Sandbäk, der in Hadsten, wo er eine Sabotage- und Mordinstruktionsschule hatte, festgenommen werden konnte. Pfarrer Sandbäk wurden 3 Mordaufträge nachgewiesen von denen 2 zur Ausführung gelangt sind. Er war, wie die meisten führenden Saboteure aus dem nationalen Lager, Mitglied der Partei "Dansk Samling".[65]

Attentate und Überfälle:
Zu Beginn der Berichtszeit starke Zunahme der politischen Morde. Seit langem war die Mordabteilung der "Holger Danske"-Gruppe unter Führung des Bent Faurschou-Hviid, geb. 7.1.21 in Melby, Deckname "Flammen," als die berüchtigste Mordgruppe erkannt worden. Nach langwierigen Ermittlungen konnte "Flammen" am 18.10.44 in der Wohnung des dänischen Staatsangehörigen Nyegaard ermittelt und niedergemacht werden.[66] Nachdem vorher seine Helfershelfer

61 Iversen blev arresteret 5. oktober eller en af dagene lige derefter (Trommer 1973, s. 263).

62 Efter oprulningen og beslaglæggelsen af store mængder våben og sprængstof skulle der stort set begyndes forfra på bar bund næsten overalt i den sydlige region (Trommer 1973, s. 189, 202, 207, 263f.).

63 Der er ikke kendt et anslag mod M-grupperne på Fyn af dette omfang og slet ikke et, der indebar opklaring af samtlige den seneste tids sabotager og attentater. Derimod var M-gruppernes afsnitsledelse i Svendborg blevet oprullet (Hæstrup 1979, s. 329. Jfr. Bovensiepens rapport 1. december 1944).

64 Knud Larsen blev arresteret 4. september og døde 9. september i Gestapos varetægt under ukendte omstændigheder (*Faldne i Danmarks frihedskamp*, 1970, s. 255f.).

65 Harald Sandbæk blev arresteret 15. september på Hadsten Højskole, men slap fri ved RAFs bombardement af Gestapos hovedkvarter i Århus 31. oktober 1944 (*Gads leksikon Hvem var hvem 1940-1945*, 2005, s. 313f.).

66 Flammen var tilfældigvis på besøg i en villa, Strandvejen 184, da Gestapo foretog en aktion mod den. Da han ikke kunne undslippe, tog han sin giftampul (*Faldne i Danmarks frihedskamp*, 1970, s. 110f.).

1.) der dän. Kriminalbeamte Kristoffersen am 10.8.44 in Snekkersten[67] und
2.) der dän. Staatsangehörige Jörgen Schmidt, Deckname "Citrone," am 14.10.44 bei der Festnahme erschossen[68] wurden und
3.) am 8.7.44 der Händler Bent Högsbro Östergaard, geb. 26.9.09 in Nyborg, festgenommen werden konnte, ist die Gruppe restlos aufgerieben.[69] Die Gruppe "Flammen" hat die meisten organisierten "Stikker"-Morde in Kopenhagen ausgeführt, u.a. die Mordversuche gegen SS-Stubaf. Seibold[70] und den früheren dän. Polizeibeamten Max Pelwing,[71] sowie die Morde an dem Kraftfahrer des Reichsbevollmächtigten Lerche[72] und dem Angehörigen der hiesigen Dienststelle Svend Bach.[73]

Aufrollung der Menschenschmuggel-, Transport- und Nachrichtenorganisation des Freiheitsrates:
Im August 1944 wurde die unter Leitung des Kaufmannes Robert Jensen stehende wichtigste Organisation zur illegalen Brief- und Menschenbeförderung nach Schweden ausgehoben. Robert Jensen bei der Festnahme erschossen.[74] Umfangreiches Briefmaterial sichergestellt. Die Verbindung der Organisation zum dänischen Freiheitsrat einwandfrei erwiesen. Nach kurzer Zeit wurde die inzwischen wieder aufgezogene Organisation erneut aufgerieben. Insgesamt etwa 60 Angehörige der Organisation festgenommen, darunter der Nachfolger des Robert Jensen, der Repräsentant Erik Wilhelm Lagergren, geb. 2.4.05 in Malmö.[75] Trotz dieser Zerschlagung bildete die Organisation sich in kürzester Zeit wieder neu, und zwar unter Führung des Vertreters Jörgen Palm-Petersen, geb. 23.3.05 in Kastrup. Palm-Petersen festgenommen und seine Organisation restlos zerschlagen.[76] Dieser Zugriff führte zur Festnahme von Mitgliedern des Freiheitsrates (siehe unten).

67 Holger Nyhuus Kristoffersen (*Faldne i Danmarks frihedskamp*, 1970, s. 247f.).

68 Citronen blev dræbt under en ildkamp med Gestapo i villaen Jægersborg Allé 184 14. oktober 1944 (*Faldne i Danmarks frihedskamp*, 1970, s. 397-399).

69 Grønthandler Bent Høgsbro Østergaard var en ven af Flammen (Kieler, 1, 2001, s. 374).

70 Hermann Seibold blev forsøgt likvideret 29. januar 1944 af Flammen (Bests telegram nr. 652, 11. maj 1943, Birkelund 2008, s. 679).

71 Max Pelving blev forsøgt likvideret af Holger Danske 18. december 1943 og 1. oktober 1944 (*Information* 18. december 1943, Røjel 1993, s. 185, Skov Kristensen 2007c, s. 689f., Birkelund 2008, s. 677, 684).

72 Tage Lerche blev likvideret af Holger Danske 19. april 1944 (Birkelund 2008, s. 680).

73 Svend Bach blev likvideret af Holger Danske 8. juli 1944 (Birkelund 2008, s. 682).

74 Se Bovensiepens aktivitetsberetning for juni-juli 1944 (Best til AA 1. august 1944).

75 Flygtningeorganisationens nye postkontor, Nytorv 5 i København, blev stormet 14. august 1944 af Gestapo, hvorved Lagergren og Edith Bonnesen blev arresteret (Dethlefsen 1993, s. 80).

76 Flygtningeorganisationen blev decentraliseret efter Lagergrens arrestation, så der var ikke længere en leder og en organisation at slå ud. Efter anholdelsen af Jørgen Palm Petersen på hans bopæl på Amager blev et hovedkontor i Gl. Mønt stormet af Gestapo 14. oktober, men det førte ikke til arrestation af flere speditører. Han blev dræbt ved RAFs angreb på Shellhuset 21. marts 1945 (*Faldne i Danmarks frihedskamp*, 1970, s. 360 (her opgives fejlagtigt, at Palm Petersen blev arresteret på Gl. Kongevej), Dethlefsen 1993, s. 96, Birkelund 2000, s. 304).

3.) Nationale Widerstandsbewegung:
a.) Freiheitsrat:
Im Zuge der Aufrollung der illegalen Personen- und Postschmuggelorganisationen des Freiheitsrates konnten folgende maßgebende Mitglieder des Freiheitsrates und seiner Unterorganisationen festgenommen werden:

1.) der oberste Leiter des gesamten Kurier- und überhaupt Verwaltungswesens des Freiheitsrates, der Gaststättendirektor Mikkelsen.
Dieser war gleichzeitig der Finanzier des illegalen Blattes "De frie Danske",
2.) der geistige Kopf und eigentliche Leiter des Freiheitsrates, Salonbolschewist Prof. Mogens Fog.
Ihm oblag im wesentlichen die geistige und politische Steuerung der illegalen Widerstandsbewegung und vor allen Dingen auch der illegalen Presse,
3.) Redakteur Aage Schoch.
Ihm oblag die Repräsentation der englischen Propaganda in Dänemark, und er führte insbesondere die Verhandlungen mit dänischen Reichstagsabgeordneten zwecks Gleichschaltung englischer und dänischer Interessen,[77]
4.) der Redakteur Outze.
O. war Leiter des gesamten illegalen Informationsdienstes. Er gab täglich die sogenannten "Informationen" heraus, die der gesamten illegalen Presse in Dänemark und dem schwedischen und englischen Rundfunk als Nachrichtenquelle dienten. Sein gesamter Stab konnte ebenfalls festgenommen werden.
5.) Der Redakteur Holbech der illegalen Schrift "De frie Danske" wurde bei der Festnahme erschossen.[78]

Im Zuge der Ermittlungen konnte festgestellt werden, daß der bei der Aufrollung der illegalen Organisation "Hjemmefronten" festgenommene Niels Jörgensen im Presseausschuß des Freiheitsrates verantwortlich tätig war.[79]

Außer diesen wurden noch verschiedene Personen, die nicht Mitglieder des Freiheitsrates waren, aber zu den engsten Mitarbeitern des Freiheitsrates gehörten, festgenommen.

Als weitere Mitglieder des Freiheitsrates wurden festgestellt:

1.) Cand.Mag. Frode Jacobsen.
Er war Vertreter der illegalen Organisation "Studie Ring". Er lebt zur Zeit illegal. Eine Fahndung nach ihm ist eingeleitet.
2.) Ein Mann mit Decknamen "Nielsen" als offizieller Vertreter der Kommunistischen Partei Dänemarks.[80]

77 Aage Schoch havde bl.a. virket som De frie Danskes kontaktmand til Frihedsrådet. Han blev arresteret 2. september 1944 (Birkelund 2000, s. 303).

78 Ved en Gestapoaktion mod en lejlighed på Gl. Kongevej 95, der var fast mødested for De frie Danske, blev Niels Mikkelsen, Børge Outze, Mogens Fog og fru Torkov (værtinden) arresteret, mens Kai Holbech blev skudt (Lund 1970, s. 86-90, Birkelund 2000, s. 303-305).

79 Niels Jørgensen blev arresteret 21. maj 1944. Han sad forud i Frihedsrådets bladudvalg (Birkelund 2000, s. 287).

80 Nielsens identitet lykkedes det ikke Gestapo at afsløre. Det var Børge Houmann.

3.) Erling Foss als illegaler Gesandter des dänischen Freiheitsrates in Schweden und Verbindungsmann zu Christmas Möller. Zur Zeit in Schweden aufhältlich.[81]
4.) Arne Sörensen, Herausgeber der Niels Jydes-Breve und Repräsentant der illegalen Gruppe innerhalb der "Dansk Samling."
5.) Major Flemming Muus,
dänischer Staatsangehöriger, Major im engl. Heer, Repräsentant der illegalen Militär- und Chef der Fallschirm- und Sabotagegruppen für ganz Dänemark, der unmittelbar dem englischen Militärkommando untersteht.
Fahndung nach ihm ist eingeleitet.

Ferner wird nach 2 Reichstagsabgeordneten und 1 Hochschulprofessor gefahndet, mit denen der Freiheitsrat Verbindung aufgenommen hat und die von Prof. Fog als halbillegal bezeichnet wurden. Desgleichen wird nach einigen Redakteuren gefahndet.

Mit weiteren Festnahmen ist zu rechnen.

Es hat sich gezeigt, daß der Freiheitsrat ein loser Zusammenschluß der Chefs illegaler Organisationen ist mit dem Ziel, eine gemeinsame politische Ausrichtung und den gesamten Widerstand aller Gruppen zu koordinieren. Bemerkenswert ist, daß lediglich die 2 illegalen Parteien, nämlich die Kommunistische Partei und "Dansk Samling" in dem Freiheitsrat vertreten waren, daß weiterhin die maßgebenden illegalen Organisationen, vor allen Dingen die illegalen Presseorganisationen, dort repräsentierten, daß auch die unmittelbar englisch geleitete Sabotageorganisation in der Person von Flemming Muus ihre Vertretung im Freiheitsrat hatte und daß somit die englische Steuerung des Freiheitsrates klar liegt. Durch die Person des Abgesandten des Rates der Freien Dänen in London Dössing war der Freiheitsrat bemüht, auch eine Verbindung mit Moskau herzustellen.[82]

b.) Militärorganisation:
Die Bekämpfung der militärischen und halbmilitärischen Organisationen wurde fortgeführt. Erfaßt wurden
der Verein der Leutnante und Kornette, der von England gesteuert wird,
die Reserve-Offiziers-Vereine,
die kriegswissenschaftliche Gesellschaft und
die Terrain-Sport-Verbände.
22 Führer dieser Organisationen wurden festgenommen.

In Herning wurde eine weitere Militärorganisation zerschlagen, die 100 Mann umfaßte und in 3 Gruppen arbeitete. Auch hier wurden die führenden Persönlichkeiten festgenommen und neben umfangreicher Korrespondenz Maschinenpistolen und Sprengstoff beschlagnahmt und sichergestellt.[83]

Bei einer Überholung von 120 Wohnungen flüchtiger Juden gelang die Festnahme

81 Foss var i februar 1944 flygtet til Sverige.

82 Biblioteksdirektør Thomas Døssing var fra juni 1944 Frihedsrådets repræsentant i Moskva.

83 Der er ikke kendt en yderligere oprulning i Herning ud over den, der var begyndt i juni og juli og fortsatte ind i august (se Bovensiepens aktivitetsrapport for juni og juli 1944, Møller Jensen/Bendixen 1986, s. 93f., 98-102).

eines früheren dänischen Oberstleutnants, der illegal lebte, und einer Zeitungsangestellten, die sich mit der Verteilung illegaler Schriften befaßte.[84]

c.) Dänische Polizei:
Die bisherigen Ermittlungen gegenüber der dänischen Polizei hatten den Nachweis erbracht, daß diese in engster Zusammenarbeit mit den Sabotage- und Spionageorganisationen stand. Darüber hinaus konnte sogar der Nachweis erbracht werden, daß die dänische Polizei nicht nur die politischen Morde unterstützte, sondern zum Teil durch eigene Beamte durchführen ließ. Nachdem auch festgestellt werden konnte, daß große Teile der bewaffneten Einheiten der dänischen Polizei bereits in die Militär-Partisanengruppen eingegliedert waren, erwies es sich als notwendig, am 19.9.44 die Entwaffnung der gesamten dänischen Polizei und Grenzgendarmerie durchzuführen und in den Städten Kopenhagen, Aalborg, Odense und Aarhus die zur Zeit im Dienst befindlichen Einheiten der dänischen Polizei festzunehmen und nach Deutschland zu überführen.[85] Die Entwaffnung und Festnahme erfolgt[e] ohne Zwischenfälle. Es wurden folgende *Waffen* sichergestellt:

1.321	Karabiner	
2.443	Gewehre,	
225	–	versch.,
1.340	Kleinkaliber-Gewehre,	
27	MG,	
70	MP,	
310	Pistolen	9 mm,
1.820	–	7.65 mm,
75	–	6.35 mm,
485	Trommelrevolver,	
147	Jagdgewehre,	
1.856	Pistolen versch.,	
74	Gas- u. Leuchtpistolen.	

Munition:

35.000	s.S.-Patr.,	
79.350	–	8 mm,
90.864	Gewehr-Patr. versch.,	
174.574	Pist.-Patr.	9 mm,
74.050	–	7.65 mm,
1.350	–	6.35 mm,
13.800	–	versch.,
450.000	Kleinkaliber-Mun.,	
6.074	Gas- u. Leucht-Mun.	

84 De to personer er ikke identificeret.

85 Det var den opfattelse, som Werner Best stærkt anfægtede.

Die Auswertung des in den Büros und Archiven der dänischen Polizei sichergestellten Materials hat bisher zu folgendem klaren Ergebnis geführt:

Die dänische Polizei hat auf dem politisch-polizeilichen Sektor lediglich gegen Deutschland gearbeitet und hat ihre Hauptaufgabe darin gesehen, jeden Deutschen und jeden deutschfreundlichen Dänen zu registrieren. Gegenüber der schwedischen Polizei, mit der auf illeg. Weise Verbindung bestand, gab die dänische Polizei unbeschränkt Auskunft über die politische Einstellung der in Schweden angehaltenen politischen Flüchtlinge. Vermutlich beabsichtigte man, Personen in Schweden, die im Verdacht deutschfreundlicher Haltung stehen, nach Beendigung des Krieges als Kriegsverbrecher abzuurteilen. Der Staatsadvokat für besondere Angelegenheiten, Troels Hoff, stand nicht nur in illegaler Verbindung mit der schwedischen Polizei, sondern hatte auch darüber hinaus engste Beziehungen zum dänischen Freiheitsrat, von dem er spezielle Weisungen erhielt.[86] Der Freiheitsrat erhielt insbesondere aus der Abteilung des Staatsadvokaten für besondere Angelegenheiten, aber auch von allen anderen dänischen Polizeidienststellen täglich alle gewünschten Auskünfte, insbesondere jedoch alle Auskünfte über Festnahmen und die Tätigkeit der deutschen Polizei.[87] Es war bereits von leitenden dänischen Polizeibeamten ein sogenannter Arrestations- und Stikker-Ausschuß gebildet worden, durch den alle deutschfreundlich oder nationalsozialistisch eingestellten dän. Staatsangehörigen abgeurteilt werden sollten. Die Verurteilung sollte entweder nach Beendigung des Krieges erfolgen oder erfolgte bereits durch eine sofortiger Ermordung.[88] Bemerkenswert ist, daß nach den eigenen Unterlagen der dänischen Polizei in der Zeit vom 29.8.43 bis 30.8.44 insgesamt 109 Personen in Dänemark ermordet wurden. In der gleichen Zeit wurden 64 Mordversuche begangen, so daß in Dänemark fast jeden zweiten Tag ein Mensch ermordet worden ist oder zu ermorden versucht wurde.

Bezeichnend für die Einstellung der dänischen Polizei, ist die Tatsache, daß dänische Sabotagewächter, die aus Anlaß eines Sabotageversuches auf verdächtige Personen Schüsse abgaben, von der dänischen Polizei vorgeladen und mit einer mehrjährigen Gefängnisstrafe bedroht wurden, wenn sie diese ungesetzliche Schießerei in Zukunft nicht unterlassen würden.

Darüber hinaus konnte der Nachweis erbracht werden, daß Proklamationen des Freiheitsrates und illegale Hetzschriften in großem Ausmaße von dänischen Polizeirevieren und vom Politigaarden verbreitet wurden. Im Politigaarden konnte insbesondere festgestellt werden, daß dort das illegale Blatt "Nordisk Front" gedruckt wurde.

Dänische Polizeibeamte haben darüber hinaus nachweislich den Mordorganisationen Bilder von Personen, die im Verdacht standen, deutschfreundlich oder Nationalsozialisten zu sein und die liquidiert werden sollten, zur Verfügung gestellt. In vielen

86 Troels Hoff er ikke kendt i den rolle, der her tillægges ham (Henrik Stevnsborg i *Gads leksikon Hvem var hvem 1940-1945*, 2005, s. 153f.), og Hoff påberåbte sig den heller ikke i en efterkrigsberetning (Hoff 1946), men ikke desto mindre advarede han om forestående tyske arrestationer og leverede andre oplysninger til modstandsbevægelsen (Lund 1970, s. 130, 204).

87 Det forholdt sig sådan. Flere medarbejdere i advokaturen videregav oplysninger.

88 Frihedsrådet oprettede oktober 1944 et kartotek (senere kaldt Centralkartoteket), hvor der blev samlet navne på og oplysninger om de personer, der skulle interneres efter befrielsen. Arbejdet blev ledet af Carsten Høeg (Fischer-Jørgensen/Ege 2005).

Fällen wurde auch aus dem Material der dänischen Polizei an die Mordorganisationen Anregungen zur Liquidierung dänischer Staatsangehöriger gegeben.[89]

Darüber hinaus ergab das Material, daß die dänischen Polizeiformationen bereits aktiv in die illegalen Militärorganisationen eingegliedert waren. So wurde beispielsweise ein Befehl für die dänische Grenzgendarmerie vorgefunden, aus dem sich eindeutig ergabt daß die dänische Grenzgendarmerie im Invasionsfall militärische Aufgaben gegen deutsche Truppen im Grenzgebiet durchführen sollte. In einem vertraulichen Rundschreiben des dänischen Polizeibeamten-Verbandes an seine Mitglieder war insbesondere auch zum Ausdruck gebracht, daß die dänische Polizei 24 Stunden vor einer Invasion in Dänemark unterrichtet werden sollte und daß sie dänische Polizei dann die ihr übertragenen Aufgaben durchführen sollte. Für den Ernstfall, d.h. für den Invasionsfall, war ein Geheimcode bereits ausgearbeitet.[90]

4.) Spionage:
In der Berichtszeit gelang im Zuge der Bekämpfung militärischer Widerstandsgruppen die Ermittlung eines Auswertungsbüros des dän.-engl. ND in Kopenhagen. In diesem Büro lief sämtliches militärisches Erkundungsmaterial der auf Jütland und Fünen tätigen Agenten zusammen. Es wurde umfangreiches Sp.-Material in dänischer Sprache gefunden und sichergestellt das zur Zeit übersetzt und ausgewertet wird. Das bisher gesichtete Material läßt bereits erkennen, daß eine große Anzahl von Agenten, offenbar größtenteils junge Offiziere und Unteroffiziere der ehemaligen, dänischen Wehrmacht, in dieser Sp.-Organisation tätig ist. Wenn sich auch bisher – abgesehen von 3 Fällen – aus dem sichergestellten Sp.-Material keine Anhaltspunkte zur Ermittlung der Agenten ergeben haben, so ist jedoch mit Sicherheit erkennbar, daß die feindlichen Agenten vielfach ihre Nachrichten aus Verratsquellen der in Dänemark stationierten deutschen Wehrmacht beziehen. Weiter dürften bei deutschen Dienststellen tätige dänische Mitarbeiter als Verräter in Frage kommen. Auch beruhen zahlreiche Nachrichten offenbar auf der Tatsache, daß Telefongespräche dänischerseits abgehört wurden.

In dem erwähnten Auswertungsbüro waren 2 ehemalige dänische Offiziere mit der Auswertung und Zusammenstellung des eingegangenen Sp.-Materials befaßt.[91] Sie konnten festgenommen werden und haben angegeben, daß täglich etwa 50-100 mehr oder weniger umfangreiche Agentenmeldungen, vielfach mit Karteneinzeichnungen, eingingen. Die Ermittlungen erstreckten sich auf alles, was hinsichtlich der deutschen Wehrmacht, wie auch der sonstigen deutschen Dienststellen in Dänemark irgendwie feststellbar war. Es handelt sich um eine ausgesprochene Mosaikarbeit, die nach der Zusammenstellung des Materials im Auswertungsbüro laufend eine umfassende und mehr weniger geschlossene Übersicht über die militärischen Verhältnisse in Dänemark lieferte.

89 Der var bl.a. leveret fotografier af tyskerhåndlangere fra dansk politi til *De frie Danske* nr. 7, april 1944 (se Bovensiepens aktivitetsrapport for maj 1944).

90 Om kodeanvendelsen, se Bovensiepens aktivitetsberetning for november 1944.

91 Sekondløjtnant N.T. Winther bearbejdede det modtagne materiale, mens premierløjtnant H. Siersbæk hjalp til på adressen Arresøgade 4. Winther blev anholdt 16. oktober, Siersbæk dagen efter (Klint 1977, s. 43f., Bjerg, 2, 1985, s. 155f., 216-218).

Ferner befanden sich unter dem erfaßten Material Meldungen aus dem Reich über Stimmung der Bevölkerung, Wirkung von Luftangriffen auf kriegswichtige Objekte, Art und Ort von Geheimfertigungen, Skizzen über Brennstofflager, militärische Objekte im Reich usw.

Auch wurden zahlreiche Wehrmachtsfahrscheine vorgefunden, die dem Auswertungsbüro laufend zur Feststellung der Feldpost-Nummern und des Standortes des betreffenden Truppenteiles zugestellt wurden.

Nach erfolgter Auswertung und Zusammenstellung wurde das Sp.-Material einem Fotokopierbüro zugeleitet, in dem ein ehemaliger dänischer Offizier, der festgenommen werden konnte, das fragliche Material fotokopierte. Auch dieses Büro konnte ausgehoben werden.[92]

Von dem Fotokopierbüro gelangte das Sp.-Material sodann in Filmform durch einen besonderen Kurier an ein noch nicht ermitteltes Expeditionsbüro, das für Weiterleitung an das in Schweden befindliche "Komitee" der Sp.-Organisation sorgte. Der erwähnte Kurier, ein ehemaliger dänischer Offizier, wurde beim Fluchtversuch tödlich verletzt.[93] Er war der Verbindungsmann zu dem erwähnten Expeditionsbüro und dem noch nicht ermittelten Auswertungsbüro für Seeland, sowie zu sämtlichen Agenten. Im Zuge dieser Ermittlungen wurden 4 weitere Personen festgenommen, so daß sich die Zahl der bisher in dieser Angelegenheit ermittelten Personen auf 7 Festgenommene und 1 Toten beläuft.[94]

Weiter wurde seitens des hiesigen deutschen Hafenkapitäns gelegentlich einer Schiffsdurchsuchung ein Film mit Sp.-Material in der Manteltasche des Kapitäns des betr. Schiffes gefunden und sichergestellt. Da die Festnahme des Kapitäns und die sofortige Unterrichtung der Sicherheitspolizei unterlieb, wurden die Ermittlungen in dieser Sp.-Angelegenheit sehr erschwert. Es ist wahrscheinlich, daß dieser Sp.-Film aus dem erwähnten Auswertungsbüro stammt. In dieser Angelegenheit wurden bisher ein beim Marinebauamt in Esbjerg beschäftigter deutscher Marineingenieur wegen fahrlässigen Landesverrates und ein dänischer Bauunternehmer, sowie dessen Kraftfahrer wegen Betätigung für den feindlichen ND festgenommen.[95] Zur ständigen Begleitung das Bauunternehmers auf seinen Fahrten zu deutschen militärischen Bauvorhaben gehörte ein ehemaliger dänischer Heeresoffiziant, der festgenommen werden konnte, als er mit Sp.-Material von der Insel Bornholm zurückkehrte.[96] Sein Auftraggeber ist eine Frauensperson, die unter zahlreichen Decknamen auftritt und bisher noch nicht ermittelt werden konnte.[97]

Im Zusammenhang mit diesen Festnahmen wurde der Verbleib der bei der hiesigen

92 Premierløjtnant E. Frahm-Rasmussen stod for dette arbejde i bureauet Gl. Kongevej 21. Han blev arresteret af Gestapo 19. oktober 1944 (Klint 1977, s. 44).

93 Sekondløjtnant Frode Dehn-Jensen blev skudt af Gestapo 19. oktober 1944, da han forsøgte at flygte fra Gl. Kongevej 21 (*Faldne i Danmarks frihedskamp*, 1970, s. 102f., Klint 1977, s. 44).

94 Nogle af de øvrige arresterede var sandsynligvis Hector Bundesen (2. september), Erik Dahlerup (september) og Hans A. Nyholm (30. oktober) (Bjerg, 2, 1985, s. 101f.).

95 Personkredsen er ikke identificeret. Muligvis var det bl.a. den tyske ingeniør Johannes Rein, anholdt i Berlin 1944 (Hjorth Rasmussen 1998, s. 132).

96 Personen er ikke identificeret.

97 Den unavngivne kvinde var næppe opdraggiver, men budbringer af opgaver.

Dienststelle beschäftigt gewesenen flüchtigen Kanzleiangestellten Siegfried aufgeklärt. Die S. wurde durch den erwähnten Bauunternehmer, sowie einen weiteren noch nicht ermittelten Nachrichtenagenten nach Schweden gebracht, wo sie angeblich heute innerhalb der Kriminalpolizei Dienst macht.[98]

In weiteren schwebenden Sp.-Fällen und Sp.-Verdachtsfällen sind 83 Personen festgenommen worden. Es ist anzunehmen, daß es sich teilweise um Agenten handelt, die in der erwähnten großen dän.-engl. Nachrichtenorganisation eingebaut sind. Die Ermittlungen sind im Gange.

Die Ermittlungen haben im übrigen gezeigt, daß diese Spionageorganisation auch eng verknüpft ist mit einer Militärorganisation. Es gelang, bisher in diesem Zusammenhang 39 Personen festzunehmen, darunter 1 Bezirksleiter und sein Stellvertreter in Gross-Kopenhagen.

Ferner wurden zahlreiche Waffen und sonstiges ehemaliges dänisches Heeresgut sichergestellt.

gez. **Bovensiepen**
SS-Standartenführer

105. OKW/WFSt an WB Dänemark 6. November 1944

OKW rykkede von Hanneken for svar vedrørende dets henvendelse om foranstaltninger mod skibssabotagen i Danmark.

Han svarede 11. november 1944.

Kilde: RA, Danica 1069, spole 1, nr. 324.

WFSt / Qu. 2 (Nord) *6.11.1944.*

Geheim Kommandosache

S S D - F e r n s c h r e i b e n

An W. Befh. Dänemark / Ia.

Bezug: FS OKW/WFSt/Qu.2 (Nord) Nr. 008195/44 g.K. v. 25.10.44[99]
Betr.: Sabotage in Dänemark.

Meldung über bisheriges Ergebnis der Erledigung des an W. Bfh. Dänemark gerichteten Auftrages betr. Durchsetzung der Forderungen des Ob.d.M. erbeten.

I.A. gez. [underskrift]
OKW/WFSt/Qu.2(Nord)
Nr. 008195/44 g.K. II. Ang.

98 En af de kvindelige funktionærer ved det tyske politi i København, fru eller frk. Edith Karin Siegfried (f. 20. marts 1913) deserterede til dansk side og gav indgående oplysninger om det tyske politi i Danmark (se endvidere Bovensiepens aktivitetsberetning for november 1944).

99 Trykt ovenfor.

106. OKM an OKW 7. November 1944

På et tidspunkt efter von Hannekens henvendelser 18. og 21. oktober 1944 fremkom der tilladelse til, at sovjetiske krigsfanger måtte anvendes til fæstningsbyggeri, men som det fremgår af denne skrivelse også til andre og mere specialiserede opgaver, hvor det ikke var hensigtsmæssigt at bruge danske arbejdere, nemlig til forberedelse af havnesprængninger.

Se tillige von Hannekens stillingtagen til brugen af sovjetiske krigsfanger, der er et bilag til OKWs fjernskrivermeddelelse til OKM 12. november 1944.

Kilde: RA, Danica 1069, sp. 1, nr. 384.

Oberkommando der Kriegsmarine
Mar Wehr/Tr I bh Nr. 26110/44g

Berlin, den 7.11.1944
Geheim

An OKW/WFSt/Qu II (Nord)

Betrifft: Einsatz sowj. Kriegsgefangener in Dänemark

Zurückziehung der bei der MAA 509 eingesetzten sowj. Kriegsgefangenen noch nicht erfolgt, da zur Vorbereitung von Hafensprengungen eingesetzt. Dänische Kräfte hierfür nicht verfügbar. Einverständnis Belassung auf weitere 4 Wochen erbeten.

Im Auftrage:
gez. **Ellerbroek**

107. Kriegstagebuch/Seekriegsleitung 7. November 1944

Wurmbach havde meddelt MOK Ost, at færgen "Store Bælt" dagen før var undsluppet til Sverige. Det havde ikke været til at forhindre.

Den 9. november gav Wurmbach yderligere oplysninger om flugten, se KTB/ADM Skagerrak anf. dato.

Kilde: KTB/Skl 7. november 1944, s. 152f.

[…] Bereich MOK Ost:
[…]
Admiral Skagerrak: […] Am 6.11. ist dänische Fähre "Storebelt" im Geleit von VS 1005 auf Marsch von Korsör nach Kopenhagen vor Helsingborg in schwedische Hoheitsgewässer ausgebrochen. Eingreifen war nicht mehr möglich.
[…]

108. Kriegstagebuch/OKW 8. November 1944

Hitler tillod igen tilførsel af tysk arbejdskraft til Danmark, og forbuddet af 20. oktober blev ophævet.

Ordren er ikke lokaliseret, men refereret i krigsdagbogen.

Kilde: KTB/OKW, 4:1, s. 927.

109. Seekriegsleitung: Sabotage Werft Svendborg 9. November 1944

Der var 7. november forøvet sabotage mod to af Kriegsmarines skibe i Svendborg. Den ene lå på stålskibsværftet, en minestryger under nybygning, den anden lå i havnen, "V 153" (RA, KTB/BdO Inf. nr. 97, 10. november 1944). Sabotagerne fik Seekriegsleitung til at forhøre sig om de to skibes forudgående skæbne, der afslørede, at de begge havde været udsat for sabotage tidligere.

Det fik Seekriegsleitung til samme dag at skrive til Wurmbach.

Kilde: RA, Danica 628, sp. 10, nr. 9378.

1/Skl. I Ost *Berlin, den 9. November 1944.*
Geheime Kommandosache!

Vermerk:
Betr.: Sabotage Werft Svendborg.

Fernmündliche Anfrage bei Skl. Adm. Qu I a (Amtmann Zentgraf) 9.11. 1110 Uhr ergibt:

1.) "VS 153" (Fischdampfer) bereits 10.6.44 durch Sabotage Werft Svendborg beschädigt.[100] Wiederhergestellt. Seit 3.10. Werft Svendborg zur Instandsetzung, Beendung 15.11. vorgesehen.
2.) Sperrbrecherneubau 48 (Sperrbrecher 190 – 1.000 BRT)
19.12.43 Werft Svendborg gesprengt und gesunken.[101]
20.1.44 gehoben.
4.3.44 Hauptmotor durch Sabotage beschädigt.
Fertigstellung 1.9.44 vorgesehen, von Instandsetzung Motor abhängig. Bisher nicht in Dienst gestellt.

Zusatz: Gem. Lagemeldung 11.6.44 Sperrbrecher-Neubau 190 14 Tage vorher eingebaute Maschine durch Sprengung zerstört (Meldung Hafenwache Svendborg).[102]

110. Kriegstagebuch/Admiral Skagerrak 9. November 1944

Wurmbach meddelte kl. 12.35 nærmere om, hvordan færgen "Store Bælt" var undsluppet til Sverige, mens den var under ledsagelse af et marinefartøj. 20 minutter senere sendte han en ny meddelelse til MOK Ost, hvori han i forståelse med Best foreslog beslaglæggelse af et tilsvarende dansk skib som gengældelsesforanstaltning. Han bad om en afgørelse inden for 24 timer af hensyn til Bests diplomatiske aktion.

Wurmbach fik svar 10. november, se KTB/ADM Skagerrak anf. dato.

Der var tale om en meget hurtig, men også kraftig reaktion fra Wurmbachs side, hvor han tilmed øjeblikkeligt sikrede sig Bests støtte. Det drejede sig ikke alene om Kriegsmarines ære, men også om at forebygge, at Seekriegsleitung krævede endnu mere drastiske foranstaltninger eller ville have det tyske sikkerhedspoliti til at gennemføre repressalier.

Både Best og Oberregierungsrat Friederich Stalmann henvendte sig straks til UM for at få de danske myndigheder til at foretage sig noget. Hvis ikke, ville man fra tysk side træffe foranstaltninger, der ville blive

100 Se KTB/Skl 10. juni 1944.
101 Se Admiral Dänemark situationsberetning 31. december 1943.
102 Se KTB/Skl 10. juni 1944.

meget generende for den danske befolkning. Det blev ikke præciseret, hvilke foranstaltninger der ville blive tale om (Hæstrup, 2, 1966-71, s. 154).

Kilde: KTB/ADM Dän 9. november 1944, BArch, Freiburg, RM 45 III/250. RA, Danica 628, sp. 3, s. 3709f.

[...]
III.) 12.35 h
Mit B. Nr. Gkdos 70635 Admiral Skagerrak gebe ich den von 8. Sich. Div. eingegangenen Bericht des Kdt. über das Ausbrechen der Fähre an MOK Ost, nachr. OKM 1. Skl. (Koralle):

"VS 1005" seit 4.11. 07.00 h mit Fährschiff "Store Belt" auf Marsch nach Kopenhagen. Wegen schweren SW-Sturmes am 5.11. unter Landschutz bei Halsnäs. Kurz nach dem Ankern Meldung vom Fährschiff, daß es nur noch für einen Tag Proviant habe, nach Wetterbesserung am 6.11. Fortsetzung der Fahrt. Da Fähre geringe Fahrtstufe nicht einhalten kann, bleibt sie zeitweise gestoppt und Dwars zur Kursrichtung bis zu Abständen von 1.500 m liegen, daher bis 16.30 h querab der Abzweigungstonne Helsingborg kein Verdacht auf Ausbrechen der Fähre. Abstand bei dieser Tonne von der Fähre etwa 1.000 m, von hier ab Kurzänderung von 123 Grad rw. auf 207 Grad rw. Nach Passieren dieser Tonne plötzliche Fahrterhöhung der Fähre und Abdrehen nach BB, Richtung Helsingborg. Abstand von der Hoheitsgrenze an dieser Stelle etwa 300 m, da Fähre sehr schnell im schwed. Hoheitsgebiet, konnte von uns nichts unterkommen werden, daher auf Befehl Haka Einlaufen Helsingör. Kdt. ist zur mündlichen Meldung befohlen.

IV.) 12.55 h
Mit Komm. Admiral Skagerrak Gkdos 70639 gebe ich an MOK Ost, nachr. OKM Skl. Adm. Qu VI, Wehrm. Befh. Dänemark, Reichsbevollm. Kopenhagen, OKM 1.Skl.:

Als Gegenmaßnahme für nach Schweden ausgebrochene Fähre "Store Belt" grundsätzliche Genehmigung zur Beschlagnahme entspr. dän. Schiffsraumes erbeten. Seitens Reichsbevollmächtigten bestehen hiergegen keine Bedenken. Auf Beschlagnahme weiterer Fähre[n] muß im Interesse Aufrechterhaltung Versorgung dän. Raumes verzichtet werden.

Vorschlag: Beschlagnahme geeigneter fahrender dän. Tonnage, im Falle "Store Belt" 4.000 BRT. Dadurch Möglichkeit Soforteinsatz Dänen wird anheimgestellt, entstandenen Ausfall durch eigene aufliegende Tonnage zu ersetzen. Dadurch bei weiteren Vorfällen wiederum Möglichkeit Beschlagnahme fahrender dän. Tonnage.

Beschlagnahme aufliegender Schiffe stellt Infahrtsetzung wegen ausgebauter und vorauss. nicht wieder zu beschaffender Maschinenteile in Frage.

Entscheidung binnen 24 Stunden erbeten mit Rücksicht auf beabsichtigte diplomatisch[e] Aktion des Reichsbevollmächtigten, die mit ihm besprochen ist. Es ist beabsichtigt, im Falle der Nichtauslieferung von "Store Belt" den Dänen mitzuteilen, daß sich Deutschland an dänischem Schiffsraum (ohne Angaben von Einzelheiten) schadlos halten wird.
[...]

111. Seekriegsleitung an Hans-Heinrich Wurmbach 9. November 1944

På baggrund af de nye skibssabotager i Svendborg fik Wurmbach ordre om omgående efter konsultation med Best at meddele, hvilke foranstaltninger der var truffet for at hindre sabotager, og hvilke der var forudset for fremtiden. Der skulle afgives egne forslag.

Denne ordre nåede Wurmbach ganske kort tid efter, at han selv havde afsendt forslaget om foranstaltninger i anledning af "Store Bælt"s flugt til Sverige. Muligvis havde han ventet en ordre af denne karakter, da sabotagerne i forvejen var ham bekendt. Endnu inden Wurmbach kunne svare, udsendte Seekriegsleitung godt en time senere en opfordring til en række tyske instanser for at få gjort noget ved skibssabotagen.

Wurmbachs svar er ikke lokaliseret.

Kilde: RA, Danica 628, sp. 10, nr. 9377.

Abschrift
B.Nr.1/Skl. II 33 237/44 gKdos. *Berlin, den 9.11.1944*
Abgesetzt

Fernschreiben mit A.Ü. an 1.) KR Adm. Skagerrak MOKP 9.11. 13.01
nachr.: 2.) – MOK Ost MKOZ 9.11. 12.15
gKdos.!

Betr.: Neuerliche Sabotagefälle Svendborg.

Adm. Skag. nach Fühlungnahme mit Reichsbev. umgehend melden, welche Maßnahmen zur Sabotageverhinderung ergriffen waren und für die Zukunft beabsichtigt sind. Beurteilung Wirksamkeit und eigene Vorschläge hergeben.

Seekriegsleitung
1/Skl. II 33 237/44 gKdos.

112. Seekriegsleitung an OKW, Hans-Heinrich Wurmbach, Werner Best, Hermann von Hanneken und RSHA 9. November 1944

Sabotagen mod de tyske minestrygere på Svendborg Værft 7. november havde demonstreret sabotageværnets fuldstændige fravær. Da der havde været forøvet indtil flere sabotager mod de samme både, mente Seekriegsleitung, at der måtte være noget i vejen med sabotageværnet og henvendte sig til en hel række tyske instanser på en gang for at få gjort noget ved det. Wurmbach havde straks ladet henvendelsen gå videre til de andre involverede i Danmark.

Von Hanneken svarede 11. november (Rosengreen 1982, s. 145).

Kilde: BArch, Freiburg, RW 4/754. RA, Danica 1069, sp. 1, nr. 320f.

WFSt/Op (M) Geheim *14.11.1944*
Abschrift für Qu (Franken II)

S S D - F e r n s c h r e i b e n
v. 9.11. 14.15 Uhr

An
OKW/WFSt / Op
MOK Ost
Admiral Skagerrak

OKW/WFSt/Op
Reichsbevollmächtigter Dänemark
Wehrmachtbefehlshaber Dänemark
RHSA

1.) Neuerlicher Sabotage-Anschlag auf Werft Svendborg gegen VP 153 und Sperrbrecherneubau 48, nachdem auf gleichem VP-Boot bereits früher ein Sabotage-Anschlag, auf Sperrbrecher sogar drei Anschläge durchgeführt wurden, zeigt völliges Versagen deutscher Sabotage-Abwehr.
2.) Verhältnisse sind bei äußerster Knappheit an Kriegs- und Handelsschiffsraum nicht länger tragbar.
3.) Da nach Meldung MOK Ost Wehrmachtbefehlshaber nicht in der Lage ist, für verstärkten Sabotage-Schutz zu sorgen und völliges Versagen Abwehr-Organe auf Svendborg-Werft offenkundig, sieht sich Marine gezwungen, zur Selbsthilfe zu greifen.
4.) MOK Ost stellt sofort aus geeignetem borderfahrenem seemännisch, bzw. technischem Personal möglichst aus Handelsmarine bzw. Werftarbeitergefolgschaften stammendes Personal unter energischen Offizieren Kommando in erforderlicher Stärke zusammen und stellt es beschleunigt Admiral Skagerrak zur vorläufigen Übernahme Sabotage-Schutz auf Svendborg-Werft zur Verfügung. Auftrag, notfalls unter Anwendung schärfster Maßnahmen weitere Sabotagefälle zu verhindern.
5.) Admiral Skagerrak fordert nochmals bei zuständigen deutschen Stellen in Dänemark sofortige Verbesserung Sabotageschutz und bei Sabotage-Fällen Durchführung schärfster Maßnahmen gegen dän. Werftgefolgschaften.
6.) Inmarschsetzung und Eintreffen Kommandos auf Svendborg-Werft, sowie weitere Maßnahmen sind durch MOK Ost bzw. Admiral Skagerrak fernschriftlich zu melden.

Chef Skl. 3 Skl. Auw. 14206/44 gen.

F.d.R.d.A
(signeret)
Fregattenkapitän

113. Lutz Schwerin von Krosigk an Joachim von Ribbentrop 10. November 1944

Der var igen fra dansk side blevet rejst ønske om at få clearingkontoen omstillet fra RM til kroner, og rigsbankpræsident Walter Funk havde i et brev til Schwerin von Krosigk støttet det. RFM ville kun støtte forslaget, hvis danskerne kom til at betale et bidrag til krigsførelsen, men det anså han nu for mindre nødvendigt. Til gengæld foreslog han, at der blev ansat en generalingeniør for OT til at tage sig af reguleringen af og kontrollen med byggepriserne.

Ribbentrop svarede 13. december 1944.

Kilde: PA/AA R 105.210. RA, pk. 282.

Der Reichsminister der Finanzen — *Berlin, den 10. November 1944*

Dänemarks Beitrag zur Kriegsfinanzierung,
Ihr Schreiben vom 31. Mai 1944[103]

103 Trykt ovenfor.

Lieber Herr von Ribbentrop!
Der Vorsitzende des Dänischen Regierungsausschusses, Wassard, hatte anläßlich eines Besuches bei mir am 20. Juni erneut den Antrag auf Umstellung des dänischen Clearingguthabens auf Dänenkronen persönlich vorgebracht.[104] Wassard wies darauf hin, daß die Umstellung auf Dänenkronen ein weiteres Mittel zur Kräftigung des Vertrauens der dänischen Bevölkerung und ihre Währung sei. Ich habe Herrn Wassard darauf geantwortet, daß die Gründe, die er für die Umstellung auf Dänenkronen anführe, ebenso meinerseits für die Währungspolitik des Reichs in Anspruch genommen werden müßten. Ich könne meine Hand umso weniger dazu reichen, die Reichsmark beiseite zu schieben, um anderen Währungen einen Vorrang einzuräumen, als Berufungen anderer Länder sehr bald folgen würden. Es handle sich hier auch um eine Vertrauensfrage für die deutsche Währung. Ich habe demgemäß keine Zusagen gemacht und möchte nach wie vor grundsätzlich da[r]an festhalten, daß das seit Kriegsbeginn geübte Verfahren ohne Schädigung des deutschen Ansehens nicht geändert werden kann. Inzwischen hat die Deutsche Verrechnungskasse seit Herbst vorigen Jahre Kronenkäufe gegen Reichsmark nur noch in beschränktem Umfang durchgeführt. Aus den mir übermittelten Zahlen ergibt sich, daß die laufende Mehrverschuldung des Reichs in Reichsmark immer noch wesentlich höher ist als die in Kronen.

Herr Reichsbankpräsident Funk hat mich in einem Schreiben vom 15. September gebeten, dem dänischen Wunsch zuzustimmen.[105] Ich habe Herrn Funk geantwortet, daß ich gerade in der gegenwärtigen Zeit keinen Anlaß sehe, den Wunsch der Dänen, der nicht zuletzt durch das Mißtrauen in die Reichsmark diktiert ist, zu erfüllen. Ich könnte die Erfüllung des Wunsches nur dann befürworten, wenn die Dänen endlich zu einem Kriegsbeitrag herangezogen würden.[106] Ich darf Bezug nehmen auf die beigefügte Abschrift des Briefwechsels.

Was die Frage des Kriegsbeitrages betrifft, so darf ich meine Auffassung noch einmal dahin dartun, daß die von mir für einen Besatzungskostenbeitrag Dänemarks angeführten Gründe in der Zwischenzeit nicht weniger dringend geworden sind. Die Geldfülle in Dänemark steigt infolge der erhöhten Besatzungsanforderungen. Die Decke der Verbrauchsgüter dagegen wird von Monat zu Monat kleiner. Ich kann mir denken, daß die Dänen bei der gegenwärtigen Kriegslage keine Anstalten zu der erforderlichen Aktivierung der Steuereinnahmen machen, sondern hoffen, das jetzige Aufbringungssystem bis zum Kriegsende hinzuhalten, um der politischen Forderung nach einem Kriegsbeitrag zu entgehen. Dieses Hinausschieben der erforderlichen Abschöpfungsmaßnahmen wird sich sehr bald schädlich auf die dänische Finanzwirtschaft und damit auf die dänische Gesamtwirtschaft auswirken. Abgesehen von der Notwendigkeit aus Abschöpfungsgründen, erscheint es mir auch heute weniger denn je zweckmäßig, sich darauf zu vertrösten, daß die sogenannten Vorschüsse später als dänischer *Beitrag* gestrichen werden.

104 Wassard var 20. juni 1944 i Berlin medbringende UMs memorandum af 14. juni 1944, jfr. Ripken til Steengracht 14. juni 1944.

105 Trykt ovenfor. Walter Funks brev til Schwerin von Krosigk er i BArch, Berlin, R 2/30668 og i RA, pk. 282 og RFMs svar 16. oktober 1944 sst. (i RA, Danica 201, pk 81A (afskrift) og i R 2/30.668 (dog kun i Breyhans udkast)).

106 Schwerin von Krosigks svar 16. oktober 1944 er trykt ovenfor.

Wie ich schon Herrn Funk gegenüber dargelegt habe, verstehe ich durchaus, daß es in der augenblicklichen Lage nicht ratsam erscheint, die Frage der Heranziehung Dänemarks zum Kriegsbeitrag aufzurollen. Dann sollte man aber auch die von den Dänen angeregte Frage der Umstellung des Clearingguthabens ruhen lassen. Wir geben sonst ein Aktivum preis, das wir bei späteren etwaigen Verhandlungen über den Kriegsbeitrag gut brauchen können.

Unabhängig von dem Vorstehenden bleibt für die Beurteilung der Währungssituation unsere *eigene Finanzgebarung* im Lande, wie bereits früher betont, von ausschlaggebender Bedeutung. Ich hatte im Juni dieses Jahres Gelegenheit, in Dänemark die Fragen der Finanzgebarung der Deutschen Wehrmacht, der OT und anderer Dienststellen mit dem Reichsbevollmächtigten und dem Wehrmachtbefehlshaber zu erörtern. Meine Anregungen haben zu weiteren Besprechungen der Ressorts in Berlin geführt. Ich glaube, daß insbesondere die jetzt zum Abschluß kommenden Abreden über die *Preis- und Lohnprüfung* in Dänemark die hauptsächlichen Mißstände nach Möglichkeit ausschalten. Wegen der Bedeutung, die in dieser Hinsicht vor allem dem Bauvorhaben zukommt, bitte ich Sie, im Hinblick auf die besondere Stellung Dänemarks auch Ihrerseits dafür einzutreten, daß die wichtigen Aufgaben der Baupreisregelung und der Baupreisprüfung in Dänemark einem besonderen Generalingenieur der OT für Dänemark mit übertragen werden.

Abschrift dieses Schreibens haben die Empfänger Ihres Schreibens vom 31. Mai erhalten.

Heil Hitler!
Ihr
gez. v. **Krosigk**

114. Werner Best an das Auswärtige Amt 10. November 1944

Best videresendte årsberetningen af direktør Kurt Krause fra forbindelsesleddet mellem Nationalbanken og Rigskreditkassens hovedforvaltning. Årsberetningen beskæftigede sig med alle større mellemværender mellem Nationalbanken og de tyske myndigheder, herunder seddelomløbet, pris- og lønkontrol, sortbørshandelen, nytilkomne udgifter til tysk politi, udgifterne til de overtagne danske krigsvirksomheder, udgifterne til tyske soldaters uægte børn og udgifterne til de danske SS-frivillige. Som noget særligt blev omtalt, at der under generalstrejken i København i sommeren 1944 forud var truffet aftale med Nationalbanken om, at værnemagten og tysk politi ikke skulle komme til at mangle penge under strejken.

Kilde: PA/AA R 105.211. RA, pk. 281.

Der Reichsbevollmächtigte in Dänemark — *Kopenhagen, den 10. November 1944*
III/10552/44 — Geheim!

Betr.: Bericht über die Tätigkeit der Verbindungsstelle in der Zeit vom 1.10.43-30.9.44.
1 Anlage (5-fach)

An das Auswärtige Amt
Berlin

In der Anlage überreiche ich einen Bericht des Leiters der Verbindungsstelle der Hauptverwaltung der Reichskreditkassen, Direktor Krause, über die Tätigkeit der Verbindungsstelle in der Zeit vom 1. Oktober 1943 bis 30. September 1944.

[**W. Best**]

Der Reichsbevollmächtigte in Dänemark
Verbindungsstelle der Hauptverwaltung
der Reichskreditkassen
III/10552/44

Kopenhagen, den 1. Oktober 1944

Geheim!

Bericht
über die Tätigkeit der Verbindungsstelle
in der Zeit vom 1.10.1943 – 30.9.1944

Vereinbarung und Inanspruchnahme des Wehrmachtkredites

Die Verbindungsstelle hat im Auftrage der Hauptverwaltung der Reichskreditkassen mit Danmarks Nationalbank in der Berichtszeit für die Wehrmacht folgende Vereinbarungen abgeschlossen:

am	25.9.43	12.	Zusatzvereinbarung	über	306	Mill.	Kr.
–	16.12.43		dazu	–	–	15	–	–
–	16.12.43	13.		–	–	350	–	–
–	3.3.44		dazu	–	–	110	–	–
–	25.3.44	14.		–	–	400	–	–
–	31.5.44		dazu	–	–	130	–	–
–	24.6.44	15.		–	–	500	–	–
–	28.9.44	16.		–	–	500	–	–

Mit der Verlegung der Ordnungspolizei und des SD nach Dänemark war es notwendig, die Mittel auch hierfür bereitzustellen. Mit Genehmigung des Auswärtigen Amts wurden in die genannten Vereinbarungen folgende Summen für die Zwecke der deutschen Polizei usw. besonders aufgenommen und damit die benötigten Kronen-Beträge von Danmarks Nationalbank zur Verfügung gestellt:

12.	Zusatzvereinbarung	4	Mill.	Kr.
	dazu –	3	–	–
13.	–	6	–	–
14.	–	7,5	–	–
	dazu –	2,5	–	–
15.	–	12	–	–
16.	–	12	–	–

Die benötigten Mittel werden auf Grund von "grünen Schecks" einem besonderen Konto "Zahlstelle der Behörde des Reichsbevollmächtigten" gutgeschrieben.

Von den für die Wehrmacht vereinbarten Summen wurden nicht verbraucht
im 1. Quartal 1944 15 Mill.Kr.,

so daß also im Berichtsjahr von der Wehrmacht effektiv 1.796 Mill.Kr. und für die Zwecke der deutschen Polizei usw. 35 Mill.Kr., insgesamt also 1.831 Mill.Kr., verbraucht worden sind.

Der Saldo des bei Danmarks Nationalbank geführten Kontos der Hauptverwaltung der Reichskreditkassen, über das sämtliche von Danmarks Nationalbank für die Wehrmacht und die deutschen Polizeikräfte zur Verfügung gestellten Mittel verbucht werden, betrug Ende September 1944 Kr. 3.838.818.367,91 (Vorjahr Kr. 1.983.107.397,05). Der Zuwachs im Berichtsjahr beträgt also Kr. 1.855.710.970,86. Der Unterschied, der sich danach gegenüber der vorgenannten Zahl ergibt, ist auf zeitliche Verschiebungen bei Belastungen und Abhebungen am Anfang und Ende des Berichtsjahres und auf Gutschriften zurückzuführen, mit welchen das Konto entlastet worden ist. Es handelt sich dabei in erster Linie um Zahlungen, die aus Clearingmitteln hätten geleistet werden sollen, aber zunächst aus Besatzungsmitteln vorgenommen wurden. Weiterhin sind dem Konto solche Beträge gutgebracht worden, die auf Veranlassung der dänischen Preisprüfungsstellen von dänischen Unternehmern als Übergewinne an die Wehrmacht zurückgezahlt werden mußten, und schließlich von dänischer Seite erstattete Ersatzbeträge für Sabotageschäden an Wehrmachteigentum. Der Gesamtbetrag dieser Gutschriften betrug im Berichtsjahr Kr. 4.937.122,61. Er wird sich in der nächsten Zeit wesentlich erhöhen, da eine größere Anzahl Umbuchungen, Vorschußrückzahlungen usw., die bereits von der Verbindungsstelle und den zuständigen Stellen nachgeprüft, anerkannt und in die Wege geleitet, aber von der Wehrmacht noch nicht durchgeführt worden sind. So stehen insbesondere die Summen noch aus, die im vorigen Jahr entgegen den Vereinbarungen von Intendanten als Unterstützungen für Angehörige der dänischen Freiwilligen usw. aus Besatzungsmitteln gezahlt worden sind und die nach den damaligen Besprechungen im Regierungsausschuß über Clearing umgebucht werden sollten. Zu diesen dem Konto der Hauptverwaltung unmittelbar zugeführten Gutschriften kommt wiederum eine erhebliche Anzahl kleiner und kleinster Beträge, die nach einem mit den zuständigen dänischen Stellen vereinbarten vereinfachten Verfahren (d.h. durch Umbuchung zwischen bei einzelnen Dienststellen geführten Clearing- und Besatzungsmittelkonten) auf Veranlassung der Verbindungsstelle umgebucht worden sind.

Barverbrauch

Hinsichtlich des Barverbrauchs ist zunächst über zwei bemerkenswerte Tatsachen zu berichten.

Die Verbindungsstelle hat sich Ende des Jahres 1943 die Gewißheit verschafft, daß die bisher von der Nationalbank vorgelegten statistischen Zahlen über den Barverbrauch der Wehrmacht nicht zutreffend waren. Diese Zahlen, die in den bisherigen Berichten der Verbindungsstelle für die Beurteilung des Barverbrauchs der Wehrmacht benutzt wurden, umfaßten nämlich sämtliche Schecks, die von den einzelnen Wehrmachtdienststellen entweder an die eigene Order oder aber an die Order einer anderen Dienststelle ausgestellt worden sind. Die Nationalbank nahm dabei an, daß alle diese Schecks bar ausgezahlt werden würden, was jedoch nicht der Fall ist. Die für das 4. Quartal 1943 mitgeteilten Zahlen, die wegen ihrer Höhe Veranlassung zu dänischen Interventionen auch im Regierungsausschuß gaben, kamen nicht annähernd in der Erhöhung des Notenumlaufs zum Ausdruck und entsprachen auch nicht den Ergebnissen der systematischen Untersuchungen der Verbindungsstelle. Die Nationalbank versuchte aber, im Regierungsausschuß weiterhin mit den alten Zahlen zu operieren, bis sie auf Veranlassung des Leiters der Verbindungsstelle auf Grund der vorgelegten Ermittlungsergebnisse die Zahlen berichtigte. Die sprunghafte Steigerung war nämlich auf die Tatsache zurückzuführen, daß die der OT für die Bauten zur Verfügung gestellten Schecks in die Statistik der Nationalbank mit einbezogen wurden, weil es sich um Schecks an eine andere Dienststelle handelte. Von diesen großen für die OT bestimmten Beträgen, etwa 50 Mill. Kr. im Monat, ist aber auf Grund besonderer, a.O. noch angeführter Begrenzungsmaßnahmen seinerzeit nur ein sehr geringer Teil in bar an die OT unmittelbar ausgezahlt worden. Die Nationalbank stellt nun seit März 1944 ihre statistischen Unterlagen über den Barverbrauch nach anderen Gesichtspunkten zusammen, so daß die jetzt von ihr bekanntgegebenen Zahlen annähernd richtig sind. Nach dem alten Verfahren hat die Nationalbank folgende Beträge ermittelt:

		in bar	mittels Verrechnungsschecks	Prozentsatz der Barzahlungen
		in 1.000 Kr.		
v.	15.9-15.10.43	45.663	56.010	44,9 %
	15.10.-15.11.43	47.459	62.713	43,1 %
	15.11.-15.12.43	64.160	59.618	52,2 %
	15.12.-15.1.44	76.204	57.998	56,8 %
	15.1.-15.2.44	87.928	67.068	56,7 %

Nach dem neuen Verfahren sind vom März 1944 ab als Barverbrauch der Wehrmacht ermittelt worden:

im	März	1944	54,8	Mill.	Kr.
–	April	–	49,9	–	–
–	Mai	–	52,1	–	–
–	Juni	–	30,9	–	–
–	Juli	–	44,8	–	–
–	August	–	49,3	–	–
–	September	–	53,3	–	–

das sind rund 30 % der Gesamtbeträge.

Die zweite bemerkenswerte Tatsache liegt auf dem Gebiet der Barbegrenzungen. Der Wehrmachtintendant hatte auf Veranlassung der Verbindungsstelle bereits für das letzte Vierteljahr 1943 für die OT versuchsweise eine monatliche Barbegrenzung eingeführt. Das Verfahren wurde Anfang des Jahres 1944 auf sämtliche Wehrmachtdienststellen ausgedehnt. Zu diesem Zweck mußten für sämtliche Kassen monatliche Barkontingente ermittelt werden. Bereits für den Monat Februar lagen für eine Anzahl von Kassen die Zahlen vor, und mit Beginn des zweiten Vierteljahres 1944 wurde das System voll wirksam. Wegen der dauernden Schwankungen in der Truppenzahl müssen diese Barkontigente laufend neu ermittelt werden, was eine zusätzliche Belastung aller beteiligten Stellen bedeutet, die aber in Anbetracht des damit erreichten Zwecks in Kauf genommen werden muß.

Eine Kontrolle dieser Barkontigente seitens der Banken war jedoch im ersten Vierteljahr noch nicht durchführbar, weil die Barabhebungen bei allen Geldinstituten vorgenommen werden konnten. Mit Wirkung vom 1. Juli 1944 ab wurde deshalb weiterhin angeordnet, daß Barbeträge von den einzelnen Dienststellen nur bei den für sie besonders bestimmten Banken abgehoben werden dürfen. In der Übergangszeit hatten sich aus diesen weiteren Beschränkungen wiederum erhebliche Schwierigkeiten ergeben, die zu einer sehr starken Belastung der Dienststelle des Wehrmachtintendanten und auch der Verbindungsstelle geführt haben. Es ist aber auf diesem Wege erreicht worden, daß für die unerlaubten, militärisch nicht erforderlichen und nicht zu verantwortenden Schwarzkäufe kaum noch eine Möglichkeit besteht, zumal der Intendant sich in den Barbedarfsanmeldungen und in den späteren Verbrauchsmeldungen aufgliedern läßt, für welche Zwecke die Barbeträge verwendet werden sollen bzw. verwendet worden sind.

Die bereits im vorigen Bericht erwähnte Tatsache,[107] daß die Zahl der unerlaubten Schwarzkäufe gegenüber den Vorjahren abgenommen hat, kann deshalb auch für das abgeschlossene Berichtsjahr, und zwar in stärkerem Maße, festgestellt werden. Infolge Wegfalls der dänischen Polizei sind jedoch in der letzten Zeit die "Offerten" aus dem schwarzen Markt offenbar zahlreicher geworden. Für militärisch wichtige Beschaffungen bestimmter Waren sind nach wie vor Schwarzkäufe erforderlich, so daß also die an sich gewünschte Beschränkung auf die rein persönlichen Ausgaben und die kleinsten Beschaffungen im Rahmen der zulässigen 200 Kr.-Grenze nicht erreicht werden kann.

Den dänischen Stellen ist im Berichtsjahr wiederum eine erhebliche Anzahl von Schwarzkäufen bekannt geworden, die uns mit genauen Angaben nachgewiesen wurden. Soweit es sich dabei um unerlaubte, militärisch also nicht erforderliche Käufe handelte, hat die Verbindungsstelle beim Wehrmachtintendanten eine Aufklärung oder Verwarnung der in Betracht kommenden Dienststellen erbeten und im übrigen, soweit es erforderlich war, die nachträgliche Anpassung der Geschäfte an die bestehenden Vereinbarungen, insbesondere die Umbuchung auf das Clearingkonto, veranlaßt.

Die im Vorjahrsbericht bereits als sehr wirksam bezeichneten Nachprüfungen der Kassen der Wehrmachtdienststellen haben auch im letzten Berichtsjahr wieder wesentlich dazu beigetragen, Verstöße gegen die Zahlungsbestimmungen zu verhindern. Diese Prüfungsarbeit und auch die von der Verbindungsstelle zu leistende Aufklärungsarbeit ist von nicht zu unterschätzender Bedeutung für die ordnungsgemäße Abwicklung des gesamten Wehrmachtzahlungsverkehrs gewesen.

Die Beobachtungen der Verbindungsstelle auf dem Gebiet der Barzahlungen erstreckten sich im Berichtsjahr in verstärktem Maße auch auf den Zahlungsverkehr der in Dänemark eingesetzten deutschen Unternehmerfirmen. Auch für sie sind einschneidende Bestimmungen auf diesem Gebiet erlassen worden. Die Kronenbestände der Firmen unterliegen der laufenden Kontrolle der Verbindungsstelle, die dafür sorgt, daß bei Ansammlung größerer Bestände Zahlungen an die betreffende Firma vorübergehend eingestellt werden, bis der Kronenbestand wieder auf einen Betrag zurückgeführt worden ist, der den dringendsten Erfordernissen entspricht. Als Höchstbestand wurde ein Betrag

107 Den foregående beretning er ikke lokaliseret.

von Kr. 200.000,- festgesetzt. Die Kontrolle erstreckt sich auch darauf, ob den Firmen entgegen den Bestimmungen Gewinne in Kronen zur Verfügung gestellt werden.

Die für die Wehrmachtdienststellen wesentlich begrenzten Möglichkeiten der unerlaubten Schwarzkäufe haben verschiedentlich dazu geführt, daß einzelne Baudienststellen sich zur Durchführung solcher Käufe, insbesondere auf dem Gebiet der Treibstoff-, Generatorholz- und Werkzeugbeschaffung, der für sie arbeitenden Unternehmerfirmen bedienten, indem sie es diesen einfach überließen, für die Beschaffung des benötigten Materials Sorge zu tragen. Es ist von hier veranlaßt worden, daß den Dienststellen diese Form der Umgehung der Bestimmungen untersagt wurde.

Auch bei den Kantinenpächtern und den Pächtern der Wehrmachtheime haben sich im Berichtsjahr noch große Anstände hinsichtlich der Beschaffung von Lebens- und Genußmitteln auf dem schwarzen Markt ergeben. Auch hier ist es gelungen, Abhilfe dadurch zu schaffen, daß für den Zahlungsverkehr dieser Personen die gleichen Bedingungen zur Pflicht gemacht wurden, wie sie für die Wehrmachtdienststellen allgemein gelten. Der gesamte Zahlungsverkehr muß über Konten geleitet werden. Für Zahlungen über Kr. 200,- ist der Verrechnungsscheck vorgeschrieben. Auch bei der Überprüfung des Geschäftsverkehrs und insbesondere der Kronengewinne der Kantinenpächter usw. ist die Verbindungsstelle beteiligt gewesen.

Zur Durchführung der oben erwähnten Kontrolle des Barverbrauchs war es im Berichtsjahr notwendig, daß die von den OT-Dienststellen bisher bei dänischen Privatbanken geführten Konten auf das Nationalbanknetz umgelegt wurden. Damit ist erreicht, daß nunmehr sämtliche Dienststellen, die aus dem Besatzungsmittelkonto Gelder beziehen, ihren Zahlungsverkehr nach einheitlichen Gesichtspunkten abwickeln und demzufolge hinsichtlich ihres Barverbrauchs wirksam überwacht werden können.

Es ist zu bemerken, daß die dänischen Stellen im Hinblick auf die im Vergleich zur Wehrmacht verhältnismäßig geringen Summen Beanstandungen hinsichtlich der Verwendung der für die deutsche Polizei bereitgestellten Kronen bei der Verbindungsstelle nicht erhoben haben.

Sonstiges

Für die Unterhaltszahlungen der außerehelichen Kinder deutscher Wehrmachtsangehöriger in Dänemark sind im Berichtsjahr auf Anweisung des Herrn Reichsministers der Finanzen durch Vermittlung der Verbindungsstelle Kr. 600.000,- aus Besatzungsmitteln zur Verfügung gestellt worden, so daß bisher insgesamt Kr. 930.000,- für diese Zwecke gezahlt worden sind.

Die Bereitstellung der Mittel für das SS-Ersatzkommando und den Fürsorgeoffizier der Waffen-SS, die zu Beginn des Berichtsjahres aus einem Vorschuß erfolgte, den der Wehrmachtintendant monatlich in Höhe von Kr. 200.000,- zur Verfügung stellte, ist während des Berichtsjahres auf die Mittel umgelagert worden, die dem Herrn Reichsbevollmächtigten für die Zwecke der deutschen Polizei usw. zur Verfügung gestellt werden.[108] Der vom Wehrmachtintendanten gezahlte Vorschußbetrag belief sich auf insgesamt 1,6 Mill. Kr., die in Reichsmark im Erstattungswege abgerechnet worden sind.

108 Se OKW til AA 28. november.

Die Wehrmacht hatte im Zuge des militärischen Ausnahmezustandes im August v.J. die dänischen Staatsbetriebe (Waffen- und Munitionsarsenale, Fliegerwerkstätten und Orlogswerft) übernommen, um die Produktionskapazitäten für die deutschen Zwecke sicherzustellen.[109] Die zur Weiterführung der Betriebe benötigten Mittel sollten zunächst im Clearingwege zur Verfügung gestellt werden. Die dänische Regierung hatte sich aber eindeutig dagegen ausgesprochen, weil sie an der Weiterführung der von deutscher Seite zwangsweise übernommenen Betriebe in keiner Weise, also auch nicht durch Zustimmung zu einer Clearingauszahlung, beteiligt sein wollte.[110] Die Verbindungsstelle hat daraufhin über den Herrn Reichsbevollmächtigten mit dem Auswärtigen Amt, dem Wehrmachtintendanten und der dänischen zuständigen Stellen Verbindung aufgenommen, um die Zustimmung nur Bereitstellung von Besatzungsmitteln, und zwar in Form eines Vorschusses, für die genannten Zwecke zu erhalten. Diesen Vorschlag wurde von allen beteiligten Stellen zugestimmt und daraufhin des Betrieben eine Kreditzusage von insgesamt 5 Millionen Kr. aus Besatzungsmitteln gegeben, und zwar

für	die Waffen- und Munitionsarsenale	3,0	Mill.	Kr.
–	– Fliegerwerkstätten	0,5	–	–
–	– Orlogswerft	1,0	–	–
–	Reserve	0,5	–	–

Die Inanspruchnahme und Überwachung des Kredites sowie der Rückzahlung erfolgt durch die Verbindungsstelle. Nach vollständiger Rückzahlung des Kredites etwa entstehende Gewinne sollen zugunsten des Reichs eingezogen und an die Reichshauptkasse abgeführt werden, wobei zu vermerken ist, daß hinsichtlich der Orlogswerft, die aus technischen Gründen von den Howaldtswerken treuhänderisch geführt wird, im Einvernehmen mit allen beteiligten Stellen ein geringer Nutzen für diese zugestanden worden ist, der jedoch nicht in Kronen, sondern in Reichsmark nach Abschluß der Tätigkeit zur Verfügung gestellt worden soll. Der Verbindungsstelle obliegt weiterhin die Überwachung des gesamten Finanzverkehrs der Betriebe. –Von den zugesagten Summen sind bisher in Anspruch genommen worden:

von	den	Waffen- und Munitionsarsenalen	1.313.000,-	Kr.
–	–	Fliegerwerkstätten	300.000,-	–
–	der	Orlogswerft	720.000,-	–

Die Beträge reichten zur Aufrechterhaltung der Betriebe, sogar zu einer Erweiterung der nun ganz für deutsche Zwecke nutzbar gemachten Kapazitäten aus. Es wird sowohl für die Belange des Besatzungsheeres in Dänemark als auch an Verlagerungsaufträgen gearbeitet. Die Rückzahlung des in Anspruch genommenen Besatzungsmittelkredites ist infolge der günstigen Beschäftigung bereits jetzt gewährleistet. Von einer Abforderung wurde aber noch abgesehen, um die Betriebe nicht vorzeitig finanziell zu schwächen. Es ist Vorsorge getroffen, daß genügend flüssige Mittel vorhanden sind, damit jederzeit eine Liquidierung stattfinden kann. Investitionen wurden ausdrücklich untersagt, um zu verhindern, daß Besatzungsmittel oder später etwa entstehende Gewinne festgelegt werden.

Die im Vorjahrsbericht erwähnte Möglichkeit für die dänischen Unternehmerfir-

109 Se Best til AA 29. november 1943 og Forstmanns optegnelse til KTB samme dag.
110 Se Ebner til Walter 13. januar 1944.

men, Vorschüsse bis zur Höhe von 8 % auf die erteilten Bauaufträge usw. zu erhalten, ist nicht in dem erwarteten Maße ausgenutzt worden. Die Firmen denen es, wie sich später herausgestellt hat, in erster Linie darauf ankam, Sicherheiten in Händen zu haben (weil sie glaubten, annehmen zu können, die Wehrmacht würde plötzlich Dänemark verlassen müssen), hatten später an dem Verfahren kein Interesse, weil die Nationalbank die zum Teil recht erheblichen Vorschußbeträge aus währungspolitischen Gründen nicht sofort auszahlte, vor allem aber, weil die dänischen Stellen sofort nach Erhalt der Bauaufträge von diesen Kenntnis erhielten und somit die dänischen Preisprüfer rechtzeitig einschalten konnten. Um die gewünschte Sicherheit trotzdem zu erlangen, ist auf alle mögliche Weise versucht worden, Vorschußzahlungen von den Wehrmacht- und OT-Dienststellen zu erhalten, was aus grundsätzlichen, aber auch aus prestigemäßigen Gründen in Anbetracht des Zwecks stets abgelehnt wurde, zumal die überwiegende Zahl der in Betracht kommenden Firmen beträchtliche eigene Mittel zur Verfügung hatte. In den sehr wenigen Fällen, in denen mangels eigener Mittel die Ingangsetzung von Bauvorhaben usw. nicht möglich war, hat die Verbindungsstelle im Einvernehmen mit der Nationalbank Möglichkeiten zur Abhilfe gefunden.

Um während des Generalstreiks die Geldversorgung der Truppen und der Polizei sicherzustellen und politisch unerwünschte Zwangsmaßnahmen gegen die Banken zu verhindern, hat die Verbindungsstelle sofort mit dem Wehrmachtintendanten und der Leitung der Nationalbank Fühlung genommen und erreicht, daß nirgends Schwierigkeiten auftraten. Zunächst wurde ein Ausgleich zwischen einzelnen Wehrmachtkassen veranlaßt und, soweit sich dies als nicht ausreichend erwiesen hat, auf die vorübergehende Inanspruchnahme der Reservebestände verwiesen, deren Einrichtung sich damit das erste Mal als zweckmäßig, ja notwendig erwiesen hat. Würden sich diese Reserven, wie es gelegentlich angeregt wurde, bei der Nationalbank befunden haben, wären sie im Streikfall nur mit Gewalt zu erhalten gewesen. Es soll hier erwähnt werden, daß die Nationalbankleitung jederzeit bereit war, den der Bank aus der Vereinbarung erwachsenden Verpflichtungen nachzukommen und notfalls Geld aus ihren nicht vom Streik betroffenen Filialen heranzuholen. Die Verbindungsstelle hat die Nationalbank nunmehr veranlaßt, ihre Filialleitungen mit Vollmachten zu versehen, auf Grund deren Auszahlungen an die Wehrmacht und Polizei im bisherigen Rahmen vorgenommen werden dürfen, auch wenn die Kontoverstärkungen von der Feldkasse Kopenhagen bei Verkehrsschwierigkeiten und Streiks nicht vorliegen und eine Verbindung zur Nationalbankzentrale von den betreffenden Filialen nicht aufgenommen werden kann. Dazu hat der Wehrmachtintendant die Anweisung herausgegeben, sich jeder Zwangsmaßnahmen zu enthalten und bei auftretenden Schwierigkeiten mit ihm in Verbindung zu treten. Es soll dann von der Verbindungsstelle weiteres veranlaßt werden.

Wie im Vorjahrsbericht angedeutet, hatte sich die Nationalbank bereit erklärt, für die auf Sonderkonto V (für Lebens- und Futtermittelbezüge) zu erwartenden Clearingüberweisungen in Vorlage zu treten, weil diese sich ständig verzögerten. Die seinerzeit durch die Verbindungsstelle beantragten Verstärkungen trafen jeweils erst nach 2 oder 3 Monaten ein, so daß die Versorgung der Truppen auf diesem Wege nur mit großen Schwierigkeiten möglich war. Im Einvernehmen mit der Verbindungsstelle hat die Nationalbank diese Vorschußzahlungen über ein Sonderkonto Va verbucht, auf dem sie sich eine Sicherheit in Höhe von 10 Mill.Kr. ansammelte, um auch für die diesen Betrag übersteigenden Zusagen an die dänischen Lieferanten eine Sicherheit zu haben. Im Laufe der Zeit war diese Sicherung jedoch der Hauptzweck des Kontos geworden, so daß die Verbindungsstelle das seinerzeit nur aus banktechnischen Gründen gegebene Zugeständnis nicht mehr aufrechterhalten konnte, zumal die deutschen Vertreter im Regierungsausschuß sind nicht mit einer weiteren Beibehaltung dieser Regelung einverstanden erklären wollten. Die Bank hat daraufhin sofort die weitere Bevorschussung der Clearingüberweisungen eingestellt. Es ist veranlaßt worden, daß die monatlichen Verstärkungen des Kontos nunmehr in einem beschleunigten Verfahren überwiesen werden, so daß es zunächst einer Bevorschussung nicht mehr bedarf.

In einigen Fällen sind aus dem Sonderkonto V bezahlte Fleischlieferungen an Kantinen weitergegeben und von diesen an Wehrmachtangehörige auf Grund der diesen zugeteilten Fleischmarken verkauft worden. Es wäre also nicht erforderlich gewesen, hierfür das Sonderkonto V in Anspruch zu nehmen, das also mit diesen Beträgen unnötig belastet wurde. Der Wehrmachtintendant hatte deshalb die Verbindungsstelle gebeten, mit dem dänischen Außenministerium wegen einer Umbuchung zu Leuten der Besatzungsmittel zu verhandeln. Das Außenministerium hat sich damit einverstanden erklärt. Die Einzahlung der in Betracht kommenden Beträge auf das Sonderkonto V zu Lasten der Besatzungsmittel ist daraufhin veranlaßt worden.

Die Verbindungsstelle ist weiterhin in erheblichen Maße mit den ihr aus Artikel IV und V der Vereinbarung zwischen der Hauptverwaltung der Reichskreditkassen und Danmarks Nationalbank erwachsenden Aufgaben beschäftigt gewesen, insbesondere hinsichtlich der Überprüfung des Wehrmachtzahlungsverkehrs auf Zahlungen, die ihrem Ursprung nach im Clearing geleistet werden müssen, und der Anpassung des Wehrmachtzahlungsverkehrs an die in Dänemark üblichen Zahlungswege. Sie ist weiterhin maßgeblich bei der Regelung von Fragen des Grenz-, Urlauber- und Dienstreiseverkehrs, der Ausstattung von dänischen Freiwilligen mit Kronen, der Zahlung von Unterhaltsbeträgen usw. eingeschaltet gewesen.

Schluß

Die getrennte Anforderung und Verwaltung der für die Zwecke der deutschen Polizei usw. benötigten Mittel, die am Schluß des Berichtsjahres vom OKW beanstandet wurde und zu einem Schriftwechsel zwischen dem Herrn Reichsbevollmächtigten, dem Auswärtigen Amt, dem OKW und dem Reichsfinanzministerium geführt hatte, hat sich bewährt, so daß eine grundsätzliche Abänderung nicht notwendig erscheint.[111] Die Einheiten der SS (Fürsorgeoffizier und SS-Ersatzkommando), die im letzten Jahre aus den für die Polizei bereitgestellten Mitteln befriedigt wurden, könnten nach der Vorschlag des OKW wiederum ihre Gelder vom Wehrmachtintendanten beziehen. Die sonstigen kasernierten Formationen der Polizei sind bereits von Anfang an hinsichtlich ihrer Mittelanforderungen vom Wehrmachtintendanten abhängig.

Die Verantwortung für die Höhe der angeforderten Mittel liegt beim Wehrmachtintendanten und bei der Zahlstelle des Reichsbevollmächtigten bzw. den Polizeikassen.

111 Se bl.a. RWM til OKW 16. august 1944 og Best til AA 1. december 1944. Desuden mødereferaterne af Türk 1. december og af Arndt 5. december 1944 vedr. sagen i Berlin (med der anf. henvisninger).

Der Herr Reichsfinanzminister hatte anläßlich eines persönlichen Besuches beim Herrn Reichsbevollmächtigten angedeutet, daß er beabsichtige, die vierteljährlich mit der Nationalbank zu vereinbarenden Summen von seiner Genehmigung abhängig zu machen. Das Finanzierungssystem als solches sollte jedoch beibehalten werden, weil es den politischen Erfordernissen in Dänemark am besten Rechnung tragen würde und sich deshalb auch bewährt hätte. Nach dem Vorschlag, der auch die Billigung des Herrn Reichsbevollmächtigten fand, sollte eine bestimmte Summe für jedes Vierteljahr vom Reichsfinanzministerium festgesetzt werden; eine Erhöhung sollte nur mit besonderer Genehmigung gestattet sein.

Krause

115. Hans-Heinrich Wurmbach an OKM 10. November 1944

Seekriegsleitung havde stillet nogle spørgsmål og var kommet med nogle forslag i anledning af færgen "Store Bælt"s flugt til Sverige. Wurmbach kunne svare, at der ikke havde været planer om en beslaglæggelse af "Store Bælt" og kunne yderligere fortælle, at der længe havde været vagtkommandoer med på skibe, som man frygtede ville flygte til Sverige, samt at det ikke ville være hensigtsmæssigt med flakkommandoer på danske skibe. Det ville provokere fjendtlige luftangreb.

Seekriegsleitung svarede 12. november.

Kilde: BArch, Freiburg, RM 7/1813. RA, Danica 628, sp. 7, nr. 5904.

BBS 027820 Abschrift Lz. 1340
Eingeg.: 10.11.44 13.31
Fernschreiben: SSD MDAS 07273 10.11. 11.45
Mit AÜ SSD OKM 1/Skl.
Gltd. S OKM 1/Skl. SSD MOK Ost Führstb.
gKdos

Auf 1/Skl. II 33 186/44 v. 9.11.44:[112]

1.) Beschlagnahme Fähre "Store Belt" war überhaupt nicht vorgesehen. Es handelte sich um eine normale Fahrt zur ME-S-Vermessung in der Kopenhagener Schleife, nach deren Beendigung Wiedereinsatz Verkehr Nyborg-Korsör vorgesehen war.
2.) Einschiffung Bewachungskdo. auf verdächtigen Schiffen im Sundverkehr ist nach Erfahrungen "Store Belt" bereits von hier veranlaßt und bislang ohne eine Schwierigkeit durchgeführt. Unabhängig hiervon wird Einschiffung von Bewachungspersonal im gesamten Sundverkehr auf allen dänischen Schiffen z.Zt. in Benehmen mit Reichsbev. bereits geprüft.
3.) Einschiffung von Flakbesatzungen auf dän. Schiffen, in Sonderheit auf Fähren, erscheint unzweckmäßig, da hierdurch voraussichtl. engl. Fliegerangriffe provoziert werden und Schutz der Schiffe in deutschem Interesse durch eingeschiffte Begleitkdos. gem. Zff. 2 gewährleistet ist.

Adm. Skag. gKdos. 6309/44

112 Skrivelsen er ikke lokaliseret.

116. MOK Ost an OKM 10. November 1944

MOK Ost videregav indholdet af den meddelelse, som Wurmbach samme dag kl. 11.45 havde sendt til MOK Ost vedr. færgen "Store Bælt". MOK Ost sluttede af med at bemærke, at en beslutning om de foranstaltninger, der skulle gribes til, krævede nøje kendskab til danske forhold, hvorfor det var formålstjenligt at lade det ske gennem inddragelse af Wurmbach og Best.

Der blev ikke lagt op til en eskalering af sagen fra den kant.

Seekriegsleitung svarede Wurmbach og MOK Ost 12. november 1944.

Kilde: RA, Danica 628, sp. 10, nr. 9374.

Abschrift!
Fernschreiben von +SSD MKOF 011907 10.11.[44] 20.35 =
m. AÜ = SSD OKM 1/Skl =
Gltd. OKM 1/Skl. = SSD nachr. Adm. Skag.
gKdos.

Zu a.) 1 Skl I Ost 33267/44 v. 9.11.
Zu b.) Adm. Skag. gKdos. 6309/44 v. 10.11.

1.) Stellungnahme zur Sicherung "Store Belt". Beim Marsch "Store Belt" von Korsör nach Khagen handelt es sich um normale Verlegung zwecks Mes Vermessung. Von Seiten Adm. Skag. kein Ausbruchsverdacht daher keine diesbezügliche Sicherung, Aufgabe VS 1005 lediglich Grundminenverdacht geleit. Langsamer durch Schlepppräumgerät behinderter Logger keinesfalls in der Lage, Ausbruch zu verhindern.
2.) Absichten Adm. Skag., zukünftig Ausbruch zu verhindern, mit Vorgang 3.) gemeldet. Hierzu Stellungnahme
   a.) Ausbruch verdächtigter Schiffe durch Bewachungskdos. zu verhindern, keine Schwierigkeit, diese besteht lediglich in Entscheidung, welche Schiffe als verdächtig anzusprechen sind.
   b.) Ob Einschiffung Bewachungspers. auf gesamten Dän, Sundverkehr auszuschließendes, wird von hier angezweifelt. Zudem bedeutet Maßnahme nur Teillösung, da Ausbruch auch außerhalb Sund ohne weiteres möglich.
   c.) Entscheidung über zu ergreifende Maßnahmen erfordert h. [ulæseligt bogstav]. genaueste Kenntnis Dän. Verhältnisse, auszuschließendes daher durch Kom. Adm. Skag. im Benehmen mit Reichsbevollmächtigten.

MOK Ost/D hrst. OP 06947 F I M +

117. Harro Brenner an Karl Ritter 10. November 1944

Brenner meddelte Ritter, at Ribbentrop ville have Bests stillingtagen til tilførsel af mere tysk politi til Danmark. Det blev understreget, at Ribbentrop ubetinget fandt det nødvendigt, at Best udtalte sig som rigsbefuldmægtiget om sagen.

AA var klar over, at Best i en situation med standende magtkamp med og pres fra Pancke kunne være svær at få til at udtale sig om en sag, der yderligere kunne styrke Panckes position. Ritter lod spørgsmålet gå videre til Best dagen efter med telegram nr. 1303 (Rosengreen 1982, s. 143).

Kilde: PA/AA R 101.041. RA, pk. 232.

Büro RAM Geheime Reichssache

Betr.: Polizei in Dänemark

Herrn Botschafter Ritter vorgelegt:

Zu dem abschriftlich beigefügten FS des Gen. Oberst Jodl an Reichsführer-SS und Chef der Deutschen Polizei vom 5.11.1944[113] betr. Zuführung von Deutschen Polizeikräften nach Dänemark bittet Sie der Herr RAM, die Stellungnahme des RBV Best einzuholen.

Der Herr RAM hält es für unbedingt erforderlich, daß der RBV zu der Frage der Verstärkung der deutschen Polizei in Dänemark gehört und bei der weiteren Behandlung der Angelegenheit entsprechend seiner Stellung als RBV eingeschaltet wird.

Berlin, den 10.11.1944

Brenner

Durchdruck an: U.St.S. Pol.
VLR Wagner.

118. Kriegstagebuch/Admiral Skagerrak 10. November 1944

Wurmbach fik svar på sit forslag til soneforanstaltning i anledning af færgen "Store Bælt"s flugt til Sverige. Best havde ved en drøftelse 18. oktober villet indskrænke indgreb til skibe fra det samme rederi. Hvis Best nu var af den opfattelse, at det var holdbart med indgreb mod andre rederiers skibe, havde Seekriegsleitung ikke noget at indvende mod Wurmbachs forslag.

Seekriegsleitungs svar afslører endnu en del af indholdet af de drøftelser, der havde fundet sted 18. oktober 1944 i København. Det var på baggrund af dem, at Wurmbach dagen før kunne være så hurtigt ude med forslag til, hvordan man fra tysk side skulle forholde sig til "Store Bælt"s flugt. En sådan situations opståen var allerede drøftet, og forslag til, hvad der skulle gøres aftalt. Imidlertid synes Best nu villig til at gå endnu videre end ved drøftelsen i oktober.

Imidlertid tog spørgsmålet en ny vending med Seetransportchef Skagerraks brev til Wurmbach 13. november 1944.

Kilde: KTB/ADM Dän 10. november 1944, BArch, Freiburg, RM 45 III/250. RA, Danica 628, sp. 3, s. 3712 og fjernskrivermeddelelsen i afskrift sst. sp. 7, nr. 5903 og BArch, Freiburg, RM 7/1813.

[...]

Auf mein FS Gkdos 70639 vom 9.11.[114] trifft mit Gkdos 33253 Skl. Koralle folgende Stellungnahme ein:

Reichsbevollmächtigter hatte bei Rücksprache 18.10.[115] strafweisen Rückgriff auf Schiffe der gleichen Rederei beschränkt wissen wollen. Wenn Reichsbevollmächtigter Rückgriff auf Tonnage fremder Reedereien nunmehr für tragbar hält, hat Skl. ihrerseits gegen Vorschlag Admiral Skagerrak nichts einzuwenden. Beschlagnahme würde wie bisher auch in diesem Falle von Reichsbevollmächtigtem auszusprechen sein.

[...]

113 Trykt ovenfor.

114 Trykt ovenfor.

115 Se Bests kalenderoptegnelser 18. oktober 1944, trykt ovenfor.

119. Karl Ritter an Werner Best 11. November 1944

Best blev bedt om omgående at tage stilling til en fjernskrivermeddelelse, som OKW havde sendt til RFSS og WB Dänemark. Værnemagten blev sat til politimæssige opgaver i Danmark. Det forhåndenværende tyske politi kunne ikke påtage sig nye bevogtningsopgaver på grund af manglende mandskab, og Jodl opfordrede 5. november Himmler til at forstærke politistyrken i Danmark.

Best svarede med telegram nr. 1265, 14. november (Rosengreen 1982, s. 142f.).

Kilde: PA/AA R 101.041. RA, pk. 232.

Abschrift

Botschafter Ritter Nr. 983 *Berlin, den 11. November 1944.*

Deutsche Gesandtschaft
Kopenhagen

Nr. 1303.

G-Fernschreiben

Für Behördenleiter.

I.) Das Oberkommando der Wehrmacht hat das nachstehende Fernschreiben vom 5. November an Reichsführer-SS und an Wehrmachtsbefehlshaber Dänemark gerichtet:

“1.) Infolge der sehr geringen Stärke der. Dt. Polizei in Dänemark müssen zahlreiche polizeiliche Aufgaben nach Entwaffnung der dänischen Polizei von den an sich schon schwachen Truppen der Wehrmacht mit übernommen werden, deren Zahl sich infolge Entwicklung der Lage an anderen Fronten noch weiter vermindert hat. Abwehrbereitschaft und Sicherheit Dänemarks leiden darunter, weil für polizeiliche Aufgaben die Wehrmachtteile weder eine ausreichende Stärke noch entsprechende Schulung besitzen.

2.) Ich bitte zu prüfen, ob die Polizeikräfte in Dänemark nicht verstärkt werden können.

i.A. Jodl” Nr. 00 12987/44 gKdos.

Schluß des Fernschreibens.

II.) Der Herr Reichsaußenminister läßt Sie bitten, umgehend dazu Stellung zu nehmen.

gez. **Ritter**

120. Rüstungsstab Dänemark: Aktenvermerk über die Besprechung im Rüstungsstab Dänemark 11. November 1944

Ford Motor Company A/S i København ønskede at blive løsgjort fra en kontrakt med Rüstungsstab Dänemark. Begrundelsen var ikke alene frygt for sabotage mod de både, der skulle bygges, men også for ødelæggelsen af selve Fords fabriksanlæg. Sabotageværnet var ikke tilstrækkeligt, men tysk politis eller militærs beskyttelse ville hverken ledelse eller arbejdere være med til. For at slippe ud af kontrakten skulle Ford overføre produktionen til Våben- og Ammunitionsarsenal Danmark, herunder for fire uger stille uddannet personale til rådighed, ligesom Ford skulle betale for indretningen af en fabrikshal for en pris af 50.000 kr. Der skulle endvidere før 1. januar 1945 færdiggøres to skibsskrog. Ford gik ind på dette og flere stillede krav (Gilmer 1998, s. 166 skriver fejlagtigt, at Ford ikke blev fritaget for kontrakten).

Ophævelsen af kontrakten hindrede ikke, at BOPA 21. november ødelagde de to skibsskrog, som Ford skulle have færdiggjort før nytår (Kjeldbæk 1997, s. 476).

Kilde: BArch, Freiburg, RW 27/17, KTB/Rü Stab Dänemark 4. Vierteljahr 1944, Anlage 11.

[Anlage 11]
Rüstungsstab Dänemark *Kopenhagen, den 11. November 1944.*

Betr.: Verlagerung des Auftrags der Firma Gebr. Sachsenberg A.G., Listen-Nr. A 9388, Wert: D.Kr. 2.444.000,- von der Firma Ford Motor Comp. A/S, Kopenhagen an die "Waffen und Munitionsarsenale in Dänemark", Kopenhagen.[116]

Aktenvermerk
über die Besprechung im Rüstungsstab Dänemark am 10. November 1944

Anwesend:
Von der Firma Ford Motor Comp. A/S:
Direktor Möller
Betriebsleiter Frederiksen
Ing. Jörgensen
Von der Firma Gebr. Sachsenberg A.G.:
Direktor Wadskjer
Direktor Züchner
Vom Rüstungsstab Dänemark:
Kapitän zur See Dr. Forstmann
Oberleutnant Edler von Daniels
Rittmeister Schlüter
Reg. Baurat Jeschke
Reg. Baurat Herzberger

Kapitän zur See Dr. Forstmann führte aus, daß es der dringende Wunsch der Firma Ford sei, von dem Auftrag A 9388 entbunden zu werden, weil erneut Sabotage befürchtet würde, die nicht nur die Boote zerstören, sondern auch im Werk selbst großen Schaden verursachen könnte. Andererseits sei der Werkschutz absolut ungenügend und auch nicht der Wille bei der Belegschaft vorhanden, sich gegen Sabotage zu schützen, wie der 2. Sabotagefall gezeigt habe.[117] Schließlich verhielten sich Direktion und Arbeiterschaft sehr ablehnend gegenüber der Durchführung eines deutschen polizeilichen oder militärischen Schutzes.

Vertrag sei aber Vertrag und müsse erfüllt werden. Bei keiner anderen dänischen Firma sei bisher aus Sabotagegründen ein Auftrag zurückgezogen worden.

Die Firma sei auch nicht im Stande gewesen – obgleich vor Wochen bereits aufgefordert –, einen anderen Betrieb oder ein anderes Gebäude nachzuweisen, wo die Fertigung der Boote in Ruhe durchgeführt werden könnte. Die diesbezüglichen Überlegungen seien vielmehr ganz dem Rü Stab überlassen worden, der wegen Verlagerung der Boote große Schwierigkeiten sowohl bei vorgesetzten Stellen als auch bei der Fa. Sachsenberg

116 Jfr. kontraktregistreringen i BArch, Freiburg, RW 19: Wi I E1: Dänemark 1.7. Kontrakten var indgået 17. februar 1944.

117 Den 17. oktober havde BOPA sprængt en tysk hurtigbåd, brændt skibsmodeller og lagt bomber i tyske lastbiler hos Ford, Sydhavnsgade 27 (Kjeldbæk 1997, s. 475).

zu überwinden hatte, schließlich aber bei den Waffen- und Munitionsarsenalen eine freizumachende Halle fand, die nach Verhandlung mit der Leitung der Arsenale und Wa Chef Ing. Berlin für die Bootsfertigung im Stand gesetzt werden könne. Die Leitung der Arsenale habe sich bereitserklärt, den Auftrag unter gewissen Voraussetzungen zu übernehmen. Rü Stab Dän. erkläre sich mit der Verlagerung unter folgenden Bedingungen einverstanden:

1.) Die Überführung des Materials und der Regale, sowie der Copie der Lagerbuchführung, der Werkzeuge, Vorrichtungen und Zeichnungen erfolgt durch und zu Lasten der Firma Ford an die Waffen- und Munitionsarsenale.
2.) Das für die Boots-Fertigung ausgebildete Personal mit einem Ingenieur (Herrn Badram) der Firma Ford steht für eine Übergangszeit von 4 Wochen den Waffen- und Munitionsarsenalen zur Verfügung.
3.) Die Einrichtung der Halle bei den Waffen- und Munitionsarsenalen erfordert erhebliche Mittel (Instandsetzung, Heizungsanlage, Kabelzuführung, Kauf eines Transformators, Umzäunung, Sozialeinrichtungen). An diesen Umkosten muß sich die Fa. Ford mit D.Kr. 50.000,- beteiligen, ein Betrag, der im Hinblick auf die von der Fa. Ford gewünschte Vertragslöhnung sehr gering erscheint und bei weitem nicht den Aufwand deckt, den die Fa. Sachsenberg und die Waffen- und Munitionsarsenale nunmehr leisten müssen.
4.) Die Abrechnung der bisherigen Leistungen von Ford und die Überführung des Auftrags an die Waffen- und Munitionsarsenale muß in beiderseitigem Einvernehmen reibungslos und schnellstens erfolgen.
5.) Die noch fehlenden 5 Hallinge müssen bis spätestens 1.1.1945 noch von Ford erstellt und an die Waffen- und Munitionsarsenale überführt werden.
6.) Die Fertigstellung der Bootskörper 3 und 4 hat bis 1.1.1945 durch die Fa. Ford zu erfolgen.
7.) Die bei der Fa. Ford freiwerdenden Kapazitäten kommen Deutschland für die Fertigung von Generatoren und Entseuchungsanlagen zugute.

Die Firma Ford nahm hierzu wie folgt Stellung:

Zu 1.): Direktor Möller stimmt vorbehaltlich zu.

Zu 2.): Direktor Möller versprach, in der loyalsten Weise alles zu tun, um die Arbeiter dahin zu bringen, auch an anderer Stelle die Fertigung der Boote in der genannten Übergangszeit fortzusetzten.

Zu 3.): Die Forderung von D.Kr. 50.000,- versprach Direktor Möller umgehend zu überprüfen, worauf Kapitän zur See Dr. Forstmann nochmals das große Entgegenkommen deutscherseits bei dieser Angelegenheit betonte.

Zu 4.): Direktor Möller erklärte sich einverstanden.

Zu 5.): Desgleichen.

Zu 6.): Desgleichen.

Zu 7.): Desgleichen.

Kapitän zur See Dr. Forstmann kam dann auf das Boot Nr. 2 zu sprechen, das fast fertig auf Stapel liegt und äußerst sabotagegefährdet erscheint. Er sicherte sofortigen deutschen polizeilichen Schutz des Werkes bis zur endgültigen Fertigstellung des Bootes zu

Mittwoch, den 15. ds.Mts. zu.

Die Besprechung über die Sicherung des Bootes ergab dann aber Übereinstimmung darin, daß es am zweckmäßigsten sei, das Boot unter deutschem Schutz vorläufig zur Firma EHA zu überführen, damit es nicht durch Innensabotage beschädigt und evtl. passiver Widerstand durch die Arbeiterschaft während des deutschen polizeilichen Schutzes vermieden würde. Das Werk wurde sofort benachrichtigt und das Boot sowie die Hauptvorrichtungen noch am gleichen Tage, 18 Uhr, überführt.

gez. **Forstmann**

121. Rudolf Brandt an Horst Wagner 11. November 1944

RFSS ønskede, at der blev grebet ind over for den tiltagende skibsværftssabotage i Danmark. Best og Pancke skulle sammen komme med forslag til energiske foranstaltninger, der kunne sætte en stoppe derfor. Det var RFSS' opfattelse, at det ville få de mest alvorlige konsekvenser, hvis Hitler fik nys om de nye tilfælde af sabotage.

Himmler kom med en åben trussel. Det stod i hans magt at lade sagen gå videre til Hitler. Det er hævet over enhver tvivl, at Best herefter var fuldt på det rene med situationens alvor, og at han satte alt ind på at nedtrappe krisen. Best ville undgå, at Hitlers opmærksomhed på ny blev rettet mod Danmark, mens RFSS truede ham til ikke igen at komme sig på tværs.

AA svarede med Wagners telegram til Brandt [17.] november (Rosengreen 1982, s. 143).

Kilde: RA, pk. 232. LAK, Best-sagen (afskrift). ADAP/E, 8, nr. 295.

Telegramm

Feld-Kdo.-Stelle RFSS, den	11. November 1944	03.30 Uhr
Ankunft, den	11. November 1944	13.30 Uhr

Lieber Kamerad Wagner!

Der Reichsführer-SS läßt Sie bitten, dem Herrn Reichsaußenminister davon Kenntnis zu geben, daß von den im dänischen Raum getätigten Schiffsneubauten bereits das fünfte Schiff durch Sabotage versenkt worden ist. Der Reichsführer-SS hat nunmehr den HSSuPF in Dänemark angewiesen, energisch derartige Schweinereien zu vermeiden. Im Verhältnis hierzu ist zu sagen, daß in den Niederlanden bei einem ungleich größeren Bauprogramm nicht ein einziges Schiff versenkt wurde.

Der Reichsführer-SS wäre dem Herrn Reichsaußenminister sehr dankbar, wenn er den Reichsbevollmächtigten in Dänemark anweisen würde, zusammen mit dem HSSuPF, wirklich energische Maßnahmen zur Vermeidung solcher Sabotagefälle zu ergreifen. Der Reichsführer-SS ist der Ansicht, daß falls der Führer von diesen neuen Sabotagen erfährt, er bestimmt die durchgreifendsten Handlungen von uns verlangen würde. – Ich bitte Sie, mich von dem Ergebnis in Kenntnis zu setzen.

Heil Hitler!
Ihr
gez. **Brandt**
SS-Staf., Feld-Kdo.-Stelle RFSS

122. OKW/WFSt: Sabotage in Dänemark 11. November 1944

På baggrund af OKMs krav erklærede von Hanneken, at han ikke kunne afse mandskab til at påtage sig skibsbevogtning, og at det var et anliggende, som HSSPF rettelig skulle tage sig af. Han mente ikke, at et samarbejde mellem RKS, Ob.d.M. og HSSPF var sandsynligt, men ville forholde sig neutral (Rosengreen 1982, s. 145).

Kilde: BArch, Freiburg, RW 4/754. RA, Danica 1069, sp. 1, nr. 322.

WFSt/Qu. 2 (Nord) *11.11.1944.*

Betr.: Sabotage in Dänemark. – Forderungen des Ob.d.M.

Notiz

In Erledigung diesseitigen Fernschreibens vom 6.11.44 meldet W. Befh. Dänemark fernmündlich:

1.) Sowohl der Reichskommissar für die Seeschiffahrt als auch Ob.d.M. hätten inzwischen von sich aus Maßnahmen ergriffen, um die Sabotage in den dänischen Häfen wirksamer bekämpfen zu können. Beauftragter des RKS für diese Frage sei Admiral Mewes, Beauftragter des OKM Admiral Skagerrak, der zu diesem Zwecke Abwehrtrupps nach Dänemark in Marsch zu setzen beabsichtige.[118]

Mit Admiral Mewis habe W. Befh. Dänemark eine Rücksprache gehabt, dabei seien an den W. Befh. Dänemark irgendwelche personellen oder materiellen Forderungen in dieser Hinsicht nicht gestellt worden.

W. Befh. Dänemark hält eine ersprießliche Zusammenarbeit zwischen den Sabotageabwehr-Organisationen des RKS, des Ob.d.M. und des Höheren SS- und Polizeiführers Dänemark (den die Sache eigentlich angehe) nicht für wahrscheinlich, hält sich aber neutral.

2.) Selbst wenn eine der mit Sabotage-Abwehr beauftragten Stellen Forderungen auf personelle Unterstützung durch W. Befh. Dänemark erheben sollte, könne W. Befh. Dänemark diese nicht geben; hierzu seien keine Kräfte vorhanden; wenn W. Befh. Dänemark überhaupt Kräfte freimachen könne, würde er sie zum Bahnschutz einsetzen, was z.Zt. für wesentlich vordringlicher halte.

I.A.
[underskrift]

Verteiler:
Stellv. Chef WFSt
Op (M)
Qu. (Entwurf)

118 Admiral Mewis var kommet til København i begyndelsen af oktober 1944 som Karl Kaufmanns særligt befuldmægtigede vedrørende bekæmpelsen af skibssabotagen (Bests kalenderoptegnelser 4. oktober 1944). Duckwitz skriver i sine erindringer, at det skyldtes, at man på højere sted ikke mente, at han selv havde gjort tilstrækkeligt i den sag. Dog fandt han ikke Mewis' ankomst som en straf, men som en lettelse og deres samarbejde formede sig på venskabelig vis (Duckwitz' erindringer u.å. kap. III, s. 27 (PA/AA, Nachlass Georg F. Duckwitz, bd. 29)).

123. Werner Best an das Auswärtige Amt 11. November 1944

Best havde fået en henvendelse fra Waffen-SS' forsorgsofficer om, at der inden for rammerne af organisation Lebensborn skulle oprettes en fødeanstalt for kvinder fra det tyske mindretal og for kvinder til danske frivillige i tysk krigstjeneste. Hertil var udset sygehuset i Løgumkloster. Best havde henvendt sig til værnemagtsintendanten i Danmark, der ikke ville foretage beslaglæggelse pga. Haager-landkrigskonventionen. Best ønskede derfor en afklaring i AA.

Det har næppe været med den største ulyst, at Best på dette tidspunkt forhalede SS' fremtrængen i Danmark. Himmler havde tidligere – 8. august 1943 – rettet henvendelse til de tyske myndigheder i de besatte lande vedrørende sikringen af tyske kvinders graviditet, men det havde ikke ført til oprettelse af en fødselsinstitution i Danmark.

Roediger afgav 23. november en indstilling i sagen, hvorefter sygehuset ikke kunne rekvireres til det ønskede formål ifølge Haager-landkrigskonventionen. Krigsbytteretten kunne heller ikke tages i anvendelse, da Danmark ikke var en fjendtlig stat.

Reichel svarede derpå Best 28. november 1944.

Kilde: PA/AA R 100.358.

Der Reichsbevollmächtigte in Dänemark *Kopenhagen, den 11.11.1944.*
II D 2158/44
– 2 Durchdr. –

An das Auswärtige Amt Berlin

Betr.: Die vom Fürsorgeoffizier der Waffen-SS in Dänemark beantragte Beschlagnahme des Krankenhauses in Lügumkloster.

Der Fürsorgeoffizier der Waffen-SS in Dänemark beabsichtigt, im Rahmen der Organisation "Lebensborn" ein Entbindungsheim für die Frauen und Bräute der volksdeutschen und dänischen Freiwilligen der 3 Wehrmachtsteile und der Waffen-SS zu errichten. Das Heim soll in Nordschleswig liegen. Als besonders geeignet ist von ihm das kommunale Krankenhaus in Lügumkloster ermittelt worden. Es besitzt Operationssaal, Einrichtungen für Röntgen-, Massage- und Lichtbehandlungen sowie ein Laboratorium und könnte deshalb in seinem jetzigen Zustand sofort in Betrieb genommen werden.

Da eine Übernahme des Krankenhauses im Wege vertraglicher Vereinbarung nicht möglich ist, hat der Fürsorgeoffizier der Waffen-SS mich gebeten, mich dafür einzusetzen, daß das Krankenhaus im Wege der Beschlagnahme durch den Wehrmachtintendanten Dänemark in Anspruch genommen wird. Er hat dabei darauf hingewiesen, daß die Beschlagnahme der dänischen Bevölkerung gegenüber keine besondere Härte darstelle, da das Krankenhaus, das sowieso nur 30 Betten und nicht einmal einen hauptamtlich angestellten Arzt habe, im allgemeinen nur schwach belegt sei und wirklich ernsthaft Kranke auch jetzt schon in die Krankenhäuser in Tondern und Sonderburg gelegt würden.

Ich habe mich auf Wunsch des Fürsorgeoffiziers der Waffen-SS an den Wehrmachtintendanten Dänemark gewandt und ihn gefragt, ob er bereit sei, die Beschlagnahme des Krankenhauses vorzunehmen. Der Wehrmachtintendant Dänemark hat mir erwidert, daß er die Beschlagnahme nicht für durchführbar halte. Schon die Beschlagnahme eines Krankenhauses für ausgesprochene Wehrmacht-(Lazarett-) zwecke, wie sie vereinzelt habe erfolgen müssen, sei unerfreulich, da sie mit der Haager Landkriegsordnung nicht in Einklang zu bringen sei. Die Beschlagnahme eines Krankenhauses mit der Absicht, es als Entbindungsheim, also für nicht militärische Zwecke, zu verwenden, sei ein derart eindeutiger Verstoß gegen die Haager Landkriegsordnung, daß er sich nicht entschließen könne, eine solche Maßnahme zu treffen.

Ich bitte, diese völkerrechtliche Seite der Angelegenheit zu prüfen und mir mitzuteilen, ob unter den gegebenen Umständen die Beschlagnahme des Krankenhauses vertretbar erscheint.

W. Best

124. Harro Brenner an Werner Best 12. November 1944

RFSS havde meddelt, at danske sabotører allerede havde sænket fem skibe af de planlagte tyske nybygninger, mens der i Holland ikke var sænket en eneste ved et endnu større byggeprogram. Det måtte der gøres noget ved. Ribbentrop ville derfor have Best og Pancke til at foreslå skrappe modforanstaltninger.

Best svarede med telegram nr. 1268, 15. november.

Det omtalte byggeprogram, Hansa-skibsprogrammet, havde fået stigende betydning til erstatning for mistede skibe i takt med, at Tyskland mistede værftskapacitet under den allierede fremrykning i Vesteuropa. Der var håndfaste militære grunde til det forøgede tyske fokus på dansk værftsindustri (Jensen 1971, s. 173ff., Rosengreen 1982, s. 143, Frederichsen 1984).

Kilde: PA/AA R 101.041. RA, pk. 232.

Telegramm

Sonderzug Westfalen, den 12. November 1944
Nr. 1311

Diplogerma Kopenhagen
Für Reichsbevollmächtigten.

Der Reichsführer-SS hat mitgeteilt, daß dänische Saboteure von den in Dänemark getätigten Schiffsneubauten bereits das fünfte Schiff versenkt hätten,[119] während in den Niederlanden bei einem ungleich größeren Bauprogramm nicht ein einziges Schiff versenkt worden sei.[120]

Der Herr Reichsaußenminister bittet Sie, im Einvernehmen mit dem Höheren SS- und Polizeiführer vorzuschlagen, welche scharfen Maßnahmen getroffen werden können, um sicherzustellen, daß zukünftig derartige Sabotageakte auf alle Fälle verhindert werden.

Brenner

119 Se telegram nr. 1276, 16. november 1944.
120 Himmlers meddelelse er trykt ovenfor gennem Brandts telegram til Wagner 11. november 1944.

125. Seekriegsleitung an Hans-Heinrich Wurmbach 12. November 1944

Wurmbach havde anbefalet, at de danske handelsskibe ikke fik flakbevæbning. Det var en opfattelse, som Seekriegsleitung ikke delte, men nu fandt anledning til at få indført, foreløbigt kun på de større handelsskibe. Wurmbach skulle fremme sagen hos Best. Hvis flakbevæbning på grund af strejke blandt søfolkene ikke skulle være mulig, skulle skibene forsynes med vagtkommandoer for at forhindre flugt til Sverige.

Se Seekriegsleitung til Hans-Heinrich Wurmbach 27. november 1944.

Kilde: BArch, Freiburg, RM 7/1813. RA, Danica 628, sp. 7, nr. 5904 og sp. 10, nr. 9376.

Abschrift
B. Nr. 1/Skl. II 33 348/44 gKdos. *Berlin, den 12.11.1944*
m. AÜ. gKdos.!
Fernschreiben an: 1.) SSD Adm. Skag. MDAS 14/11 00.55
2.) SSD MOK Ost/Führstb. nachr. MKOZ 14/11 01.45

Auf Adm. Skag. gKdos. 6309/44 v. 10.11.[121]

1.) Ansicht Adm. Skag., daß durch Flakbewaffnung Luftangriffe auf Dänenschiffe provoziert, von Skl. nicht geteilt. Erfahrung in anderen Bereichen lehrt, daß überall Luftangriffe auf H-Schiffahrt ohne Rücksicht auf Flagge oder Bewaffnung erfolgen. Unbewaffnete Schiffe als bequeme Angriffsziele sogar besonders gefährdet.
2.) Flakbewaffnung Dänenschiffe ist als Forderung, deren Erfüllung mit zunehmender Stärke Luftkriegsführung immer dringender wird. Gelegenheit zur grundsätzlichen Durchsetzung jetzt günstig. Forderung daher bei Reichsbev. mit Nachdruck vertreten. Praktische Durchführung schon mit Rücksicht auf Personal- u. Waffenlage zunächst nur für größere Schiffe in Fahrt auf Nordsee, Norwegen u. östl. Ostsee.
3.) Falls Reichsbev. Flakbewaffnung Dänenschiffe wegen zu erwartender Folgen (Seemannsstreik) auch jetzt noch für undurchführbar hält, ist Skl. mit Einschiffung von Begleitkdos. zur Verhinderung Ausbruchabsichten als vorbereitende Übergangsregelung einverstanden.

Seekriegsleitung
Br. Nr. 1/Skl. 33 348/44 gKdos.

126. Seekriegsleitung an MOK Ost und Hans-Heinrich Wurmbach 12. November 1944

Seekriegsleitung gav ordrer og stillede spørgsmål som svar på MOK Osts skrivelse af 10. november. Bl.a. ville Seekriegsleitung have at vide, hvordan man fandt frem til de mistænkelige skibe, der skulle have vagtkommandoer om bord.

Wurmbach svarede 22. november 1944.

Kilde: RA, Danica 628, sp. 10., nr. 9374f.

B. Nr. 1/Skl. II 33381/44 gKdos. *Berlin, den 12.11.44.*
mit AÜ Gkdos.

121 Trykt ovenfor.

Fernschreiben an: 1.) MOK Ost/Führstb.
2.) Adm. Skagerrak

Auf MOK Ost/Füstb. Op. 06947 F I v. 10.11.[122]
1.) Verhinderung Abwanderung Dänenschiffe ist Aufgabe Adm. Skag. für seinen Bereich. Verantwortung MOK Ost für Gesamtbereich bleibt hiervon unberührt.
2.) Zusammenarbeit zwischen beteiligten Stellen, wie mit 1/Skl. II 33 186/44 gKdos. v. 9.11. befohlen, schließt Reichsbev. und Reikoseevertreter ein.[123]
3.) Betr. Anbordgabe Bewachungskmdo's Adm. Skag. melden
a.) wie Auslese verdächtigter Schiffe gehandhabt wird
b.) Prüfungsergebnis Einbeziehung gesamten dän. Sundverkehrs.

Seekriegsleistung
B. Nr. 1/Skl II 33381/44 gKdos.

127. WFSt an OKM 12. November 1944

I forbindelse med udvekslingen af informationer mellem OKW og OKM om brugen af sovjetiske krigsfanger i Danmark, fremkom WB Dänemark med sin principielle stilling dertil. Han tog såvel militære som politiske hensyn. Af sidstnævnte grund ønskede han dem ikke anvendt i nærheden af de store byer. Til gengæld ønskede ham dem både anvendt til fæstningsbyggeri og som arbejdskraftreserve til indsættelse på livsvigtige virksomheder i tilfælde af strejker.

Von Hannekens stillingtagen var præget af den indre modsætning, at han på den ene side ikke ønskede fangerne i forbindelse med de store byers befolkning, og på den anden side ville benytte dem som strejkebrydere på de livsvigtige virksomheder, som netop lå i de større byer. Krigsfanger blev næsten ikke anvendt som tvangsarbejdere i Danmark, hvilket ville have eskaleret enhver opstået strejke yderligere. Også her viste WB Dänemark sin manglende situationsfornemmelse.[124]

Kilde: RA, Danica 1069, sp. 1, nr. 418-420.

WFSt/Qu. 2 (Nord) *12.11.1944.*
Geheim

SSD – Fernschreiben

An OKM/Mar Wehr/Tr. I

Bezug: OKM/Mar Wehr/Tr. I Nr. 26110/44 g. vom 7.11.44.[125]
Betr.: Einsatz sowjet-russischer Kriegsgefangener in Dänemark.

Belassung de bei MAA 509[126] verwendeten sowjet-russischen Kriegsgefangenen im derzeitigen Einsatz wird bis auf weiteres genehmigt.

I.A.
gez. [underskrift]

122 Trykt ovenfor.

123 Sidstnævnte var admiral Mewis.

124 Om den begrænsede brug af russiske krigsfanger i Danmark se Bundgård Christensen et al. 1997, s. 45f. og *Gads leksikon om dansk besættelsestid*, 2002, s. 363.

125 Se OKM til OKW 7. november 1944.

126 Marineartillerieabteilung 509 havde base i Frederikshavn (Andersen 2007, s. 367).

Notiz

Fernmündliche Rücksprache mit W. Befh. Dänemark/Ic, der zur Frage des Einsatzes sowjet-russischer Kriegsgefangener in Dänemark wie folgt Stellung nimmt:

a.) Allgemein:
Beim Einsatz sowjet-russischer Kriegsgefangener kommt es darauf an, *wo* dieselben verwendet werden.

Gegen Einsatz im Stellungsbau, abgetrennt und weit abgesetzt von der Zivilbevölkerung, ist nichts einzuwenden. Dagegen bestehen nach wie vor Bedenken, sowjet-russische Kriegsgefangene in großen Städten oder in deren Nähe zum Einsatz zu bringen. Dies ist aber in erster Linie eine politische und nur in zweiter Linie eine militärische Frage.

Wenn W. Befh. Dänemark entgegen früherer Stellungnahme jetzt selbst Zuweisung von Kriegsgefangenen beantragt, so geschieht das um
1.) sie zum Stellungsbau einsetzen zu können,
2.) an ihnen eine Arbeitskraft-Reserve für Streiks in lebenswichtigen Betrieben, insbesondere für Hafenstreiks, zu haben.

b.) Zu dem anliegenden Antrag des OKM:
W. Befh. Dänemark hält es grundsätzlich für unerwünscht, wenn sich die Wehrmachtteile in Dänemark auf dem eigenen Dienstweg in immer größerem Umfange Kriegsgefangene beschaffen. Einer zentralen Steuerung des Kriegsgefangeneneinsatzes durch W. Befh. Dänemark ist der Vorzug zu geben. W. Befh. Dänemark hat jedoch nichts dagegen einzuwenden, wenn dem Antrag des OKM – als Ausnahmefall – stattgegeben wird.

I.A.
[underskrift]

128. OKW an Wehrmachtintendant beim Wehrmachtbefehlshaber Dänemark 12. November 1944

OKW beordrede Wehrmachtsintendanten i Danmark til at indføre skærpet valuta- og priskontrol for værnemagtsarbejder og indkøb i Danmark. Det skete på grund af den i stigende grad anspændte valutasituation. Ordren var dels en indskærpelse af gældende regler, dels et krav om yderligere foranstaltninger, hvilke OKW ville have en tilbagemelding om.

Trods inflationsfarens alvor synes ordren mest af alt at have pligtkarakter. Den blev udstedt for at give indtryk af, at OKW gjorde noget i sagen, men at det i sidste ende først og fremmest drejede sig om de krigsmæssige behov.

Ordren blev dagen efter af OKW sendt til AA med en henvisning til et brev fra AA af 18. august 1944 (HA Pol VI 3241/44, ikke lokaliseret) vedrørende en skærpelse af valuta- og priskontrollen i Danmark. OKW mente hermed at have taget højde for AAs brev for sit vedkommende. Det blev sluttelig nævnt, at ønsket om indførelse af en generalingeniør var trukket tilbage.

Se forudgående Reichskommissar für die Preisbildung til OKW 21. oktober og efterfølgende Hans Meyer-Böwigs notat 22. november og OKW til RFM 25. november 1944.

Kilde: PA/AA R 105.210. RA, Danica 201, pk. 81A.

Abschrift
Oberkommando der Wehrmacht *O.U., den 12.November 1944*
2 f 32/65b/IV/16092/44/AWA Ag WV 3 (1)

An Wehrmachtintendant
beim Wehrmachtbefehlshaber Dänemark
Nachrichtlich
OKH
OKM
OK d L
R. Komm. für Preisbildung
Rechnungshof des Deutschen Reiches
Ag WV Abt. 1
– – – 2
– – – 3 Ref. I – X
Reserve – 6 Abdrucke

Betr. Verschärfung der Devisen- und Preiskontrolle in Dänemark
Bezug: a) OKW 3 f 31 Nr. 2232/44 g AWA/Ag WV 3 (VIII) vom 21.2.44
OKW 2 f 32/34 Nr.262/43 g WV (IXa) vom 25.1.43

Die Rücksicht auf die zunehmende Anspannung der dänischen Währung zwingt zu einer Verschärfung der bisher zu ihrem Schutz ergriffenen Maßnahmen.

In Ergänzung der Bezugserlasse a) und b) wird daher befohlen:

I.) Die durch die Bestimmungen über die Geldmittelbewirtschaftung befohlene Sparsamkeit in der Verwendung der Devisen ist durch verstärkte Mitarbeit der Intendanten der Wehrmachtteile hinsichtlich aller von diesen im dänischen Raum beabsichtigten Vorhaben sicherzustellen.

II.) Preisprüfung in der Truppenwirtschaft (Preisbildung und Preisüberwachung)

a.) Preisbildung

Der Wehrmachtintendant hat durch Anweisungen an die Wehrmachtteile und an die im Wehrmachtinteresse tätigen Verbände und Organisationen, die von ihm mit Landeszahlungsmitteln zu versorgen sind, sicherzustellen, daß die von deutschen Preisbildungsstellen in Dänemark erlassenen allgemeinen Richtlinien und Vorschriften der Preisbildung für alle Bedarfsgüter der Truppenwirtschaft (einschließlich des Bauwesens) zugrunde gelegt werden. Die dänischen Preisbildungsvorschriften sind anzuwenden, soweit sie entweder allgemein von deutscher Seite übernommen wurden oder soweit ihre Anwendung im Interesse der Deutschen Wehrmacht liegt.

Hierzu hat der Wehrmachtintendant mit den in Dänemark für die Preisbildung zuständigen Stellen dauernde Fühlung zu halten. Er hat bei der Aufstellung allgemein verbindlicher Vorschriften und Richtlinien für Preis- und Lohnbildung, besonders auch für Baupreise und -löhne, und bei der Ausgestaltung des Vertragswesens auf dem Gebiet der Auftragsvergebung in allen Zweigen der

Truppenwirtschaft mitzuwirken und die Interessen der Wehrmacht zu vertreten.

Soweit von deutschen Preisbildungsstellen für truppenwichtige Güter und Leistungen keine Preise festgesetzt sind, die für die Wehrmacht übernommen werden können, hat sie der Wehrmachtintendant mit Verbindlichkeit für die Wehrmachtteile einschließlich der angeschlossenen Verbände und Organisationen festzusetzen.

b.) Preisüberwachung

1.) Allgemeines

Die Preisüberwachung (Durchsetzung der gebildeten Preise und Löhne) ist auf dem Gebiet der gesamten Truppenwirtschaft (s. Ziffer a) verschärft durchzuführen, soweit angängig bereits im Zuge der Prüfung und Genehmigung der von den Wehrmachtteilen einschließlich der angeschlossenen Verbände und Organisationen vorgelegten Geldmittelanforderungen. Soweit hierbei Preise beanstandet werden, ist dies bei der Zuteilung der angeforderten Geldmittel zu berücksichtigen. Devisenanforderungen deutscher Unternehmer sind nur soweit zu befriedigen, als sie bei Anlegung des schärfsten Maßstabes zur Auftragsausführung unbedingt erforderlich sind.

Die Tätigkeit der bei den Wehrmachtteilen und den angeschlossenen Verbänden und Organisationen bereits bestehenden Preisüberwachungs- und Preisbildungsstellen ist nach gemeinsamen Gesichtspunkten durch Richtlinien zu vereinheitlichen. Zur Entlastung dieser Stellen sind die dänischen Preisbehörden, soweit militärisch und politisch tragbar, nach Richtlinien des Wehrmachtintendanten auch zur Überwachung und Überprüfung deutscher Firmen als Gutachter heranzuziehen. Die Ergebnisse der dänischen Preisprüfungstätigkeit bei den dänischen Firmen sind für die Erhaltung des Preisstandes bei Wehrmachtaufträgen zu verwerten und den beschaffenden und Auftragsvergebenden Stellen bekanntzugeben. Die Durchführung der vom Wehrmachtintendanten erlassenen Richtlinien ist von ihm durch geeignete Maßnahmen sicherzustellen.

2.) Baupreisüberwachung

Die Baupreisüberwachung erstreckt sich auf die gesamte im Auftrag der Wehrmacht durchgeführte Bautätigkeit, für die der Wehrmachtintendant die Mittel zu gewähren hat, einschließlich der unmittelbar von der Truppe durchgeführten oder vergebenen Bauvorhaben.

Es ist Vorsorge zu treffen, daß der Geheimschutz nicht zur Verdeckung von Preis- oder Bauausführungsverstößen mißbraucht wird.

Die Preisüberwachung bei den im Wehrmachtinteresse tätigen Verbänden und Organisationen geschieht, soweit sie nicht schon bei der Mittelanforderung und -zuweisung durchgeführt werden konnte (siehe II b 1), gleichzeitig mit der Kontrolle der Verwendung der zugewiesenen Mittel.

Löhne und Preise, die von der Wehrmacht an die bauausführenden deutschen und dänischen Unternehmer, sei es unmittelbar oder unter Zwischenschaltung der Verbände und Organisationen, gezahlt werden, sind eingehend zu prüfen.

Soweit fachkundliches Personal zur Verfügung steht und nicht bereits andere deutsche amtliche Stellen prüfen, sind auch die von den Auftragnehmern der Wehrmachtteile und der angeschlossenen Verbände und Organisationen an ihre Lieferanten und Arbeiter gezahlten Preise und Löhne sowie die Übereinstimmung der geleisteten Arbeiten mit den in Rechnung gestellten, an Ort und Stelle nach den Grundsätzen der Betriebsprüfung zu kontrollieren. Bei deutschen Firmen ist außerdem die ordnungsgemäße Verwendung der zugewiesenen Landeszahlungsmittel (vergl. II b 1) zu überprüfen.

Ergibt der Vergleich der von der Wehrmacht gezahlten Baupreise mit den von den Auftragnehmern und ihren Unterbeteiligten gezahlten Preisen und Löhnen überhöhte Gewinne, so ist für die Herabsetzung der vereinbarten Auftragspreise und für die Rückführung der Übererlöse zu den Devisenbetriebsmitteln des Wehrmachtintendanten Sorge zu tragen.

Die Wehrmachtteile einschließlich der angeschlossenen Verbände und Organisationen sind anzuweisen, in den Wehrmacht-Bauverträgen die Unternehmer zu verpflichten neben der Beachtung der bei Wehrmachtaufträgen in Dänemark anzuwenden Preisvorschriften insbesondere auch alle von den zuständigen Stellen ergehenden Richtlinien für die Gestaltung der Lohn- und sonstigen Arbeitsbedingungen einzuhalten und die Erfüllung dieser Vertragspflicht gegenüber dem Wehrmachtintendanten oder dessen Beauftragten auf Verlangen nachzuweisen.

Wehrmachtintendant beim Wehrmachtbefehlshaber Dänemark erläßt die zur Durchführung dieses Befehles notwendigen Anordnungen und berichtet baldigst über bedeutsame Maßnahmen.

I.A.
gez. **Linde**

129. Seetransportchef Skagerrak an Hans-Heinrich Wurmbach 13. November 1944

Seetransportchef Skagerrak havde haft et møde med Best og meddelte Wurmbach resultatet. Best ville ikke beslaglægge skibe i drift, da det skadede tyske interesser. Han ville heller ikke foretage beslaglæggelser til gengæld for "Store Bælt"s flugt til Sverige, før det var afklaret, om Sverige leverede skibet tilbage. Der var ikke et retsgrundlag for at foretage beslaglæggelse af et privat rederis skib, fordi danskerne ikke ville udruste et lazaretskib. Udleverede Sverige ikke "Store Bælt", ville Best lade tre skibe beslaglægge og yderligere lade et skib beslaglægge som lazaretskib, såfremt der ikke kunne opnås et resultat gennem forhandling (Bests kalenderoptegnelser 13. november 1944).

Bests tilbagetog med hensyn til at foretage repressalier til gengæld for "Store Bælt"s flugt var i gang. I det mindste kunne han regne med at vinde lidt tid, selv om han ikke kunne være i tvivl om, at Sverige ikke ville udlevere "Store Bælt". Sådanne henvendelser var også tidligere blevet afvist fra svensk side. Fornyede forhandlinger om udrustning af et lazaretskib kunne også kun være en afledningsmanøvre fra Bests side. Politideportationen havde definitivt lukket af for den type samarbejde med UM, og Best vidste det bedre end nogen på tysk side.

Se Wurmbach til Seekriegsleitung 20. november 1944.

Kilde: BArch, Freiburg, RM 7/1813. RA, Danica 628, sp. 7, nr. 5901f.

+SSD MDKP 010167 13/11 21.55
O M AÜ = SSD Nachr OKM 1 Skl =

GLTD SSD Adm Skagerrak =
SSD nachr OKM Skl Adm Qu VI =
SSD nachr OKM 1 Skl =
SSD nachr OKM M/Wehr G =
SSD nachr MOK Ost Führstb =
SSD nachr Wehrm Befh Dän =
gKdos – auf dort gKdos 70639/44 v. 9.11.44.[127]

Bei heutiger Besprechung ablehnte Reichsbevollm. Beschlagnahme fahrenden dän. Schiffraumes, weil dadurch Schädigung eigener Interessen. Dänen teilten ihm mit, daß sie mit Schweden wegen "Store Bält" erneut Rückgabeverhandlungen aufgenommen hätten, deren Ergebnis Reichsbevollm. vor Beschlagnahme abwarten will. Er betrachtet Weigerung, Lazarettschiffe auszurüsten, nicht als Rechtsgrund für Beschlagnahme Privatreederei gehörenden Schiffes "Kronprinz Olaf". Falls Schweden Auslieferung "Store Bält" verweigert, soll "Kronpr. Olaf" zusammen mit "Mön" und "Hans Broge" als Repressalie beschlagnahmt werden. Sollte Schweden wider erwarten ausliefern, will Reichsbevollm. erneut Verhandlungen über Gestellung Laz. Schiffes aufnehmen, bei deren scheitern Beschlagnahme erfolgen soll.

Deutsche Besatzung "Kronpr. Olaf" in Hamburg bereitgestellt, z.T. in Marsch gesetzt.

Seetr-Chef Skag gKdos 401/44

130. Werner Best an das Auswärtige Amt 14. November 1944

Best nærede ingen betænkeligheder ved udvidelse af det tyske politi i Danmark, idet han gav eksempler på politiopgaver, som værnemagten måtte tage sig af. Han pegede også på den nye politiopgave, der var blevet stillet: forstærket bevogtning af værfterne. Han henviste her indirekte til det telegram, han havde modtaget fra AA 12. november (Rosengreen 1982, s. 143).

Kilde: PA/AA R 101.041. RA, pk. 232. LAK, Best-sagen (afskrift).

Telegramm

Kopenhagen, den	14. November 1944	21.20 Uhr
Ankunft, den	14. November 1944	23.30 Uhr

Nr. 1265 vom 14.11.44

Auf das dortige Telegramm Nr. 1303[128] vom 11.11.44 berichte ich, daß auch ich eine Verstärkung der deutschen Polizeikräfte in Dänemark für notwendig halte, weil die deutsche Polizei nach der Auflösung der dänischen Polizei eine Reihe von polizeilichen

127 Trykt ovenfor.
128 Botschafter Ritter 983 gRs. Trykt ovenfor.

Aufgaben selbst wahrnehmen muß, was ihr bei ihrer jetzigen Stärke zum Teil nicht ohne Inanspruchnahme der Wehrmacht möglich ist. So sind z.B. die Standortkommandanten der Wehrmacht mit der Ausstellung der Zulassungsbescheinigungen für Kraftwagen zum Überlandverkehr beauftragt worden, weil die wenigen deutschen Polizeidienststellen hierfür nicht ausreichten. Auch zur Kontrolle von Kraftfahrzeugen und zu anderen Streifendiensten müssen Wehrmachtskräfte herangezogen werden, weil die Polizeikräfte nicht ausreichen. Neue Aufgaben, die gerade jetzt von Reichsbehörden gestellt werden (z.B. verstärkte Bewachung der Werften auf Wunsch des Reichskommissars für die Seeschiffahrt),[129] können mit den vorhandenen Polizeikräften nicht erfüllt werden, während von Seiten der Wehrmacht auf Anfrage erklärt wird, daß sie hierfür keine Kräfte stellen kann und daß ihre Kräfte auch hierfür nicht geschult seien.

Dr. Best

131. OKW/WFSt an WB Dänemark 14. November 1944

OKW bad von Hanneken sørge for, at sabotagebekæmpelsen i Danmark blev koordineret og ført efter fælles retningslinier af de involverede instanser. Det skulle ske ved en henvendelse til Best.

Af en vedliggende notits blev ønsket skærpet til, at sabotagebekæmpelsen blev dirigeret under "en hat."

Det er spørgsmålet, om OKW har været klar over, hvor store muligheder Best på dette tidspunkt havde for at påvirke HSSPF i en sag, der klart lå inden for det politimæssige område (Rosengreen 1982, s. 147).

Kilde: BArch, Freiburg, RW 4/754. RA, Danica 1069, sp. 1, nr. 318 og RA, pk. 231.

WFSt/Qu. 2 (Nord) *14.11.1944*

Geheim

SSD-Fernschreiben

An 1.) W. Befh. Dänemark
nachr.: 2) Ausw. Amt, z.Hd. Botschafter Ritter.

Betr.: Sabotage in Dänemark; erhöhter Schutz der Häfen.

1.) W. Befh. Dänemark hat gemeldet, daß sowohl Kriegsmarine als auch Reichskommissar für die Seeschiffahrt in Dänemark Sondermaßnahmen für erhöhten Schutz der Häfen gegen Sabotage durchführen.
2.) W. Befh. Dänemark wird beauftragt, zwecks sinnvollen Einsatzes der nebeneinander arbeitenden Organisationen beim Reichsbevollmächtigten zu erwirken, daß Maßnahmen genannter Dienststellen und Maßnahmen des Höheren SS- und Polizeiführers aufeinander abgestimmt und nach einheitlichen Richtlinien durchgeführt werden.

I.A.
Ges.: [underskrift]
OKW/WFSt/Qu. 2 (Nord)
Nr. 08210/44 geh.

129 Gauleiter Karl Kaufmann, Hamburg.

132. Werner Best an das Auswärtige Amt 15. November 1944

Best videregav et telegram konciperet af Duckwitz med oplysninger om nogle skibssabotager, som via AA skulle videre til Karl Kaufmann i Hamburg. Eksemplet B&W skulle vise, at det gik ud over såvel danske som tyske nybygninger, og desuden havde den rigsbefuldmægtigede besluttet at kræve dansk erstatning for ødelagte nybygninger ved beslaglæggelse af andre (Rosengreen 1982, s. 144 har delvis fejllæst telegrammet).

Kilde: PA/AA R 101.041. RA, pk. 232.

Telegramm

Kopenhagen, den	15. November 1944	17.00 Uhr
Ankunft, den	15. November 1944	18.30 Uhr

Nr. 1267 vom 15.11.[44.]

Citissime!
Geheime Reichssache.

Erbitte Weiterleitung Telegramms an Reichskommissar für Seeschiffahrt Gauleiter und Reichsstatthalter Kaufmann.

Hamburg

Heutige Sabotage an dänischem Hansaneubau bei Burmeister und Wain läßt erkennen, daß dänischer Neubau genau so wie deutscher sabotagegefährdet.[130] Reichsbevollmächtigter ist daher entschlossen, dänischen kurz vor Fertigstellung stehenden 5.000 (fünftausend) ts-Neubau auf Helsingörwerft sofort sicherzustellen[131] und als Ersatz für sabotierten Dampfer "Dammtor" nach Deutschland zu verbringen.[132] Falls dortiges Einverständnis, erbitte Schleppergestellung und ausreichende Mannschaft für Überführung.

Duckwitz
Schluß des Telegramms nach Hamburg.
Dr. Best

130 BOPA sænkede "S/S Asnæs" og et andet Hansa-skib, bygning 679, under bygning på B&W (Frederichsen 1984, s. 130f., Kjeldbæk 1997, s. 476). Der blev endnu samme dag indsat vagter fra BdO ved både B&W og Orlogsværftet (BArch, R 70 Dänemark, KTB/BdO 15. november 1944).

131 BdO overtog 17. november sikringen af det i Helsingør liggende danske skib på 5.000 t, "Halsnæs", og ledsagede det til København (BArch, R 70 Dänemark, KTB/BdO 17. november 1944. Jfr. *Morgenbladet* 21. november 1944, hvor det tillige blev hævdet, at Hansaprogrammets fiasko havde ført til, at den ansvarlige for byggeriet, Duckwitz, var blevet stillet for en krigsret).

132 "Dammtor" var blevet beskadiget på Odense Værft 7. november (se Bests telegram nr. 1276, 16. november 1944).

133. Werner Best an das Auswärtige Amt 15. November 1944

Best afgav et omfattende svar på, hvilke foranstaltninger han mente, der skulle bringes i anvendelse mod skibsværftssabotagen. For det første skulle man gennem politiarbejde afsløre og tilintetgøre de grupper, der stod for sabotage, og for det andet skulle der en omfattende bevogtning af værfterne til. Begge dele krævede yderligere politiressourcer. Best diskuterede også andre muligheder, som var blevet bragt i forslag af admiral Mewis, bl.a. at man som modforanstaltning lukkede værfter, hvor der hyppigt fandt sabotage sted. Best pointerede her, at dermed ville sabotørerne have fået opfyldt deres mål. Best hældede mest til det forslag at modgå sabotager af tysk tonnage ved at beslaglægge danske nybygninger som erstatning. En fremgangsmåde han selv havde bragt i anvendelse samme dag i forbindelse med sabotagen mod skibet "Dammtor." Best tillod sig at korrigere Himmlers oplysninger om skibssabotagen i Danmark: Der var ikke sænket og tabt fem skibe; "sabotage" betød kun undtagelsesvis total ødelæggelse, de fleste skibe kunne repareres og tages i brug efterfølgende.

Det er rimeligt med Bjørn Rosengreen at antage, at Best havde konsulteret Mewis før afsendelsen af telegrammet. Derimod havde han endnu ikke – som pålagt – drøftet sagen med Pancke. Best oplyste, at han først skulle holde en konference med ham og andre den følgende dag (Rosengreen 1982, s. 143f.).

Kilde: PA/AA R 101.041. RA, pk. 232. PKB, 13, nr. 772. Best 1988, s. 71f.

Telegramm

Kopenhagen, den	15. November 1944	15.50 Uhr
Ankunft, den	15. November 1944	17.25 Uhr

Nr. 1268 vom 15.11.[44.] Supercitissime!

Auf das Telegramm Nr. 1311[133] vom 13.11.44 berichte ich:

1.) Die Sabotageakte werden in Dänemark nach allen polizeilichen Ermittlungsergebnissen nicht von der ortsansässigen Bevölkerung und nicht von den Belegschaften der Betriebe, sondern als Teil der feindlichen Kleinkriegführung von geheimen Saboteurgruppen ausgeführt, die von England entsandten Fallschirmagenten organisiert, ausgebildet und geleitet werden. Leiter der Sabotagegruppen für ganz Dänemark ist der englische Major (dänischer Herkunft) Flemming Muus, der sich hier im Lande befindet und seine Befehle unmittelbar von einer englischen militärischen Befehlsstelle erhält.[134]

2.) Zur Verhütung von Sabotageakten gibt es nur zwei Mittel:
   a.) Möglichst weitgehende Aufdeckung und Unschädlichmachung der Saboteurgruppen und
   b.) ausreichender Schutz der gefährdeten Objekte.

3.) Eine über den gegenwärtigen Erfolgsstand hinausgehende Aufdeckung und Unschädlichmachung der Saboteurgruppen setzt eine Verstärkung der deutschen Sicherheitspolizei in Dänemark durch Staatspolizeibeamte (nicht – wie in der letzten Zeit geschehen – durch überwiegend aus Nichtfachkräften bestehende z.B. VZA-Kommandos) voraus. Dabei kann nicht die Bekämpfung der Schiffssabotage allein intensiviert werden, da es keine speziellen Schiffssaboteurgruppen gibt, sondern die allgemeinen Saboteurgruppen auch gemäß jeweils erteilten Aufträgen Schiffssabota-

133 BRAM Westf. 1121/44 R. Trykt ovenfor.

134 Flemming B. Muus var SOEs chef i Danmark marts 1943-december 1944.

gen durchführen. Deshalb muß die allgemeine Bekämpfung der Saboteurgruppen intensiviert werden.

4.) Der Objekt-Schutz von Schiffsneubauten und von Reparaturschiffen gegen Sabotage setzt ausreichende Bewachungskräfte voraus. Auf dem Schiff muß sich eine volle Besatzung befinden, die in der Lage ist, Überfälle abzuwehren, das Heranführen von Haftminen zu verhindern, und den Schiffskörper ständig auf geheime Anbringung von Zerstörungsmitteln zu kontrollieren. Gegebenenfalls können auch ganze Werften mit militärischen oder polizeilichen Wachen versehen werden, die jedoch im allgemeinen nur Überfälle und nicht Anschläge durch Haftminen und durch eingeschmuggelte Zerstörungsmittel abwenden können.

5.) Der für die Fragen der Sabotageabwehr in Dänemark eingesetzte Sonderbevollmächtigte des Reichskommissars für die Seeschiffahrt Admiral Z.V. Mewis hat weiter die folgenden Maßnahmen zur Erörterung gestellt:

a.) Stillegung einer Werft, auf der besonders viel Sabotage verübt worden ist, als warnendes Beispiel.

Meine Stellungnahme: Keine Bedenken gegen die Maßnahme an sich. Jedoch werden die Saboteurgruppen – nachdem hinsichtlich dieser einen Werft ihr Ziel der Stillegung erreicht ist – sich nicht von weiteren Anschlägen gegen die übrigen Werften abhalten lassen, sondern ebenfalls die Stillegung erstreben.

b.) Beschlagnahme einer ganzen Werft und Umwandlung in deutschen Regiebetrieb mit deutscher Leitung und deutschen Arbeitern.

Meine Stellungnahme: Keine Bedenken gegen die Maßnahme an sich, wenn volle Belegung mit deutschen Kräften möglich ist. Jedoch wird dann wegen zu erwartender Luftangriffe starker Flakschutz eingesetzt werden müssen.

c.) Verlegung der Neubauten in deutsche Werften und Ausnützung der dänischen Werften nur noch zur Herstellung von Einzelteilen und Ersatzteilen.

Meine Stellungnahme: Keine Bedenken gegen die Maßnahme an sich. Jedoch würde damit die Ausnützung der dänischen Helgen, der Herzstücke der Werften, wegfallen.

d.) Beschlagnahme von Hansa-Neubauten für dänische Rechnung im Austausch gegen sabotierte Hansa-Neubauten für deutsche Rechnung.

Diese Maßnahme will ich wegen eines heute eingetretenen Sabotagefalles durchführen, wenn der Reichskommissar für die Seeschiffahrt damit einverstanden ist und die Fertigstellung des beschlagnahmten Hansa-Neubaus im Reich veranlassen kann.

6.) Um den Umfang und die Bedeutung der bisher in Dänemark verübten Schiffssabotage klarzustellen, teile ich folgendes mit:

a.) Wenn von 6 vom Stapel gelaufenen Hansa-Neubauten für deutsche Rechnung 5 "sabotiert" worden sind, so bedeutet dies keineswegs die Vernichtung der Schiffe und die Unmöglichkeit ihrer Fertigstellung, sondern lediglich eine Verzögerung ihrer Ablieferung. – Übrigens sind auch von den 3 vom Stapel gelaufenen Hansa-Neubauten für dänische Rechnung 2 "sabotiert" worden, von denen eins inzwischen fertiggestellt und in Fahrt gesetzt ist.

b.) Außer den auf dänischen Werften ausgeführten Neubauten sind vom 1.1.44 bis

15.11.44 auf dänischen Werften 59 deutsche Schiffe repariert worden. Von diesen 59 Schiffen sind 7 "sabotiert" worden (eins zweimal) – mit dem Ergebnis, daß dennoch alle Reparaturen fertiggestellt und die Schiffe in Fahrt gesetzt wurden.

c.) Soweit dem hiesigen Länderbeauftragten des Hauptausschusses Schiffbau bekannt, sind auch in Holland 4 Hansa-Neubauten sabotiert worden. Dabei ist zu berücksichtigen, daß der Schiffsbau für deutsche Rechnung in Holland eingestellt worden ist, sodaß es sich nicht mehr herausstellen kann, ob nicht im gegenwärtigen Zeitabschnitt für den holländischen Raum die gleichen Sabotagebefehle erteilt worden wären, wie sie zur Zeit im dänischen Raum befolgt werden.

7.) Am 16.11.44 findet bei mir eine Besprechung über die Bekämpfung der Schiffssabotage statt mit dem Höheren SS- und Polizeiführer, dem Chef der Rüstung, dem Chef des Oberwerftstabes, dem Seetransportchef Skagerrak, dem Länderbeauftragten des Hauptausschusses Schiffbau und dem Kommandanten der Seeverteidigung, über deren Ergebnis ich berichten werde.[135]

Dr. Best

134. Werner Best an das Auswärtige Amt 15. November 1944

Der var for nylig blevet taget to nye former for modterror i brug: Sprængning af bygninger, der havde huset sabotører eller sabotagemateriel, og sprængning af sammenhængende bygningskomplekser (mest forretninger) i byer, hvor der havde fundet sabotage sted. Denne modterror havde i Esbjerg ført til 24 timers generalstrejke. Best billigede, at der blev anvendt skrappe tyske foranstaltninger mod strejken, men gjorde opmærksom på, at sammenhængen mellem modterror/sprængninger og proteststrejke ville blive slået stort op i udlandet.

Se endvidere Reisebericht 21. november 1944.

Kilde: PA/AA R 101.041. RA, pk. 232. LAK, Best-sagen (på dansk).

Telegramm

Kopenhagen, den 15. November 1944 19.00 Uhr
Ankunft, den 15. November 1944 21.15 Uhr

Nr. 1270 vom 15.11.[44.]

Supercitissime!
Geheime Reichssache

Sicherheitspolizei anwendet seit Kurzem einerseits als Repressalie oft Sprengung von Häusern, in denen Saboteure oder Sabotagematerial gefunden wurden und andererseits als Gegenterror die heimliche Sprengung mehrerer zusammenhängender Häuser (meist Geschäftshäuser) in Städten, in denen Sabotage verübt wurde.[136] Letztere Methode wird von Gegenseite erkannt und Sprengung als vom Schalburg-Korps oder von Deutschen durchgeführt bezeichnet (auch im englischen und schwedischen Rundfunk). Heute ist

135 Om mødet se Bests telegram nr. 1281, 16. november 1944.

136 Sprængning af huse, der havde huset sabotører, var begyndt i august 1944, mens de generelle ejendomssprængninger havde stået på længere.

wegen dieser Sprengungen in Esbjerg ein Protestgeneralstreik ausgebrochen, der 24 Stunden dauern soll.[137] Polizei und Wehrmacht werden in Esbjerg die Versorgungsbetriebe für drei Tage sperren und Bevölkerung scharfe Einschränkungen auferlegen. Ich billige diese Maßnahmen, weil Streiks nicht mehr geduldet werden können, weise aber darauf hin, daß dieser Zusammenhang deutscher Gegenterror-Sprengungen-Proteststreik hiergegen – schärfste deutsche Gegenmaßnahmen gegen den Proteststreik im Ausland sehr stark ausgeschlachtet werden wird.

Dr. Best

135. MOK/Ost an Seekriegsleitung 15. November 1944

WB Dänemark havde 10. november 1944 meddelt Admiral Skagerrak, at han var indstillet på ikke at forberede sprængning af de allervigtigste kajanlæg i havnene i Århus og Ålborg. I den øvrige del af havnene var hovedladningerne anbragt, men uden tændladning. Der blev kun lagt hovedladninger ud, hvor der var sikkerhed for bevogtning mod sabotage. MOK/Ost meddelte ordningen videre til Seekriegsleitung.

Dermed gav WB Dänemark sig til sidst på dette for OKM vigtige punkt.

Kilde: BArch, Freiburg, RM 7/1812. RA, Danica 628, sp. 7, nr. 5745f.

+S MKOZ 052448 15/11 14.29 =
S OKM 1 Skl =
gKdos
Betr.: Hafenzerstörung Aalborg und Aarhus.
Bezug: Fernschr OKM 1. Skl 1, ca Br. BNr. 31695/44 gKdos v 29/10 44[138]

ADM Skag drahtet mit gKdos 6225 v. 8.11.44 folgendes:[139]

"Auf Vorschlag ADM Skag gKdos 5698 ap v. 5/10[140] hat Webfh Dän mit gKdos 2444 v. 10/10[141] Einverständnis erklärt zu folgenden Sprengmaßnahmen:

1.) Verzicht auf Auslegung von Hauptladungen an sehr wichtigen Ladestellen und Liegeplätzen in den Häfen Aarhus und Aalborg.
2.) Auslegung der Hauptladungen nur in allen anderen Anlagen dieser Häfen.
3.) Einbringen von Zündladungen überall erst im A-Fall. Zum Schutz gegen Sabotage ist befohlen, Hauptladungen nur dort zu legen, wo Bewachung sichergestellt. Hierdurch entfällt Risiko der Zerstörung durch Sabotage. Zusätzlicher Techn-Schutz durch Einbau von abgedeckten Zementrohren für Haupt- und Zündladung mit oberem Abschluß durch verschließbare Betonkappe und 3 Zentner schwerer Schachtabdeckung.

137 Peter-gruppen havde 13.-14. november været i Esbjerg og den 14. bombesprængt tre forretninger i Kongensgade: Esbjergbladet (nr. 38), Westergaards Manufakturforretning (nr. 51) og A/S Flensborglager (nr. 31), men strejken udløstes mere af, at læge Poul Carstensen og redaktør L.V. Jensen dagen før blev clearingmyrdet af samme gruppe (Henningsen 1955, s. 242-248, tillæg 3 her).

138 Se Seekriegsleitungs notat 29. oktober 1944 (med anden nummerering).

139 Skrivelsen er ikke forud lokaliseret.

140 Skrivelsen er ikke lokaliseret.

141 Skrivelsen er ikke lokaliseret.

Gefahr der Zerstörung durch Bombentreffer wird in Kauf genommen, da angesichts der Tiefe der Einlagerung jeweils nur ein Minenladungsgefäß zur Explosion gelangt und Zerstörung bereits durch Bombentreffer bewirkt die nicht zu ladenden besonders wichtigen Strecken werden durch HAKA verantwortlich bestimmt."

MOK OST gKdos 206889 Qu H+

136. Karl Kaufmann an Karl Dönitz 15. November 1944

Kaufmann havde hørt om de nye skibssabotager i København og havde det indtryk, at en tilstrækkelig militær og politimæssig beskyttelse fuldkommen manglede. Han ville 17. november komme til København medbringende særfuldmagter fra Hitler for at aftale forholdsregler mod sabotage med tysk militær og politi.

Af Seekriegsleitungs dagbog fremgår det, at Dönitz billigede Kaufmanns aktion, og at Dönitz selv ville sende repræsentanter til mødet.

Kilde: KTB/Skl 15. november 1944, s. 321f.

[...]

RKS hat am 15/11. an Ob.d.M. persönlich gedrahtet:

"Wie ich soeben aus Kopenhagen erfahre, sind schon wieder 2 Neubauten heute durch Sabotage versenkt worden, außerdem 2 weitere deutsche Schiffe und 2 Küstenmotorsegler, insgesamt also 6 Fahrzeuge. Trotzdem ich mich seit vielen Monaten bemühe, eine verstärkte Sicherung der deutschen Schiffe im dänischen Raum zu erreichen, sind heute an einem einzigen Tage 6 Schiffe durch Sabotage versenkt worden. Ich kann mich des Eindruckes nicht erwehren, daß es im dänischen Raum an einem entsprechenden milit. und polizeilichen Schutz vollkommen fehlt. Falls wir nicht zu energischen Maßnahmen kommen muß damit gerechnet werden, daß die für Deutschland entscheidende Werftkapazität in Dänemark für uns ausfällt.

Ich beabsichtige, am 17.11.44 in dieser Angelegenheit nach Kopenhagen zu fahren und habe mir vom Führer Sondervollmachten erbeten, um entsprechende Maßnahmen mit milit. und polizeil. Instanzen besprechen zu können, die geeignet sind, die laufende Sabotage in Dänemark zu verhindern.

Zusatz für den Großadmiral: Ich bitte um Aufgabe eines Vertreters von Ihnen, der an diesen Besprechungen teilnimmt."

Chef Skl läßt MOK Ost und Adm. Skagerrak, nachr. Bev. d. RKS Kopenhagen, unterrichten mit folgendem Zusatz:

"Ob.d.M. stimmt Auffassung Reichskommissar für d. Seeschiffahrt voll zu und hat folgendes befohlen:

1.) An Besprechungen Reiko See in Kopenhagen teilnimmt Komm. Adm. Skagerrak, Admiral Wurmbach, als Vertreter Ob.d.M.
2.) Von Skl wird Abwehroffizier Skl, Freg. Kapt. Sokolowski, teilnehmen.
3.) MOK Ost entsendet einen geeigneten Stabsoffizier des Oberkommandos.
4.) Gauleiter Kaufmann hat vom Führer besondere Vollmachten erhalten.
5.) Besprechungen beginnen 17.11.44 abends in Kopenhagen.
6.) Genaue Zeitpunkte und Ort bei Admiral Mewis dort erfragen."

[...]

137. Walter Forstmann an Hans-Heinrich Wurmbach 15. November 1944

Både admiral Raul Mewis – i sin egenskab af befuldmægtiget for RKS – og Oberwerftstaben hos Admiral Skagerrak havde gjort Rüstungsstab Dänemark ansvarlig for beskyttelsen af de danske værfter. Forstmann tog kraftigt til genmæle over for alle de involverede parter (HSSPF undtaget) og gjorde opmærksom på, at det var det tyske politis ansvar.

Kilde: BArch, Freiburg, RW 27/17. KTB/Rü Stab Dänemark 4. Vierteljahr 1944, Anlage 12.

Anl. 12

Chef Rüstungsstab Dänemark *15.11.1944*
Abt. Z/Ic Az. 39

Bezug: ohne
Betr.: Dänischen Werkschutz.

An Kommandierenden Admiral Skagerrak,
Aarhus
Nachrichtlich: Admiral Skagerrak/Oberwerftstab
Reichskommissar für die Seeschiffahrt,
Sonderbevollmächtigter, Herrn Admiral z.V. Mewis
Hauptausschuß Schiffbau, Länderbeauftragter
Dänemark, Herrn H.C. Lorenzen
Reichsbevollmächtigter in Dänemark,
Schiffahrtssachverständiger, Herrn Duckwitz.

Der Sonderbevollmächtigte des Reichskommissars für die Seeschiffahrt, Admiral z.V. Mewis, hat Rü Stab Dän. gegenüber die Ansicht vertreten, daß Rü Stab Dän. die *"Verantwortung"* für den dänischen Werkschutz trägt. Auch hat Admiral Skagerrak/Oberwerftstab in seinem Fernschreiben Nr. G 7693/44 vom 12.11.44 an Admiral Skagerrak, nachrichtlich an Rü Stab Dän., hervorgehoben, daß Rü Stab Dän. "die *verantwortliche* Stelle für die Abwehr" sei.

Rü Stab Dän. sieht sich veranlaßt, hierzu Stellung zu nehmen:

Als im Sommer 1942 die ersten Sabotageakte vorkamen, gaben diese Rü Stab Dän. als zuständige Bearbeitungsstelle für die Werkschutzgelegenheiten-Veranlassung, bei der dänischen Polizei und beim Reichsbevollmächtigten in Dänemark die Forderung zu erheben, Maßnahmen gegen die Sabotage in den Betrieben auf gesetzlichem Wege zu treffen. Damit kam Rü Stab Dän. seiner Aufgabe, die Arbeitsfähigkeit der Betriebe sicherzustellen, nach.

Nach vielen Verhandlungen mit den dänischen Behörden und mit Unterstützung des Reichsbevollmächtigten wurde die dänische Regierung zum Erlaß eines Gesetzes veranlaßt, das den Firmen die Errichtung eines Werkschutzes vorschreibt. Dieses Gesetz vom 4.12.1942 enthält die klare Bestimmung, daß – in Wahrung der souveränen Stellung Dänemarks – die Aufstellung und Überprüfung der einzusetzenden Wachmannschaften, die laufende Kontrolle und die Frage der Bewaffnung ausschließlich Sache der *dänischen Polizei* ist. Daraus ergibt sich eindeutig, daß der Rü Stab Dän. keine Befehlsbefugnisse über den dänischen Werkschutz hat. Folgerichtig kann auch dem Rü

Stab Dän. nicht die *"Verantwortung"* für ein einwandfreies Arbeiten des den dänischen Werkschutzes zugeschoben werden.

Die im Werkschutz eingesetzten Leute unterliegen in ihrer politischen und moralischen Einstellung nicht der Überprüfung der deutschen Abwehrstelle. Es besteht somit auch keine Möglichkeit, ihre Zuverlässigkeit zu überprüfen. Mit der zunehmenden politischen Spannung und der gleichzeitigen Zunahme der Sabotage sowie der Überfalle auf die Sabotagewächter trat eine immer größere Unzuverlässigkeit des dänischen Werkschutzes ein. Nicht zu vergessen ist insbesondere auch die Mentalität der Landeseinwohner, die die im Werkschutz eingesetzten Dänen für deutschfreundlich halten und sie aus diesem Grunde in und außer Dienst ständig bedrohen. Zahlreiche Erschießungen von im Werkschutz eingesetzten Dänen durch die eigenen Landsleute sind hierfür ein Beweis.

In klarer Erkenntnis dieser Tatsachen hat Rü Stab Dän. ständig daran gearbeitet, durch persönlichen Verhandlungen und Einflußnahme auf die Firmen die Zuverständigkeit der eingesetzten Werkschutzleute und ihre Zusammenarbeit mit der deutschen Polizei (Notrufanlage) zu steigern. Rü Stab Dän. hat bei dem Befehlshaber der Ordnungspolizei immer beste Unterstützung in dieser Arbeit gefunden.

Darüber hinaus hat Rü Stab Dän. immer wieder bei der Wehrmacht und der deutschen Polizei beantragt, Firmen, die eine besonders wichtige Fertigung haben, militärischen bzw. polizeilichen Schutz zu gewähren, um damit die Bewachung durch den dänischen Werkschutz zu verstärken. Aber nur in wenigen Fällen war diese Unterstützung möglich; wegen Personalmangels mußten die Forderungen des Rü Stab Dän. unberücksichtigt bleiben.

Mit der Auflösung der dänischen Polizei im September 1944 wurde jede polizeiliche Überwachung des Werkschutzes hinfällig. Diesen Zustand wollte die dänische Regierung benutzen, um überhaupt das am 4.12.1942 erlassene Werkschutzgesetz aufzuheben. Zu dem diesbezüglichen Antrag der dänischen Regierung an den Herrn Reichsbevollmächtigten vom 18.10.44 hat Rü Stab Dän. dahingehend Stellung genommen, daß die Aufhebung des Gesetzes unter keinen Umständen vorgenommen werden darf, da sonst überhaupt jede Möglichkeit fehlt, die dänischen Firmen zur Aufrechterhaltung des bestehendes Werkschutzes oder zur Neueinrichtung eines solchen zu zwingen. Aus politischen, psychologischen und wirtschaftlichen Gründen aber werden gerade in diesen Zeiten der politischen Spannung die dänischen Betriebe freiwillig keinen Werkschutz unterhalten oder einrichten. Der Höhere SS- und Polizeiführer in Dänemark hat sich dieser Auffassung der Rü Stab Dän. angeschlossen und sie dem Herrn Reichsbevollmächtigten am 5.11.44 wie folgt mitgeteilt:

"Die Auflösung der dänischen Polizei am 19.9.44 hat an der Durchführung des Werkschutzes grundsätzlich nichts geändert. Die Betriebe, die seinerzeit von der dänischen Polizei verpflichtet worden sind, einen Werkschutz einzurichten, bleiben selbstverständlich weiterhin verpflichtet, einen ordnungsgemäßen Werkschutz aufrechtzuerhalten. Eine Kontrolle des Werkschutzes wird nunmehr von Fall zu Fall die deutsche Polizei ausüben, und zwar *mit größerem Verantwortungsbewußtsein, als es die dänische Polizei getan hat.* Die dänischen Betriebe, die zur Aufrechterhaltung eines Werkschutzes verpflichtet sind, werden daher gut tun, sich danach einzurichten.

Im Falle von Verhaftungen haben die Bewachungsmannschaften, auch ohne daß dies durch besondere Vorschriften festgelegt worden ist, die Verhafteten sofort den bekannten Polizeidienststellen im Politigaarden oder Dagmarhaus bzw. Shellhaus zu melden und anzuliefern. Die Bewachungsmannschaften werden mit neuen Legitimationen versehen. Solange gelten die von der dänischen Polizei bzw. von der Firma ausgestellten Ausweise.

Bezüglich der Waffen gelten die allgemeinen Vorschriften."

Auch aus dieser Stellungnahme geht eindeutig hervor, daß die *verantwortliche Kontrolle* über den Werkschutz entsprechend dem dänischen Gesetz vom 4.12.42, die bisher der dänischen Polizei zukam, nunmehr der deutschen Polizei, nicht aber dem Rü Stab Dän. obliegt.

gez. **Forstmann**

138. Werner Best an das Auswärtige Amt 16. November 1944

Da Best indirekte havde tilladt sig at korrigere RFSS i sit telegram nr. 1268, hvad angik omfanget af sabotagen mod tyske nybyggede skibe i Danmark, fik han en opringning fra AA og måtte skriftligt uddybe, hvad han mente. I sit svar henviste han ikke til telegram nr. 1268, men det fremgår af hans oversigt, at skibssabotagerne langtfra havde været så altødelæggende, som RFSS havde ladet meddele.

Se endvidere Seekriegsleitung til RSHA 20. oktober 1944.

Kilde: PA/AA R 101.041. RA, Danica 1069, sp. 6, nr. 7252f. RA, pk. 232.

Telegramm

Kopenhagen, den	16. November 1944	17.50 Uhr
Ankunft, den	16. November 1944	18.15 Uhr

Nr. 1276 vom 16.11.44. Supercitissime!

Unter Bezugnahme auf das Telegramm Nr. 1311[142] vom 13.11.44 und auf den heutigen Anruf des Legationsrates Dr. Brenner berichte ich im Anschluß an mein Telegramm Nr. 1268[143] vom 15.11.1944 folgendes:

1.) Nach soeben von dem Länderbeauftragten Dänemark des Hauptausschusses Schiffbau eingeholter Erkundigung sind die folgenden für deutsche Rechnung gebauten Hansa-Neubauten von Sabotage betroffen worden:
   a.) Am 4.9.1944 Baunummer 80 der Aalborg-Werft: Sprengung im Stevenrohr: Schiff wird in Aalborg fertiggestellt.[144]
   b.) Am 14.9.1944 Baunummer 677 der Werft Burmeister und Wain in Kopenhagen "Irene Oldendorff," Sprengung im Tunnel, Schiff wird in Lübeck fertiggestellt

142 BRAM Westf. 1121/44 R. Trykt ovenfor.
143 Pol. VI (V.S.). Trykt ovenfor.
144 Jfr. Alkil, 2, 1945-46, s. 1234.

(Ende Dezember).[145]

c.) Am 25.10.1944 Baunummer 114 der Nakskov-Werft "Millerntor," Drehmaschinen- und Hauptmaschinenfundament betroffen, Schiff wird in Deutschland fertiggestellt.[146]

d.) Am 7.11.1944 Baunummer 103 der Odense-Werft "Dammtor," Maschinen- und Kesselraum unter Wasser gewesen, Schiff ist gehoben und liegt in der Odense-Werft.[147]

2.) Nach Mitteilung des Länderbeauftragten Dänemark des Hauptausschusses Schiffbau ist offenbar als fünftes beschädigtes Schiff der nicht für deutsche, sondern für dänische Rechnung gebaute Neubau Baunummer 102 der Odense-Werft gerechnet worden.[148] Hiernach ist also festzustellen, daß von 5 für deutsche Rechnung gebauten und von Stapel gelaufenen Hansa A Neubauten, 4 in der unter 1.) dargestellten Weise von Sabotage betroffen wurden.

3.) Am 9.11.1944 fand in Kopenhagen eine Besprechung mit einem Vertreter des Reichssicherheitshauptamtes in Berlin über die Abwehr der Schiffssabotage statt, in der der hiesige Befehlshaber der Sicherheitspolizei und des SD eindringlich auf die Notwendigkeit einer Personalverstärkung hinwies. Der Vertreter des Reichssicherheitshauptamtes sagte die Entsendung von 2 bis 3 geschulten Beamten zur Bearbeitung dieser Fragen zu.[149]

4.) Der hiesige Befehlshaber der Sicherheitspolizei und des SD hat mir soeben ergänzend mitgeteilt, daß vor kurzem ein Fallschirmagent festgenommen wurde, der aus England entsandt worden war, um hier Schiffssabotage auszuführen, was insofern neu war, als die Fallschirmagenten sonst nur den Auftrag haben, Sabotagegruppen zu bilden, zu instruieren und zu leiten. Seine Anweisungen lauteten auf "Präzisionssabotage" an Schiffen.[150] Es ist zu vermuten, daß weitere Fachleute dieser Art entsandt wurden und hier tätig sind.

Dr. Best

145 BOPA foretog sprængningen af "Irene Oldendorff," der nok sank, men senere blev hævet og bugseret til Lübeck for reparation (Jensen 1976, s. 27f., Frederichsen 1984, s. 130, Kjeldbæk 1997, s. 247f., 475).

146 S/S "Millerntor" blev iflg. anden kilde saboteret 3. november 1944 og derefter slæbt til Lübeck og færdigudrustet (Frederichsen 1984, s. 131).

147 Skibet på 5.000 t blev angiveligt totalt raseret og sank i løbet af kort tid (Jensen 1976, s. 27), men blev dog hævet og kom til at sejle til 19. april 1945, da det definitivt blev sænket af et fly (Frederichsen 1984, s. 131).

148 Odense 102 fik navnet "S/S Røsnæs" og blev sænket i Odense havn ved sabotage 10. august 1944, men atter hævet og repareret (Hansen 1945b, s. 106, Frederichsen 1984, s. 130).

149 Ifølge Bests kalender for 9. november 1944 havde han den dag en aftensammenkomst i anledning af årsdagen for 9. november 1923, hvor foruden Pancke og Bovensiepen bl.a. Oberst der Wasserschutzpolizei Schröder fra Berlin var til stede.

150 Der var under SOE i Danmark oprettet et særligt rejsehold, SLIDE-gruppen, bestående af tre frømandsuddannede, der skulle tage sig af vanskeligere sabotagemål, herunder skibssabotage. De kom til Danmark 28. september 1944, men ingen af dem blev på noget tidspunkt arresteret, så den tilfangetagne "agent" må have været en medhjælper (Hæstrup, 2, 1959, s. 186f., Birkelund/Dethlefsen 1986, s. 97-101, 120f.).

139. Kriegstagebuch/Admiral Skagerrak 16. November 1944

Wurmbach blev presset for at gennemføre troppetransporterne mellem Norge og Danmark og noterede, at han ikke havde det tilstrækkelige antal skibe af rette type for at gennemføre opgaven forsvarligt og gjorde det klart, at transporterne skete på bekostning af troppernes sikkerhed. Danskerne ville indsætte to yderligere færger på ruten Helsingør-Helsingborg, men Wurmbach standsede det for at undgå, at de forblev i Sverige. Endelige orienterede han om de yderligere foranstaltninger for at hindre danske skibes flugt til Sverige.

Kilde: KTB/ADM Dän 16. november 1944, BArch, Freiburg, RM 45 III/250. RA, Danica 628, sp. 3, s. 3724f.

[Skibe nødvendige for sikring af troppetransporterne mellem Danmark og Norge:]
[...]
6.) Gesamtforderung: 1 Sperrbrecher, 11 Sicherungsboote.
Bei dieser Aufstellung werden aus schon früher vorgelegten Gründen wiederum für je zwei Dampfer drei Sicherungsboote gefordert, eine Forderung, die, wie uns bekannt ist, nicht mehr erfüllt werden kann. Zeitgerechte Durchführung der Truppentransports geschieht also bewußt auf Kosten deren Sicherheit.

II.) 20.30 h
Hafenkapitän Helsingör teilt mit, daß Dänen beabsichtigen, Fähre "Svea" mit Fähre "Dan" zur Verfügung Fährverkehr Helsingör-Helsingborg einzusetzen. Begründung für die Verstärkung des Fährverkehrs ist die Anhäufung von Eisenbahnwagen in Helsingborg wegen vorübergehender Stillegung schwedischen Fährverkehr Malmö-Kopenhagen. Nach V-Mann-Meldung beabsichtigen beide Fähren, nicht nach Helsingör zurückzukehren.

Absicht: Fährverkehr nach Einverständnis ab 17.11. morgens stillzulegen.

Bis zur Klärung der Angelegenheit gebe ich etwa um 23.00 Uhr an den Haka Helsingör vorsorglich Auslaufverbot für beide Fähren unter gleichzeitiger fernschriftlicher Benachrichtigung des Wehrmachtbefehlshaber Dänemark und des Reichsbevollmächtigten. Da die Fähren am nächsten Morgen 07.30 Uhr auslaufen sollen, besteht – bei etwaiger gegenteiliger Ansicht – für beide Dienststellen ausreichend Zeit, Gegenbefehle zu geben. In Verbindung mit dem kürzlichen Ausbruch der Fähre "Store Belt" halte ich diese Vorsichtsmaßnahme für unbedingt geboten, selbst auf die Gefahr hin, daß der schwedische Eisenbahnverkehr für voraussichtlich wenige Stunden eine Stockung erleidet. Dies erscheint mir als das geringere Übel.

III.) Um den Ausbruch dänischer Handelsschiffe nach Schweden zu verhindern, wird durch die 8. Sich. Div. befehlsgemäß eine Rotte Kriegsfischkutter der 38. MS-Flott. auf Wegkreuzung des Weges 32 mit dem Fährweg Helsingör-Helsingborg aufgestellt.

Sofern es möglich ist, besetzen die Hafenkapitäne die Schiffe mit je 2 Soldaten.

Weitere Maßnahmen sind z.Zt. wegen Fehlens von Sicherungsbooten und hauptsächlich von Personal nicht möglich.

Die Frage der Beschlagnahme dänischer Schiffraums als Vergeltungsmaßnahme gegen die Abwanderung werde ich klären.
[...]

140. Werner Best an das Auswärtige Amt 16. November 1944

Ressortmødet i AA 30. oktober med deltagelse af Pancke, Kaltenbrunner o.a. havde haft et alt andet end tilfredsstillende forløb for Best, og han foreslog påfølgende den tilføjelse til mødeprotokollen (ikke bevaret), at alle politimæssige foranstaltninger skulle afstemmes med ham for at muliggøre en normalisering og stabilisering af forholdene i Danmark.

Så enkelt var det ikke med tilbagevirkende kraft at bringe et resultat ud af mødet. Steengracht svarede Best 18. november (Rosengreen 1982, s. 140).

Kilde: PA/AA R 101.041. RA, pk. 228. LAK, Best-sagen (afskrift).

Telegramm

Kopenhagen, den	16. November 1944	20.25 Uhr
Ankunft, den	16. November 1944	22.40 Uhr

Nr. 1277 vom 16.11.44.

Für Herrn Staatssekretär Dr. von Steengracht.
Unter Bezugnahme auf das dortige Telegramm Nr. 1285[151] vom 7.11.44 schlage ich vor, in das Protokoll über die Besprechung im Auswärtigen Amt am 30.10.44 betreffend Polizeifragen in Dänemark noch einen Satz etwa des folgenden Inhalts aufzunehmen:

"Um eine allmähliche Normalisierung und Stabilisierung der Verhältnisse in Dänemark zu ermöglichen, sollen weitere polizeiliche Maßnahmen jeweils mit den im Reichsinteresse zu wahrenden politischen und wirtschaftlichen Gesichtspunkten abgestimmt werden."

Für Unterrichtung über die getroffene Entschließung wäre ich dankbar.

Dr. Best

141. Werner Best an das Auswärtige Amt 16. November 1944

Dette telegram er en videreførelse af telegram nr. 1276 (indledningshenvisningen er den samme) efter at den indledende drøftelse med admiral Mewis samme dag havde fundet sted. Her blev opstillet et katalog over foranstaltninger til forebyggelse af værftssabotagen, og heri indgik ikke modterror eller sanktioner over for værfternes arbejdere. Sluttelig blev værftssabotagens samlede omfang gjort op. Den var helt ubetydelig i forhold til det antal tyske skibsreparationer og nybygninger, der var i gang. Dog undlod Best at konkludere, at der ikke var tale om en omfattende værftssabotage i Danmark, men nøjedes med at konstatere, at det sandsynligvis var særlige fagfolk, der tog sig af den slags aktioner (Rosengreen 1982, s. 145f.).

Kilde: PA/AA R 101.041. BArch, NS 19/2152 (bilag til Horst Wagners telegram til Rudolf Brandt [17.] november 1944). RA, pk. 232. LAK, Best-sagen (afskrift).

Telegramm

Kopenhagen, den	16. November 1944	21.30 Uhr
Ankunft, den	16. November 1944	22.25 Uhr

151 Pol. VI 9060 g. Telegrammet er ikke lokaliseret.

Nr. 1281 vom 16.11.44. Supercitissime!

Unter Bezugnahme auf das Telegramm Nr. 1311[152] vom 13.11.44 und auf die heutigen Anrufe des Legationsrates Dr. Brenner berichte ich im Anschluß an mein Telegramm Nr. 1268[153] vom 15.11.44:

1.) Ich habe heute den 5.000 t-Hansa-Neubau, Baunummer 280 der Helsingör-Werft, der für dänische Rechnung gebaut wird, sicherstellen und abschleppen lassen. Der dänischen Zentralverwaltung habe ich mitgeteilt, daß die Sicherstellung zur Verhinderung von Sabotage erfolgt und daß über die Verwendung des Schiffes bezw. über seinen Austausch gegen einen anderen Hansa-Neubau (gemeint ist ein durch Sabotage betroffener Neubau für deutsche Rechnung) im Rahmen der Vereinbarung zwischen der Reichsregierung und der dänischen Regierung vom 8.12.42 verhandelt werden wird.

2.) In der heutigen Besprechung über die Bekämpfung der Schiffssabotage (~~vergl. Ziffer 7 meines Telegramms Nr. 1268 vom 15.11.44~~) ist auf Grund der Vorschläge des Sonderbevollmächtigten des Reichskommissars für die Seeschiffahrt Admirals z.V. Mewis folgendes festgestellt worden:[154]

   a.) Die Sicherheitspolizei will eine besondere Dienststelle zur Untersuchung des Verschuldens der Schiffsbesatzungen, die sich zur Sicherung auf den Schiffen befinden, an Sabotagefällen einrichten, wenn ihr vom RSHL das erforderliche Personal zur Verfügung gestellt wird.

   b.) Mit Hilfe von Sicherungsorganen, die aus diesen Besatzungen ausgewählt und entsprechend ausgebildet werden sollen, soll eine verschärfte Fallreepkontrolle mit Leibesvisitation durchgeführt werden.

   c.) Die Werften sollen mit deutschen Sabotagewachen versehen werden, sofern das erforderliche Personal zu erhalten ist.

   d.) Für bestimmte Werften soll militärischer Schutz erstrebt und bei den zuständigen Stellen beantragt werden.

   e.) Die heute zum ersten Mal durchgeführte Sicherstellung eines für dänische Rechnung gebauten Hansa-Neubaus soll gegebenenfalls wiederholt werden (zur Zeit ist jedoch kein Neubau zum Abschleppen fertig).

   f.) Es soll geprüft werden, ob für die Übernahme einer ganzen Werft eine deutsche Leitung und Belegschaft zusammengestellt werden kann, eine deutsche Leitung allein unter Beibehaltung der dänischen Belegschaft würde nach übereinstimmender Auffassung die Sabotagegefahr nicht verringern. Für deutsche Regie-Werften müßte starker Flakschutz gestellt werden.

   g.) Eine Verlegung der Neubauten nach Deutschland, sodaß die dänischen Werften nur noch Einzelteile herzustellen hätten, wurde als untunlich bezeichnet.

   h.) Die Stillegung einer Werft als warnendes Beispiel wurde ebenfalls als untunlich

152 BRAM Westf. 1121/44 R. Trykt ovenfor.

153 Pol. VI (V.S.). Trykt ovenfor.

154 Til mødet hos Best på Dagmarhus deltog Pancke, Mewis, Forstmann, Kapitän zur See von Fischer, Direktor Dolainski, Fossgren, Oberstleutnant von Daniel, Oberstabsintendant Dr. Ritter, Kapitänleutnant Firmenich og Duckwitz (Bests kalenderoptegnelser 16. november 1944).

bezeichnet, weil hierdurch nur das Ziel der Saboteure verwirklicht würde.

3.) In der Besprechung wurden noch die folgenden Tatsachen mitgeteilt:

a.) Die deutsche Kriegsmarine hat ständig 150-180 Schiffseinheiten zur Reparatur auf den dänischen Werften und hat bis jetzt nur zwei Sabotagefälle erlebt.

b.) Es befinden sich noch 22 Hansa-Neubauten – je zur Hälfte für deutsche und für dänische Rechnung – auf den Helgen dänischer Werften, ohne daß an diesen ein Sabotageakt erfolgte. Hieraus ergibt sich, daß die Sabotageakte gegen die vom Stapel gelaufenen Hansa-Neubauten genau nach den von unserer Sicherheitspolizei erfaßten englischen Befehlen und wahrscheinlich von Fachleuten nach Art des einen gefaßten Fallschirmagenten durchgeführt worden sind.

Dr. Best

142. Georg Martius an Werner Best 16. November 1944

Drøftelserne af foranstaltninger mod skibssabotager i Danmark stod i AA slet ikke i forhold til problemets omfang. AAs embedsmænd var alene blevet sat i bevægelse af den skrivelse, RFSS 5. november havde ladet udsende. Martius kommenterede således Bests telegram nr. 1268 under den forudsætning, at det var en omsiggribende skibssabotage, der skulle forhindres, men bemærkningerne var allerede delvist overflødiggjort af de telegrammer, som Best siden havde sendt den 16. Dog stod ét punkt tilbage: Der skulle flere politistyrker til (Rosengreen 1982, s. 145).

Kilde: PA/AA R 101.041. RA, pk. 232.

Telegramm

Berlin, den 16. November 1944

Diplogerma Kopenhagen zu Ha Pol. XII g 1025

Nr. ...
Betr.: Schiffbauschwierigkeiten auf dänischen Werften.

Mit Beziehung auf Drahtbericht Nr. 1268 vom 15.11.[155]
Heutige Besprechung im Auswärtigen Amt ergab volle Einmütigkeit, daß alles versucht werden muß, um weiteres Umsichgreifen Werftsabotage zu verhindern. Dortige Bemühungen wegen ausreichender Bewachung Werften durch Sicherheitspolizeibeamte und Verstärkung Gesamtbestandes Sicherheitspolizei im dänischen Raum werden daher nachdrücklich unterstützt.

Vorschläge zu Ziffer 5) dürften vor allem danach zu bewerten sein, ob Möglichkeit weiteren Schiffsbaus in Dänemark für deutsche Zwecke dadurch gefördert wird. Das ist bei Vorschlägen zu a) und c) nicht der Fall. Vorschlag zu c) auch deshalb undurchführbar, weil Werften in Deutschland infolge Ausfall Werftkapazität in den Niederlanden und im Baltikum bereits jetzt überbelastet. Hauptausschuß Schiffbau empfahl daher

155 Trykt ovenfor.

im Sinne dortigen Vorschlags zu b) entsprechend Regelung bei Orlogswerft auch Werft von Burmeister & Wain nunmehr in deutsche Leitung durch Hereinsetzung von etwa 4 deutschen leitenden Beamten zu übernehmen, um damit sowohl weiterer Sabotagemöglichkeit wie passiver Resistenz vorzubeugen. Dies erscheint uns durchaus durchführbar und unbedenklich, falls Frage Verstärkung sicherheitspolizeilichen Schutzes einigermaßen befriedigend gelöst werden kann.

Sollte Einvernehmen bisheriger dänischer Geschäftsleitung zu dieser Maßnahme nicht zu erlangen sein, werden die notwendigen Maßnahmen von Ihnen im Einvernehmen mit der dänischen Regierung oder im Verordnungswege erlassen werden müssen.

Anwendung Maßnahmen zu d) auf Neubau in Helsingör wird bei Sonnabend-Besprechung dort zu entscheiden sein. Reichskommissar für Seeschiffahrt neigt einstweilen zu der Auffassung, daß Versuch Inanspruchnahme Neubaus auf Grund privatwirtschaftlicher Verständigung mit Helsingör-Werft vorzuziehen ist.

Martius

143. Harro Brenner an Horst Wagner 17. November 1944

Wagner modtog fra Büro RAM ordre om, at Ribbentrop omgående ville have Brandts brev af 11. november vedrørende skibssabotagen besvaret. Büro RAM gav tillige direktiver om svarets indhold og meddelte, at Bests telegram nr. 1276, 16. november skulle med som bilag. Det skulle fremgå, at Ribbentrop straks havde bedt Best gøre noget ved sagen, og at rigskommissær Kaufmann ville komme til Danmark for at drøfte forholdsregler til med de skrappeste midler at bekæmpe sabotagen. En række bilag fulgte med til Wagners sagsbehandling.

Wagner svarede som ønsket Rudolf Brandt samme dag, dog var indholdet ikke helt som ønsket.

Kilde: PA/AA R 101.041. RA, pk. 232.

Büro RAM

Betr. Schiffssabotage in Dänemark
Über St.S VLR Wagner vorgelegt.

Der Herr RAM bittet Sie, das Schreiben des Standartenführers Brandt vom 11.11.[156] umgehend zu beantworten und als Anlage den Drahtbericht aus Kopenhagen Nr. 1276 vom 16.11.[157] zur Kenntnisnahme beizufügen. In Ihrem Antwortschreiben bittet Sie der Herr RAM zum Ausdruck zu bringen, daß der Herr RAM sofort den Reichbevollmächtigten Best zum Bericht aufgefordert und einen Vorschlag erbeten habe, welche scharfen Maßnahmen getroffen werden können, um sicherzustellen, daß zukünftig derartige Schiffssabotageakte auf alle Fälle verhindert werden. Bevor der Bericht von Best eingegangen sei, habe der Reichkommissar für die Seeschiffahrt den Führer um Sondervollmachten gebeten, die der Führer erteilt habe. Der Reichkommissar für die Auszuschließender werde sich nunmehr nach Dänemark begeben und dort mit den zu-

156 Trykt ovenfor.
157 Trykt ovenfor.

ständigen Stellen die Einzelmaßnahmen besprechen, die durchgeführt werden müssen, um weitere Sabotageakte mit den schärfsten Mitteln zu bekämpfen.

Anliegend übersende ich Ihnen das Fernschreiben des Standartenführers Brandt vom 11.11 sowie Abschrift des Telegramms nach Kopenhagen Nr. 1311 vom 12.11.[158] Ich weise noch auf das Telegramm aus Kopenhagen Nr. 1268 vom 15.11.[159] hin.

Berlin, den 17. November 1944.

Brenner

144. Horst Wagner an Rudolf Brandt [17.] November 1944

Wagner havde 17. november via Brenner fået Ribbentrops ordre om straks at besvare Himmlers henvendelse af 11. november, fremsendt af Rudolf Brandt. Wagner sendte svaret endnu samme dag (AAs koncept er uden dato og nummer, men fjernskrivermeddelelsen nåede RSHA med nr. 12.648, 7. november [sic – skal være 17.] kl. 23.30), men det afveg på to måder fra det direktiv, han havde fået vedrørende indholdet. For det første medsendte han ikke det bilag, telegram nr. 1276 fra Best af 16. november, men fremsendte Bests telegram nr. 1281 fra samme dag (det er det telegram, der vedlagde Wagners brev). For det andet sluttede Wagner brevet af med at konstatere, at Ribbentrop efter Bests indberetning ikke mente at sabotagen havde et så stort omfang som antaget. I øvrigt fulgte brevet de givne direktiver og gav udtryk for, at der straks var blevet arbejdet på sagen i AA, og at der skete noget.

Det pludselige ønske fra Ribbentrop om et omgående svar hang givetvis sammen med, at Hitler via Karl Kaufmanns henvendelse var kommet ind i sagen, og denne havde tilsyneladende givet Kaufmann en særlig førerbemyndigelse. Det forklarer til gengæld ikke, at Wagners brev afveg fra direktiverne på to væsentlige punkter. Det er utænkeligt, at han f.eks. af egen drift havde tillagt Ribbentrop en opfattelse af skibssabotagens omfang, og uklart, hvorfor han sendte et andet telegram fra 16. november af Best, end han var blevet bedt om.

Rimeligvis har Wagner fulgt telegrammet op med en opringning til Büro RAM og fået sat de sidste ting på plads. Det var mere hensigtsmæssigt at fremsende Bests telegram nr. 1281 end nr. 1276. Sidstnævnte var mest en opremsning af forefaldne skibssabotager, mens nr. 1281 beskæftigede sig med bekæmpelsen af skibssabotagen. Det var et udtryk for, at der skete noget aktivt på området. Brenner havde 16. november telefonisk bedt Best uddybe sit syn på skibssabotagens omfang, hvilket han havde svaret på endnu samme dag med telegram nr. 1281. Så Büro RAM havde selvstændigt interesseret sig for skibssabotagens omfang, og det fik Wagner med, uden at det indgik i det skrevne direktiv til ham (det kan heller ikke udelukkes, at ønsket om at få fremsendt telegram nr. 1276 som bilag var en egentlig fejl fra Büro RAMs side, som via telefonisk kontakt blev rettet).

Kilde: BArch, NS 19/2152 (sendt i november 1944 uden dato og nummer, underskrevet). PA/AA R 101.041 (koncept uden dato). RA, pk. 231 og 442 (begge koncept uden dato). RA, Danica 1000, T-175, sp. 125, nr. 2.645.855f. (den afsendte meddelelse med dato 7. november 1944 (benyttet her)).

Reichssicherheitshauptamt
Fernschreibstelle
R – Per Stab RFSS Berlin Nr. 12648 7.11.44 20.30 = RA =
Geheime Reichssache

An SS-Standartenführer Brandt
Bergwald

158 Trykt ovenfor.
159 Trykt ovenfor.

Lieber Kamerad Brandt.
Ihr Telegramm über die Schiffssabotage in Dänemark[160] habe ich dem Herrn RAM vorgelegt, der unverzüglich Dr. Best um nähere Angaben und Vorschläge über die weitere Behandlung gebeten hat.[161] Gleichzeitig mit dem in der Anlage beigefügten Bericht von Dr. Best[162] ging ein Fernschreiben des Reichskommissars für Seeschiffahrt ein, in dem dieser mitteilt, er habe vom Führer Vollmachten zur Bekämpfung von Schiffssabotagen in Dänemark erhalten.[163]

Die näheren Einzelheiten zur Bekämpfung der Sabotageakten werden deshalb zweckmäßigerweise zwischen dem Reichskommissar für Seeschiffahrt, dem Reichsbevollmächtigten, dem Höheren SS- und Polizeiführer und dem Wehrmachtsbefehlshaber an Ort und Stelle besprochen.[164]

Der Herr RAM glaubt nach dem Bericht von Dr. Best, daß die Schiffssabotage nicht den Umfang hat wie ursprünglich angenommen worden ist, da die vier Schiffe, um die es sich handelt, nicht versenkt, sondern nur beschädigt worden sind.[165]

Ich bitte Sie, den Reichsführer-SS entsprechend zu unterrichten.

Heil Hitler!
Ihr
Wagner

145. Rudolf Bobrik an Horst Wagner 17. November 1944

Bobrik samlede nogle af trådene for Wagner forud for det møde, der skulle foregå i København den følgende dag om bekæmpelsen af skibsværftssabotagen. Der havde bl.a. været et møde i RSHA, der mest havde drejet sig om tekniske spørgsmål.

Kilde: PA/AA R 101.041. RA, pk. 232.

Inl. II B
Inl. II 751 gRsLR. Dr. Bobrik 1. Ausfertigung

Vermerk zu den Drahtberichten Nr. 1267, 1268 und 1270 vom 15.11.44 aus Kopenhagen:[166]

Nach Mitteilung von Herrn Gesandten Martius ist die von ihm veranlaßte Ressortbesprechung nach Wunsch verlaufen.

160 11. november 1944, trykt ovenfor.

161 12. november 1944, trykt ovenfor.

162 Bests telegram nr. 1281, 16. november 1944, som vedlægger denne skrivelse som bilag.

163 Denne fjernskrivermeddelelse (ikke lokaliseret) er indkommet senest 16. eller 17. november, da den, ud over dette i AA udaterede telegram, er nævnt i Brenners meddelelse til Wagner 17. november.

164 Der blev afholdt et indledende møde 16. november (Bests telegram nr. 1281, 16. november, Bests kalenderoptegnelser 16. november), mens hoveddrøftelsen fandt sted 18. november (Martius til Best 22. november).

165 Dette punkt blev Best ved en opringning fra AA bedt om at uddybe, hvilket han gjorde med telegram nr. 1276, 16. november.

166 Alle trykt ovenfor.

Inl. II B wird Doppel des Aktenvermerks und des auf die Besprechung hin veranlaßten Telegramms zur Kenntnis erhalten.[167]

Die im Anschluß hieran stattgefundene Besprechung bei Hauptsturmführer Kopkow im Reichssicherheitshauptamt, dem Dezernenten für Sabotageangelegen, betraf mehr technische Fragen.[168]

Morgen soll eine weitere Besprechung in Kopenhagen selbst stattfinden, zu der nach Mitteilung von Herrn Gesandten Martius ein Beauftragter des Auswärtigen Amts nicht entsandt wird.[169]

Hiermit Herrn Gruppenleiter Inl. II vorgelegt.

Berlin, den 17. November 1944

Bobrik

146. Kriegstagebuch/Seekriegsleitung 17. November 1944

Seekriegsleitung redegjorde for meningsforskellene mellem Admiral Dänemark og WB Dänemark med hensyn til det danske kystforsvars tyngdepunkt. Afgørelsen lå hos OKW.

En afgørelse forelå samme dag. Se Seekriegsleitung til MOK Ost.

Kilde: KTB/Skl 17. november 1944, s. 365f.

IV.) Chef Mar. Rüst:

[...]

Der feldmäßige Küstenausbau der Nordsee und Jütlandküste läuft planmäßig. Anlaufen des festungsmäßigen Ausbaues muß dagegen als noch sehr mangelhaft bezeichnet werden. Mar. Rüst bittet dringend, die Positionen der für Jütland vorgesehenen neuen 28 Batteriestellungen endgültig festzulegen, damit für die Arbeiten Zeitverluste vermieden werden.

Bei Erörterung dieser Frage ergibt sich, daß zwischen W. Befh. Dänemark und Admiral Skagerrak Meinungsverschiedenheit bezüglich Verteidigungsschwerpunkt auf jütischer Halbinsel besteht. W. Befh. hält Westküste für bevorzugt gefährdet und beabsichtigt, seine beiden Divisionen entsprechend zu dislozieren. W. Befh. hat außerdem gebeten, 6 der 28 Batterien zusätzlich an Westküste in Aufstellung zu bringen. Admiral Skagerrak und MOK Ost sehen dagegen größte Gefährdung an Ostküste und beabsichtigen, alle 28 Batterien hier aufzustellen. Entscheidung liegt jetzt bei OKW. Nach Ansicht von Admiral Qu kann eine Verzögerung der Bauarbeiten aus diesen Umständen nicht entstanden sein, da die Arbeiten nach den von der Marine vorgesehenen Planungen in Auftrag gegeben und angelaufen sind.

[...]

167 Georg Martius til Best 16. november 1944. Telegramnummeret er med håndskrift tilføjet i Bobriks notat.

168 Horst Kopkow var leder af referatet for sabotagebekæmpelse, sabotageforebyggelse og forfalskninger i RSHA afdeling IV A2 (Wildt 2003, s. 337). Se om mødet i RSHA også Bobrik til Wagner 20. november.

169 Om dette møde, se Wurmbach til OKM 18. november og Martius til Best 22. november 1944.

147. Seekriegsleitung an MOK Ost 17. November 1944

Seekriegsleitung videregav Hitlers og OKWs ordre vedrørende tyngdepunktet for kystforsvaret af Danmark. WB Dänemark var fortsat ansvarlig for det samlede forsvar af Danmark. Ligeledes skulle tyngdepunktet i forsvaret fortsat være Vestkysten, men samtidig var en forstærkning af Kattegats kyster ønskelig.

Ordren kan opfattes som et kompromis eller en salomonisk løsning, hvor der blev givet til begge de stridende parter (Jens Andersens formulering). Imidlertid var det helt op til WB Dänemark, hvor meget der blev givet til forstærkning af Kattegatforsvaret, og det kunne kun den fremtidige ressourcefordeling vise (Andersen 2007, s. 245).

Seekriegsleitung reagerede på ordren 21. november, se KTB/Skl anf. dato.

Kilde: RA, Danica 628, sp. 10, nr. 9373 (afskrift af ordren af 30. oktober 1944) og KTB/Skl 17. november 1944, s. 373f. (gengivelse).

Abschrift!
B. Nr. 1.Skl I op 33801/44 gKdos — *Berlin, den 17.11.1944*
Fernschreiben an: MOK — Abgeg. 17.11. 20.40 Uhr
gKdos

Betr.: Verteidigung dän. Räumes.
Vorg.: Ob. MOK Ost 06753 und 06754 gKdos v. 31.10.[170]

OKW/WFSt Op (H) drahtet mit 0013496/44 gKdos:

"Bezug: W. Befh. Dänemark I a Nr. 2310/44 G.K. v. 30.10.[171]

Zum Antrag W. Befh. Dänemark über die Küstenverteidigung Dänemarks vom 30.10. hat der Führer entschieden.

1.) W. Befh. Dänemark ist gemäß Führerweisung 40 für die Gesamtverteidigung Dänemarks allein verantwortlich. OKM hat die von ihm beabsichtigten Maßnahmen in allen grundsätzlichen Fragen der Verteidigung Dänemark vor Befehlsteilung mit ihm abzustimmen.
2.) Die Westküste Jütlands bleibt Schwerpunkt der Küstenverteidigung Dänemarks. Eine Verstärkung der Ostküste Jütlands und Nordküste von Fünen und Seeland ist erwünscht, läßt sich aber Stellungsbau- und kräftemäßig in diesem Winter nicht bis zur vollen Abwehrbereitschaft durchführen. Von den 28 neuen Küstenbattr. der Kriegsmarine sind als Beginn der Verstärkung der Ostküste die wichtigsten Battr. infanteristisch im Rahmen der dem W. Befh. zur Verfügung stehenden Kräfte zu sichern. Absichten sind zu melden.
3.) Die Forderung W. Befh. Dänemarks auf sofortige Zuführung von 6 Küstenbattr. zur Verstärkung der Verteidigungskraft der Westküste Jütlands ist nicht vordringlich. Zuführung dieser 6 Battr. bis zum Frühjahr 1945 durch OKM ist jedoch anzustreben. Die Vorbereitungen für einen Einbau sind einzuleiten."

Zusatz: Zur vorläufigen Kenntnis. Weiteres folgt nach Vorliegen Entscheidung des Ob.d.M. Das OKW ist um Mitteilung der Gründe gebeten worden, die den W.B. zu seiner Beurteilung geführt haben.

Seekriegsleitung
B. Nr. 1. Skl I op 33 801/44 gKdos

170 Se KTB/Skl 31. oktober 1944.
171 Se KTB/WB Dänemark 30. oktober 1944.

148. Adolf von Steengracht an Werner Best 18. November 1944

Best havde 16. november foreslået en tilføjelse til mødeprotokollen for 30. oktober (se telegram nr. 1277 ovenfor), men Steengracht, der stod for mødereferatet, fandt ikke dette opportunt.

Best havde hermed fået markeret, at han ikke var tilfreds med det resultatløse møde, som Steengracht bar et medansvar for.

Der er muligvis tale om et telegramudkast, som ikke blev afsendt (Rosengreen 1982, s. 140).

Kilde: PA/AA R 101.041. RA, pk. 228.

Telegramm

Berlin, den 18. November 1944

Diplogerma Kopenhagen
Nr. ...
Referent: Ges. v. Grundherr
Betreff: Nachträgliche Beantragung Aufnahme Satzes in Sitzungsprotokoll.

Für Reichsbevollmächtigten.
Nachträgliche Beantragung Aufnahme vorgeschlagenen Satzes in Sitzungsprotokoll erscheint mir nicht opportun. Bin aber weiter bemüht, daß SS-Obergruppenführer Pankke entsprechende generelle Weisung vom Reichsführer-SS erhält.

Steengracht

149. Hans-Heinrich Wurmbach an OKM 18. November 1944

Wurmbach videregav hovedresultatet af mødet i København om sabotagebekæmpelsen på de danske værfter. Der var enighed om, at der måtte en øget bevogtning til, men hverken tysk politi eller militær havde det tilstrækkelige personel. Derfor ville Gauleiter Kaufmann bede Hitler om at få tilført 3.000 mand til opgaven. Pancke og Best skulle også presse på derfor, og der var enighed om, at sabotagebekæmpelsen var en politimæssig opgave.

Mødedeltagerne var: Gauleiter Karl Kaufmann, SS-Hauptsturmführer Horn, Generaldirektor Merker, Admiral Mewis, Pancke, Wurmbach og Duckwitz. Best deltog ikke i mødet, men noterede sig mødet og mødedeltagerne. Hvorfor Best lod sig repræsentere ved Duckwitz er uvist, når de andre tilstedeværende havde højere charge, men en oplagt forklaring kunne være, at han ville signalere afstand til Pancke (Bests kalenderoptegnelser 17. og 18. november 1944).[172]

Se om mødets drøftelser endvidere Martius til Best 22. november 1944.

Kilde: RA, Danica 628, sp. 10, nr. 9372.

Abschrift. Geheime Kommandosache!
MBBS 028505
Eingegangen: 18.11.44, 17.41

172 Karl Heinz Hoffmann forklarede 16. maj 1947, at Kaufmann og Oberregierungsrat Blomberg (leder af Statspolitiet i Hamburg) havde været i København efteråret 1944 for at undersøge hans behandling af skibssabotager. Forklaringen, hvis detaljer ikke skal gengives, da den tydeligvis var et entydigt led i Hoffmanns forsvar, har dog givetvis den kerne, at Kaufmann omkring 18. november havde været i kontakt med Hoffmann med henblik på at få forebygget skibssabotagen (LAK, Best-sagen).

Fernschreiben von: SSD MDKP 0110271 18.11., 16.45
mit A Ü SSD OKM 1 Skl
Gltd SDD OKM Chef Skl = SSD OKM 1 Skl =
SSD OKM 3 Skl = SSD Wehrm Befh Dän =
SSD MOK Ost =
– Gkdos –

Betr.: Besprechungsergebnis über Sabotageabwehr auf dän. Werften.

1.) Reikosee Gauleiter Kaufmann fordert für Durchführung Aufgabe starken Einsatz militärischer und polizeilicher Kräfte zur Besetzung Werften und Schiffe.
2.) Komm Adm Skagerrak als Vertreter Ob.d.M. und Wehrm Befh Dän weist darauf hin, daß für Aufgabe nach bisheriger Regelung Reichsbevollm Dän zuständig, dem hierfür höhere SS- und Polizeiführer zur Vfg. steht. Einsatz von Wehrmachtskräften nur im Einzelfalle aushilfsweise, da Kräfte hierfür z.Zt. nicht vorhanden.
3.) Höherer SS- und Polizeiführer erklärt, daß ihm z.Zt. für Durchführung Aufgabe nicht genügend Kräfte zur Vfg. stehen.
4.) Forderung z Ziff. 1.) demnach nur durchführbar, wenn hierfür besondere Kräfte bereitgestellt werden.
5.) Reikosee wird bei Führer beantragen, daß zur Durchführung Aufgabe polizeiliche und militärische Kräfte (ca. 3000 Mann) bereitgestellt werden.
6.) Für abwehrmäßige Bekämpfung Sabotage soll Verstärkung sicherheitlicher Kräfte durch Reikosee bzw. Reichsbevollm. Dr. Best beantragt werden.
7.) Beteiligte übereinstimmen, daß für Sabotageabwehr Polizei verantwortlich bleibt. Bei Bereitstellung militärischer Kräfte muß Abgrenzung Verantwortung zwischen Wehrmacht und Reichsführer SS geregelt werden.

Kom Adm Skagerrak z.Zt. Khagen.
B-Nr. 1/Skl. 34 027/44 gKdos

150. Kriegstagebuch/WB Dänemark 19. November 1944

Søndag 19. november var Best i Gråsten, bl.a. på besøg hos Jens Møller, men havde også møde med Gauleiter Lohse og von Hanneken. Hvis der på dette møde blev presset på for at få tyske arbejdere til Danmark for at grave tankgravene tværs over Jylland, endte mødet resultatløst (Bests kalenderoptegnelser 19. november 1944).

Kilde: KTB/WB Dänemark 19. november 1944.

[...]
Besprechung WB Dän. und Ia mit Gauleiter Lohse und Reichsbevollmächtigten Dr. Best über Einsatz deutscher Arbeiter in dän. Riegelstellungen.
[...]

151. Hans-Heinrich Wurmbach an Seekriegsleitung 20. November 1944

Wurmbach meddelte Seekriegsleitung, at det endnu ikke var oplyst, om Sverige ville udlevere færgen "Store Bælt", men at det ikke var forventeligt, hvorfor der som repressalie ville blive beslaglagt fire færger 23. november kl. 16. Wurmbach bad om, at den danske centraladministration blev orienteret.

Wurmbachs fjernskrivermeddelelse blev sendt på et tidspunkt, hvor Best senest dagen før havde modtaget et brev fra Nils Svenningsen, der gjorde det klart, at Sverige ville afvise ethvert krav om udlevering af "Store Bælt". Svenningsen havde 18. november konsulteret den svenske gesandt von Dardel i sagen, modtaget det afvisende svar og straks samme dag sendt brev til Best (Hæstrup, 2, 1966-71, s. 156). Best havde imidlertid ikke travlt med at videregive den ikke overraskende besked til Wurmbach. Det havde, som det fremgår, ingen opsættende virkning hos Wurmbach. Tværtimod havde Kriegsmarinedienststelle Kopenhagen 20. november ordre om at foretage beslaglæggelsen 23. november og at have de civile besætninger til skibene klar (KTB/Marinedienststelle Kopenhagen 20. november 1944 (RA, Danica 628, sp. 6, nr. 4329)).

Kriegsmarinedienststelle Kopenhagen kunne 22. november melde om, at Best nægtede at lade to af skibene beslaglægge, se anf. dato.

Kilde: BArch, Freiburg, RM 7/1813. RA, Danica 628, sp. 7, nr. 5905.[173]

Abschrift 16.40
MBBS 028650 Geheime Kommandosache
Eingegangen: 20.11.44, 16.28
Fernschreiben von: SSD NDA0 07947 20.11., 14.00
o. AÜ SSD nachr OKM 1/Skl
Gkdos

Betr. Entwichene dän. Fähre "Store Belt".

Da von Schweden auf erneutes dän. Rückgabeersuchen, Fähre "Store Belt" freizugeben, Antwort noch nicht eingetr. und in positivem Sinne auch nicht zu erwarten ist, werden als Repressalie für entwichene Fähre die MB "Kronprinz Olaf", D. "Mön", D. "Hans Broge" und zusätzlich MS "Vedby" am 23.11. 16.00 Uhr militärisch besetzt. Bitte dän. Zentralverwaltung am 23.11. 08.00 Uhr in Kenntnis zu setzen, daß vorgenannte Schiffe beschlagnahmt sind.

Adm. Skag Gkdos 70827/44.

152. Hans Clausen Korff: Rücksprache mit dem Reichsbevollmächtigten Dr. Best am 17.11.1944, 20. November 1944

Korff orienterede Breyhan om sit møde med Best 17. november, hvor Korff havde overbragt Schwerin von Krosigks hilsener og udtalelse om, at alle berørte tyske instanser nu havde anerkendt nødvendigheden af at vie udgiftshåndteringen i Danmark opmærksomhed. Der måtte træffes foranstaltninger mht. prisovervågning, især ved OTs byggearbejder skulle unødvendige udgifter undgås. Schwerin von Krosigk ønskede en løbende føling med udviklingen i Danmark og beklagede RR Esches afgang. Best svarede, at Esches afgang var fremtvunget af omstændighederne,[174] men at den ikke betød en ændring i samarbejdet med RFM. Korff foreslog i sin egenskab af medlem af det tysk-danske regeringsudvalg, at han orienterede RFM om den finansielle udvikling i Danmark, hvilket Best erklærede sig for indforstået med, når indberetningen skete i forståelse med ham personligt.

173 Sagspåtegningerne er ikke medtaget.
174 Se Keitel til WB Dänemark 4. september 1944.

Korff sendte først sit notat til Breyhan 3. januar 1945 med en bemærkning om, at det ville være en fordel fortsat at kunne drøfte aktuelle spørgsmål umiddelbart med Best.

I hvilket omfang Korff i 1945 holdt sig i nær kontakt med Best, når han indberettede til RFM, får pga. fraværet af akter stå hen, men at han orienterede Breyhan løbende uden om Best, er påviseligt.

Kilde: RA, Danica 201, pk. 81A.

Oberregierungsrat Korff
Mitglied des Regierungsausschusses für Dänemark Oslo, 20. November 1944

Vermerk

Betr. Bearbeitung der Finanzfragen in Dänemark
hier: Rücksprache mit dem Reichbevollmächtigten Dr. Best am 17.11.1944

ORR Korff übermittelte dem Reichbevollmächtigten die Grüße des Herrn Reichsministers der Finanzen und berichtete über den Vortrag beim RdF am Vortage. Der Herr Minister habe erklärt, daß die Verhandlungen in Kopenhagen im Juni d.Jrs. zur Erörterung der Wehrmachtausgaben in Dänemark auf breiter Grundlage geführt hätten, die nunmehr zu einem Abschluß gekommen seien. Alle beteiligten Stellen im Reich hätten dabei die Notwendigkeit anerkannt, der Ausgabengebarung in Dänemark besondere Aufmerksamkeit zu widmen. Durch eine Reihe von Maßnahmen auf dem Gebiet der Preisüberwachung, insbesondere bei den Bauten der OT, sollten unnötige Ausgaben vermieden werden. Der Reichsminister der Finanzen si bereit, auch künftig der Finanzlage in Dänemark gesteigerte Beachtung zu schenken. Voraussetzung sei jedoch eine laufende Fühlungnahme, um ständig über die Entwicklung in Dänemark unterrichtet zu sein. Insoweit bedauerte der RdF die Abberufung des bisherigen Finanzsachbearbeiters RegRat Esche.

Dr. Best dankte für die Bemühungen des Herrn RdF. Die Abberufung von RegRat Esche sei durch die Umstände erzwungen worden, bedeute aber keinesfalls, daß in der Zusammenarbeit mit dem RdF eine Änderung eintreten sollte. Sobald die Ursachen, die zur Einschränkung der Behörde geführt hätten, wieder fortfallen würden, werde er – Dr. Best – um die Entsendung eines ständigen Finanzsachbearbeiters bitten.

ORR Korff trug darauf den Vorschlag des RdF vor, daß er in stärkerem Masse als in seiner Eigenschaft als Mitglied des Regierungsausschusses die finanzielle Entwicklung in Dänemark beobachte und das RFM laufend unterrichte. Dabei sei auch eine Fühlungnahme mit der Dänischen Regierung von Fall zu Fall erwünscht, um sich ein abgerundetes Bild zu verschaffen.

Dr. Best erklärte sich hiermit unter der Voraussetzung einverstanden, daß die Berichterstattung und Fühlungnahme stets im Einvernehmen mit ihm persönlich erfolge. Er bat ORR Korff, bei Anwesenheit in Kopenhagen jeweils vorzusprechen und seine Wünsche vorzutragen. Die Fühlungnahme mit der Dänischen Regierung könne dann von Fall zu Fall, je nach der politischen Lage abgesprochen werden.

XX

[uden underskrift][175]

175 Der er tale om et gennemslag, der er skrevet på samme papir, som Korff anvendte, da han skrev det næste brev 3. januar 1945, som har Korffs signatur.

153. Rudolf Bobrik an Horst Wagner 20. November 1944

Bobrik orienterede Wagner vedrørende behovet for tilførsel af tyske politifolk til Danmark. HSSPF mente ikke, at behovet var så stort, at en tilførsel af et større antal var nødvendig. Fra hær og marine erklærede man sig villige til at stille de nødvendige midler til rådighed til at sørge for sikkerheden. Bobrik ville vide, om sagen skulle gå videre til Ribbentrop.

Det er værd at bemærke, at Bobriks konklusion var den stik modsatte af, hvad man var nået til efter en tidligere drøftelse i AA, som Martius refererede til Best 16. november.[176] Når HSSPF ikke anså behovet for tilførsel af et stort antal tyske politifolk for nødvendigt, hang det givetvis sammen med, at han først og fremmest var på det rene med, at der ikke ville være mandskab dertil. Der var allerede tilført mere mandskab efter 19. september, og tiden var ikke til at udstille et yderligere behov.

Kilde: PA/AA R 101.041. RA, pk. 232.

Zu Inl. II 752

g.Rs.
1 Ausfertigung
1. Ausfertigung

V e r m e r k

zum Drahtbericht Kopenhagen Nr. 1265 vom 14.11.[177]

Nach Mitteilung von ORR Wanninger beim Chef der Sicherheitspolizei und des SD bestehe nach den Äußerungen des Höheren SS- und Polizeiführers in Dänemark z. Zt. kein so dringender Bedarf an Vermehrung der dortigen Polizeikräfte, daß die Überführung eines größeren Personenkreises im Augenblick notwendig erscheint. Nach dem seinerzeitigen Luftangriff auf Aarhus wären sogar noch einige Personen mehr nach Dänemark geschickt worden, als ausgefallen wären, so daß schon eine geringe Verstärkung vorläge.[178]

Die Frage der Sabotage ist im übrigen kürzlich sowohl bei Gesandten Martius als auch bei SS-Sturmbannführer Kopkow im Wege einer Ressortbesprechung eingehend erörtert worden. Heer und Marine sollen sich bereit erklärt haben, dort vorhandene Kräfte zur Sicherheit im geeigneten und möglichen Rahmen zur Verfügung zu stellen.[179]

Auch im Rahmen der Ordnungspolizei sollen im Augenblick keine so dringenden Anforderungen vorliegen, daß Vermehrung erfolgen müsse.

Herrn Gruppenleiter Inl. II mit der bitte um Weisung vorgelegt, ob eine Vortragsnotiz für Herrn RAM hierüber erforderlich ist. Auf den Vermerk vom 10. d. M. betr. Polizei in Dänemark, gez. Brenner, darf ich hinweisen.[180]

Berlin, den 20. November 1944.

Bobrik

176 Hos Rosengreen 1982, s. 145 er en fejlagtig henvisning til Bobriks notat, hvis indhold modsiger den tekst, der skriver. Rosengreen er ikke på det rene med, at Pancke ikke anså tilførslen af flere politifolk for nødvendig.

177 Trykt ovenfor.

178 Det var tilfældet. Antallet af Gestapofolk i Århus nåede i løbet af kort tid efter angrebet op på ca. 100 mand, plus en vagtstyrke på 20-30 mand, mens der forud havde været 66 Gestapofolk og ca. 30 andre (Skov Kristensen u.a. 1988, s. 456, 458).

179 Se Bobrik til Wagner 17. november.

180 Trykt ovenfor.

154. Der TN-Verbindungsoffizier: Reisebericht 21. November 1944

WB Dänemark havde med indførelse af operation "Monsun" og "Taifun" straks svaret igen på den 24-timers generalstrejke, der var brudt ud den 15. november 1944 i Esbjerg. HSSPF sendte øjeblikkeligt sin TN-forbindelsesofficerer til byen for at forestå lukningen af de offentlige værker.

Forbindelsesofficeren leverede umiddelbart efter tilbagekomsten til København en beretning om forløbet af operationen. Heraf fremgår det, at lukningen allerede var påbegyndt før officerens ankomst, endvidere at lukningen var forbundet med store tekniske problemer, og at den forårsagede betydelige uforudsete bivirkninger uden for Esbjerg i områder, som var afhængige af strømmen fra dampcentralen i Esbjerg. Herfra indløb klager, og også værnemagtsinteresser i Esbjerg blev påvirket, da isværket havde et forråd af flæsk, der kunne blive fordærvet, hvis temperaturen steg for meget. Nu gik det ikke så galt ved officerens indgriben, men han undlod afslutningsvis i sin opremsning af de af aktionen dragne erfaringer at udtale sig om hensigtsmæssigheden af hele operationen. Det blev overladt til de overordnede. Han holdt sig til det tekniske.

Forbindelsesofficeren omtaler kun stikordet "Monsun" for aktionen i Esbjerg. Imidlertid blev der taget lokale gidsler under aktionen, som foreskrevet i "Taifun"; et forhold som Bovensiepen i "Meldungen aus Dänemark" nr. 3 heller ikke undlod at nævne (se Best til AA 22. november 1944). "Monsun" og "Taifun" vides ikke at være bragt i anvendelse i nogen by siden, således heller ikke under strejken i Fredericia 24. april 1945, selv om Pancke endnu i foråret 1945 med modifikationer fastholdt den som plan til forebyggelse af indre uro i både København og provinsbyerne.[181] (KB, Peder Herschends dagbog 1943-45, 21. november 1944, refereret af Poul Lundsteen om undtagelsestilstanden i Esbjerg, Henningsen 1955, s. 244-248, Trommer 1973, s. 253-257, Lauridsen 2007b (her gengivelse af Lundsteens beretning)).

Kilde: RA, Centralkartoteket, pk. 600.

Der TN-Verbindungsoffizier
beim BdO Dänemark

Kopenhagen, den 21.11.1944.

R e i s e b e r i c h t

Vom Höheren SS-und Polizeiführer erhielt ich am 15.11 nachmittags den Befehl, mich mit Zugführer der TN Petersen sofort nach Esbjerg in Marsch zu setzen, um dort die vom Wehrmachtbefehlshaber Dänemark als Antwort auf einen 24-stündigen Proteststreik der dänischen Arbeiter mit Stichwort "Monsun" ausgelöste Stillegung der Versorgungs-Betriebe durchzuführen.

Abfahrt aus Kopenhagen mit Kraftwagen am 15.11.1944 um 19.00 Uhr. Eintreffen in Esbjerg am 16.11.1944, 4.30 Uhr.

Kurze Besprechung mit Hauptsturmführer Burfeind und Sturmscharführer Naujock vom S.D. im Beisein von Major der SchP. Grobben.[182]

5.30 Uhr Vorstellung beim Ortkommandanten, Major Gierisch, der mitteilte, daß die Stillegung der Werke durch den Ingenieur der Marine-Betriebsstelle bereits angelaufen sei.

6.00 Uhr Meldung beim Kommandanten des Verteidigungsbereiches Esbjerg, Ritterkreuzträger Oberst Freiherr von Wechmar.[183]

181 Se 13. og 15. februar og 20. marts 1945.

182 Thees Burfeind var chef for Gestapo i Kolding, og August Naujock besad den tilsvarende stilling i Esbjerg siden september 1944 (Lundtofte 2006b). Major Grobben var SS- und Polizeibezirksführer for Sydjylland.

183 Oberst Wechmar var kommandant for hele Esbjerg-området, mens Standortälteste major Gaerisch var øverstbefalende i selve byen.

Während der einleitenden Worte erlosch bereits das elektrische Licht, worauf ich den Oberst bat, die Unterredung abbrechen zu dürfen, um mich sofort zum E-Werk zu begeben, da äußerste Gefahr für das Gaswerk bestünde, wenn diesem durch das verfrühte Abstellen von Strom und Wasser die Möglichkeit zum Kühlen der Kammeröfen-Fülltüren genommen würde.

In der Dieselzentrale des E-Werkes fand ich Herrn Ing. Belzer von der Marinedienstelle vor, der zusammen mit dem Direktor des E-Werkes die Außerbetriebsetzung der beiden E-Werke vornahm. Nach kurzer Verständigung fuhr ich sofort die E-Werke wieder an, um dann zusammen mit Herrn Ing. Belzer zum Gaswerk zu fahren zwecks Kontrolle der dort getroffenen Maßnahmen.

Ich stellte fest, daß das Gaswerk noch auf vollen Touren lief, und daß ein Befehl zur Außerbetriebsetzung dort noch nicht vorlag oder nicht befolgt worden war. Den sofort herbeigerufenen Direktor des Gaswerkes, der in unfreundlicher Haltung eine schriftliche Vollmacht von mir verlangte, forderte ich unter Androhung von Waffengewalt auf, sofort die Stadt-Gasversorgung abzusperren und die Gaserzeugung einzustellen, wofür ich ihm die Höchstzeit von 4 Stunden noch Strom und Wasser zur Verfügung stellen würde.

Um 7.30 Uhr war der Gasdruck im Werk 0 mm Wassersäule, wodurch überall in der Stadt die Brennstellen erloschen.

Rückfahrt zum Kdt. Verteidigungsbereich und ausführlicher, technischer Vortrag über die mit der Absperrung der Versorgungsbetriebe Esbjergs verbundenen Auswirkung auf die vom E-Werks aus mit Licht und Kraft versorgte Umgebung.

Es fallen aus:

1.) Strom für das Kühlhaus, in welchem u.a. 50.000 kg Fleisch lagern, das auf Anordnung des Wehrmachtintendanten auf einer Temperatur von 14 C zu halten ist.
2.) Die elektrisch betriebenen Entwässerungspumpen und sonstige Maschinen der um Ringköbing und Herning liegend Braunkohlenwerke, für welche bei längerem Stromausfall die Gefahr des Absaufens und Versandens besteht.
3.) Die landwirtschaftlichen und Molkerei-Maschinen, u.a. mindestens 4.000 Stück elektrisch betriebener Melkmaschinen, die infolge des Personalmangels der Landwirtschaft nur notdürftig von Hand aus ersetzt werden können.
4.) Flugplatz der Luftwaffe in Karup.
5.) Beton-Mischmaschinen für die großen im Auftrag der Wehrmacht durch die OT zu erstellenden Bunkerbauten und Batteriestellungen.
6.) Licht und Kraft für die Ortschaften der Umgebend und des E-Versorgungsbereiches Esbjerg.
7.) Wasser für die Lokomotiven des Kopfbahnhofs Esbjerg, da bahneigene Wassertürme und Wasserversorgung bereits durch Sabotageakte gesprengt sind. Fortfall des Stromes für Drehscheiben pp.

Der Kdt. Verteidigungsbereich dankte für den Vortrag, bestand aber auf Grund seines ihm vorliegenden Befehls ausdrücklich auf Durchführung des "Monsun" in voller Stärke ohne Rücksichtnahme auf die auch von ihm bedauerten Folgen für die Umgebung.

8.45 Telefonische Meldung an Stabskommandant des Höheren SS- u. Pol.-Führers in Kopenhagen, daß Gas bereits abgestellt sei, und daß Strom und Wasser um

11.30 abgestellt werden.

11.30 Abstellen der E-Werke und des Wasserwerkes. Mit dem Abstellen der Dampfzentrale fiel auch die mit dem Abdampf der Wärmeturbine betriebene Fernheizung für ca. 1/3 der Stadt aus. Die Feuer unter den Kesseln ließ ich zunächst aufbänken, um im Notfall schnell wieder anfahren zu können. Für Kesselhaus und E-Werk gab ich die Erlaubnis Licht aus den Apenrader Stromschienen zu nehmen, um die Meß-und Kontrollapparate unter Strom zu behalten.

Da eine befehlsmäßige Belieferung der Umgebend durch das E-Werk Apenrade an diesem Tage wegen schon eingetretener Überlastung des Apenrader Werkes unmöglich war, und unter dem Druck der einlaufenden Meldungen aus dem Industriegebiet und der Landwirtschaft, beschloß der Kdt. Verteidigungsbereich, meinen ihm als notdürftige Lösung vorgelegten Kompromißvorschlag durchzuführen, am Tage von 6 bis 20 Uhr Licht und Wasser bei abgesellt bleibendem Gas zu geben, damit die umliegende Industrie und das Kühlhaus versorgt werden könnten, und um die Akkumulatoren des Fernsprechamtes aufzuladen.

Gegen Abend hatte der Oberbaurat (Abt. Qu/b) beim Wehrmachtbefehlshaber aus Silkeborg mich um telefonischen Anruf bitten lassen, um dem Befehlshaber einen technischen Vortrag halten zu können, aus welchen Gründen die Umgebung Esbjerg nicht mit Strom versorgt werden könne.

Der Kdt. Verteidigungsbereich ermächtigte mich, gelegentlich meines Telefongespräches mit Silkeborg zu erwähnen, daß er sich zu der Kompromißlösung entschlossen habe.

Ich führte dem Herrn Oberbaurat aus, daß in der Dampfzentrale Esbjerg durch eine Wärmeturbine und eine Kondensationsturbine Drehstrom erzeugt wird, der in der Dieselzentrale (die Diesel können wegen Fehlens von Treibstoff nicht laufen) in einem Umformer auf Gleichstrom für das Stadtnetz umgeformt wird, während die Umgebung mit Wechselstrom gespeist wird.

Da aber die Hilfsmaschinen in dem Kesselhaus der Dampfzentrale zum größten Teil auf Gleichstrom laufen, ist ein Fahren der drehstromerzeugenden Turbinen ohne Lieferung von Gleichstrom nicht möglich, wie auch beim Fahren der Werke das benötigte Wasser aus dem Stadtwassernetz entnommen werden muß, sodaß ein Betrieb der E-Werke zwangsläufig auch Wasser für das Stadtnetz liefern muß.

Genau so verhält es sich mit dem Gleichstrom, der von der Dampfzentrale infolge Fehlens einer direkten Speiseleitung von der Dieselzentrale zur Dampfzentrale aus dem eng vermaschten Stadtnetz entnommen wird.

Beim Fahren der Turbinen erhält also auch gleichzeitig die Stadt Strom und Licht.

21.00 Uhr: Zur Durchführung der "Kompromißlösung" fuhr ich auf die einzelnen Werke, um Vorbereitungen für das geplante Anfahren von E-und Wasserwerken in der Frühe des 17. November zu treffen.

17. November

4.45 Uhr: Anruf des Kdt. Verteidigungsbereich: Alter Zustand bleibt, kein Licht, kein Wasser, kein Gas.

Darauf fuhr ich sofort die Werke ab, um die Vorbereitungen wieder abzustoppen.

10.00 Uhr: Besuch beim Ortskommandanten, um die von den Versorgungsbetrieben beantragten Sperrstunden-Passierscheine der Werks-Angestellten auf Dringlichkeit zu prüfen. Die nicht benötigten Leute, u.a. der Gaswerksdirektor für sein böswilliges Verhalten, erhielten keine Passierscheine.

12.00 Uhr: Aufhören des sowieso schon eingeschränkten dänischen Fernsprechverkehrs wegen Erschöpfung der Batterien.

14.00 bis 17.00 Uhr: Besuch des Eiswerkes und des E-Werkes mit Elektroing. Thiero von der OT, welcher auf angebliche Veranlassung von Herrn Landrat Casper prüfen sollte, ob es nicht doch eine Möglichkeit gäbe, die Umgebung mit ausreichendem Strom zu Versorgung, ohne daß die Stadt Esbjerg Licht und Wasser bekäme.

Das Ergebnis seiner eingehenden Untersuchung deckte sich völlig mit völlig mit den von mir ergriffenen Maßnahmen und Feststellungen.

Die Temperatur der im Eiswerk befindlichen Fleischgefrierräume war von -14 C bis auf -8 C gestiegen. Nach eingehender Vernehmung des Maschinenmeisters vom Eiswerk besteht bis Sonntag den 19.11. früh noch keine Gefahr für die Fleischvorräte.

17.30 Uhr: Telefonanruf an BdO. Kopenhagen (Oblt. Mösing am Apparat), daß 50.000 kg Fleisch im Eiswerk eingelagert sind, daß aber bis Sonntag früh keine Gefahr besteht.

Während des heutigen Tages konnte vom E-Werk Apenrade aus die Umgebung Esbjerg mit 4000 Kilowatt Wechselstrom beliefert werden, sodaß die Orte und die landwirtschaftlichen Betriebe Strom in eingeschränktem Maß bekommen konnten, während die größeren Industrien, wie das Braunkohlengebiet, wegen der benötigten größeren Strommengen nicht berücksichtig werden konnten.

18. November

0.00 Uhr: die militärische Aktion wurde in eine polizeiliche Aktion umgewandelt und Major der SchP. Groppen anstelle des Kdt. Verteidigungsbereich mit der Durchführung der Maßnahmen beauftragt.

1.30-2.00 Uhr: Fahrt auf die Werke zwecks Kontrolle, daß die von mir gegebenen technischen Anordnungen auch eingehalten wurden. Es wurde strengste Befolgung der erteilten Anweisungen seitens der dänischen Belegschaft festgestellt.

10.00 Uhr: Anweisung von Major Grobben, daß am 19.11., 5.00 Uhr morgens der Ausnahmezustand aufgehoben wird, und daß von dieser Zeit ab wieder Gas, Wasser und Licht geliefert werden könnten.

Herr Major Grobben schloß sich meinen Vorschlag an, Gas erst ab 9.00 Uhr zu liefern, um Gasvergiftung in den Wohnungen zu verhüten, da es erfahrungsgemäß beim Abstellen von Gas des öfteren vergessen wird, in den Haushaltungen die Hähne der Gasherde zu schließen.

21.00 Uhr: Fahrt auf die Werke, um die beabsichtigte Wiederingangsetzung einzuleiten.

22.00 Uhr: Kontrolle des Eiswerkes. Temperatur -6 C, noch keine Gefahr.

19. November

0.00 Uhr: Ingangsetzung des Wasserwerkes zum Auffüllen des Wassersturms und des Stadtnetzes, um beim Anheizen der Kessel der Dampfzentrale Wasser für die Pumpen zu haben.

2.00 Uhr: Anheizen der Kessel für die Inbetriebsetzung der Turbinen.

5.00 Uhr: Einschalten des Stromes für Stadt und Umgebung in der Dieselzentrale.

9.00 Uhr: Öffnen des Gasabsperrschiebers auf dem Gaswerk.

Der Betrieb lief auf allen Werken wieder in den gewohnten Bahnen ohne daß sich irgendwelche Ausstellungen zeigten.

Erfahrungen:

Es ist immer wieder darauf hinzuweisen, daß dem Gaswerk nach dem Abstellen noch bis zu 4 Stunden Wasser und Strom zur Verfügung stehen müssen, um schwerste Schädigungen der Kammeröfen zu vermeiden.

Im Falle Esbjerg wäre bestimmt das Werk auf die Dauer von 1½ Jahren für die Gaserzeugung ausgefallen, wenn nicht durch rechtzeitiges Wiederanfahren des bereits abgestellten E-Werkes Strom und Wasser zur Verfügung gestanden hätten.

Das Verhalten der dänischen Betriebsdirektoren und der Belegschaften war bis auf den vorerwähnten Gaswerksdirektor durchaus korrekt und ruhig. Alle befohlenen Maßnahmen wurden pünktlich und zuverlässig durchgeführt.

[underskrift]
Oberart. F. v. T.N.

155. Kriegstagebuch/Seekriegsleitung 21. November 1944

Efter Hitlers og OKWs afgørelse 17. november vedrørende tyngdepunktet for kystforsvaret henvendte OKM sig til OKW/WFSt med ønske om, at der for den kommende vinters vedkommende ingen ændring skete i Kriegsmarines planer for styrkelse af østkystforsvaret.

OKM fik et svar, der blev indført i KTB/Skl 7. december 1944.

Kilde: KTB/Skl 21. november 1944, s. 455.

[...]

II.) I a/1. Skl.:

Vortrag über Entscheidung OKW/WFSt betr. Verteidigung dänischen Raumes.

OKM ist nach Gründen für die Schwerpunktsbeurteilung gefragt worden. Chef Adm. Qu meldet, daß praktisch alle 28 Batterien nach dem Plan der Marine aufgestellt werden. Ob im Frühjahr 6 Batterien an die Westküste verbracht werden, kann zunächst noch offen bleiben. Chef Skl. hält Hinweis an OKW für notwendig, daß im Winter der Schwerpunkt der Verteidigungseinrichtungen auf der Ostseite von Jütland gesehen werden muß. An OKW/WFSt, nachr. Wehrm. Bef. Dänemark und MOK Ost wird gedrahtet:

"Ob d.M. weist nochmals darauf hin, daß Stellungnahme Skl. wonach Schwerpunkt der Küstenverteidigung Dänemark in Sicherung jütischer Ostküste und Ostsee-Eingängen liegen muß, für Wintermonate unbedingt Gültigkeit hat. Bis etwa Mai Feindlandung an Westküste aus Wettergründen sehr wenig wahrscheinlich, umsomehr da einziger leistungsfähiger Hafen Esbjerg. Demgegenüber Landung an reichgegliederter und wettermäßiger gut geschützter Ostküste bei jetzigem Kräfteverhältnis jederzeit möglich. Auch wenn Stellungbau und kräftemäßige Verstärkung Ostküste in diesem Winter nicht bis zur vollen Abwehrbereitschaft durchgeführt werden können, hält Ob.d.M. schwerpunktmäßigen Kräfteeinsatz in diesem Raum im Hinblick auf günstige Anlandebedingungen für erforderlich, um Gegner durch eig. Schwäche Anreiz für Landeunternehmung zu bieten."

Ob.d.M. ist einverstanden.

III.) a.) Chef Adm. Qu:
Mit der als Repressalie für entwichene Fähre "Storebelt" befohlenen Beschlagnahme 4 dänischer Schiffe gewinnen wir u.a. ein brauchbares Lazarettschiff.
[...]

156. Harro Brenner an Horst Wagner 21. November 1944

Büro RAM gav Wagner besked om at sætte sig i forbindelse med RFSS med henblik på at få forøget den tyske politistyrke i Danmark. Bests brev af 14. november blev taget som henvisning.

Dermed tog Büro RAM ikke hensyn til Bobriks notat 20. november, som kontoret enten ikke kendte eller ikke tillagde vægt.

Himmlers svar indløb dagen efter gennem von Thaddens skrivelse til Martius.

Kilde: PA/AA R 101.041. RA, pk. 232.

Büro RAM

Betr. Zuführung von Polizeikräften nach Dänemark
Über St.S VLR Wagner vorgelegt:

Zu dem Telegramm aus Kopenhagen Nr. 1265 vom 14.11.[184] bittet Sie der Herr RAM, mit den Reichführung-SS zwecks Verstärkung der Polizeikräfte in Dänemark in Verbindung zu treten und ihm gegebener Zeit zu berichten.

Berlin, den 21.11.1944

Brenner

157. Seekriegsleitung an Skl. Adm. Qu VI 22. November 1944

Seekriegsleitung skrev til skibsfartsafdelingen angående de af Best rejste indvendinger mod at beslaglægge et lazaretskib. Begrundelsen skulle ikke være, at Dansk Røde Kors ikke ville stille et skib til rådighed, men at det var tvingende nødvendigt for den tyske lazaretskibstonnage. Best skulle foretage beslaglæggelse af "Kronprins Olaf" på det grundlag.

184 Trykt ovenfor.

"Kronprins Olaf" var blandt de skibe, der blev beslaglagt 24. november, se Engelhardt til OKM anf. dato. For dets påfølgende anvendelse se Seekriegsleitungs notat 19. december 1944.

Kilde: BArch, Freiburg, RM 7/1813. RA, Danica 628, sp. 7, nr. 5900.

Seekriegsleitung *Berlin, den 22. Novbr. 1944.*
Zu: B. Nr. 1.Skl. I i 33 670/44 gKdos. Geheim! Kommandosache! Sofort!

An Skl. Adm. Qu VI

Betr.: Besprechung mit Reichsbevollmächtigtem Dr. Best.
Vorg.: Das hierher in Abschrift gelange Fernschreiben des Seetransportchefs Skag. gKdos. 401/44 vom 13.11.44.[185]

Es trifft zwar zu, daß die Nichtgestellung eines Laz.-Schiffes durch das dänische Rote Kreuz nicht als Rechtsgrund dafür angegeben werden kann, stattdessen ein anderes dänisches Schiff für Lazarettschiffzwecke in Anspruch zu nehmen. Der Rechtsgrund für eine solche anderweitige Inanspruchnahme ist aber darin gelegen, daß weitere Lazarettschiffstonnage deutscherseits dringend benötigt wird. Es wird daher angeregt, mit *dieser* Begründung Herrn Best erneut um Beschlagnahme eines als Lazarettschiff geeigneten Fahrzeug zu bitten. Die Hergabe des "Kronprinz Olaf" zu diesem Zweck hätte für die Reederei den Vorteil, daß der Verlust des Fahrzeugs unter dem Schutz der Lazarettschiffsabzeichen sehr viel unwahrscheinlicher wäre, als wenn das Fahrzeug bei eintretendem Bedarf als Hilfsschiff der Kriegsmarine angefordert werden würde.

158. Kriegstagebuch/Kriegsmarinedienststelle Kopenhagen 22. November 1944

Forberedelserne til beslaglæggelse af fire danske skibe var i gang. Best afviste at beslaglægge to af dem, da de allerede var i sejlads. Derfor foreslog Marinedienststelle Kopenhagen to andre skibe.

Se Seetransportchef Skagerrak til Wurmbach 22. november 1944.

Kilde: KTB/Kriegsmarinedienststelle Kopenhagen 22. november 1944, RA, Danica 628, sp. 6, nr. 4329.

[...]
Vorbereitung zur militärischen und zivilen Besetzung der 4 dänischen Schiffe beendet. Befohlene Erfassung des D. "Mön" und "Vedby" vom Reichsbevollmächtigten abgelehnt, da Schiffe in Fahrt. Als evtl. Ersatz werden Admiral Skagerrak die D. "M.G. Melchior" u. "Thekla" namhaft gemacht.

Um 18.30 Uhr zum 23.6. befohlene Beschlagnahmeaktion wird um 24 Stunden zurückgestellt.

18.00 Uhr "Presto" nach Rönne ausgelaufen.
[...]

185 Trykt ovenfor.

159. Hans-Heinrich Wurmbach an Seekriegsleitung 22. November 1944

Wurmbach svarede Seekriegsleitung på, hvad man gjorde med skibe, man havde mistanke om ville flygte. Det var havnekaptajnernes afgørelse. Med hensyn til skibe, der forsøgte flugt, skulle der straks åbnes ild for at opbringe dem.

Kilde: BArch, Freiburg, RM 7/1813. RA, Danica 628, sp. 7, nr. 5908.

S MDAS 08049 22/11 14.40
M AÜ = S 1 Skl

Gltd S 1 Skl = S MOK Ost =
Gkdos
Zu 1 Skl II 33381/44 gKdos v. 12/11 und MOK Ost Führst OP 07076 FS v. 19/11.[186]

1.) Frage: Wann Schiffe als verdächtig anzusehen, unterliegt Entscheidung zuständigen Hafenkapitäns, wobei auf engste Zusammenarbeit aller in Betracht kommenden Dienststellen Bedacht zu nehmen. HAKAS sind angewiesen, Schiffe, die zu Rep-Zwecken Sund passieren, ohne Rücksicht darauf, ob sie aufgelegt waren oder nicht, als verdächtig anzusehen.
2.) Sich-Fahrzeuge haben Befehl bei Fluchtverdacht sof. Feuer zu eröffnen und Fahrzeuge aufzubringen.

Adm Skag Gkdos 6391 Qu 3

160. Seetransportchef Skagerrak an Hans-Heinrich Wurmbach 22. November 1944

Wurmbach fik meddelelse om, at Best ikke ville beslaglægge to af de fire til beslaglæggelse udpegede skibe, da de var i fart. Seetransportchef Skagerrak foreslog derfor to andre skibe. Af en udateret, håndskrevet påtegning fremgår det, at Engelhardt skulle have fået Best til at lade gengælden for "Store Bælt"s flugt gennemføre i forholdet 1 til 4 regnet i BRT.

Kilde: BArch, Freiburg, RM 7/1813. RA, Danica 628, sp. 7, nr. 5906f. og 5910.

Abschrift. Geheime Kommandosache!
Eingegangen: 22.11.44, 23.40
Fernschreiben von: SDD MDKP 010356 22.11., 21.00
mit Aue = SSD nachr OKM 1 Skl =

Gltd KR Adm Skagerrak = SSD nachr OKM/Wehr. = SSD nachr MOK Ost/Fstb = SSD nachr OKM 1 Skl = SSD nachr OKM Skl Adm Qu VI = SDD nachr W Befh Dän Gkdos –

Auf dort. Gkdos 70827/44[187] wurde bei heutiger Besprechung beim Reichsbevollm. festgestellt, das "Mön" bereits wieder in Fahrt und "Vedby" mit voller Besatzung fahrklar zum Einsatz in Kohlenfahrt nach Norwegen. Als Ersatz vorgeschlagen:

186 Førstnævnte er trykt ovenfor, sidstnævnte er ikke lokaliseret.
187 Wurmbach til Seekriegsleitung 20. november 1944.

1.) MS oder D "Tekla", etwa 4.000 Brt (Daten nach Angabe Schiffahrtssachverst. u. Haka erst morgen nachprüfbar.)
2.) D "M.G. Melchior", 1.029 Brt, beide hier aufliegend. Seekdt. Dän Inseln hat Gleiches.

Seetr Chef Skagerrak Gkdos 441/44 S

[håndskrevne tilføjelser:][188]
1.) Bei Ii.
Ich schaue da nicht mehr durch. Ist es nicht zweckmassig, in Form eines Vermerks die Vorgänge mal des besseren Überblicks wegen zusammenzufassen?
2.) An Ic b kann ich bisher auch nicht.

An Ic b
Ich weiß nur soviel aus einen fernmdl. Mitteilung des Chefs des Stabes Adm Skag., daß Konteradm. Engelhardt bei Hr. Best die Strafbeschlagnahme für "Store Belt" im Verhältnis von 1:4 (BRT) durchgedrückt hat.

IIa 1.12. [signatur]

161. Seekriegsleitung an Hans-Heinrich Wurmbach 22. November 1944

Der var hidtil kun fundet tre egnede skibe til beslaglæggelse som repressalie. Seekriegsleitung antog, at MS "Vedby" i forståelse med Best også ville blive beslaglagt.

Kilde: BArch, Freiburg, RM 7/1813. RA, Danica 628, sp. 7, nr. 5912.

Neu! B-Nr. 1 Skl. I i 34484/44 gKdos
veranlaßt durch: 1. Skl. 34 171/44 gKdos

Berlin, den 22.11.1944.
Geheim! Kommandosache!

Fernschreiben an: SSD – Adm. Skag.
gKdos

Auf Adm. Skag. gKdos. 70827/44 vom 20.11.[189]
Es wird angenommen, daß die zusätzliche Besetzung von MS "Vedby" ebenfalls im Einvernehmen mit Reichsbevollmächtigten erfolgt, da als Repressaliemaßnahme bisher nur Beschlagnahme von drei Schiffe vorgesehen war.

Seekriegsleitung 1. Skl. I i 34484/44 gKdos.

188 Se Wurmbach til Seekriegsleitung 25. november.
189 Trykt ovenfor.

162. Werner Best an das Auswärtige Amt 22. November 1944

Best orienterede om de opgaver, som dansk politi tidligere havde varetaget og som nu delvis var overtaget af andre danske myndigheder. Kriminalitetsbekæmpelsen ville centraladministrationen ikke påtage sig med henvisning til mangel på fagfolk. Det var Bests udlægning.

Det indgik ikke i orienteringen, at centraladministrationen krævede de deporterede danske politifolk tilbage for at genoptage arbejdet med kriminalitetsbekæmpelsen (Hæstrup, 2, 1966-71, s. 108f.).

Kilde: PA/AA R 101.041. RA, pk. 233.

Telegramm

Kopenhagen, den	22. November 1944	20.25 Uhr
Ankunft, den	22. November 1944	22.00 Uhr

Nr. 1301 vom 22.11.[44.]

Betr. Die dänische Polizei.

Nachdem die Ordnungsaufgaben der aufgelösten dänischen Polizei in dem notwendigstem Umfang von den neugebildeten Kommunalwachen wieder aufgenommen worden sind, hat die dänische Zentralverwaltung nunmehr für die umfangreichen Verwaltungsaufgaben, die die aufgelöste dänische Polizei als untere Verwaltungsinstanz wahrgenommen hatte, die folgende Regelung getroffen:

In Kopenhagen werden die verwaltungsmäßigen Aufgaben der ehemaligen Polizei grundsätzlich dem Magistrat der Stadt übertragen, er wird zu diesem Zweck eine Anzahl neuer Dienststellen einrichten. Bestimmte Arbeitsgebiete gehen an den Oberpräsidenten von Kopenhagen über, z.B. die Zulassung von Sammlungen, die Ausstellung von Jagdscheinen, die Geisteskrankenfürsorge. Die den Kraftwagenverkehr betreffenden Aufgaben der früheren Polizei, z.B. die Zulassung von Kraftwagen, die Erteilung von Führerscheinen, die Treibstoffverteilung werden einer besonderen Dienststelle dem "Kontor der Motorsachverständigen" übertragen.

In der Provinz, in welcher bisher jede untere staatliche Verwaltungsbehörde fehlte, und die Verwaltungsaufgaben der unteren Instanz ausschließlich von den örtlichen Polizeistellen wahrgenommen wurden, werden Filialen der Amtmänner geschaffen, die die Bezeichnung "Kreiskontore" erhalten. Diese Kreiskontore übernehmen den größten Teil der bisher von der Polizei wahrgenommenen verwaltungsmäßigen Aufgaben. Bestimmte Sondergebiete werden anderen Stellen zugeteilt, z.B. Gastwirtschaftsfragen den Bürgermeistern und Gemeindevorstehern, Unterhaltbeitragssachen den Sozialausschüssen, die Ausstellung von Legitimationskarten den Volksregistern, Schiedsgerichtssachen und Angelegenheiten unehelicher Kinder den unteren Gerichten, Sachen der Giftgesetzgebung den Amtsärzten, Lehrlingssachen den Arbeitsämtern.

(Diese Aufstellung belegt, auf wie umfangreichen Gebieten des öffentlichen Lebens die aufgelöste dänische Polizei rein verwaltungsmäßig tätig gewesen ist).

Hinsichtlich der Verbrechensbekämpfung vertritt die dänische Zentralverwaltung weiter den Standpunkt, daß diese Aufgabe wegen Mangels an Fachkräften nicht aufgenommen werden kann.

Dr. Best

163. Walter Forstmann an HSSPF 22. November 1944

Der havde atter været sabotage hos Ford Motor Company i Sydhavnsgade, og Forstmann krævede fabrikken sat under bevogtning af 20 mand fra HSSPF. Det måtte ske både på grund af fabrikkens vigtighed og for opretholdelse af den tyske prestige. Forstmann understøttede sit krav med et telegram fra OKH, der krævede virksomheden sat under bevogtning. Det blev foreslået, at de 20 ønskede mand kunne fragå de 3.000 mand, som Kaufmann ville skaffe til Danmark. Forstmann bemærkede yderligere, at de vagter, som HSSPF havde trukket tilbage fra Avedøre og Nordværk, vedblivende burde stilles til rådighed for HKK.

Kopi af henvendelsen var sendt til den rigsbefuldmægtigede.

Brevets tone var alt andet end kammeratlig. Pancke blev end ikke nævnt ved navn, og der var ikke nogen form for hilsen. Der var tydeligvis meget kold luft mellem de to instanser. Trods det blev Ford fra 24. november bevogtet af vagter fra BdO (BArch, R 70 Dänemark, KTB/BdO 24. november 1944, *Daglige Beretninger*, 1946, s. 445).

Kilde: BArch, Freiburg, RW 27/17. KTB/Rü Stab Dänemark 4. Vierteljahr 1944, Anlage [uden nr.].

Chef
Rüstungsstab Dänemark
Az. S.

Kopenhagen, den 22.11.1944

Bezug: –
Betr.: Polizeiliche Schutz für Fa. Ford Motor Comp. A/S, Sydhavnsgade 27.

An den Höheren SS- und Polizeiführer in Dänemark
Kopenhagen

Nachdem in den Vormittagsstunden des 21.11.44 zum zweiten Mal eine Sabotagebande das Werk der Ford Motor Comp., Kopenhagen, Sydhavnsgade 27, stillgelegt und wichtige deutsche Fertigung zerstört hat,[190] stelle ich hiermit erneut den Antrag auf sofortigen polizeilichen Schutz des Betriebes in Stärke von 1 Wachhabenden und 20 Mann.

Das Werk beschäftigt ca. 215 Arbeiter und ca. 50 Angestellte und ist mit folgenden wichtigen Aufträgen des OKH Heereswaffenamt belegt: Pionierboote im Werte von D.Kr. 2.444.000,-, Generatoren im Werte von D.Kr. 2.140.110,- und Entseuchungsanlagen im Werte von D.Kr. 696.000,-.

Nach der ersten Sabotage am 17.10.44[191] hat Rü Stab Dän. beim Höheren Kommando Kopenhagen den Antrag auf militärischen Schutz des Betriebes gestellt, dieser wurde jedoch abgelehnt. Ebenso wurde der Antrag auf Stellung eines Wachhabenden und 20 Mann vom Höheren SS- und Polizeiführer z.Zt. abgelehnt. Der Versuch des Rü Stab Dän. aus dieser Zwangslage heraus wenigstens für die wichtige Fertigung der Pionierboote einen Ausweichbetrieb in den Werkstätten der Waffen- und Munitionsarsenale zu finden, muß wegen der damit verbundenen hohen Kosten für Neueinrichtung und wegen der schwierigen Beschaffung von Arbeitskräften als gescheitert angesehen werden. Aber aus Prestigegründen auch erscheint es heute einfach nicht mehr möglich, die Fertigung der Pionierboote bei der Fa. Ford zurückzuziehen. Es muß jetzt im Ge-

190 Det var BOPA, der ødelagde to tyske hurtigbåde (Kjeldbæk 1997, s. 476).

191 Det var også BOPA, der stod for denne sabotage, hvor en tysk hurtigbåd blev sprængt, modeller til hurtigbåde afbrændt og et par tyske lastbiler bombet, før sabotørerne kørte med en lastvogn lastet med benzin og dæk (Kjeldbæk 1997, s. 475).

genteil gezeigt werden, daß wir in der Lage sind, den Betrieb zu schützen.

Rü Stab Dän. stellt daher nochmals den Antrag auf sofortige Gestellung einer Bewachungsmannschaft in Stärke von 1 Wachhabenden und 20 Mann für die Ford Motor Comp. Die näheren Einzelheiten über Einsetzung und Unterbringung dieser Wachmannschaften werden auszuschließendem unmittelbar zwischen dem befohlenen Kommando und dem Rü Stab Dän. getroffen. – Nach Eintreffen der von Gauleiter Kauffmann beantragten 3.000 Mann Bewachungspersonal kann das jetzt zu stellende Wachkommando aus diesem Kontingent ersetzt werden, da es sich im vorliegenden Falle ebenfalls um dem Schutz der Fertigung von Booten handelt. Rü Stab Dän. bemerkt noch, das in der letzten Zeit die vom Befehlshaber der Ordnungspolizei gestellten 6 Polizeibeamten von Avedöre zurückgezogen wurden, ebenso die militärische Wache von Nordvärk – wegen Auflösung der Betriebe -. Sie wurden dem Höheren Kommando wieder zur Verfügung gestellt.

Es wird möglichst umgehend Stellungnahme gebeten.

gez. **Forstmann**

P.S. Soeben geht daß anliegende Fernschreiben ein, was die Wichtigkeit der Fertigung unterstreicht.

Nachrichtlich:
An den Herrn Reichsbevollmächtigten in Dänemark
Kopenhagen

Abschrift
Fernschreiben 21.11.44, 18.00

An Rüstungsstab Dänemark, Kopenhagen
z.Hd. Kapitän z.S. Forstmann

Betr.: M. Boot-Fertigung bei Ford.
Mit Wegnahme Fertigung von Ford auf keinen Fall einverstanden. Fertigung muß beschleunigt weiterlaufen, das Boote dringend benötigt. Sorgt für ausreichende deutsche Bewachung.

OKH Wa A Wa J Rü (WuG 5/IV)
gez. **Kronberg**
Hpt. u. Gr. Leiter

164. Georg Ripken an Werner Best 22. November 1944

Best blev omgående bedt om sin mening om oprettelsen af en særlig stilling som generalingeniør for OT i Danmark.

Et svar var endnu ikke indløbet, da Karl Schnurre 24. november lavede en optegnelse i sagen til Büro RAM og medsendte et udkast til svarbrev fra Ribbentrop til RFM efter anmodning fra Brenner 18. november, hvor der blev givet retningslinjer for indholdet. I Schnurres optegnelse og i udkastet til brev til Schwerin von Krosigk blev der sagt nej til både clearingkontoens opgørelse i danske kroner og til, at Danmark skulle yde et krigsbidrag, mens Bests stillingtagen til oprettelsen af en stilling som generalingeniør for OT skulle afventes (både Brenners og Schnurres skrivelser i RA, pk. 282). Best svarede først herpå med telegram nr. 1343, 30. november.

Kilde: PA/AA R 105.210. RA, pk. 282.

Telegramm

Berlin, den 22. November 1944

1.) Diplogerma Kopenhagen Ha Pol. VI 3021/44
Nr. 1356 / 22.11. Cito!

Für Reichsbevollmächtigten persönlich!
Reichsfinanzminister hat beim Herrn Reichsaußenminister angeregt, dafür einzutreten, daß die wichtigen Aufgaben der Baupreisregelung und der Baupreisprüfung in Dänemark einem besonderen Generalingenieur der OT für Dänemark übertragen werden. Weisungsgemäß bitte ich um umgehende Drahtübermittlung Ihrer Stellungnahme zu obiger Frage.

Ripken

2.) Wv. im Ref.

Durchdruck an:
Ges. Schnurre
VLR Ripken
VLR Tannenberg
LR Baron Behr

165. Hauptmann von Appen an 1. SS-Polizei-Bataillon Dänemark 22. November 1944

Ved brug af to "lokkeduer", Inga Schiøt (alias Marianne Lund) og Adda Ravn var det lykkedes den danske Gestapomand Ib Birkedal Hansen at få kontakt med en gruppefører, revisor NN, i den illegale militærorganisation i Hillerød. Revisoren blev arresteret 20. november og opgav bl.a. arkitekt E. Lützens navn. Lützen havde et omfattende kendskab til militærorganisationen i Frederiksborg amt, samt DKPs militære og politiske organisation omkring Hillerød. Lützen blev straks arresteret af det tyske sikkerhedspoliti og underkastet grov tortur, der på kort tid bragte talrige navne frem.

Til brug for aktionen mod den illegale militærorganisation fik det tyske sikkerhedspoliti hjælp fra ordenspolitiet, som det fremgår af von Appens indberetning. Razziaen i Hillerød-området blev foretaget af 11 grupper bestående af både ordens- og sikkerhedspoliti. Den var absolut en succes. Med få og enkle midler var en større illegal organisation rullet op.

Af de ca. 30 anholdte blev 25 sendt videre til tyske koncentrationslejre i december, en enkelt først i februar. Med en undtagelse (Knud Rosenberg Petersen) vendte de alle tilbage. Lokkeduen Inga Schiøt blev dødeligt såret i begyndelsen af 1945, da hun atter var på arbejde for Birkedal Hansen (hun døde 19. januar), mens Adda Ravns andel i stikkervirksomheden kom for en dag sommeren 1945, da hun blev arresteret og påfølgende i 1947 idømt otte års fængsel. Hun blev benådet og løsladt maj 1949 (*Information* 22. og 23. november 1944, *Morgenbladet* 27. november 1944, *Daglige Beretninger,* 1946, s. 436, *Faldne i Danmarks frihedskamp*, 1970, s. 362, Bjørnvad 1988, s. 297f., Øvig Knudsen 2004, s. 84-91, Mortensen 2008).

Kilde: RA, Centralkartoteket, pk. 600.

1./SS-Pol.-Btl. Dänemark *Kopenhagen, den 22. November 1944*

Betrifft: Aktion gegen Angehörige einer illegalen Militärorganisationen in Nordseeland.
Bezug: Btl.-Sonderbefehl vom 21.11.1944.

An das SS-Pol.-Btl. Dänemark.

Am 21.11.1944 wurde eine Aktion gegen eine illegale Militärorganisationen im Raum Nordseeland (vorwiegend in Hilleröd) unter Leitung des SS-Hauptsturmführers Bunke durchgeführt. Die 1./SS-Pol. Btl. Dänemark stellte zur Unterstützung des SD ein Kommando in Stärke von 1 Offizier, 10 Unterführen und 70 Männern. Die Kräfte wurden in 11 Truppe (1/6 Pol. Angehörige und je Trupp 3 SD-Männer) eingesetzt.

Festnahme: Etwa 30 zum Teil bewaffnete Mitglieder der illegalen Militärorganisationen wurden festgenommen.

Beschlagnahme: Zahlreiche MPs, Gewehre, Munition und Sprengmittel, Bekleidungs- und Ausrüstungsgegenstände sowie illegales Propagandamaterial usw.

Beginn der Aktion: 21.11.1944, 21.30 Uhr.

Ende der Aktion: 22.11.1944, 10.15 Uhr.

Die Aktion verlief planmäßig und ohne besondere Vorkommnisse.

von Appen
Hauptmann u. Kp.-Chef

166. Eberhard von Thadden an Georg Martius 22. November 1944

RFSS havde telefonisk meddelt AA, at det ikke var muligt at sende yderligere politistyrker til Danmark for at hindre skibssabotager. Der måtte findes andre måder at forhindre sabotagen på.

Best svarede herpå med telegram nr. 1304, 23. november. Der var ikke tvivl om, hvordan han havde opfattet "andre måder."

Kilde: PA/AA R 101.041.

Inland II

Inl. II 752g
Geheime Reichssache

Der Reichführer-SS ließ telefonisch mitteilen, er sei nicht In der Lage, laufend Kräfte zur Verhinderung dar Schiffssabotage zur Verfügung zur stellen. Auch die Polizeikräfte, die er jetzt abgezweigt habe, würden dringend für andere kriegswichtige Einsätze wieder benötigt. Er bitte daher zu prüfen, ob nicht andere Möglichkeiten als der Einsatz starker Polizeikräfte zur Verhinderung der Sabotage gefunden werden könnten.

Hiermit (nebst Vorgängen) – u. R. – Herrn Gesandten Martius vorgelegt.

Berlin, den 22. November 1944.

Thadden

167. Hans Meyer-Böwig: Vermerk über Wehrmachtausgaben in Dänemark 22. November 1944

RFM havde indbudt til en konference 14. november om værnemagtsudgifterne i Danmark, byggeprisregulering og priskontrol. Der deltog ingen repræsentanter for den rigsbefuldmægtigede, men til gengæld medvirkede Oberregierungsrat Hans Clausen Korff fra Rigskommissariatet i Norge i sin egenskab af finansekspert.

RFM frygtede inflation i Danmark og ønskede ved forhandling indført byggepriser og lønninger, der påfølgende kunne kontrolleres og beskattes. WB Dänemarks byggeaktivitet var næsten helt ophørt, idet næsten alt byggearbejdet var overgået til OT (95 %). Det var svært at kontrollere priserne, da det altid hang sammen med tidsforbruget i timer. Der var konstateret stærke overpriser ved vognmandskørsler, og der var forlydender om meget høje lønninger til de medlemmer af det tyske mindretal, som medvirkede ved skansearbejde. Den rigsbefuldmægtigede havde været med til at få indført retningslinjer for akkordlønninger fra 1. november 1944, så de danske satser nærmede sig de tyske. Mødets resultat var en opfordring til OKW og OT om ikke at overdrive hemmeligholdelsen af priser og lønninger (med henvisning til den militære sikkerhed) over for de danske myndigheder. Der var en gensidig interesse i at få skatterne løbende og korrekt indkasseret.

Det af RFM afholdte møde lå i forlængelse af de bestræbelser, som ministeriet havde udfoldet i det meste af 1944 med det formål at sikre en fortsat økonomisk stabil situation i Danmark. Den tyske frygt for inflation i Danmark havde baggrund i erfaringerne fra en række andre besatte lande, hvor en stigende inflation havde bragt desorganisation og produktionssammenbrud (Tooze 2006, s. 642-628).

OKW svarede RFM 25. november 1944.

Kilde: FM 24a-13.

Abschrift
Der Reichminister der Finanzen
Y 5104/1 – 344 V g

Geheim
Berlin W 8, 22. November 1944
Wilhelmplatz 1/2
Fernsprecher: 12 00 15

Wehrmachtausgaben in Dänemark,
Baupreisregelung und Preisprüfungen

V e r m e r k

über die auf Einladung des Reichsfinanzministeriums erfolgte Ressortbesprechung am 14. November 1944.

Teilnehmer waren: MinRat Dr. Breyhan und ORR Meyer-Böwig vom RFM,
ORR Korff vom Reichskommissar Norwegen,
MinRat Siegert, Marine-ObStabs. Inr. Kruse vom OKW/WH,

MinDir v. Hagenow vom Reichskommissar f.d. Preisbildung,
Dr. Meyer, ObStabs. Int., OKW/Ag. WV,
Brummer, RegBaurat, RuK, Ag Preis,
ORR Elfert vom Rechnungshof des Deutschen Reichs,
ORR Briesewitz vom REM,
RegRat Daub von der OT-Zentrale, Abt. Vertragswesen.

Ministerialrat Breyhan wies einleitend auf die Bedeutung der Steuerung der Wehrmachtausgaben für die Verhütung der Inflation in Dänemark, auf die Besprechungen des Herrn Ministers anläßlich seines Besuches in Dänemark im Juni d.Js.[192] und auf die Prüfungsfeststellungen des Rechnungshofs hin. Das Reichsfinanzministerium habe in seinem Schreiben vom 2. Oktober 1944[193] – Y 5104/1 – 282 V g an den Chef des Oberkommandos der Wehrmacht Vorschläge zur Bekämpfung der Inflationsgefahren gemacht. – Eine Antwort auf dieses Schreiben sei bisher nicht eingegangen. Zweck der heutigen Besprechung sei, die Vorschläge, die in den bisher geführten Verhandlungen betreffend Festsetzung angemessener Baupreise und Löhne und ihre wirksame Nachprüfung gemacht seien, abschließend zu erörtern.

Das Ergebnis der Besprechung kann in den folgenden Punkten zusammengefaßt werden:

A. Devisenkontrollstelle für deutsche Baufirmen

Der Wehrmachtintendant beim Wehrmachtbefehlshaber Dänemark verwaltet die Mittel für militärische Zwecke in Dänemark. Er fordert die Kronen an und verausgabt sie auf Grund der nach den Steuerungserlassen vorzulegenden Voranschläge an die einzelnen Bedarfsträger einschließlich der OT. Dabei haben die Bedarfsträger dem Wehrmachtintendanten nach vorgeschriebenem Muster ihren Kronenbedarf aufzuschlüsseln. Die Geldmittelanforderungen und damit auch die Notwendigkeit des Kronenbedarfs werden vom Wehrmachtintendanten durch die ihm zur Verfügung stehenden Kräfte im Großen geprüft.

Die OT hat die vom Wehrmachtintendant nach vorgeschriebenem Muster geforderte Aufschlüsselung zunächst nur mangelhaft gegeben. Darauf ist zwischen Oberkommando der Wehrmacht und der OT am 6. Oktober 1943 vereinbart worden, daß die OT nach besonderen Kontenplannummern für Bauvorhaben 1, 2, 3 die Kronen anzufordern hat. Der Wehrmachtintendant prüft diese Kronenanforderung stichprobenweise (etwa 10 %). Der Chef des Oberkommandos der Wehrmacht hat den Wehrmachtintendanten durch Erlaß vom 12. November 1944[194] – 2 f 32/65b/IV/16092/44/ AVA Ag IV 3 I –, der dem Reichsfinanzministerium mit der Antwort auf das Schreiben des Reichsministers der Finanzen vom 2. Oktober 1944 demnächst zugesandt werden soll, angewiesen, die Kronenanforderungen der Bedarfsträger in größerem Umfang zu prüfen.

192 Se om besøget og forhandlingerne under 7. juni 1944 ovenfor.
193 Trykt ovenfor.
194 Trykt ovenfor.

Die Bauaufträge werden in Dänemark seit Übergang aller Bau-Angelegenheiten auch der Luftwaffe und der Kriegsmarine auf die OT im Sommer 1944 zu 90 bis 95 v.H. durch die OT und zu 5 bis 10 v.H. durch die restlichen Heeres-Baudienststellen (Heeresbauämter) vergeben. An den Bauaufträgen sind überwiegend 30 größere deutsche Baufirmen beteiligt. Die Verträge mit reichsdeutschen Unternehmern sind nach dem durch den OT-Erlaß vom 17. Mai 1944 – Nr. 134/44 – vorgeschriebenen Muster zu schließen. Es ist darin bestimmt, daß die Preise und Vergütungen in Reichsmark zu ermitteln und festzulegen sind. Es darf nur das in Kronen bezahlt werden, was tatsächlich in Kronen anfällt. Damit sollen die Ankäufe von Geräten und Schwarzkäufe ausgeschaltet werden. Die Gewinne an deutsche Unternehmer und die Löhne an deutsche Arbeiter sind mit Ausnahme von Einsatzgeldern, Verpflegungs- und Kleidergeldern, Reisekosten und Prämien in Reichsmark zu Zahlen. Die Prüfung dieser Verträge im Einzelnen hinsichtlich der Baupreise und Kronenaufschlüsselung wird durch die örtlichen Bauleitungen der OT in Dänemark mit ihren Prüfern durchgeführt. Hinweis auf Abschnitt B Absatz 3.

B. Baupreise bei deutschen und dänischen Baufirmen
Die Baupreise lassen sich nicht nach bestimmten Gewinnsätzen errechnen. Den Streitpunkt bei den Baupreisen bilden die Zeitansätze. Die Bauaufträge werden jetzt – nach Zusammenfassung aller Bauangelegenheiten auch der Luftwaffe und der Kriegsmarine – nur nach Rahmenverträgen der OT vergeben. Die Gewinne der Unternehmer sind nach den alten Rahmenverträgen zu hoch gewesen. Die deutschen Unternehmer sind nach Maßgabe des § 22 KriegsWirtschVO vom 4. September 1939 bei der Preisermittlung unmittelbar verantwortlich. Die große Berliner Baufirma Tesch und einige Hamburger Firmen haben bei der Nachkalkulation Übergewinne selbst festgestellt und abgeführt. Hinsichtlich der dänischen Firmen ist eine rückwirkende Preissenkung abgelehnt, sie werden durch die dänische Kriegsgewinnabführung erfaßt. Sowohl die Preisabzüge bei deutschen Firmen als auch die Gewinnabführungen der dänischen Firmen fließen an den Wehrmachtintendanten zurück.

Es werden jetzt nur noch Bauaufträge nach neuen, von der Vertragsabteilung bei der Zentrale der OT in Berlin im Einvernehmen mit den zuständigen dänischen Wirtschaftsbehörden gefertigten Rahmenverträgen abgeschlossen. Nach diesen Rahmenverträgen wird die Stoffbewirtschaftung von den Unternehmern übernommen. Die Stoffe kauft die OT oder sie erteilt den Unternehmern die Bezugsberechtigung. Durch die Einbeziehung der Stoffkosten in das Unternehmerinteresse wird die sparsamste Stoffbewirtschaftung und die sparsamste Berechnung für Transportkosten erreicht. Die insbesondere bei Lastkraftwagen festgestellten Mißbräuche (Schwarzfahrten, Überpreise) sind dadurch unterbunden. Es ist außerdem mit Hilfe des Reichsbevollmächtigten und der dänischen Stellen gelungen, neue Akkordrichtlinien für Löhne, die den deutschen Sätzen ähnlich sind, ab 1. November 1944 in Kraft zu setzen.[195] Dadurch werden die Zuschläge bei den Löhnen geringer. Bisher haben dänische Firmen höhere Löhne ge-

195 Der blev fastlagt nye akkordretningslinjer fra 1. november med tilbagevirkende kraft fra 10. december, men det var uden de danske myndigheders medvirken (se *Politische Informationen* 1. januar 1944, afsnit III.4).

zahlt. Das wird künftig durch die Einführung des Akkordlohnes und durch den neuen Rahmenvertrag vermieden.

Nach Ansicht der OT und des RuK-Ministeriums ist anzunehmen, daß die Einsatzdienststellen und Abrechnungsstellen der OT die Rahmenverträge innehalten, da nur zu Festpreisen gebaut wird. Die Prüfung der Einsatzdienststellen und Abrechnungsstellen sollen laufend vom Prüfungsdienst der OT erfolgen.

Die vorkalkulatorischen Preisprüfungen führt die Abteilung Vertrag und Preisbildung der OT-Zentrale durch. Die nachkalkulatorischen Betriebsprüfungen (Betriebsergebnisprüfungen) sind von Prüfern des Preiskommissars durchzuführen. Da der Preiskommissar zu wenig Prüfer hat, sind im Juli 1944 in Holland freigewordene Prüfer der Amtsgruppe Preis des RuK-Ministeriums eingesetzt worden. Es sind bisher von diesen Prüfern 12 bis 14 Betriebe geprüft. Zwei Prüfer werden noch weiter prüfen können. Die bekannte Einsatzgruppe Veyle, die größere Bauaufträge durchführt, ist noch nicht geprüft worden.[196]

Die OT hat nach den Feststellungen des Rechnungshofs vom 1. März 1943 bis 30. September 1944 in Dänemark Bauaufträge in Höhe von 740 Mio. Kr. vergeben. Davon entfallen auf Verträge zu überhöhten Preisen 590 Auszuschließen Kr. und auf die neuen Verträge mit angemessenen Preisen 150 Auszuschließend Kr. Die dänische Preisüberwachung hat allein bei dänischen Firmen von bisher abgerechneten Verträgen in Höhe von 70 Auszuschließend Kr. 7 Auszuschließend Kr. abgeschöpft.

C. Bauten durch die Truppe

Durch wildes Bauen der Truppe werden die Preise gestört. Eine Prüfungstätigkeit ist nicht möglich. Der Wehrmachtbefehlshaber Dänemark hat die Bautätigkeit bei der Truppe erheblich eingeschränkt. Der Einsatz von größeren Unternehmern bei Bauten der Truppe ist untersagt worden. Die durch diese Anordnung freigewordenen Arbeiter (3.500) sind von der OT übernommen. Der Chef des Oberkommandos der Wehrmacht hat durch den oben erwähnten Erlaß vom 12. November 1944 nochmals das eigenmächtige Bauen (Ausgenommen dringende taktische Bauten, wie Batteriestellungen usw.) untersagt.

Den Vertretern des Oberkommandos der Wehrmacht, der OT und des RuK-Ministeriums ist bisher nicht bekannt geworden, daß bei dem Bau eines Befestigungswalles in Nordschleswig durch deutsche und volkdeutsche Freiwillige täglich 15 Kr. neben freier Verpflegung und Unterkunft und später 50 Kr. täglich im Akkordlohn gezahlt wurden. Die Auszahlungen erfolgten dem Vernehmen nach durch Truppenkassen.

D. Generalingenieur Dänemark

Die OT-Zentrale hat ein Interesse an dem Einsatz eines Generalingenieurs für Dänemark, vor allem wegen der Loslosung der dänischen Bauten vom Einsatzstab Wiking (Norwegen). Die Finanzierung und die wirtschaftlichen Bedingungen in Dänemark sind andere als die in Norwegen. Dadurch, daß alle Luftwaffen- und Marinebauten auf die OT übergegangen sind, sind deren Bedeutung und Verantwortung gestiegen.

196 Einsatzgruppe Veyle er ubekendt.

Der Einsatz eines Generalingenieurs für Dänemark ist in den Schreiben des Reichsministers der Finanzen an den Chef des Oberkommandos der Wehrmacht vom 2. Oktober 1944 und an den Reichsaußenminister vom 10. November 1944[197] – Y 5104/1 – 289 V g – empfohlen worden. Die Antworten der beteiligten Ressorts auf dieses Schreiben stehen noch aus.[198]

E. Einzelfragen

Der Rechnungshof hat durch Prüfung festgestellt, daß eine Reichsbehörde ihren Angehörigen die im Reich entstandenen Fahrkosten in d.Kr. erstattet. Die Reichsbehörde beruft sich auf das Oberkommando der Wehrmacht und das Auswärtige Amt, die die Reisekosten in gleicher Weise abrechnen. In einem anderen Fall ist eigenem Angehörigen einer Reichsbehörde ein Betrag von 600 d.Kr. ausgezahlt worden, damit er die Rückreise aus Dänemark mit einem Kraftwagen schneller ausführen konnte. Später sind die 600 d.Kr. von dem Angehörigen selbst in Reichsmark erstattet worden.

Den Vertretern des Oberkommandos der Wehrmacht sind Fälle ähnlicher Art nicht bekannt geworden. Der Chef des Oberkommandos der Wehrmacht soll eine Neuregelung der Reisekosten in der Weise planen, daß die bisherigen Sätze herabgesetzt werden und der Reisende dafür auf seine Kosten einen bestimmten höheren Kronenbetrag erwerben kann. Einzelheiten waren dem Vertreter des Oberkommandos der Wehrmacht/ Ag. WV nicht bekannt. Ministerialrat Dr. Breyhan wies darauf hin, daß eine solche Regelung den Bestrebungen des Reichministers der Finanzen auf Senkung der Kronenausgaben (Abschaffung des Heimattransfer) widersprechen würde.

Das Reichsfinanzministerium bat die Vertreter des Oberkommandos der Wehrmacht und der OT, sich dafür einzusetzen, daß die Berufung auf Geheimhaltung bei der Prüfung der Lohnsteuerpflichtigen durch dänische Behörden nicht übertrieben werde. Es bestehe ein beiderseitiges Interesse, die Steuern laufend und richtig einzuziehen.

Ministerialrat Dr. Breyhan empfahl abschließend, zu einer weiteren Besprechung nach Ablauf einiger Zeit wieder zusammenzukommen, um die Auswirkungen der in der heutigen Besprechung erörterten Maßnahmen festzustellen.

gez. **Meyer-Böwig**

Herrn Oberregierungsrat Korff
beim Reichskommissar für die besetzten norwegischen Gebiete
oder Vertreter im Amt
Oslo

Abschrift zu Ihrer Kenntnis

Im Auftrag
gez. Dr. Breyhan

197 Trykt ovenfor.
198 Se herom Ribbentrop til Schwerin von Krosigk 13. december 1944 og der anf. henvisninger.

168. Georg Martius an Werner Best 22. November 1944

Værftssikkerheden i Danmark var (jfr. ovenfor) blevet drøftet 18. november med deltagelse af Karl Kaufmann, Pancke, Mewis, Duckwitz, Wurmbach, Best og en repræsentant for "Hauptausschuß für Schiffbau." Der foreligger kun Wurmbachs delvise referat af mødet fra samme dag (trykt ovenfor), men dets øvrige resultater kan følges i den efterfølgende korrespondance og flere optegnelser: Der skulle oprettes et byggeopsyn på 10 af de 11 værfter, som skulle varetage de tyske interesser i forhold til værfterne. Byggeopsynet skulle undgå at blande sig i værfternes anliggender, og dets medlemmer burde bestå af 20-30 mand hovedsageligt fra Kriegsmarine. Man var også enige om, at en forstærkning af det tyske politi var nødvendig og endelig blev der vedtaget en særplan over for B&W. Indholdet af sidstnævnte plan er ikke kendt, men var en understregning af, at der var særlige sikkerhedsproblemer der. Planen blev dog opgivet en uge senere.

Umiddelbart efter mødet anmodede Kaufmann RFSS om 3.000 politisoldater til forstærkning af det tyske politi i Danmark. Martius kunne meddele Best, at anmodningen ikke var imødekommet, men at Himmler opfordrede til at finde andre virksomme og mindre mandskabskrævende sabotagebekæmpelsesmidler. Det svar reagerede Best straks på med telegram nr. 1304 dagen efter (Rosengreen 1982, s. 146 med note 22).

Hvorvidt andre havde været med til at foreslå yderligere politisoldater til Danmark i et omfang på 3.000, eller det var Kaufmanns eget ønske, er uvist, men i hvert fald kan Best ikke forud have været i tvivl om, at det var helt urealistisk. Dels ville det næsten indebære en fordobling af antallet af tyske politifolk i Danmark,[199] dels var der mere end nogensinde brug for dem andre steder.

Se endvidere Martius' optegnelse 23. november og WB Dänemark til OKW 25. november 1944.

Kilde: PA/AA R 101.041. RA, pk. 232.

Telegramm

Berlin, den 22. November 1944

zu Ha Pol. XVI 1053 g

Reichsbevollmächtigter Kopenhagen
Nr. [1357]

Betr.: Werften in Dänemark

Mit Beziehung auf Drahtbericht Nr. 1291 vom 21. November.[200]

I.) Von Reichskommissar Seeschiffahrt an Reichsführer-SS im Anschluß an dortige Besprechung vom 18. gerichtetes Schreiben wegen Verstärkung Polizeikräfte noch unbeantwortet.

II.) Reichsführer-SS ließ hierbei mündlich mitteilen, daß Verstärkung 3.000 Köpfe nicht erreichen werde. Auch könnte Verstärkung nur vorübergehend für andere Zwecke entbehrt werden. Er bitte daher um nochmalige Prüfung, ob nicht auch ohne Verstärkung andere wirksame Mittel zur Bekämpfung Sabotage auf Werften gangbar seien.

III.) Anheimstelle Äußerung zu II Satz 3.

Martius

199 Det samlede antal tyske politifolk i Danmark (både kriminal- og ordenspoliti) blev maj 1945 opgivet til 3.300 (WFSt 5. maj 1945, trykt nedenfor). Med ubekendt kilde opgiver Kirchhoff, 2, 1979, s. 473 antallet til 3.800.

200 Indberetningen er ikke lokaliseret.

169. Werner Best an das Auswärtige Amt 22. November 1944

Best havde en tid inkluderet det tyske politiarbejde og sabotagebekæmpelsen i *Politische Informationen*, men efter at det tyske politi begyndte at udsende egne aktivitetsberetninger, var han holdt op dermed og fremsendte i stedet eksemplarer af politiberetningerne til AA. Det gjaldt også, da Bovensiepen begyndte at udarbejde sine "Meldungen aus Dänemark," som Best her videresendte nr. 3 af. Muligvis har han også fremsendt de foregående. Nr. 1 og 2 er ikke kendt på anden vis.

"Meldungen aus ..." blev udarbejdet af det tyske sikkerhedspoliti i alle de besatte lande og fremsendt til RSHA. De var skrevet efter en skabelon udarbejdet af RSHA: Der var bestemte emner i en fastlagt rækkefølge, der skulle behandles. Det er uvist, hvorfor "Meldungen aus Dänemark" først begyndte i november 1944, men det kan være RSHAs og/eller Panckes og Bovensiepens signalering af Danmarks ligestilling med andre besatte lande. Der var naturligvis indsendt stemnings- og andre beretninger fra Danmark til RSHA fra et langt tidligere tidspunkt. "Meldungen aus Norwegen" var på mellem 40 og 60 sider og fremsendtes med 10-14 dage mellemrum til Berlin, og gav ifølge Robert Bohn rigsledelsen "einen umfassenden Überblick über die innenpolitische Entwicklung." Det samme kan ikke siges at være tilfældet om "Meldungen aus Dänemark", og det var ikke kun fordi omfanget var mindre, men også fordi det var ret sporadisk, hvis ikke tilfældigt, hvad Bovensiepen vidste om den politiske udvikling i Danmark, når der ses bort fra det nazistiske miljø.

Det kan synes tilfældigt, hvad Bovensiepen valgte at indberette om, det være sig en artikel i *Ugeskrift for Læger*, et foredrag af professor Flemming Hvidberg eller en udtalelse af professor Frederik Vinding Kruse, men det neutrale, om ikke ligegyldige, stof tjente mest som fyld, der blev blandet med anderledes vigtige budskaber. Blandt disse var virkningen af modterroren, der, som Bovensiepen gjorde klart, skabte stor uro i befolkningen, som troede, at den blev udført af Gestapo og Schalburgfolk. Det var kun en forsvindende del, der troede på, at terroren blev forøvet af kommunister. Ved omtalen af bekæmpelsen af strejken i Esbjerg blev de forholdsregler, som blev anvendt, præsenteret, herunder tilbageholdelsen af ni fagforeningsfolk som gidsler. Aktionen var en tysk succes, roen blev opretholdt og det kom ikke til episoder. Naturligvis blev det ikke nævnt med et ord, at en 24-timers strejke ved tysk indgriben blev forlænget til flere dage, samt at afbrydelsen af strømmen havde store konsekvenser uden for Esbjerg. Fjernelsen af det danske politi blev af store dele af det danske folk betragtet som en taktisk fejl, men Bovensiepen kunne meddele, at det kun var med hensyn til antallet af røverier og indbrud, at der havde været nævneværdige konsekvenser. Indberetningen sluttede med at viderebringe en kritik af Rüstungsstab Dänemark og de danske myndigheder, når det drejede sig om at opnå kontrakter. Der var store administrative besværligheder, fordi man fra dansk side søgte at hindre, at danske virksomheder påtog sig tyske ordrer (Boberach 1984 (indledningen), Bohn 2000, s. 90, Wildt 2003, s. 383).

Kilde: PA/AA R 101.041. RA, pk. 233.

Der Reichsbevollmächtigte in Dänemark *Kopenhagen, den 22.11.1944.*

An das Auswärtige Amt
Berlin

Betr.: Die "Meldungen aus Dänemark" des Befehlshabers der Sicherheitspolizei und des SD in Kopenhagen.
– 3 Anlagen –

In der Anlage wird die Nummer 3 der "Meldungen aus Dänemark" des Befehlshabers der Sicherheitspolizei und des SD in Kopenhagen vom 17. November 1944 in dreifacher Ausfertigung mit der Bitte um Kenntnisnahme übersandt.

W. Best

Der Befehlshaber der Sicherheitspolizei und des SD in Dänemark
– III C 4 –
Pe./Wes.

Kopenhagen, den 17. November 1944.

Geheim!

Meldungen aus Dänemark
Nr. 3

Vorliegender Bericht ist nur persönlich für den Empfänger bestimmt und enthält Nachrichtenmaterial, das der Aktualität wegen unüberprüft übersandt wird.

Verteiler:

1.) Der Reichsbevollmächtigte SS-Obergruppenführer Dr. Best.
2.) Der Höhere SS- und Polizeiführer SS-Obergruppenführer Pancke.
3.) BdS
4.) RSHA, Amtschef I
5.) – – II
6.) – – III
7.) – – IV
8.) – – V
9.) – III A
10.) – III B 1
11.) – III C
12.) – III C 4
13.) – III D
14.) – III D w
15.) Leiter IV im Hause
16.) Leiter V im Hause
17.) SD-Außenstelle Aalborg
18.) – Aarhus
19.) – Apenrade
20.) – Kolding
21.) – Kopenhagen
22.) – Odense
23.) Germanische Leitstelle
24.) Befehlshaber der Sipo und des SD in Norwegen.[201]

1.) Allgemeine Stimmung:
Bemerkenswert ist die Feststellung, daß in der Haltung der dänischen Bevölkerung eine Veränderung eingetreten ist. Wenn sie auch nicht deutschfreundlicher bzw. nicht englandfeindlicher geworden ist, so zeigt sie sich doch in der Einstellung zu den augenblicklichen Geschehnissen schwankend. Die Bevölkerung weiß heute nicht mehr, was sie im Hinblick auf den Ausgang des Krieges noch glauben oder wünschen soll. Die Folge ist, daß über

201 Fra "Meldungen aus Dänemark" Nr. 5, 1. december 1944, blev BdO medtaget som modtager nr. 25.

dieses Problem nur noch wenig diskutiert wird. Man wartet ab, welche Entscheidungen fallen werden, die den Krieg nach der einen oder anderen Seite bestimmen.

Die ständigen Hinweise auf die Kampfkraft, die Ausbildung und die Bewährung des deutschen Volkssturmes, der Beweis der Stabilisierung der deutschen Fronten mit Ausnahme der geringen Verschiebungen im Südosten, die Proklamation des Führers und die von deutscher Seite immer wieder vorgetragenen Angriffe an den einzelnen Frontabschnitten trugen wesentlich zur Änderung der Stimmung und Haltung der dänischen Bevölkerung bei. In nationalsozialistischen und deutschfreundlichen Kreisen hält man die augenblickliche Zeit für besonders geeignet, eine geschickte und wirkungsvolle Propaganda für das dänische Volk anzuwenden.[202]

Der Einsatz der neuen deutschen Vergeltungswaffe "V 2" machte zunächst auf die dänische Bevölkerung keinen Eindruck.[203] Die ersten Veröffentlichungen über die neue Waffe gaben vielen Dänen Anlaß zu der Behauptung, "V 2" sei in Wirklichkeit nichts anderes als "V 1" und werde daher ebensowenig kriegsentscheidend wirken. Nach den Erklärungen Churchills hat sich die Meinung über die Wirkung der Waffe geändert. Wenn man auch nach wie vor "V 2" keinerlei entscheidende Bedeutung zumißt, so glaubt man doch, daß sie den Alliierten auf die Dauer unangenehm wird, vor allem durch die Beschießung des Hafens von Antwerpen.

Resigniert stellen viele fest, daß durch den Einsatz dieser neuen Waffe zumindest der Krieg verlängert werde. In deutschfreundlichen Kreisen dagegen hat sich die Siegeszuversicht weiter verstärkt. Mit Bedauern wurde jedoch festgestellt, daß der Führer am 9. November nicht gesprochen hat.[204] Diese Tatsache gab den Anlaß zu vielen Gerüchten, nach denen es dem Führer infolge der innerpolitischen Verhältnisse in Deutschland unmöglich sei, noch öffentlich aufzutreten. Andere behaupteten, der Führer sei schwer erkrankt, durch den Reichsführer SS abgelöst und schließlich bereits seit langem tot.[205]

Die Kriegsereignisse im Osten fanden auch weiterhin wenig Interesse. Man ist enttäuscht darüber, daß die Russen vor Budapest und in Ostpreußen nicht weiter kommen. Die Geschehnisse in Nordnorwegen dagegen interessieren die Bevölkerung nach wie vor, wenn man auch nach außen hin dieses nicht gern zugibt.[206] Die Sperrung weiterer Ostseegebiete und die Erklärung eines großen Teiles der Ostsee zum Kriegsgebiet hat verschiedentlich Beunruhigung hervorgerufen. Viele sind unangenehm davon überrascht, daß sich der Krieg Dänemarks Grenzen nähert. In bürgerlichen und bäuerlichen Kreisen wächst die Angst vor der bolschewistischen Gefahr. Die Kämpfe in Italien wurden innerhalb der dänischen Bevölkerung kaum beachtet.

Die Versenkung des deutschen Schlachtschiffes "Tirpitz" durch feindliche Flugzeu-

202 Her hentydes givetvis til Panckes indsættelse af Standarte "Kurt Eggers" (se Pancke til Himmler 19. oktober 1944).

203 Se om V 2-bomben her nedenfor.

204 Det var første gang siden magtovertagelsen i 1933, at Hitler ikke talte offentligt i anledning af årsdagen for kupforsøget i München i 1923. Han ville vente med at henvende sig til offentligheden, til han kunne give den en stor militær sejr i julegave. I stedet frigav han nyheden om V 2-bomben til propagandaen, så tyskerne alligevel kunne have noget at glæde sig over (Reuth 1990, s. 570).

205 Rygterne blev udbredt i den udenlandske og den illegale presse.

206 Se vedrørende Nordnorge OKW/WFSt til MOK/Ost 15. oktober 1944, indledningen.

ge löste bei den meisten Dänen große Freude aus. Nun sei auch das letzte deutsche Schlachtschiff versenkt worden und Deutschland auf dem Meere ganz ausgeschaltet.[207]

Neben diesen militärischen und außenpolitischen Begebenheiten spielen zurzeit die zunehmenden Sabotagefälle und Mordanschläge eine erhebliche Rolle in der Stimmung und Haltung der Bevölkerung. Die fortlaufende Kette von Sprengungen mehrerer Geschäftshäuser in den Hauptstraßen der Städte hat eine erhebliche Beunruhigung der Bevölkerung mit sich gebracht. Diese Ereignisse stehen im Mittelpunkt der allgemeinen Diskussion, wobei allgemein behauptet wird, daß die Sprengung von Schalburg-Leuten zusammen mit Beamten der Gestapo durchgeführt wurde. Man erzählt sich sogar, daß Beamten der deutschen Sicherheitspolizei in der Nacht Passanten, die des Weges kamen, vortrieben hätten, um dann die Sprengung durchzuführen (Aarhus). Nur ein verschwindend kleiner Teil der Stadtbewohner, insbesondere die Deutschfreundlichen, sprechen von der Möglichkeit, daß die Sabotageakte von kommunistischen Elementen durchgeführt wurden, die in Aalborg, Aarhus, Odense, Vejle und Esbjerg versuchten, Unruhe zu stiften und den Haß gegen die Deutschen zu schüren.

In Esbjerg setzte am Morgen des 15. November aus Protest gegen die Bombenanschläge und politischen Morde an dänischem Eigentum und dänischen Personen ein 24-stündiger Streik ein, zu dem vom "Freiheitsrat" aufgerufen und den allgemein Folge geleistet wurde. Daraufhin wurden deutscherseits die Stadt abgeriegelt und für drei Tage die Zufuhr von Gas, Elektrizität und Wasser unterbrochen. Durch verstärkte Polizei- und Wehrmachtsstreifen blieb die Ruhe bewahrt. Neun Personen, es handelt sich um Vorstände der verschiedenen Fachvereinigungen, wurden von der deutschen Sicherheitspolizei verhaftet. Plakate wiesen die Bevölkerung auf die notwendigen Verhaltungsmaßregeln hin. Ein Teil der Geschäfte öffnete wieder; auch kleinere Betriebe, die von Gas, Wasser und Elektrizität unabhängig sind, nahmen die Arbeit wieder auf. Der Post-, Bank- und Eisenbahnverkehr ruhte. Zu Zwischenfällen kam es nicht. Die Meinungen über den Streik sind geteilt. Ein Teil der Bevölkerung zeigte sich verärgert, daß der kommunistischen Parole Folge geleistet wurde, ein weiterer Teil nahm den Streik mit dem Bemerken hin, es müsse sich ja herausstellen, wer die längere Ausdauer habe.[208]

Der größte Teil der dänischen Bevölkerung lehnt den ständigen Wechsel von Sabotage und Gegensabotage ab und glaubt, daß deutscherseits mit der Auflösung der dänischen Polizei ein großer taktischer Fehler begangen worden ist, wie sich aus der Serie der Sabotagefälle ergeben habe.

Die zahlreichen Schiffssabotagen wurden deutscherseits zum Anlaß genommen, Polizeimannschaften zur Bewachung der Werften und Schiffe einzusetzen. Diese Tatsache löste bei einzelnen Werftbelegschaften Erregung aus. Von der "Orlogs-Werft" in Kopenhagen wollten Rädelsführer wegen des Einsatzes der deutschen Beamten die Arbeit niederlegen. Schließlich behielten aber die vernünftigdenkenden Arbeiter die Überhand, und die Arbeit nahm ihren Fortgang.[209]

Große Unruhe und Empörung hat im ganzen Lande die Niederschießung von Perso-

207 Tirpitz blev sænket 12. november 1944 ved Tormøs af RAF-fly.

208 Se om strejken Reisebericht 21. november af en tysk officer fra Technische Nothilfe og der anf. henvisninger.

209 Se Wurmbach til OKM 18. november 1944.

nen auf öffentlichen Straßen hervorgerufen. Sie wird als Repressalie für die Ermordung deutscher Polizei- und Wehrmachtspersonen oder deutschfreundlicher Dänen angesehen. Es sei geradezu wahnsinnig, wenn deutscherseits friedlich des Weges gehende Personen umgelegt würden. In Kopenhagen unterhielten sich deutschfreundliche Dänen darüber, daß unter den Erschossenen sich auch der Sohn einer deutschfreundlichen Dänenfamilie befinde, dessen Eltern wiederholt von illegaler Seite bedroht worden seien, die aber immer wieder ihre Sympathien für die Deutschen bewiesen hätten.

Die Ermordung des Major Stahr vom Schalburg-Korps am Freitag, den 17. November 1944, vormittags, hat in nationalsozialistischen und deutschfreundlichen Kreisen große Bestürzung hervorgerufen. "Gute Dänen" freuen sich über die Ermordung. Ihrer Meinung nach kommen mehrere in der letzten Zeit durchgeführte Sabotagefälle auf sein Konto. Er habe somit seinen rechten Lohn bekommen.[210]

2.) Presse und Rundfunk:

Auch weiterhin zeigt die dänische Presse ein wechselvolles Bild. Kriegsgeschehnisse und Landesneuigkeiten beherrschen abwechselnd die ersten Seiten der Zeitungen, die neutral und abwartend über die einzelnen Geschehnisse berichteten. Die Westfront stand weiterhin im Brennpunkt. Eingehend wurde von den Vorbereitungen der Amerikaner zum Vorstoß gegen das Saargebiet sowie über die amerikanische Offensive gegen Aachen und Metz geschrieben. "Kolding Avis" brachte zum Verständnis der Leser einen längeren anschaulichen Artikel des bekannten dänischen Kriegskorrespondenten Jörgen Bast über Lothringen, worin die geschichtliche und geographische Eigenart des Landes geschildert wurde. Auch "Fyens Stiftstidende" brachte am 12. November einen ausführlichen Bericht und betonte, daß eine gewaltige Panzerschlacht in Lothringen rase, wo Reserven ununterbrochen an die Front geführt würden. "Nationaltidende" bezeichnete die Schlacht in Lothringen als das wichtigste Ereignis an den europäischen Fronten und bemerkt, daß sie als Einleitung der großen alliierten Winteroffensive gilt. In einzelnen Blättern wurde behauptet, daß bisher der entscheidende Krafteinsatz von keiner Seite erreicht worden sei. Z.B. "Socialdemokraten" am 12. November und "Fädrelandet" am 13. November. Der deutsche Widerstand wurde gut hervorgehoben. "Berlingske Tidende" schrieb am 13. November, daß nur unter den größten Verlusten die alliierte Angriffsspitze an der Südwestgrenze Lothringens Fuß fassen konnte. Von der Ostfront wurden nur wenige Berichte gebracht. Gemeldet wurde von den Regengüssen, die die Wege verschlammten und Operationen unmöglich machten, weshalb ein gewisser Stillstand eingetreten sei. Von den Ereignissen in Finnland wurde von der allgemeinen Not der Bevölkerung nur wenig berichtet. Die Regierungskrise in Finnland wurde dagegen eingehend besprochen, ohne daß allerdings die Zeitungen eigene Kommentare brachten. Die akute Ostseefrage wurde groß herausgestellt. "Berlingske Tidende" schrieb in großen Schlagzeilen am 12. November "Schweden ruft seine Ostseeschiffe zurück" und "Nationaltidende" am gleichen Tage "Die Ostsee wieder ein Brennpunkt im Weltkrieg" und "Die Operationszone in der Ostsee." Unter der Überschrift "Situation in der

210 Johan E. Stahr (årgang 1889) var major i Schalburgkorpset og kommandant i Frimurerlogen. Han deltog ikke personligt i terrorhandlinger, men med sin position var han et oplagt likvideringsmål. Holger Danske likviderede ham (Røjel 1993, s. 363, Emkjær 2000, s. 65, Birkelund 2008, s. 686).

Ostsee" schrieb "Politiken" am 14. November: "Der Moskau-Botschafter Schwedens soll Bericht erstatten", "Noch kein Beschluß über Finnlands Trafik." In diesem Artikel wurde nicht nur die Frage um die Aland-Inseln erörtert, sondern auch der Besuch des norwegischen Exil-Außenministers Lie in direkter Weise mit dem Ostseeproblem in Verbindung gebracht.

Die Kämpfe in Ungarn, die bei Budapest immer noch keinen sowjetrussischen Erfolg brachten, interessieren nur noch am Rande. Die diplomatische Verwicklung zwischen der Sowjetunion und der Schweiz blieb nicht ohne Interesse. "Fädrelandet" unterstrich in seinem Leitartikel vom 12. November, daß die schweizerische Freierei gegenüber der Sowjetunion ein Zeugnis davon gebe, wie wenig Vertrauen man in der Schweiz zu dem alliierten Widerstandsvermögen habe. Die Schweiz mache sich gegenüber der Sowjetunion und als Nachbar der kommunistisch gewordenen Länder Italien und Frankreich keine Illusionen über ihre Neutralität.

Die Proklamation des Führers und auch die Rede des Reichsministers Dr. Goebbels wurden von der Presse an hervorragen der Stelle und in ausführlicher Form gebracht.[211] Nachrichten hierüber beherrschten am 12. November völlig die Titelseiten der Zeitungen.

Die ersten Nachrichten vom Einsatz der "V 2" fanden in fast allen Blättern einen guten Platz. Die "Nordschleswigsche Zeitung" zog den Schluß, daß mit dem Einsatz der "V 2" das Aufholen des technischen Fortschrittes noch nicht abgeschlossen sei. Die dänische Presse dagegen brachte nur die amtliche Notiz und verschiedene Auslandsstimmen. Eine Ausnahme machte "Fädrelandet", das die Mitteilung über "V 2" dreispaltig auf der Vorderseite und einen zweispaltigen Artikel auf der 2. Seite brachte.

Obwohl der englische und schwedische Rundfunk auch weiterhin die Hauptnachrichtenquellen für die dänische Bevölkerung sind, wird den Nachrichten des dänischen Rundfunks etwas mehr Interesse als früher entgegengebracht. In deutschfreundlichen Kreisen wies man wiederholt darauf hin, daß die Störungen der dänischen Nachrichtensendungen aus England sehr unterschiedlich gehandhabt würden. Die Hauptnachrichtensendung um 18.30 Uhr werde überhaupt nicht gestört. Im übrigen habe der dänische Rundfunk in der Berichtszeit nichts besonderes gebracht. Die Dienstag-Vorträge des Axel Hoyer wurden vielfach als eintönig bezeichnet. Man vermißt die "Kleine Geschichten über die Deutschen", die Krenchel immer gebracht habe. Über "Die aktuellen fünf Minuten des Tages" unterhielten sich viele Dänen im ironischen Tone. Es sei ein plumper deutscher Versuch, es dem englischen Nachrichtendienst nachzumachen. Die "Aktuelle Uge-Revue" wird viel gehört, aber auch ebenso oft kritisiert. Man versteht es in deutschfreundlichen Kreisen nicht, daß man deutscherseits nicht in der Lage ist, eine gehaltvollere Propaganda auf die Beine zu stellen. Neben der technischen Ausführung störe oft die plumpe Aufmachung der ganzen Sendung. Es sei zwar interessant, eine Reihe von Gerüchten in Form eines Telefongespräches zwischen zwei redelustigen Frauen lächerlich zu machen, nicht zu verstehen sei aber, daß man ein Hörbild "Die Sinfonie des Mordes" bringe, das grausige Morde von Cäsars Zeiten an bis zur Jetztzeit aufzeige.[212] Mit solchen Sendungen werde die dänische Mentalität selten angesprochen.

211 Begge var i anledning af årsdagen for NSDAPs kupforsøg i München 9. november 1923.

212 "Mordets Melodi" var et hørespil af Tavs Neiiendam, der tillige blev filmatiseret i 1944.

3.) Innerpolitisches:
Die Bekanntmachung des dänischen Justizministeriums über die Neuordnung der zivilen und administrativen Funktionen der dänischen Polizei und deren Umlegung auf die einzelnen Amtskontore hat überall Anklang gefunden. Seit Auflösung der Polizei war es der Bevölkerung nicht klar, an wen sie sich in den einzelnen Fällen zu wenden hatte.

Deutsche Dienststellen sind zurzeit mit der Entgegennahme der Anträge auf Ausstellung von Waffenscheinen zur Jagdberechtigung stark beschäftigt. Die Gesamtzahl der bislang eingelaufenen Anträge ist bedeutend höher als die Zahl der früher ausgegebenen Waffenscheine.

Örtlich wird aus Aarhus gemeldet, daß die in den Städten des dortigen Dienstbereiches gebildeten Wachkorps in der Hauptsache aus Angehörigen der Sozialdemokratischen Partei bestehen, die zivil früher sozialdemokratischen Sportvereinen angehört haben.

Aus ehemaligen dänischen Polizeikreisen wird berichtet, daß zwischen den Familien, deren Angehörige interniert oder "unter die Erde" gegangen sind und den Familien, deren ehemalige Polizeiangehörige sich frei bewegen können, eine immer tiefere Kluft entsteht. Erstere beschuldigen letztgenannte Familien, "Stikkertätigkeit" für die Deutschen auszuüben.

Angeblich haben sich die Gegensätze zwischen kommunistischen und nationalen Illegalen in der letzten Zeit verschärft. Die kommunistischen Elemente begrüßten die allgemeine Unsicherheit im Lande, die vor allem durch Raubüberfälle, Diebstähle usw. hervorgerufen wurde. Von nationaler Seite dagegen versuchte man, derartige rechtsunsichere Zustände zu verhindern und beruft sich dabei auf die Erlasse und Bestimmungen des dänischen "Freiheitsrates". Es häufen sich verschärfte Urteile gegen Diebe. Besonders die Straftaten, die nach dem 19. September 1944 begangen wurden, werden stark geahndet.

Bei Überholungen von Versammlungen der dänischen sozialdemokratischen Jugend konnte festgestellt werden, daß diese zum großen Teil unter kommunistischen Einfluß steht.

4.) Kulturelles:
Der Universitätsbetrieb in Kopenhagen und Aarhus, der nach der Aktion gegen die dänische Polizei fast völlig eingestellt war, hat sich wieder etwas belebt. Während zu Beginn des Oktobers in Aarhus nur wenige im allgemeinen deutschfreundliche Studenten an der Universität hörten, die übrigens von den übrigen Studenten als "Streikbrecher" bezeichnet wurden, hat sich bis heute die Zahl der Studenten bis auf etwa 150 erhöht. In Aarhus finden juristische sowie eine verhältnismäßig kleine Zahl von medizinischen und philologischen Vorlesungen statt.

In der letzten Zeit häufen sich die Fälle, wo dänische Studenten, die während des Krieges in Deutschland studierten, durch besonders hetzerische und gehässige Bemerkungen über Deutschland hervortreten. Der Grundtenor all dieser Erklärungen ist, daß sie behaupten, sie seien in Deutschland Zeugen so schrecklicher Ereignisse gewesen, die von deutscher Grausamkeit zeugten, und daß keine noch so harte Strafe für Deutschland unverdient sei. Ferner wird natürlich immer wieder behauptet, Deutschland stände am Ende des Zusammenbruches.

Die langwierigen Verhandlungen über einen etwaigen Zusammenschluß der Vereine "Norden" und "Det frie Nord" sollen kurz vor dem Abschluß stehen. Sie scheinen einen positiven Erfolg gehabt zu haben; denn über alle entscheidenden Fragen sei eine Einigkeit erzielt worden. Danach soll "Det frie Nord" mit "Norden" zusammengeschlossen werden. Es sei eine Einigung über das Ziel der nordischen Bestrebungen herbeigeführt worden. Es gelte, eine nordische Zusammenarbeit auf allen Gebieten zu erwirken, die völkische Grundlage für die nordische Einheit zustandezubringen und den Volkswillen zu schaffen, der den nötigen Hintergrund für die Beschlüsse bilden könne, dem Regierung und Reichstag an dem Tage gegenübergestellt werde, wenn die Frage einer engeren Zusammenarbeit auf dem außenpolitischen, erwerbspolitischen und verteidigungsmäßigem Gebiete aktuell werde.

Die frühere Unstimmigkeit zwischen den beiden Vereinen lag in dem Zweck-Paragraphen des Vereines "Norden", der nun unverändert bleiben soll.

Während die meisten deutschen Kinostücke nur einen schwachen Besuch aufweisen, da die Bevölkerung Angst hat, sich deutsche Filme anzusehen, erweist sich der zurzeit in Kopenhagen laufende Film "Die Feuerzangenbowle" mit Rühmann als ein Kassenerfolg.[213]

Professor Dr.theol. Flemming Hvidberg hielt am 12. November in KU einen Vortrag über "Kirche und Kultur in der Nachkriegszeit." Unter den Zuhörern befanden sich auch die theologischen Professor-Kollegen des Vortragenden Söe, Skydsgaard[214] und Hal Koch. Der Vortragende stellte die Frage, ob Dänemark nach dem Kriege mit dem Geistesleben der zwanziger und der dreißiger Jahre fortsetzen will und ob Dänemark sich denken könne, daß sich ein neuer Geist im dänischen Volke erhebt. Er beantwortete die Frage: "Wir werden wohl keines von beiden erleben. Mehrere von denen, die die Führer des Geisteslebens waren, werden gewiß nicht von der neuen Jugend geduldet werden." Hvidberg schilderte dann die zwanziger Jahre als das verhängnisvolle Jahrzehnt, in dem Dänemark in einer frohen Welt und im Kulturoptimismus gelebt habe. Das Kirchenleben hätte geruht. Ratlosigkeit sei charakteristisch für diese Zeit gewesen. Aus der ratlosen Zeit sei man in die wechselnde Krisen der dreißiger Jahre geraten, von denen einmal gesagt worden sei: "Wir werden von einer Krise in die andere geschleudert, bis die Katastrophe uns verschlingt." Wenn man nach diesem Rückblick nach der Zukunft frage, dann würden sich zwei Momente geltend machen, nämlich, was wünscht Dänemark von der alten Kulturperiode zu erhalten und welche geistige Haltung hat die Erfahrung hervorgebracht. Die erste Frage beantwortete der Redner mit einem Hinweis auf Professor Viggo Bröndal, wonach dieser einem nordischen Vertreter gegenüber folgende drei Behauptungen aufstellte: "Den freien Gedanken, den wir den Griechen verdanken, die Idee einer festen Rechtsordnung, die wir von den Römern haben und den Respekt vor dem Einzelnen, den wir der Bibel verdanken." Hier sei ein Rückgrat, das erhalten und gestärkt werden müsse. Es sei eine Aufgabe für die Kirchenanhänger, die Kirche aus ihrer Isolation und der Zersplitterung herauszubringen.

213 Det var den tyske film, der havde den danske titel "Flyverskolens Skræk" med Heinz Rühmann i hovedrollen, der gik i "Scala Bio" siden 14. august 1944.

214 Professor N.H. Søe og professor, dr.theol. K.E. Skydsgaard, begge Københavns Universitet.

In einer Diskussion beteiligte sich z. a. auch Professor Skydsgaard. Er behandelte dieselben Probleme von seinem Standpunkt aus, die jedoch mehr Verbindung mit der Vergangenheit als mit der Zukunft hatten. Auch eine Demokratie müsse ihren Glauben haben. Die Krise, die Dänemark jetzt durchlebe, sei eine Folge davon, daß der Glaube ins Schwanken geraten sei. Gebraucht würde ein neugeborenes Christentum.

Vor einiger Zeit wurde in der Technischen Schule in Odense eine "Telefonbombe" angemeldet. Die Technische Schule liegt in der Nähe der Legatschule; beide Gebäude wurden deshalb evakuiert. Am nächsten Morgen erschienen die Schulkinder, jedoch fand das Lehrpersonal es unverantwortlich, mit dem Schulunterricht zu beginnen. Der Oberlehrer Samuelsen hatte daraufhin eine Konferenz mit dem Feuerwehrchef Rix, in der beschlossen wurde, den Unterricht nicht abzuhalten. Er verständigte hiervon den Schuldirektor Fredebo, der aber selbst mit dem Feuerwehrchef verhandeln wollte. Danach teilte dieser mit, daß kein Grund vorhanden sei, die Schule zu verlassen und bemerkte außerdem, daß sich die Lehrer wahrscheinlich einen freien Tag hätten verschaffen wollen. Diese Bemerkung und die Haltung des Schuldirektors nahmen die Lehrer sehr Übel auf und sandten eine Klage an die Schuldirektion. Inzwischen hat sich die Schulbehörde einstimmig hinter den Schuldirektor gestellt. Wie verlautet, wünscht der Lehrerausschuß der Legatschule eine Entschuldigung des Schuldirektors. Gegebenenfalls will man die Sache vor das Unterrichtsministerium bringen.

Einzelmeldung:
Die "Wochenschrift für Ärzte" vom 26. Oktober 1944 veröffentlichte in Nr. 43 einen Artikel "Kriegszeit und Geschlechtskrankheiten" von Professor Haxthausen. Der Professor verweist auf die gewaltige Steigerung der Geschlechtskrankheiten, die man in den letzten Jahren in Dänemark feststellen konnte. In dem Artikel heißt es u.a. wörtlich: "Es herrscht kein Zweifel, daß die Zahlen, die man zur Illustrierung der Bedeutung der fremden Truppen für die Verbreitung der Krankheiten angegeben hat, zu niedrig sind. Wenn man auch einen großen Spielraum einräumen muß, sehe ich nichts anderes, als daß die fremden Truppen direkt eine untergeordnete Rolle für die Steigerung der Geschlechtskrankheiten spielen müssen. Es hat sich ja auch gezeigt, daß z.B. in Schweden, wo keine militärische Besatzung ist, die Geschlechtskrankheiten ähnlich wie in Dänemark gestiegen sind.

Weitaus die größte Schuld haben gewiß die eigenen Einwohner des Landes, die während des Krieges bald hier, bald dort arbeiten und von einem Ort zum anderen ziehen. Es ist klar, daß man durch dieses Reisen leichter als sonst lose Beziehungen anknüpft und sich dadurch Geschlechtskrankheit zuzieht. Das Reiseleben führt ja auch mit sich, daß man schwieriger untersucht und behandelt werden kann. Ich glaube, in diesem Verhältnis müssen wir eine der wichtigsten Ursachen zur Steigerung der Geschlechtskrankheiten während der Kriegsperiode sehen, und es stimmt auch damit überein, daß diese Steigerung namentlich in der Provinz und auf dem Lande stattgefunden hat."

5.) Wirtschaftliches:
Die Transportschwierigkeiten sind augenblicklich so große, daß ein Teil des angebotenen Viehes bei den Exportviehmärkten nicht angenommen werden kann. Teilweise

muß die Hälfte des Viehes zurückgehen.

Allgemeine Beachtung fand die in der Presse veröffentlichte Mitteilung über die Erhöhung des Verzinsungsprozentsatzes der Landwirtschaft auf 8 ½ %. Dieser Satz darf nicht über die noch bestehende starke Verschuldung der Landwirtschaft hinwegtäuschen.

Die Ernte-Ergebnisse werden jetzt wie folgt angegeben (die in Klammern angegeben Zahlen sind gute Ernteergebnisse früherer Jahre):

Gerste	18-19	-fältig	(20)
Hafer	20-21	–	(22)
Weizen	17-18	–	(20)
Roggen	16-17	–	(19)

Die zunehmenden Räubereien haben die Versicherungsgesellschaften veranlaßt, die Auszahlung der Versicherungssummen zu sperren. Die Gesellschaften wollen erreichen, daß die Gelder als Kriegsschäden anerkannt und bezahlt werden.

Der Verkehr weitere Einschränkungen erfahren. Die Annahme von Frachtgütern mußte teilweise auf das allernotwendigste beschränkt werden. Auch eine Auswirkung der Sabotage ist au bemerken. So konnten beispielsweise Kartoffeltransporte aus Jütland nach Odense nicht durchgeführt werden.

Das Fehlen der Polizei wirkt sich auf wirtschaftlichem Gebiet – abgesehen von den zunehmenden Geldräubereien und Einbrüchen – nicht nennenswert aus. Wie es in allen Berichten heißt, ist die Versorgung der Bevölkerung trotz einer Zunahme der schwarzen Börse nicht gefährdet. Die zeitweilig auftretende Fleischknappheit wird als saisonmäßig bezeichnet. Ein verstärkter Verkauf an Wehrmachtskantinen sei nicht zu bemerken. Das Kursieren falscher Rationierungsmarken scheint geringfügig zu sein. Die bisher von der Polizei durchgeführte gesundheitspolizeiliche Aufsicht hat durch ihr Fehlen noch zu keinen nachteiligen Auswirkungen geführt. Die Betriebsführer sollen, wie es heißt, bemüht sein, für Ordnung zu sorgen. Die Preisüberwachung wird in einzelnen Städten durch Gemeindebeamte sehr streng durchgeführt.

Die Diskussion um den Wert der Krone halten an. Eine Gallup-Rundfrage ergab, daß 48 % der Befragten mit einem Fallen der Krone rechnen, 37 % können sich keine Vorstellung über den zukünftigen Wert der dänischen Krone machen, nur 8 % nehmen eine Steigerung an und 7 % glauben, daß der Wert unverändert bleibt. Eine andere Rundfrage des Gallup-Institutes ergab, daß 3/5 der Befragten angeben, sie könnten überhaupt nicht sparen, das Geld reiche gerade aus.

Der bekannte Nationalökonom, Professor Vinding Kruse,[215] sprach sich vor kurzem ebenfalls zur Frage der Währung aus. Er erklärte, daß keinerlei Gefahr für einen Staatsbankrott Dänemarks bestehe. Gegenüber der Staatsschuld stehe ein nationales Einkommen von 10 bis 11 Milliarden. Es wurde leicht möglich sein, nach dem Kriege durch eine allgemeine vermögensmäßige "Amputation" diesen Betrag in kurzer Zeit aufzubringen.

215 Professor Fr. Vinding Kruse var kendt som jurist og ikke nationaløkonom.

Als Beispiel für die Geldreichlichkeit in Dänemark wird folgende Begebenheit angeführt:

Ein früherer dänischer Polizeibeamter hat seinen bisher für dienstliche Zwecke benötigten Privatwagen von einer Woche für 8.000 d.Kr. verkauft. Er beabsichtigte damit, die Hypothek seines Hauses abzubezahlen. Keine der beiden infragekommenden Banken wollte jedoch von einer Rückzahlung etwas wissen. Es war dem Polizeibeamten nur mit großer Mühe möglich, die 8.000 d.Kr. auf sein Sparkonto einzuzahlen, wo sie jetzt mit 1½ % verzinst werden.

Die Weiterführung der Braunkohlangewinnung stößt zum Teil auf Schwierigkeiten, weil es Mühe macht, die gewonnene Braunkohle abzutransportieren. Die Lagermöglichkeiten sind teilweise erschöpft und können wegen der Gefahr der Selbstentzündung nicht erweitert werden.

Schwierigkeiten bei Verlagerungsaufträgen:
Von industrieller Seite wird häufig darauf hingewiesen, daß die Durchführung von deutschen Aufträgen mit großen verwaltungsmäßigen Mühen und Schwierigkeiten verbunden sei. Die dänischen Dienststellen würden alles tun, um den Auftragsnehmern von deutschen Aufträgen die Weiterarbeit für Deutschland möglichst zu erschweren. Als Beispiel für diese Stimmen wird die Zusammenstellung eines Industriellen über die Durchführung eines Auftrages des Rüstungsstabes wiedergegeben:[216]

1.) Auftrag des Rüstungsstabes.
2.) Nach wenigen Tagen: Aufforderung des Industrierates zur Meldung des Auftrages und zur Einholung der Genehmigung.
3.) Einreichen der geforderten Unterlagen an den Bevollmächtigten des Außenministeriums für außergewöhnliche Industrie-Lieferungen mit einer Vorberechnung in drei Exemplaren.
4.) Nach zwei bis drei Wochen: Zusage durch den Industrierat mit Angabe der genauen Zahlungs- und sonstigen Bedingungen.
5.) Nach Erhalt der Zusage: Einholung der Einfuhrerlaubnis für das zur Durchführung des Auftrages erforderliche Rohmaterial aus Deutschland.
6.) Während der Ausführung der Arbeiten Einholung der Ausfuhrgenehmigung für das fertige Produkt.
7.) Ablieferung der Ware an den deutschen Auftraggeber.
8.) Mitteilung der Nationalbank über Eingang des Geldes mit Anfragen über Wehrmachtslisten-Nummer usw.
9.) Vier bis sechs Wochen danach: Erteilung der Auszahlungserlaubnis durch das Außenministerium und anschließend Auszahlung des Geldes.
10.) Einsetzen umfangreicher Revisionen bei der Firma. Ein Revisor muß oft wochenlang auf Kosten der Firma beschäftigt worden. Falls die Firma außerhalb der Hauptstadt sitzt, muß der Revisor meistens verschiedene Reisen nach Kopenhagen zur Klärung von Zweifelsfragen machen.
11.) Weitere Erschwernisse durch Schikanen bei der Zuteilung von Strom für den deutschen Auftrag.

216 Se for den tidligere rejste kritik af Rü Stab Dänemark hos Forstmann til Waeger 31. august 1944.

Insbesondere die beiden letzten Punkte bieten immer wieder die Möglichkeit zu umfangreichen Schikanen seitens der dänischen Behörden. Eine Firma teilt mit, daß sie für die Durchführung eines Auftrages in Höhe von 19.000 d.Kr. eine Revisions-Rechnung von 1.516 d.Kr. hatte.

Als kürzlich ein Unternehmer über die Zuteilung von Strom mit dem Direktorat für Warenversorgung über den Industrierat verhandelte, würde ihm erklärt, daß man eine Dispensierung von den Rationierungsbestimmungen für Strom erreichen könne, wenn der Unternehmer auf die deutschen Aufträge verzichten wolle.

Es ist zwar immer möglich, die entsprechenden Schwierigkeiten durch Einschalten des Rüstungsstabes zu beseitigen, doch erklären die Unternehmer, daß sie keine Lust hätten, sich mit diesen Erschwerungen ihrer Arbeit auseinanderzusetzen. Sie gingen deshalb nach Möglichkeit deutschen Aufträgen aus dem Wege.

gez. **Bovensiepen**
SS-Standartenführer

170. Werner Best an das Auswärtige Amt 23. November 1944

RFSS' afslag på at sende politisoldater til Danmark og opfordringen til at finde andre sabotagebekæmpelsesmidler foranledigede Best til at gentage sin principielle holdning, som han også havde fremsat med telegram nr. 1268, 15. november: Sabotage skulle bekæmpes med politiefterforskning og beskyttelse af truede objekter. Repressalier ville påvirke og true andre tyske interesser samt føre til strejker og uro, der ville kræve flere tyske ressourcer (Rosengreen 1982, s. 146f.).

Kilde: PA/AA R 101.041. PKB, 13, nr. 773. Best 1988, s. 72f. og 1989, s. 128f.

Telegramm

Kopenhagen, den	23. November 1944	18.00 Uhr
Ankunft, den	23. November 1944	21.00 Uhr

Nr. 1304 vom 23.11.[44.] zu Inl. II 752 gRs

Auf das Telegramm Nr. 1357[217] vom 22.11.1944 äußere ich mich zu der Frage, ob auch ohne Verstärkung der Bewachungskräfte andere wirksame Mittel zur Bekämpfung der Sabotage auf Werften anwendbar seien, wie folgt:

Die Sabotage in Dänemark ist Kleinkrieg des Feindes, der unter der Leitung englischer Offiziere und nach Anweisung englischer militärischer Dienststellen geführt wird.

Die Intensivierung der Schiffssabotage entspricht englischen Befehlen, die von der deutschen Sicherheitspolizei erfaßt worden sind. Diesem Kleinkrieg des Feindes kann nur dadurch begegnet werden, daß entweder die Kampfgruppen des Feindes vernichtet werden, wofür Verstärkung der deutschen Sicherheitspolizei erforderlich ist, oder daß

217 Ha Pol XII 1053 g. Telegrammet er ikke lokaliseret, men det har indeholdt AAs gengivelse af Himmlers afslag gengivet i von Thaddens notits til Martius 22. november.

die Objekte stärker gesichert werden, wofür Verstärkung der Bewachungskräfte (Polizei oder Wehrmacht) erforderlich ist. Andere wirksame Mittel zur Bekämpfung des feindlichen Kleinkrieges gibt es nicht. Insbesondere gehen alle Vorschläge, gegen die Bevölkerung Repressalien auszuüben, fehl. An den Fronten können feindliche Angriffe auch nur dadurch abgewehrt werden, daß man die feindlichen Kampfgruppen vernichtet, und nicht dadurch, daß man die Bevölkerung des Operationsgebietes erschießt. Ebenso würden hier Repressalien gegen die Bevölkerung die feindlichen Kampfgruppen nicht von der Fortsetzung der Sabotage abhalten, sondern von ihnen als erwünschte politische Nebenerfolge vermerkt werden. Denn durch diese Repressalien würden in weitem Maße mittelbare deutsche Interessen vor allem wirtschaftlicher Art beeinträchtigt werden. Außerdem würden zur Bewältigung der Reaktionen der Bevölkerung (Generalstreik, Unruhen) mehr bewaffnete Kräfte erforderlich werden, als jetzt für den Schutz sabotagegefährdeter Objekte angefordert worden sind.

Dr. Best

171. OKW an OKM 23. November 1944

OKW meddelte OKM, at skibssabotagen i Danmark havde taget overhånd. Det tyske sikkerhedspoliti skulle tage sig af bekæmpelsen af den med støtte fra både marinen og hæren. Det skulle indberettes, hvilke forholdsregler man blev enige om.

OKW havde 25. november endnu ikke modtaget et svar, da Dönitz uafhængigt heraf henvendte sig til Keitel i samme ærinde.

Kilde: RA, Danica 628, sp. 10, nr. 9370 (afskrift).

MBBS 028914 Marinenachrichtendienst
Eingegangen 24.11.44.
Fernschreiben von
KR OKW 0240 23.11. 17.10 = m. AÜ =
KR nachr. OKM/Skl =
Gltd. KR WB Dänemark =
KR nachr. BdS Kopenhagen,
z.Hd. v. Standartenführer Bovensiepen =
KR nachr. HAS K' Hagen =
z.Hd. v. Ing. Lorenzen =
KR nachr. OKM/Skl
g.Kdos

Betr.: Sicherung von Werften und Handelsschiffbau in Dänemark.

Überhandnehmen der Schiffssabotage in Dänemark hat untragbares Ausmaß erreicht. Mit Durchführung der erforderlichen Sicherungsmaßnahmen ist BDS K'Hagen (Standartenführer Bovensiepen) beauftragt. Unterstützung des BDS ist vornehmlich Aufgabe der KM. Außerdem unterstützt WB Dänemark BDS durch Gestellung v. Kräften des BDS Einzelheiten vereinbart WB Dänemark mit zuständigem Adm und BDS K'Hagen unter Meldung des vereinbarten hierher.

OKH/Chef H Rüst u. BDE/Stab I A Nr. 6067/44 g.Kdos. v. 21.11.44
gez. **Jüttner**
SS-Obergruf u. General der Waffen-SS

172. Georg Martius: Aufzeichnung 23. November 1944

Martius gengav hovedindholdet af det, der på mødet i København 18. november var blevet enighed om vedrørende forebyggelse af skibssabotagen: På 10 af de 11 værfter skulle der indsættes byggeopsyn bestående af 30-40 mand, hovedsagelig fra Kriegsmarine. Der var lavet en særlig plan for B&W, men den var siden blevet frafaldet (Rosengreen 1982, s. 146).

Se endvidere WB Dänemark til OKW 25. november 1944.

Kilde: PA/AA R 101.041. RA, pk. 232.

g.c. Ha Pol IIIa 2608

Aufzeichnung

Direktor Merker vom Hauptausschuß für Schiffbau teilte mir auf Rückfrage zur Nr. 1291 des Telegramms des Reichsbevollmächtigten in Kopenhagen vom 21. Nov.[218] folgendes mit:

Über das weitere Vorgehen in Bezug auf die Bauaufsicht auf dänischen Werften ist am 18. Nov. in Kopenhagen eine volle Einigung erfolgt. Es soll auf 10 der 11 in Frage kommenden Werften eine deutsche Bauaufsicht kommen, vom 30-40 Herren, meist Marinebeamte, verfügbar gemacht werden. Die Bauaufsicht soll die reichsdeutschen Interessen gegenüber der dänischen Werft wahrnehmen ohne im übrigen in den Betrieb einzugreifen.

Ministerdirektor Bergemann bestätigte bereits gestern, daß der ursprüngliche Plan einer Sondermaßnahme gegenüber der Werft von Burgmeister & Wain fallen gelassen sei.

Herr Merker wird sich, falls sich wider Erwarten noch Unstimmigkeiten ergeben sollten, erneut mit mir in Verbindung setzen.

Berlin, den 23. November 1944

gez. **Martius**

Durchdruck:
Gez. Schnurre
Gez. Leitner
Gez. v. Grundherr
LR Brenner
LR von Thadden
Ha Pol VI

218 Telegrammet er ikke lokaliseret.

173. Horst Wagner an Werner Grothmann 24. November 1944

RFSS havde foreslået "andre midler" til bekæmpelse af sabotagen i Danmark. Wagner udfærdigede et svar stilet til Himmlers adjudant, hvor brugen af repressalier eller trusler derom blev afvist med den begrundelse, at de ville have den modsatte virkning af det tilstræbte. Nu var der i stedet fundet en ordning med øget bevogtning på værfterne.

Brevet er formuleret i henhold til Werner Bests opfattelse og med brug af enkelte af hans udtryk (Kleinkrieg). Det er også søgt fremstillet uden direkte at gå åbent imod rigsførerens forslag. Alligevel kom det ikke videre.

Brevet er påtegnet, at det ikke blev afsendt. AA turde ikke udfordre RFSS på nogen måde i denne sag.

Kilde: RA, pk. 232.

Auswärtiges Amt
VLR Wagner
Inl. II 252 gRs

Berlin, den 24. Nov. 1944
Geheime Reichsache
2 Ausfertigungen
1. Ausfertigung

An den SS-Obersturmbannführer Grothmann,
Reichsführer-SS Adjutantur

Lieber Kamerad Grothmann
Auf Ihre Bitte hin ist hier und in Kopenhagen nochmals geprüft worden, ob nicht die Möglichkeit einer Sabotage-Bekämpfung in anderer Form als durch Abstellung von Bewachungskräften besteht. Die Prüfung ergab, daß es sich bei den Sabotageakten nicht um Übergriffe von Bevölkerungsteilen handelt, die durch Repressalien oder Behebung der Mißstände vermieden werden könnten. Es handelt sich vielmehr um Kleinkrieg unserer Feinde, unter Leitung englischer Offiziere und nach der Anweisung englischer militärischer Dienststellen. Eine Bekämpfung ist daher nur möglich, entweder durch Aushebung der feindlichen Kampfgruppen, was eine Verstärkung der Sicherheitspolizei erforderlich machen würde, oder durch Verstärkung der Bewachungskräfte, was auch nur durch Polizei oder Wehrmacht gehen würde.

Eine Androhung von Repressalien oder andere politische Mittel zur Verhinderung der Sabotageakte, würde wegen ihrer mit Sicherheit zu erwartenden Nebenwirkung politischer Art von den Kampfgruppen nur begrüßt werden, anstatt sie von Sabotageakten abzuhalten.

Eine gewisse Kräfteeinsparung hinsichtlich Bewachungs- und Sabotage-Bekämpfungspersonal wird jedoch erreicht werden, daß von den 11 in Betracht kommenden Werften 10 eine deutsche Bauaufsicht erhalten werden. Zu diesem Zweck werden 30-40 Marinebeamte verfügbar gemacht und auf die Werften verteilt. Diese Bauaufsicht soll die Aufgabe haben, die deutschen Interessen gegenüber den dänischen Werften zu verfolgen, ohne in den Betrieb der Werften einzugreifen.

Heil Hitler!
(Wagner)

174. Seekriegsleitung an MOK Ost 24. November 1944

På baggrund af den forudgående korrespondance om hindring af danske skibes flugt til Sverige indvilgede Seekriegsleitung i, at ikke alle skibe blev forsynet med tysk vagtmandskab. Alle statslige danske skibe skulle med undtagelser betragtes som "mistænkelige" og forsynes med vagtmandskab. Man skulle også være opmærksom på skibe, som havde været til reparation og blev sat i fart igen. Vagtmandskabet skulle være stærkt nok, og der skulle være søfartskyndige blandt det.

Kilde: BArch, Freiburg, RM 7/1813. RA, Danica 628, sp. 7, nr. 5913 og sp. 10, nr. 9369.

Abschrift
B. Nr. 1/Skl. II 34169/44 gKdos — *Berlin, den 24. November 1944*
Mit AÜ

Fernschreiben an: 1.) S MOK Ost/Führstb. – MKOZ 24.11. 13.24
2.) S nachr. Adm. Skagerrak – MDKD 24.11. 12.40

Gkdos
Betr. Begleitkdos. auf Dänenschiffen.
Vorg.: 1.) MOK Ost/Fstb. Op 07075 FS v. 19.11.[219]
2.) MOK Ost o Qu B. Nr. gKdos 207186 Qu III v. 20.11.[220]

1.) Auf Besetzung aller Schiffe mit Begleitkdos. wird vorläufig verzichtet.
2.) Verdächtige Schiffe.
a.) Mit Regelung gem. Vorg. 2) einverstanden. Annahme, daß alle staatlichen Schiffe, wenn in See, grundsätzlich mit Begleitkdos. besetzt werden sollen. Ausnahmen, z.B. Routinenschiffe in sundfernen Gewässern, sind zu melden.
b.) Einschluß folgender Schiffskategorie prüfen:
Alle aufgelegten Schiffe, die wieder in Fahrt gesetzt werden, gleichgültig, ob zu Verhol-, Reparatur- oder anderen Zwecken. Herunternahme Begleitkdos., sobald diese Schiffe als in Fahrt befindlich wie normale Schiffe angesehen werden können, was in der Regel nach erster Reise der Fall sein wird.
c.) Maßnahmen mit Reichsbev. abstimmen.
d.) Begleitkdos. müssen genügend stark sein, über Aufgaben genau unterrichtet und zu ihrer Durchführung befähigt sein. Ausreichende navigatorische Kenntnisse erforderlich.

Seekriegsleitung
B.Nr. 1/Skl. II 34169/44 gKdos

219 Skrivelsen er ikke lokaliseret.
220 Skrivelsen er ikke lokaliseret.

175. Konrad Engelhardt an OKM 24. November 1944

Engelhardt meddelte OKM, at han i forståelse med Best havde ladet fem danske skibe beslaglægge kl. 22.

Kilde: BArch, Freiburg, RM 7/1813. RA, Danica 628, sp. 7, nr. 5914.

KR MDKP 010403 24/11 16.30 =
M AÜ = KR OKM 1 Skl =

Gltd KR OKM 1 Skl = KR OKM Skl ADM Qu VI =
– Gkdos –
Im Einvernehmen mit Reichsbevollm Dän werden heute 24/11 2200 Uhr beschlagnahmt MS "Frem", MS "Kronprinz Olaf", MS "Aalborghus", "Hans Broge", D "Angamos".

Chef ADM Qu VI Gkdos 455/44

176. Werner Best an das Auswärtige Amt 25. November 1944

Best meddelte AA, at han aftenen før havde ladet en række danske skibe beslaglægge til brug for Kriegsmarine, og at det var sket efter drøftelser med admiralerne Wurmbach og Engelhardt.

AA blev ikke orienteret om, at det var en soneforanstaltning og gengæld for færgen "Store Bælts" flugt til Sverige. De danske departementschefer protesterede over beslaglæggelserne, men forgæves (Best til AA 2. december 1944 (bilaget), jfr. Hæstrup, 2, 1966-71, s. 157f.), men nok så bemærkelsesværdigt, blev de lige som AA forholdt den oplysning, at der var tale om en gengældelsesforanstaltning.

Først havde Best umiddelbart tilsluttet sig beslaglæggelserne som gengældelsesforanstaltning, men derpå træneret dem. Da beslaglæggelserne til sidst blev uundgåelige pga. Kriegsmarines pres, undlod han helt bevidst både over for AA og de danske myndigheder at oplyse, at der var tale om tysk gengæld. Forklaringen må søges i, at han ikke ønskede at repræsentere en politik, der inkluderede gengældelse mod private skibsredere, når det var et statsejet skib, der var bortført, og det slet ikke over for de danske myndigheder, hos hvilke det yderligere ville svække hans stilling.[221] I hans optik skulle bortførelse af statsejede skibe besvares med beslaglæggelse af statsejede skibe, men han kom ikke igennem med sit synspunkt, og derfor valgte han tavshed om, at det var en soneforanstaltning.

Naturligvis gik hans håndtering af sagen ikke uomtalt hen på tysk side. AA fik også kendskab dertil, se Seekriegsleitungs notat 19. december 1944. Til gengæld slap der intet ud i den illegale danske offentlighed, hvor beslaglæggelserne nok blev bemærket (*Information* 27. november 1944), men årsagen dertil blev ikke kendt (Lauridsen 2009).

Telegrammet er sandsynligvis nr. 1314, som Best henviser til i sin skrivelse til AA 2. december angående den beslaglagte tonnage.

Kilde: RA, pk. 284. PKB, 13, nr. 870.

Abschrift Ha Pol XIIa 2650

221 Til UM gav Best følgende forklaring på beslaglæggelserne: "Den stadig skærpede transportsituation og mangel på egnede skibe gør det nødvendigt for den tyske krigsførelse at bemægtige sig yderligere enheder af den her i landet eksisterende ledige tonnage. Da forhandlinger om frivillig chartring efter de hidtidige erfaringer ikke har udsigt til resultat, beslaglægger jeg hermed til fordel for den tyske krigsmarine følgende skibe: "Aalborghus", "Hans Broge", "Kronprins Olav", "M.G. Melchior", "Frem", "Skipper Clement" tillige med den for den chilenske regerings regning på Ålborg-værftet byggede damper "Angamos" (Hæstrup, 2, 1966-71, s. 157).

Telegramm aus Kopenhagen
an das Auswärtige Amt vom 25.11.1944

Auf Grund Darlegungen, die bei einer gestrigen Besprechung von Admiral Skagerrak sowie von Chef Gr. A VI QEM Admiral Engelhardt gemacht worden, habe ich gestern zu Gunsten der Kriegsmarine die folgenden dänischen Schiffe beschlagnahmt:

M/S "Aalborghus," Det Forenede Dampskibsselskab, – M/S "Hans Broge," Det forenede Dampskibsselskab, – M/S "Kronprins Olav," Det Forenede Dampskibsselskab, – D. "H.G. Melchior," Det Forenede Dampskibsselskab, – M/S "Frem," A/S Dampskibsselskabet – Bornholm af 1866, – Passagierdampfer "Skipper Clement'," Eigner O.G. Petersen, Aalborg, sowie den für Rechnung der Chilenischen Regierung auf der Aalborg-Werft erbauten Dampfer "Angamos." – Sicherstellung der Schiffe durch Truppen der Marine ist gestern abends 22 Uhr erfolgt.

Dr. Best

177. Karl Dönitz an Wilhelm Keitel 25. November 1944

Da der var sket en alvorlig skibssabotage i Oslo foruden de talrige skibssabotager i Danmark, foreslog Dönitz, at der blev taget et nyt middel i brug i sabotagebekæmpelsen, nemlig at gøre de fjendtligtsindede værftsarbejdere ansvarlige for alvorlige sabotager og lade det få personlige konsekvenser for dem.

Spørgsmålet blev påfølgende drøftet, indtil Kaltenbrunner 7. december afgav sin indstilling (Rosengreen 1982, s. 147).

Kilde: BArch, Freiburg, RW 4/754. RA, Danica 1069, sp. 1, nr. 316f. Jfr. KTB/Skl 30. november 1944.

Fernschreiben
SSD MBBS 029118 25/11 19.05 = O AÜ =
SSD Chef OKW =
GKDOS sof. vorlegen.

Nach den erheblichen Sabotagefällen gegen den Schiffsraum in Dänemark, die zu schweren Verlusten an wertvollen Schiffsraum führten, sind nunmehr in der Nacht vom 23. zum 24.11 auf zwei Werften in Oslo schlagartig 6 Handelsschiffe mit insgesamt 29.000 Brt. versenkt bezw. schwer beschädigt worden, sodaß sie für längere Zweit ausfallen. Damit hat die Sabotage auf den Werften im Dänisch-Norwegischen Raum einen Umfang angenommen, der nicht ohne scherwiegende Nachteile weiter bestehen kann und energischer Abhilfe Bedarf.

Bei den günstigen Sabotagemöglichkeiten, die sich in jedem technischen Betrieb mit feindlich eingestellter Arbeiterschaft bieten, kommt man nach den bisherigen Erfahrungen nicht allein mit einer Verstärkung der zur Sicherung der Werften eingesetzten Abwehr- und Polizeiorgane aus. Man muß vielmehr die Gefolgschaften für die in ihrem Betrieb vorkommenden Sabotagefälle mitverantwortlich machen. Jeder Arbeiter muß wissen, daß jeder vorkommende Sabotagefall für ihn persönlich die allerschwersten Folgen nach sich ziehen kann. Nur so wird es möglich sein, diese durch die Belegschaft selbst oder zumindest unter ihrer stillschweigenden Duldung und Förderung erfolgenden Sabotagefälle wirksam einzudämmen.

Ich bitte daher eine Entscheidung in dem Sinne herbeizuführen, daß in Zukunft bei Sabotagefällen mit schärfsten Repressalien gegen die Gefolgschaften der betr. Werften vorgegangen wird, was bisher aus politischen Gründen nicht geschehen ist.

Unabhängig hiervon muß auch die verstärkte Sicherung der Werften durch eigene Abwehr- und Polizeiorgane mit allen Mitteln gefördert werden.

Ob.d.M gez. **Dönitz**
Großadmiral

178. OKW an Lutz Schwerin von Krosigk 25. November 1944

Som svar på RFMs brev af 2. oktober 1944 gjorde OKW rede for de foranstaltninger, der var truffet for at hindre betaling af overpriser for udførte værnemagtsarbejder i Danmark. OKW meddelte, at der var indført skærpet priskontrol, men afviste i øvrigt at der havde været tale om overpriser i nævneværdigt omfang. Efter den nu udsendte forordning skulle overpriser være praktisk taget umulige at tage. På grund af udviklingen i Danmark blev indsættelsen af en generalingeniør ikke længere anset for påkrævet. Til gengæld var det ikke hensigtsmæssigt, at OT i Danmark var underlagt OT i Norge; OT burde fremover være selvstændig.

OKWs svar kan ikke være blevet modtaget med større begejstring i RFM, hvor man gennem stikprøver længe havde haft dokumentation for, at der blev taget overpriser for værnemagtsarbejder af både tyske og danske firmaer. Endvidere kunne RFM med god grund tvivle på, at en enkelt forordning udsendt af Wehrmachtintendanten i Danmark med ét skulle ændre forholdene.

Se endvidere Ribbentrop til Schwerin von Krosigk 13. december 1944 og Keitel til Schwerin von Krosigk 8. januar 1945.

Kilde: RA, Danica 201, pk. 81A.

Abschrift
Oberkommando der Wehrmacht *Berlin W 35, den 25. November 1944*
2 f 32/65b/IV/48 11/77 geg. – Ag WV 3 (I/VIII)
Geheim

Betr.: Steuerung der Geldmittel und Warenbewirtschaftung der Deutschen Wehrmacht in Dänemark
Bezug: RFM Y 5104/1 -282 V g vom 2.10.1944.[222]

An Reichsminister der Finanzen,
Berlin W 8,
Wilhelmplatz 1/2

Wie bereits in der Besprechung beim Reichsmin. d. Finanzen am 14.11.1944 dargelegt wurde, hat auch das OKW den Fragen der Preis- und Lohngestaltung und der Finanzgebarung in Dänemark erhöhtes Augenmerk zugewandt. Neben anderen Maßnahmen

222 Trykt ovenfor.

wurde insbesondere der in Abschrift beiliegende Erlaß OKW vom 22.11.1944[223] herausgegeben, der alle im Bezugsschreiben gegebenen Anregungen und Wünsche berücksichtigt, soweit sie die Wehrmacht betreffen und diese zur Abhilfe in der Lage ist.

Im einzelnen darf zum Bezugsschreiben noch bemerkt werden: Die Zahlung von Überpreisen durch Wehrmachtdienststellen konnte in nennenswertem Umfang nicht festgestellt werden. Der beiliegende Erlaß wird Preisüberschreitungen in der Zukunft praktisch unmöglich machen.

Die Einschaltung der dänischen Preisprüfungsbehörden in dem politisch und militärisch tragbaren Umfang ist ebenfalls vorgesehen.

Der Plan zur Schaffung von General-Ingenieuren wird z.Zt. nicht weiter verfolgt. Durch die Entwicklung der Verhältnisse ist er auch nicht mehr vordringlich. Der Vertreter der OT hat in der eingangserwähnten Sitzung vom 14.11.44 diesen Standpunkt geteilt. Dagegen ist auch das OKW an einer Aufhebung der Unterstellung des Einsatzleiters Dänemark der OT unter die Einsatzgruppe Norwegen der OT interessiert, um die Schwierigkeiten zu vermeiden, die sich aus der Verbindung zweier Länder ergibt, deren politische und finanzielle Stellung gegenüber dem deutschen Reich völlig verschieden ist.

Der Wehrmacht-Intendant ist weiter angewiesen, Vorsorge zu treffen, daß der Geheimschutz nicht zur Verdeckung von Preisverstößen mißbraucht wird. Dies wird auch zur gewünschten Erleichterung der Lohnsteuerprüfungen bei deutschen und dänischen Firmen führen.

Über den Umfang der von der OT dem Wehrmachtintendanten in Dänemark vorzulegenden Anforderungen und Nachweisungen ist kürzlich Einigkeit erzielt worden, sodaß die Eingliederung der von der OT beanspruchten Geldmittel in die allgemeine Mittelbewirtschaftung des Wehrmachtintendanten in Zukunft sich voraussichtlich reibungslos gestalten wird.

Im Auftrage
gez. **Arndt**

1 Anlage

179. Seetransportchef Skagerrak an OKM 25. November 1944

Seetransportchef Skagerrak meddelte, at de aftalte beslaglæggelser af danske skibe var gennemført og bad om slæbebåde og mandskab.

Kilde: BArch, Freiburg, RM 7/1813. RA, Danica 628, sp. 7, nr. 5917

SSB MOKP 010423 25/11 13.00 =
AÜ = SSD OKM 1 Skl =
gKdos
Zu Ries BNR 455/44.

Beschlagnahme planm. 22.25 beendet. Erbitte Befehl wohin Schiffe zu überführen und

223 Trykt ovenfor.

Bestellung von Schleppern mit MESK/Kiel zu regeln. Hier keine vorhanden. Überführungsmannschaft Hamburg angefordert "Kronprinz Olaf" volle Besatzung.

Seetr Chef Skag Gkdos 465/44

180. Feldwirtschaftsoffizier Lambert: Überblick über die im 3. Vierteljahr 1944 aufgetretenen wichtigen Probleme 25. November 1944

Lambert leverede sin første kvartalsoversigt over vigtige problemer. Den fulgte samme opbygning og havde et lignende indhold som Forstmanns, ligesom Lambert lagde ud med at knytte an til *Politische Informationen* og holde rapporteringen i afdæmpede og optimistiske toner.

Lambert havde ikke skibssabotagen blandt kvartalets vigtigste problemer. Det blev slet ikke nævnt, skønt hans overordnede von Hanneken kom til at høre om det fra en helt anden side allerede en måned tidligere. Se Karl Dönitz til Himmler og Jodl 23. oktober 1944.

Kilde: KTB/Rü Stab Dänemark, 3. Vierteljahr 1944, RA, Danica 1000, T-77, sp. 696, nr. 907.217-20.

Der Feldwirtschaftoffizier beim Wehrmachtsbefehlshaber Dänemark — *Kopenhagen, den 25. Nov. 1944.*

Überblick

über die im 3. Vierteljahr [19]44 aufgetretenen wichtigen Probleme

Die bisherige "Abteilung Wehrwirtschaft im Rüstab Dänemark wurde auf Befehl des Fwi Amt im OKW mit Wirkung vom 28.8.44. in die Dienststelle

Feldwirtschaftoffizier beim Wehrmachtsbefehlshaber Dänemark (Fwi O b. WB Dän.) umgewandelt und als Sachbearbeiter IV Wi in den Stab des Wehrmachtsbefehlshaber Dänemark eingegliedert. Die Aufgaben der bisherigen Abt. Wi im Rü Stab Dän. wurden vom Fwi O. Dän. übernommen. Die Leitung der Dienststelle übernahm Oberstleutnant Lambert. Sitz der Dienststelle ist bis auf weiteres Kopenhagen, Vesterport, Meldahlsgade 1 IV. Stock, Tel. Central 8953 (EV 524).

Gleichzeitig wurde ein Verbindungsoffizier zum Wehrmachtsbefehlshaber Dänemark nach Silkeborg abgestellt. (s. Anl. 1a, 2).[224]

Die Lage in Dänemark war im Juli 44 ruhig, nachdem der Generalstreik am 4.7.44 mit einem vollen Mißerfolg für die anstiftenden Elemente – Kommunisten und illegale Parteien – zu Ende gegangen war. Schwere Sabotageakte gegen für deutsche Interessen arbeitende Betriebe fanden nicht statt. Dagegen mehrten sich im Juli, anscheinend nach erhaltenen Weisungen, Anschläge gegen Bahngleise, Waggons, Lokomotiven, Kabeln usw. Diese Konzentration der Anschläge steigerte sich in den Monaten August und September und führte zu sich störend bemerkbar machenden Schwierigkeiten im Transportwesen. Im August stieg die Welle der politischen Morde, vor allem richtete sich diese gegen die sogenannten "Stikker," Dänen, wegen Spitzeltätigkeit für die Deutschen. Ferner kam es zu 2 x 24 stündigen Proteststreiks, am 3.8.44 wegen Erschießung eines als Kommunisten geltenden Kunstmalers und am 15.8.44 wegen der Erschießung von

224 Bilagene her og i det følgende er ikke lokaliseret.

11 Saboteuren auf der Flucht.

Über die Lage im September berichtet der Reichsbevollmächtigte in seinen politischen Informationen wie folgt:[225]

“Die Lage in Dänemark war im Monat September durch die Kulmination der Invasionspsychose – bei Dänen und Deutschen – bestimmt. Sowohl die Kriegsereignisse an den Fronten wie auch die deutschen Maßnahmen in Dänemark – Evakuierung und Verlegung von Dienststellen, Familien usw., sowie Einberufung von Reichsdeutschen und Volksdeutschen zu Befestigungsarbeiten – ließen eine Invasion in Dänemark als unmittelbar bevorstehend erscheinen. Die Spannung und Gereiztheit der Bevölkerung wuchs außerordentlich und entlud sich mehrmals im ganzen Lande durch Proteststreiks gegen deutsche Maßnahmen (16.-18.9.1944 Proteststreik gegen die Deportation von 200 dänischen Häftlingen in das Reich; 19.-20.9.1944 Proteststreik gegen die Auflösung der dänischen Polizei und die Deportation von 2.182 dänischen Polizeibeamten).[226]

In der ersten Monatshälfte stieg die Zahl der politischen Morde in Kopenhagen plötzlich stark an,[227] ebenso in Jütland die Zahl der Eisenbahnsabotagen. Auch diese Erscheinungen wirkten wie ein Auftakt zu einer letzten Auseinandersetzung.

Gegen Ende des Monats ebbte die Spannung im Lande und die illegale Aktivität wieder ab. Um die Monatswende war die allgemeine Auffassung, daß b.a.w. mit einer Invasion in Dänemark nicht zu rechnen sei.

2.) Am 19.9.1944 hat der Höhere SS- und Polizeiführer gemäß erhaltenem Befehl die dänische Polizei und ihre als “CB” (Civil Beskyttelsestjeneste) bekannte Hilfsorganisation aufgelöst. Die wichtigsten Polizeidienststellen wurden besetzt. In den Städten Kopenhagen, Odense, Aarhus und Aalborg wurden 2.182 Polizeibeamte interniert und alsbald in das Reich verbracht. Bis zu einer Neuordnung hat die deutsche Polizei die Verantwortung für die öffentliche Ruhe und Sicherheit im Lande übernommen.

Die Aktion gegen die dänische Polizei ist (bis auf eine auf einen Irrtum beruhende Schießerei) ohne Zwischenfälle durchgeführt worden. Die Erregung der Bevölkerung äußerte sich nur in dem befristeten Proteststreik am 19. und 20.9.1944. Im übrigen herrscht äußerste Ruhe im Lande.”

Die innerpolitische Spannung wirkte sich naturgemäß auch auf das Verhalten der dänischen Wirtschaft gegenüber den Wünschen der Besatzungstruppen aus. Es war im Berichtsquartal eine ständig zunehmende Versteifung der dänischen Wirtschaft in der Bereitwilligkeit, berechtigten deutschen Forderungen nachzukommen, zu beobachten. Wenn es auch bisher gelang, die Anforderungen der Besatzungstruppen zu erfüllen, so waren die Hemmnisse, offen, geheim oder auch hinhaltend so erheblich, daß zu Beschlagnahmen geschritten werden mußte. So ist z.Z. die Lage in der Holzbewirtschaftung, jetzt am Ende des III. Quartals so, daß Rundholz bis zu 75 % der angeforderten Menge beschlagnahmt werden mußte, während es bisher gelang, Schnittholz auf dem Verhandlungswege sicherzustellen, sogen. (“verklausuliertes Holz,” welches [illegible]

225 *Politische Informationen* 1. oktober 1944.

226 Antallet af deporterede danske politifolk blev opgivet lidt højere end fra dansk side, hvor der regnes med knapt 2.000 personer.

227 Antallet af likvideringer og clearingmord og mordforsøg blev omtrent fordoblet mellem juli og august (se tillæg 3 og Emkjær 2000, s.17).

der dänischen Regierung für die deutschen Holzwanderkarten zur Verfügung gehalten wird.) Es sind in den Monaten Juli-September 124 Beschlagnahmen nur für Holz durchgeführt worden. (siehe Lageberichte unter "Holzversorgung"), vom 15.8., 15.9. u. 15.10.44.[228]

In der Generatorholzbewirtschaftung ist ebenfalls die Beschaffungsfrage von Monat zu Monat schwieriger geworden, nachdem die Lieferungen aus dem Osten und Finnland in Fortfall gekommen sind. Die dänische Regierung stellt nach wie vor monatlich nur 60.000 hl zur Verfügung, aus dem Reich werden 100.000 hl monatlich nachgeschoben, wovon die Truppe 45.000 hl benötigt. Bei einem Gesamtbedarf von 130.000 hl für die Festungsbauten, beträgt somit die Fehlmenge 15.000 hl, die durch freie Aufkäufe gedeckt werden muß. (Einzelheiten sie die anl. Lageberichte unter "Generatorholz").[229] Unstimmigkeiten ergaben sich in der Abrechnungs- und Bezahlungsfrage, des aus dänischen Beständen herrührenden Generatorholzes. Die Einzelheiten der notwendig gewordenen Verhandlungen und endgültigen Regelung dieser Frage sind aus den Anl. 3-10 ersichtlich.

Die gespannte politische Lage machte es notwendig, der Verwendung von Sicherheitssprengstoffen ein besonderes Augenmerk zuzuwenden, soweit diese in das Aufgabenbereich des Wwi O fallen, (siehe Anlagen 11-17).

Ob die für die Besatzungstruppe notwendigen Unterkunftsmöbel sicherzustellen, mußte ein energischer Druck auf die dänische Regierung ausgeübt werden, um die passive Resistenz zu überwinnen (siehe Anl. 18).

In der Cementversorgung sowohl der Festungsbauten Jütlands, sowie der innerdänischen Wirtschaft sind keine Schwierigkeiten aufgetreten. (Über den Stand der Cementproduktion siehe Lagebericht vom 15.10.44. unter "Cement.")

Die Transportschwierigkeiten haben sich erheblich verschärft,

1.) durch die Verlagerung von Schiff auf Eisenbahn, bedingt durch den Mangel an Treibstoff für die Schiffahrt,
2.) durch eine erhöhte Inanspruchnahme der Verkehrsmittel durch die Besatzungstruppe,
3.) durch eine dauernd ansteigenden Anforderungen von rollendem Material für die binnenländischen Brennstoffe Torf und Braunkohle, da die Küstenschiffahrt zum größten Teil stilliegt,
4.) durch den schlechten Zustand des rollenden Materials, vor allem der Lokomotiven. Die Güterzuglokomotiven und das Material der im dänischen Verkehrsnetz sehr wichtigen Privatbahnen, waren vor 1939 schon stark veraltet,
5.) durch die Verkehrsstauungen im Fährbetrieb sowohl über den großen Belt, wie Gjedser-Warnemünde,
6.) durch die schlechte Beschaffenheit der Eisenbahnkohle,
7.) durch die Blockierung der Strecken infolge von sich häufenden Sabotageakten.

Wenn auch die deutsch-dänischen Beziehungen im Berichtsquartal recht gespannt wa-

228 Kun de to sidste situationsberetninger var udarbejdet af Lambert, den første var af Forstmann. De er alle trykt ovenfor.
229 Se Lambert til RWM 15. september og hans situationsberetning 15. oktober.

ren, so ist doch als bemerkenswerte Tatsache festzuhalten, daß die dänischen Lebensmittellieferungen in das Reich nicht nur nicht gesunken, sondern gerade in den Monaten Juli-September 1944 die Lieferungen des Vorjahrs bei weitem übertroffen haben.

Diese Tatsache ist bezeichnend für die Einstellung der dänischen Landwirtschaft und damit des größten Teiles der Bevölkerung, die sich anscheinend doch nicht so, wie die städtische Bevölkerung in das Schlepptau der kommunistischen- und illegalen Parteien hat nehmen lassen.

Bei einer Besserung der militärischen Lage Deutschlands, wird sich wahrscheinlich die mehr positiv eingestellte Haltung dieses Teiles der Bevölkerung auch in der Politik bemerkbar machen.

Lambert

181. Hermann von Hanneken an OKW 25. November 1944

OKW modtog et kort referat af mødet om skibssabotagen 18. november. Von Hanneken kunne fortælle, at Karl Kaufmann ville søge de nødvendige 3.000 politisoldater direkte hos Hitler. I øvrigt var han mere interesseret i bevogtningen af de danske jernbaner og kyststrækninger, men kom slutteligt ind på, at der var stillet visse politiressourcer til rådighed for værftsbevogtningen. Principielt skulle det være undtagelsen, hvis værnemagten skulle stille mandskab til politimæssige bevogtningsopgaver. Kriegsmarine og politiet tog sig af værftsbevogtningen (Rosengreen 1982, s. 147).

WB Dänemark var på dette tidspunkt heller ikke orienteret om, at der ikke kom 3.000 politisoldater til Danmark.

Kilde: BArch, Freiburg, RW 4/754. RA, Danica 1069, sp. 1, nr. 313-315 og afskrift i Danica 628, sp. 10, nr. 9365. Jfr. KTB/Skl 30. november 1944, s. 697f.

Geheime Kommandosache
Fernschreiben 25/11 21.15

An OKW/WFSt/Qu 2 (Nord) gKdos

Betr.: Schiffssabotage in Dänemark
Bezug: OKW/WFSt/Qu 2 (Nord) Nr. 008195/44 Gkdos vom 25.10.44[230] und 6.11.44[231] und Nr. 80210/44 G. vom 16.11.44.[232]

Besprechung zwischen Kdr. Adm. Skagerrak als Vertreter Ob.d.M. und W. Befh. Dän., Reikosee,[233] Reichsbevollm, Höh. SS- u. Pol.-Führer, BdS und Sonderbevollm. des Reikosee beim Reichsbevollm.[234] ergab:

Zur Bewachung der 12 Werften und der Handelsschiffe etwa 3.000 Mann nötig. Weder W. Befh. Dän noch Höh. SS- und Pol.-Führer können diese aus vorhandenen

230 OKW/WFST til WB Dänemark 25. oktober. Trykt ovenfor.
231 OKW/WFST til WB Dänemark 6. november. Trykt ovenfor.
232 Skrivelsen er ikke lokaliseret.
233 Karl Kaufmann.
234 Raul Mewis.

Kräften stellen. Daher Bereitstellung besonderer polizeilicher oder Wehrmachtkräfte erforderlich. Reikosee wird deren Zuführung beim Führer beantragen. Für Sabotageabwehr bleibt Polizei zuständig. Bei Bereitstellung Mil. Kräfte muß Abgrenzung der Verantwortung zwischen OKW und Reichsführer-SS geklärt werden.

Hierzu ergänzend: Für die Kriegsführung unmittelbar wesentlich wichtiger sind 2 Aufgaben:

1.) Sicherung der Eisenbahnen in Jütland. Wegen der Bewegungen von Norwegen. Bisherige Kräfte sind dafür auch nach Zuführung der e.u.a. Batln. (M) 275 u 27 unzulänglich.
2.) In Seeland und Fünen Küstensicherung und Schutz gegen Luftlandungen. Bisherige Kräfte unzureichend. Daher Zuführung einer Ausbildungs-Div. Mit FS 1 A Nr. 2439/44 G.Kdos. beim OKW/WFSt (OB (H) Nord vom 21.1.44 beantragt.

Damit erledigt sich auch FS des Chef H Rüst u BDE/Stab I A Nr. 6067/44 G.Kdos. vom 21.11.44, wonach W. Befh Dän den BdS Kopenhagen durch Gestellung von Kräften des BdE zu unterstützen habe. Nur in wichtigen Sonderfällen kann Wehrmacht kurzfristig an einzelnen Stellen mit Wachverstärkung aushelfen. Um Unklarheiten in Verantwortung zu vermieden wird gebeten, die erforderlichen Kräfte nicht von Wehrmacht, sondern von Polizei zu stellen, da Polizei für Sabotage-Abwehr verantwortlich.

Derzeitige Lage:
Nach Mitteilung Höh. SS und Pol-Führer werden besondere Sipo-Kdos. ausschließlich zur Bekämpfung der Sabotage eingesetzt. Kriegsmarine sichert nach Auszuschließen vorhandener Kräfte Kriegsschiffe und Kriegsneubauten. Werft Svendborg von 80 Mann sonder-Kdo. bewacht. Die von Marine auf Grund Chef Skl 3 Skl Abw. 14 276/44 9 vom 9.11.44 zugeführt.

Durch Polizei 8 Handelsschiffe auf 2 Werften gesichert. Sonderbevollm. Reikosee verfügt noch nicht über Bewachungskräfte.

W Bef Dän Abt 1 C Nr. 593/44 gKdos vom 25.11.44
Gez. **von Hanneken**
Gen d Inf

182. Kriegstagebuch/Seekriegsleitung 25. November 1944

Wurmbach havde meddelt, at beslaglæggelsen af to danske skibe planmæssigt var fuldført, og at der havde været sabotage på Orlogsværftet i København.

Det blev ikke nævnt, at de to skibsbeslaglæggelser var en gengældelsesaktion. Se tillige KTB/MOK Ost samme dag.

Kilde: KTB/Skl 25. november 1944, s. 573.

[...]
Adm. Skagerrak:
[...]
Vorgesehene Beschlagnahme dänischer Schiffe ist bis auf "Melchior" und "Agamos" planmäßig durchgeführt. "Melchior" befindet sich in See auf dem Weg nach Aalborg.

"Agamos" liegt im Limfjord vor Anker.

Auf Orlogswerft Kopenhagen wurde am 24. ein Sprengstoffanschlag in der Kesselschmiede durchgeführt.[235]

[...]

183. Kriegstagebuch/MOK Ost 25. November 1944

MOK Ost dannede sig, efter at det var opgivet at få "Store Bælt" retur fra Sverige, et overblik over skibsbeslaglæggelserne, der blev karakteriseret som en repressalieaktion.

Nu forestod arbejdet med at få dem sikkert til tysk havn.

Kilde: KTB/MOK Ost 25. november 1944, RA, Danica 628, sp. 9, nr. 7654.

[...]

06.20

8. Sich. Div. meldet: [...]

6.) Außer dän. mot-Schiff Melchior und dän. Dpfr. Agamos Beschlagnahmeaktion planmäßig durchgeführt. Melchior 24.11. 0800 Uhr Kopenhagen aus nach Aalborg, Agamos ca. 45 sm westl. Aalborg im Limfjord vor Anker.

Da von Schweden auf erneutes dän. Rückgabeersuchen, Fähre "Store Belt" freizugeben, Antwort nicht eingetroffen und im positiven Sinne nicht zu erwarten, wurden als Repressalie M.S. "Kronprinz Olaf", D. "Mön", D. "Hans Broge" und M.S. "Fedby" am 23.11. 06.00 Uhr milit. besetzt. Auf Mot. Schl. Melchior, der zuerst ebenfalls in Aussicht genommen war, ist verzichtet worden.

Da M.S. "Fedby" und D. "Mön" z.Zt. der Besetzung in See, sind am 23.11. folgende Dänenschiffe milit. besetzt worden:

a.) in Kopenhagen: M.S. "Kronprinz Olaf", M.S. "Aalborghus", M.S. "Hans Broge",

b.) Liegeplatz Aalborg: D. "Skipper Clement", D. "Agamos",

c.) Liegeplatz Bornholm: D. "Frem".

[...]

184. Hans-Heinrich Wurmbach an Seekriegsleitung 25. November 1944

Wurmbach meddelte Seekriegsleitung hvilke danske skibe, der var beslaglagt dagen før. De var under militær bevogtning for at undgå sabotage, indtil civile tyske besætninger kunne overtage dem.

Afskriften af telegrammet fik hos Seekriegsleitung tilføjet en note efter en telefonsamtale med Wurmbach 27. november: Det var lykkedes at få Best til at gå med til gengældelse for "Store Bælt"s flugt i forholdet 1 til 4.

Det vil tilsyneladende sige, at der blev beslaglagt fire skibe, for hvert skib der flygtede til Sverige. Imidlertid var det lidt mere kompliceret end som så, som det fremgår af Seekriegsleitungs tilføjede notat to dage senere, se nedenfor.

Kilde: BArch, Freiburg, RM 7/1813. RA, Danica 628, sp. 7, nr. 5915.

235 Med en tidsindstillet bombe blev en skibskedel på Orlogsværftet i København sprængt. Kedlen skulle næste dag være afleveret til Tyskland (RA, BdO Inf. Nr. 104, 30. november 1944, tilfælde 9).

Abschrift
MBBS 029057 04.00 42
Eingegangen: 25.11.44 03.43 Geheime Kommandosache!
SSD
Fernschreiben von: KR MDAS 08200 25/11 10225
KR Chef 1 Skl
– Gkdos –

Auf Grund heutiger Besprechung Komm. Adm. Skag. und Kontr. Adm. Engelhardt bei Reichsbevollm. Dän. milit. Besetzung und Sicherung folgender Schiffe 24/11 22.00 Uhr befohlen:

Liegeplatz K'Hagen: MS "Melchior"
MS "Hans Broge"
MS "Aalborg Hus"
MS "Kronprinz Olaf"
Liegeplatz Aalborg: D. "Angamos"
D. "Skipper Clement"
Liegeplatz Bornholm: MS "Frem"

An Bord befindliche Besatzung räumt Schiff. Militärische Sicherung Schiffe gegen Sabotage solange, bis Zivilbesatzung zur Überfuhrung in etwa 8 Tagen eingetroffen.
Adm. Skag.

Vermerk IIa:
Adm. Skag. (C) teilt fernmdl., 27.11. mit, daß die genannten Schiffe als Strafe für Ausbruch "Store Belt" beschlagnahmt sind. Es sei Adm. Wurmbach u. Adm. Engelhardt gelungen, den Reichsbev. zum Einverständnis im Verhältnis von 1:4 zu bringen.[236]
IIa
gez. **Zimmer** 27.11.

185. Seekriegsleitung: Abwanderung Dänenschiffe 25. November 1944

Seekriegsleitung gjorde status over, hvad der var eller ville blive gjort for at forhindre danske skibes flugt til Sverige. Mistænkelige skibe fik tyske vagter. Mistænkelige skibe var statsskibe og skibe, der lige havde været til reparation. Ved private skibes flugt til Sverige ville der som repressalie blive beslaglagt to skibe fra samme rederi samt inddraget den flygtende kaptajns formue.

Parentetisk blev tilføjet, at der til gengæld for færgen "Store Bælt" var konfiskeret fire skibe ud fra størrelsesforholdet 1:4, idet der var taget hensyn til tonnagestørrelsen (BRT), men at reglen om, at det skulle være skibe fra samme rederi, var fraveget.

De forudgående forhandlinger, der ligger til grund for notatet, er ikke kendt, men der er rimeligvis tale om den løsning, som Wurmbach og Engelhardt havde fået Best til at gå ind på som gengældelsesforanstaltning. Bests aftryk på aftalen fremgår klarest af, at han ville have, at gengældelsen skulle ramme det samme

236 Se Seetransportchef Skagerrak til Wurmbach 22. november 1944.

rederi, som havde ladet et skib flygte og ikke dansk tonnage generelt. Med hensyn til "Store Bælt" havde han været nødt til at afvige denne regel, da det ville have været lammende for den statslige færgefart.

Se Bests reaktion vedrørende brug af repressalier mod skibskaptajner; Best til AA 12. december 1944.

Kilde: BArch, Freiburg, RM 7/1813. RA, Danica 628, sp. 7, nr. 5887 og sp. 10, nr. 9368.

Abschrift.

B. Nr. 1/Skl. II 34 578/44 gKdos. *Berlin, den 25. Nov. 1944.*

Geheime Kommandosache!

Betrifft: Abwanderung Dänenschiffe.

Aktenvermerk:

Folgende Maßnahmen zur Verhinderung der Abwanderung dän. H'schiffe nach Schweden sind ergriffen bzw. vorgesehen:

a.) Besetzung verdächtiger Schiffe mit milit. Begleitkdos.

Als verdächtig gelten grundsätzlich:

1.) alle Staatsschiffe,

2.) Reparaturschiffe, die Sund passieren,

3.) aufgelegte Schiffe, die wieder in Fahrt gesetzt werden.

Von Besetzung aller Schiffe mit Begleitkdos. wird vorläufig abgesehen. Gründe: Personalbedarf, diszipl. Gefährdung der eingeschifften Soldaten, Tatsache, daß bisher kein Schiff in Privatbesitz, sondern nur staatl. Schiffe ausgebrochen sind;

b.) Auslegung von Bewachungsfahrzeugen bei Helsingör und Drogden;

c.) Repressalien:

a.) Für jedes entwichene Schiff Einziehung von 2 Schiffen der gleichen Reederei.

b.) Vermögenseinziehung bei Kapitänen entwichener Schiffe.

Es besteht Klarheit darüber, daß die Maßnahmen in ihrer Gänze keine Gewähr für sichere Verhinderung der Abwanderung bieten. Die Maßnahmen können aber durchaus als z.Zt. ausreichend angesehen werden.

1/Skl. i.A. IIa

gez. **Zimmer**

(Für "Store Belt" Beschlagnahme im Verhältnis 1:4 (BRT) unter Abweichung von Grundsatz gleiche Reederei durchgeführt.)

186. Werner Best an das Auswärtige Amt 27. November 1944

Ressortdrøftelsen i Berlin 30. oktober med deltagelse af bl.a. Pancke løste ikke det problem, som Best havde forelagt AA 27. oktober, nemlig at Bovensiepen ville overtage en del af Bests ressortområder og embedsmænd. Best rykkede for svar, givetvis fordi Bovensiepen pressede på.

Se Wagner til Steengracht 5. december og Bests telegram nr. 1456, 18. december.

Kilde: PA/AA R 101.041. RA, pk. 232.

Telegramm

Ankunft, den 27. November 17.35 Uhr

An Aus. Bln.

G.-Schreiber Nr. 1325 v. 27.11.[44.]

Für baldige Entscheidung auf mein Telegramm Nr. 1291 vom 27.10.44[237] betreffend die Zuständigkeitsregelung zwischen meiner Behörde und der Polizei wäre ich dankbar.

Dr. Best

187. Werner Best: Kalenderaufzeichnung 27. November 1944

Barandon var hos Best for at melde sin fratræden, da han var blevet forsat til AA.

Der var blevet holdt afskedsmiddag for Barandon 22. november, og han forlod påfølgende Danmark for at blive afløst af minister Hans Bernard 9. januar 1945. Barandon blev i stedet AAs repræsentant hos OKHs chef, hvilket understreger, at han på ingen måde faldt i unåde.

Barandon havde i efteråret 1944 været Bests budbringer af meddelelsen til AA om, at samarbejdet mellem Best og Pancke fungerede meget dårligt. Desuden havde han efter politiaktionen 19. september udtalt sig telefonisk til AA om denne på en måde, der indbragte ham SS' fjendskab (telefonen blev som det fremgår ovenfor aflyttet). Det havde fået Himmler til hos Ribbentrop at søge at få Barandon fjernet med anklager om forræderi, hvilket til sidst lykkedes. AA valgte at trække Barandon hjem efter dennes eget ønske; Best formulerede det i en forklaring sådan, at Pancke havde albuet Barandon ud. I den anledning var Best i Berlin (28. december 1944) for at finde en afløser for Barandon. (Grundherrs og Barandons notitser 9. oktober 1944, Bests kalenderoptegnelser 22. november og 28. december 1944, afhøring af Best 17. oktober 1945 (CI Preliminary Interrogation Report CI PIR 115, 14. maj 1946 (kopi i HSB), Barandons forklaringer 10. maj og 6. juli 1948 (RA, Danica 234, pk. 89, læg 1164 og pk. 88, læg 1151), Steengrachts forklaring 25. juni 1948 (RA, Danica 234, pk. 88, læg 1148), Duckwitz' erindringer u.å. kap. VI, s. 9 (PA/AA, Nachlass Georg F. Duckwitz, bd. 29)). PKB, 14, s. XXXIII, Rosengreen 1982, s. 135f., BHAD, 1, 2000, s. 68f.).

Kilde: Best kalenderoptegnelser 27. november 1944.

Montag 27. November 1944
Vormittags im Dagmar-Haus.
Bespr. mit:
Dipl. Ing. Frickart, Reg. Ob. Insp. Struckmann. Prof. Dr. I.T. Lundbye. Schiffsfahrtsachverst. Duckwitz. Ges. Dr. Barandon (zur Abmeldung aus Anlaß seiner Versetzung zum Auswärtigen Amt Berlin).
[...]

237 Trykt ovenfor.

188. Kriegstagebuch/Seekriegsleitung 27. November 1944

På grund af det stigende antal havne- og værftssabotager i Danmark og Norge ønskede Seekriegsleitung at vide, hvordan enkeltsabotører arbejdede, så man kunne tage sine forholdsregler mod dem.

Seekriegsleitung fik svar 3. december 1944, der blev refereret i krigsdagbogen.

Kilde: KTB/Skl 27. november 1944, s. 618.

[...]

1. Skl. wendet sich an Skl./S mit nachstehendem Ersuchen:

"In letzten Wochen stark ansteigende Sabotage-Akte in dänischen und norwegischen Häfen oder Werften mit Ausfall dringend benötigten Schiffsraumes erfordern besondere Abwehrmaßnahmen. In mehreren Fällen wurden Sprengkörper vermutlich durch feindliche Einzelkämpfer von außen an die Schiffe herangebracht. Da Einsatzmöglichkeiten und Arbeitsmethoden solcher Einzelkämpfer beim KdK durch eigene Erfahrungen bekannt sind, hat Chef Skl. baldmöglichste Vorlage von praktischen Vorschlägen des KdK an Skl über Schutzmaßnahmen für in dänischen und norwegischen Häfen und Werften liegende Schiffe gegen Meereskämpfer befohlen."

[...]

189. Seekriegsleitung an Hans-Heinrich Wurmbach 27. November 1944

Seekriegsleitung havde efter "Store Bælt"s flugt (igen) ønsket flakbevæbning på de danske handelsskibe, og ønsket havde stået ubesvaret i 14 dage, indtil beslaglæggelserne den 24. november blev realiseret, og der samme dag blev truffet aftale mellem Wurmbach, Engelhardt og Best om, hvordan danske skibes flugt til Sverige fremover skulle gengældes. I den aftale indgik, at Wurmbach og Best var enige om, at flakbevæbning ikke var nødvendig. Begrundelsen var, at der på kritiske steder ville blive indsat tyske ledsageskibe.

Det var ubetvivleligt Bests ønske fra starten at undgå flakbevæbning. På dansk side var modstanden massiv, og Wurmbach har næppe været mere opsat derpå, da det ville være særdeles personel- og ressourcekrævende.

Kilde: BArch, Freiburg, RM 7/1813. RA, Danica 628, sp. 7, nr. 5888.

Abschrift

B. Nr. 1/Skl. II 34 514/44 Gkdos *Berlin, den 27.11.44*

Fernschreiben an: 1.) S Adm. Skag.
2.) S nachr. MOK Ost Führstab

Gkdos!

Chef/Skl. Adm. Qu VI teilt aus K'hagen fernschriftl. 24.11. mit:
Nach Rückspr. mit Adm. Skag. und Reichsbev. Flakbewaffnung dän. H-schiffe auch nicht notwendig, da Adm. Skag. an gefährdeten Punkten durch verstärkte Geleitsicherung glaubt, Ausbrechen nach Schweden verhindern zu können.

Zusatz Skl.: Hier nur Absicht Auslegung stationärer Bewacher bei Helsingör und Drogden bekannt. Drahtbericht.

Seekriegsleitung
B. Nr. 1/Skl. II 34 514/44 Gkdos

190. Werner Best an das Auswärtige Amt 28. November 1944

Oplysninger om et stigende antal dødsfald blandt de deporterede danske betjente foranledigede UMs direktør Nils Svenningsen til at overrække Best en protestnote. Best videresendte den i sin helhed med en kort kommentar om, at skadevirkningen af oplysningerne om dødsfaldene hos den danske befolkning bedst kunne begrænses, hvis den etapevise løsladelse af de internerede politifolk blev påbegyndt, som Kaltenbrunner havde lovet på mødet i AA 30. oktober. I øvrigt ønskede han anvisning på, hvad han skulle svare.

Kaltenbrunners løfte er ikke kendt andetsteds fra og ville i så fald være en ændring af den beslutning, han tidligere havde truffet, men det var ikke desto mindre reelt. Det fremgår bl.a. af, at der kom gang i de første løsladelser i december (se Best til AA 6. december 1944). Kaltenbrunner havde med løftet givet Best en mulighed for på falderebet at redde et politisk kort i forhold til den danske administration (Hæstrup, 2, 1966-71, s. 179 (der ikke kender Kaltenbrunners løfte)).

Kilde: PA/AA R 101.041. RA, pk. 232.

Telegramm

Kopenhagen, den	28. November 1944	21.20 Uhr
Ankunft, den	28. November 1944	22.50 Uhr

Nr. 1334 vom 28.11.44.

Vom dänischen Außenministerium habe ich unter dem 27.11.1944 das folgende Schreiben erhalten:

"Vom Befehlshaber der Sicherheitspolizei und des SD in Dänemark hat das Außenministerium verschiedene Meldungen über Todesfälle unter den nach Deutschland deportierten dänischen Staatsangehörigen erhalten. Diese Meldungen haben auf dänischer Seite, besonders in den Fällen, wo es sich um deportierte dänische Polizeibeamte gehandelt hat, große Unruhe und ernste Besorgnis hervorgerufen. Die in Deutschland internierten Polizeibeamten sind ja nämlich als Zivilinternierte zu betrachten und können demgemäß eine Behandlung beanspruchen, mindestens ebenso gut wie die Behandlung, die Kriegsgefangenen zuteil wird. Dies ist seitens der deutschen Regierung anerkannt worden.

Wenn man bedenkt, daß die in Deutschland internierten Polizeibeamten sich bis jetzt nur etwa 10 Wochen in Haft befunden haben, sowie daß es sich um verhältnismäßig junge Leute handelt, die als Polizisten sportlich trainiert und im allgemeinen in guter physischer Kondition sind, so scheint die Zahl der unter diesen Leuten vorgekommenen Todesfälle – im ganzen neun, davon fünf bis zum 4. November 1944, während bei den vieren der Todestag bis jetzt nicht angegeben ist – beunruhigend groß zu sein. Es sind hier Stimmen laut geworden, die Zweifel darüber aufgeworfen haben, ob die in Deutschland internierten Polizeibeamten in der Praxis tatsächlich übereinstimmend mit der von der deutschen Regierung gegebenen Zusage wegen Zivilinterniertenbehandlung in Bezug auf Unterbringung, Hygiene, Verpflegung usw. behandelt werden.

Das Schicksal der deportierten Polizeibeamten liegt der dänischen Behörden, und man darf sagen der ganzen dänischen Bevölkerung sehr am Herzen, und jede Meldung über den Verlauf der Internierung für den einzelnen wird in ganz Dänemark mit aufmerksamem Interesse entgegengenommen. Wenn man diese Angelegenheit in weiterer Perspektive anschaut, so meldet sich der Gedanke, daß auch die Behandlung dieser

Leute während der Internierung in Deutschland – unter vielen anderen Faktoren – für das künftige Verhältnis zwischen Dänemark und Deutschland nicht ohne Bedeutung werden wird.

Indem auch bei dieser Gelegenheit die Bitte wegen beschleunigter Rückführung der deportierten Polizeibeamten wiederholt wird, darf gleichzeitig den maßgebenden deutschen Stellen eindringlichst nahe gelegt werden, sich dafür einzusetzen, daß die zugesicherte Zivilinterniertenbehandlung der dänischen Polizeibeamten während des hoffentlich nur kurzen Zeitraums bis zu ihrer Rückführung in der Tat auch genau durchgeführt wird.

Schließlich erlaube ich mir die Anregung zu machen, daß dänischen Ärzten, darunter z.B. dem Polizeiarzt, Gelegenheit gegeben wird, das Interniertenlager zu besuchen, um sich über den Gesundheitszustand der internierten Polizeibeamten an Ort und Stelle zu erkundigen."

Ich bitte um Weisung, welche Antwort ich dem dänischen Außenminister erteilen soll.

Die Auswirkungen der vorstehend erörterten Todesfälle auf die Stimmung in der dänischen Bevölkerung wurden am besten abgefangen, wenn die am 30.10.44 mit dem Chef der Sicherheitspolizei und des SD vereinbarten Etappenweise Entlassung der internierten Polizeibeamten beschleunigt würde.

Dr. Best

191. Eberhard Reichel an Werner Best 28. November 1944

AA meddelte Best, at det kommunale sygehus i Løgumkloster ikke kunne beslaglægges af SS til det ønskede formål, da det var imod gældende konventioner. Heller ikke ville køb eller leje efter en overenskomst derom være muligt, da det ikke lod sig gøre af valutaoverførselsgrunde.

Svaret nåede ikke frem til Best. Han rykkede 5. december AA for en stillingtagen, idet Waffen-SS forsorgsofficeren ville se sig om efter en anden bygning, hvis svaret blev negativt.

Reichels besked har Best efterfølgende med forsinkelse kunnet lade gå videre til SS, som imidlertid ikke opgav planerne om en fødeklinik i Lebensborns regi i Danmark. Det gik dog trægt; den blev først åbnet i København i maj 1945, men forinden havde Lebensborn igangsat andre initiativer i Danmark, se Horst Wagners notits 12. januar 1945 (Lilienthal 1985, s. 194, Warring 1994, s. 154).

Kilde: PA/AA R 100.358.

Inl. II C 4163 *den 28. November 1944*

Betr.: Beschlagnahme des Krankenhauses in Lügumkloster.

An den Reichsbevollmächtigten in Dänemark
Kopenhagen

Auf Bericht vom 11.11.44 – II D 2158 –[238]

238 Trykt ovenfor.

Wenn auch Dänemark nicht als besetztes feindliches Gebiet im Sinne der Haager Landkriegsordnung anzusehen ist, so können doch die Bestimmungen der Haager Landkriegsordnung über das Requisitionsrecht entsprechend angewandt werden. Eine Inanspruchnahme des kommunalen Krankenhauses in Lügumkloster als Entbindungsheim kann nach dem Requisitionsrecht jedoch nicht erfolgen, da nach Art. 52 der Haager Landkriegsordnung nur für Bedürfnisse der Wehrmacht requiriert werden darf. Davon, daß die Bräute und Frauen der Freiwilligen etwa Wehrmachtsgefolge seien, kann nicht die Rede sein.

Im Gegensatz zum Requisitionsrecht ist eine entsprechende Anwendung des Beuterechts in Dänemark unzulässig, da Dänemark kein Feindstaat ist. Eine Beschlagnahme des Krankenhauses unter dem Gesichtspunkt des Beuterechts kann daher nicht erfolgen.

Sollte daher eine vertragliche Vereinbarung nicht zustande kommen, so bleibt nur die Möglichkeit eines Versuchs, die Enteignung im öffentlichen Interesse gegen eine angemessene Entschädigung bei den zuständigen dänischen Regierungsstellen zu erwirken und zwar unter Beobachtung der einschlägigen dänischen gesetzlichen Bestimmungen. Dies wird jedoch aus Transfergründen auch nicht möglich sein.

Im Auftrag
gez. **Reichel**

192. Seekriegsleitung: Beschlagnahme dänischer Schiffe 28. November 1944

Efter beslaglæggelserne af danske skibe 24. november opregnede Seekriegsleitung, hvor mange der skulle skaffes tyske besætninger til.

Kilde: BArch, Freiburg, RM 7/1813. RA, Danica 628, sp. 7, nr. 5916.

Seekriegsleitung — *Berlin, den 28.11.1944.*
Zu: B-Nr. 1. Skl. I i 34 599/44 gKdos. — Geheim! Kommandosache!

I.) Vermerk

Betr.: Beschlagnahme dänischer Schiffe.

Nach der Lagemeldung MOK Ost/Führstb. op 07185 vom 24.11.[239] abends ist die Besetzung folgender Schiffe vorgesehen:
1.) "Aalborghus"
2.) "Kronprinz Olaf"
3.) "Hans Broge"
4.) "Frem"
5.) "Angamos"
6.) "Skipper Clement"
7.) "M.G. Melchior"

239 Skrivelsen er ikke lokaliseret.

Die weitere Erhöhung der Beschlagnahme beruht auf Besprechungen zwischen Admiral Skagerrak, Seetransportchef Konteradmiral Engelhardt und dem Reichsbevollmächtigten Dr. Best. Weitere Meldungen bleiben abzuwarten.

II.) Über I c1 zu den Akten.

193. Gottlob Berger an Heinrich Himmler 28. November 1944

Berger havde fået tilsendt SS-rettens indstilling af 2. november 1944 vedrørende K.B. Martinsen og videregav oplysningerne om et enkelt af anklagepunkterne: At Martinsen havde videregivet oplysninger til Himmler om, at tyske myndigheder stod bag modterroren i Danmark. De øvrige punkter blev ikke omtalt, da Bergers ærinde først og fremmest var nedlæggelsen af Schalburgkorpset og fjernelsen af K.B. Martinsen. Skylden for, at Schalburgkorpset var blevet en fiasko, blev helt og fuldt lagt på både Pancke og Best, og korpset selv karakteriseret som præget af drukkenskab og sløseri med penge. Martinsen var ganske vist ikke kendt skyldig i forræderi mod tyske myndigheder, men Berger indstillede alligevel, at Martinsen (og hans adjudant Knud Thorgils) blev holdt i æresarrest til krigens slutning. Selv krævede Martinsen at blive sendt tilbage til Danmark. Afgørelsen var nu Himmlers.

Brandt afgav Himmlers afgørelse til Berger 3. december 1944.

Kilde: BArch, NS 19/1496. RA, pk. 442.

Der Reichsführer-SS
Der Chef des SS-Hauptamtes
CdSSHA/Be/We.
VS-Tgb. Nr. 1406/44 g.Kdos.
Adjtr-Tgb. Nr. 1160/44 g.Kdos.

Berlin-Grünwald, den 28.11.1944

3 Ausfertigungen
1. Ausfertigung
Geheime Kommandosache

Betrifft: SS-Obersturmbannführer Martinsen

An Reichsführer-SS und Reichminister des Innern
Berlin SW 11
Prinz-Albrecht-Str. 8

Reichsführer!

Der Zeit entsprechend bitte ich über den seitherigen Führer des Schalburg-Korps, SS-Obersturmbannführer Martinsen, kurz berichten zu dürfen:

1.) SS-Obersturmbannführer Martinsen wurde als Führer des Schalburg-Korps eingesetzt. Letzteres war von mir als überparteiliche Organisation gedacht, die nicht nur die guten Mitglieder der DNSAP, sondern auch alle deutschfreundlichen Teile Dänemarks unter einer straffen Organisation zusammenfassen sollte. Leider halben sowohl Dr. Best als auch SS-Obergruppenführer Pancke diesen großen Gedanken nicht erkannt und dieses Schalburg-Korps als Privat-Garde angesehen. Es wurde überaus verwöhnt und mit Geldmitteln überhäuft (es erhielt in den ersten Monaten 800.000 Kronen pro Monat!). SS-Obersturmbannführer Martinsen war nicht der Mann, dieses viele Geld zu ertragen. Es kam innerhalb des Schalburg-Korps oft zu erheblichen Ausschreitungen in der Trunkenheit. Dazu kam, daß SS-Obersturmbannführer Martinsen es keinesfalls mit den Frauen genau nahm. Er hatte eine besondere Freude daran, Frauen von in Felde stehenden Kameraden zu verführen.

2.) Die Lage erkennend, habe ich mich im April dieses Jahres bemüht, SS-Obersturmbannführer Martinsen auf einen anderen Weg zu bringen. Ich habe ihm vor allen Dingen das Unsinnige seiner Lebensführung vor Augen gehalten. Diese Ermahnungen wirkten sich ungefähr 3 Wochen aus, dann war alles wieder beim Alten.

Man kann SS-Obersturmbannführer Martinsen nach dieser Seite hin keinen zu großen Vorwurf machen, denn er spürte sehr bald, daß eine Einheitlichkeit der Befehlsgebung innerhalb der Schutzstaffel nicht vorhanden war.

3.) Gegen meinen Willen wurde das Schalburg-Korps bewaffnet; 1.100 Mann wurden einberufen, hiervon etwa 900 Mann kaserniert, das Korps selbst zu Terrorakten gegen Sabotage eingesetzt. Obwohl gut bewaffnet, jedoch ungenügend für diese Aufgabe vorbereitet, fielen die Schalburg-Leute sehr bald auf. Sobald SS-Obersturmbannführer Martinsen merkte, daß der ganze Haß Dänemarks sich gegen ihn richtete, versuchte er, sich rein zu waschen. Bei dem Versuch seines Adjutanten, SS-Obersturmbannführer Martinsen in einigen klar nachweisbaren Fällen zu rehabilitieren, wo ihm in der dänischen Öffentlichkeit Mord und Sabotage vorgeworfen wurden, die er tatsächlich nicht begangen hatte, erfolgte durch den Adjutanten gegenüber einem Dritten der nicht misszuverstehende Hinweis, daß ein Gross-Sabotage-Akt nicht vom Schalburg-Korps gemacht worden sei, sondern seinen Urheber im "Schellhaus" habe, dem Sitz der deutschen Sicherheitspolizei.

Dies war nach Lage der Dinge der Verrat eines deutschen Unternehmens, von dem SS-Obersturmbannführer Martinsen und sein Adjutant im strengsten Vertrauen dienstlich als SS-Führer Kenntnis erhalten haben. Sie wurden daraufhin nach Berlin befohlen und verhaften. Das Ergebnis der Untersuchung besagt, daß dem Adjutanten, SS-Obersturmführer Torgils, dieser Verrat nachzuweisen ist, SS-Obersturmbannführer Martinsen dagegen nicht zu beweisen ist, daß er seinen Adjutanten mit der Weitergabe dieser Nachricht an den Mittelsmann der dänischen Polizei beauftragt hat. Er bestreitet dies in allen Vernehmungen, der Adjutanten hat für die gegenteilige Behauptung keinen Zeugen.

4.) SS-Obersturmbannführer Martinsen lehnt es ab, an die Front zu gehen, besinnt sich auf einmal darauf, dänischer Offizier zu sein und verlangt, nach Dänemark zurückgeschickt zu werden. Bei der Sprunghaftigkeit der Entschlüsse des SS-Obersturmbannführer Martinsen halte ich eine Entlassung für gefährlich und stimme dem Antrag der Geheimen Staatspolizei, ihn und Torgils über die Dauer des Krieges in Ehrenhaft zu halten, zu.

5.) Ich bitte um die Entscheidung des Reichsführers-SS.

G. Berger
SS-Obergruppenführer

194. Eberhard Reichel an Werner Best 28. November 1944

AA orienterede Best om, at medlemmer af det tyske mindretal, der gjorde tjeneste som officerer i værnemagten, ikke automatisk fik tysk statsborgerskab. Der var lavet en rundskrivelse til førerordren af 19. maj 1943, der i enkelttilfælde kunne gøre undtagelser med hensyn til statsborgerskabet, så det ikke indtrådte.

For Bests indstilling, se hans telegram nr. 982, 21. august 1944.

Kilde: PA/AA R 100.358.

Inl. II C 4187/44 *den 28. November 1944*

Mit Beziehung auf den Bericht vom 4.8.43 – I C N Sch 15 – und im Anschluß an den Erlaß vom 20.11.43 – Inl. II C 4739 –[240]

An den Reichsbevollmächtigten in Dänemark
Kopenhagen

Das Oberkommando der Wehrmacht hat nunmehr unter dem 1.9.44 die in Abschrift beigefügte Verfügung betr.: Beförderung von deutschstämmigen Ausländern zu Offizieren des Beurlaubtenstandes, erlassen. Sie ist den Wehrmachtteilen zur Veröffentlichung in ihren Mitteilungsblättern zugestellt worden. (Vgl. Heeresmitteilungen 1944 Nr. 532).

Nach der Verfügung kann von dem Erfordernis des Erwerbs der deutschen Staatsangehörigkeit im Einzelfall dann abgesehen werden, wenn die Einwandererzentralstelle gemäß Runderlaß des Reichsministeriums des Innern vom 23.5.44 zum Führererlass vom 19.5.43[241] betr. Erwerb der deutschen Staatsangehörigkeit durch deutschstämmige Angehörige der Wehrmacht usw., festgestellt hat, daß der Staatsangehörigkeitserwerb aus besonderen Gründen nicht eingetreten ist und die Volksdeutsche Mittelstelle Einwendungen gegen eine Beförderung nicht erhoben hat.

Im Auftrag
gez. **Reichel**

195. OKW an das Auswärtige Amt 28. November 1944

OKW indbød til en drøftelse af værnemagtsfinansieringen i Danmark, herunder Waffen-SS' forsorgsofficers udækkede behov for 225.000 kr. om måneden.

Den samme indbydelse blev sendt til RWM, RFM og SS-Rasse und Siedlungsamt. Se referaterne af mødet hos Türk 1. december og Arndt 5. december 1944.

Kilde: BArch, R 901 113.555. RA, pk. 271.

SSD HOJG 349 28/11 19.30
SSD an das Auswärtige Amt Berlin

Zur Erörterung grundsätzlicher Fragen der Wehrmachtfinanzierung Dänemark bittet

240 Skrivelsen er ikke lokaliseret.
241 Begge trykt i PKB, 14, nr. 347 og 346.

OKW/AG WV auf den 1.12. – 11.30 Uhr nach Jüterbog – Neues Lager, Doppel-Kompanie-Gebäude 4 A.

Hauptsächliche Besprechungspunkte:
Abstimmung der Geldmittelbewirtschaftungsgrundsätze Wehrmacht, SS und Polizei, Verwendung ziviler Besatzungskosten und Aufbringung der Geldmittel für SS-Fürsorgeoffz. Für letzteren Zweck zwangsläufig zunehmend höhere Geldmittel erforderlich. Bedarf gegenwärtig monatlich RM 750.000 in Dänenkronen, wovon nur RM 525.000 über Clearing bereitgestellt werden, Rest aber ungedeckt ist.

Oberkommando der Wehrmacht
3 F 31 AG WV 3 (VIII) 4836/44 G
I.A.
gez. **Dr. Biehler**
Generalintendant

196. Wilhelm Keitel an WB Dänemark u.a. 28. November 1944

Det havde af øjenvidneberetninger vist sig, at der trods trufne foranstaltninger stadig var en tendens til at opbygge stabe, kvarterer og tjenestesteder med henblik på den personlige bekvemmelighed bag fronterne. Alle sådanne tendenser skulle bekæmpes, der skulle leves et krigsmæssigt liv. Inden den 10. december ville OKW have at vide, hvad de værnemagtsøverstbefalende havde gjort for at komme uvæsenet til livs.

Se endvidere Keitel til WB Dänemark u.a. 10. januar og til WB Dänemark 24. marts 1945.

Kilde: BArch, Freiburg, RW 4/754. RA, Danica 1069, sp. 1, nr. 22f. (med håndskrevne ulæselige rettelser).

Oberkommando der Wehrmacht — *F.H.Qu., den 28.11.1944.*
WFSt/Qu.2/Nr.08179/44 geh. II Ang. — Geheim

Entwurf

Betr.: Maßnahmen zur Ausrottung von Etappenerscheinungen.

An
1.) Ob. West
2.) Ob. Südwest
3.) Ob. Südost
4.) W. Bfh. Norwegen
5.) W. Bfh. Dänemark

Nach vorliegenden Berichten von Augenzeugen haben die bisherigen Maßnahmen zur Ausrottung von Etappenerscheinungen nur teilweise den erwünschten Erfolg gebracht. Es wird im Gegenteil sogar ein Übergreifen dieser Erscheinungen auch auf die Grenzgebiete des Reiches gemeldet. Das beweist, daß hier nur mit radikalsten Mitteln Abhilfe geschaffen werden kann. Der persönlichen Bequemlichkeit hinter der Front ist schärfster Kampf anzusagen, manche vielleicht berechtigte Rücksichtnahme muß im Interesse der

Gesamtheit fallen. Durch Mehrarbeit läßt sich hierdurch jede entstehende Erschwerung des Dienst- und Arbeitsbetriebes ohne weiteres wett machen. Eine bewußt genügsam gehaltene und dadurch etwas langsamer arbeitende Etappe ist der kämpfenden Truppe eine Hilfe, eine bequeme und anspruchsvolle Etappe ist die größte Gefahr für sie und muß mit Stumpf und Stiel ausgerottet werden.

Die Oberbefehlshaber müssen dieser entscheidend wichtigen Frage noch mehr als bisher ihre besondere persönliche Aufmerksamkeit widmen. Neben den bereits ergriffenen Maßnahme ist noch notwendig:

a.) Schärfstes Durchgreifen gegen jeden Versuch, Quartieransprüche französischen Maßstabes auf Kosten der deutschen Zivilbevölkerung durchzusetzen, die unter schwersten Entbehrungen in vorbildlicher Anspruchslosigkeit durchweg ein Vielfaches der Leistungen des Soldaten hinter der Front vollbringt. Der beigefügte Befehl des Chefs des Gen.St. d.H. gibt hierzu einen Hinweis.

b.) Personelle Überprüfung der bodenständigen Stäbe und Dienststellen, wie Kommandanturen, Fliegerhorste, Nachrichtenzentralen, Intendanturen, Lazarette, Parke usw. die bisher in den besetzten Gebieten ein meist wenig kriegsmäßiges Leben geführt haben. Hier ist ein regelmäßiger personeller Austausch in Verbindung mit den Personalämtern und Verwaltungsämtern der Wehrmachtteile sofort einzuleiten.

Bis zum 10.12.44 sind die bereits durchgeführten, laufenden und vorgesehenden Maßnahmen zur Bekämpfung von Etappenerscheinungen zu melden, damit die Erfahrungen auf den verschiedenen Kriegsschauplätzen untereinander ausgewertet werden können.

I.A.
[underskrift]

197. Wilhelm Keitel an Chef Wehrmachtstreifendienst 29. November 1944

Efter en drøftelse med AA havde RFSS besluttet at indføre skærpet grænsekontrol mellem Tyskland og Danmark for at hindre sortbørshandel med danske fødevarer og illegal eksport deraf til Tyskland.

Den illegale eksport af danske fødevarer havde stået på længe, dansk politi og grænsegendarmer havde ikke kunnet gøre noget direkte derved, da de ikke selv måtte stoppe smuglerne. Den illegale eksport var altså ikke øget alene pga. det danske politis og grænsegendarmeris fjernelse, men også på grund af stærkt øget fødevaremangel i Tyskland. Smugleriet stod i nær forbindelse med det meget omfattende antal tyske tjenesterejser til Danmark (se Keitel til von Hanneken u.a. 27. oktober 1944).

Kilde: RA, Danica 1069, sp. 1, nr. 416.

WFSt/Qu.2 (Nord) *29.11.1944.*

S S D – F e r n s c h r e i b e n

An
1.) Chef Wehrmachtstreifendienst
nachr.:
2.) Reichsicherheitshauptamt – Generalgrenzinspekteur – zu FS IV G 3 Nr. 492/44 vom 25.11.44

3.) OKH/Heerwesenabteilung
4.) AWA/WV
5.) AWA/W. Allg.
6.) Chef F.T.

Mit Anschriftenübermittlung!

Betr.: Unterbindung des Schwarzhandels mit dänischen Lebensmittel und illegalen Exports.

1.) Im Anschluß an eine Besprechung beim Auswärtigen Amt am 30.10.44[242] hat Reichführer SS befohlen, daß zur Unterbindung des Schwarzhandels mit dänischen Lebensmitteln und des illegalen Exports ab sofort eine verschärfte Kontrolle des Güterverkehrs nach dem Reich an der dänischen Grenze einzusetzen hat.
2.) Chef Wehrmachtsstreifendienst wird beauftragt, im unmittelbaren Einvernehmen mit Reichssicherheitshauptamt die Grenzkontrolle gegenüber Dänemark hinsichtlich des Warenverkehrs nach den gleichen Gesichtspunkten zu verschärfen, insbesondere sicherzustellen, daß jede Verbringung von Waren aus Dänemark, die den hierfür erlassenen Bestimmungen des OKW zuwiderläuft, unterbunden wird.

I.A.
gez.: **Keitel**
OKW/WFSt/Qu.2 (Nord)
Nr. 1411/44

198. Wilhelm Keitel an WB Dänemark, WB Norwegen u.a. 29. November 1944

Keitel tilsluttede sig Dönitz' opfattelse af, at skibssabotagen i Norden havde taget et så stort omfang, at der måtte gøres noget energisk for at stoppe den. Han omtalte tiltagene med øget bevogtning, men undlod ikke til sidst at komme ind på, at de ansvarlige personer burde drages til ansvar. Her underforstået personalet på værfterne.

Fjernskrivermeddelelsen forelå i en første version 27. november, hvor der var et punkt mere med en opfordring til Himmler om at stille mandskab til rådighed. Det blev siden slettet, muligvis efter at en forgæves henvendelse til RFSS var foretaget. Keitels opfattelse tog Kaltenbrunner også stilling til 7. december. Von Hanneken svarede 9. december (Rosengreen 1982, s. 148).

Kilde: BArch, Freiburg, RW 4/754. RA, Danica 1069, sp. 1, nr. 304f. EUHK nr. 144 (uden adressater og overskrift).

Geheime Kommandosache
WFSt/Qu.2 (Nord)

F.H.Qu., den 29. November 1944

2 Ausfertigungen
1. Ausfertigung

242 Se Steengracht til Ribbentrop 1. november 1944.

K R - F e r n s c h r e i b e n

an

1.) W.B. Dänemark
2.) W.B. Norwegen
3.) Reichsführer-SS u. Chef d. Dt. Polizei – Reichssicherheitshauptamt –
4.) nachr. Ausw. Amt, z.Hd. Botschafter Ritter
5.) – Ob.d.M.
6.) – Chef H Rüst u BdE/AHA/Stab

Betr.: Sabotage in Norwegen und Dänemark.

Die Sabotage auf Werften und an Schiffen im norwegisch-dänischen Raum hat einen Umfang angenommen, der energischer Abhilfe bedarf:

1.) W.B. Norwegen und W.B. Dänemark werden beauftragt, bei dem Reichskommissar f. d. bes. norweg. Gebiete bzw. bei dem Reichsbevollm. in Dänemark den Erlaß einer Verordnung und deren Durchführung durch den BdS zu erwirken, nach der die Gefolgschaftsmitglieder und ggf. ihre Angehörigen (Sippenhaftung) für die in ihren Betrieben vorkommenden Sabotagefälle mit verantwortlich gemacht werden. Jeder Werft- usw. Arbeiter muß wissen, daß jeder in seinem Arbeitsbereich vorkommende Sabotagefall für ihn persönlich und bei seinem Verschwinden für seine Angehörigen die allerschwersten Folgen nach sich zieht.

2.) W.B. Norwegen und W.B. Dänemark verstärken den bisher durch Polizei, Sonderkommandos der Kriegsmarine und Reikosee durchgeführten Sabotageschutz durch Bewachungskräfte der Truppe aller Wehrmachtteile in Zusammenarbeit mit dem BdS mit allen zu Gebote stehenden Mitteln. In Südnorwegen ist hierbei auf den erheblichen Rückstau an Soldaten im Raum um Oslo zurückzugreifen.

Wenn die in Oslo und auch in Dänemark verfügbaren zahlreichen Soldaten des Rückstaues und der rückwärtigen Einheiten energisch ausgenutzt werden, dann kann die Bewachung verdreifacht werden.

Ich kann ferner nicht dulden, daß derartige Sabotageakte als etwas Gottgegebenes und Unabänderliches hingenommen werden, ohne daß die für die Sicherung verantwortlichen Persönlichkeiten zur Verantwortung gezogen werden.

Zum Sabotageschutz eingesetzte Kräfte der Wehrmacht sind dem verantwortlichen BdS einsatzmäßig zu unterstellen.

Der Chef OKW
Keitel
OKW/WFSt/Qu. 2. (Nord) Nr. 0013972/44 g.Kdos

199. Kriegstagebuch/Seekriegsleitung 29. November 1944

Der havde fundet en otte dages besigtigelsesrejse af det danske kystforsvar sted. Det forhåndenværende søartilleri ville ikke, heller ikke når der medregnedes det, der var under bygning, være tilstrækkeligt til at forhindre en invasion, og mange steder end ikke til at opholde fjenden for alvor. Kystforsvaret måtte derfor forstærkes, især mht. at udbygge tyngdepunkterne. Da der ikke var udsigt til at få tilført yderligere artilleri, måtte man også drøfte en tyngdepunktsmæssig indskrænkning af kystartilleriet.

Kilde: KTB/Skl 29. november 1944, s. 662.

[...]

e.) Vertreter von Mar. Rüst AWA und Pi. Wa sowie Skl Adm. Qu haben vom 31.10.-7.11. Bereisung dänischer Küsten durchgeführt, um Überblick über Ausbauzustand und materielle Bereitschaft der artl. Küstenverteidigung zu gewinnen und in Aussprachen mit Adm. Skagerrak und den Seekommandanten laufende und künftige Planungsarbeiten zu klären.

Im Ergebnisbericht heißt es abschließend:

"Der Gesamteindruck der Küstenverteidigung der jütischen Halbinsel, soweit er aus der zeitlich bedingten Flüchtigkeit des Einblickes zu gewinnen ist, deckt mit der Beurteilung der artilleristischen Verteidigung der seeländischen Inseln. Die Seezielartillerie genügt auch nach Fertigstellung aller im Bau befindlichen Batterien nicht, um eine Landung zu verhindern, an vielen Stellen nicht einmal, um sie ernstlich aufzuhalten. Es muß daher eine wesentliche Verstärkung der Küstenverteidigung und außerdem oder ausschließlich eine stärkere Betonung des schwerpunktmäßigen Ausbaues erfolgen.

Da jedoch voraussichtlich mit einer nennenswerten Vermehrung des zur Verfügung gestellten Geschützmaterials, insbesondere der dringend erforderlichen Mittelbatterien nicht gerechnet werden kann, muß die Frage einer schwerpunktmäßigen Beschränkung des Ausbaues der Seezielartillerie auch für diesen Teil des dänischen Raumes noch einmal geprüft werden."

[...]

200. Werner Best an das Auswärtige Amt 30. November 1944

Efter en redegørelse for de organisatoriske forhold for tysk byggeri i Danmark var det Bests indstilling, at der ikke var brug for en særlig stilling som generalingeniør for OT i Danmark. AA havde spurgt dertil 22. november. Best tilføjede, at der i hans stab var ekspertisen til varetagelse af de opgaver, der ikke på anden måde blev varetaget.

Af både en maskinskrevet og håndskrevet påtegning fremgår det, at AA tilsluttede sig denne indstilling. Türk gjorde i sin påtegning 1. december opmærksom på, at OKW i en skrivelse 13. november havde opgivet at indføre en generalingeniør (se OKW til WB Dänemarks Wehrmachtsintendant 12. november 1944 ovenfor).

Kilde: PA/AA R 105.210. RA, pk. 282. RA, Danica 201, pk. 81A (afskrift).

Telegramm

Kopenhagen, den	30. November 1944	19.50 Uhr
Ankunft, den	30. November 1944	21.15 Uhr

Nr. 1343 vom 30.11.[44.]

Auf das Telegramm Nr. 1356[243] vom 22.11.1944 berichte ich nach Rücksprache mit dem Einsatzchef der OT in Dänemark, Landesrat Martinsen, daß die Einsetzung eines Generalingenieurs für Dänemark voraussichtlich nicht zu dem von dem Reichsfinanzminister erstrebten Erfolg führen würde. Denn die Generalingenieure sind bis jetzt (mit einer einzigen Ausnahme) nicht vom OKW, sondern vom OKH eingesetzt worden, so daß sie nur auf das Bauwesen des Heeres, nicht aber auf das Bauwesen der Kriegsmarine und der Luftwaffe Einfluß nehmen können. Andererseits ist der Einsatzchef der OT in Dänemark auf Grund einer vom Reichsminister für Rüstung und Kriegsproduktion getroffenen Regelung bereits in das Bauwesen der Kriegsmarine und der Luftwaffe eingeschaltet, so daß insoweit der erstrebte Zweck bereits erreicht wird. Da im übrigen das Bauwesen aller Wehrmachtsteile in Dänemark dem Steuerungserlaß des OKW vom 21.2.1944 und den vom Wehrmachtsbefehlshaber Dänemark hierzu erlassenen Durchführungsbefehlen unterliegt, erscheint hinsichtlich des Bauwesens der Wehrmacht in Dänemark die Einsetzung eines Generalingenieurs nicht erforderlich. Im übrigen werden alle Aufgaben der Baupreisregelung und der Baupreisprüfung in der Hauptabteilung Technik meiner Behörde deren Leiter der Einsatzchef der OT, Landesrat Martinsen, ist, unter politischen und wirtschaftlichen Gesichtspunkten bearbeitet und die Durchführung der erlassenen Bestimmungen kontrolliert, so daß auch unter diesen Gesichtspunkten die Einsetzung eines besonderen Generalingenieurs nicht erforderlich erscheint.

Dr. Best

Unter Bezugnahme auf die hier im Durchdruck vorliegende Aufzeichnung Nr. 151 zu dem Schreiben des Reichsfinanzministers an den Herrn Reichsaußenminister, betreffend u.a. die Bestellung eines Generalingenieurs der OT für Dänemark

über Dg. Ha. Pol. Herrn Gesandten Schnurre ergebenst vorgelegt.

Der Drahterlaß Nr. 1356 an den Reichsbevollmächtigten in Kopenhagen.

201. Lutz Schwerin von Krosigk an das Auswärtige Amt 30. November 1944

Rigsfinansministeren fastholdt i henhold til et tidligere brev til AA, at udgifterne til de tyske jernbanefolk, der gjorde tjeneste i Danmark, skulle betales via den rigsbefuldmægtigede, da det drejede sig om sikring af værnemagtstransporter, og udgiften dertil måtte tages af besættelsesmiddelkontoen. RFM ville ikke betale.

AAs svar er ikke lokaliseret.

Kilde: BArch, R 901 113.555. RA, pk. 271.

243 Ha Pol. VI 3020/44. Trykt ovenfor.

Der Reichsminister der Finanzen *Berlin, den 30. November 1944*
Y 5104/1 – 336 W

Betr.: Versorgung der in Dänemark eingesetzten Reichsbahnbediensteten mit Zahlungsmitteln
Ihr Schreiben vom 11. Oktober 1944[244] – Ha Pol VI 2706/44 – T 18/12 1b

Auswärtiges Amt
Berlin

Der Reichsverkehrsminister hatte mir durch Schreiben vom 2. Mai 1944 – 41 g Khl (Dänemark) mitgeteilt, das OKW habe die Übernahme der durch den Einsatz der Reichsbahnbediensteten in Dänemark entstandenen Kosten zu Lasten des Wehrmachthaushalts abgelehnt, solange die eingesetzten Kräfte nicht zum Wehrmachtgefolge gehörten. Er habe es daher übernommen, die von der Wehrmacht für die Reichsbahnbediensteten in Dänemark geleisteten Ausgaben vorläufig auf die Wirtschaftsmittel der Deutschen Reichsbahn zu verrechnen und der Feldkasse des Wehrmachtbefehlshabers Dänemark zu erstatten. Die Deutsche Reichsbahn komme aber für die Übernahme der Kosten nicht in Betracht. Er bitte deshalb, diese Kosten zu übernehmen und die erforderlichen Mittel im Reichshaushalt bereitzustellen.

Ich habe durch mein Schreiben vom 24. Juni 1944[245] – Ve 6042 Dän 2 V – darauf hingewiesen, daß durch den Einsatz der Reichsbahnbediensteten in Dänemark entstandenen Kosten innere Besatzungskosten darstellten und daß der Bevollmächtigte des Deutschen Reichs in Dänemark diese Kosten aus den Besatzungskostenkredit zur Verfügung zu stellen hätte. Die von mir erwähnte Bereitstellung der Ausgaben für die Reichsbahnbediensteten in Dänemark entspricht den Abmachungen in Artikel 4 und 5 der Vereinbarung vom 17. bis 26. August 1940.

Ich habe mit meinem Schreiben nicht sagen wollen, daß die genannten Kosten aus den für *zivile* Zwecke zur Verfügung gestellten Besatzungsmitteln zu leisten seien. Gemeint war lediglich, daß die Anforderung der Beträge wie bei allen anderen Besatzungskosten über dem Reichsbevollmächtigten (sog. Verbindungsstelle beim Reichsbevollmächtigten) zu erfolgen habe. Wenn die Reichsbahnbediensteten zur Sicherung der *Wehrmacht*transporte in Dänemark eingesetzt sind, so müssen die dafür erforderlichen Beträge aus den der Wehrmacht zur Verfügung gestellten Besatzungskostenmitteln entnommen werden. Eine Erstattung der Kosten durch das Reichsverkehrsministerium an die Feldkasse des Wehrmachtbefehlshabers Dänemark ist dann nicht erforderlich.

Das Reichsverkehrsministerium und das OKW haben Abschrift erhalten.

Krosigk

244 AA sendte 11. oktober Bests brev af 27. september videre til RFM, så det var reelt Bests brev, der blev svaret på.
245 Skrivelsen er i afskrift i RA, Danica 201, pk. 81A.

202. Wilhelm Keitel an Karl Dönitz 30. November 1944

Keitel krævede "energiske" forholdsregler mod skibssabotagen i Danmark og Norge, herunder at Best og Terboven udstedte en forordning, hvorefter ansvaret for sabotager på værfterne skulle pålægges værftsarbejderne og deres pårørende. Endvidere skulle bevogtningen af værfterne forstærkes.

Best reagerede på ordren med telegram nr. 1347, 1. december 1944 (Rosengreen 1982, s. 147f.).[246]

Kilde: RA, pk. 467. RA, Danica 1069, sp. 16 og Danica 628, sp. 10, nr. 9382. Knudsen/Ringsted 1946, s. 240f. (på dansk). IMT, 34, s. 248f. *Nazi Conspiracy and Aggression*, VI, 1946, s. 870f. (på engelsk).

Abschrift
Fernschreiben an Ob.d.M. eingegangen 30.11.44
Geheime Kommandosache!
gKdos

Betr.: Sabotage in Norwegen und Dänemark.

Die Sabotage auf Werften und an Schiffen im norwegisch-dänischen Raum hat einen Umfang angenommen, der energischer Abhilfe bedarf.

1.) WB Norwegen und WB Dänemark werden beauftragt, bei dem Reichskommissar d. Bes. Norweg. Gebiete bzw. dem Reichsbevollmächtigten in Dänemark den Erlaß einer Verordnung und deren Durchführung durch den BDS zu erwirken, nach der die Gefolgschaftsmitglieder und ggf. ihre Angehörigen (Sippenhaftung) für die in ihren Betrieben vorkommenen Sabotagefälle mit verantwortlich gemacht werden. Jeder Werft- usw. Arbeiter muß wissen, daß jeder in seinem Arbeitsbereich vorkommende Sabotagefall für ihn persönlich und bei seinem Verschwinden für seine Angehörigen die allerschwersten Folgen nach sich zieht.
2.) WB Norwegen und WB Dänemark verstärken den bisher durch Polizei, Sonderkommandos der Kriegsmarine und Reikosee durchgeführten Sabotageschutz durch Bewachungskräfte der Truppe aller Wehrmachtteile in Zusammenarbeit mit dem BDS mit allen zu Gebote stehenden Mitteln. In Südnorwegen ist hierbei auf den erheblichen Rückstau an Soldaten im Raum um Oslo zurückzugreifen. Wenn die in Oslo und auch in Dänemark verfügbaren zahlreichen Soldaten des Rückstaues und der rückwärtigen Einheiten energisch ausgenutzt werden, dann kann die Bewachung verdreifacht werden. Ich kann ferner nicht dulden, daß derartige Sabotageakte als etwas Gotterergebenes und Unabänderliches hingenommen werden, ohne daß die für die Sicherung verantwortlichen Persönlichkeiten zur Verantwortung gezogen

246 Med henvisning til Keitels brev konstruerede Karl Heinz Hoffmann 16. maj 1947 en forklaring, der fik det til at se ud, som om det var ham, der gik forrest i modstanden mod repressalier i forbindelse med skibssabotager, for efterfølgende at få Bovensiepens og Bests sanktionering heraf. Det passer med mønstret i hele Hoffmanns forsvar, men dette tilfælde er interessant derved, at han udpegede admiral Mewis og Duckwitz som dem, der ved deres indberetninger om den tiltagende skibssabotage til Berlin var årsag til, at Berlin satte fokus på sagen (LAK, Best-sagen). Her undlader Hoffmann at nævne, at Bovensiepen dagligt rapporterede alle sabotagetilfælde til RSHA, så RFSS kunne være orienteret om skibssabotagen derfra, men det vides, at det var Seekriegsleitung, der 20. oktober 1944 klagede til RSHA over skibssabotagen, og satte RFSS i bevægelse. Hoffmann konstruerede her som i andre tilfælde sin forklaring i håb om, at den ikke lod sig kontrollere, samtidig med at han miskrediterede Mewis og Duckwitz, som netop *ikke* havde ønsket skrappe repressalier for skibssabotage.

werden. Zum Sabotageschutz eingesetzte Kräfte der Wehrmacht sind dem Verantwortlichen BDS einsatzmäßig zu unterstellen.

Der Chef OKW
gez. **Keitel**
Gen. Feldm.
OKW/WFSt/Qu 2 (Nord) Nr. 00139/72/44 g.Kdos.

203. Rüstungsstab Dänemark: Lagebericht 30. November 1944

Med sin månedsberetning for november bidrog Forstmann til den indirekte kritik af politiaktionen 19. september. Den var en destabiliserende faktor, da den gjorde den fremtidige forbryderbekæmpelse til et åbent spørgsmål. Han gav meddelelse om likvideringen af to fabrikanter, der havde arbejdet for besættelsesmagten, men fulgte umiddelbart efter op med, at der ikke var tale om en stigning i antallet af sabotager mod rustningsvirksomhederne. Han mente optimistisk, at det skyldtes et vellykket sabotageværn. Imidlertid var sabotagen taget til på ét område – mod værfter og skibe – og han mente at finde baggrunden i, at en bestemt sabotageorganisation under stram engelsk ledelse stod bag. Der blev arbejdet på at skabe et aktivt værftsværn, og Forstmann gjorde yderligere forsøg på at finde optimismen i det små, således at der ikke blev strejket på de virksomheder, der kom under militær eller politimæssig beskyttelse. Dog var det et klart krisetegn, at både skibe og lokomotiver uanset stand blev fragtet til Tyskland for at blive færdiggjort der for at undgå sabotage. Manglende tilførsel af nødvendige råstoffer og enkeltkomponenter udskød fortsat rustningsleverancer. Brændstofmangelen var mærkbar. Tillige sporedes der en manglende vilje til (gen)opførelse af fabriksanlæg med tyske behov for øje.

Indberetningen var kun på ét punkt virkelig alarmerende, nemlig vedrørende skibs- og værftssabotagen, som der allerede var taget hånd om. Den lagde ikke op til dramatiske foranstaltninger, men anbefalede direkte øgede beskyttelses- og vagtforanstaltninger.

Kilde: BArch, Freiburg, RW 27/17. RA, Danica 1000, T-77, sp. 693, nr. 902.374-79. KTB/Rü Stab Dänemark 4. Vierteljahr 1944, Anlage 15.

Anlage 15

Rüstungsstab Dänemark *Kopenhagen, den 30. Nov. 1944*
des Reichministers für Rüstung und Kriegsproduktion
ZA/Ia Az.66 d 1/Wi-Ber. Nr. 878/44 geh. Geheim

Bezug: OKW/Wi Rü Amt/Rü IIIb Nr. 21755/42 v. 9.5.42
Betr.: Lagebericht.

An das Rüstungsamt
des Reichsministers für Rüstung und Kriegsproduktion,
Berlin NW 7
Unter den Linden 36

Rü Stab Dänemark übersendet in der Anlage den Lagebericht für Monat November 1944.

Forstmann

Rüstungsstab Dänemark *Kopenhagen, den 30. Nov. 1944*
des Reichministers für Rüstung und Kriegsproduktion
ZA/Ia Az.66 d 1/Wi-Ber. Nr. 878/44 geh.

Beurteilung der gesamtrüstungswirtschaftlichen Lage
Die nach wie vor gespannte politische Lage hat im Berichtsmonat bezügl. der gesamtrüstungswirtschaftlichen Belange keine nennenswerten Veränderung gebracht.

Der Allgemeine Ordnungsdienst in Dänemark wird notdürftig von der kommunalen "Vagtvärn" durchgeführt. Die umfangsreichen polizeilichen Verwaltungsarbeiten sind neu errichteten Kreis-Kontoren übertragen worden. Die allgemeine Unsicherheit, unter der besonders die dänische Bevölkerung leidet, ist auf die unzureichende dänische Kriminalpolizei zurückzuführen. Sie ist z.T. am 19. Sept. Interniert worden, was viele nicht internierte Beamte veranlaßt hat, sich unsichtbar zu machen. Die wirksame Bekämpfung des sich breit machenden Verbrechertums ist deshalb eine noch offene Frage.

Am 13.11.44 wurde Dir. Schmidt, Fa. Universalfabrikerne, Aarhus,[247] am 24.11.44 Fabrikant Due-Petersen der Fa. Jeko A/S, Kopenhagen[248] – Firmen, die fast ausschließlich mit deutschen Aufträgen belegt sind –, von Saboteuren erschossen. Der neben Due-Petersen im Wagen sitzende Vertreter von BMW wurde schwer verletzt.[249]

Eine Zunahme der Sabotageakte gegen Rüstungsbetriebe ist *nicht* zu verzeichnen. Zweifellos hat die Sabotageabwehr gute Erfolge gehabt. Es arbeitet aber z.Zt. eine Sabotageorganisation, die unter straffer englischen Führung steht, gegen das gesamte dänische Verkehrsnetz und gegen alle Transportmittel. Insbesondere hat die Sabotage an deutschen Schiffen erheblich zugenommen. Es wurden drei vor der Fertigstellung stehende Dampfer des Hansa-Programms,[250] zwei in Reparatur befindliche Fahrzeuge der Kriegsmarine[251] und vier kleinere Schiffe der Handelsmarine, z.T. schwer durch Innen-

247 Direktør Olaf Schmidt, tillige tilknyttet Schalburgkorpset, havde en stærkt bevogtet fabrik, Universalfabrikkerne, i Fredensgade, der som han selv blev efterstræbt. Han var tidligere søgt likvideret i oktober, men det lykkedes først for Einar Sørensen (Leif) 13. november, og henholdsvis 13. og 17. september var hans fabrik blevet ødelagt ved et samarbejde mellem lokale sabotører og Holger Danske (*Information* 14.11.1944, Andrésen 1945, s. 252, 279f., 320, Øvig Knudsen 2001, s. 125).

248 Frits Frederik Due-Petersen blev skudt i sin bil på Køge Landevej af Holger Danske. Han var tidligere søgt likvideret 4. september (*Information* 25.11.1944, Øvig Knudsen 2001, s. 284, Lundbak 2002, s. 320f., Birkelund 2008, s. 686).

249 Ingeniør Dill (*Information* 25.11.1944).

250 Natten mellem 6. og 7. november blev der forøvet sabotage mod et 5.000 tons Hansa-skib (S/S Røsnæs) i Odense (RA, BdO Inf. nr. 97, 10. november 1944, tilfælde 3 (her omtalt som Hansa nr. 103), Jensen 1976, s. 27, Friderichsen 1984, s. 130), 15. november sænkede BOPA to Hansa-skibe: S/S "Asnæs" og nybygning 679 på B&W (RA, BdO Inf. nr. 100, 17. november 1944, tilfælde 19, Jensen 1976, s. 28, Friderichsen 1984, s. 131, Kjeldbæk 1997, s. 476). Sænkningen af de to Hansa-skibe hos B&W førte til, at tyskerne slæbte to tyske handelsskibe ("Magdalene Finken" og "Emstrøm"), der var til reparation på B&W fra Refshaleøen til Langelinje for at undgå sabotage. De arbejdere, der skulle arbejde på "Emstrøm" blev derefter holdt op og visiteret af tysk politi, ligesom de blev udsat for trusler om, at 100 mand ville blive skudt, hvis der igen skete sabotage på B&W. Derpå gik arbejderne i strejke, indtil Pancke ved Mewis' mellemkomst erklærede, at den trussel måtte stå for den kommanderende officers egen regning (*Morgenbladet* 20. november 1944).

251 Se Seekriegsleitungs notat om sabotagen 9. november.

oder Außensabotage im Berichtsmonat beschädigt.[252]

Zerstört wurden außerdem 3 MPi-Boote bei der Firma Ford Motor Comp. A/S, Kopenhagen kurz vor der Fertigstellung.[253]

Es kann nur immer wieder betont werden, daß die Abwehrmittel verbessert werden müssen und zum aktiven Schutz der Betriebe die Sicherheitspolizei in Dänemark unbedingt erheblich verstärkt werden muß.

In einer Besprechung am 18.11.44, die auf Veranlassung von Gauleiter Kauffmann beim Herrn Reichbevollmächtigten stattfand, wurde festgestellt, das sowohl Wehrmacht als auch Polizei nicht in der Lage sind, mit den vorhandenen Kräften der Schutz der Werften und Rüstungsbetriebe zu übernehmen. Gauleiter Kauffmann übernahm es, die Gestellung von 3000 Mann aus Deutschland für diese Zwecke zu erwirken. Entscheidung hierüber steht z.Zt. noch aus.[254]

In keinem Falle, in denen dänische Firmen deutscherseits militärischen oder polizeilichen Schutz erhielten, ist es zu Streik gekommen. Die dänische Arbeiterschaft kämpft also z.Zt. nicht mehr gegen den deutschen Schutz der Werke. Der dänische zivile Werkschutz mußte bei der angespannten politischen Lage versagen, weil Dänen nicht auf Dänen schießen, bzw. wenn sie es tun, sie von ihren Landsleuten so verfolgt werden, daß sie und ihre Familien nicht mehr im Lande bleiben können.[255]

Vordringliches

Die Notwendigkeit, den Raum Dänemark, besonders seine Werftkapazität, angesichts der allgemeinen Lage noch stärker zu Verlagerungsaufträgen heranzuziehen und auf eine Beschleunigung der hierher gelegten Verlagerungen zu dringen, zwingt dazu, der ausreichenden Lagerhaltung besonders in den benötigten Engpaß-Materialien erhöhte Aufmerksamkeit zu widmen. Durch Verhandlungen mit dem Planungsamt des R.M.f.R.u.K. soll erreicht werden, daß die dafür benötigten Bezugs- und Bestellrechte frei gemacht werden.

Die Abwicklung der Aufträge aus dem Programm der Stufe Zi stieß immer wieder auf Schwierigkeiten wegen Fehlens der benötigten Kugellager. Es ist Rü Stab Dän. durch Verhandlungen mit dem Sonderring Wälzlager/Bedarfsdeckung gelungen, eine einmalige Lieferung von 30.000 Kugellagern für deutsche Verlagerungsaufträge zu erreichen.

Die Abdeckung der mit der Verlagerung nach Dän. für die deutschen Firmen verbundenen Risiken durch Abschluß entsprechender Versicherungen ist vom Rü Stab

252 14. og 15. november blev der forøvet sabotage mod tyske skibe på Orlogsværftet ("Schirmbeck" 15. november), 15. november sænkede BOPA det tyske skib "Duoro" på Nordhavnsværftet. Endvidere blev to tyske forpostbåde sænket i Ålborg 26. november (RA, BdO Inf. nr. 100, 17. november 1944, tilfælde 17 og 18 og nr. 104, 30. november 1944, tilfælde 17, Alkil, 2, 1945-46, s. 1237f., Kjeldbæk 1997, s. 476).

253 Sabotagen fandt sted 21. november og blev forøvet af BOPA (RA, BdO Inf. nr. 103, 27. november 1944, tilfælde 5, Alkil, 2, 1945-46, s. 1238, Jensen 1976, s. 34, Kjeldbæk 1997, s. 476).

254 Skønt Forstmann ikke kendte resultatet af Kaufmanns forsøg på at få 3.000 mand til Danmark til bevogtning, havde RFSS på dette tidspunkt afslået det (se Thadden til Martius 22. november 1944, jfr. Lauridsen 2006c, s. 194).

255 Strejkevagterne på fabrikker af interesse for besættelsesmagten, der på den ene eller anden måde gjorde sig bemærket i modstandskredse, risikerede, hvis de ikke i stedet blev likvideret, at få en alvorlig forskrækkelse (Lundbak 2007).

Dän. im Einvernehmen mit dem Reichbevollmächtigten und der Reichsgruppe Industrie nach längeren Verhandlungen mit dem dänischen Außenministerium neu geregelt worden. Das Nähere ist aus anliegendem Merkblatt des Rü Stabes Dän. für die Versicherung von Verlagerungsgeschäften nach Dänemark v. 1.11.44 zu ersehen.[256]

1a. Stand der Fertigung

a.) mittelbare und unmittelbare Wehrmachtaufträge (A-Aufträge):

Gesamtverlagerung nach Dänemark vom 9. April 1940 – 31. Oktober 1944	RM	584.897.719,-
Auftragsbestand am 30. September 1944 an noch zu erledigenden Aufträgen	RM	166.303.238,-
Wertveränderungen durch Auftragserhöhungen bzw. Auftragsermäßigungen im Okt. 44	RM	+ 601.009,-
	RM	166.904.247,-
Auftragszugang im Oktober 1944	RM	+ 5.623.976,-
	RM	192.528.223,-
Auslieferungen im Oktober 1944	RM	– 14.438.717,-
Auftragsbestand am 31.10.1944 an noch zu erledigenden Aufträgen	RM	158.098.506,-

b.) Aufträge des kriegswichtigen zivilen Bedarfes (C-Aufträge):

Gesamtverlagerung nach Dänemark v. 9. April 1940 – 31. Okt. 1944	RM	75.470.981,-
Auftragsbestand am 30.September 1944 An noch zu erledigenden Aufträgen	RM	26.136.698,-
Wertveränderungen durch Auftragserhöhungen Bzw. Auftragsermäßigungen im Okt. 44	RM	– 264.948,-
	RM	25.871.750,-
Auftragszugang im Oktober 1944	RM	561.910,-
	RM	26.433.660,-
Auslieferungen im Oktober 1944	RM	– 698.084,-
Auftragsbestand an noch zu erledigenden Aufträgen am 31.Oktober 1944	RM	25.735.576,-

Fertigungslage:
Die Fertigung verlief in der Berichtszeit im allgemeinen normal. Die Auslieferung mit RM 14.438.717,- ist als sehr gut zu bezeichnen.

Der Wiederaufbau der im Juni sabotierten Fa. Wilh. Johnson wird voraussichtlich im Dezember endgültig fertiggestellt sein,[257] so daß die Produktion der dort untergebrachten 1000 Sende- und Empfangsanlagen wieder voll aufgenommen werden kann.

256 Trykt nedenfor. Se om forsikringens anvendelse Korff til Breyhan 19. januar 1945.
257 Se Rü Stab Dänemarks situationsberetning 30. juni 1944.

Mit den ersten Lieferungen ist noch im Dezember zu rechnen.

Allgemein ist zu sagen, daß der Wiederaufbau zerstörter Fabrikanlagen sich oft durch Schwierigkeiten, welche die dänischen örtlichen Baubehörden den Firmen machen, verzögert. Durch Eingreifen des Rü Stab Dän. werden sie soweit nur möglich, in Verhandlungen mit den dänischen Behörden behoben.

Die der Fa. A/S Frichs, Aarhus, in Auftrag gegebenen 10 Lokomotiven Baureihe 44, sind nunmehr gem. Entscheidung des Reichbahnzentralamtes, Berlin, in dem Zustande abzutransportieren, in dem sie sich z.Zt. befinden, um größeren Sabotageschäden zu entgehen.[258] Militärische Sicherung der Vorbereitungen für den Abtransport ist eingesetzt worden.

Gegenüber dem Lagebericht vom 31.7. hat sich der Stand des Hansa-Programms wie folgt geändert:

	3.000 t	5.000 t	9.000 t
Gesamt-Auftrag	4	30	3
ausgeliefert	4	2	-
noch in Auftrag	-	28	3
davon (v. Stapel gelaufen	3	-	
– (noch auf Kiel liegend	12	2	
– (noch nicht begonnen	13	1	

Die abgelieferten Schiffe sind im Einsatz bzw. wegen Sabotageschäden zur Fertigstellung auf deutschen Werften abgelaufen. Die noch laufende Fertigung ist schleppend, da sich bei einzelnen Werften eine gewisse passive Resistenz bemerkbar macht. Hinzu kommt, daß die Zulieferungen von Kesselblechen und Ausrüstungsteilen außerordentlich zu wünschen übrig lassen und dadurch den Baufortschritt ungünstig beeinflussen. Die Lieferungen von Schiffbaumaterial hingegen haben sich gebessert.

Energieversorgung
Besondere Schwierigkeiten sind in der Energieversorgung nicht eingetreten.

1c. Versorgung der Betriebe mit Roh- und Betriebsstoffen
Der deutsche Lieferungsrückstand an Eisen und Stahl betrug am 30.9.44 – 13.836 t, d.h. also 995 t mehr als im Vormonat. In NE-Metallen ist der Lieferungsrückstand 202 to, mithin 29 t weniger als im Vormonat.

Bezüglich der durch Anordnung E 72 der Reichstelle für Eisen und Metalle verfallenen und nunmehr neu zu kontingentierenden Aufträge, sind die Verhandlungen mit der Reichstelle und dem Planungsamt des R.M.f.R.u.K noch nicht endgültig abgeschlossen, obschon das Planungsamt mit Fernschreiben vom 14.11.44 mitteilte, daß Bezugsrechte auf Grund der Anordnung E 72 nicht ersetzt würden und nur in festgestellten Härtefällen belegte Einzelanträge an die Reichsstelle zu richten seien. Vor allem ist die Frage der Rückerstattungspflicht der dänischerseits für deutsche Verlagerungsaufträge vorgeschossenen Mengen zu regeln.

258 Se Rü Stab Dänemarks situationsberetning 30. september og 31. december 1944.

2b. Lage der Treibstoffversorgung

Es wurden im Monat November	Dieselöl	Benzin
angefordert:	81 to	1.240 l
zugewiesen:	73 to	1.090 l

Wesentliche Betriebseinschränkungen sind nicht eingetreten.

2c. Lage der Kohlenversorgung

Im Monat Oktober wurden eingeführt:

Kohle *)	198.900 t	(September 172.800 t)
Koks	29.300 t	(September 65.400 t)
Sudetenkohle	31.700 t	(September 21.400 t)
Braunkohlenbriketts	55.000 t	(September 40.000 t)

*) Davon entfallen auf die dänische Staatbahn 17.100 t gegenüber 20.200 to im Monat September 1944.

Durch die in Westfalen verhängte Streckensperre konnten von den Nordseehäfen keine bedeutenden Brennstoffmengen mehr abgefertigt werden. Es wird versucht, den Ausfall westfälischer Mengen durch Ersatzlieferungen aus Oberschlesien auszugleichen, jedoch verursacht die Umlegung der Mengen von Westfalen auf Oberschlesien auf Grund der Qualitätsunterschiede bei den Verbrauchern einige Schwierigkeiten. Die für die Gaswerke so notwendigen Gaskohlensorten können z.Zt. nicht geliefert werden.

Da nur noch geringe Bestände an Gießereikoks vorhanden sind, werden die Gießereien ihre Produktion nach und nach einstellen müssen.

Der Mangel an Eisenbahnwaggons behinderte die hiesige Braunkohlenproduktion stärker als je zuvor.

Sehr wichtig! Sofort lesen!
Dieses Merkblatt tritt an Stelle des Merkblattes von 1.9.44.

Rüstungsstab Dänemark
Der Reichminister für
Rüstung und Kriegsproduktion

Kopenhagen, den 1. November 1944
Meldahlsgade 1 – Vesterport –
Fernruf: Kopenhagen Heeresvermittlung
oder Central 8953

M e r k b l a t t

für die Versicherung von Verlagerungsgeschäften nach Dänemark

Nach Absprache mit den zuständigen amtlichen dänischen Stellen ist die Versicherung der mit der Auftragsverlagerung nach Dänemark verbindenden Wagnisse ab. 1.9.44 wie folgt geregelt:

1.) Umfang der Versicherungspflicht des dänischen Auftragnehmers:
Bei allen Verlagerungsgeschäften und Reparaturarbeiten, die von Betrieben in Dänemark für deutsche Rechnung ausgeführt werden, hat der dänische Auftragnehmer den

jeweiligen *Arbeitswert* (errechnet auf der für diese Lieferungen und Reparaturen zugelassen Kalkulation) gegen Feuer und dadurch gegen Kriegs- und Sabotageschäden auf seinen Namen und auf seine Rechnung in Dänemark zu versichern. In gleichen Weise hat der dänische Auftragnehmer alle zu verarbeitenden den *eigenen oder auf seine Rechnung bezogenen Materialien* zu versichern, gleichgültig ob er diese Materialien auf Grund ihm zugeteilter Bezugsrechte erworben hat, oder ob er diese Materialien nur vorschußweise liefert und sich auf Grund von Bezugsrechten später erst Ersatz schaffen kann.

2.) Umfang der Versicherungspflicht des deutschen Verlagerers:
Der deutsche Verlagerer kann vom dänischen Auftragnehmer den Abschluß einer Versicherung nur im Rahmen der Ziffer 1) verlangen. Die Deckung des deutschen Verlagerers gegen alle mit dem Verlagerungsgeschäft verbundenen eigenen Risiken ist ausschließlich seine eigene Sache. Der deutsche Verlagerer geht insbesondere hinsichtlich des von ihm zur Be- oder Verarbeitung dem dänischen Auftragnehmer in natura zur Verfügung gestellten Materials (einschl. Werkzeugen, Modellen u.ä.) außer den durch die Transport- und Kriegstransport-Versicherung zu deckenden und außer den normalen Schadenrisiken (Feuer, Diebstahl) noch mannigfaltige Risiken sowohl wirtschaftlicher als auch insbesondere politischer Natur (Schaden durch Kriegsereignisse oder Sabotage) ein. Bei zu leistenden Vorauszahlungen liegen ähnliche Wagnisse vor. Die Deckung dieser besonderen Kriegswagnisse ist dem deutschen Verlagerer durch Abschluß einer Leistungs-Delcrede-Versicherung (Ausland), abgekürzt LDVA bei der Hermes Kredit-Versicherung-A.-G., Berlin W8, Jägerstr. 27 möglich. Weitere Einzelheiten hierüber sind in dem "Merkblatt für die Versicherung von Verlagerungsgeschäften", das die Reichgruppe Industrie unter dem 30.6.44 herausgegeben hat, zusammenfassend dargestellt, oder durch unmittelbare Rückfragen bei der Hermes Kredit-Versicherung-A.G. zu erfahren.

Es ist also künftig ausschließlich Sache des deutschen Verlagerers, sein mit der Durchführung eines Verlagerungsgeschäftes nach Dänemark verbundenes Risiko jeglicher Art durch rechtzeitigen Abschluß entsprechender Versicherungen bei deutschen Versicherungsgesellschaften ausreichend zu decken. Das Kriegstransportrisiko ist zusammen mit den normalen Sachrisiken (Transport, Feuer, Einbruch, Diebstahl) bei den üblicherweise von dem deutschen Verlagerer in Anspruch genommenen deutschen Versicherungsgesellschaften zu decken. Alle anderen mit der Verlagerung verbundenen Wagnisse (Insolvenz des dänischen Auftragnehmers, Währungsschwankungen, Kriegsereignisse, Sabotage) können durch Abschluß einer Leistungs-Delcredere-Versicherung (Ausland) bei der Hermes Kredit Versicherung A.G., Berlin, gedeckt werden.

Auch für die bisher abgeschlossenen Verlagerungsgeschäfte nach Dänemark, soweit sie nicht durch Auslieferung erledigt sind, ist der Abschluß einer derartigen Versicherung dringend zu empfehlen. Hierzu wird bemerkt, daß solche Geschäfte, bei denen die einzelnen Vorauszahlungen oder Leistungen nach dem 15.5.44 erfolgt sind, von der Hermes regelmäßig gedeckt werden. Die vor dem 15.5.44 durch die – einzelne – Leistung oder Vorauszahlung entstandenen Risiken nimmt die Hermes dagegen normalerweise nicht mehr herein. Firmen, die hierfür eine Deckung auf Grund der vor dem 15.5.44 in Kraft getretenen Hermes-Police (20 % Eigenbehalt) zu erhalten wünschen, werden aufgefordert, sich sofort mit der Reichgruppe Industrie (Dr. Hellauer), Berlin C

2, Schinkelplatz 3-4, in Verbindung zu setzen. Die Reichsgruppe Industrie verhandelt z.Zt. darüber, die nachträgliche Deckung der Risiken aus der Zeit vor dem 15.5.44 zu erreichen. Sie muß die Unterlagen der Firmen hierfür bis sp. Ende November 44 in Händen haben.

Eine Haftung und Versicherungsmöglichkeit durch den dänischen Auftragnehmer für das zur Bearbeitung überlassene deutsche Verlagerungsgut gegen Feuer, Diebstahl, Kriegsschaden und Sabotageschaden besteht in Dänemark künftig nicht mehr. Überrührt hiervon bleibt die Tatsache, daß für deutsches Wehrmachtgut (unmittelbares Eigentum einer Wehrmachtdienstelle), das durch Sabotage in Dänemark zerstört oder beschädigt wird, wie bisher Schadenersatz über den Wehrmachtbefehlshaber in Dänemark von der dänischen Regierung gefordert wird.

Bei schriftlicher Auftragserteilung empfiehlt sich, in den Auftrag künftig folgende Bedingung mit aufzunehmen:

"Es ist Sache des deutschen Verlagerers, alle mit dem Verlagerungschäft für ihn verbundenen Risiken durch Abschluß von entsprechenden Versicherungen (Transport-, Kriegstransport-, Feuer-, Diebstahl-, Leistungs-Delcreredere-Versicherung Ausland) bei den zuständigen deutschen Versicherungsgesellschaften zu decken. Der dänische Auftragnehmer hat lediglich den jeweils aufgewandten Arbeitswert, ferner alle von ihm zu verarbeitenden eigenen oder auf seine Rechnung bezogenen Materialien gegen Kriegsschaden einschl. Sabotageschaden auf seinen Namen und auf seine Rechnung zu versichern."

DECEMBER 1944

204. Politische Informationen für die deutschen Dienststellen in Dänemark 1. Dezember 1944

Blandt de hændelser, Best nævnte for november, var skibssabotagen, som han havde måttet beskæftige sig en del med, proteststrejken i Esbjerg og bombeangrebet på Gestapohovedkvarteret i Århus. Derefter fik en lang række mindre dramatiske emner lov til at tage pladsen, herunder Frits Clausens eksklusion af DNSAP og Social Raadgivnings aktivitet, før de "Fjendtlige stemmer" kom til at kommentere situationen i Danmark, herunder ikke mindst Gestapos fremfærd. De kritiske kommentarer til interviewet med Best i anledning af toårsdagen for hans indsættelse som rigsbefuldmægtiget blev også behørigt refereret, mens der til gengæld ikke var et ord om færgen "Store Bælt"s flugt til Sverige. Det gik Tysklands prestige for nær.

Kilde: RA, pk. 7. RA, Centralkartoteket, pk. 681. RA, Vesterdals nye pakker, pk. 2. Uddrag i EUHK, nr. 145 (afsnit VI) og i NORD, nr. 118 (afsnit I).

Der Reichsbevollmächtigte in Dänemark *Kopenhagen, den 1. Dezember 1944.*

Nur für den Dienstgebrauch!

Politische Informationen
für die deutschen Dienststellen in Dänemark.

Betr.: I. Die politische Entwicklung in Dänemark im November 1944.
II. Mitteilungen aus der Außenpolitik.
III. Mitteilungen aus der Verwaltung.
IV. Die dänischen Staatsfinanzen 1943/44.
V. Innenpolitische und kulturpolitische Mitteilungen.
VI. Deutsche Jugend in Dänemark.
VII. Feindliche Stimmen über Dänemark.

I. Die politische Entwicklung in Dänemark im November 1944

1.) Die Lage in Dänemark war im Monat November 1944 weiterhin durch den latenten Spannungszustand bestimmt, der einerseits aus der Überzeugung der Bevölkerung, daß Deutschland den Krieg verlieren werde, und andererseits aus der Ungewißheit des Termins der "Befreiung" resultiert.

2.) Der Kleinkrieg des Feindes richtete sich weiterhin in erster Linie gegen Verkehrsmittel (Eisenbahnen, Kraftwagen, Schiffe). Gegen Bahnstrecken in Jütland sowie gegen Schiffsneubauten und Reparaturschiffe in den Werften von Kopenhagen und Svendborg wurden stoßweise verstärkte Sabotageaktionen durchgeführt. Nach Unterlagen, die von der deutschen Sicherheitspolizei erfaßt wurden, erfolgten diese Aktionen auf Grund konkreter Anordnungen der englischen Befehlsstelle, von der aus die unter der Führung eines englischen Majors (dänischer Herkunft) stehenden Saboteurgruppen in Dänemark gelenkt werden.[1] Auch wurde zum ersten Male ein Fallschirmagent

1 Se Bovensiepens rapport 1. december 1944.

gefaßt, der mit dem konkreten Auftrag der "Präzisionssabotage" an Schiffen nach Dänemark entsandt worden war, während bisher die Fallschirmagenten nur mit der Organisation und Instruktion der Saboteurgruppen beauftragt waren.[2]

3.) Am 15.11.1944 fand in Esbjerg wegen der Erschießung eines Redakteurs und einiger Gebäudesprengungen, die als Gegenterror oder "Schalburtage" verstanden worden waren, ein 24stündiger Proteststreik statt. Daraufhin wurden gegen die Bevölkerung von Esbjerg die zur Streikbekämpfung vorgesehenen Maßnahmen (Sperrung von Wasser, Gas und Elektrizität, Zernierung der Stadt und Sperrstunde) für 3 Tage angewendet. Die Strafzeit verlief ohne Zwischenfälle.[3]

4.) Die deutsche Sicherheitspolizei hat im Monat November besonders in Kopenhagen gute Erfolge in der Bekämpfung der feindlichen und illegalen Kräfte erzielt.

Festgenommen wurden im November 1944:[4]

Wegen Sabotageverdachts	248	Personen
wegen Spionageverdachts	43	–
wegen illegaler Tätigkeit (Kommunismus und nationale Widerstandsgruppen)	386	–

Durch die Festnahmen sind 14 Sabotageakte aufgeklärt worden.

Bei polizeilichen Aktionen sind wegen Widerstandes gegen die Festnahme, wegen Widersetzlichkeit gegen Polizeistreifen usw. 5 Personen erschossen worden.

5.) Am 31.10.1944 wurde die Außendienststelle Aarhus der deutschen Sicherheitspolizei durch einen feindlichen Luftangriff zerstört. Getötet wurden 12 Beamte – darunter der besonders tüchtige Dienststellenleiter, SS-Sturmbannführer Kriminalrat Schwitzgebel –, 15 männliche und 9 weibliche Angestellte sowie 4 zufällig anwesende Personen.[5] Die Außendienststelle ist unverzüglich mit neuem Personal besetzt worden und hat bereits in den ersten Tagen nach dem Angriff durch Festnahmeaktionen und Razzien bewiesen, daß die deutsche Sicherheitspolizei auf diese Weise nicht ausgeschaltet werden kann.

II. Mitteilungen aus der Außenpolitik

1.) Im Auftrage des ungarischen Handelsministeriums sind die ungarischen Staatsangehörigen Dr. Szábo und Dr. von Varsanyi in Kopenhagen eingetroffen, um die Geschäfte des ungarischen Handelsattachés Dr. von Szarka, der seit dem Rücktritt des Reichsverwesers Horthy spurlos verschwunden ist, zu übernehmen.

2.) Die Tatsache, daß gelegentlich die Texte isländischer Staatstelegramme, die hier aus Zensurgründen angehalten waren, von dem isländischen Geschäftsträger in Stockholm dem isländischen Geschäftsträger in Kopenhagen durch das Telefon zugesprochen wurden, gab Veranlassung, den Nachrichtenverkehr der hiesigen isländischen Vertretung mit dem Auslande weitgehend einzuschränken. Die isländische Gesandt-

2 Se Bests telegram nr. 1276, 16. november 1944.

3 Se Reisebericht 21. november 1944 af en TN-officer og der anf. henvisninger.

4 Se Bovensiepens aktivitetsberetning for november 1944, som Best fremsendte til AA 16. december 1944.

5 Se Barandon til AA 1. november 1944.

schaft zeigte volles Verständnis für den deutschen Standpunkt und berichtete auch ihrer Regierung in sehr positivem Sinne. In ihrem Schreiben wurde darauf hingewiesen, daß die hiesige isländische Gesandtschaft bisher von deutscher Seite nur Wohlwollen erfahren habe, und daß man von isländischer Seite alles tun müsse, um die berechtigten deutschen Wünsche zu erfüllen.

3.) Für die ablehnende Haltung der jungen Republik Island gegen Dänemark ist bezeichnend, daß die neuen isländischen Paßformulare neben der isländischen in deutscher, englischer und französischer, nicht jedoch in dänischer Sprache, die früher eine Selbstverständlichkeit war, vorgedruckt sind. In dänischen politischen Kreisen ist die Verbitterung über die "Undankbarkeit" der Isländer allgemein.

4.) Da anscheinend befürchtet wird, daß die separatistische Entwicklung auf den Färöern unter den Einwirkungen des Krieges eine für Dänemark ähnlich ungünstige Entwicklung nimmt wie in Island, beschäftigt sich das dänische Außenministerium zur Zeit mit einem wirtschaftlichen Hilfsprogramm für die Färöer. Unter anderem ist vorgesehen, daß unmittelbar nach dem Kriege für die färöische Fischerei besondere Spezialfahrzeuge in Dänemark gebaut und vom dänischen Staate den Färöern zur Verfügung gestellt werden.

III. Mitteilungen aus der Verwaltung

Die Fortführung der verwaltungsmäßigen Funktionen der aufgelösten dänischen Polizei.

Nachdem die Ordnungsaufgaben der aufgelösten dänischen Polizei in dem notwendigsten Umfang von den neugebildeten Kommunalwachen (Vagtvärn) wieder aufgenommen worden sind, hat die dänische Zentralverwaltung nunmehr für die umfangreichen Verwaltungsaufgaben, die die aufgelöste dänische Polizei als untere Verwaltungsinstanz wahrgenommen hatte, die folgende Regelung getroffen:

In Kopenhagen werden die verwaltungsmäßigen Aufgaben der ehemaligen Polizei grundsätzlich dem Magistrat der Stadt übertragen; er wird zu diesem Zweck eine Anzahl neuer Dienststellen einrichten. Bestimmte Arbeitsgebiete gehen an den Oberpräsidenten von Kopenhagen über, z.B. die Zulassung von Sammlungen, die Ausstellung von Jagdscheinen, die Geisteskrankenfürsorge. Die den Kraftwagenverkehr betreffenden Aufgaben der früheren Polizei, z.B. die Zulassung von Kraftwagen, die Erteilung von Führerscheinen, die Treibstoffverteilung werden einer besonderen Dienststelle, dem "Kontor der Motorsachverständigen," übertragen.[6]

In der Provinz, in welcher bisher jede untere staatliche Verwaltungsbehörde fehlte und die Verwaltungsaufgaben der unteren Instanz ausschließlich von den örtlichen Polizeidienststellen wahrgenommen wurden, werden Filialen der Amtmänner geschaffen, die die Bezeichnung "Kreiskontore" erhalten. Diese Kreiskontore übernehmen den größten Teil der bisher von der Polizei wahrgenommenen verwaltungsmäßigen Aufgaben. Bestimmte Sondergebiete werden anderen Stellen zugeteilt, z.B. Gastwirtschaftsfragen den Bürgermeistern und Gemeindevorstehern, Unterhaltsbeitragssachen

6 Se hertil *Københavns Kommune 1940-55*. Udg. af Københavns Kommunalbestyrelse. 1957 og Sigurd Thorsen (red.): *Københavns Vagtværn 1944-1945*. 1947.

den Sozial-Ausschüssen, die Ausstellung von Legitimationskarten den Volksregistern, Schiedsgerichtssachen und Angelegenheiten unehelicher Kinder den unteren Gerichten, Sachen der Giftgesetzgebung den Amtsärzten, Lehrlingssachen den Arbeitsämtern. (Diese Aufstellung belegt, auf wie umfangreichen Gebieten des öffentlichen Lebens die aufgelöste dänische Polizei rein verwaltungsmäßig tätig gewesen ist).

Hinsichtlich der Verbrechensbekämpfung vertritt die dänische Zentralverwaltung weiter den Standpunkt, daß diese Aufgabe wegen Mangels an kriminalpolizeilichen Fachkräften, die teils interniert und teils geflüchtet seien, nicht aufgenommen werden kann.[7]

IV. Die dänischen Staatsfinanzen 1943/1944

Im Finanzjahr 1943/44 betrugen die Betriebseinnahmen des dänischen Staates 1.161 Mill. Kr. und die Ausgaben 1.121 Mill. Kr., sodaß ein Überschuß von 40 Mill. Kr. erzielt worden ist (im Vorjahr: 44 Mill. Kr.).

Als Haupteinnahmeposten erscheinen

die Einkommen- und Vermögenssteuer mit	485	Mill.	Kr.
die Verbrauchsabgaben	588	–	–
andere Abgaben und Steuern	46	–	–

Das Post- und Telegrafenwesen hat einen Überschuß von 10 Mill. Kr. gebracht, während für die Staatsbahnen ein Verlust von 5 Mill. Kr. ausgewiesen wurde. Hierbei handelt es sich jedoch um keinen Betriebsverlust; der Minusbetrag ist darauf zurückzuführen, daß der Maschinen- und Wagenpark mit etwa 74 Mill. Kr. abgeschrieben worden ist.

Von den Ausgaben sind folgende bemerkenswert:

Apanage an das Königshaus (wie im Vorjahr)	1	Mill.	Kr.
Für soziale Zwecke	370	–	–
(davon für die Altersrente 116 Mill. Kr.)			
Für das Unterrichtswesen	119	–	–
Für das Finanzwesen	117	–	–

Außer den genannten, in der Bilanz ausgewiesenen Einnahmen sind noch die Steuern und Abgaben zu erwähnen, die bei der Nationalbank auf besonderen Konten zugunsten des Staates gesperrt sind, nämlich

Kriegskonjunktursteuer	54	Mill.	Kr.
Verbrauchsabgaben	41	–	–
Zwangssparbeträge	46	–	–

Außerdem sind noch für etwa 16 Mill. Kr. Erb- und Schenkungssteuern außerhalb der Betriebsrechenschaft zu verzeichnen gewesen, sodaß das gesamte Steuer- und Abgabenaufkommen auf rund 1.300 Mill. Kr. beziffert werden muß.

Im Status wird die feste Staatsschuld mit rund 1.251 Mill. Kr. angegeben. An Stelle der früher vorhandenen schwebenden Schuld ist ein Bankguthaben von rund 370 Mill. Kr. getreten.

Die bei der Nationalbank für die obenstehenden Zwecke als gebunden bezeichneten Beträge sind in diesem Betrag nicht enthalten.

7 Jfr. Bests telegram nr. 1301, 22. november 1944.

Der erzielte Überschuß ist wie in Vorjahr einem Betriebsreservekonto zugeführt worden, das sich auf etwa 218 Mill. Kr. beläuft.

Diese verhältnismäßig günstige Darstellung der Finanzen berücksichtigt nicht die Garantieverpflichtungen, die gegenüber der Nationalbank aus der Hergabe der Wehrmachtkosten und der Bevorschussung der Exportclearingforderungen bestehen. Die beiden Nationalbankkonten, in denen diese Belastungen mit enthalten sind, nämlich das Clearingkonto und das Konto "Verschiedene Debitoren," wurden Ende Oktober 1944 mit den folgenden Ziffern ausgewiesen:

Clearingkonto	rund	2.700	Mill.	Kr.
Verschiedene Debitoren	–	4.000	–	–

Außerdem hat der dänische Staat eine größere Anzahl von Garantien für bestimmte innerdänische Fonds gegeben, von denen der Beschäftigungsfonds besonders zu erwähnen ist, von welchem Darlehen mit rund 352 Mill. Kr. ausgewiesen werden.

Die auf Grund der Geldbindungs- bezw. Geldabschöpfungsmaßnahmen abgeschöpften und gebundenen Beträge halten sich nach wie vor etwa in der Höhe der Wehrmachtausgaben. Nach den für Ende Oktober 1944 veröffentlichten Zahlen betrugen die im Rahmen dieser Bestimmungen von den Banken zu haltenden Kassenreserven 1.527 Mill. Kr., die Kassenreserven der Sparkassen ca. 219 Mill. Kr. Gleichzeitig stand auf dem Konto des Finanzministeriums bei der Nationalbank ein Betrag von 1.427,5 Mill. Kr. Da die Banken und Sparkassen über die obenerwähnte Summe hinaus bei der Nationalbank noch weitere Beträge auf besonderen Kündigungskonten unterhalten, können bis Ende Oktober 1944 im ganzen ca. 3.900 Mill. Kr. als auf Grund der besonderen Veranstaltungen gegen die Geldreichlichkeit gebunden bezeichnet werden.

V. Innenpolitische und kulturpolitische Mitteilungen

1.) Ausschluß des Dr. Frits Clausen aus der DNSAP.

Nach seinem Anfang Mai d.Js. erfolgten Rücktritt von der Parteiführung der DNSAP hatte Dr. Frits Clausen zunächst beabsichtigt, seine Arztpraxis in seinem Heimatort Bovrup (Nordschleswig) zurückzukaufen; hierzu ist es jedoch nicht gekommen, da der Inhaber dieser Praxis sich nicht entschließen konnte, sie aufzugeben. Dr. Frits Clausen hat dann darauf verzichtet, sich weiter um eine Arztpraxis zu bemühen sondern es vorgezogen, sich mit seinem früheren Kraftfahrer zusammen an einem Geschäft zu beteiligen, welches Zementfliesen für die deutsche Wehrmacht liefert.[8] Aus Mitgliederkreisen der DNSAP ist nun seit einiger Zeit behauptet worden, daß Dr. Clausen die hohen Gewinne im wesentlichen zu Gelagen und dergl. verwende. In seiner Heimatgegend sei der Lebenswandel des einstigen Parteiführers Tagesgespräch. Deshalb haben zahlreiche Parteimitglieder dieser Gegend von dem jetzigen Parteiführer der DNSAP verlangt, daß Dr. Frits Clausen aus der DNSAP ausgeschlossen werde, da sein weiteres Verbleiben in der Partei eine unerträgliche Belastung für die Parteigenossenschaft bedeute. C.O. Jörgensen, der sich selbst immer als einen der ältesten und treuesten Freunde von Dr. Frits Clausen angesehen hat und auch als solcher von Dr. Frits Clausen bezeichnet wurde, hat

8 Frits Clausen leverede sammen med sin tidligere chauffør Johannes Petersen fliser til Vandel flyveplads (Lauridsen 2002a, s. 531).

dem Drängen seiner Parteigenossen nachgegeben und am 22.11.1944 auf einer Führertagung der DNSAP den Ausschluß Dr. Frits Clausens aus der DNSAP vollzogen.[9]

2.) Die sozialpolitische Aufklärungs- und Propagandatätigkeit von "Social Raadgivning."

Auf sozialpolitischem Gebiet hat seit einigen Jahren der frühere Sozialdemokrat Jens Ström eine selbständige Aktivität entwickelt, deren Ergebnisse jetzt einen Überblick gestatten.[10] Die von Jens Ström in 14tägigem Abstand herausgegebenen "Sozialen Briefe" mit dem Untertitel "Sozialpolitische und fachliche Neuigkeiten aus Deutschland" haben einen verhältnismäßig großen Leserkreis auch in solchen Schichten der dänischen Bevölkerung gefunden, die in keiner Verbindung zu irgendwelchen nationalsozialistischen Organisationen stehen. Auf wöchentlich veranstalteten "Studienabenden" faßt Jens Ström diejenigen Leser seiner "Sozialen Briefe" zusammen, die ein besonderes Interesse für die sozialpolitische Arbeit nach deutschem Vorbild zeigen, und bemüht sich, durch Vorträge geeigneter Kräfte, die die Sozialpolitische Entwicklung in Deutschland aus eigener Anschauung kennen, die Kenntnisse seiner meist dem Arbeiterstande angehörigen Anhänger zu vertiefen.

Im Mai d.Js. wurde Jens Ström vom Reichsbevollmächtigten damit beauftragt, ein Büro einzurichten, das sich der wirtschaftlichen Sorgen der Familienangehörigen von in Deutschland tätigen dänischen Arbeitern annimmt. Die Erfahrung hat gezeigt, daß die von den Deutschlandarbeitern für ihre Familien nach Dänemark überwiesenen Beträge teils infolge der durch Bombenangriffe im Reich verursachten Verzögerungen und teils infolge der passiven Resistenz gewisser dänischer Behörden und Geldinstitute nur schleppend ausgezahlt werden und daß die Familien dieser Arbeiter infolgedessen oft unverschuldet in Not geraten sind. Darüber hinaus werden diesen Familien von übelwollenden Hauswirten, Nachbarn usw. Schwierigkeiten bereitet, zu deren Abstellung die Einrichtung einer beratenden und helfenden Stelle erforderlich schien.

Das von Jens Ström unter der Bezeichnung "Social Raadgivning" eingerichtete Büro hat sich in überraschend kurzer Zeit durchgesetzt und, wie zahlreiche schriftliche und mündliche Äußerungen dänischer Arbeiter aus Deutschland beweisen, sich in hohem Masse das Vertrauen der Arbeiter erworben. Wenn nach einer gewissen Zeit die von Deutschland nach Dänemark transferierten Familienunterstützungen nicht zur Auszahlung gelangt sind, bevorschußt "Social Raadgivning" gegen Vorlage der deutschen Einzahlungsquittung diese Zahlungen und zieht dafür selbst die zum Transfer gelangten Beträge bei der betreffenden Bank ein. Es wurde für diese Aufgabe einmalig ein Geldbetrag zur Verfügung gestellt. Anfang Oktober d.Js. hatten die Auszahlungen des Büros bereits 1 Million Kronen überschritten, d.h. die zur Verfügung gestellte Summe war in Form von Vorschüssen mehrmals ausgezahlt und wieder zurückgeflossen. Da der im einzelnen geleistete Vorschuß nur selten die Grenze von 200 Kronen übersteigt, ist hier

9 Vedrørende Frits Clausens udstødelse af DNSAP, se Lauridsen 2005, s. 35f., 51.

10 Journalisten og forfatteren Jens Strøm oprettede 1942 Social Arbejder Oplysning, senere omdøbt til Social Raadgivning. Det var en tyskstøttet forening, der også udgav *Sociale Breve* rettet til danske arbejdere for at få dem til at tage arbejde i Tyskland. Best havde taget Strøms aktiviteter til sig og fremstillede dem som en succes (Lauridsen 2002a, s. 546).

in vielen tausend Fällen schnelle und wirksame Hilfe geleistet und zugleich dem Ansehen des Reiches gedient worden, dem es früher zur Last gelegt wurde, daß Familien von Deutschlandarbeitern mehrere Monate, gelegentlich sogar ein halbes Jahr, ohne jegliche finanzielle Unterstützung blieben.

Die Arbeit von "Social Raadgivning" hat sich auf das amtliche "Statens Udvandringskontor" dahin ausgewirkt, daß dieses über die Hälfte seiner Angestellten entlassen hat und die Mehrzahl der dort noch vorsprechenden Hilfesuchenden von sich aus an das mit keinerlei amtlichen Befugnissen ausgestattete Büro "Social Raadgivning" verweist. "Social Raadgivning" wird heute im Durchschnitt täglich von etwa 200 dänischen Staatsangehörigen aufgesucht, die um Rat und Hilfe bitten. Viele dänische Deutschlandarbeiter wären zweifellos nicht nach Deutschland zurückgekehrt, wenn nicht ihre wirtschaftlichen Sorgen von diesem Büro zur Zufriedenheit geregelt worden wären. Auch die Versendung der sogenannten Standardpakete an die dänischen Arbeiter in Deutschland wird durch dieses Büro durchgeführt.

Der starke Publikumsverkehr auf dem Büro wird von Jens Ström in geschickter Weise zu seiner sozialpolitischen Propagandatätigkeit ausgenützt. Der Erfolg zeigte sich, als Jens Ström zum 31.10.1944 zu einem "Erntefest" in einem der größten Säle Kopenhagen einlud, der 2.000 Personen faßt. Der Saal war völlig gefüllt. Das Programm enthielt u.a. eine von dem früher auf sozialdemokratischer und jetzt auf nationalsozialistischer Seite stehenden Dichter Harald Bergstedt verfaßte Festkantate, deren Sinn die Forderung nach einer gerechteren sozialen Ordnung in Dänemark war. Die von Jens Ström gehaltene Festrede war auf den gleichen Gedankengang abgestimmt.

Die begeisterte Teilnahme der 2.000 Zuhörer zeigte, daß es auch unter den heutigen Umständen in Dänemark möglich ist, deutsche Gedanken an die breite Masse heranzubringen und dadurch mittelbar für Deutschland zu werben, sofern diese Gedanken nur in geschickter Form und unter Vermeidung unnötiger Schlagworte dargeboten werden.[11]

3.) Aus der deutschen kulturpolitischen Arbeit.
Die von der Sprachabteilung des Deutschen Wissenschaftlichen Instituts in Kopenhagen durchgeführten Sprachkurse, die alljährlich Anfang September beginnen, haben in diesem Jahre eine Überraschung bereitet. Denn entgegen den aus der politischen Entwicklung des Jahres resultierenden Erwartungen ist die Hörerzahl gewachsen und liegt mit 190 Anmeldungen wesentlich über der Hörerzahl der beiden letzten Jahre.

Auch die Deutsche Sankt Petri-Schule in Kopenhagen hat in diesem Jahre ihre Schülerzahl auf 390 vermehrt, während der Durchschnitt der Jahre seit 1939 etwa 280 Schüler betrug. Die Schüler sind zur Hälfte deutscher und zur Hälfte dänischer Herkunft, so daß die Schule eine echte "Propaganda-Schule" ist. Allerdings haben die Evakuierungsmaßnahmen von Anfang September d.J. zur Abwanderung von 60 deutschen und 20 dänischen Schülern geführt, was jedoch als ein künstlicher, nicht als ein politischer Rückschlag zu bezeichnen ist.[12]

11 Rosen til Jens Strøms veltilrettelagte propaganda til de brede masser uden unødvendige slagord var en indirekte kritik af Standarte "Kurt Eggers"' virksomhed og dermed af HSSPF.

12 Se om evakueringsforanstaltningerne Keitel til WB Dänemark 4. september 1944.

VI. Deutsche Jugend in Dänemark

1.) Die erweiterte Kinderlandverschickung.[13]

Nachdem auf Grund der Evakuierungsbefehle vom September d.J.[14] die in den KLV-Lagern untergebrachten deutschen Kinder in das Reich zurückgesandt worden sind, wird abschließend der folgende Überblick über die bisherige Kinderlandverschickung nach Dänemark gegeben:

Von Juni 1942-September 1944 waren nach Dänemark verschickt:

Von Juni 1942-Juni 1943	60 Pimpfe aus Berlin.
Von Juni 1943-Januar 1944	1.000 Pimpfe und Jungmädel aus Berlin, Hamburg, Duisburg, Essen, Düsseldorf, Oberhausen, Bremen, Osnabrück, Wesermünde.
Von Januar 1944-August 1944	998 Pimpfe und Jungmädel aus Berlin, Hamburg, Hannover und Braunschweig.
Von August 1944-September 1944	810 Pimpfe und Jungmädel aus Berlin, Hamburg und aus dem Gebiet Ruhr-Niederrhein.

Wie gut den Kindern der Aufenthalt in Dänemark bekommen ist, beweist die Feststellung einer durchschnittlichen Gewichtszunahme von 16 Pfund.

Durch geregelten Schulbetrieb mit aus dem Reich entsandten Lehrkräften wurde der Unterrichtsausfall in den von Bombenterror betroffenen Heimatgebieten mindestens ausgeglichen.

Die 24 KLV-Häuser auf Seeland und in Nordschleswig, die zum Teil von der dänischen Zentralverwaltung für diesen Zweck gekauft worden sind, stehen auch weiterhin für eine Wiederaufnahme der Kinderlandverschickung nach Dänemark zur Verfügung. Die Wirtschaftsleiterinnen sind in den Häusern verblieben. Sobald die Gesamtlage die Wiederaufnahme des Lagerbetriebes in Dänemark ermöglicht, können wieder 1.200 Kinder nach Dänemark verschickt werden.

Vorübergehend sind einige KLV-Häuser für deutsche Dienststellen in Gebrauch genommen worden.

2.) Die Wehrertüchtigungslager der Hitlerjugend.

Seit Januar 1944 sind Wehrertüchtigungslager der Hitlerjugend auf dänischem Boden eingerichtet worden. Seitdem haben in den Lagern Köge (Seeland), Sandvig (Bornholm) und Frederikshavn (Jütland) 5.600 Hitlerjungen an den bisher 3wöchigen Lehrgängen teilgenommen.

Nachdem der Reichsführer-SS als Befehlshaber des Ersatzheeres dem Jugendführer des Deutschen Reiches die erweiterte Wehrhaftmachung der deutschen Jugend im Alter von 16-18 Jahren als 3. Aufgebot des deutschen Volkssturms übertragen hat, ist die Lehrgangsdauer auf 6 Wochen verlängert worden.

13 Den tyske litteratur om KLV behandler kun Danmark sporadisk og rummer end ikke de informationer, som Best her lader lægge frem (se Dabel 1981, Larass 1983, Kressel 1996, Koch 1997, s. 105f., 174). Se endvidere Gerhard Halbritter: Die Heimat in der Fremde. Aus der Arbeit der Erweiterten Kinderlandverschickung in Dänemark. *Skagerrak*, 2:19, 1943-44, s. 6-9.

14 Keitel til von Hanneken 4. September 1944. Afviklingen af Kinderlandsverschickung til Danmark kan følges i en skrivelse fra AA til RWM 21. november: Udgifterne faldt fra 75.000 RM i september til 20.000 RM i november og blev anslået til 16.000 RM for december 1944 (RA, pk. 271).

Zur Durchführung dieser erweiterten Ausbildung soll auch in Dänemark die Zahl der Wehrertüchtigungslager verdoppelt werden. Neue Lager werden eingerichtet in Fynshav (Alsen), Rye (Jütland), Hobro (Jütland), Gravenstein (Nordschleswig) und Lundtofte (Seeland), während das Lager in Sandvig (Bornholm) aufgegeben wird.

Die reichsdeutschen Jugendlichen der Jahrgänge 1927 und 1928 werden in die Wehrertüchtigungslager in Dänemark einberufen, soweit sie nicht bereits an solchen Lehrgängen teilgenommen haben. Den volksdeutschen Jugendlichen steht die freiwillige Meldung offen.

VII. Feindliche Stimmen über Dänemark
1.) Der englische Rundfunk

London, 1.11.1944
Es liegen jetzt von amtlicher Seite nähere Einzelheiten über den gestrigen RAF-Angriff auf das Hauptquartier der Gestapo in 2 Kollegien der Universität in Aarhus vor. Der Angriff wurde in sehr niedriger Höhe von 4 Formationen durchgeführt, die aus je 6 Maschinen sowie 1 Moskito der RAF-Filmabteilung bestanden. Britische, neuseeländische und kanadische Flieger waren an dem Angriff beteiligt, der bis ins Kleinste vorbereitet war. Man hatte ein genaues Modell der Gebäude hergestellt, die bombardiert werden sollten, und dieses Modell wurde den Fliegern gezeigt, als die Instruktionen gegeben wurden.[15]

London, 2.11.1944
Nach dem erfolgreichen Angriff auf das Hauptquartier der Gestapo in Aarhus durch Moskito-Verbände der RAF hat der Dänische Rat in London dem Offizier der RAF, der das Unternehmen leitete, sein Glückwünsche und herzlichen Dank übermittelt. Das Schreiben, das von Herrn Christmas Möller unterzeichnet war, lautete: Im Auftrag des Dänischen Rates und – dessen bin ich sicher – auch als Ausdruck dafür, was alle Dänen zu Hause fühlen, möchte ich unsere Anerkennung zum Ausdruck bringen für die vorzügliche Arbeit, die Sie und Ihre Kameraden geleistet haben, als Sie alt so großer Präzision das Hauptquartier der Gestapo in Jütland bombardierten. Während des ganzen Krieges haben alle Dänen eine große Bewunderung für die RAF gehegt. Das weiß ich noch aus der Zeit, als ich noch in Dänemark war, während der 2 ersten Jahre der deutschen Besetzung. Und ich weiß auch, daß diese glänzende Operation gegen unseren verhaßten Feind und ganz besonders gegen die bestialische Gestapo die ganze dänische Heimatfront in ihren Bestrebungen, das Land zu befreien, ermutigen wird. Das Schreiben schließt: Wir danken Ihnen nochmals herzlich und wünschen Ihnen alles Gute.

London, 9.11.1944
Dienstag Abend, so teilt der Dänische Pressedienst mit, verübten die Deutschen eine Reihe brutaler Morde in Kopenhagen, wahrscheinlich als Rache für 2 deutsche Polizi-

15 Modellen af målet er omtalt og gengivet adskillige gange, se bl.a. *Frit Danmark*, Londonudg. 3. november 1944, s. 4, Blytgen-Petersen 1946, s. 592, Skov Kristensen et al. 1988, s. 433, 437.

sten, die Montag Abend auf Enghavevej niedergeschossen wurden. 10 zufällige Personen wurden auf der Straße von einer deutschen Streife ermordet.[16] Ferner wurden viele unschuldige Personen bei den brutalen Schießereien der Deutschen verwundet.

London, 13.11.1944
Terkel M. Terkelsen: Am "Bierkellertag" war Hitler zu sehr beschäftigt, um ans Mikrophon zu kommen, und zum ersten Male seit der Machtübernahme mußte das deutsche Volk den Klang seiner Stimme entbehren.[17] Sein Bevollmächtigter in Dänemark hat sich als "traditionstreuer" erwiesen: Am Jahrestag seiner Machtübernahme in Dänemark hat er in allen größeren dänischen Zeitungen zwangsweise ein Interview verbreiten lassen.[18] Eine leichtfertigere Behandlung der Tatsachen hat man selten gesehen, ja sogar der schwedische Rundfunk fühlte sich veranlaßt, auf die scharfe Divergenz zwischen den Ausführungen Dr. Bests und den tatsächlichen Verhältnissen aufmerksam zu machen. Hitler mag gute Gründe gehabt haben, um nicht zu sprechen, und Dr. Best hat leicht verständliche Gründe, um so zu sprechen, wie er es tat. Der Hauptinhalt der Ausführungen Dr. Bests ist, daß während der 2 Jahre, wo er der Bevollmächtigte des Deutschen Reiches in Dänemark war, in Wirklichkeit keine Änderungen der Verhältnisse des Landes, weder in konstitutioneller und außenpolitischer Hinsicht noch betr. der territorialen Integrität Dänemarks eingetreten sind. Dabei sieht er von solchen Tatsachen ab, daß der König in der Tat ein Gefangener ist, daß die Beteiligung des Volkes an der Regierung zur Seite geschoben wurde, daß die Verfassung (das "Grundgesetz") ihren Sinn verloren hat, daß die Polizei interniert oder deportiert wurde und daß ein Rechtsstaat in Anarchie verwandelt wurde, um nur ein paar Tatsachen zu erwähnen, die Dr. Best vergaß.

London, 14.11.1944
Samstag Nachmittag hat die Gestapo den Hof des Oberförsters Krarup, Valburop[19] bei Hvalsö auf Seeland, niedergebrannt, nachdem sie den Hof und seine Umgebung ohne Erfolg untersucht hatte. Der Oberförster Krarup ist seit einiger Zeit verschwunden.

London, 16.11.1944
Die Ausstellung "Das kämpfende Dänemark" wurde heute unter der Schirmherrschaft des Dänischen Rates eröffnet. Die Ausstellung gibt einen starken Eindruck von dem

16 Den 7. og 8. november blev syv tilfældige personer dræbt på de københavnske gader af Peter-gruppen, bl.a. som gengæld for nedskydningen af to tyske politisoldater (Lauritzen 1947, s. 1390, Bøgh 2004, s. 167-169, tillæg 3 her).

17 Der henvises til årsdagen for Hitlers kupforsøg den 9. november 1923 i München. At Hitler ikke selv talte udløste en strøm af rygter om, at han var syg, død eller sat fra magten.

18 Interviewet er trykt på dansk hos Alkil, 2, 1945-46, s. 908-910 og her i bilag 1 på tysk. *Information* 6. november 1944 vurderede, at interviewet var overhalet af udviklingen, et led i magtkampen mellem Best og Pancke og mere henvendt til Bests foresatte end den danske offentlighed. *Frit Danmark* december 1944 kommenterede interviewet under overskriften "Dr. Jekyll og Mr. Hyde" med Best i rollen som Jekyll og Pancke som Hyde derhen, at Best nu ville optræde som den mildt bekymrede ven og beskytter af Danmark, mens sagen var, at Bests spil og Panckes terror var to sider af samme sag, nazismen.

19 Der er tale om skovridergården Valborup, som blev udsat for terror 11. november (Lauritzen 1947, s. 1390, Hæstrup, 2, 1959, s. 152 og her tillæg 3).

Wiederstand in Dänemark und dem Beitrag, den die Dänen im Auslande für den alliierten Kriegseinsatz geleistet haben. Die Eröffnungsansprache wurde von Vizepremierminister Attlee gehalten, der von Christmas Möller vorgestellt wurde. Der dänische Gesandte Graf Reventlow, und Mitglieder der Gesandtschaft und des Dänischen Rates empfingen die vielen prominenten Gäste, darunter den Sowjetbotschafter in London, den Norwegischen Botschafter, den Isländischen Minister und Rodney Gallard, der der erste Sekretär der Britischen Legation in Kopenhagen war, als die Deutschen Dänemark besetzten, und seitdem ein treuer Freund Dänemarks ist. Mr. Attlee führte u.a. aus: Von Zeit zu Zeit wird der Schleier, der über Dänemark liegt, gehoben, und wir hören von dem glänzenden Generalstreik, von besonderen Sabotageakten, aber man braucht eine Ausstellung wie diese, um den Umfang, den Geist und die Tapferkeit der Widerstandsbewegung zu verstehen.[20]

London, 18.11.1944
In dem heute Abend veröffentlichten Kommuniqué der britischen Admiralität heißt es, daß dänische Fischerfahrzeuge trotz wiederholter Warnungen immer noch die verbotenen Gebiete der Nordsee befahren. Außer den am Donnerstag gemeldeten 2 dänischen Fischkuttern ist ein weiteres dänisches Schiff, die Galeasse "J.N. Fibiger" von britischen Patrouilleneinheiten aufgebracht und mit Besatzung und Geräten nach einem britischen Hafen gebracht worden.

London, 21.11.1944
Die deutschen Strafmaßnahmen gegen die Bevölkerung in Esbjerg als Gegenmaßnahmen gegen den Streik hörten Sonntag Morgen auf. Der dänische Pressedienst teilt mit, daß die Stadt 3 Tage lang ohne Wasser, Gas und Elektrizität war. Die Vorarbeiter wurden zugleich wieder freigelassen. Den deutschen Repressalien gegenüber nahm die Bevölkerung eine ruhige und würdige Haltung ein, und es kam zu keinen größeren Zusammenstößen. Außer den Institutionen der städtischen Verwaltung besetzten die Deutschen auch einige Betriebe, darunter die "Kooperative Baconfabrik."[21]

London, 20.11.1944
Terkel M. Terkelsen: In einer Erklärung Dr. Bests am 2. Jahrestag seiner Machtübernahme in Dänemark wurde ein Problem zur Sprache gebracht, das übrig bleiben wird, wenn die Deutschen aus dem Lande vertrieben sind. Er berührte das Verhältnis zwischen Dänemark und Deutschland von einem geopolitischen Gesichtspunkt und wiederholte einige Lehrsätze, die man nicht so unbeanstandet hingehen lassen darf, da sie in der außenpolitischen Tradition, die Scavenius als erster vertrat, einen gewissen Hintergrund haben. Dr. Best sagte folgendes: Das dänische und das deutsche Volk werden immer Nachbarn sein und müssen lernen, nebeneinander zu leben. Wer diese Tatsache nicht erkennen und die praktischen Konsequenzen daraus nicht ziehen will, betreibt keine

20 Om udstillingen se *Frit Danmark*, Londonudg. 10., 17. og 24. november 1944, Blytgen-Petersen 1946, s. 590-593.
21 Se afsnit I ovenfor.

Realpolitik. Die Mahnung Dr. Bests an Dänemark, mit Deutschland in Frieden zu leben, wirkt etwas überraschend. War es Dänemark, das diese Lehre vergaß, zuerst im Jahre 1864, dann später im Jahre 1940, oder war es Deutschland? Man soll nicht über Worte streiten, denn was bedeuten wohl ein paar kleine Kriege für Deutschland, für ein Herrenvolk? Die entscheidende Frage ist, ob die außenpolitische Zukunft Dänemarks so eng mit Deutschland verknüpft ist, daß die geographische Lage allein entscheidend wird. Die Antwort muß ein Nein sein, und die außenpolitische Neuorientierung der freien Welt ist bereits dabei, diese Nein in positive Pläne zu gestalten, die auch Dänemark betreffen werden, falls Dänemark dabei sein will, und daran zweifelt keiner.

London, 21.11.1944
Aus den letzten Mitteilungen aus Dänemark geht hervor, daß die Gestapo ihre neuesten privaten Bestrafungsmethoden der dänischen Bevölkerung gegenüber fortsetzt, indem sie u.a. private Villen und Häuser in die Luft sprengt. Der Dänische Pressedienst teilt z.B. mit, daß die Deutschen am Donnerstag eine Fabrik mit daran angrenzender Privatwohnung in die Luft sprengten, die dem Seifenfabrikanten Hansen bei Töllöse gehörte, der kürzlich verhaftet wurde. Frau Hansen und die Kinder des Ehepaares bekamen eine Frist von einer Viertelstunde, ihre Wohnung zu verlassen. Ferner haben die Deutschen ein Försterhaus bei Sönderstrup gesprengt, dessen Besitzer, der Förster Birken, zusammen mit dem Seifenfabrikanten verhaftet wurde.[22]

London, 23.11.1944
Folketingsmand (Reichstagsabgeordneter der Partei "Dansk Samling") Robert Stährmose: Englische Kreise, die viel von unserem Lande halten, folgen mit großer Aufmerksamkeit den Verhältnissen in "Sönderjylland." Die meisten sind sich darüber im klaren, daß die dänische freigesinnte Politik der deutschen Minorität gegenüber geändert werden muß, einfach weil diese Politik sich als ein Fiasko erwiesen hat. Trotz allem Entgegenkommen seitens des dänischen Staates, oft über jede vernünftige Grenze hinaus, trotz aller Unterstützung an Schulen und Gewerbe auf gleichem Fuß mit allen anderen Staatsbürgern, ja trotz der sinnlosen Anerkennung des Deutschen Gymnasiums in Apenrade durch den dänischen Staat, wo etwa 200 Studenten ein deutsches Abiturientenexamen gemacht haben, sodaß sie zur Aufnahme an den dänischen Universitäten berechtigt sind, hat die deutsche Minorität trotzdem sowohl vor als auch während der Besetzung eine solche Illoyalität gezeigt, daß die Stellung der Minorität im dänischen Staate nach dem Kriege geändert werden muß. Alle diejenigen, die sich deutschen Formationen, der Wehrmacht, der deutschen Polizei, der Waffen-SS und der Organisation Todt angeschlossen haben oder von deutscher Seite bewaffnet worden sind, oder für die Losreißung des Gebietes vom dänischen Staate unter der Parole "Heim ins Reich" aktiv gearbeitet haben, müssen vor Gericht gestellt werden. Diejenigen, die sich auf Adolf Hitler vereidigt haben, müssen aus Dänemark ausgewiesen werden und ihr Eigentum muß von Seiten des Staates beschlagnahmt werden. Sollte jemand finden, daß dieses zu

22 Ejeren af sæbefabrikken i Sønderstrup, Christian Wilhelm Hansen, fik sin fabrik og bolig sprængt i luften af Gestapo 17. november (den officielle meddelelse herom fra HSSPFs pressekontor er optrykt hos Alkil, 2, 1945-46, s. 915. Jfr. tillæg 3 her).

hart sei, darf ich versichern, daß die Nachrichten die über die Tätigkeit dieser Leute als "5. Kolonne" vorliegen werden, jegliche übertriebene Barmherzigkeit als unbegründet erscheinen lassen werden. ... Von dänischer Seite hat man der deutschen Minorität guten Willen und Geduld, allzuviel guten Willen und eine gefährliche Langmut entgegengebracht. Als Lohn haben wir nur Undank und Verrat geerntet, deshalb muß dieses strenge, aber gerechte Rechtsverfahren durchgeführt werden.

2.) Die schwedische Presse.
Unter der Überschrift "Beängstigende Gesetzlosigkeit in Kopenhagen. Deutsche Polizisten morden, rauben und stehlen" veröffentlichte "Aftontidningen" am 5. November aus der Feder eines DPT-Sonderkorrespondenten einen Artikel, in dem es heißt: "Kopenhagen ist nun zur Nachtzeit eine ausgestorbene Stadt, eine Stadt, wo Überfälle und Revolvertaten zur Tagesordnung gehören, und wo die Revolvermänner und Verbrecher nicht nur auf den Straßen sondern in Uniform auf den Polizeistationen zu finden sind. Nach der Deportation der dänischen Polizei hat die Unsicherheit jeden Tag zugenommen. ...

In zwei Fällen mußte man feststellen, daß die Diebe, welche auf frischer Tat ertappt wurden, – beim Einbruch in ein Radiogeschäft in der Istedgade und bei einem Diebstahl auf Nörrevold – sich als Mitglieder der deutschen Sicherheitspolizei ausweisen konnten und dadurch konnte das dänische Rechtswesen nicht in Kraft treten...

Einer der gewöhnlichsten Verbrechertricks ist, an der Wohnung, die man ausplündern will, zu klingeln, einen Revolver zu zeigen und zu erklären, man komme von der deutschen Sicherheitspolizei und wünsche eine Haussuchung vorzunehmen. Diese besteht darin, daß man alle Wertgegenstände mitnimmt und dem Opfer mitteilt, es könne im Shellhaus, dem Hauptquartier der Gestapo, Klage führen...

In den Restaurants und Bars laufen unschuldige Gäste Gefahr, von betrunkenen oder schreckhaften Schalburg- oder Sommerleuten niedergeschossen zu werden. Auf der Straße wird man von Revolvermännern angehalten oder ist den Sittlichkeitsverbrechen der deutschen Soldaten ausgesetzt. In seinem Heim darf man Belästigungen durch Diebe erfahren, welche behaupten, von der deutschen Polizei zu kommen – und es vielleicht auch tun.

Zum Interview Dr. Bests in der "Nordschleswigschen Zeitung" am 5. November 1944 schrieb "Dagens Nyheter" vom 11. November 1944: "Dr. Bests schöne Erklärung, daß es das deutsche Streben sei, in Dänemark Ruhe und Ordnung aufrechtzuerhalten, – "dänische Verfassung und dänisches Recht seien unverändert in Gültigkeit, auch wenn man sie nicht anwendet" – ist während der letzten Tage mit einem drastischen Wirklichkeitskommentar versehen worden. Ein anschaulicheres Bild von den Hütern der Rechtsordnung kann man sich kaum denken, als es die deutsche Patrouille dargeboten hat, welche auf Befehl 10 Personen in Kopenhagens Straßen über den Haufen schoß. Am Tage vorher waren zwei Handlanger der Gestapo, die sich schwerer Verbrechen schuldig gemacht hatten, von der Widerstandsbewegung getötet worden. Nun sollte die Rache an der gleichen Stelle stattfinden. Wer sich gerade in der Nähe befand, dessen

Leben sollte ausgelöscht werden, das einzig Wichtig war, ein Exempel zu statuieren.[23] Mit solchen Methoden glaubt man mit dem unbändigen dänischen Selbstbehauptungswillen fertig zu werden, um in nächsten Augenblick heuchlerisch zu versichern, daß das Recht in den Augen der Deutschen der höchste Wert ist, den sie schützen.

Nach "Aftonbladet" vom 14. November 1944 werden in Blekinge zwei neue Schulungslager für die Ausbildung von Polizisten eingerichtet werden. In beiden Fällen handelt es sich um dänische Flüchtlinge. Nach Sälvesborg kamen 150 Dänen, welche in der Stadt einquartiert wurden. Außerdem wollen die Behörden die ganzen Muranlagen in Rönneby beschlagnahmen und es ist beabsichtigt, ein paar Hundert Dänen eine Polizeiausbildung zu geben.

Am Donnerstag wurde in London durch Attlee die Ausstellung "Das kämpfende Dänemark" eröffnet, welche in Text und Bild den unterirdischen Krieg in Dänemark – mit Sabotage, Streik usw. und den Einsatz der Londoner Dänen – ihre Teilnahme an der Schlacht um den Atlantik, ihre Freiwilligen, ihren Einsatz in Grönland usw. – zeigt. Auch ein "unterirdisch" hergestellter Film wurde aus Dänemark herausgeschmuggelt und auf die Ausstellung gebracht, ferner wird das Modell des Gestapo-Hauptquartiere in Aarhus gezeigt, an dem die RAF ihren Angriff studierte.

"Dagens Nyheter" schrieb am 16. November in einer kurzen Notiz: "Der dänische Nachrichtendienst arbeitet rasch und effektiv. Das wurde am Mittwoch durch eine Mitteilung über die unter dem Titel "Staa fast" veröffentlichte "Illegale Zeitung des deutschen Hauptquartiers in Dänemark" bewiesen. Die Enthüllung kam sogar einige Tage vor ihrem Erscheinen.[24] Mit gleicher Präzision wurde schon mehrmals die nötige Aufklärung über ähnliche plumpe Versuche der Deutschen gegeben: Über ihre kommunistische Agitationsnummer im Sommer, welche Namen und Kopf von einer kommunistischen Zeitung gestohlen hatte, und über ihre falschen Flugblätter, welche ungefähr zur gleichen Zeit von einem Flugzeug über Kopenhagen abgeworfen wurden (das waren die, in denen im Zusammenhang mit einer alliierten Invasion von Negersoldaten die Rede war). Mit Kniffen dieser Art kommt man nicht weit. Die Dänen sind nicht leicht aufs Glatteis zu führen, und sie sind im ganzen sehr gut unterrichtet, muß man sagen. Ganz sicher gibt es kein einziges Land, wo die Deutschen es – wenn die Zeit dazu gekommen ist – einmal schwerer haben werden, "unter die Erde zu gehen," als in Dänemark.

Mit der Frage der politischen Flüchtlinge in Schweden und ihrer eventuellen Auslieferung nach schwedischem Gesetz befaßte sich "Göteborgs Handels- und Seefahrtszeitung" vom 20. November 1944 in einem längeren Aufsatz. Darin wurde u.a. ausgeführt: Von den 179.000 Ausländern, die sich in Schweden befinden, seien 89.000 als politische Flüchtlinge gekommen, darunter ca. 30.000 Norweger und Balten, 15.600 Dänen, 5.100 Finnen, 5.300 Deutsche, 1.000 Polen. Nach schwedischem Gesetz gäbe es verschiedene Möglichkeiten, lästige Ausländer abzuschieben: 1. "Auslieferung direkt krimineller Personen auf Verlangen einer fremden Macht;" dies betreffe jedoch nicht

23 Se ovenfor kommentaren fra London 9. november 1944.

24 Det falske illegale blad *Staa fast* udkom duplikeret med to numre, dateret oktober og november 1944. Det blev produceret på tysk politis initiativ (*Besættelsestidens illegale blade og bøger*, 1954, s. 168, Buschardt og Tønnesen 1965, s. 152. *Frit Danmarks Nyhedstjeneste* 2. årg. nr. 15 oplyste, at *Staa fast* blev redigeret i Gestapos hovedkvarter Dagmarhus (!)).

politische Verbrecher. 2. "Abweisung an der Grenze;" dies sei früher bei Zigeunern, Taschenspielern und anderen unerwünschten Elementen gehandhabt worden. 3. "Abtransport;" dieser könne auf Grund von Versäumnissen in Paßangelegenheiten u.a. geschehen. 4. "Ausweisung;" dieser Ausweg werde Personen gegenüber in Anwendung gebracht, welche sich eines Verbrechens schuldig gemacht hätten oder sonst nicht erwünscht wären. – hieraus ersähe man, daß die "Auslieferung" im allgemeinen nicht auf Kriegsverbrecher angewendet werden könne. Am besten sei natürlich in solchen Fällen die "Abweisung" schon an der Grenze, wozu aber selbstredend nicht immer Gelegenheit gegeben sei. Die Alliierten hätten bisher noch nicht genau mitgeteilt, wer als Kriegsverbrecher anzusehen sei, doch ließen sich etwa die fünf folgenden Hauptgruppen unterscheiden: die großen politischen Führer, welche Aggressionskriege begonnen hätten; Personen, welche für Judenmorde u.a. die Verantwortung tragen; Personen, welche durch unzulässig grausame Kriegführung die Kriegsgesetze verletzt hätten; Personen, welche die völkerrechtlichen Bestimmungen für eine Besetzung verletzt hätten; und schließlich die Quislinge, welche auf eine das allgemeine Rechtsempfinden verletzende Weise für die Okkupationsmacht gearbeitet hätten. Innerhalb dieser Kategorien könnten sich nun ja alle Arten von Verbrechen finden, und es sei für die schwedischen Behörden nicht leicht, hier bindende Definitionen zu finden. Es sei aber auch möglich, daß man gar keinen Wert auf Präzisierung oder allzu feste Regeln lege. Schweden habe sicher eine Menge "kleinere Quislinge" zu erwarten, welche nur feige und einfältig waren. Diese könne man ruhig in ein Land wie Norwegen zurückschicken, wo die Behörden sicher nicht alle über einen Kamm scheren würden. Dagegen müßten die schwedischen Behörden davon Abstand nehmen, "kleine Quislinge" in solche Länder zurückzuschicken, wo alle nach einem Schema erledigt würden. Kurz gesagt, die verantwortlichen schwedischen Kreise behielten sich vor, die Frage der Kriegsverbrecher von Fall zu Fall zu entscheiden.

205. Werner Best an das Auswärtige Amt 1. Dezember 1944

Fra von Hanneken havde Best modtaget besked om, at Keitel havde beordret, at Terboven og Best skulle udstede en forordning, der pålagde værftsarbejderne og deres pårørende ansvaret for sabotagehandlinger på de værfter, hvor de arbejdede. Dermed var den beslutning truffet, som Best havde søgt at modarbejde gennem det meste af november. Bedre blev det ikke af, at Keitel forudsatte, at der allerede var oprettet sabotageværn ved værfterne, hvilket ingenlunde var tilfældet, rent bortset fra at skibssabotagen i Danmark var minimal. Over for AA påpegede Best, at gennemførelsen af Keitels ordre var en sikker måde at gennemtvinge et stop for værfternes arbejde på. I tilfælde af sabotage måtte værftsarbejderne deporteres, og så havde sabotørerne opnået deres mål. Best gentog slutteligt, at sabotagen kun kunne bekæmpes gennem et effektivt politiarbejde og beskyttelse af sabotagemålene.

Ribbentrop svarede ham 9. december (Rosengreen 1982, s. 147f.).

Kilde: PA/AA R 101.041. RA, pk. 232. LAK, Best-sagen (på dansk). PKB, 13, nr. 774. Best 1988, s. 73.

Telegramm

Kopenhagen, den	1. Dezember 1944	23.05 Uhr
Ankunft, den	1. Dezember 1944	23.45 Uhr

Nr. 1347 vom 1.12.[44.] Citissime!
Nur als Verschlußsache zu behandeln. zu Inl. II 752 gRs

Der Wehrmachtbefehlshaber Dänemark hat mir heute den folgenden Wortlaut eines Fernschreibens des Generalfeldmarschalls Keitel mitgeteilt:

"Wehrmachtbefehlshaber Norwegen und Wehrmachtbefehlshaber Dänemark werden beauftragt, bei dem Reichskommissar für die besetzten norwegischen Gebiete beziehungsweise bei dem Reichsbevollmächtigten in Dänemark den Erlaß einer Verordnung und deren Durchführung durch den Befehlshaber der Sicherheitspolizei zu erwirken, nach dem die Gefolgschaftsmitglieder gegebenenfalls ihre Angehörigen (Sippenhaftung) für die in ihrem Betrieb vorkommenden Sabotagefälle mit verantwortlich gemacht werden. Jeder Werft- usw. Arbeiter muß wissen, daß jeder in seinem Arbeitsbereich vorkommende Sabotageakt für ihn persönlich und bei seinem Verschwinden für seine Angehörigen die allerschwersten Folgen nach sich zieht."

Ich bitte, den Generalfeldmarschall Keitel davon zu unterrichten, daß der Erlaß einer solchen Verordnung und ihre Durchführung der sicherste Weg wäre, die dänischen Werften in kürzester Frist stillzulegen. Denn der Feind würde sich die Gelegenheit nicht entgehen lassen, schleunigst durch "Präzisionssabotage" uns zur Anwendung unserer Verordnung zu zwingen. Da das Mindeste, was nach dem Vorschlag des Generalfeldmarschalls mit den Arbeitern einer sabotierten Werft geschehen müßte, die Festnahme der Arbeiter und ihre Verbringung in ein Konzentrationslager wäre, würden wir durch wenige Sabotageakte gezwungen, die Facharbeiter der Werften, die als hochqualifizierte Spezialisten nicht ersetzt werden können, zu beseitigen und damit die Werft stillzulegen. Der Feind hätte damit die Einstellung der gesamten Werftarbeiten für deutsche Zwecke erreicht, während jedoch bisher nur Einzelbeschädigungen, die mehr Arbeits- und Lieferungsverzögerung, gelungen sind. Mit der durch uns selbst durchgeführten Stillegung der Werft wäre allerdings die Werftsabotage im dänischen Raum beendet.

Ich kann nur immer wiederholen, daß die Kleinkriegsmaßnahmen des Feindes nur dadurch solidarisch bekämpft werden können, daß seine Kampfgruppen ermittelt und vernichtet werden, wofür Verstärkung unserer Sicherheitspolizei erforderlich ist, und daß die gefährdeten Objekte ausreichend geschützt werden, wofür bewaffnete Wachkräfte (Ordnungspolizei oder Wehrmacht) zur Verfügung gestellt werden müssen. Jede andere Maßnahme schadet mittelbar deutschen Interessen und nützt dem Feind.

Dr. Best

206. Werner Best an das Auswärtige Amt 1. Dezember 1944

Best imødekom OKW's ønske om, at værnemagtsintendanten i Danmark skulle overtage administrationen af betalingen af udgifterne til Waffen-SS' forsorgsofficer i Danmark. Han gjorde samtidig opmærksom pa, at i de tilfælde, hvor det drejede sig om SS-Ersatzkommandos og forsorgsofficerens understøttelsesudbetalinger, skulle de fortsat hentes fra clearingkontoen, og i det omfang, det drejede sig om udbetalinger af politisk art, skulle midlerne hentes fra den rigsbefuldmægtigedes til rådighed værende besættelsesmidler.

Samme dag var der møde i Berlin om bl.a. udgifterne til Waffen-SS' forsorgsofficer. Se Türks referat af mødet 1. december og Arndts tilsvarende 5. december nedenfor.

Se endvidere Waffen-SS' forsorgsofficer til Werner Best 22. juni 1944.
Kilde: PA/AA R 100.989. RA, pk. 232.

Abschrift Ha Pol 6068/44 g
Der Reichsbevollmächtigte in Dänemark *Kopenhagen, den 1. Dezember 44*
III/10496/44

Betr.: Zahlungsmittelbereitstellung für Waffen-SS und Polizei in Dänemark.
Auf den Erlaß vom 16. Oktober 1944[25] – Ha Pol 5019/44 g –

Dem Wunsche des Oberkommandos der Wehrmacht hinsichtlich des Kronenbedarfs für die persönlichen und sächlichen Ausgaben (Gehälter, Löhne, Geschäftsunkosten usw.) des SS-Ersatzkommandos und des Fürsorgeoffiziers der Waffen-SS kann entsprochen werden. Ich habe deshalb veranlaßt, daß die beiden Dienststellen von Anfang November d. J. an ihren Kronenbedarf nicht mehr bei meiner Zahlstelle, sondern beim Wehrmachtintendanten anfordern.

Der darüber hinaus bei diesen Dienststellen auftretende Kronenbedarf muß weiterhin, soweit es sich um Unterstützungszahlungen des Fürsorgeoffiziers handelt, aus Clearingmitteln und, soweit es sich um Zahlungen politischer Art handelt, aus den mir zur Verfügung stehenden Besatzungsmitteln bestritten werden.

Der sowohl vom Reichsfinanzministerium als auch vom OKW gewünschten genauen Abstimmung der für die Wehrmacht usw. erlassenen Anordnungen mit denen der Polizei ist insofern Rechnung getragen worden, als ich im Einvernehmen mit dem Wehrmachtintendanten den vom OKW ergangenen Steuerungserlaß vom 21. Februar 1944 (Nr. 2232/44 geh.) und die dazu vom Wehrmachtbefehlshaber erlassenen Erläuterungen für alle die zivilen und Polizeidienststellen verbindlich erklärt habe, die aus den mir für die Zwecke der deutschen Polizei usw. zur Verfügung gestellten Besatzungsmitteln Kronenbeträge erhalten. Damit ist sichergestellt, daß hinsichtlich der Mittelbewirtschaftung, Sparmaßnahmen, Lohn- und Preisfragen bei den Wehrmachtausgaben und den Ausgaben für die deutsche Polizei usw. nach einheitlichen Richtlinien verfahren wird. Zudem werden alle grundsätzlichen Fragen zwischen der mir unterstellten Verbindungsstelle der Hauptverwaltung der Reichskreditkassen und dem Wehrmachtintendanten abgestimmt.

gez. **Dr. Best**

207. Kriegstagebuch/Seekriegsleitung 1. Dezember 1944

OKW havde besluttet, at der skulle tages de stærkeste midler i brug for at afværge sabotagen i Norge og Danmark uanset de politiske konsekvenser. Det fik Seekriegsleitung til at skrive til OKW/WFSt med kopi til RFSS personlig, at den antog, at de umiddelbare foranstaltninger, der skulle tages for at øge sabotagebeskyttelsen var det tyske sikkerhedspolitis ansvar.

Kilde: KTB/Skl 1. december 1944, s. 5.

25 Von Behr til Best 16. oktober 1944.

[...]
Ob.d.M.: Bezüglich Sabotageabwehr in Norwegen und Dänemark ist durch Entscheidung des OKW, daß mit schärfsten Mitteln ohne politische Rücksichtnahme durchgegriffen werden soll, Klarheit geschaffen. Aussprache über diesen Punkt mit RKS erübrigt sich.

3/Skl drahtet in dieser Angelegenheit an OKW/WFSt. nachr. Reichsführer SS – persönlich – MOKs Norwegen, Ost, Nord u.a.:

"Seekriegsleitung nimmt an, daß für Sofortmaßnahmen zur Durchführung erhöhten Sabotageschutzes mit den bereitzustellenden Kräften BdS Norwegen bzw. Dänemark verantwortlich sind."
[...]

208. Otto Bovensiepen: Die Sabotage- und Militär-Organisation in Dänemark 1. Dezember 1944

Udarbejdelsen af en særskilt rapport om den danske modstandsbevægelse var ud over fremstillingen af "Meldungen aus Dänemark" blandt Bovensiepens nye initiativer i efteråret 1944. Rapporten byggede på de oplysninger, som det indtil december 1944 var lykkedes Gestapo at stykke sammen gennem afhøringer af anholdte modstandsfolk og beslaglæggelser af diverse dokumenter. Rapporten havde en detaljeringsgrad, der rakte fra den øverste modstandsledelse til lokalledelser i regionerne og en lang række større byer. Talrige var kendt ved deres rette navn, andre kun under deres dæknavn. Andre igen var allerede i tysk varetægt. Jørgen Hæstrup betegner rapporten som "næsten pinligt sand", og Henrik Skov Kristensen kalder den frygtindgydende, hvilket dog måske er overdrevet.

Rapporten dokumenterer, at Gestapo kendte modstandsorganisationens opbygning i detaljer, men at kvaliteten af oplysningerne svingede meget fra region til region. Svagest synes oplysningerne at have været for Fyns vedkommende,[26] ligesom Københavnsledelsen var Gestapo ubekendt. Bornholm er slet ikke nævnt. Omvendt havde nogle af de aktuelle arrestationer bragt Gestapo delvist ajour med forholdene bl.a. i Region I og V. Blandt sabotageorganisationerne er alene Holger Danske nævnt ved navn, mens BOPA hverken her eller siden nævnes ved navn, selv om Gestapo i december, som det fremgår af Bovensiepens aktivitetsberetning for denne måned, kom på det rene med, at DKP stadig havde sin egen sabotageorganisation. Det har givetvis været en kedelig oplysning at videregive, da den kommunistiske sabotage så mange gange var meldt knust (Hæstrup, 2, 1959, s. 301-302, Hæstrup 1979, s. 320-323, Bjørnvad 1988, s. 367-369, Skov Kristensen et al. 1988, s. 479-481, 502-504, Røjel 1993, s. 279, Kjeldbæk 1997, s. 213, 384-387).

Se endvidere rapporten om det danske efterretningsvæsen 29. december 1944.

Kilde: RA, Jørgen Hæstrups arkiv. RA, Ole Lippmanns arkiv (gennemslag og senere oversættelse). H.C. Bjergs arkiv (privateje). Afskrift på tysk og dansk oversættelse i FM 26a-20. Afskrift på tysk i HSB. Uddrag på dansk i *FV-Bladet* december 1980, s. 15-37.

Der Befehlshaber der Sicherheitspolizei und des SD in Dänemark
IV 2a-2398.44g.

Kopenhagen, 1.12.1944
Abschrift
Geheim.

Die Sabotage- und Militär-Organisation in Dänemark

I. Einleitung

Verschiedene große Ermittlungsverfahren, die die Sicherheitspolizei in Dänemark in der letzten Zeit durchgeführt hat, ermöglichen es nunmehr, ein ziemlich klares Bild über die

26 Af Hæstrup 1979, s. 323 udpeget som "mønsterregionen" med baggrund i SOEs opfattelse.

Entstehung, den Aufbau, Umfang und die Ziele der Sabotage und Militär-Organisation in Dänemark zu geben. Die Erkenntnisse beruhen vor allem auf den Ermittlungsverfahren gegen festgenommene Fallschirmagenten und gegen verschiedene führende Personen aus der Organisation. Die Ermittlungen zeigen, daß es bis vor kurzer Zeit fast unmöglich gewesen wäre, ein einwandfreies Bild der Widerstandsorganisation zu geben, da sie bis in die jüngste Zeit hinein in ständiger Entwicklung gewesen ist und erst jetzt klare Linien für ihren Aufbau und Einsatz vorliegen.

II. Entstehung der Organisation

Bis zum 29. August 1943 haben lediglich die Sabotagegruppen den aktiven Kampf gegen deutsches Eigentum und deutsche Interessen in Dänemark geführt. Über ihnen standen die Fallschirmagenten, die einerseits bei der Bildung der Gruppen mitwirkten und sie anderseits mit Material versorgten und ihnen zuträgen gaben. Die Entwaffnung der dänischen Wehrmacht am 29.8.43 schuf eine völlig neue Situation. Nach den Direktiven des Freiheitsrates, der sich nach der Abdankung der Regierung gebildet hatte, erhielten die Sabotagegruppen und die übrigen illegalen Kreise großen Zulauf, wobei diese Bestrebungen durch die Anfang Okt. 1943 durchgeführte Judenaktion erheblich gefördert wurden. Die Sabotagen in Dänemark erreichten in November 1943 ihren höchsten Stand.[27] Ende 1943 wurde Dänemark als kriegsführendes Land gegen Deutschland anerkannt.[28] In die gleiche Zeit fallen die Vorbereitungen der Alliierten für die Invasion in Europa. In Dänemark fehlte es bis dahin einer militärischen Widerstandsorganisation von Bedeutung. Diese mußte deshalb für den Invasionsfall geschaffen werden. Außerdem war es erforderlich, die Sabotagegruppen, die durch die erfolgreiche Arbeit der deutschen Sicherheitspolizei laufend geschwächt worden waren, Auszufüllen und zu verstärken. Aus diesem Grunde wurde Anfang 1944 von England der Befehl gegeben, die Industriesabotage einzustellen. Die Sabotagegruppen sollten Zeit bekommen, ihre Organisation auszubauen.[29]

Ende 1943 zeigten sich die ersten Anzeichen für die Bildung einer organisierten militärischen Widerstandsbewegung. Bei der Arbeit der Sicherheitspolizei wurden laufend sogn. Sechs-Mann-Gruppen festgestellt, die offenbar militärischen Zwecken dienen sollten. Es steht nunmehr fest daß die Bildung dieser Gruppen vom Freiheitsrat ins Leben gerufen worden ist. Die Organisation war im großen gesehen jedoch schlecht. Es wurden lediglich in den einzelnen Städten Stadtleiter eingesetzt, die sich aus ihrem Umgangskreis 6-Mann-Gruppen schufen. Außerdem wurde in der illegalen Presse dazu aufgefordert, in Freundes- und Bekanntkreisen (z.B. in Vereinen) derartige Gruppen zu bilden. Die Städteleiter beschränkten sich jedoch nicht nur auf ihren eigenen Stadtbezirk, sondern griffen auch auf andere Bezirke über, zu denen sie Beziehungen hatten.

Die erste planmäßige Organisation unter Zusammenfassung der Sabotage- und Militärgruppen ist in Jütland feststellbar. Dort war bis Anfang April 1944 der unter dem Namen Mandarin bekannte Gutsbesitzer Flemming Juncker als Leiter des aktiven Wi-

27 Dette er korrekt. Sabotage i endnu større omfang fandt først sted februar 1945 (Kjeldbæk 1997, s. 213).

28 Danmark blev anerkendt som krigsførende mod Tyskland under Teheran-konferencen efteråret 1943.

29 Der var beordret sabotagestop i en periode fra midten af februar til midten af april 1944.

derstandes tätig. Er bedient sich für die Durchführung seiner befehle in der Hauptsache der Fallschirmagenten. Er selbst bekam seine Aufträge von dem Chefagenten für Dänemark, dem Fallschirmagenten Flemming Muus, Decknamen Jörgen Möller. Um April 1944 mußte Juncker nach einer gegen ihn durchgeführten sicherheitspolizeilichen Aktion fliehen. Er ging über Schweden nach England.[30] Als sein Nachfolger wurde der frühere Oberstleutnant Vagn Bennike aus Kopenhagen bestimmt. Damit übernahm erstmalig ein dänischer Offizier die Leitung der illegalen Arbeit an maßgeblicher Stelle. Er forderte dafür die Besetzung aller maßgeblicher Posten in der Organisation mit Offizieren. Die Bedeutung der Fallschirmagenten trat damit in Jütland in den Hintergrund. [Nun?] ergaben sich Auseinandersetzungen zwischen Bennike und seinen Offizieren auf der einen Seite und der Fallschirmagenten auf der anderen Seite. Bennike setzte es im Juli 1944 durch, daß er unabhängig von dem Chefagenten Jörgen wurde.[31] Gleichzeitig wurde der ihm bis dahin zugeteilte Fallschirmagent Frants Axel Lassen (Deckname Viggo) nach Kopenhagen abgerufen.[32] Als Berater erhielt Bennike den Fallschirmagenten Bent, der Anfang August 1944 aus England eintraf und ihm unmittelbar unterstellt wurde.[33] Außerdem wurde ihm der inzwischen festgenommene Fallschirmagent Finn Henrik Ibsen (Deckname Börge) als Funker zugeteilt.[34]

Bennike zog seine Organisation rein militärisch auf. Jütland wurde in die Bezirke Nord-, Mittel- und Südjütland eingeteilt. Unter Bennike arbeitete unmittelbar als Führer der Sabotageorganisation der frühere Zollassistent Jensen aus Skive, Deckname Toldstrup,[35] und der Nachrichtenmann Terkelsen, richtiger Name Oberleutnant Tillisch.[36] Den 3 Bezirksleitern Nord-, Mittel- und Südjütland wurden sowohl die Militär- als auch die Sabotageorganisationen unterstellt. Die Sabotagegruppen wurden S-Gruppen, die Militärgruppen M-Gruppen genannt.

In Kopenhagen ließ sich ein klares Bild noch nicht gewinnen. Hier befanden sich die wichtigsten Sabotageorganisationen, die inzwischen beträchtlich ausgebaut worden waren.[37] Hervorzuheben ist die Gruppe "Holger Danske," die bis Mitte des Jahres auf etwa 300 Mann gebracht wurde.[38] Die Bildung der Sechs-Mann-Gruppen lief gesondert. Daneben entstanden die sogen. O-Gruppen, zu denen ausschließlich gediente Männer Zutritt hatten.

In der Provinz Seeland bildeten sich seit Ende 1943 ebenfalls die O-Gruppen.[39]

30 Flemming Juncker måtte forlade Danmark i slutningen af april og kom til London.

31 Efter Junckers afrejse blev ledelsen af det jyske modstandsarbejde delt mellem Vagn Bennike og Anton Toldstrup uden aftale om en ansvarsfordeling, hvilket udløste de stridigheder, som Bovensiepen omtaler.

32 Frantz Lassen var i august kommet til København, da Muus manglede en forbindelsesmand. Lassen blev arresteret af Gestapo 1. september (Birkelund/Dethlefsen 1986, s. 95f.).

33 Frits T. Vang (Bent) var tilknyttet nedkastningschef Toldstrup og ikke Vagn Bennike, hvor han kun havde været 3 uger. Det var J.V. Helk, der var tilknyttet Bennike (Birkelund/Dethlefsen 1986, s. 94, 116f.).

34 Telegrafist Holger Ibsen var tilknyttet Bennike og blev arresteret i Århus (Birkelund/Dethlefsen 1986, s. 96).

35 Oplysningerne om Anton Toldstrup var korrekte.

36 Premierløjtnant Fritz Tillisch var leder af efterretningsarbejdet i Jylland.

37 I ingen af de kendte Gestapo-aktivitetsberetninger og heller ikke i denne rapport nævnes BOPA ved navn.

38 Holger Danskes størrelse i sommeren 1944 er noget overdrevet. De aktives antal var omkring 150 (Birkelund 2008, s. 611).

39 Betegnelsen O-grupper anvendtes dels om grupper af officerer dannet efter officerernes frigivelse fra tysk

Daneben wurde die Schaffung der Sechs-Mann-Gruppen als Aktivisten-Gruppen (A-Gruppen) stark vorangetrieben. Wie bereits ausgeführt, war die Organisation im großen gesehen jedoch schlecht.

Auf der Insel Fünen wurden ab Mitte des Jahres die "Invasions-Gruppen" festgestellt, die beim Vergleich mit Seeland als A-Gruppen bezeichnet werden können. Die Invasionsgruppen auf Fünen waren wie die A-Gruppen in der Provinz Seeland diejenigen Gruppen, die Sabotage und Überfälle ausführten.

Eine einheitliche Linie in ganz Dänemark ergab sich aus dem Operationsbefehl des Alliierten Hauptquartiers (SHAEF) vom Juni 1944.[40] Dieser Befehl trennt zwischen R- und F-Gruppen. R-Gruppen sind diejenigen Gruppen, die mit der Waffe in der Hand oder als Saboteure gegen Deutschland kämpfen sollen.[41]

Zu den F-Gruppen, die als keine feste Organisation zu betrachten sind, sollen alle einsatzfähigen dänischen Männer und Frauen herangezogen werden. Sie sollen zu gegebener Zeit ohne Waffengebrauch den Deutschen alle erdenklichen Hindernisse in den Weg legen (z.B. Bau von Barrikaden, werfen von Glasscherben vor Kraftfahrzeuge, Abmontieren von Wegweisern usw.).

In Jütland bedeutete dieser Befehl offensichtlich keine besondere Neuerung, nachdem bereits eine einheitliche Führung vorhanden war. In Seeland dagegen mußte sie erst geschaffen werden. Zunächst wurde eine klare Abgrenzung zwischen den Stadtbezirken herbeigeführt, fremde Gruppen wurden ausgetauscht. Sodann wurde Seeland in 6 Bezirke, gegliedert nach den dänischen Amtern, aufgeteilt. Diese waren:

Frederiksborg
Roskilde
Præstø
Holbæk
Sorö und
Lolland-Falster

Jedes Amt erhielt als Leiter einen Offizier. Die Gesamtleitung für Seeland wurde dem "Seelandsrat" übertagen, an dessen Spitze ebenfalls ein Offizier und zwar Oberst Riis-Lassen, Deckname "Inspektor Larsen," gesetzt wurde.[42] Es wurde ferner angeordnet, daß die Gliederung nach R- und F-Gruppen (hier zum Teil A- und B-Gruppen genannt) durchzuführen sei. Die Verschmelzung ist noch nicht restlos durchgeführt. Es haben sich zum Teil recht große Schwierigkeiten ergeben, weil sich die Städteleiter innerhalb der beiden Gruppen zum Teil einander nicht unterstellen wollen. Man ist deshalb dabei, in verschiedenen Bezirken neue Leiter zu bestimmen, denen dann beide Gruppen unterstellt werden sollen. Eine Rivalität zwischen den O-Gruppen, d.h. militärisch geschulten Männern, und den A-Gruppen, d.h. den zivilen Aktivisten ist unverkennbar.

In allerjüngster Zeit ist das Amt Frederiksborg in die Amter Frederiksborg-Ost und Frederiksborg-West aufgeteilt worden. Zu Frederiksborg-Ost gehört die gesamte Küste

internering 22. oktober 1943, dels om militærgrupperne under Den lille Generalstab.

40 Om operationsbefalingen se nedenfor.

41 R- og F-grupper er ikke betegnelser, der blev anvendt i modstandsbevægelsen.

42 Oberstløjtnant P. Riis Lassen blev leder af Region V i midten af oktober 1944 (Bjørnvad 1988, s. 262).

von Vedbäk, d.h. nördlich Kopenhagen bis etwa Gilleleje. Damit tritt die Bedeutung die den Gruppen an der ostseeländischen Küste zugemessen wird, deutlich zu Tage.

Die F-Gruppen (in Seeland B-Gruppen) sind offenbar noch nicht durchorganisiert. Nach dem Operationsbefehl sollen sie möglichst unauffällig und ohne Enttarnung der R-Gruppen aufgebaut werden. Verschiedene Bezirksleiter erklären jedoch, daß die Schaffung der F-Gruppen sehr schwierig ist, weil die meisten Dänen, die zur Mitarbeit bereit sind, in die R-Gruppen hinein wollen.

Mit der Übernahme der Führung durch die Offiziere hat die Gesamtorganisation einen nationalen Charakter erhalten. Kommunisten sind in leitenden Stellen im allgemeinen nicht festzustellen. Verschiedene Festnahmen von Gruppenangehörigen und Aufsagen in Ermittlungsverfahren beweisen jedoch, daß von kommunistischer Seite versucht wird, die Gruppen kommunistisch zu durchsetzen und daß bei den Kommunisten die Absicht besteht, im richtigen Augenblick die nationalen Kreise zu entwaffnen und die Macht an sich zu reißen.

Die Stellung der Fallschirmagenten hat sich durch diese Entwicklung ziemlich stark gewandelt. Der Chefagent "Jörgen" ist Mitglied des Freiheitsrates und vertritt in ihm die englischen Interessen, d.h. er sorgt für Ausführung der englischen Befehle.[43] Die ihm unterstellten Agenten haben einerseits die Aufgabe, für die Heranschaffung und Verteilen von Waffen und Sabotagematerial zu sorgen, und anderseits die verschiedene Gruppen zu instruieren. Nach dem Ausdruck eines festgenommenen Fallschirmagenten sollen sie künftig "Ölkanne" sein.

Für die Verbindung mit England sind verschiedene Funker Eingesetzt, die von den Fallschirmagenten gesteuert werden. In Kopenhagen und Seeland arbeitet der Hauptfunker Duus-Hansen außerordentlich geschickt. Er hat verschiedene Funker eingesetzt, die von den Fallschirmagenten gesteuert werden, die nach Jütland beschickt worden sind, ausgebildet.[44]

In Jütland gab es nach der Festnahme des Funkers Finn Ibsen (Börge) je einen Funker für jeden der 3 Bezirke.[45]

Abgesehen von der reinen Nachrichtenübermittlung haben die Funker erhebliche Bedeutung für den Einsatz der Organisation und den Empfang von Fallschirmagenten und Sabotagematerial. Über sie werden die Stichworte nach England gefunkt, die jeweils durch den englischen Rundfunk mitgeteilt werden.[46]

III. Aufbau der Organisation

Über der Organisation steht der "Freiheitsrat", nach dessen Weisungen sie arbeitet.

In der Hauptleitung für ganz Dänemark sitzen nach den bisherigen Erkenntnissen u.a.:[47]

43 Flemming B. Muus.

44 Radioingeniør L.A. Duus Hansens rolle var, som Bovensiepen beskrev, men han udviklede desuden nyt sendeudstyr.

45 Det var ikke tilfældet. Telegrafisterne var ikke fordelt på de tre jyske regioner, men alene hos Bennike. Desuden havde Toldstrup og lederne af hærens efterretningstjeneste radioforbindelse.

46 Ordningen var som beskrevet.

47 Bovensiepen var ikke på det rene med, hvem der var medlemmer af Frihedsrådets Kommandoudvalg.

General Görtz,
Oberst Timroth und
Oberst Tage Andersen.

Unter der Hauptleitung arbeiten die Distrikte:
a.) Jütland,
b.) Fünen,
c.) Seeland,
d.) Kopenhagen.

Zu a.): Leitung in Jütland:
Oberstleutnant Bennike, Deckname Gustav Olsen, Middelbo, Onkel, Großvater.[48]
Ihm unmittelbar unterstellt:
Oberstleutnant Tillisch, genannt Terkelsen als Nachrichtenmann und für die Sabotage vermutlich:
Zollassistent Jensen, genannt Tolstrup. Gewisse Anzeichen sprechen aber dafür, daß Tolstrup inzwischen zum Distriktsleiter für Nordjütland bestimmt worden ist.[49]
Distriktseinstellung in Jütland:
Nordjütland,
Mitteljütland,
Südjütland,
Distriktsleiter Südjütland:
Leutnant Broder-Börge Iversen (inzwischen festgenommen).[50]

Zu b.): Leitung in Fünen:
Zentral-Rat-Fünen:[51]
Mitglieder:
Fallschirmsagent Svend Jensen (Lofty),[52] Odense,
Dr. Ejnar Kruse, Odense,
Hans Muus, Odense,
Kapitän H.M.G. Buch, Odense,
Jens Frederik Busk-Rasmussen, Odense (festgenommen),[53]

Ingen af de nævnte var medlem, men Ebbe Gørtz var af SHAEF udset til at overtage kommandoen ved en invasion.

48 Bedstefar var Ebbe Gørtz' dæknavn, hvilket fik Gestapo til at tage fejl af Gørtz' identitet. Yderligere forvekslede Gestapo Vagn og Helge Bennike, som det fremgår af Bovensiepens aktivitetsberetning for november 1944.

49 Anton Toldstrup var leder af våbenmodtagelsen og tillige leder af Region I fra efteråret 1944.

50 Børge Broder Iversen var leder af Region III og blev arresteret i begyndelsen af oktober 1944, hvilket førte til meget omfattende arrestationer, som det fremgår senere af rapporten. Toldstrup 1948, s. 168, fandt det uforståeligt, at Iversen straks opgav alt, hvad han vidste til Gestapo. Toldstrup mistede en kurer på den konto.

51 Fynsledelsen så ud som her opgivet (Hæstrup 1979, s. 326-330).

52 Svend Jensens (Loftys) virkelige identitet var ikke Gestapo bekendt. Det var J.E. Hecht-Johansen.

53 Busk-Rasmussen måtte efteråret 1944 forlade Odense, da han havde haft kontakt med afsnitsledelsen i Svendborg, der blev oprullet. Busk-Rasmussen tog til København, hvor han senere blev arresteret (Hæstrup 1979, s. 329).

Unterdistrikte:
Odense-Stadt,[54]
Leiter E. Frandsen, Odense,
B. Münter, Odense,
Chr. Bro, Odense,
V. Jacobsen, Odense,
Nyborg:
Dr. Niels M. Christiansen,
Svendborg:[55]
Rechtsanwalt Bent Poulsen (festgenommen),
Lehrer Chr. Stärmose (festgenommen),
Arbeiter Niels Jensen (festgenommen),
Kapitän Steensgaard,
Faaborg:
Gerichtsbevollmächtigter Michelsen,
Fabrikant Hans Poulsen,
Steuersekretär Larsen,
Middelfart:
Ole ehemaliger Offizier u.
Ladegaard Mikkelsen,
Luftschutzchef in Middelfart.

Zu c.): Leitung Seelandsrat:
Mitglieder:
Oberst Riis Lassen, "Inspektor Larsen",
Oberstleutnant Callisen,[56]
Kapitän Frigast,[57]
"Svendsen," (Verbindungsmann zum "Freiheitsrat"),
"Christensen,"(Verbindungsmann zum Freiheitsrat),[58]
Unterleitung:
Frederiksborg-Ost
Leiter: Einar Lütken (festgenommen),[59]

54 Gestapo kendte navnene på medlemmerne af byledelsen i Odense, men ikke deres funktioner: Erik Frandsen havde ledet sabotagearbejdet, men siden overtaget modtagearbejdet på hele Fyn. I stedet overtog ingeniør K.B. Münter sabotageledelsen, mens Chr. Bro stod for udbygningen af M-grupperne og kasserer Valdemar Jacobsen var teknisk leder (Hæstrup 1979, s. 327f.).

55 Det lykkedes Gestapo at oprulle afsnitsledelsen i Svendborg (Hæstrup 1979, s. 329).

56 Oberstløjtnant S.C. Callisen

57 Kaptajn E. Frigast.

58 Sjællandsledelsen havde to forbindelsesofficerer, men ikke til Frihedsrådet. Det var E.F. Holck og Viggo Sørensen. Sjællandsledelsen bestod på dette tidspunkt af Riis Lassen, Anker Olesen, Nissen Blom og Arthur Hansen (Bjørnvad 1988, s. 263), så Bovensiepen var ikke tilstrækkeligt underrettet om personsammensætningen.

59 Arkitekt E. Lütken blev arresteret 22 november (Bjørnvad 1988, s. 297f.). Se endvidere von Appen til 1.SS-Polizeibataillon 22. november 1944.

Frederiksborg-West:
Leiter: Oberstleutnant [C.V.] Deleuran, Rungsted,
Roskilde:
Leiter: Oberstleutnant [C.F.] Lökkegaard,
Holbäk:
Leiter: Augenarzt [Svend] Diemar,
Oberstleutnant [A.G.R.] Opp[er]mann,
Sorö:
Leiter: Leutnant Lunn und
Utzen Christensen (beide Festgenommen),[60]
Prästö Amt:
Leiter: Oberstleutnant und Tierarzt [F.E.W.] Toussieng.
Lolland/Falster:
Leitung unbekannt.

Zu d.): Kopenhagen:
Die Organisation in Kopenhagen ist, soweit erkennbar, noch nicht endgültig durchgeführt.

Empfangskomitees:
Der Leitung in Jütland, Fünen und Seeland sind unabhängig von der Distriktseinteilung die Empfangskomitees sowie die Verteiler des Abwurfmaterials angegliedert.

Fallschirmagenten:
Nach den letzten Festnahmen in September 1944 verblieben lediglich folgende Fallschirmagenten in Dänemark:
a.) in Seeland:
Der Chefagent Flemming Muus und der Fallschirmagent "Jens Peter,"[61]
b.) in Fünen:
Der Fallschirmagent "Lofty,"[62]
c.) in Jütland:
Der Fallschirmagent "Bent."[63]
Die Aussagen von Festgenommenen lassen jedoch erkennen, daß inzwischen neue Fallschirmagenten als Instrukteure in Dänemark abgesprungen sind. Im Seeland sollen 2 neue Agenten angekommen sein.[64]

60 Forvalter Jens Chr. Lunn og underkvartermester P. Utzen Christensen blev arresteret 30. oktober (Bjørnvad 1988, s. 365).
61 Erik Jens Peter Petersen.
62 J.E. Hecht-Johansen.
63 Fritz T. Vang.
64 Der var sidst kommet fire nye agenter til landet 4. oktober 1944 og der kom endnu en 2. december.

Funker:
Einwandfrei erkannt sind z.Z. in Dänemark 4 Funklinien:[65]
a.) in Seeland:
Duus-Hansen,
b.) in Nordjütland:
"Noah," richtiger Name: Friedrich Stotz (am 16.11.44 in Hjörring festgenommen).
c.) in Mitteljütland:
"Moses," ausgebildet durch Duus Hansen, funkt in Aarhus und Umgebend,[66]
d.) in Südjütland:
"Saul," durch Duus-Hansen ausgebildet. Näheres nicht bekannt.[67]

IV. Zahlenmäßige Stärke der Organisation
Über den zahlenmäßigen Umfang der Organisation werden die verschiedensten Angaben gemacht. In Kopenhagen z.B. schwanken die angebenen Zahlen zwischen 5.000 und 30.000. Die Verschiedenheit ist zum Teil darauf zurückzuführen, daß keine klare Trennung zwischen den E- und F-Gruppen gemacht wird, zum Teil tauchen die hohen Zahlen auf, weil verschiedene Stadtleiter, z.B. um größere Waffenzuteilungen zu erhalten, Zahlen angeben, die noch nicht erreicht sind, mit denen sie aber glauben, rechnen zu können. Richtige Zahlen liegen aus einigen Bezirken vor, in denen Organisation fast restlos aufgerollt werden konnte. Über das Amt Sorö im Bezirk Seeland sind z.B. folgende Zahlen bekannt:[68]

1.) Ringsted:
a.) A-Gruppen:
1 Stadtleiter,
4 Zugführer mit je 4 Gruppen zu 6 Mann = 24 Mann, zusammen: 100 Mann.
2 Gruppen zu je 6 Mann – 12 als Ordonnanzen,
insgesamt 113 Mann
b.) O-Gruppen: 30-35 Mann

2.) Slagelse:
a.) A-Gruppen:
1 Stadtleiter,
2 Halbkompagniführer,
1 Halbkomp. 3 Züge zu 25 Mann – 75 Mann
2 Halbkomp. 2 Züge zu 25 Mann – 50 Mann

65 Der var tillige en effektiv radiotjeneste på Fyn fra januar 1944 gennem L.A. Duus Hansen (Robert), som sendte til krigen slutning. Roberts identitet var end ikke kendt af hans egne, og Gestapo og Abwehr kom ikke under vejr med hans eksistens, som det også fremgår af denne rapport (Hæstrup 1979, s. 323, Skov Kristensen et al. 1988, s. 480f.).

66 "Moses" var Poul Otto Nielsen (Bonnesen 1992, s. 176, Sørensen 1992, passim).

67 "Saul" var C.A.R. Møller (Bonnesen 1992, s. 175).

68 Gengivet hos Bjørnvad 1988, s. 367-369 som de mest pålidelige tal, der haves.

ca. 2 Gruppen zu je 6 Mann – 12 Mann als Ordonnanzen
insgesamt also 140 Mann
b.) O-Gruppen:
etwa 40 Mann
Zu Slagelse gehören etwa 75 Mann
aus Skelskör, Fugl[e]bjerg und Ruds-Vedby.
O-Gruppen in Skelskör
etwa 20 Mann

3.) Sorö
A- u. O-Gruppen:
1 Stadtleiter:
4 Zugführer mit je 4 Gruppen zu 6 Mann = 24 Mann
zusammen 100 Mann
2 Gruppen zu je 6 Mann = 12 Mann als Ordonnanzen
insg. 113 Mann

4.) Korsör:
a.) A-Gruppen:
1 Stadtleiter
5 Zugführer mit je 24 Mann = 125 Mann für die Fährschiffe,
5 Zugführer mit je 24 Mann = 125 Mann
4 Gruppen zu je 6 Mann = 24 Mann als Ordonnanzen
insg. 275 Mann
b.) O-Gruppen
35 Mann.
Lager Sorö I und Sorö II:
zusammen 62 Mann.
Das Gesamte Amt Sorö umfaßt somit 900 Mann

Hervorzuheben ist die verhältnismäßig große Zahl von 125 Mann, die in Korsör für die Fährschiffe vorge. ist.[69]

In den anderen Bezirken werden entsprechende Zahlen angenommen werden können. Erwähnenswert dürfte sein, daß der Stadtleiter Helsingör 800 bemeldet hat. Man hält diese Zahl für zu hoch, rechnet aber mit etwa 600 Mann.[70]

V. Bewaffnung und Ausrüstung

Für die Bewaffnung der Gruppen stehen folgende Quellen zur Verfügung:
1.) Abgeworfene Waffen
2.) Waffen der früheren dänischen Wehrmacht,

69 Der var i februar 1944 blevet oprettet en særlig "færgegruppe" i Korsør (Bjørnvad 1988, s. 167f.).
70 Havnegruppernes dannelse i Helsingør var begyndt i februar 1944 (Bjørnvad 1988, s. 168).

3.) Aus Schweden illegal eingeführte Waffen,
4.) Geraubte Waffen.

Zu 1): Der Abwurf von Waffen durch englische Flugzeuge hat seit Mitte des Jahres ganz beträchtlich zugenommen. In den Monaten Mai und Juni sind Abwürfe fast gar nicht beobachtet worden. Im Juli begannen wieder die ersten Abwürfe in Jütland, sie steigerten sich im August und September zu einem bis dahin nicht gekannten Ausmaß.[71] Abgeworfen wurden neben Maschinenpistolen hauptsächlich automatische amerikanische Gewähre, in der letzten Zeit auch regelmäßig Panzerabwehrwaffen.

Seit September sind Abwürfe auch auf Seeland festgestellt worden. Nach den glaubhaften Aussagen festgenommener Fallschirmagenten waren dies die ersten Abwürfe in diesem Jahre über Seeland.[72]

Zu 2): Im Laufe des letzten Jahres sind in vielen Fällen Waffen der früheren dänischen Wehrmacht, die am 29.8.43 nicht abgeliefert worden sind, erfaßt worden. Es muß aber damit gerechnet werden, daß größere Mengen insbesondere Gewehre und Handgranaten noch verborgen gehalten werden.

Zu 3): Im Laufe des Oktober wurden erstmalig schwedische Maschinenpistolen im Besitz der Widerstandsorganisation gefunden. Seither hat sich die Zahl der sichergestellten schwedischen Waffen wesentlich erhöht. Es kann damit gerechnet werden, daß alle Bezirke zumindest auf Seeland schwedische Maschinenpistolen erhalten haben. An der Beschaffung dieser Maschinenpistolen, die wahrscheinlich in der letzten Zeit, aus Schweden illegal eingeführt worden sind, ist vermutlich das frühere dänische Marineministerium maßgeblich beteiligt.[73] Vor kurzem wurde ein Bootsfahrer festgenommen, der Waffentransporte aus Schweden ausgeführt hat. Bei der Prüfung der Brennstoffbeschaffung ergab sich, daß das Marineministerium über erhebliche Bestände Treibstoff bei der DDPA (Dänische Petroleum-Gesellschaft) verfügt, die offenbar für Leuchtfeuerwesen, Lotzen- und Rettungsboote usw. bestimmt waren. Es wurde festgestellt, daß dieses Benzin unentgeltlich und ohne Abgabe von Rationierungsmarken auf Veranlassung des Marineministeriums an die Führer illegal fahrender Boote abgegeben worden ist.

Zu 4): Die A-Gruppen haben seit Beginn 1944 eine große Anzahl Überfälle auf Sabotagewachen, die frühere dänische Polizei, deutsche Soldaten usw. ausgeführt und dabei verhältnismäßig viele Waffen, insbesondere Pistolen erbeutet.

Nach den Aussagen Beschuldigter und nach sonstigen Feststellungen sind die Waffen noch nicht sämtlich an die Gruppen ausgegeben worden. Der Distriktsleiter des Amtes Sorö hat angegeben, daß in jedem Zuge (25 Mann) 7 Mann mit MP und die

71 Våbennedkastninger i Jylland blev efter en pause først genoptaget i begyndelsen af august 1944 (Hæstrup, 2, 1959, s. 155ff., Bjørnvad 1988, s. 239).

72 Den første våbennedkastning på Sjælland fandt sted på Gyldenløveshøj 25. september 1944 (Bjørnvad 1988, s. 239).

73 Der var indkøbt 3.000 svenske maskinpistoler, hvis illegale overførsel til Danmark var begyndt i august 1944 (Bjørnvad 1988, s. 233-238).

übrigen mit Gewehren ausgerüstet werden sollten. Hinzu kommt die Ausgabe von Pistolen. Bisher haben die Gruppen einen nur verhältnismäßig kleinen Teil diesen Solls erhalten. In einer Führerbesprechung, die Mitte Oktober im Fuglevad bei Kopenhagen stattgefunden hat, ist aber von der Leitung erklärt worden, daß die Distriktsleiter lediglich die Anforderungen vorzulegen brauchten, die Zuteilung der Waffen würde keine Schwierigkeiten bedeuten. Das Gleiche gilt für die Zuteilung von Sabotagematerial. Im Bezirk Südjütland waren bis September 1944 folgende Mengen Waffen und Sabotagematerial bereits ausgegeben:

a.) Fredericia:
 110 MP,
 20-30 Pistolen,
 800 kg Sprengstoff,

b.) Esbjerg:
 32 MP,
 16 Pistolen,
 200 kg Sprengstoff,

c.) Tondern:
 46 MP,
 5 Pistolen,
 100 Handgranaten,
 10.000 Schuß Munition für MP,
 150 kg Sprengstoff,

d.) Tinglev:
 33 MP,
 70 Handgranaten,
 7 Pistolen,
 150 kg Sprengstoff,

e.) Apenrade:
 6 MG,
 16 MP,
 4-5 Pistolen,
 30 Handgranaten,
 200 kg Sprengstoff,

f.) Hadersleben:
 16 MP,
 8 Pistolen,
 200 kg Sprengstoff.

Zahlreiche Feststellungen der letzten Zeit zeigen, daß die Motorisierung der Organisation ziemlich weit fortgeschritten ist. Die Sabotagegruppen haben im Laufe des letzten Jahres durch Überfälle und Diebstähle sich in den Besitz zahlreicher Lkw. und Pkw. sowie einzelner Motorräder gesetzt. Praktisch verfügt heute jede Gruppe über Kraftfahrzeuge.

Auch an Treibstoff hat die Organisation kein Mangel. Allein in letzten Monat konnte in verschiedenen illegalen Lägern viele Tausend Liter Benzin sichergestellt werden.

VI. Ziele der Organisation.
Grundlage für die derzeitige Arbeit der Organisation ist der Operationsbefehl des Alliierten Hauptquartiers (SHAEF) von Juni 1944 (s. Anlage 1).[74] Danach sind den Gruppen folgende Aufgaben gestellt:
“Gruppen planlegen und bereiten sich vor auf:
1.) die Art und Weise, auf die der Feind verhindert werden kann, Truppenverschiebungen von und nach Dänemark vorzunehmen,
2.) Bei allen Operationen helfen, die die Alliierten auf dänischem Boden vornehmen.
3.) Solche ableitenden Handlungen vornehmen, die das Hauptquartier für notwendig findet.
Im Falle, daß sich der Feind von Dänemark zurückzieht, bevor die alliierten Truppen kommen, muß die... Organisation alles tun, den Feind daran zu hindern, notwendige Anlagen und Transportmittel zu zerstören.”

Der Einsatz der Gruppen geschieht auf die durch den englischen Rundfunk gegebenen Signale. Es sind folgende Stichworte erfaßt worden:
1). In Südjütland:

“Denke an …	Klar …
Bitte um Bescheid von …	Führe so viel wie möglich Schaden aus – wenn möglich soviel, daß der Schaden unmöglich zu reparieren werden kann.
Bin verreist …	Führe begrenzten Schaden aus, so daß er, wenn notwendig, in wenigen Tagen repariert werden kann.
Bin besetzt …	Beschützt Verhältnismaßregeln zur Gegensabotage werden getroffen.
Schumacher …	Eisenbahnen,
Konduktør …	Telegraf und Telefon,
Kontorchef …	Elektrizitätsversorgung
Richter …	Häfen,
Fischer …	Deutsche Fernübermittler (Kabel nach Norwegen, alle Radioverbindungen u.a.).
Oberarzt …	Handelt …

Beispiel: Der Fotograf bittet um Bescheid von dem Richter, bedeutet: Führe soviel wie möglich Schaden aus im Hafengebiet.

Bemerke: Der Fotograf ist ein Wort, das nur zufällig genommen ist und nichts bedeutet.

Mindestens 2 Personen an jeder Stelle müssen von der Kode Kenntnis haben. Übungen in Herausgebung von Befehlen zu an die Gruppen müssen abgehalten werden. Es ist Pflicht, jeden Abend BBC Radio um 18.15 Uhr abzuhören.

Batterieempfänger muß gesichert werden.

Die äußerste Diskretion wird eingeschärft.”

74 Bilag 1 er ikke lokaliseret sammen med rapporten. SHAEFs Operationsbefaling nr. 1, 14. juni 1944 er bl.a. behandlet af Trommer 1973, s. 190-197 og Bjørnvad 1988, s. 161ff. Operationsbefalingen med bilag findes bl.a. i samlingsbindet “Svend Schjødt-Eriksen papirer” (privateje, udgivers arkiv).

2.) In Seeland:
"Spækhøkeren er syg –
Das Zeichen zum allgemeinen losschlagen.
Weiter gibt London allabendlich "Hilsen til … durch.
Die Entzifferung ist folgende:

Fertig …	Læse i Avisen
Soviel zerstören wie möglich …	Er gaaet Fallit
Wenig zerstören …	er forkølet…
beschützen …	gør Gymnastik …
Eisenbahnsabotage	– Betjenten,
Telefon- u. Telegrafen-Sabotagen	– Snedkeren
Elektrizitätswerke	– Tjeneren,
Hafensabotagen	– Mejeristen,

Wenn nun England z.B. Sabotagen an Eisenbahnen wünscht, dann wird durchgegeben:
"Betjenten er gaaet Fallit."

In dem Operationsbefehl wird ausdrücklich darauf hingewiesen, daß es, wenn das Zeichen zu einer umfassenden Aktion gegeben wird, nicht immer bedeuten muß, daß eine Invasion unmittelbar folgt.

Die Distriktsleiter haben den Städteleitern auf Grund des Operationsbefehls Einzelanweisungen erteilt. Erfaßt wurde die Anweisung das Bezirksleiters Sorö die als Anlage 2) beigefügt wird.[75] Danach muß Sabotage gegen deutsche Automobile, Eisenbahnwagen mit deutscher Last und deutschen Nachrichtenmittel jetzt durchgeführt werden. Alle Gruppen sollten bis zum 15.11.44 eine kleinere Sabotage ausgeführt haben. Es ist jedoch festgestellt worden, daß diese Anweisung nicht befolgt worden ist.

Den Distriktsleitern in Seeland sind auf Grund des Operationsbefehls folgende Vorbereitungen aufgegeben worden:
a.) Eisenbahnsabotage,
b.) Sabotage an deutsche Nachrichtenmitteln,
c.) Sabotage gegen Hafenanlagen und Fährschiffe,
d.) Entwaffnungen von deutschen Soldaten,
e.) Schutz von eigenen lebensnotwendigen Werken,
Im Bezirk Jütland hat Oberstleutnant Bennike sämtliche Städteleitern folgende versiegelte Order zugesandt:

"Wenn wir wirklich in einen Kampf mit den Deutschen hier in Jütland kommen sollten, kann es notwendig werden, Ordonnanzen von einer Stadt in die andere zu schicken, daß sie zu uns gehören. Zu diesem Gebrauch, aber nicht zum Gebrauch vor dem "großem Tag" wird folgender Feldruf festgelegt: Der Ankommende sagt: "Wo haben Sie die Ventile?" und der, der angesprochen wird, antwortet "sie liegen in meiner Westentasche." Die Städteleiter müssen an dem "großen Tag" ihre Leute über diesen Feldruf instruieren."

Der Bezirksleiter Jütland hat zu dem Operationsbefehl u.a. angeordnet: "daß solange die deutschen Truppen in Dänemark als georderte Kampfstärken auftreten, die R-Gruppen nur allein wirken und zwar so gut wie ausschließlich bei Sabotagearbeiten

75 Bilag 2 er ikke lokaliseret.

nach den Anweisungen, die von London durch BBC oder von der dänischen Leitung gegeben werden. Sobald aber eine Auflösung der dänischen Truppenverbände eintreten sollte, müssen alle, d.h. R- und F-Gruppen alles daransetzten um den Deutschen so schnell wie möglich aus dem Lande zu helfen, ohne daß sie die Gelegenheit haben, größere Zerstörungen oder Plünderungen auszuführen. Es soll deshalb z.B. der Zug- und Landstraßenverkehr auf den Hauptlinien nach Süden so weit wie möglich erleichtert werden, während alle quergehenden Verbindungen gesperrt werden sollen. Um zu verhindern daß die Deutschen Material aus dem Lande schleppen, sollen die Eisenbahnen möglichst weit südlich – am besten südlich Tondern und Pattburg – gründlich unterbrochen werden. Zu diesem Zweck sind insbesondere die Sprengung der Unterführung südlich des Bahnhofes Pattburg und der Brücke über die Widau südlich Tondern vorgesehen. Alle Mittel sollen angewendet werden, um die Deutschen zu entwaffnen. Alle Telefonverbindungen über die Deutschen Linien sollen unterbrochen werden. Damit die Deutschen nicht gezwungen sind zu plündern soll dafür gesorgt werden, daß an bestimmten Stellen Verpflegung und notdürftiges quartier vorhanden ist."

Die Weiteren Einzelheiten ergeben sich aus der Anlage 3.[76]

Wegen der Fährverbindung Korsör-Nyborg war zunächst beabsichtigt, die Fähren zu sprengen, wenn Sie von den Deutschen besetzt werden sollten. Inzwischen ist von der Leitung angeordnet worden, daß die Gruppen die Fährschiffe auf keinen Fall anrühren dürften. Sie hätten lediglich das Recht, die Fährbrücke zur Fähre in den Häfen zu zerstören. Weitere Befehle wären abzuwarten.

Für besonders wichtig wird offenbar auch die Unterbrechung der Hauptstraße Korsör-København gehalten. Hierfür sollte die Mannschaft aus dem Marinelager Sorö II eingesetzt werden.

VII: Bisherige Erfolge gegen die Organisation

Der Organisation sind besonders in den letzten Monaten schwere Schläge zugeführt worden. Seit dem 1.8.44 wurden insgesamt

800

Angehörige der Organisation festgenommen.[77] Unter ihnen sind verschiedene Bezirksleiter und Stadtleiter und zahlreiche Zugführer und Gruppenführer.

Folgende Menge an Waffen, Munition und Sabotagematerial wurden beschlagnahmt:

a.) Waffen,

616 MP,

222 amerik. Karabiner,

119 Gewehre,

6 MG,

206 Pistolen versch. Kal.

932 Handgranaten,

2 Granatwerfer,

14 Panzerschreck mit 220 Granaten

76 Bilag 3 er ikke lokaliseret.

77 For perioden 1. august-1. december opgiver Bovensiepen i sine aktivitetsberetninger at have anholdt 835 personer for sabotage og våbenbesiddelse.

b.) Munition:
184.000 Schuß 9 mm für MP,
36.000 Schuß für amerik. Karabiner,
17.000 Gewehrmunition,
8.500 Pistolenmunition,
c.) Sabotagematerial:
5.720 kg Sprengstoff,
10.000 Übertragungsladungen,
ca. 16.000 Sprengkapseln,
437 Haftladungen,
80 Brandsätze,
84 Gammonbomben,
ca. 20.000 m Zündschnur,
viele Tausend Zünder verschiedener Art.
Insgesamt wurden 35 Terroristen erschossen.[78]

Abwürfe aus Feindmaschinen wurden in 10 Fällen erfaßt.

Besonders hervorzuheben ist die Festnahme des Distriktsleiters für Südjütland durch die Außendienststelle Kolding im September 1944. Insgesamt wurden in diesem Verfahren etwa 145 Personen, darunter eine Reihe von Städteleitern, festgenommen. Die Organisation wurde dadurch in Südjütland einsatzunfähig.[79]

In Seeland wurden im Oktober und November 2 Distriktsleiter, zahlreiche Zug- und Gruppenführer sowie Gruppenangehörige festgenommen. Die Distrikte Frederiksborg-Ost und Sorö wurden fast gänzlich aufgerieben.[80]

Große Mengen an Waffen und Sabotagematerial wurden sichergestellt.

In Kopenhagen konnten verschiedene führende Offiziere festgenommen werden.

Aus der Fallschirmagentenorganisation wurden im September 1944 von 9 seinerzeit im Land befindlichen Agenten 5 festgenommen.[81] Im November 1944 gelangt schließlich die Festnahme des Funkers für den Bezirk Nord-Jütland.[82]

Auf der Insel Fünen wurden verschiedene führende Personen aus der Organisation festgenommen. Eine größere Zahl Gruppenführer und Mitglieder der Invasionsgruppen konnte ebenfalls in Haft genommen werden. Der größte Teil der auf der Insel Fünen ausgeführten Sabotageakte wurde damit aufgeklärt.

Gez. **Bovensiepen**
SS-Standartenführer und Oberst der Polizei

78 I aktivitetsberetningerne for perioden 1. august-1. december opgav Bovensiepen, at 46 personer var blevet skudt.

79 Om oprulningen efter Iversens arrestation henvises til Trommer 1973, s. 263-265. Om den hurtige reorganisation sst. s. 265ff., der gør Bovensiepens konklusion til skamme.

80 Bjørnvad 1988, s. 297-299 kan bekræfte denne oprulnings effektivitet, men de arresterede blev hurtigt afløst af andre.

81 De fem tilfangetagne SOE-agenter var P. Lok-Lindblad, H. Ibsen, F.A. Lassen, K. Herschend og C. Altenburg Hansen (Birkelund/Dethlefesen 1986, s. 140f.).

82 Det var den ovennævnte telegrafist Thomas Friedrich Stolz ("Noah"), der var blevet arresteret 16. november og begik selvmord i sin celle 10 dage senere (*Faldne i Danmarks frihedskamp*, 1970, s. 414).

Beglaubigt:
Sytzisko
Büroangestellte.

Afskriftens Rigtighed bekræftes.
Politikommandørens afdeling, Odense, den 11. Januar 1946.
P.D. Rasmussen,
Kriminalassistent.

209. Konsul Türk: Aktennotiz über die Besprechung im OKW 1. Dezember 1944

OKW havde 28. november indkaldt til møde om værnemagtsfinansieringen i Danmark på baggrund af de langvarige problemer. Repræsentanterne fra SS lagde ud med at meddele, at RFSS havde beordret, at forsorgssatserne for SS i Danmark med øjeblikkelig virkning skulle hæves med 50 %. Dermed skulle mødedeltagerne ikke alene tage stilling til, hvordan man fik det hidtidige månedlige underskud på 250.000 RM til Waffen-SS' forsorgsofficer dækket, men også til, hvordan man skulle tilvejebringe 400.000 RM månedligt.

I mødet deltog repræsentanter for OKW, SS og RFM, men ingen fra AAs Inland II. I stedet repræsenterede konsul Türk AA som observatør. RWM var indbudt, men kom ikke til mødet. Dog blev dets holdning refereret.

Der var flere muligheder for at skaffe midlerne: værnemagtskontoen, clearingkontoen eller den rigsbefuldmægtigedes sikringskonto. Det blev af SS foreslået, at midlerne blev hentet over clearingkontoen ved, at forplejningsomkostningerne til værnemagten blev hævet med det nødvendige beløb. Det var RWM imod, men trods det skulle det forsøges via AA hos det tysk-danske regeringsudvalg. Kunne det ikke lade sig gøre, skulle midlerne hentes i den rigsbefuldmægtigedes sikringskonto. SS-repræsentanterne meddelte, at Best allerede havde afvist betaling derfra og i stedet ville have værnemagten til at dække beløbet. De truede med at henvende sig til Himmler, hvis midlerne ikke blev skaffet. Det blev da besluttet endnu engang at søge at få Best til at betale via sikringskontoen.

Mødets andet punkt drejede sig om principperne for at få tysk politis udgifter dækket hos henholdsvis værnemagten og den rigsbefuldmægtigede. Best havde i en række tilfælde nægtet at betale politiets udgifter, men havde til gengæld betalt i andre. Bests udbetalinger havde i høj grad politisk karakter, men alligevel ønskede mødets repræsentanter indseende med hans brug af sikringskontoen. Mødets sidste punkt var et ønske fra OKW om at blive repræsenteret i det tysk-danske regeringsudvalg.

Det er uklart, hvorfor AA ikke sendte en reel mødedeltager, men kun stillede en observatør. Den nærmeste forklaring er, at AA betragtede det som den rigsbefuldmægtigedes særlige sag og derfor havde nedprioriteret den. Det kan konstateres, at nedprioriteringen fortsatte endnu en tid efter mødet. Türks referat lader ikke tvivl om, at det var SS-repræsentanterne, der først og fremmest førte ordet, og de veg ikke tilbage for truslen om at inddrage RFSS i sagen. Dertil kom de uvarslede stigende udgifter til SS, som først blev nævnt på selve mødet. Ifølge Türk blev der hverken gjort indsigelse mod det proceduremæssige eller selve stigningen, det var først og fremmest den fraværende Werner Best, der stod for skud. Han skulle rette ind, og der skulle opnås større indseende med hans virksomhed. AAs embedsmænd fulgte modstandsløst den linje op lige efter mødet.

Se Arndts referat af samme møde 5. december, samt Türks notits 4. december 1944.

OKWs ønske om at få en repræsentant i det tysk-danske regeringsudvalg blev fulgt op i januar 1945, se Korff til Breyhan 20. januar.

Kilde: BArch, R 901 113.555. RA, pk. 232 og 271.

Ref.: Ks. Türk — zu Ha Pol VI 3048/44
Ha Pol VI — VI 3050/44

Aktennotiz

über die Besprechung im OKW, betreffend grundsätzliche Fragen der Wehrmachtfinanzierung Dänemark, am 1.12.1944 in Jüterbog.

Auf Weisung von VLR Tannenberg habe ich an der vom OKW, Ag. W.V., angesetzten Besprechung teilgenommen. Inl. II war nicht vertreten, dagegen das Reichsfinanzministerium durch Ob. Reg. Rat Meyer-Böwig. Geleitet wurde die Besprechung durch Oberstintendant Dr. Kersten. Seitens der Waffen-SS waren 3 Vertreter erschienen.

I. Aufbringung dänischer Zahlungsmittel für Fürsorgeoffizier der Waffen-SS
Sturmbannführer Kuchenbäcker (SS-Rasse- und Siedlungshauptamt) erklärte – erstmalig für alle Anwesenden –, daß auf Weisung des Reichsführers SS die Fürsorgesätze in Dänemark ab sofort um 50 % erhört werden müßten. Dadurch und infolge Ausdehnung des Kreises der Versorgungsberechtigten der Waffen-SS (zunehmende Ausfälle an der Front und Anwachsender Legion), sowie durch die Übernahme aller Versorgungsberechtigten der gesamten Wehrmacht in Dänemark in die Fürsorge der Waffen-SS ergäbe sich die Notwendigkeit, nicht nur einen Weg für die Sicherstellung des bisherigen "Überhanges" zu finden, sondern auch für den nunmehr auftretenden Mehrbedarf. Sichergestellt seien durch Transfer über Clearing bisher nur 525.000 RM, während der "Überhang", d.h. der bisher aufgetretene ungedeckte Bedarf von 250.000 RM, einer Entscheidung des RWM zufolge nicht über Clearing transferiert werden könne und demnach schon gar nicht der jetzt durch die Erhöhung der Fürsorgesätze und durch den erweiterten Aufgabenkreis des Fürsorgeoffizier der Waffen-SS weiterhin anwachsende Zahlungsmittelbedarf von etwa 400.000 RM monatlich.

Vorgeschlagen wurde, folgenden Weg zu beschreiten: über Clearing würden die Verpflegungskosten für die Wehrmacht in Dänemark bezahlt (auf Befragen wurden sie mir mit etwa 70 Mill. RM für 1943 etwa 90 Mill. RM für 1944 angegeben). Diese Kosten sollten wie andere persönliche und sächliche Ausgaben der Wehrmacht in Dänemark auch auf Schutzkosten (Besetzungskosten) genommen worden. Das Clearing könne dann um die gleiche Summe für andere Zahlungen in Anspruch genommen werden, darunter auch für die Fürsorgekosten.

Trotz des Einwandes, der vom Vertreter des RWM bekräftigt wurde, daß vertragliche Abmachungen mit den Dänen solcher Umschichtung entgegenstehen würden, wurde ich gebeten, diese Frage möglichst umgehend im AA mit den Mitgliedern des deutschen Regierungsausschusses für Dänemark eindeutig zu klären. Sollte der Vorschlag nicht durchführbar sein, müßte die Sicherstellung der Fürsorgekosten entweder aus den Besatzungskosten des Wehrmachtintendanten, oder aus den Sicherungskosten des Reichsbevollmächtigten erfolgen. Letzteren Weg habe das RWM – obwohl zugegeben wurde, daß er nicht korrekt sei – in seiner letzen Erwiderung an Abtlg. Inl. II des Auswärtigen Amts vorgeschlagen (vergl. Inl. II 2541/44 g).[83]

Hier wendeten die Vertreter der Waffen-SS ein, daß der Reichsbevollmächtigte es schon abgelehnt habe, den augenblicklichen "Überhang" von 250.000 RM aus seinen

83 Skrivelsen er ikke lokaliseret.

Sicherungskosten zu zahlen. Sie baten daher, unabhängig von der erbetenen vorerwähnten Gesamtregelung der Frage, wonach insgesamt dänische Zahlungsmittel für 1,5 Mill. RM monatlich für Fürsorgekosten sichergestellt werden müßten, dem Fürsorgeoffizier der Waffen-SS in Dänemark aus Mitteln des Wehrmachtintendanten zur einmaligen Deckung des "Überhanges" 500.000 D.Kr. zur Verfügung zu stellen. Sie erklärten, den Befehl erhalten zu haben, Meldung zu erstatten, falls sie ohne Geldmittel blieben, da in diesem Fall die Angelegenheit dem Reichsführer SS vorgelegt werden müßte. Oberstintendant Dr. Kersten sagte zwar nicht die Erfüllung des Antrages zu, er lehnte sie aber auch nicht ab, sondern billigte meinen Vorschlag, zunächst Abtlg. Inl. II des Auswärtigen Amts nochmals zu befragen, ob der Reichsbevollmächtigte sich inzwischen zu dem Vorschlag des RWM geäußert und entgegen der Auffassung der Waffen-SS sich doch bereit gefunden habe, die Fürsorgebeiträge auf seine Sicherungskosten zu übernehmen. (LR Dr. Reichel von Inl. II ist sofort nach der Sitzung anheimgestellt worden, mit den noch kurze Zeit in Berlin anwesenden Vertretern der Waffen-SS in Verbindung zu treten).

II. Abstimmung der Geldmittelbewirtschaftungsgrundsätze der Wehrmacht, SS und Polizei
Hierzu führten die Vertreter des OKW aus, es sei wiederholt vorgekommen, daß Einheiten der SS oder Polizei versucht hätten, sich Mittel, die zu bewilligen der Reichsbevollmächtigte abgelehnt habe, vom Wehrmachtintendanten zu erhalten, (als Beispiel wurde erwähnt, daß der Höhere SS- und Polizeiführer beim Wehrmachtintendanten 12.000 d.Kr. monatlich für Repräsentationszwecke bei der Verwundetenbetreuung erbeten habe), und umgekehrt habe der Reichsbevollmächtigte Mittel bewilligt, die entsprechend den Steuerungserlassen der Wehrmacht vom Wehrmachtintendanten nicht genehmigt worden seien (z.B. habe die Polizei Bunkerbauten ausführen dürfen,[84] was Wehrmachtsteilen nicht gestattet worden wäre, auch habe die Polizei ihren dänischen Angestellten in der Krisenzeit das Gehalt für 6 Monate im voraus gezahlt, was die Wehrmacht ihren dänischen Angestellten abgelehnt habe). Es sei daher dringend erwünscht, wenn eine weitgehende Abstimmung und scharfe Abgrenzung zwischen Wehrmachtintendanten und dem Reichsbevollmächtigten hinsichtlich der zu bewirtschaftenden Geldmittel stattfinden würde, um Doppelzahlungen zu vermeiden. Diese Abstimmung sollte sich sogar soweit erstrecken, daß dem Wehrmachtintendanten in Kopenhagen auch Kenntnis gegeben würde von der Höhe der insgesamt für Sicherungszwecke vom Reichsbevollmächtigten entnommenen Summe und von ihrer Verwendung in großen Zügen.

Auf den Einwand, daß ein gut Teil der Zahlungen des Reichsbevollmächtigten politischen Charakter habe (z.B. die Zahlungen durch das SS-Ersatz-Kommando an die ihm finanziell angegliederte germanische Leitstelle) und aus diesem Grunde kaum Aufklärung über die Gesamthöhe der Entnahmen des Reichsbevollmächtigten für Sicherungszwecke gegeben werden könnte, wurde entgegnet, daß selbstverständlich in keiner Weise etwa eine Kontrolle der Ausgaben des Reichsbevollmächtigten beabsichtigt sei, aber die Kenntnis der Höhe der Gesamtentnahme habe auch für die Wehrmacht Bedeu-

84 Se om en del af bunkerbyggeriet kommentaren til Barandon til AA 1. november 1944.

tung. Sie könne dann leichter beurteilen, ob sie etwa die dänische Zahlungsfähigkeit mit ihren Anforderungen zu stark belaste oder unter Umständen größere Anforderungen als geplant, an sie stellen könne.

Das RFM betrachtete die Anregung für zweckmäßig und wiederholte, daß nach seiner bereits früher geäußerten Auffassung die Mittelzuweisung an den Wehrmachtintendanten für Schutzkosten und den Reichsbevollmächtigten für Sicherungszwecke *einer* Stelle obliegen und die Verantwortung für die Mittelzuweisung in einer Hand liegen sollte. Auch wiederholte der Vertreter des RFM den bereits früher geäußerten Wunsch um weitestgehende Anwendung der für die Wehrmacht erlassenen Steuerungserlasse, betreffend Sperrmaßnahmen, Preiskontrolle usw. auf die Formationen der SS und Polizei.

Ich wurde gebeten, diese Wünsche der Wehrmacht an den Reichsbevollmächtigten weiterzuleiten.

III. Teilnahme des OKW an der Verhandlungen der deutsch-dänischen Regierungsausschüsse
Oberstintendant Dr. Kersten kam auf den bereits vor geraumer Zeit beim AA schriftlich geäußerten Wunsch um Hinzuziehung eines Vertreters des OKW an den Verhandlungen der deutsch-dänischen Regierungsausschüsse zurück. Er bat, die Entscheidung zu beschleunigen. Auf den Einwand, daß die Zahl der Mitglieder der Regierungsausschüsse absichtlich und ganz allgemein niedrig gehalten sei, entgegnete er, daß das OKW bereits an Regierungsausschußverhandlungen in Rumänien, der Slowakei, in Ungarn usw. teilgenommen habe und glaube, solche Verhandlungen durch seine Anwesenheit nicht nur zu vereinfachen, sondern auch durch eigene Anregungen zu fördern.

Ich versprach, den Wunsch weiterzuleiten.

Berlin, den 1. Dezember 1944.

gez. **Türk**

210. Werner Best an das Auswärtige Amt 2. Dezember 1944

Best videresendte den stærke protest, som UM havde sendt ham i anledning af de seneste skibsbeslaglæggelser. Han påpegede, at det i et svar til ministeriet ville være hensigtsmæssigt at påvise skibenes krigsafgørende indsats. Skulle UMs ønsker blive videregivet til Kriegsmarine, ville Best gerne have meddelelse derom.[85]

Best stod nu i den situation, at det kunne blive afsløret, at han ikke havde meddelt UM, at beslaglæggelserne var en repressalieforanstaltning (Lauridsen 2009, s. 31f.).

AA drøftede den danske klage med OKM, se Seekriegsleitungs notat 19. december 1944.

Kilde: BArch, Freiburg, RM 7/1813.

Abschrift Ha Pol XII a 2838/44
Der Reichsbevollmächtigte in Dänemark — *Kopenhagen, den 2. Dezember 1944*
S/SCH 3/1

Im Anschluß an Drahtbericht Nr. 1314 vom 25.11.1944[86]

85 Dokumentet har en påtegning, som lægger op til Kriegsmarines notat 19. december.
86 Trykt ovenfor.

An das Auswärtige Amt, Berlin.

Betr.: Die Beschlagnahme aufgelegter dänischer Tonnage.

Im Anschluß an meinen Drahtbericht vom 25. November überreiche ich in der Anlage ein Schreiben des dänischen Außenministeriums, in dem gegen die durch mich vollzogenen Beschlagnahmen weiterer sechs dänischer Schiffseinheiten Protest erhoben wird. Der ursprünglich ebenfalls beschlagnahmte Dampfer "M.G. Melchior" befindet sich in Fahrt innerhalb der dänischen Gewässer und ist deshalb in Übereinstimmung mit der Kriegsmarine von der Beschlagnahme nachträglich wieder ausgenommen worden.

Da auf Grund früherer Erfahrungen auf dänischer Seite, wie auch aus dem Schreiben des dänischen Außenministeriums hervorgeht, Zweifel daran geäußert wurden, daß wirklich kriegsentscheidende Gründe dazu gezwungen haben, auf diese Schiffe zurückzugreifen, wäre es von großem Wert, den Dänen gegenüber nachweisen zu können daß diese Schiffe tatsächlich in kriegsentscheidendem Einsatz stehen. Zum Verständnis der hier vollzogenen Beschlagnahmen wäre es daher wichtig, wenn ich in Stand gesetzt werden könnte, über den erfolgten Einsatz der bereits früher beschlagnahmten dänischen Schiffe und der jetzt wiederum neu erfaßten 6 dänischen Schiffe die hierfür erforderlichen Erklärungen abgeben zu können.

Sollten die in dem Schreiben des dänischen Außenministeriums vorgebrachten dänischen Wünsche seitens der Kriegsmarine berücksichtigt werden können, so wäre ich für entsprechende Mitteilung dankbar.

gez. **Best**

Abschrift zu Ha Pol XII a 2838/44
Udenrigsministeriet Ø.P.I. Journal Nr. 73. L. 29. x/b

Kopenhagen, den 27. November 1944

An Seine Exzellenz Herrn Dr. Werner Best,
Bevollmächtigter des Deutschen Reiches in Dänemark, Dagmarhus.

Exzellenz!

Durch Schreiben vom 24.11.1944 haben Sie dem Außenministerium mitgeteilt, daß folgende dänische Schiffe für Zwecke der deutschen Kriegsmarine beschlagnahmt worden sind:

Motorschiff "Aalborghus"
Motorschiff "Hans Broge"
Motorschiff "Kronprinz Olav"
Motorschiff "Frem"
Dampfer "M.G. Melchior"
Dampfer "Skipper Clement".

Von diesen Schiffen war der Dampfer "M.G. Melchior" am 24.11.1944 unterwegs von Kopenhagen nach Aalborg, wo er die dort gelöschte Ladung des durch Minensprengung beschädigten Dampfers "Frederikshavn" übernehmen sollte. Der Dampfer "M.G. Melchior" ist für die Fahrt zwischen Kopenhagen und Aalborg unentbehrlich. Das Außenministerium hat auch verstanden, daß die Beschlagnahme dieses Schiffes rückgängig gemacht werden wird und bittet um eine diesbezügliche Bestätigung.

Kurz vor Abgabe dieser Mitteilung an das Außenministerium hatte sich die deutsche Kriegsmarine mit Waffengewalt in den Besitz der Schiffe mit Ausnahme des Dampfers "M.G. Melchior" gesetzt.

Im Jahre 1944 hat sich die deutsche Kriegsmarine schon früher unter ähnlichen Formen folgender wertvoller dänischer Schiffe bemächtigt:

Motorschiff "England"
Motorschiff "Esbjerg"
Motorschiff "Jylland"
Motorschiff "Parkeston"
Motorschiff "Hammershus"
Dampfer "Aarhus"
Dampfer "A.P. Bernstorff"
Motorschiff "Isefjord"
Motorschiff "Vistula"
Motorschiff "C.F. Tietgen"
Motorschiff "Dronning Alexandrine"
Dampfähre "Christian IX"
Motorfähre "Freia"
Motorfähre "Heimdal".

Hiernach ist Dänemark des größten Teiles des Schiffsraumes beraubt worden, der während des Krieges eine letzte Reserve hätte bilden können, falls die in den Betrieb eingesetzten Dampfer verloren gehen, oder größere Anforderungen durch Vernichtung von Brücken, Fähren oder Eisenbahnlinien an die Schiffahrt gestellt werden sollten. Insbesondere wird Dänemark aber, falls die beschlagnahmten Schiffe verloren gehen, nach dem Krieg für viele Fahrten von entscheidender Bedeutung keine Möglichkeit zur Wiederaufnahme seiner Schiffahrt haben und mit Bezug auf sowohl Zufuhren als Export auf fremden Schiffsraum angewiesen sein. Dänemarks Wirtschaft ist von großen Rohstoffzufuhren für Landwirtschaft und Industrie und von einer entsprechend großen Ausfuhr veredelter Produkte abhängig, und Dänemark wird daher weit härter getroffen als die meisten anderen Länder, wenn es seiner wichtigen Spezialschiffe beraubt wird. Dänemark ist wegen seiner geographischen Lage von jeher eine schifffahrende Nation, und seine Handelsflotte ist nicht nur ein nationales Aktivum, sondern zugleich ein nationaler Stolz. Dänisches Rechtsbewußtsein und dänische nationale Gefühle werden durch die gegen die Handelsflotte getroffenen rechtswidrigen Maßnahmen aufs tiefste verletzt, umsomehr als in dänischen Schiffahrtskreisen der Eindruck besteht, daß die Möglichkeiten, den Interessen der Kriegsmarine durch deutschen Schiffsraum zu genügen, noch nicht erschöpft sind.

Die dänischen Reeder und deren Verbände sind während des Krieges mit vollkommener Loyalität nach allen Seiten den Anweisungen der dänischen Regierung und – nachher – der dänischen Behörden nachgekommen, die während der Besetzung betreffend die

Anwendung von dänischem Schiffsraum getroffenen Regelungen durchzuführen. Diese Anweisungen haben die Regierung und die Behörden geben können, weil man es als ausgeschlossen angesehen hat, daß Übergriffe gegen die dänische Handelsflotte gleichzeitig damit vorkommen könnten, daß Deutschland durch die auf allen wirtschaftlichen Gebieten getroffenen Regelungen so große Vorteile genießen konnte, Regelungen, die wie erwähnt auch die Handelsflotte umfaßten. Deutschland hat während des Krieges und besonders auch im 6. Kriegsjahr ganz unvorhergesehen große Lebensmittellieferungen aus Dänemark erzielt, Lieferungen, die für die deutsche Volksernährung wesentliche Bedeutung haben. Große Teile des deutschen Bodens können nur durch dänische Saatgutlieferungen besät werden und die Industrieleistungen aus Dänemark sind stark gestiegen. Dänemark hat die Versorgung der deutschen Wehrmacht in Dänemark und deren angeschlossenen Verbände übernehmen müssen.

Für alle diese Zwecke hat Dänemark bisher Deutschland mit 7 Milliarden Kronen finanzieren müssen. Es bedarf keiner näheren Darlegung, wie große Anforderungen an die Disziplin einer Bevölkerung gestellt werden, wenn ein Betrag dieser Größe in einem Land mit nur 4 Mill. Einwohnern in Umlauf gesetzt werden soll, ohne Inflation, Schwarzhandel usw. mit dem daraus erwachsenden Rückgang der Erzeugung und der Erfassungsmöglichkeiten usw. hervorzurufen.

Im Lichte dieser dänischen Leistungen hat man dänischerseits im Juni 1944 bei den deutschen Reichsministern in Berlin, die mit der dänischen Wirtschaft besonders in Fühlung stehen, wegen der schon damals vorgenommenen zwangsmäßigen Inanspruchnahme dänischen Schiffsraumes dringende Vorstellungen gemacht,[87] und man erhielt bei der Gelegenheit den Eindruck, daß weitere Beschlagnahmen dänischen Schiffsraumes nicht in Frage kommen würden, und daß Deutschland die Berechtigung der Forderung von Zahlung der schon übernommenen Schiffe in Realwerten (nicht durch Verrechnungs-Buchungen) anerkannte.[88]

In einer Besprechung am 24.11.1944 im Außenministerium zwischen Beamten des Außenministeriums und der obersten Leitung der dänischen Schiffahrt auf der einen Seite und einem der Chefs des OKM und deutschen Beamten auf der anderen Seite wurde nichts von weiteren Beschlagnahmen erwähnt, und die dänischen Teilnehmer an der Besprechung mußten sich davon überzeugt fühlen, daß keine solchen Schritte vorgesehen waren. Wenige Stunden nach dieser Besprechung erhielt das Außenministerium Ihr obenerwähntes Schreiben vom 24.11.1944, und es zeigte sich, daß die Kriegsmarine die Schiffe bereits in Besitz genommen hatte.

Mit umso tieferem Bedauern werden diese gegen Dänemark begangenen Übergriffe festgestellt, als die Anwendung der früher beschlagnahmten Schiffe als Übungsschiffe, Wohnung usw. den Eindruck verstärkt, daß die deutsche Kriegsmarine bloß eine vorliegende Möglichkeit benutzt habe, um in den Besitz von Material zu gelangen, daß verschiedenen praktischen Zwecken dienen könnte, und zwar ohne Rücksicht auf den tiefgreifenden Schaden, der dadurch einem Land zugefügt wird, dessen Behörden die

87 Se om UMs memorandum 14. juni 1944 Ripken til Steengracht 14. juni 1944.

88 Som det fremgår (Korffs notat 5. august og RWM til Paul von Behr og Ludwig Walter 21. august 1944) blev beslaglæggelserne indstillet i nogle måneder.

getroffenen Regelungen der dänisch-deutschen wirtschaftlichen Beziehungen in jeder Hinsicht durchgeführt haben. Falls man von deutscher Seite auf die in jüngster Zeit vorgefallene Sabotage dänischer Schiffe verweisen sollte, dürfte ein Hinweis gerade auf die Anfang 1944 von deutscher Seite vorgenommenen Beschlagnahmen eine naheliegende Erklärung dieser Sabotage geben.

Indem das Außenministerium Ihnen, Herr Reichbevollmächtigter, die obigen Erwägungen unterbreitet und Einspruch gegen die letzten Beschlagnahmen erhebt, beehrt sich das Ministerium, Sie darum zu ersuchen, auf Grund Ihrer Kenntnis von Dänemarks Leistungen während des Krieges die Demarche bei der Deutschen Regierung unterstützen zu wollen, mit deren Vornahme der Königliche Gesandte in Berlin gleichzeitig beauftragt worden ist, und wodurch dringend um möglichst baldige Rückgabe jedenfalls der zuletzt beschlagnahmten Schiffe und Abgabe der Zusage gebeten wird, daß weder diese noch andere dänische Schiffe künftig von deutscher Seite werden beschlagnahmt werden. Für den Gebrauch der früher beschlagnahmten Schiffe, deren Rückgabe gegenwärtig nicht möglich sein mag, erbittet man sich erneut Ersatz in Devisen oder Gold nach näherer Bewertung.

Genehmigen Sie, Exzellenz, den Ausdruck meiner ausgezeichnetsten Hochachtung.

Der Direktor des Außenministeriums:
gez. **Nils Svenningsen**

211. Georg Ripken an Werner Best 2. Dezember 1944

AAs arkiv var delvist blevet evakueret, så Ripken måtte bede Best om en kopi i sagen vedrørende de tyske udbetalinger til Lorenz Christensen.

Best lod svare 19. december.

Kilde: PA/AA R 99.414.

Auswärtiges Amt
Inl. I Partei 3732/44
Auf Drahtbericht v. 17.10.44[89]
– RBZ: Pers. R 17d –

Berlin, den 2. Dezember 1944

An den Reichsbevollmächtigten in Dänemark
Kopenhagen

Betrifft: Zahlungen an Dr. Christensen, Kopenhagen

Der mit nebenbezeichnetem Bericht angezogene Erlaß vom 16.3.1942 – D III 1439 – in obiger Angelegenheit ist infolge Aktenverlagerung hier nicht mehr greifbar. Es wird um Übersendung eines Abschrift gebeten.

Im Auftrag
Ripken

89 Trykt ovenfor.

212. Werner Best an Hermann von Stutterheim 2. Dezember 1944

Best fremsendte på opfordring *Politische Informationen* til rigskabinetsråd von Stutterheim.

Som han selv skrev, var det utvivlsomt en henvendelse, som han gerne efterkom.

Von Stutterheim kvitterede 7. december 1944.

Kilde: BArch, RH 43/II/1430. RA, pk. 7.

SS-Obergruppenführer Dr. Werner Best
Reichsbevollmächtigter in Dänemark

Kopenhagen, den 2.12.1944.

An den
Herrn Reichsminister und Chef der Reichskanzlei
z.Hd. von Herrn Reichskabinettsrat von Stutterheim,
Berlin W 8,
Voss-Straße 6.

Sehr geehrter Herr von Stutterheim!
Von dem Ministerialrat Heim aus der Parteikanzlei, der mich in den letzten Tagen hier besucht hat, habe ich die Anregung erhalten, die von mir monatlich herausgegebenen "Politischen Informationen für die deutschen Dienststellen in Dänemark," die dem Staatssekretär Dr. Klopfer in der Parteikanzlei seit geraumer Zeit regelmäßig zugehen, auch Ihnen zuzusenden.

Ich komme dieser Anregung gern nach und übersende Ihnen in Anlage die letzte Folge vom 1.12.44.

Heil Hitler!
W. Best

1 Anlage.

213. Emil Hemmersam an Walter Forstmann 2. Dezember 1944

Hemmersam henvendte sig til Forstmann, da der blev foretaget beslaglæggelser til værnemagten af von Hannekens Feldwirtschaftsofficer i henhold til von Hannekens forordning af 4. september 1943. Denne forordning var ikke længere gældende, og den pågældende officer havde ikke bemyndigelse til at foretage beslaglæggelser, som skulle ske i henhold til den af Best 23. maj 1944 udstedte forordning derom.

Forstmann svarede 13. december.

Kilde: BArch, Freiburg, RW 27/17. KTB/Rü Stab Dänemark 4. Vierteljahr 1944, Anlage 19, RA, Danica 1069, sp. 11, nr. 14.773.

Anlage 19.

Der Reichsbevollmächtigte in Dänemark
– Der Leiter der Hautabteilung II –
II D.

Kopenhagen, den 2. Dezember 1944

An den Rüstungsstab Dänemark,

z.Hd. Herrn Kpt. zur See Forstmann,
persönlich.

Betrifft: Die Verfügung von Beschlagnahmen für Zwecke der deutschen Wehrmacht.

Mir sind neuerdings verschiedentlich Beschlagnahmeverfügungen zugegangen, die der Feldwirtschaftsoffizier beim Wehrmachtbefehlshaber Dänemark erlassen hat. Nach der grundlegenden Verordnung des Reichsbevollmächtigten vom 23.5.1944 über Lieferungen und Leistungen für die deutsche Wehrmacht sind für die Verfügung von Beschlagnahmen der Wehrmachtintendant und der Rüstungsstab Dänemark zuständig. Jede Beschlagnahmeverfügung muß deshalb entweder vom Wehrmachtintendanten oder vom Rüstungsstab Dänemark ausgehen, wenn sie formell rechtsgültig sein soll. Ich bitte, mit dem Feldwirtschaftsoffizier eine Regelung zu vereinbaren, die diesem Gesichtspunkt Rechnung trägt.

Der Feldwirtschaftsoffizier zieht in seinen Beschlagnahmeverfügungen als Rechtsgrundlage die Verordnung des Wehrmachtbefehlshabers Dänemark vom 4.9.1943 an. Ich wäre dankbar, wenn veranlaßt würde, daß das in Zukunft richtig gestellt und statt dieser nicht mehr geltenden Verordnung die Verordnung des Reichsbevollmächtigten über Lieferungen und Leistungen für die deutsche Wehrmacht vom 23.5.1944 angezogen wird.

E. Hemmersam

214. Kriegstagebuch/Seekriegsleitung 3. Dezember 1944

Seekriegsleitung fik svar på sin forespørgsel af 27. november vedrørende hvilke forholdsregler, der skulle tages i anvendelse over for enkeltsabotører, der angreb skibsværfterne. Svaret var talrige vagtposter med skærpet opmærksomhed.

Kilde: KTB/Skl 3. december 1944, s. 57f.

[...]

Betr. Schutzmaßnahmen gegen Einzelkämpfer.

KdK hat auf Aufforderung an Skl. gemeldet:

“Einzige wirkliche wirksame Abwehrmaßnahme gegen Einzelkämpfer ist sorgfältig durchorganisierte Bewachung durch Posten, vor allem Hafeneinfahrten und an Bord der Schiffe die Wasserseite, vor Anker liegende Schiffe müssen in sabotagefährdeten Häfen laufend mit Beibooten umkreist werden. Auslagen von Netzen, Werfen von Wasserbomben und zeitweise MG-Feuerstöße sind im allgemeinen gegen Einzelkämpfer unwirksam. Nur Augenbeobachtung und schärfste Aufmerksamkeit zahlreicher Posten bisten ausreichenden Sicherheit gegen Angriffe durch Meereskämpfer.

Nach eigenen Erfahrungen Sabotage und Kdo. Unternehmungen durch Einzelkämpfer nur erfolgreich bei mangelnder bezw. unzureichender Bewachung durch Posten.”

1. Skl. unterrichtet MOKs Norwegen, Ost und Nord.

[...]

215. Rudolf Brandt an Gottlob Berger 3. Dezember 1944

Brandt meddelte Berger, at RFSS kunne tilslutte sig hans indstilling vedrørende K.B. Martinsen og Knud Thorgils.

Himmlers afgørelse blev uddybet i Horst Benders brev til SS- und Polizeigericht 11. januar 1945.

Kilde: BArch, NS 19/1496. RA, Danica 1000, T-175, sp. 125, nr. 650.847. RA, pk. 442.

Feld-Kommandostelle *3. Dez. 1944*

Betrf.: SS-Obersturmbannführer Martinsen
Bezug: Dort. Schr. v. 28.11.[90] VS-Tgb. Nr. 1406/44
gKdos. – Adjr. Tgb. Nr. 1160/44 gKdos.

An SS-Obergruppenführer Berger
Berlin-Grunewald.

Lieber Obergruppenführer!
Der Reichführer-SS hat Ihren Bericht über SS-Obersturmbannführer Martinsen und SS-Obersturmführer Torgils gelesen. Er ist damit einverstanden, daß beide für die Dauer des Krieges in Ehrenhaft zu halten sind.

Heil Hitler!
R. Brandt
SS-Standartenführer

216. Das Auswärtige Amt an OKW, Reichsführer SS und Reichsjustizministerium 4. Dezember 1944

AA inviterede OKW, RFSS og Rigsjustitsministeriet til et møde 14. december, hvor AA på ny ønskede en drøftelse af domstolsudøvelsen i Danmark.

Det var givetvis Best, der igen havde presset AA til at tage spørgsmålet op.

Se Bobriks referat af mødet 14. december 1944.

Kilde: RA, pk. 233.

Doppel für Inl. II
R 1015 g *4. Dezember 1944*

Schnellbrief

An
das Oberkommando der Wehrmacht
– Wehrmachtsrechtsab[t.?]führungsstab. Amtsgr. Ausland –
das Oberkommando der Wehrmacht
– Wehrmachtsrechtamt –
Dem Reichsführer SS und Chef der Deutschen Polizei
des Reichsjustizministeriums

90 Trykt ovenfor.

Die Frage der Gerichtsbarkeit in Dänemark sind vom Auswärtigen Amt einer erneuten Prüfung unterzogen. Es empfiehlt sich, diese Frage in einer mündlichen Besprechung zwischen den Vertretern der beteiligten Ressorts zu klären. Es wird deshalb zu einer solchen auf Donnerstag, den 14.12. d.J., vormittags 11 Uhr, im Hause Potsdamerstraße 186, Zimmer 134, IV. Stock, eingeladen und gebeten, hierzu einen Vertreter zu entsenden.

Im Auftrag
gez. **Dr. Veyrauch**

217. Horst Wagner an Werner Best 4. Dezember 1944

Best fik en forespørgsel vedrørende betalingen til Waffen-SS' forsorgsofficer for december 1944. Der var en stor uforudset ekstraudgift til danske SS-frivilliges familier, der straks var til betaling. Kunne udgiften betales af midlerne til sikringsformål? Hvis ikke, ville SS få dem fra værnemagtskontoen.

Spørgsmålet var foranlediget af det ovenfor refererede møde hos OKW 1. december 1944. Best svarede med et telegram 6. december.

Kilde: PA/AA R 100.989. RA, pk. 225.

Telegramm

Berlin, den 4. Dezember 1944

Diplogerma Kopenhagen Nr. 1397 Cito!

Referent: LR Dr. Reichel
RR Dr. Goeken
Betreff: Fürsorgegelder

Rasse- und Siedlungshauptamt SS mitteilt, daß über Clearingzahlung von 525.000 RM für Dezember hinaus für unaufschiebbare Zahlungen an Familienangehörige dänischer SS-Freiwilliger Gegenwert von 250.000,- RM in Dänenkronen sofort benötigt wird.

Unter Bezugnahme auf Schrifterlaß Inl. II 2541 g vom 24.11.1944[91] wird um Drahtbericht gebeten, ob genannter Betrag dortigem Fürsorgeoffizier der Waffen-SS aus den Mitteln für Sicherungszwecke gezahlt wird. Falls dies nicht erfolgen kann, beabsichtigt Waffen-SS Betrag von Wehrmachtsintendanten über Schutzkosten anzufordern.

Wagner

91 Skrivelsen er ikke lokaliseret.

218. Rudolf Bobrik: Dänemark-Fragen 4. Dezember 1944

Bobrik i gruppe Inland II i AA sammenfattede og gjorde status over en række på det seneste behandlede spørgsmål vedrørende Danmark:

Der blev som første punkt fulgt op på mødet med bl.a. Pancke og Kaltenbrunner 30. oktober, hvor spørgsmålet om Bests afgivelse af ressortområder til Bovensiepen ikke var blevet afklaret. Det blev besluttet ikke at tage det op igen.

Det andet punkt, en styrkelse af det tyske politi, var der hverken efter BdS' eller BdOs mening mulighed for. RSHA og Hauptamt Ordnungspolizei kunne ikke afgive personale, medmindre en særlig situation indtraf.

Det tredje punkt, et stop for deportationerne af danske til Tyskland, var ikke afgjort.

Det fjerde punkt, de danske politifolk i Tyskland, havde rejst mange spørgsmål: For det første om politifolkene virkelig blev behandlet som krigsfanger i betragtning af sundhedstilstanden og de mange dødsfald. For det andet undersøgelsen af de fængsledes forhold. Fra dansk side ville man have alle tilbage, mens Best foreslog, at kun ubelastede politifolk blev tilbageført etapevis. For det tredje, at Ribbentrop var gået ind på den danske gesandt Mohrs forslag om en samlet undersøgelse af de fængsledes forhold, hvilket Pancke fandt uantageligt, og som ifølge Best ikke kunne lade sig gøre. For det fjerde blev mulige lettelser for de fangne politifolk bragt på bane. Hertil var ingen afgørelse truffet.

Det femte hovedpunkt drejede sig om besøg hos de fængslede. Best gik ind for, at Frants Hvass fik lov til at besøge alle på grund af de gunstige erfaringer efter besøget i Theresienstadt. Det var ikke afgjort. Det var heller ikke afgjort, om de måtte få besøg af danske læger og præster, og endelig var der heller ikke taget stilling til spørgsmålet om brevveksling.

Tilsammen viser de opstillede Danmarks-spørgsmål, at i de fleste tilfælde var AA afhængig af afgørelser, der skulle træffes i RSHA. AA kunne ofte kun afgive indstillinger til SS. I spørgsmålet om Bovensiepens bestræbelser på at fratage Best de fleste af hans ressortområder, valgte Inland II ikke den offensive afvisning, men den passive afventen i håb om, at spørgsmålet ikke kom op igen.

Trods indstillingen i Inland II gik Wagner videre til Steengracht med to af sagerne 5. december 1944, se nedenfor.

Kilde: PA/AA R 101.041. RA, pk. 232.

Ref. LR Bobrik Inl. II

Dänemark-Fragen

1.) *Zuständigkeiten.*

Drahtbericht Nr. 1219 vom 27.10.1944.[92]

Bericht II 2075 vom 28.10.1944.

Drahtbericht Nr. 1325 vom 27.11.1944.[93]

Übergang von bestimmten Sachgebieten vom RIM an RSHA.

Da zur Zuständigkeit des RBV auch Sachgebiete des RIM gehörten, würde nunmehr Loslösung dieser Gebiete und Übergang an Höheren Polizeiführer Dänemark erfolgen. RBV erbat Weisung.

Anläßlich Ressort-Besprechung 30.10.1944 soll RBV erklärt worden sein, daß Angelegenheit vorläufig nicht berührt werden soll. Frage wurde daher zunächst nicht aufgegriffen. Infolge Erinnerung wird Stellungnahme erforderlich.

92 Trykt ovenfor.
93 Trykt ovenfor.

2.) *Verstärkung Deutscher Polizei.*
Drahtbericht Nr. 1265 vom 14.11.1944.[94]
KR Rauch (CdS): Verstärkung nicht nötig. Geringe Verstärkung nach Angriff Aarhus bereits erfolgt.[95] Sicherung gegen Sabotage geklärt. Neue Angeforderungen von Pancke liegen nicht vor.

Oberstltn. Kröger (CdO): Verstärkung im Augenblick nicht nötig, will Angelegenheit noch mit mir besprechen. Besuch dieser Tage.

Sowohl bei CdS als auch CdO Erwägungen maßgebend, daß hiesiger Personalmangel keine Vermehrung zulasse, falls nicht besondere Umstände neu hinzuträten. Auf politische Besorgnis des RBV habe ich ausdrücklich hingewiesen.

3.) *Deportationen nach Deutschland stoppen.*
Drahtbericht Nr. 1278 vom 16.11.1944.[96]

KR Rauch (CdS): Deportationen von Norwegern nach Deutschland aus besonderem Entgegenkommen und vor allen Dingen mit Rücksicht auf schwedische Wünsche zzt. abgestoppt. Rücküberstellungen nicht erfolgt, auch nicht in Aussicht genommen. Ausgenommen kranke norwegische Studenten. Kein Anlaß zum Stoppen der Deportationen dänischer Häftlinge nach Deutschland gegeben, will Angelegenheit nochmals besprechen und mir gegenüber auf Frage zurückkommen.

4.) *Dänische Polizisten im Deutschland.*
Der Herr RAM ist einverstanden, daß Gru.-Lei[ter] Inl. II. die Stellungnahme des RBV im Telegramm Nr. 1295 vom 21.11.1944[97] in Verbindung mit Protokoll vom 30.10.1944 Ziffer 1, dem RF-SS vorträgt mit der Bitte, den Höheren-SS und Polizeiführer im Sinne der Vorschläge des RBV anzuweisen. (Ges. Schmidt Büro RAM vom 28.11.1944 zu Inl. II 2599g)

a.) Behandlung Kriegsgefangene (Zivilinternierte) zugesichert – Drahterlass Nr. 2218 vom 16.10.1944.[98]
   1.) Drahtbericht Nr. 1334 vom 28.11.44.[99] Aufzeichnung von Ungern-Sternberg v. 30.11.44. Besorgnis wegen Gesundheitszustand, zahlreiche Todesfälle; Frage aufgeworfen, ob wirklich Behandlung wie Kriegsgefangene (Zivilinternierte) erfolge.
   2.) Aufzeichnung St.S. Nr. 322 v. 29.11.44. Gleiche Besorgnis. Weitere Frage: Tragen von Gefangenen-Kleidung.

b.) Überprüfung der Inhaftierten.
   1.) Generelle Rückführung. Dänische Note v. 27.11.44. Baldige Rückführung sei erwünscht, besonders wegen zahlreicher Todesfälle.
   2.) Überprüfung beschleunigen. Drahtbericht Nr. 1295 vom 21.11.44.[100] Wün-

94 Trykt ovenfor.
95 Som nævnt ovenfor var Gestapo straks gået i gang med genopbygningen og udvidelsen af styrken i Århus efter luftangrebet på dets hovedkvarter 31. oktober.
96 Denne indberetning er ikke lokaliseret.
97 Telegrammet er ikke lokaliseret.
98 Trykt ovenfor.
99 Trykt ovenfor.
100 Telegrammet er som angivet ovenfor ikke lokaliseret.

sche RBV: Nicht Bevorzugte entlassen, sondern Belastete zurücklassen. Drahtbericht Nr. 1334 v. 28.11.44.[101] Etappenweise Rückführung beschleunigen.

3.) Gemeinsame Überprüfung.
Der Herr RAM hat Vorschlag Gesandten Mohrs positiv aufgenommen. Aufzeichnung Gesandter Schmidt v. 2.11.1944. Drahterlaß Nr. 1285 v. 7.11.44.[102] I 3 Drahterlaß Nr. 1300 v. 10.11.44.[103] II Drahtbericht Nr. 1295 v. 21.11.44
Pancke: unannehmbar. RBV: untunlich.

4.) Erleichterungen.
Drahterlaß Nr. 1285 vom 7.11.44. I 4
Drahterlaß Nr. 1300 vom 10.11.44. 1
a.) Härtefälle entlassend (Kranke Familienväter usw.)
b.) Nicht persönlich Belastete in geringer Zahl nach u. nach entlassen nach Dänemark.
c.) Keine Geheimfertigung für in Deutschland Inhaftierte.
d.) In Kopenhagen internierte Polizeiangehörige freilassen, soweit sie nicht durch schuldhafte Handlungen belastet.

5.) *Besuche von Inhaftierten.*
a.) Alle Dänen in Deutschland durch Min. Dir. Hvass. Polizisten hierbei nicht genannt. Bericht II 2100/44 vom 2.11.1944.
Schreiben an CdS v. 7.11.44. Inl. II B 3738 Antwort Bericht II 2110/44 vom 25.11.44. (Erinnerung).
Best befürwortet Besuch, da günstige Erfahrungen mit Hvass über Besuch in Theresienstadt. Antwort steht aus. KR Rauch möchte noch keine endgültige Stellungnahme geben.
b.) Dänische Polizisten durch
1.) dänische Ärzte u. dänischen Polizei-Arzt.
Drahtbericht Nr. 1334 v. 28.11.44.[104]
2.) dänischen Gesandtschafts-Pfarrer Jeppesen und Geistlichen Christiansen von der Intern. Kriegsgefangenen-Hilfe. – Aufzeichnung v. Ungern-Sternberg vom 30.11.44
3.) Briefverkehr: Empfang u. Absendung, falls Angehörige in Dänemark, bezw. in Deutschland.

Aufzeichnung Ungern-Sternberg vom 30.11.44.
Berlin, den 4. Dezember 1944.

Bobrik

101 Trykt ovenfor.
102 Indberetningen er ikke lokaliseret.
103 Indberetningen er ikke lokaliseret.
104 Trykt ovenfor.

219. Konsul Türk: Aktennotiz 4. Dezember 1944

På baggrund af mødet i OKW 1. december forberedte konsul Türk den videre sagsbehandling i AA og skrev udkast til et brev til Best, idet Best havde vist særlig politisk interesse i forbindelse med fremskaffelsen af midler til Waffen-SS' forsorgsofficer.

Den 6. december forelå der tilslutning til Türks udkast til brev til Best, hvorefter der samme dag blev skrevet til OKW/Oberfeldintendant Arndt og 7. december til Best.

Kilde: BArch, R 901 113.555. RA, pk. 271.

Ref.: Ks. Türk — Ha Pol VI 3048/44
HA Pol VI — Ha Pol VI 3050/44

Zu den anliegenden Aufzeichnung über die Besprechung im OKW, betreffend Wehrmachtfinanzierung Dänemark, am 1. d.M.[105] ist hinzuzufügen, daß für die Frage der Aufbringung dänischer Zahlungsmittel für den Fürsorgeoffizier der Waffen-SS federführend Abtlg. Inl. II zuständig ist. Ich habe aber geglaubt, mich nicht nur wegen der Abwesenheit eines Vertreters von Inl. II auch in diesen Teil der Besprechung einschalten zu sollen, zumal die grundlegende Seite auch Ha Pol VI weitgehend berührt, sondern vor allen auch deshalb, weil der Reichsbevollmächtigte nach seinem bei Ha Pol vorliegenden Bericht vom 18. Juli 1944 – III 1246/44 – an der Regelung dieser Frage in seinem Sinne besonderes politisches Interesse besitzt.[106]

Entwurf eines Erlasses an den Reichsbevollmächtigten in Kopenhagen sowie eines Schreiben an Herrn Min. Dir. Walter, als Vorsitzenden des deutschen Regierungsausschusses für Dänemark, ist beigefügt.[107]

Bezüglich der Teilnahme des OKW an den Verhandlungen der deutsch-dänischen Regierungsausschusses erfolgt getrennte Vorlage.[108]

Hiermit über VLR Tannenberg Dg. Ha Pol mit einem Durchschlag für Direktor Ha Pol vorgelegt.

Berlin, den 4. Dezember 1944.

gez. **Türk**

220. Walter von Kielpinski an Werner Naumann 4. Dezember 1944

SS-Obersturmbannführer Walter von Kielpinski, leder af Afdeling III C 5 (Presse, Schrifttum, Rundfunk) i RSHA, foreslog statssekretær Werner Naumann i RMVP, at der blev sendt en erfaren repræsentant, der kunne styrke propagandaaktiviteten i pressen og radioen, fra ministeriet til Danmark. Forholdene i Danmark blev betegnet som ret komplicerede. Der skulle gøres noget for at styrke de tyske standpunkter over for den fjendtlige agitation. Det var blevet resultatet efter en længere tids erfaringsudveksling mellem Bovensiepen og Best.

Det var givetvis Bovensiepen, der var ophavsmanden til denne plan, som den rigsbefuldmægtigede hverken var involveret i eller billigede. Det fremgår af de af von Kielpinski valgte formuleringer; de "ret komplicerede forhold" hentydede til, at der bestod et modsætningsforhold mellem de to, og at der var

105 Trykt ovenfor under 1. december 1944.
106 Bests indberetning 18. juli 1944 er ikke lokaliseret.
107 Se Ripken til Best 7. december.
108 Türk udformede en særskilt notits om, at der skulle tages stilling dertil (ikke medtaget).

uenighed om den førte propagandapolitik. Den modsætning kom frem i den fortsatte korrespondance.

Von Kielpinski var siden 1942 den officielle kontaktperson mellem RSHA og RMVP, indsat af Heydrich for at forbedre samarbejdet mellem de to instanser (Höhne 1967, s. 208, Wildt 2003, s. 385f.).

Svaret til Kielpinski er ikke lokaliseret, men sagen blev taget seriøst i RMVP, der selv havde gjort erfaringer med Best, se Dr. Flügel til Naumann 8. december 1944.

Kilde: BArch, R 55/219.

Der Chef der Sicherheitspolizei und des SD — *Berlin SW 11, den 4. Dez. 1944*
III C
v. H./Gy. Az10853/44

An Staatssekretär SS-Brigadeführer Naumann
Reichsministerium für Volksaufklärung und Propaganda
Berlin W 8
Wilhelmplatz 8-9

Betr.: Propagandasituation in Dänemark

Brigadeführer!
Ein seit längere Zeit bestehender Erfahrungsaustausch zwischen dem Befehlshaber der Sicherheitspolizei und des SD in Kopenhagen und SS-Obergruppenführer Dr. Best hat ergeben, daß sich mit einigen zusätzlichen politisch aktiven und propagandistisch erfahrenen Fachkräften der Presse und des Rundfunks auch unter den derzeit gegebenen Verhältnissen negative Wirkungen der von der Feindseite gesteuerten Agitation stärker ausschalten und die deutschen Standpunkte kräftiger durchsetzen lassen würden. Ich wäre Ihnen für eine Mitteilung dankbar, ob Sie zur Zeit über Kräfte verfügen, die man bei dem recht komplizierten Verhältnissen in Dänemark neu ansetzen kann.

Heil Hitler!
Ihr **Kielpinski**
SS-Obersturmbannführer

221. Kriegstagebuch/WB Dänemark 5. Dezember 1944

Ved et møde mellem von Hanneken, admiral Wurmbach, generalstabschefen hos den øverstkommanderende for Luftwaffe i Danmark og Pancke blev der truffet beslutning om, hvordan de danske skibsværfter skulle beskyttes mod sabotage. Der skulle stilles tropper til rådighed fra alle tre værn, og de skulle underlægges BdS.

Se tillige KTB/ADM Dän 6. og 13. december, KTB/Skl 8. december og von Hanneken til OKW 9. december (KTB/WB Dänemark 10. december 1944 (om effektuering af aftalen), Rosengreen 1982, s. 151).

Kilde: KTB/WB Dänemark 5. december 1944

[...]

In der heute stattgefundenen Besprechung über zu ergreifende Maßnahmen zur Abwehr der verstärkten Sabotagen gegen Schiffe und Werften wurde zwischen dem Herrn Wehrm. Bef. Dän., dem komm. Admiral, dem Chef des Gen. Stabes beim Komm. d.

Dt. Lw. in Dän. und dem Höh. SS- u. Pol. Führer festgelegt:
1.) Für die Abwehr von Sabotagen ist der BdS verantwortlich, dem dazu Truppen aller Wehrm.-Teile und der Polizei zur Verfügung und einsatzmäßig unterstellt werden
2.) Für die in Frage kommenden Orte wurde im einzelnen die Stärke der Bewachungskräfte festgelegt.
3.) Das Heer hat zu stellen: in Kopenhagen 100 Mann, in Esbjerg 15.
4.) Der BdS ist außerdem für die Bewachung wehrwirtschaftlicher Betriebe allein verantwortlich. Die bereits eingesetzten Truppen der Wehrm.-Teile sind ihm einsatzmäßig ab sofort unterstellt.

[…]

222. Oberfeldintendant Arndt: Niederschrift über die Besprechung beim OKW 1. Dezember, 5. Dezember 1944

Se konsul Türks referat af mødet 1. december 1944. Her skal tilføjes, at ifølge Arndts referat nøjedes konsul Türk ikke med at være observatør for AA, men tilsluttede sig de synspunkter, der fremkom vedrørende den rigsbefuldmægtigede. Arndt refererede heller ikke, at det var første gang, at han blev konfronteret med SS' ønske om en stærk forhøjelse af Waffen SS' forsorgsofficers udgifter i Danmark. Det kan skyldes, at OKW i modsætning til AA var orienteret derom i forvejen. Heller ikke spores der i dette referat nogen truende holdning fra SS-repræsentanternes side. I denne sag havde OKW og SS fundet hinanden: Best var først og fremmest besværlig, og han skulle sættes på plads. Helt så let gik det dog ikke.

Kilde: RA, pk. 232.

Oberkommando der Wehrmacht — *O.U., den 5.12.1944.*
3 f 31/4836/44 g AG WV 3 (III/VIII) — Geheim

An
Reichsfinanzministerium
z.Hd. von Herrn Ob. Reg. Rat Meyer-Böwig
Berlin
Auswärtiges Amt
z.Hd. von Herrn Konsul Türk
Berlin
Rasse- u. Siedlungshauptamt-SS, Amt IV
z.Hd. von Herrn SS-Sturmbannführer Kuchenbäcker
Berlin
Rasse- u. Sieglungshauptamt-SS, Amt für Angehörigenunterhalt
z.Hd. von Herrn SS-Obersturmführer Wolff
Prag
Wehrmachtintendant Dänemark
z.Hd. von Herrn Ob. St. Int. Kirchhoff
Kopenhagen — W Allg. 2/VI 3/III

Vorstehende Niederschrift über die Besprechung am 1.12.1944 wird mit der Bitte um Kenntnisnahme übersandt.

I.A.
gez. **Arndt**

Niederschrift

über die Besprechung beim Oberkommando der Wehrmacht/Amtsgruppe Wehrmachtverwaltung am 1. Dezember 1944 unter Vorsitz von Oberstintendant Dr. Kersten.

A. Besprechungspunkte:

1.) Versorgung des SS-Fürsorgekommandos in Dänemark mit dänischen Zahlungsmitteln.
2.) Zivile Besatzungskosten und deren Bewirtschaftung. Angleichung an die Wehrmacht.
3.) Umstellung der Finanzierung der Verpflegungsbeschaffung für die Wehrmacht von Clearing auf Besatzungskosten.
4.) Teilnahme an den deutsch-dänischen Regierungsausschußverhandlungen.

B. Teilnehmer:

Meyer-Böwig	Oberregierungsrat	Reichsfinanzministerium
Türk	Konsul	Auswärtiges Amt
Kuchenbäcker	SS-Sturmbannführer	R. u. S. Hauptamt-SS
Wolff	SS-Obersturmbannführer	R. u. S. Hauptamt-SS
Oertel	SS-Obersturmbannführer	R. u. S. Hauptamt-SS
Arndt	Oberfeldintendant	OKW/Ag WV 3
Dr. Eberle	Oberstabsintendant	OKW/Ag WV 3
Brammann	Stabsintendant	OKW/Ag WV 3
Hillbrecht	Stabsintendant	OKW/Ag WV 3
Dr. Kirchhoff	Oberstabsintendant	Wehrm.-Int. Dänemark
Dr. Goetze	Stabsintendant	OKW/Ag WV 2
Surmann	Stabsintendant	OKW/Allg.

Zu A. 1.)
Oberstint. Dr. Kersten eröffnet die Sitzung und bedauert, daß das zu der Besprechung eingeladene Reichswirtschaftsministerium nicht vertreten sei.

Das Amt für Angehörigenunterhalt im Rasse- und Siedlungshauptamt der SS trägt vor, daß die für Fürsorgezahlungen notwendigen Beträge von 525.00,- RM, die monatlich im Clearing bereitgestellt werden, schon seit langem nicht mehr ausreichen. Der Fürsorgeoffizier sei am 1.12.44 nicht mehr in der Lage, die notwendigen Zahlungen zu leisten. Durch Übernahme von Freiwilligen der Wehrmacht sei insbesondere ein laufender Mehrbetrag von 250.000,- RM zu dem Clearingpauschalbetrag von 525.000,- RM notwendig. Außerdem beabsichtigt die Waffen-SS im Hinblick auf die inzwischen in

Dänemark eingetretene Teuerung einen laufenden Teuerungszuschlag von 50 % einzuführen, so daß künftig ein Bedarf von rd. 1.160.000,- RM anfallen wird.

Dazu wies der Verhandlungsleiter darauf hin, daß, wie in allen anderen Ländern, auch in Dänemark Fürsorgeleistungen aus dem Clearing finanziert werden müßten, weil die Schutzkostenmittel nur für Zahlungen der in den außerdeutschen Ländern jeweils eingesetzten Teile der Wehrmacht bestimmt seien. Der Reichswirtschaftsminister müsse also die Beträge für die Fürsorgezahlungen grundsätzlich aus dem Clearing bereitstellen. Die anwesenden Vertreter der zivilen Ressorts machten darauf aufmerksam, daß dies nur mit erheblichen Schwierigkeiten möglich sein werde, weil die Dänische Nationalbank, soweit es nicht um reine Warenlieferungen handelt, mit der Auszahlung der Beträge im Clearing einverstanden sein müsse.

Dazu wurde vom OKW darauf hingewiesen, daß bisher die gesamte für die Truppe in Dänemark notwendige Verpflegung im Clearing bezahlt werde, obgleich diese Angaben prinzipiell zu Lasten der dänischen Schutzkosten gehen müßten. Das Auswärtige Amt möge prüfen, ob die Finanzierung der Verpflegungslieferungen an die Truppe in Dänemark nicht auf den dänischen Schutzkostenbeitrag umgestellt werden könne, so daß dadurch ausreichende Beträge für die Fürsorgezahlungen im Clearingfrei würden. Wenn aber eine Finanzierung der Fürsorgeleistungen im Clearing nicht erreichbar sei, müßten diese zu Lasten des militärischen Teils des dänischen Schutzkostenbeitrages gehen. Die Inanspruchnahme des zivilen Teils für diese Zwecke werden nicht befürwortet, weil militärische Stellen mit der Auszahlung der Fürsorgeleistungen befaßt seien. Das Auswärtige Amt wird beschleunigt eine Entscheidung darüber herbeizuführen, ob

a.) Finanzierung der Fürsorgeleistungen im deutsch-dänischen Verrechnungsverkehr durchführbar ist, notfalls durch Herausnahme der Verpflegungslieferungen für die Truppe in Dänemark aus deutsch-dänischen Clearing, wobei gleich die in Aussicht genommene Erhöhung der Fürsorgeleistungen von 50 % berücksichtigen wäre.

b.) Falls Finanzierung im deutsch-dänischen Verrechnungsverkehr nicht durchführbar, sollen die für das Fürsorgekommando über den mit dänischer Zustimmung in Clearing untergebrachten Betrag von 525.000,- RM monatlich hinaus notwendigen Zahlungsmittel aus dem militärischen Teil des dänischen Schutzkostenbeitrages entnommen werden, jedoch unter der Voraussetzung, daß der Reichsbevollmächtigte in Dänemark sicherstellt, daß die Dänen aus dieser Verwendung eines Teils der Schutzkosten keine Einwendung erheben, insbesondere nicht die Offenlegung des Verwendungszweckes im einzelnen verlangen.

Etwaige durch die Geheimhaltung bedingte Änderungen im Zahlungsverfahren wären vom Wehrmachtintendanten Dänemark unmittelbar zu regeln.

Auf die Dringlichkeit der Entscheidung ist besonders hingewiesen worden. Der Vertreter des Auswärtigen Amtes sagte sofortige Erledigung zu.

Zu A. 2.)

Das OKW wies darauf hin, daß sich durch die Aufspaltung der Schutzkosten in einen militärischen und zivilen Teil Unzuträglichkeiten ergeben hätten. Es sei deshalb notwendig, die beiden Begriffe genauestens abzugrenzen und klarzustellen, welche Zahlungen aus den beiden Teilen des Schutzkostenbeitrages zu leisten sind. Dabei müßte darauf abgestellt werden, das aus dem militärischen Teil alle Zahlungen der militärischen Dienststellen entnommen würden, die in Dänemark eingesetzt sind bezw. zum Schutze Dänemarks eingesetzt werden können. Darüber hinaus müsse zwischen den örtlichen Stellen von Wehrmacht und zivilen Sektor in Dänemark ständig gegenseitige Fühlungnahme über den Umfang und die Verwendung der beiderseitigen Entnahmen aus dem Schutzkostenbeitrag erfolgen. Der Wehrmachtintendant Dänemark unterrichtete den Reichsbevollmächtigten bereits laufend in großen Zügen über die Höhe der von der Wehrmacht benötigten Beträge. Das gleiche müsse der Reichsbevollmächtigte gegenüber dem Wehrmachtintendanten tun. Nur unter dieser Voraussetzung können Doppelzahlungen und Unzuträglichkeiten über die beiderseitige Zuständigkeit vermieden werden. Im übrigen sie der Wehrmachtintendant zu einer ordnungsmäßigen Bewirtschaftung seiner Mittel nur in der Lage, wenn ihm auch die Höhe und Verwendung der aus dem zivilen Teil geleisteten Zahlungen bekannt sei.

Der Vertreter des Reichsfinanzministeriums trat diesen Ausführungen in vollem Umfange bei. Er wies nochmals darauf hin, daß der Reichsfinanzminister Wert auf unbedingte sinngemäße Beachtung der Bewirtschaftungsbestimmungen auch durch die aus den zivilen Schutzkostenteil gespeisten Stellen in Dänemark lege, weil nur bei größter Sparsamkeit ein Zerfall der dänischen Wirtschaft und Währung vermieden werden könnte.

Der Vertreter des Auswärtigen Amts, der sich dieser Ansicht anschloß, sagte zu, an den Reichsbevollmächtigten heranzutreten.

Zu A. 3.)
Das OKW legt Wert darauf, daß die Finanzierung der Verpflegungslieferungen an die deutsche Wehrmacht in Dänemark auf dem dänischen Schutzkostenbeitrag übernommen wird. Im Einzelnen siehe Ziffer 1).

Zu A. 4.)
Das OKW wies darauf hin, daß die Wehrmacht im Gegensatz zu allen anderen Ländern in Dänemark im Regierungsausschuß bisher nicht vertreten gewesen sei. Da jedoch auch in den deutsch-dänischen Regierungsausschüssen häufig Fragen zur Entscheidung kämen, die überwiegend die Wehrmacht betreffen, müsse die Wehrmacht auch in Dänemark an den Regierungsausschußverhandlungen beteiligt werden. Insbesondere seien bei den letzen deutsch-dänischen Regierungsausschußverhandlungen Fragen zur Entscheidung gekommen, die die Wehrmacht im überwiegenden Masse betroffen haben, bei denen jedoch die Wehrmacht nicht herangezogen worden sei.[109] Der Vertreter des Auswärtigen Amtes sagte zu, auch diese Frage nochmals zu prüfen. Stellungnahme des Auswärtigen Amts hierzu wird der OKW zugehen.

gez. Arndt

109 Der var efter gengivelserne af referaterne af møderne i det tysk-danske regeringsudvalg i oktober 1944 (hos Jensen 1971, s. 243-245 og Nissen 2005, s. 230-232) ikke tale om særlige ønsker vedrørende værnemagten i Danmark, men netop det kan have været problemet.

223. Horst Wagner an Adolf von Steengracht 5. Dezember 1944

Trods de løfter, som Kaltenbrunner havde givet ved ressortdrøftelsen 30. oktober vedrørende de internerede danske politifolk, var der endnu ikke sket noget. Wagner foreslog, at Kaltenbrunner fik en afskrift af mødeprotokollen og blev bedt om at realisere løfterne med henvisning til de talrige dødsfald i Buchenwald.

Wagners indstilling blev overhalet af udviklingen, se Best til AA 6. december 1944.

Kilde: RA, pk. 232.

Gru. Lei. Inland II

Betrifft: Dänische Polizei

In dem Protokoll über die Ressortbesprechung vom 30.10.1944 waren gewisse Maßnahmen in Aussicht genommen, die zu Gunsten der inhaftierten dänischen Polizisten durchgeführt werden sollten. Diese Maßnahmen scheinen, soweit bekannt geworden ist, nicht durchgeführt worden zu sein.

Nach Besprechung mit Herrn Gesandten von Grundherr wird daher vorgeschlagen, daß der Herr Staatssekretär an SS-Obergruppenführer Kaltenbrunner unter Überlassung einer Abschrift des Protokolls über die Besprechung vom 30.10.1944 nach dem Stand der seinerzeit besprochenen Maßnahmen fragt und um beschleunigte Durchführung bittet, mit dem Hinweis darauf, daß wegen der zahlreichen Todesfälle in dem Lager Buchenwald die dänische Regierung beim RBV in Kopenhagen[110] und der hiesige dänische Gesandte bei dem Herrn Staatssekretär ihre Besorgnis zum Ausdruck gemacht haben.[111]

Die von dem Gesandten Mohr erbetenen Auskünfte wegen der Todesfälle sind angefordert; Antwort steht noch aus.

Berlin, den 5. Dezember 1944.

Hiermit zur Vorlage bei dem Herrn Staatssekretär.

224. Horst Wagner an Adolf von Steengracht 5. Dezember 1944

Best havde 27. november rykket AA for en stillingtagen til Bovensiepens krav om at overtage en række af Bests ressortområder. Wagner foreslog efter en drøftelse med von Grundherr AA, at Best skulle beholde de rent udenrigspolitiske anliggender, mens Bovensiepen kunne overtage de rent tyske anliggender. Endvidere foreslog han, at Kaltenbrunner skriftligt blev orienteret derom, og at Kaltenbrunner gav Bovensiepen i København besked derom.

Der er ikke lokaliseret noget svar på indstillingen, der ikke kan have tilfredsstillet Best, da det ikke kun var et indgreb i hans embedsområder, men også rokkede ved Danmarks status som et særtilfælde i forhold til andre besatte lande. Såfremt AA fulgte Wagners (og von Grundherrs indstilling), ville AA miste betydelig indflydelse i Danmark. De hidtil "udenrigspolitiske" anliggender ville blive kraftigt beskåret i forhold til de "tyske", hvis ministeriet åbnede for Bovensiepens krav. De følgende måneders udvikling tyder, trods det

110 Svenningsen sendte Best et personligt brev i sagen i begyndelsen af november 1944, som Svenningsen refererede for departementschefkollegerne 7. november (brevet vedlagt) (Hæstrup, 2, 1966-71, s. 171f. med note 21).

111 Vedr. Mohrs bestræbelser se Hæstrup, 1, 1966-71, s. 171, 173-178.

spinkle kildemateriale, ikke på, at AA gav køb. I stedet tiltog SS sig øget indflydelse, hvor det lod sig gøre. Således tørnede Pancke og Best sammen i spørgsmålet om de tyske flygtninges indkvartering i Danmark, selv om det kunne siges at være Bests område. Se OKW-notitsen 5. marts 1945.

Kilde: RA, pk. 232.

Gru. Lei. Inland II

Betrifft: Zuständigkeitsregelung.

Der Reichsbevollmächtigte in Dänemark hat mit Drahtbericht Nr. 1219 vom 27.10. 1944[112] mitgeteilt, daß entsprechend einer Entscheidung des Reichsführers-SS vom RMdI auf das Reichssicherheitshauptamt zuständigkeitshalber übergehen sollen:

Vereins- und Versammlungsrecht,
Strafrecht,
Politisches Strafrecht,
Judenangelegenheiten,
Blutschutzangelegenheiten,
Waffenrecht,
Presserecht,
Kirchenfragen,
Reichsbürger- und Staatsangehörigkeitsrecht.

Da der Befehlshaber der Sicherheitspolizei- und des SD die Übertragung der Zuständigkeit für diese Angelegenheiten wünscht, hat der RBV die Herbeiführung einer Entscheidung erbeten,[113] ob die obenerwünschten Erlasse im Dänemark Anwendung finden sollen oder nicht.

Das Büro RAM hat um Behandlungs-Vorschlag gebeten, falls Vorlage bei dem Herrn RAM für erforderlich gehalten wird.

Nach Besprechung mit Herrn Gesandten von Grundherr erscheint es angebracht, daß die gesamten Fragen, soweit außenpolitische Belange, insbesondere dänische Fragen betroffen werden und beim RBV bleiben, während keine Bedenken bestehen, daß rein deutsche Angelegenheiten dem Befehlshaber der Sicherheitspolizei- und des SD übergehen.

Es wird vorgeschlagen, durch Schreiben an SS-Obergruppenführer Kaltenbrunner diese Ansicht zum Ausdruck zu bringen und ihn zu bitten, von sich aus dem Befehlshaber der Sicherheitspolizei- und des SD in Kopenhagen entsprechend zu unterrichten. Eine Unterrichtung des RBV durch das Auswärtige Amt würde gleichseitig erfolgen.

Berlin, den 5. Dezember 1944.

gez. **Wagner**

Hiermit zur Vorlage bei dem Herrn Staatssekretär.

112 Trykt ovenfor.
113 Bests telegram nr. 1325, 27. november 1944.

225. Rüstungsstab Dänemark: Arbeitszeit auf den Werften 5. Dezember 1944

Fra tysk side havde man behov for at få udvidet arbejdstiden på de danske skibsværfter. Der havde hidtil været begrænsninger i arbejdstiden bl.a. på grund af den tidlige mørklægning i vintermånederne. Der kunne nu godt arbejdes efter mørkets frembrud, da der ikke havde været luftalarm længe, og man sørgede for en direkte linje til luftalarmnettet. Endvidere kunne der indføres et andet arbejdsskift og anvendes overarbejde. De danske værfter, repræsenteret ved direktør Christensen fra Helsingør skibsværft, lovede svar på det tyske ønske.

Værfternes svar er ikke lokaliseret.

Kilde: BArch, Freiburg, RW 27/17, KTB 4. Vierteljahr 1944, Anlage 17.

Anlage 17.

Chef Rüstungsstab Dänemark *Kopenhagen, den 5. Dezember 1944.*

Betr.: Arbeitszeit auf den Werften.
Bezug: Schreiben Admiral Skagerrak, Oberwerftstab, vom 29.11.44.

Aktenvermerk
über die Besprechung im Rüstungsstab Dänemark am 5. Dezember 1944.

Anwesend waren:	Direktor Christensen	Helsingör Skibsvärft
	Direktor Dolainski	Chef des Oberwerftstabes
	Kapitän zur See Dr. Forstmann	Chef Rü Stab Dänemark.

Chef Rü Stab Dän. führte aus:
Die dänischen Werften müssen noch besser als bisher ausgenutzt werden; es ist zu überlegen, auf welche Weise das geschehen kann. Früher ist von dänischer Seite eingewandt worden, daß die Werften nicht verdunkeln könnten und deshalb bei Einbruch der Dunkelheit die Arbeit einstellen müßten. Inzwischen hat sich aber gezeigt, daß nur selten Luftalarm gegeben wird. Deshalb hat sich Chef Rü Stab Dän. mit Major Dr. Paul, dem zuständigen Referenten für Werkluftschutz beim Kdr. General der Luftw. in Dänemark, in Verbindung gesetzt, um grundsätzlich zu klären, ob auch ohne Verdunklung im dänischen Raum gearbeitet werden kann. Major Dr. Paul erklärte, daß die dänischen Werften ach ohne Verdunklung arbeiten können, wenn ihnen von der dänischen Kommando-Zentrale "Luftgefahr" sofort gemeldet wird und sie daraufhin schlagartig verdunkeln.

Ferner hat Rü Stab Dän. bei der dänischen Luftschutz-Kommando-Zentrale im hiesigen Polizeipräsidium festgestellt, daß die Kopenhagener Werften (Burmeister & Wain, Orlogs- und Nordhavnswerft) direkt an das Warnnetz angeschlossen und "Luftgefahr" innerhalb einer Minute durch direkte Schaltung auf die betreffenden Stationen der Werften durchgegeben wird.[114]

Der Außenstelle Aarhus des Rü Stab Dän. hat Chef Rü Stab Dän. den Befehl erteilt, bei den Werften auf Jütland zu prüfen, wie die Verbindung derselben mit den zuständigen Luftschutz-Kommando-Zentralen ist.

114 Der var yderligere indsat vagter fra BdO hos B&W og Orlogsværftet efter flere sabotager 15. november (BArch, R 70 Dänemark, KTB/BdO 15. november 1944).

Es ergibt sich nun die Frage, ob die Werften in der Lage sind, schlagartig zu verdunkeln. Das bejahte Direktor Christensen. Er meinte aber, es seien nicht Arbeiter vorhanden, um bei Dunkelheit eine 2. Schicht einzulegen. Dagegen wurde von Chef Rü Stab Dän. eingewendet, daß die eisenverarbeitende Industrie augenblicklich Arbeitskräfte freigeben müsse, weil die Eisenzufuhr nach Dänemark ganz erheblich eingeschränkt worden sei und auch in den sabotierten Betrieben Arbeitskräfte frei würden.

Direktor Dolainski hob hervor, daß Burmeister & Wain im vergangenen Winter die Arbeitszeit auf 6 Stunden verkürzt habe. Hierzu erklärte Direktor Christensen, daß heute seine Werft von 7.00 bis 16.00 Uhr mit einer Stunde Pause, also 8 Stunden, arbeite. Durch einen Anruf bei Burmeister & Wain wurde festgestellt, daß auch dort z.Zt. 8 Stunden gearbeitet wird.

Es herrschte dann Übereinstimmung darin, daß

1.) auf den Werften die 8-stundige Arbeitszeit auch im Winter durchgehalten werden muß und
2.) eilige Objekte,
    a.) durch Überstunden,
    b.) durch eine 2. Schicht

    beschleunigt gehandelt werden müssen. Ob Überstunden oder eine 2. Schicht das Gegebene ist, müssen die Betriebe selbst entscheiden, da die Verhältnisse auf den Werften verschieden sind.

Direktor Christensen übernahm es, die Frage der Abtrottelung von Überstunden in einer demnächst stattfindenden Sitzung des Arbeitsgeberverbandes zu besprechen. Er wird dabei versuchen, eine Generelle Erlaubnis für Überstunden auf den dänischen Werften zu erreichen, damit der Weg über den Rü Stab Dän. zum Arbeits- und Sozial-Ministerium nicht mehr erforderlich ist.

Außerdem wird Direktor Christensen mit der Luftschutz-Kommando-Zentrale Verhandlungen dahingehend führen, daß die Warnung "Luftgefahr" den Werften 10 Minuten vorher gegeben wird. Dann soll die Arbeiterschaft durch Lichtsignale oder Sirene auf die "Luftgefahr" aufmerksam gemacht werden, so daß etwa 5 Minuten später die Arbeiter die Luftschutzräume aufgesucht haben können.

Über das Ergebnis seiner Verhandlungen wird Direktor Christensen dem Rü Stab Dän. schriftlich Mitteilung machen.

gez. **Forstmann**

226. Werner Best an das Auswärtige Amt 6. Dezember 1944

Best meddelte, at han havde måttet høre nyt vedrørende de til Tyskland deporterede danske politimænd fra sine forhandlingspartnere i UM. Bl.a. skulle 200 politimænd snart frigives, mens andre 200 var blevet fastslået som personligt belastede. Alle politimændene skulle føres til en krigsfangelejr i Pommern. Best bad fremover om øjeblikkeligt og løbende at blive underrettet om forholdene, og at AA bad RSHA om at gøre det samme.

Sagen var imidlertid, at Otto Bovensiepen og Karl Heinz Hoffmann forhandlede direkte med den danske administration om betjentenes skæbne. Best blev ikke længere hverken involveret eller orienteret. Han havde ikke noget at tilbyde, da det alligevel var RSHA, der traf beslutningerne i disse sager.

Hvad han havde hørt fra dansk side, havde delvis sin rigtighed. De danske politifolk blev i begyndelsen af december ført fra koncentrationslejren Buchenwald til krigsfangelejre under den tyske værnemagt: til Mühlberg an der Elbe, Oschatz og Torgau. Ca. 100 syge betjente blev tilbage på infirmeriet i Buchenwald. Endvidere blev 211 betjente 7. december hjemsendt, 33 døde fulgte med i urner. Påfølgende blev der 18. og 20. december hjemført henholdsvis 42 og 65 syge betjente (Hæstrup, 2, 1966-71, s. 180-190).

Kilde: PA/AA R 101.041.

Telegramm

Kopenhagen, den	6. Dezember 1944	21.20 Uhr
Ankunft, den	6. Dezember 1944	23.00 Uhr

Nr. 1364 vom 6.12.[44.]

Unter Bezugnahme auf mein Telegramm Nr. 1334[115] vom 28.11. berichte ich, daß der Direktor des dänischen Außenministeriums Svenningsen mir am 5.12.44 mitgeteilt hat, daß bis jetzt schon 22 der internierten dänischen Polizeibeamten gestorben seien, was in Dänemark größte Sorge um das Leben der übrigen verursache. Dabei erwähnte der Direktor Svenningsen, daß – offenbar wegen der Krankheits- und Todesfälle – eine Verlegung der internierten dänischen Polizeibeamten in ein Kriegsgefangenenlager in Pommern beabsichtigt sei. Weiter erwähnte er, daß dem Gesandten Mohr hinsichtlich der internierten dänischen Polizeibeamten bestimmte Mitteilungen gemacht worden seien, z.B. daß etwa 200 Beamte aus der Internierung entlassen werden sollen und daß bei 150-200 Beamten festgestellt worden sei, daß sie irgendwie persönlich belastet seien.

Da es für mich peinlich ist, solche Neuigkeiten erst durch den Mund meines dänischen Gegenspielers zu erfahren, bitte ich dringend um laufende und schnelle Unterrichtung über alle Tatsachen, die hinsichtlich solcher dänischer Angelegenheiten dem Auswärtigen Amt bekannt werden. Vom Reichssicherheitshauptamt müßte laufende und schnelle Unterrichtung des Auswärtigen Amtes über solche Angelegenheit verlangt werden.

Dr. Best

227. Werner Best an das Auswärtige Amt 6. Dezember 1944

Uden kommentarer fremsendte Best nummer 4 og 5 af Bovensiepens "Meldungen aus Dänemark." Det nærmeste, man kommer Bests opfattelse af disse meddelelser, er, hvad han lod fremkomme i afsnittet "Fjendtlige stemmer" i *Politische Informationen*.

Kilde: PA/AA R101.041.

Der Reichsbevollmächtigte in Dänemark — *Kopenhagen, den 6.12.1944*
II 2276/44. — Geheim

An das Auswärtige Amt
Berlin.

115 Pol VI 1620. Trykt ovenfor.

Betr.: Die "Meldungen aus Dänemark" des Befehlshabers der Sicherheitspolizei und des SD in Kopenhagen.
Anlagen: 6.

In der Anlage wird die Nummer 4 vom 24.11.44 und die Nummer 5 vom 1.12.44 der "Meldungen aus Dänemark" des Befehlshabers der Sicherheitspolizei und des SD in Kopenhagen in dreifacher Ausfertigung mit der Bitte um Kenntnisnahme übersandt.

W. Best

Der Befehlshaber der Sicherheitspolizei und des SD in Dänemark
– III C 4 –

Kopenhagen, den 24. November 1944

Geheim!

Meldungen aus Dänemark
Nr. 4

Vorliegender Bericht ist nur persönlich für den Empfänger bestimmt und enthalt Nachrichtenmaterial, das der Aktualität wegen unüberprüft übersandt wird.

Verteiler: [se "Meldungen aus Dänemark" Nr. 3 (Best til AA 22. november 1944)]

1.) Allgemeine Stimmung:
Durch die kriegerischen Ereignisse an den Fronten, vor allem durch den verbissenen Widerstand der deutschen Truppen im Westen und auf den anderen Kriegsschauplätzen kommt die dänische Bevölkerung immer mehr zu der Erkenntnis, daß das Ende des Krieges noch in weiter Ferne liegt und nicht mehr an die Voraussagungen Churchills und Roosevelts gebunden ist. Wenn man auch weiterhin von dem Sieg der Alliierten überzeugt ist, so haben der deutsche Widerstandswille und der Einsatz der neuen deutschen Waffen doch allmählich zu einer Bewunderung der Deutschen geführt. In deutschfreundlichen Kreisen hat sich der Glaube an einen deutschen Sieg gefestigt, der mit Hilfe neuer Waffen und der Einsatzbereitschaft des ganzen Volkes als durchaus möglich angesehen wird. Einige Sorge macht man sich um den Durchbruch der französischen Armee ins elsässische Gebiet, doch wird gleichzeitig der Hoffnung Ausdruck gegeben, daß unsere Kräfte ausreichend sind, um dem Gegner ein energisches Halt bieten zu können. Aufmunternd hat besonders die Tatsache gewirkt, daß "V2" nun auch im Fronteinsatz angewandt wird. Für die meisten Dänen jedoch steht es fest, daß "V2" um zwei Jahre zu spät eingesetzt worden ist. Eine kriegsentscheidende Wirkung komme ihr nicht mehr zu. Die gemeldeten hohen Verluste der Anglo-Amerikaner werden nicht ernst genommen. Deutschland habe ja viel weniger Truppen zur Verfügung und erlitte dadurch prozentual eine weit größere Schwächung als unsere Gegner.

Die Entwicklung in Nordnorwegen bereitet der Bevölkerung Sorge.[116] Die Angst vor dem Kommunismus wächst. Die bekanntgewordenen sowjetischen Härten und Rück-

116 Der henvises til den tyske tvangsevakuering af nordmænd i Nordnorge.

sichtlosigkeiten sind nicht ohne Eindruck geblieben. Besonders die Gefahr, die durch die Sowjets für die Schiffahrt in der Ostsee eingetreten ist, wird lebhaft erörtert. Dabei kann festgestellt werden, daß die Begebenheiten in unmittelbarer Nähe Dänemarks mit ganz anderen Augen betrachtet werden als die in weiter Ferne liegenden. Viele Dänen glauben, daß die Alliierten in Kürze einen Keil der deutschen Nordseeküste entlangtreiben werden, um auf diese Weise an die Ostsee zu gelangen. Die Verbindung Deutschlands mit Norwegen werde damit unterbrochen und eine Invasion im eigenen Lande hinfällig. Die zur Verfügung stehenden Freiheitstruppen aus Dänemark und Schweden seien stark genug, die deutschen Truppen in Dänemark niederzukämpfen.[117]

Zu Schwedens Verhalten findet die Bevölkerung nicht die richtige Einstellung. Die weitverbreitetste Ansicht ist die, daß Schweden sich gern gegenüber wichtigen Problemen zu drücken versucht. Es wolle lediglich dabei sein, wenn geerntet würde.

Einzelne Stimmen sprechen davon, daß England und Deutschland sich eines Tages zusammenschließen werden, um den sowjet-russischen Vormarsch nach Westen zu verhindern. Geheime diplomatische Verhandlungen über diesen Punkt seien bereits zwischen den beiden Nationen aufgenommen worden.

In illegalen Kreisen ist man sehr verärgert darüber, daß die Schweden den geflüchteten Redakteur Henning Dalsgaard ausliefern wollen. Sie rechnen damit, daß er bei seiner Rückkehr von den Deutschen verhaftet wird. Nach Auffassung dieser Kreise wäre es besser, Dalsgaard zurückzubehalten, da er für die Nachkriegszeit zur Aufklärung der Tätigkeit des Gesandtschaftsrates Meissner außerordentlich wertvoll sein würde.[118]

Eine angeblich über den englischen Rundfunk gegebene Meldung, wonach der Führer geisteskrank geworden sei, hat unter den deutschfreundlichen Personen, obwohl sie nicht geglaubt wird, Erregung hervorgerufen. Die Dementis werden zum Teil in einen Vergleich mit dem seinerzeitigen Dementi über den Zustand Rommels Gebracht, an dem auch etwas Wahres gewesen sei. Die Tatsache, daß der Führer zur Feier des 9. November nicht wie üblich persönlich gesprochen habe, wird weiter in Verbindung mit der obenangedeuteten Meldung aus dem Feindlager gebracht.[119]

Die innerdänische Lage beschäftigt die Bevölkerung weiterhin stark. Die anhaltenden Revolverüberfälle und politischen Mordanschläge verursachen auch weiterhin eine starke Unruhe. Verschiedentlich gab man seinem Erstaunen Ausdruck, daß nur eine geringe Zahl der Morde bekannt werde. Man fragt sich, was für ein Ziel eigentlich damit verfolgt werde. Viele sehen darin ein Zeichen, daß verschiedene Bombenanschläge dem Schalburgkorps oder den Deutschen selbst zuzuschreiben seien. In den illegalen Blättern könne man stets genaue Auskunft über die von dieser Seite unternommenen Morde und Anschläge erhalten.[120] Öffentlich werden diese Dinge allerdings kaum erörtert.

117 Det var næppe mange danskere, der var af den opfattelse.

118 Henning Dalsgaard havde tidligere været leder af Dansk-Tysk Pressekretariat under Det Tyske Gesandtskab i København. Sverige udleverede ikke Dalsgaard, men holdt ham fængslet indtil befrielsen, hvorefter han blev udleveret til Danmark. Dalsgaard var et af den illegale presses yndlingsofre (Steen Andersen i *Hvem var hvem 1940-1945*, 2005, s. 77f.).

119 Dette havde Bovensiepen omtalt i "Meldungen aus Dänemark" Nr. 3 (Best til AA 22. november 1944).

120 Den illegale presse så det som sin opgave at oplyse om, hvad der var sabotager og likvideringer og hvad der var schalburgtager og clearingmord.

Wenn man auch in der letzten Zeit von der dänischen Polizei nicht mehr viel gehalten hat, so ist man doch heute sehr erbost darüber, daß angeblich von deutscher Seite so wenig gegen Mord- und Sabotagehandlungen unternehmen wird. Vielfach hörte man die Äußerung: "Die Deutschen haben es wohl fertiggebracht, die Polizei aufzulösen, Ruhe und Ordnung zu schaffen, bringen sie aber nicht fertig." Dem Polizeiersatz, dem sogenannten Wachkorps, wird im allgemeinen nicht viel Vertrauen geschenkt. Vielfach wird argumentiert, sie können sich nicht gegen Saboteure einsetzen, da sie ja nur mit Gummiknüppeln bewaffnet sind.

Der 24-stündige Proteststreik in Esbjerg hatte keinerlei Nachwirkungen. Die von deutscher Seite durchgeführten drakonischen Maßnahmen – die Absperrung von Gas, Wasser und Licht und die Einstellung des Verkehrs – haben ihren Eindruck nicht verfehlt.[121] Der in vielen Kreisen erwartete allgemeine Sympathiestreik blieb aus.

2.) Presse und Rundfunk:
In der Presse standen die Meldungen vom Kriegsgeschehen im Vordergrund, insbesondere seitdem die Offensive im Westen an Heftigkeit zugenommen hat. Alle Blätter wiesen auf den steigenden Kraft- und Materialeinsatz hin. Nachdem zunächst die Kämpfe um Metz und in Lothringen als vorbereitende Aktionen für die Großoffensive angesehen wurden, standen die Zeitungen vom 18. November ab im Zeichen der gegnerischen Großangriffe. "Politiken" schrieb an diesem Tage, daß die starke Probe in vollem Gange sei. "General Eisenhowers Offensive im Westen, Wiederaufnahme der Offensive in Osten und Süden erwartet." Einen Tag später schrieb "Berlingske Tidende" "Die enormen Angriffe an der Westfront, alliierte Bodengewinne, aber keinen Durchbruch durch die deutsche Front." "Fädrelandet" unterstrich am 20. November, daß die deutsche Aachen-Front gegen die alliierten Großangriffe standgehalten habe und neue amerikanische Divisionen in das Aachener Gebiet geführt würden. "Politiken" erwähnt am gleichen Tage die neue alliierte Angriffstaktik, die Städte liegen zu lassen und an ihnen vorbeizustossen. Die von General Eisenhower in seiner Radiorede vom 19. November erörterten Nachschubschwierigkeiten wurden in mehreren Zeitungen hervorgehoben, ebenso der französische Einbruch zwischen Belfort und der Schweiz. Die Ostfront fand nur wenig Erwähnung. Eine Ausnahme bildeten die Kämpfe in Ungarn, um Budapest und das Miskolcz-Gebiet, von denen gemeldet wurde, daß "Die deutsch-ungarische Front standhält gegen russische Angriffe." Aus Finnland brachten die Zeitungen durchweg pessimistisch gehaltene Nachrichten.

Bekümmerns erweckte das Verlangen auf Rückführung der finnischen Kinder aus Schweden durch die Sowjets. Meldungen über die Änderung und Neubildung der finnischen Regierung wurden täglich aufmerksam verfolgt. Besonders erwähnt wurde dabei, daß jetzt ein Kommunist Sozialminister ist. Die Kämpfe in Italien wurden nur am Rande erwähnt. Auch aus Ostasien lagen nur wenige und kurze Notizen vor, die unauffällig gebracht wurden.

Die Aufmachung der Meldungen über die "Wirkungen der V2" ließ nichts zu wün-

121 Se om strejken i Esbjerg Reisebericht 21. november 1944 af en TN-officer og "Meldungen aus Dänemark" Nr. 3 (Best til AA 22. november).

schen übrig. Aus englischer Quelle wurde gemeldet, daß London einer Kraterlandschaft gleiche. Am 20. November brachte "Folket" aus dem London-Radio die Äußerung: "England hat so harte Schläge aushalten müssen wie kein Land je zuvor." Bemerkenswert war weiter, wie aufmerksam die bedeutenden Blätter die Entwicklung des deutsch-schwedischen Verhältnisses beobachteten. Fast täglich erschienen lange Berichte an erster Stelle, worin die gegenseitigen Anschauungen ausführlich gebracht wurden als ein Beweis für das lebhafte Interesse, das die dänische Bevölkerung dieser Angelegenheit entgegenbringt.

Die Berichterstattung über Schwierigkeiten, die die Regierungen in Belgien und Griechenland mit der Auflösung der bisher so populären Widerstandsbewegungen haben, fand einen guten Platz. Interessant waren die großen Aufmachungen in den führenden Zeitungen über den englischen Plan zur Bildung eines Westblockes. Der russische Protest dagegen wurde nur klein erwähnt.

Im großen und ganzen befleißigten sich die dänischen Zeitungen eines neutralen Tones, wenn sie auch nie einen eigenen Kommentar brachten. Auffällig war, daß "Berlingske Tidende" in der Aufmachung der Meldungen wiederholt eine deutschfeindliche Tendenz zeigte. Sie wurde auf Veranlassung des Reichsbevollmächtigten unter Vorzensur gestellt.[122]

Auch eine Begünstigung kommunistischer Schriftsteller war in dieser Kopenhagener Zeitung festzustellen. Besonders aufgefallen war z.B. das Interview in der Dienstagmorgen-Zeitung (21. November) mit den 19-jährigen Dichter Illjetsch Johannsen, der der Sohn des Kommunisten und Tass-Redakteurs Ove Johannsen ist, der bereits vor längerer Zeit nach Schweden flüchtete, wobei ihn Ärzte aus dem Frederiksberg-Hospital unterstützten.[123] Der weiter in der Zeitung häufig als Mitarbeiter herangezogene Joh. Weltzer gilt ebenfalls als glühender Kommunist.[124]

Wenn auch allgemein die Auffassung vorherrschend ist, daß die dänische Presse unter deutscher Zensur steht, so mehren sich doch die Stimmen, daß sie auch sonst nicht als frei zu bezeichnen sei. Sie erfuhren eine Bestätigung durch einen Aufsatz, der unter dem Thema "Presse und Demokrati" in der Oktober-Nummer des Führerblattes von "Dansk Ungdoms Samvirke" erschienen ist. Nach einer Erörterung der wirtschaftlichen Grundlage in einer Zeitung kommt der Schreiber zu folgendem Ergebnis:

"Die meisten modernen Presseunternehmungen können als Großunternehmungen nicht in befriedigendem Umfange ihre Aufgaben der Meinungsbildung erfüllen. Zu mäßige Rücksichten müssen bewirken, daß der "Meinungsstoff" ein zurückgezogenes Dasein führen muß. Der politische Stoff nimmt wohl einen gewissen Platz ein, aber meistens in einseitig propagandistischer Form.

Alles in allem kann man wohl mit Respekt bei den nicht wenigen Ausnahmen feststellen, daß die freie Meinungsbildung nicht ihren Ort hat in der modernen Presse und ihn auch nicht haben kann, wie man es eigentlich vom demokratischen Standpunkt aus wünschen müßte."

122 Det var den tyske pressesekretær Jürgen Schröder, der foranledigede forcensuren mod *Berlingske Tidende* to gange i november 1944 (Bindsløv Frederiksen 1960, s. 451, Kreth 1998, s. 375).

123 Lise Sørensen stod for interviewet med den kendte unge kommunist.

124 Joh. Weltzer var kendt som en udpræget antinazist fra 1930erne.

Der Verfasser dieses Aufsatzes weist dann darauf hin, daß die Führerzeitung von "Dansk Ungdoms Samvirke" wirklich ein unabhängiges dänisches Organ zur politischen Meinungsbildung werden kann.

Als weiteres Beispiel in der Kritik von dänischer Seite an der dänischen Pressepolitik sei folgendes angeführt: Eine führende Persönlichkeit des Staatsministeriums erklärte im Zusammenhang mit den Gallup-Untersuchungen von "Politiken" über die dänischen Wohnverhältnisse und die Wünsche der Bevölkerung in dieser Richtung: Es seien nicht nur die Deutschen, die die Pressefreiheit beschränkten, das besorge die Presse auch ausgezeichnet selbst. Aus Anlaß der Gallup-Untersuchungen von "Politiken" hätte er dieser Zeitung eine Kritik dieser Untersuchung zugesandt. Die Zeitung hätte aber die Aufnahme dieser Kritik abgelehnt. Die Diskussionen seien nur solange frei, solange man nicht einige dänische Mandarinen antaste.

Das Interesse an dem Nachrichtendienst des dänischen Rundfunks ist weiter im Steigen begriffen. Dieses sei in erster Linie darauf zurückzuführen, daß die Technik verbessert wurde und jetzt mehr Stoff neutralen Charakters gebracht werde. Unter den sogenannten "Deutschen Sendungen" wären einige gut gewesen, dagegen hätten andere eine starke Kritik gefunden. Die aktuelle Wochenrevue vom 17. November sei sehr schlecht vorgelesen worden. Der Angriff auf die Kirche habe große Unzufriedenheit ausgelöst. Wiederholt wurde dabei auf den glorreichen Kampf, den die Kirche Norwegens führte, hingewiesen. Große Teile des dänischen Volkes sehen den Nationalsozialismus als größeren Feind der Kirche an als den Kommunismus. Die Satire über die Leichtsinnigkeit der Menschen in dem Umgang mit Wertgegenständen sei ein naiver Versuch, die Schuld der bestehenden unruhigen Verhältnisse den Bürgern zuzuschieben. Die Erwähnung der unneutralen Haltung der dänischen Polizei sei mit einem Schmunzeln aufgenommen worden. Die Bemerkung des Amtspfarrers Bartholdy bei einer Versammlung der Inneren Mission in Jütland "Wir stehen einem Volke gegenüber, das weder in die Kirche noch ins Missionshaus geht" hätte die "Uge-Revue" so ausgelegt, daß Bartholdy über die illegale Tätigkeit mehrerer Pastore Aufschluß geben sollte. Es sei nicht verständlich, daß der Pastor angegriffen worden sei, da "Fädrelandet" am 13. November unter der Überschrift "Der Rednerstuhl" ein Referat der Rede Bartholdys gegeben habe. Der Pastor habe als Vorstand der Inneren Mission in Dänemark folgendes gesagt: "Innerhalb der alten Volkskirche gab es Pastöre mit einer so furchtbaren Mentalität wie bei dem vor einiger Zeit erwähnten Horsens-Pfarrer und dem in den letzten Tagen so viel besprochenen Pfarrer, der Leiter einer Mordgruppe war.[125] Dieses ist ja so beschämend und wirft unweigerlich einen dunklen Schatten über die Kirche und ihre Tätigkeit."

Das Einsetzen der kräftigen Störsender hat es besonders im Stadtgebiet von Kopenhagen fast unmöglich gemacht, englische Kurzwellenstationen, die Nachrichten und Propagandasendungen in dänischer Sprache bringen, zu hören.[126]

125 Sidstnævnte var Harald Sandbæk.

126 Den kraftige støjsender hindrede ikke, at man i København hørte engelsk radio ved denne tid, men måske gav den alligevel problemer, for 9. december blev den tyske støjsender på Amager Fælled udsat for sabotage (KB, Bergstrøms dagbog 7. og 10. december 1944, Alkil, 2, 1945-46, s. 1238).

3.) Innerpolitisches:
Die Meinungsverschiedenheit zwischen der Sozialdemokratie und der Konservativen Partei treten immer deutlicher zutage. Scheinbar rüsten beide Parteien für den nach dem Kriege einsetzenden Kampf um die politische Macht. Die Sozialdemokratie treibt zurzeit eine verstärkte Agitation. In den vertraulichen Mitteilungen, die jede Woche an die Organisationsleiter der Sozialdemokratie gesandt werden, wurden in der letzten Woche die erreichten Agitationsergebnisse aufgeführt. Danach wurden in Kopenhagen 138, in Nakskov 237 und in Apenrade 300 neue Mitglieder geworben.

Von kommunistischer Seite ist ein Kampf gegen alle Spitzel eingeleitet worden. In Fabriken und Betrieben wurden Zettel und Plakate angeklebt, die davor warnen, über Dinge zu sprechen, die nicht für andere Ohren bestimmt sind. Die Arbeiter werden darauf hingewiesen, daß überall Spitzel vorhanden seien, die über alles, was sie hörten, berichteten.

Außerdem sind augenscheinlich von kommunistischer Seite zahlreiche Drohbriefe an Personen gesandt worden, die die allgemeine Unsicherheit noch verstärkt haben. Die in den Drohbriefen geäußerten Beschuldigungen entbehren meistens jeder Grundlage. In verschiedenen Fällen haben die Vertrauensleute der Arbeiterschaft in Betriebsversammlungen Stellung gegen diese Art der kommunistischen Propaganda genommen.

In einem neuerlichen Aufruf von "Fyens Socialdemokrat" wird die Organisation der nicht organisierten Arbeiter des Elektrizitätswerkes Odense verlangt. Die Arbeiterschaft fordert die Entfernung der Unorganisierten.

Im Hinblick auf eine nach den Kriege beabsichtigte Wahlgesetzänderung begannen Venstre und konservative Blätter eine Polemik über die alte Streitfrage zwischen diesen beiden Parteien: Kreiswahlen oder Wahl gemäß Verhältniszahlen.

In nationalsozialistischen Kreisen beschäftigt man sich viel mit dem Schalburgkorps und dessen Kommandanten Martinsen. Es wird behauptet, Martinsen sei von den Deutschen festgenommen und nach Berlin gebracht worden. Schuld daran seien seine leichtfertigen Äußerungen über Gegensabotage des Schalburgkorps.[127] Der Kreditvereinigungsdirektor Poul C. Rasmussen erklärte, wenn die dänischen Nationalsozialisten jetzt nicht einen persönlichen Einsatz leisteten und selbst die Regierungsbildung in die Hand nehmen würden, sei bestimmt damit zu rechnen, daß Dänemark ein deutsches Protektorat würde.

Nach einer Mitteilung des Ortsgruppenleiters der DNSAP von Birkeröd hat er in diesem Jahre bei der Einsammlung erheblich mehr Geld für Weihnachtsgeschenke der Freiwilligen an der Ostfront erhalten als in vorigen Jahre. Bei seinem Sammelgang durch die Stadt konnte er feststellen, daß die Ursache in einer außerordentlich verstärkten Furcht vor dem Bolschewismus zu suchen ist.

4.) Kulturelles:
Die dänische Kirche tritt zur Zeit sehr stark in den Vordergrund. Sie hat einen Propagandafeldzug eingeleitet, wobei ihr namhafte Reklamebüros helfen. Auch die Zeitung

127 Bovensiepen kendte naturligvis årsagen til, at K.B. Martinsen var anholdt og ført til Berlin, men "Meldungen aus Dänemark" havde ikke som opgave at videregive den type oplysninger, men at gengive hvad der blev talt om.

hat sich voll eingesetzt und fordert in interessanten Artikeln zur Teilnahme an den täglichen Andachten auf, in denen besonders für das Wohlergehen des dänischen Volkes gebetet wird, damit es den Krieg gut überstehen möge.

5.) Wirtschaftliches:
Die Kartoffelversorgung beschäftigt die Öffentlichkeit in stärkstem Masse. Es ist in letzter Zeit ein Streit um die Kartoffelpreise entstanden. Die Kleinverkaufspreise haben eine bisher noch nie erreichte Höhe erklommen und machen es der arbeitenden Bevölkerung schwer, zu diesen Preisen einzukaufen. Verhandlungen zwischen den Großhändlern und den Preiskontrollrat haben noch zu keinem Ergebnis geführt. Man fürchtet, daß bei Einführung eines Maximalpreises die Kartoffeln vom Markt verschwinden und die Versorgung in Frage stellen werden.[128] Auf der anderen Seite scheint es nicht mehr tragbar, der arbeitenden Bevölkerung einen weiterhin steigenden Preis zuzumuten. Als Grund für das starke Anziehen der Kartoffelpreise werden einmal die steigenden Umkosten bei den Erzeugern und zum anderen die schlechte Ernte angegeben. Augenblicklich findet ein starker Kartoffelaufkauf durch die besser begüterten Schichten statt, wie man ihn sonst in Dänemark nie beobachtet hat.[129] Die schwierige Kartoffelsituation wird in den Tageszeitungen auf der ersten Seite in großen Schlagzeilen und Leitartikeln behandelt. So hieß es am 16. November in einer Überschrift "Wird Kopenhagen eine kartoffellose Stadt?" und am 17. November "Kartoffeln oder Unterernährung."

Daß ausgerechnet die nationalsozialistische Zeitung "Fädrelandet" in einem diesbezüglichen Artikel schreibt, die Bauern liebten die Schweine mehr als ihre Kinder, hat große Empörung hervorgerufen. Die Aufforderung zum Kauf von möglichst viel Kartoffeln werde von Mund zu Mund weitergegeben. Man wolle mit dem Aufkauf nicht nur die eigene Versorgung decken, sondern auch verhindern, daß die Deutschen die Kartoffeln beschlagnahmen können.

Im übrigen wird in der Landwirtschaft wieder verstärkt auf den Arbeitermangel und die oft noch sehr geringere Rentabilität hingewiesen. Stellenweise sind die Rüben bis heute noch nicht eingebracht.

Mit Genugtuung wird es von der Bevölkerung verzeichnet, daß das Handelsministerium wieder einmal die Initiative ergriffen hat und dieses Mal gegen die Häutehändler vorgegangen ist. Die Händler haben ihre Ablieferungspflicht nicht ordnungsgemäß erfüllt. Das Handelsministerium hat damit wieder eine Angelegenheit in Angriff genommen, die früher Sache der Polizei war.

In den letzten Wochen ist ein gewisser Rückgang in der Industriebeschäftigung zu verzeichnen. Insbesondere die Eisen-, Metall- und Holzindustrie leiden unter einem nicht unerheblichen Rückgang. Die Gründe für diesen Rückgang sind zum Teil in der Rohstoffversorgung aus dem Reich begründet, zum Teil aber auch in einem Nachlassen der Aufträge sowohl von dänischer als auch teilweise von deutscher Seite. Man will dänischerseits sich nicht mehr auf längere Zeit binden und fürchtet von deutscher Seite die angebliche Unruhe in Dänemark.

128 Det var tilfældet, jfr. Jensen 1971, s. 244.
129 I den illegale presse blev tyske kartoffelopkøb givet som grund til de kraftige prisstigninger.

Die Transportschwierigkeiten machen sich in zunehmendem Masse bemerkbar. Es fehlen täglich rund 6.000 Güterwagen. Die Fleischzufuhr nach Kopenhagen ist aus diesem Grunde etwas rückläufig.

Kapitalistische Kreise befassen sich mit zunehmendem Unbehagen mit den Sozialisierungsplänen der Sozialdemokratie. Insbesondere wird in Vorträgen und Presseartikeln dieser Kreise auf die Schädlichkeit einer späteren Kollektivierung des Handels hingewiesen.

Der Abtransport des Torfes, der für die Zivilbevölkerung und für die Industrie in Dänemark von großer Bedeutung ist, geht nur zögernd vorwärts. Es liegt noch sehr viel Torf in den Mooren gestapelt. Ähnlich verhält es sich mit Braunkohle.

gez. **Bovensiepen**
SS-Standartenführer

Der Befehlshaber der Sicherheitspolizei
und des SD in Dänemark
– III C 4 –

Kopenhagen, den 1. Dezember 1944

Geheim!

Meldungen aus Dänemark
Nr. 5

Vorliegender Bericht ist nur persönlich für den Empfänger bestimmt und enthalt Nachrichtenmaterial, das der Aktualität wegen unüberprüft übersandt wird.

Verteiler: [se "Meldungen aus Dänemark" Nr. 3 (Best til AA 22. november 1944)]

1.) Allgemeine Stimmung:
Die Stimmung der dänischen Bevölkerung ist weiterhin durch eine abwartende Haltung gekennzeichnet. Vielerorts ist ein wachsendes Mißtrauen gegen die alliierten Versprechungen hinsichtlich des baldigen Kriegsendes festzustellen. Die Schlag- und Widerstandskraft der deutschen Wehrmacht hat ihren Eindruck nicht verfehlt. Besonders interessiert werden die Kämpfe im Westen verfolgt, wo die Anglo-Amerikaner trotz des enormen Einsatzes an Menschen und Material keine Erfolge erzielen. Viele Dänen sind allerdings enttäuscht, daß die Anfangserfolge der südfranzösischen Streitkräfte nicht in der Lage waren, die Westfront ins Wanken zu bringen. Der Einsatz der "V1" und "V2" als frontnahe Waffe hat Erstaunen hervorgerufen. In deutschen und deutschfreundlichen Kreisen erinnert man sich in letzter Zeit besonders gern eines angeblichen Ausspruches des Führers, der gesagt haben soll, daß ihm der Allmächtige die letzten 14 Tage dieses Krieges vergeben möge. Daraus wird geschlossen, daß die bevorstehenden Überraschungen unvorstellbar schrecklich in der Wirkung sind und praktisch das Ende unserer Feinde bedeuten. Darüber hinaus werden Kombinationen über den Einsatz weiterer Waffen angestellt, die auf der Ausnutzung der Elektrizität – der sogenannten Todesstrahlen – oder auch auf dem Gebiete der Atomzertrümmerung beruhen sollen. All dieses hat erheblich zur Stärkung des Optimismus in diesen Kreisen beigetragen, wenn auch nicht verkannt wird, daß die Situation im Süden der Westfront und vor allem auch

die verstärkte Lufttätigkeit erhebliche Opfer kostet und auch die deutsche Rüstungsproduktion stark beeinträchtigen kann.

Nach wie vor erzählt sich die Bevölkerung, daß der Führer einen Nervenzusammenbruch erlitten und der Reichsführer SS die Leitung in der Hand genommen habe. In diesem Zusammenhang wird auch Reichsmarschall Göring erwähnt, der in Karinhall bewacht werde.

Die Ereignisse im Osten und in Italien werden kaum erörtert.

Zur Lage in den von den Alliierten besetzten Gebieten – Frankreich, Holland und Belgien – wird allgemein behauptet, daß die dort herrschenden furchtbaren Zustände zum größten Teil Wunschbilder der deutschen Propaganda sind. Zwar wird anerkannt, daß in diesen vom Krieg heimgesuchten Gebieten Mangelerscheinungen auftreten, jedoch nicht in dem Umfange, wie sie deutscherseits geschildert werden. Auch hinsichtlich der Entwicklung in Finnland geht die Meinung dahin, das Auftreten der Sowjets sei nicht so schlimm, wie man es gern hinstelle. Man bedauert Finnland lediglich wegen der fehlenden Nahrungsmittel, nicht aber wegen der sowjetrussischen Besetzung.

Ein ständiges Gesprächsthema bildet die angeblich in Sowjetrußland begonnene Revolution, die vom Sowjet-General Timoschenko eingeleitet worden sei. Die Friedensdemonstrationen in Quebec und Halifax wurden ohne eigene Stellungnahme zur Kenntnis genommen.

Nicht ohne Eindruck sind die verschiedenen Mitteilungen über die Wirkung der neuen Waffe und die Zerstörungen in England sowie die Gerüchte über feindliche Verkehrsschwierigkeiten im Kanal geblieben. Wenn die Mehrzahl der Dänen sich weiterhin nicht an einen deutschen Sieg glaubt, so ist man allgemein doch in der Beurteilung des Ausganges des Krieges vorsichtiger geworden.

2.) Presse und Rundfunk:
In der Presse standen neben den Berichten über die Kriegsereignisse – hier vor allem die Westfront – die Nachrichten über Ereignisse im Lande im Vordergrund. Von der Leserschaft der Provinz wurde verschiedentlich kritisiert, daß die lokale Presse im Gegensatz zu Hauptstadtzeitungen zu wenig Kartenmaterial von den Kriegsfronten bringe.

In der Berichterstattung über die Ereignisse an der Westfront nahmen die Nachrichten über die Kämpfe in Elsaß-Lothringen den ersten Platz ein, wobei von Riesen- und Mammutschlachten geschrieben wurde. Der Einsatz französischer Truppen fand besondere Beachtung. So schrieb z.B. "Kolding Avis" am 22. November: "Der französische Vorstoß bis zum Rhein" und "Vestkysten" am gleichen Tage: "Der überraschende Vorstoß der Franzosen," "Verhältnismäßig schwache französische Verbände haben den Durchbruch ins Elsaß errungen." "Jyllands Posten" wählte die Überschrift: "Französische Truppe in Straßburg eingedrungen." "Sönder-Jyden" vom 22. November brachte unter der Überschrift "Die Franzosen im Elsaß bis zur Gegend von Altkirch vorgedrungen" einen Artikel, in dem zum Ausdruck kam, daß deutsche militärische Kreise offen ein erzieltes Resultat der Franzosen zugeben. In der gleichen Ausgabe wurde mit einer großen Überschrift berichtet: "Die Alliierten müssen als kleine Teufel für den Frieden kämpfen". Während die Hauptstadtpresse objektiv berichtete, z.B. "Politiken" vom 25. November: "Volle deutsche Abwehrerfolge im Aachen-Abschnitt" und "Fädrelandet":

"Erfolgreiche Gegenangriffe in der Schlacht um Aachen," ist bei einzelnen Provinzzeitungen wiederholt festzustellen, daß die Überschriften "eigene journalistische Leistungen der Schriftleitungen sind." Besonders macht sich hier die konservative "Svendborg Amtstidende" bemerkbar, die in der letzten Zeit mehrere unfreundliche Überschriften mit ausgesprochen antideutschem Charakter brachte. Ihr zur Seite steht die auf der Insel Langeland mit gleichem Text erscheinende "Lollands Tidende." Die Zeitung schrieb am 23. Oktober über den Fall der Stadt Aachen: "Nun ist es mit Aachen geschehen." Am 6. November berichtete die Zeitung ihrer Leserschaft: "Großer Bombensonntag," "Zahlreiche alliierte Bomberstreitkräfte über West- und Südostdeutschland."

Bei der "Aalborg Amtstidende" fiel auf, daß sie bei der Veröffentlichung des amtlichen Rundfunkprogramms alle deutschen Sendungen ausließ. Selbst Konzerte von Beethoven wurden nicht erwähnt.

Das bereits erwähnte Kartenmaterial vom Westraum zeigt meistens die deutsche Grenze nach dem Jahre 1941. Dadurch wurde allgemein der Eindruck erweckt, daß sich die Kriegshandlungen bereits tief im deutschen Reichsgebiet abspielen.

Auf die Vorgänge an den anderen Fronten gingen die Zeitungen nur selten ein.

In spaltenlangen Artikeln wird weiter über Nachkriegsprobleme geschrieben. "Heimdal" vom 23. November druckte einen Aufsatz aus "Folk og Värn" mit der Überschrift: "Vorschlag für eine Reform der Soldatenausbildung." Hierin wird eine radikale Demokratisierung im zukünftigen Heer Dänemarks angestrebt. In der gleichen Nummer befand sich eine Notiz über die Wertsteigerung der dänischen Krone nach dem Kriege.

Ein Interview mit dem Leiter der dänischen Gewerkschaften am 26. November wurde besonders in den sozialdemokratischen Zeitungen in großer Aufmachung gebracht. Der Artikel wurde innerhalb der Bevölkerung lebhaft erörtert. Vereinzelt wurden Äußerungen laut, Jensen habe nationalsozialistische Gedankengänge entwickelt, worüber man in bürgerlichen Kreisen sehr bestürzt ist.[130]

Der Untergang des schwedischen Passagierdampfers "Hansa" in der Ostsee wurde am 25. November von der Presse auffallend groß gebracht. Über den "mystischen Untergang des Schiffes" wurden verschiedene Thesen aufgestellt. Viele behaupten, daß Deutschland für den Untergang verantwortlich zu machen sei. Nur selten hörte man, daß Sowjetrußland seine Hand dabei im Spiele gehabt haben könne.[131]

Die illegale Presse zeigte sich sehr aktiv. Sie ist nach wie vor als großer Meinungsbildner der Öffentlichkeit anzusprechen. Sie führt weiter eine starke Hetzkampagne, die sie in erster Linie durch Gerüchte von deutschen Überfällen auf die Bevölkerung, Gewalttaten, Räubereien usw. und den Hinweis deutscher Sabotage gegen dänisches Eigentum untermauert. Von dem neu herausgegeben Blatt "Staa Fast" wird behauptet, daß es von deutscher Seite herausgegeben wird.[132]

Die dänische Bevölkerung hört zurzeit die Sendungen des dänischen Rundfunkes mehr als bisher, da die Feindsender ziemlich stark gestört werden.[133] Stark kritisiert

130 Eiler Jensen søgtes med denne påstand miskrediteret.

131 Det svenske fragtskib "Hansa" blev sænket af den tyske ubåd K-51 24. november 1944.

132 *Staa fast* var et falsk illegalt blad, der udkom oktober og november 1944, hvilket hurtigt stod samtiden klart (*Information* 21.12.1944, *Besættelsestidens illegale blade og bøger*, 1954, s. 168).

133 Se "Meldungen aus Dänemark" nr. 4.

wird die "Aktuelle Uge-Revue," die als plumpe deutsche Propaganda hingestellt wird. Sendungen über den Kommunismus und Terror finden besonders Aufmerksamkeit. Die "Aktuellen 5 Minuten" am 20. November wurden als gut bezeichnet. Die Stimme von Axel Hoyer sei deutlich herauszuhören gewesen. Viele sagen, daß Hoyer nun endgültig in deutsche Dienste getreten sei. Auch sein Vortrag vom 21. November "Die Gottlosigkeit" fand eine gute Aufnahme.

In den letzten Wochen macht sich auf der 42-Meter-Welle ein Kurzwellensender bemerkbar, der um 20.00 und 22.00 Uhr sich als Kopenhagener Kurzwellensender meldet. Nach Musikstücken folgen Mitteilungen über Morde und Sabotage. Eine Auswirkung war noch nicht festzustellen, da der Sender sehr schwach und mit einfachen Apparaten nicht zu hören ist.[134]

3.) Innerpolitisches:
Die innerpolitischen Ereignisse sind etwas in den Hintergrund des Allgemeininteresses getreten, nachdem die Mord- und Raubüberfälle abgenommen haben.

Äußerungen über die Lage sind in den letzten Tagen häufiger als zuvor zu hören gewesen. Besonders beschäftigte man sich mit der Eisenbahnsabotage in Jütland, die es unmöglich gemacht habe, den eigentlichen Verkehr durchzuführen. Wahrscheinlich würden in nächster Zeit sämtliche Privatreisen mit der Eisenbahn verboten. In der Ohnmacht gegen Eisenbahnsabotage werde deutscherseits als Vergeltung wahllos Sabotage gegen dänisches Eigentum – Fabriken und Geschäfte – verübt.

In deutschfreundlichen Kreisen erklärt man sich die verstärkte Hetzpropaganda dadurch, eine evtl. Stimmungsänderung zugunsten Deutschlands zu verhindern. Bislang sind die illegalen Bestrebungen, Unruhe und Unsicherheit innerhalb der Bevölkerung hervorzurufen, als gescheitert anzusehen, wenn auch große Teile der Bevölkerung wegen der angeblich fehlenden Rechtssicherheit beunruhigt sind.

Die Tätigkeit der deutschen Polizei macht sich immer stärker bemerkbar. Sie findet oft Anerkennung. Zu den Wachkorps findet die Bevölkerung immer noch nicht die richtige Einstellung. Viele behaupten, sie seien wegen ihrer schwachen Bewaffnung nicht in der Lage, die Ruhe und Ordnung zu garantieren.

In politischen Kreisen setzt man die Entführung des E. Johansen – nationalsozialistischer Sysselleiter – mit der des Snog-Christensen in Verbindung. Die Schuld dieser Entführung gibt man der deutschen Polizei. In illegalen Kreisen wurde daher behauptet, daß Johansen eine ebenso wichtige Person der Nationalsozialisten sei und deshalb entführt wurde. Der englische Sender behauptete dagegen, daß Johansen nach Schweden geflüchtet sei.[135] Weiter teilt er mit, daß Pastor Sandbeck – der Leiter einer Mordgruppe – nicht bei dem Fliegerangriff auf die Dienstelle in Aarhus zu Tode gekommen sei, sondern lebe.[136]

134 Denne københavnske kortbølgesender var ifølge *Information* 5.12.1944 sandsynligvis et tysk propagandafremstød.

135 Holger Johansen blev bortført af en gruppe modstandsfolk ledet af Leo Kari 5. november og siden likvideret af en anden gruppe under Svend Glendau. Johansens forbrydelse var, at han var medlem af DNSAPs førerråd. Hans lig blev først fundet i begyndelsen af februar 1945 (Lauridsen 2002a, s. 508).

136 Pastor Harald Sandbæk var bevidst først meldt død og siden blev det afsløret, at han havde overlevet og var undsluppet Gestapo.

Die Ermordung des Schalburg-Offiziers Stahr sei die Vergeltung für den Mord an den Kopenhagener Direktor Havemann. Havemann sei in der gesamten Bevölkerung sehr beliebt gewesen. Seine Ermordung habe dem Haß auf die Besatzungsmacht neue Nahrung gegeben.[137]

Die Sprengung einer Streichholzfabrik hat ein verstärktes Aufkaufen von Streichhölzern zur Folge. Als in der Bevölkerung wiederholt das Sinnlose einer Sprengung dänischen Eigentums erörtert wurde, wurde von illegaler Seite das Gerücht vorbreitet, die Fabrik habe sich mit der Herstellung von Sprengstoffen für die deutsche Wehrmacht befaßt.[138]

Auch die Ermordung des Pastors E. Johanneson in Kopenhagen wird den Deutschen in die Schuhe geschoben. Er sei sehr judenfreundlich und stets gegen die Besatzungsmacht eingestellt gewesen.[139]

Stark erregt ist man über die vielen Telefondiebstähle, die im ganzen Lande anhalten. Die Apparate würden gestohlen, um die Wohnungen der Illegalen mit einem Telefon ausstatten zu können.

Der strenge Kurs auf strafrechtlichem Gebiet gegen Vergehen nach dem 19. September 1944 hält weiterhin an. Bei Veröffentlichung der Urteile erhielten viele den Eindruck, daß es die Deutschen ärgere, wenn die Verbrecher so hart bestraft werden. Besonders kraß kam der Unterschied zwischen den Urteilen über Verbrechen, die vor und nach dem 19. September verübt wohnen sind, durch zwei Mitteilungen in der Presse (u.a. "Nationaltidende") zum Ausdruck. Das Urteil für das vor dem 19. September begangene Verbrechen – es handelt sich um eine Golderpressung – lautete auf 4 Monate Gefängnis und das andere – hier handelte es sich um den Diebstahl von einem Paar gebrauchten Holzstiefeln – lautete auf 5 Monate Gefängnis. Die bei den Urteile haben in juristischen Kreisen große Verwunderung hervorgerufen. Man meint, daß die Amtsgerichte in ihrer Eifer zu hohe Strafen verhängen.

Die häufigen Mitteilungen über Revolverüberfälle und Räubereien gegen Taxi-Chauffeure haben eine gewisse Ängstlichkeit hervorgerufen. Viele trauen sich nicht, nach Einbruch der Dunkelheit eine Taxe zu benutzen. Verschiedene Maßnahmen zur Beschützung der Taxi-Chauffeurs wurden durchgesprochen. Es habe aber wenig Zweck, einen Extra-Mann in dem Wagen mitfahren zu lassen, so, wie es in Aalborg gemacht wird, da die Wagen meistens von mehreren bewaffneten Räubern überfallen würden und auch zwei Mann ihnen gegenüber machtlos seien. Die Frage der Ausstattung der Taxi-Chauffeure mit Waffen wurde verworfen, da es dann zum Blutvergießen käme. Auch die Überfälle auf Geldtransporte beschäftigen die Bevölkerung stark. Über die Täter wurden verschiedene Meinungen laut. Ausgeprägt deutschfeindliche Personen

137 Ritmester og major i Schalburgkorpset J.E. Stahr blev likvideret 18. november, mens Johan Havemann blev myrdet 2. november af Peter-gruppen. Der var ingen forbindelse mellem de to drab. Havemann blev myrdet som gengæld for likvideringen af den danske Gestapoagent Rudolf Petersen (Alkil, 2, 1945-46, s. 915, Bøgh 2004, s. 166 og her tillæg 3).

138 Det var Peter-gruppen, der stod for sprængningen af Hellerup Glødefri Tændstikfabrik, Heimdalsgade 37-39 i København 22. november. Formålet var at genere befolkningen ved at skabe mangel på tændstikker (Bøgh 2004, s. 173 og her tillæg 3).

139 Pastor Egon Johannesen blev myrdet af Peter-gruppen 24. november (Bøgh 2004, s. 175f. og her tillæg 3).

behaupten, daß Schalburg-Männer oder Dänen, die in deutschen Diensten stehen, die Gelegenheit benutzten, um sich zu bereichern. Andere wieder, daß deutsche Soldaten sich auf diese Weise Geld verschafften.

Die in der letzten Zeit aufgeklärten und in der Presse veröffentlichten Diebstähle wurden lediglich zur Kenntnis genommen.[140] Die Pressenotiz über "das Gefängnis Arne Sörensens" verstärkte vielfach die Sympathie für die Illegalen. Es wurde dabei behauptet, daß die Illegalen sehr vorsichtig arbeiteten und, wenn eben möglich, Morde unterließen. Es sei anerkennenswert, daß die beiden von den Deutschen befreiten Personen nach Schweden gebracht werden sollten, trotzdem sie doch allerhand auf dem Gewissen hätten. Andere Kreise sind über die Eigenmächtigkeit der Illegalen stark erschüttert.[141]

In der letzten Zeit wird die politische Betätigung der dänischen Frauen erörtert. "Vestkysten" schrieb, daß man im Laufe der Zeit immer wieder Versuche gemacht habe, die Frauen mehr für die Beteiligung an der politischen Arbeit zu interessieren, leider aber mit negativem Erfolg. Nun sei eine neue weibliche Organisation, die sich "Folkevirke" (Volksarbeit) nennt, gegründet worden. An ihrer Spitze steht Frau Bodil Koch, die Frau des bekannten Vorsitzenden der dänischen Jugendvereine, Universitäts-Professor Hal Koch. Die Gründung der neuen Frauenorganisation sei ein Schritt auf dem Wege, die politische Betätigung der Frauen zu aktivieren. Im Reichstag säßen insgesamt nur 6 Frauen, darunter zwei bei den Konservativen, zwei bei der Venstre, je eine bei den Radikalen und den Sozialdemokraten. Das bisher von den Frauen gezeigte geringe Interesse habe die Parteien veranlaßt, sie nicht in die öffentlichen Körperschaften zu wählen.

Die sozialdemokratische Zeitungsredaktion erhielt vor einigen Tagen die vertrauliche Mitteilung, daß mit der Sprengung weiterer sozialdemokratischen Zeitungen und Druckereien zu rechnen sei. "Fyens Socialdemokrat" ordnete daraufhin an, daß der Dienst auf den Redaktionen ab sofort um 16.00 Uhr Beendet wird, damit jedem Angestellten die Möglichkeit gegeben ist, noch vor dem Dunkelwerden nach Hause zu kommen. Wichtige Vorgänge und wichtiges Inventar sollen täglich mit nach hause genommen werden, um das Material vor der Zerstörung zu schützen.

Der frühere Leiter der dänischen nationalsozialistischen Partei, Dr. Fritz Clausen, wurde auf Antrag einiger führender Parteigenossen aus seinem eigenen Heimatgebiet als Mitglied der DNSAP gestrichen. Wie bekannt wird, haben sich Dr. Nielsen und Tierarzt Winter mit Dr. Clausen solidarisch erklärt und ihren Austritt aus der DNSAP vollzogen.[142]

4.) Kulturelles:

Trotz der illegalen Hetze gegen deutsche Filme haben die Kopenhagener Kinos einen recht guten Besuch bei deutschen Vorführungen zu verzeichnen. Ab und zu kommen noch Störungen während der Vorführungen vor, so z.B. bei dem Heinrich Georg-Film "Der Verteidiger hat das Wort," der vor gut besetzten Häusern im "Palladium" in Ko-

140 Tidens store røverier blev forøvet af tyvebander, hvoraf enkelte udgik fra modstandsbevægelsen.

141 Pressenotitsen er gengivet hos Alkil, 2 1945-46, s. 916f., hvoraf det fremgår, at modstandsbevægelsen ville lade to stikkere transportere til Sverige.

142 Se *Politische Informationen* 1. december 1944, afsnit V.1.

penhagen gezeigt wird. Von unbekannten Tätern wurden bei der ersten Aufführung am Montag, den 27. November 1944, Tränengasbomben geworfen, worauf die Vorstellung solange unterbrochen wurde, bis das Theater ausgelüftet war.[143]

Die in Verbindung mit den Spielfilmen gebrachten deutschen Wochenschauen finden zurzeit mehr Aufmerksamkeit als früher.

Die Organisation "Dansk Samfund" kann ein weiteres Ansteigen der Mitgliederzahl verzeichnen. So sind z.B. in Apenrade von den etwa 7.500 dänisch gesinnten Einwohnern 5.768 Mitglieder von "Dansk Samfund." Allein in den letzten Monaten erhöhte sich hier die Mitgliederzahl um 178.

Der Verein "Norden" hielt in Kolding am 27. Oktober 1944 einen Vortragsabend, der unter dem Motto stand "Das Dänemark der Zukunft." Der Vortragende war Direktor Franz Wendt, der über die notwendigen Voraussetzungen und die Grundlagen für eine nordische Einheit und Zusammenarbeit sprach. Es sei für alle sehr wichtig, daß Dänemark besonders nach dem Kriege die Freiheit behalten würde. Darüber hinaus dürfte es aber nicht die große Aufgabe vergessen, eine "Nordische Union" oder "Vereinigte Staaten des Nordens" zu schaffen. Diese beiden Dinge seien eng miteinander verknüpft. Nicht nur in Dänemark, sondern auch in den anderen Ländern sei man zurzeit mit diesen nordischen Problemen stark beschäftigt. Das müsse auch unter anderem für Finnland und Norwegen gelten. Der Redner wies ferner darauf hin, daß es gewisse Aufgabengebiete geben würde, bei denen eine solche Zusammenarbeit vielleicht anfänglich gefährlich erscheinen könne. So z.B. in der Behandlung der schwedischen Landwirtschaftskonkurrenz. Aber auch hierfür könnte man eine Regelung mit einer geschickten Preispolitik ausgleichen. Der Redner streifte u.a. auch die Politik Finnlands seit dem Jahre 1917, ohne dabei auf die augenblicklichen Verhältnisse irgendwie besonders einzugehen und betonte, daß die Finnen ebenso ein nordisches Volk seien, dessen Politik darauf ausgerichtet sei, die nordische Linie zu verfolgen. Die dänische Reichstagswahl im Frühjahr vorigen Jahres habe zum Ausdruck gebracht, daß auch Dänemark sich zu diesen nordischen Gedanken bekannt habe. Die Reden, die bei dieser Wahl gehalten worden seien, seien historisch, weil sie darauf hingewiesen hätten, welchen wichtigen Platz der nordische Gedanke in der dänischen Politik einnehme. Daraus ergebe sich also, daß Dänemark eine nordische Zusammenarbeit für die Zukunft nicht umgehen kann. Am Schlusse des Vortrages ermahnte der Redner jeden einzelnen, auf seinem Platz für den nordischen Gedanken zu arbeiten und seinen letzten Einsatz zu leisten. Im Anschluß an den Vortrag wurden zum Teil heitere und zum Teil ernste nordische Gedichte von Krüger vorgetragen.

In "Socialdemokraten" erschien am 26. November eine Besprechung der drei Bücher über Krilon, die vor vier Jahren herausgekommen und auf dem Buchmarkt nicht mehr erhältlich sind. Die Bücher wurden von Eyvind Johnson verfaßt.[144] Der Rezensent I.C. Krag schreibt u.a. wörtlich:

"Das Ziel, das sich Johnson gesetzt hat, ist schwindelnd hoch. So groß, daß man versucht ist, unerreichbar zu sagen. Er wollte ein Buch über die Demokratie, über die

143 Jfr. *Daglige Beretninger*, 1946, s. 448.

144 Den svenske forfatter Eyvind Johnson udsendte 1941-43 en trilogi om ejendomsmægleren Krilons kamp mod diktaturmagterne. Bd. 1 kom på dansk 1945.

Freiheit, den Humanismus, über den Wert des Menschen, über die Güte und die Liebe, über die Duldsamkeit und die Klugheit, über alle wahren, ewigen und "guten" Werte eines Werkes schreiben. Gleichzeitig sollte dieses ein aktueller Beitrag in dem Weltkampf sein, ein Beitrag gegen die Verfolgung einer Rasse, gegen die Unterdrückung der kleinen Nationen, gegen die Demütigungen, die Bestialität, den Sadismus, gegen Terror und Massensuggestion. Für die rechtliche Volksgemeinschaft, für die Volksführung, für das, das langsam wächst und menschlich ist. Dieses Buch zu schreiben, ist für Johnson wichtig gewesen – und es ist auch wichtig für uns, daß es geschrieben wurde."

In den letzten Tagen erschien in Dänemark ein bebildertes illegales Propagandaheftchen "USA," das in dänischer Sprache über das Leben der vereinigten Staaten von Nordamerika während des Krieges berichtet.[145] Der Leitartikel " Die vereinigten Nationen schauen vorwärts" stammt von Roosevelt. Er behandelt zunächst die Errichtung der Organisation zur Hilfe und zum Wiederaufbau (UNRRL) am 9. November 1943 und die dabei von dem amerikanischen Präsidenten gehaltene Rede. Die Zusammenarbeit zwischen den vereinigten Nationen erfolge, um den Opfern der deutschen und japanischen Barbarei zu helfen. Deutschland und Japan hätten ihren Ausplünderungs- und Vernichtungswillen mit dem Ziel durchgeführt, in den von ihnen besetzten Ländern nur eine Generation von Halbinvaliden übrig zu lassen, die unterernährt, verdorben an Seele und Körper, ohne Kraft und Lust als Sklaven und Zugtiere für die "Herrenvölker" arbeiten sollen.

In den besetzten Ländern würden von den Deutschen Lebensmittel und Rohmaterialien, Landwirtschafts- und Industrieprodukte geraubt. Systematisch würden andere Länder zu wirtschaftlichen Vasallen gemacht.

Mit der neuen Organisation sei ein Instrument geschaffen worden, das auf echten demokratischen Grundsätzen beruhe und in hohem Maße dazu beitrage, die verzweifelte Notlage zu lindern, die nach der Niederlage der Achsenmächte überall herrschen werde. Von den übrigen Inhalt des Heftchens werden noch folgende Themen erwähnt: "Grönland, das Sprungbrett des Atlantiks," "die amerikanischen Rangers," "Einsatz der Dänen in Amerika," "Die Familie der Menschheit," "Das Leih- und Pachtgesetz," "Kriegsführung in Europa und Asien" und " Die Stimme Amerikas."

5.) Wirtschaftliches:

Seit dem Rücktritt des Leiters der LS, Knud Bach, ist eine gewisse Unruhe innerhalb der LS zu beobachten. Die schon früher gemeldete Opposition, der sechs Amtsvorsitzende aus Jütland angehören, wird erneut aktiv. Sie wendet sich gegen die Zusammenarbeit mit der DNSAP und teilweise auch gegen deren Leiter C.O. Jörgensen. Zum 4. Dezember 1944 ist zu einer Hauptvorstandsversammlung der LS nach Fredericia einberufen worden. Der von der Opposition häufig als möglicher Nachfolger von Knud Bach genannte Aksel Hansen, Kogsböllegaard, hat jetzt eine Arbeitgebervereinigung auf Fünen gegründet. Mitbegründer sind Graf Ahlefeldt-Laurvig-Lehn, Graf Bernstorff, Gyldensten, Großgrundbesitzer Ingemann, Egebjerg und Pächter Ove Magaard. Zweck der Vereinigung ist die Einleitung kollektiver Verhandlungen mit den Landarbeitern.

145 En illegal bog som den beskrevne kendes ikke.

Es hat nicht den Anschein, daß Hansen eine Mehrheit innerhalb der LS findet, doch ist durch seine Machenschaften Unruhe in den Reihen der LS entstanden. Man bedauert allgemein, daß C.O. Jörgensen infolge seiner leitenden Stellung innerhalb der DNSAP nicht in der Lage ist, die Führerschaft der LS zu übernehmen. Er würde voraussichtlich leicht die Mehrheit finden.[146]

Wie vertraulich bekannt wird, wurde bei bäuerlichen Versammlungen, Genossenschaften und auch bei den LS-Tagungen immer wieder in schärfster Form die ungünstige Lage der Landwirtschaft behandelt. Es wurde überall davon gesprochen, daß mit einem Rückgang der Produktion zu rechnen sei. Die Arbeitskräfte und die Produktionsmittel seien teuerer und teuerer geworden, und die Preise für die Erzeugnisse der Landwirtschaft seien nicht entsprechend in die Höhe gegangen. Besonders wird auf den Zusammenhang der Preise mit der Produktion hingewiesen. Da es den kleinen Bauern nicht möglich sei, Freihandelskorn zu kaufen, müßten sie Rüben und Kartoffeln verfüttern. Dadurch würden die Kartoffeln für die menschliche Ernährung knapp und gingen dementsprechend preislich in die Höhe. In Nordjütland wird das Gerücht verbreitet, daß die hohen Freihandelskornpreise auf geheime deutsche Aufkäufe zurückzuführen seien. Die Kartoffelpreise bilden nach wie vor eines der Hauptthemen der Presse. Am 30. November 1944 wurde bekannt gemacht, daß kein Maximalpreis für Kartoffeln festgelegt werden soll, dafür aber dem Verbraucher eine staatliche Unterstützung zugebilligt wird. Diese beträgt für Familien mit einem Jahreseinkommen bis zu 3.000,- d.Kr. 5,- d.Kr. Man versucht, den Bauern die Schuld für die hohen Kartoffelpreise in die Schuhe zu schieben. So schreibt z.B. die Zeitung "Politiken" am 22. November in der Eingabe eines Kreisarztes zur Kartoffelfrage, daß dank der asozialen Einstellung der Bauern Kaffee und Gebäck wieder zu einem Hauptteil der Ernährung würden. Von bäuerlicher Seite wird die Verantwortung für die hohen Preise auf die Zwischenhändler geschoben, die zuviel verdienten.

In Nordschleswig ist in einigen Gemeinden die Maul- und Klauenseuche ausgebrochen. Obwohl die ersten Fälle schon Wochen zurückliegen, ist eine weitere Verbreitung bisher nicht festzustellen. Die Schutzimpfung wird allenthalben empfohlen und scheint Erfolg zu haben.

Die Herbstfischerei nimmt in diesem Jahr nicht den Umfang der vorhergehenden Jahre an. Im Oktober z.B. wurde nur die Hälfte des Fanges an Dorsch und Schollen vom Oktober 1943 eingebrecht.

Wie sich jetzt zeigt, war der Ertrag an Flachs in diesem Jahre in Dänemark sehr gut. Es ergaben sich z.B. 660 kg Langflachs pro Hektar im Vergleich zu 431 kg im vorhergehenden Jahre. Die Verarbeitungsmöglichkeiten haben sich ebenfalls gebessert. Während beispielweise 1943 ein Garn von 400 m p. kg. gesponnen wurde, erreicht dieses heute eine Länge von 4.000 m p. kg. Eine Steigerung auf 10.000 bis 15.000 m ist vorgesehen. Bei den Verarbeitern besteht großes Interesse an Flachs. Es machen sich aber in industriellen Kreisen schon Bestrebungen bemerkbar mit dem Ziel, gleich nach dem "in absehbarer Zeit zu erwartenden Kriegsende" Baumwolle zu übernehmen, die z.B. in Schweden noch in größeren Mengen Lagern soll.

146 Det var givetvis ikke tilfældet.

Am 23. November wurde in Odense die Trockenmilch-Fabrik "Canned and Cream Milk" durch Sabotage in die Luft gesprengt. Es entsteht dadurch eine Lücke im Nachschub nach Norwegen. Man hatte nicht damit gerechnet, daß dieses Werk gesprengt würde, weil es zu 70 % mit englischem Kapital arbeitet.[147]

gez. **Bovensiepen**
SS-Standartenführer

228. Werner Best an das Auswärtige Amt 6. Dezember 1944

Best svarede vedrørende betalingen til Waffen-SS' forsorgsofficer, at det ville være bedst, om de ønskede midler blev betalt af værnemagtskontoen. Best havde allerede stillet så mange penge til rådighed i forskud dertil, og hvis han ikke fik dem tilbagebetalt (og løbende skulle betale mere), ville det komme til at beløbe sig til mere, end der over for Danmarks Nationalbank kunne begrundes som sikringsomkostninger.

Se Ripken til Best 7. december 1944.

Kilde: PA/AA R 100.989. RA, pk. 232.

Abschrift Inl. II D 2717 g

F e r n s c h r e i b e n

aus Kopenhagen Nr. 29 6.12.[44] 21.10
[Telegramm Nr. 1363]

An Auswärtiges Amt Berlin

Auf das Telegramm Nr. 1397 vom 4.12.44[148] und auf das Schreiben betr. Betriebsmittel des Fürsorgeoffiziers der Waffen-SS vom 24.11.44 – Inl. II 2541 g[149] – bitte ich um Prüfung, ob die Fürsorgezahlung nicht aus vom Wehrmachtsbefehlshaber Dänemark erhobenen Wehrmachtskosten gezahlt werden können. Ich habe bereits zu diesem Zweck aus den von mir erhobenen Sicherungsmitteln den Betrag von 1.318.968,32 Kronen vorgeschossen. Wenn dieser Betrag nicht zurückerstattet wird und wenn ich laufend weitere hohe Beträge für die Fürsorgezahlung an die Familien dänischer Freiwilliger zur Verfügung stellen soll, so erreichen meine Erhebungen bei der Nationalbank Beträge, die nicht mehr als Sicherungsausgaben begründet gemacht werden können. Ich bin mir darüber im klaren, daß die Fürsorgezahlungen an die Familien dänischer Freiwilliger auch nicht unter den Begriff der hiesigen Wehrmachtskosten im engeren Sinne fallen. Aber als Ausgaben für Angehörige der Deutschen Wehrmacht stehen sie den Wehrmachtkosten zweifellos näher als den Sicherungskosten. Ich verweise hierzu auf meinen Bericht, betr. Zahlungsmittelbereitstellung für Waffen-SS und Polizei in Dänemark vom 1.12.44,[150] in dem ich dem Wunsche des OKW auf Übernahme der persönlichen und

147 Sabotagen blev gennemført af 15 mænd, der anbragte bomber rundt omkring på virksomheden (Hansen 1945, s. 110f.). Aktionen blev ikke registreret hos BdO.

148 Trykt ovenfor.

149 Skrivelsen er ikke lokaliseret.

150 Trykt ovenfor.

sachlichen Ausgaben des hiesigen SS-Ersatzkommandos und den hiesigen Fürsorgeführers der Waffen-SS auf die Wehrmacht zugestimmt habe. Es wäre nur ein Schritt weiter, wenn auch die Fürsorgezahlungen an die Familien der dänischen Freiwilligen von der Wehrmacht übernommen würden.

Dr. Best

229. Kriegstagebuch/Admiral Skagerrak 6. Dezember 1944

Wurmbach refererede et møde hos WB Dänemark 5. december om forebyggelse af sabotage på handelsskibe og skibsværfter i Danmark. Kriegsmarine skulle stille 415 mand til rådighed som vagter for sikkerhedspolitiet på syv værfter. Han tog også en anden sag op: Forventeligt ville de danske færger, der havde været anvendt til operation "Nordlicht" i Norge, snart vende tilbage til Danmark. Wurmbach foreslog MOK Ost, at de kun blev givet tilbage til DSB, hvis "Store Bælt" vendte tilbage til Danmark, og han ville gerne have en hurtig afgørelse, da han skulle til møde med Best 13. december.

Wurmbach fik svar dagen efter.

Kilde: KTB/ADM Dän 6. december 1944, RA, Danica 628, sp. 3, s. 3760f.

[...]
Nach einer Besprechung beim Wehrmachtsbefehlshaber mache ich folgendes FS Gkdos 71050 an alle beteiligten Stellen:

In Sitzung am 5.12. bei W. Befh. Dänemark über Sabotageabwehr auf Handelsschiffen und Werften wurde in Übereinstimmung aller Beteiligten festgelegt:
1.) Das zur Bewachung erforderliche Personal wird aufgeteilt auf die 3 Wehrmachtteile und BdS.
2.) Marine stellt demgemäß für Sabotagewache dem BdS folgendes Wachpersonal:

für Kopenhagen	100	Mann,
für Helsingör	50	Mann,
für Svendborg	100	Mann,
für Nakskov	50	Mann,
für Aarhus	50	Mann,
für Frederikshavn	50	Mann,
für Esbjerg	15	Mann,
insgesamt:	415	Mann.

Personal ist in erster Linie aus MLA'en und SStA'en zu entnehmen, daneben haben Seekommandanten strengste Durchkämmung aller Dienststellen einschließlich der eigenen Stäbe durchzuführen mit dem Ziel, Wachpersonal, das evtl. zusätzlich zum normalen Dienst nachts zur Sabotagewache eingesetzt werden kann, herauszuschälen. Die in Svendborg eingesetzten 80 Mann Sonderpersonal sind auf die Rate für Svendborg anzurechnen. Das eingesetzte Wachpersonal soll, um die Ausbildung nicht zu stark zu hemmen, alle 4 Tage gewechselt werden. Das Personal ist während des Einsatzes dem BdS einsatzmäßig unterstellt. Die Seekommandanten regeln unmittelbar mit BdS alle Einzelheiten einschl. Gestellung von Dienstgraden. 5. MLA stellt nebenamtlich einen Kompanieführer als Verbindungsoffizier zum BdS. Sabotagearbeiter beim Stabe Admiral Skagerrak ist Korv. Kpt. Bartholdy. Erfolgte Regelung mit dem BdS ist von Seekommandanten bis zum 10.12.44 zu melden.

Zusatz für MOK Ost und Seekommandanten:
Es wird darauf hingewiesen, daß durch diese Gestellung von Wachpersonal die Ausbildungstätigkeit der MLA'en und SStA'en sehr gehemmt wird. Die jetzige Forderung des BdS ist nur eine vorläufige, die sich unter Umständen noch erhöhen wird. Es wird daher gebeten, sofort eine Personalvermehrung von zunächst 400 Mann für die Sabotagewachzwecke unter Führung des BdS im Raum Dänemark zu bewilligen. Es wird darauf hingewiesen, daß dies Personal voll einsatzfähig, körperlich leistungsfähig und mit Waffen ausgerüstet sein muß. BdS hat zugesagt, daß er in begrenzten Umfang mit Pistolen und Maschinenpistolen aushelfen kann.

Dem Vernehmen nach ist in einigen Wochen mit der Rückgabe der für Norwegen-Raum vorübergehend abgegebenen dänischen Fähren zu rechnen. Ich schlage daher MOK Ost vor, die Fähren der dänischen Staatsbahn nur unter der Bedingung zurückzugeben, daß Fähre "Store Belt" von Helsingborg zurückkehrt und bitte um baldige Entscheidigung, damit ich die Angelegenheit mit dem Reichsbevollmächtigten am 13.12. in Kopenhagen besprechen kann.
[...]

230. Konsul Türk an Oberfeldintendant Arndt 6. Dezember 1944

Konsul Türk meddelte Arndt, at Best var blevet orienteret om indholdet af OKWs brev til AA 27. september, men at AA ikke havde fået en tilbagemelding fra ham. Man skulle forholde sig til sagen som aftalt på mødet 1. december. Med hensyn til at skaffe tysk finansiering ville der blive rettet henvendelse til Best med ønskerne fra mødet 1. december.

Türk sendte Best en kopi af brevet samme dag.
Ripken skrev til Best 7. december.
Kilde: RA, pk. 271.

Durchdr. als Konzept
zu Ha Pol 5888/44 g
Auf dort. Schreib. v. 25. v.M.
Nr. 3 f 31/16966/44 Ag WV 5 (VIII)
Ref.: Ks. Türk i.V.

Berlin, den 6. Dezember 1944

An das Oberkommando der Wehrmacht
z.H. von Herrn Oberfeldintendant Arndt

Der Inhalt des Schreibens vom 27. September d.J.[151] – Nr. 2 f 31/3968/44 g AWA/AG WV 5 (VIII) – wurde dem Reichsbevollmächtigten in Dänemark zur Kenntnis gebracht. Obgleich die erbetene Rückäußerung nicht erfolgt ist, dürfte die Angelegenheit,

151 OKW til AA 27. september 1944, trykt ovenfor.

soweit es sich um die Deckung des persönlichen und sächlichen Goldmittelbedarfs des SS-Ersatzkommandos und der Dienststelle des Fürsorgeoffiziers in Dänemark aus Mitteln des Wehrmachtintendanten handelt, im derartigen Sinne geregelt sein, wie aus den Ausführungen des auf der Besprechung am 1. d.M. anwesenden Vertreters des Wehrmachtintendanten Dänemark zu entnehmen war.

Hinsichtlich der Abstimmung der für die Polizei usw. erlassenen Anordnungen mit denen der Wehrmacht über Mittelbewirtschaftung, Sperrmaßnahmen, Lohn- und Preisfragen usw. zwischen Reichsbevollmächtigten und Wehrmachtintendanten erfolgt abermalige Mitteilung des dortigen Wunsches an den Reichsbevollmächtigten gemäß der Besprechung in Jüterbog vom 1. d.M.

Im Auftrag
gez. **Türk**

231. Seekriegsleitung Adm Qu VI an Hans-Heinrich Wurmbach 7. Dezember 1944

Seekriegsleitungs skibsfartsafdeling tilsluttede sig Wurmbachs forslag om kun at give de fire færger, der havde været anvendt i Norge til operation "Nordlicht" tilbage, hvis "Store Bælt" returnerede til Danmark. Wurmbach skulle drøfte det med Best.

MOK Ost stadfæstede afgørelsen 8. december.

Kilde: BArch, Freiburg, RM 7/1813. RA, Danica 628, sp. 7, nr. 5919.

SSD MBEB 16072 7/12 (1900) =
Mit AÜ = Nachr SSD 1 Skl I i =

GLTD SSD Adm. Skagerrak = SSD Nachr MOK Ost = SSD Nachr 1 Skl I I =
Geheim
Vorg: Adm. Skagerrak S 81574 v. 6.12.[152]
Betrifft: Dänische Fähren.

Mit dortigem Vorschlag einverstanden. Kom Adm Skagerrak wird gebeten, Angelegenheit mit Reichsbevollmächtigtem in Kopenhagen zu besprechen und zu klären. Mit Rückgabe in Norwegen eingesetzter Fähren ist nach Beendigung "Nordlicht" zu rechnen.

OKM Skl Adm. Qu VI 11596/44

232. SS-Hauptamt, Amt A I an SS-Brigadeführer Katz 7. Dezember 1944

Gottlob Berger lod skrive til lederen af SS-Personalhauptamt, SS-Brigadeführer Dr. Katz. Berger ønskede at få to danske SS-frivillige stillet til rådighed frem til 31. marts 1945. Den ene var Lorenz Lorenzen, som han ønskede beordret til Germanische Leitstelle i Danmark. Den anden var Tage Petersen, som 23. november havde bedt om at få den tjeneste ophævet, som SS-Hauptamt havde kommanderet ham til. Dette ønske ville SS-Hauptamt ikke komme i møde, men ønskede i stedet hans tjeneste forlænget til 31. marts 1945.

152 Trykt ovenfor.

Der blev gjort nøje rede for formålet med forlængelserne. Der skulle efter længere tids problemer, der nu var overvundet, oprettes et germansk SS i Danmark, hvortil 400 mand var til rådighed. SS-Hauptsturmführer Reichmann skulle forestå arbejdet med germansk-SS, hvis styrke forventedes at blive væsentligt forøget i løbet af det næste kvartal. Personalechefen blev gjort opmærksom på, at der til sin tid ville kunne stilles frivillige til rådighed for Waffen-SS.

Berger havde ikke opgivet de planer for et germansk SS, som han flere gange havde luftet i løbet af 1944, senest i brevet til Brandt den 10. oktober. De 400 mand, der blev angivet som grundstammen i korpset, er identisk med Schalburgkorpsets mandskab i Ringsted.

SS-Hauptamt fik 27. december et positivt svar fra SS-Personalhauptamt II W på henvendelsen, idet der blev gjort opmærksom på, at det var sidste gang, at der blev foretaget en sådan tjenesteændring, idet det gjorde troppeplanlægningen umulig. Endvidere blev det bemærket, at det var uforståeligt, at de to officerer først blev frigjort til militærtjeneste, hvorpå de efter en orlov i Danmark alligevel skulle fastholdes til tjeneste i Danmark. Fremover skulle den slags tilfælde undgås (kilde som nedenfor).

Både Lorenzen og Petersen forblev i Danmark, og begge var involveret i politivirksomhed i de sidste besættelsesmåneder, Tage Petersen i ET, hvor han var disciplinær leder af den uniformerede udrykningsafdeling. Desuden samarbejdede han nært med Lorenzen-banden (*Højesteretstidende* 1948, s. 137, 172f.).

Se Berger til Himmler 24. januar 1945 for det germanske SS' videre skæbne.

Kilde: BArch, BDC, Petersen, Tage 18.7.15.

Abschrift
Der Reichsführer-SS *Berlin, Grunewald, den 7.12.44*
SS-Hauptamt, Amt A I
Qu c(1) As.: 160 Gr./Pae./Sch.

Betr.: SS-Hauptsturmbannführer Lorenz Lorenzen, geb. 28.8.13
SS-Obersturmführer d.R. Tage Petersen, geb. 18.7.13
Anlg.: 1[153]

An SS-Brigadeführer Dr. Katz
SS-Personalhauptamt
Berlin-Charlottenburg 4
Wilmersdorferstr. 98/99

Brigadeführer!

Auf Befehl des Chefs des SS-Hauptamtes wird nach Überwindung erheblicher Schwierigkeiten in Dänemark nunmehr die germanische SS aufgestellt. Das Ergebnis der bisherigen Arbeit, die erst vor kurzem in Angriff genommen wurde, kann trotz der verschlechterten politischen Lage in Dänemark als recht zufriedenstellend bezeichnet werden. Der SS-Hauptsturmführer Teichmann, dem von SS-Obergruppenführer Berger die Bewältigung dieser Aufgabe übertragen ist, teilt in seinem ersten Bericht mit, daß die durchaus berechtigte Aussicht besteht, die Stärke der germanischen SS (zur Zeit 400) innerhalb eines weiteren Vierteljahres wesentlich zu erhöhen, sofern die Gewähr gegeben ist, daß die in der Aufbauarbeit eingesetzten SS-Führer bis auf weiteres dieser erhalten bleiben.

153 Bilaget er ikke lokaliseret.

Es besteht keineswegs die Absicht, seitens des SS-Hauptamtes, die in Frage kommenden Führer für dauernd der Truppe vorzuenthalten. Es ist jedoch der ausdrückliche Wunsch des Chefs des SS-Hauptamtes, daß die Führer, die die politischen Verhältnisse in Dänemark sehr gut kennen, so lange in der germanischen SS mitarbeiten, bis das Gefüge der genannten Gliederung so stark ist, daß die Gewähr für einen Fortbestand und weitere Verstärkung auch nach Abgabe der gegenwärtig mitarbeitenden Führer der Waffen-SS besteht.

SS-Obergruppenführer Berger hat deshalb das in der Anlage abschriftlich beigefügte Fernschreiben an SS-Hauptsturmführer Teichmann am 25.11.44 senden lassen. Bemerkt werden muß noch, daß aus den Reihen der germanischen Dänemarks zu gegebener Zeit Freiwillige der Waffen-SS zur Verfügung gestellt werden sollen.

Ich darf Sie, Brigadeführer, dem Wunsche des SS-Obergruppenführers Berger entsprechend, bitten,

1.) den SS-Hauptsturmbannführer Lorenz Lorenzen, geb. 28.8.13, 5. SS-Ps. Div. "Wiking", bis 31.3.45 zum SS-Hauptamt, SS-Ersatzkommando Dänemark (germanische Leitstelle) zu kommandieren,
2.) die mit Verfügung SS-PHA, Amt II W, II W – Abt. 3, As. 01 c ge/Bre/L. [svært læseligt] vom 3.11.44 zum SS-Hauptamt ausgesprochene Kommandierung des SS-Obersturmführer Tage Petersen, geb. 18.7.13 ebenfalls bis zum 31.3.45 zu verlängern und
3.) den mit diesseitigen Schreiben vom 23.11.44 in Bezug auf SS-Obersturmführer Tage Petersen gestellten Antrag auf Aufhebung der Kommandierung als nicht gestellt zu betrachten.

Da die Führer wirklich dringend für den Aufbau der germanischen SS benötigt werden, bitte ich, antragsgemäß zu entscheiden und die Personalverfügungen herreichen zu lassen.

Heil Hitler!
Ihr gez.
Unterschrift

233. Ernst Kaltenbrunner an Wilhelm Keitel 7. Dezember 1944

Kaltenbrunner sendte Keitel en kopi af den ordre, som han havde sendt til lederne af sikkerhedspolitiet i Danmark og Norge, Otto Bovensiepen og Heinrich Fehlis, vedrørende bekæmpelsen af skibssabotagen. Kaltenbrunner tog heri stilling til de forslag til forebyggelse af skibssabotagen, som var kommet frem i løbet af oktober og november. Han vejede omhyggeligt for og imod for hvert forslags vedkommende, før han selv tog stilling med en passende diplomatisk form. Hans konklusion var entydigt i Bests favør. Der skulle anvendes vagter og politiefterforskning, mens repressalier mod værftsarbejderne, deres familier og andre ville virke mod hensigten. Det var herefter den fremgangsmåde, sikkerhedspolitiet skulle anvende. AA, OKM, lederen af partikancelliet og RKS fik kopi af brevet (Rosengreen 1982, s. 150, Lauridsen 2006c, s. 195).

Ordren kunne Best tage til indtægt for de af ham forfægtede synspunkter, men der var den begrænsning, at Kaltenbrunners ordre alene omfattede skibssabotagen.

Kilde: BArch, Freiburg, RW 4/754. RA, Danica 1069, sp. 1, nr. 288-98. EUHK nr. 146 (uddrag).

Der Chef der Sicherheitspolizei und des SD — *Berlin SW 11, den 7. Dezember 1944.*
IV A 2 a – B. Nr. 3207/44g — 1 Ausfertigung!

Schnellbrief

An den Chef des Oberkommandos der Wehrmacht Herrn Generalfeldmarschall Keitel, Berlin W35, Tirpitzufer 72-74.

Betrifft: Schiffssabotage in Dänemark und Norwegen.
Bezug: OKW/WFSt/Qu. 2 (Nord) Nr. 0013972/44 g.Kdos.
Anlage: 1 Durchschrift.

Sehr geehrter Herr Generalfeldmarschall!
Als Anlage überreiche ich die Durchschrift einer den Befehlshabern der Sicherheitspolizei und des SD in Norwegen und Dänemark übermittelten Weisung.

Bei der derzeitigen Sicherheitslage in Dänemark und Norwegen hält es der Reichsbevollmächtigte nicht für zweckmäßig, mit allgemeinen repressiven Maßnahmen gegen die Werftarbeiter bezw. gegen ihre Angehörigen vorzugehen, da dadurch voraussichtlich in kürzester Zeit eine Ausschaltung der gesamten Werftfacharbeiter auf ihrem Arbeitsplatz herbeigeführt werden würde. Wenn die Arbeiter nicht selbst sabotieren, würden andere reichsfeindliche Elemente für die notwendigen Sabotageakte sorgen und die deutschen Dienststellen dazu zwingen, die angedrohten repressiven Maßnahmen auch durchzuführen. Das Ergebnis würde eine Stillegung der Werften sein, während es doch darauf ankommt, die Arbeiten zu fördern. Auf Grund der sicherheitspolizeilichen Erfahrungen muß ich dieser Auffassung beipflichten. In Norwegen liegen die Verhältnisse ähnlich.

Ich bin der Überzeugung, daß durch die nunmehr mit Ihrer Hilfe ermöglichten Überwachungsmaßnahmen in den Werften sowie an und auf den Schiffen die Sabotagetätigkeit eingedämmt werden kann und verspreche mir außerdem eine abschreckende Wirkung von der in Aussicht stehenden gelegentlichen Niedermachung auftretender Sabotagetruppe.

Der Reichminister des Äußeren, der Oberbefehlshaber der Kriegsmarine, der Leiter der Parteikanzlei und der Reichskommissar für die Seeschiffahrt haben gleichen Durchdruck erhalten.

Heil Hitler!
Ihr sehr ergebener
Kaltenbrunner
SS-Obergruppenführer und General der Polizei

a – B. Nr. 3207/44g – — 9 Ausfertigungen!
Geheime Reichssache! — 3. Ausfertigung.

Schnellbrief!

a.) An den Befehlshaber der Sicherheitspolizei und des SD SS-Standartenführer Bovensiepen in Kopenhagen.

b.) An den Befehlshaber der Sicherheitspolizei und des SD SS-Oberführer Fehlis in Oslo.

Betrifft: Schiffssabotage in Dänemark und Norwegen.
Bezug: Bekannt.

Zum Problem der Schiffssabotage in Dänemark und Norwegen gebe ich wie folgt zusammenfassenden Überblick und Weisungen:

I. Entwicklung der Schiffssabotage im Laufe des letzten Jahres
Während nach den hier vorliegenden Meldungen in der Zeit vom Januar bis einschließlich August 1944 in Dänemark insgesamt nur 12 Schiffssabotageanschläge verübt wurden, bei denen 5 Fahrzeuge mit etwa 6.000 BRT versenkt und weitere Schiffe beschädigt wurden, sind seit September 1944 weitere 26 Anschläge verübt worden, bei denen insgesamt 17 Schiffe, darunter auch kleinere Einheiten, mit zusammen etwa 20.000 BRT gesunken und weitere beschädigt worden sind.

In erster Linie richteten sich die Anschläge gegen Neubauten und Reparaturschiffe, die kurz vor ihrer Fertigstellung standen, und gegen solche Schiffe, die in dänischen Häfen ihre Ladung übernahmen oder löschten. Die Anschläge wurden überwiegend mit britischem Sabotagematerial durchgeführt und zum Teil von mit der Waffe in der Hand vorgehenden Terroristentrupps begangen. Die Aufklärung stieß stets auf stärkste Schwierigkeiten.

Für Norwegen sind im ersten Halbjahr 1944 insgesamt 10 Anschläge gegen Schiffe gemeldet worden. Der Tonnageverlust war verhältnismäßig klein. Nachdem dann am 27.9. in Oslo ein Torpedoboot versenkt wurde, fielen allein am 23. und 24.11.1944 6 Schiffe mit insgesamt 32.621 BRT auf zwei Werften im Osloer Hafen Sabotageakten zum Opfer.

Auch in Norwegen wurde weitgehend mit englischem Sabotagematerial gearbeitet. In einem Falle wurde allerdings festgestellt, daß ein Saboteur bereits früher zur bekannten internationalen kommunistischen Schiffssabotageorganisation gehörte, so daß damit gerechnet werden muß, daß sowohl in Dänemark als auch in Norwegen kommunistische Saboteure sich mit englischem Material an den Schiffssabotageakten beteiligen.

II. Eingeschaltete Dienststellen
Neben der Sicherheitspolizei haben sich mit dem Problem der Einschränkung der Schiffssabotage durch Anweisungen und Vorschlage sowie Teilnahme an den Verhandlungen in Kopenhagen und Berlin u.a. befaßt:

Der Chef des Oberkommandos der Wehrmacht,
der Oberbefehlshaber der Kriegsmarine,
das Auswärtigen Amt,
der Reichskommissar für die Seeschiffahrt,
der Reichsbevollmächtigte in Kopenhagen,
der Befehlshaber des Ersatzheeres,
der Höhere SS- und Polizeiführer,

der Admiral Skagerrak,
der Sonderbevollmächtigte z.V. beim Reichskommissär für die Seeschiffahrt,
der Schiffahrtssachverständige der Deutschen Gesandtschaft Kopenhagen und verschiedene obigen nachgeordnete Fachdienststellen, ferner in Norwegen
der Reichskommissar für die besetzten norwegischen Gebiete.

Die von diesen Dienststellen getroffenen Anordnungen bezw. gegebenen Anregungen, die sich zum Teil widersprechen, fasse ich nachstehend unter Beifügung meiner Stellungnahme zusammen.

III. Zusammenfassung aller Vorschläge

1.) Sonderbevollmächtigte des Reichskommißars für die Seeschiffahrt gab Oktober 1944 eine Reihe von Anweisungen für Kapitäne in dänischen Häfen und Werften liegender deutscher Handelsschiffe mit Richtlinien für die Wachvorschrift, Posteneinteilung. Kontrolle bordfremder Personen usw., zur "inneren" Sicherung der Schiffe heraus.

Stellungnahme:
Anweisungen für "innere" Sicherheit der Schiffe gut, solange ausreichende, zuverlässige deutsche Schiffsmannschaften zur Verfügung. Bezüglich "äußerer" Sicherheit bedürfen sie Ergänzung durch mit feindlichen Sabotagemethoden vertraute bewaffnete Posten.

2.) Die gleiche Stelle schlag vor, von Fall zu Fall Schiffe kurz vor ihrer Fertigstellung ohne vorherige Ankündigung nach deutschen Werften zu verbringen.

Stellungnahme:
In Einzelfallen, insbesondere, wenn deutsche Werften sofort zur Fortführung der Arbeiten bereit sind, dürfte das Schiffsobjekt dadurch gesichert sein. Infolge der ohnehin starken Belegung deutscher Schiffswerften läßt sich diese Maßnahme kaum verallgemeinern.

3.) Wehrmachtsbefehlshaber und Kriegsmarine in Dänemark bezeichnete 3.000 Mann als notwendig für militärischen Schutz der gefährdeten Objekte, insbesondere 11 Schiffswerften und Einzelschiffe, lehnen jedoch Abstellung von Personal ab mit den Hinweis, daß der Reichsbevollmächtigte bezw. Höhere SS- und Polizeiführer für den Objektschutz verantwortlich.

Auszuschließen:
Die Kräfte der Ordnungspolizei reichen für den militärischen Schutz nicht aus. Die evtl. Heranziehung dänischer Polizei ist durch deren Auflösung gegenstandslos geworden. Die Wehrmacht ist als einzige Instanz personalkräftig genug, um die notwendigen Posten zu stellen.

4.) Reichskommissar für die Seeschiffahrt schlägt Abstellung von 150 Kriminalbeamten zur Durchführung des Objektschutzes vor.

Stellungnahme:
Ausgebildete Kriminalbeamte werden als Fachkräfte für die Aufklärung und vorbeugende Bekämpfung von Verbrechen benötigt. Wegen des bestehenden Mangels an Exekutivbeamten ist die Sicherheitspolizei nicht in der Lage, derartige Beamte nur für Postendienst anzusetzen.

5.) Kommandierender Admiral Skagerrak hat Anwesenheitskontrolle der Arbeiter auf jedem Schiff, Einsetzung von Betriebsfachleitern zur Kontrolle der Arbeitsleistung und persönliche Verantwortlichkeit der Werftdirektoren mit materieller Haftung bei Verschulden für Schäden vorgeschlagen, wobei auf sabotierten Schiffen tätig gewesene Arbeiter bei Belastungsmomenten in deutsche Konzentrationslager abzutransportieren seien.

Stellungnahme:
Gerade in Dänemark ist bisher eine unmittelbare Beteiligung das Werftpersonals an den Sabotageakten kaum nachweisbar gewesen. Der Abtransport von Werftarbeitern in Konzentrationslager würde die Arbeitskapazität zu unserem Nachteil beeinträchtigen und infolgedessen von den Saboteuren bewußt angestrebt werden. Die Verantwortlichmachung der Werfleitung verspricht keinen Erfolg, da sie kaum an den Gewaltakten beteiligt ist.

6.) Der Chef der Seekriegsleitung hat vorstehenden Vorschlag noch dahingehend ergänzt, daß er in schweren Fällen die Verhängung der Todesstrafe gegen besonders belastete Personen für erforderlich hielt.

Stellungnahme:
Gemäß Führerbefehl sind Gerichtsverfahren in den besetzten Gebieten nicht durchzuführen. Die Schaffung von "Märtyrern" soll vermieden werden.

7.) Oberbefehlshaber der Kriegsmarine vertritt die Auffassung, daß Verstärkung der zur Objektsicherung eingesetzten Abwehr- und Polizeiorgane zur Eindämmung der Sabotage nicht ausreicht, so daß Gefolgschaftsmitglieder für die in ihrem Betrieb vorkommenden Sabotagefälle mitverantwortlich gemacht werden müßten. Deshalb sei mit schärfsten Repressalien gegen die Arbeiterschaft von Werften vorzugehen, auf denen noch Sabotageakte vorkommen.[154]

Stellungnahme:
Wie bereits zu 5) ausgeführt, werden Repressalien gegen die Werftbelegschaft die Saboteure nur anreizen, durch weitere Sabotageakte die deutschen Behörden zu zwingen, die angedrohten Zwangsmaßnahmen durchzuführen und mit der Verbringung in Konzentrationslager sich selbst der Arbeitskräfte zu berauben.

8.) Chef OKW schlägt Verordnung für Dänemark und Norwegen vor, nach der Gefolgschaftsmitglieder und ggf. ihre Angehörigen für in ihren Betrieben vorkommende Sabotagefälle mitverantwortlich gemacht werden. Sie sollen wissen, daß jeder Sabotagefall für sie und bei ihrer Flucht für ihre Angehörigen schwerste Folgen nach sich zieht.[155]

Stellungnahme:
Wie vor: siehe auch folgende Ausführungen zu Ziffer 9).

154 Se endvidere Dönitz' betænkning 20. december 1944.

155 Se Keitels forslag 30. november 1944 (trykt ovenfor) og hans svar på Terbovens udaterede forslag fra begyndelsen af december den 6. december 1944 (trykt i *Nazi Aggression and Conspiracy*, 3, 1946, s. 626).

9.) Reichsbevollmächtigter in Dänemark erklärt zum vorerwähnten Vorschlag des Chef OKW, das Androhung von Vergeltungsmaßnahmen gegen Gefolgschaftsmitglieder den Gegner veranlassen würde, Auslösung dieser Vergeltungsmaßnahmen herbeizuzwingen und so Werften stillzulegen. Statt dessen Vorschlag, exekutive Bekämpfung feindlicher Sabotagegruppen und vorbeugende Objektsicherung durch Polizei und Wehrmacht zu verstärken.[156]

Stellungnahme:
Von Ausführungen des Reichsbevollmächtigten in Dänemark, wird auf Grund sicherheitspolizeilicher Erfahrungen beigepflichtet.

10.) Reichskommissar für Norwegen hält ausreichende Objektsicherung wegen Kräftemangels für unmöglich. Vertritt Auffassung, vom Chef OKW gem. Ziff. 8) vorgeschlagene Verordnung habe nur Erfolg, wenn tatsächlich Geiseln erschossen werden können. Bloße Festnahme nicht mehr abschreckend, da als Alibi bei "Befreiung" betrachtet. Außerdem böte Verordnung schwedischen Hetzern neuen Stoff.
Da der Führer Geiselerschießungen in Norwegen untersagt hat, Vorschlag militärische Bewachung der Schiffe, Heranziehung deutscher Fachkräfte zur Durchsetzung der Werftgefolgschaft im Verhältnis 1:10, Dreischichtensystem, damit stets norwegische Belegschaft an Bord und durch etwaige Anschläge gefährdet.[157]

Stellungnahme:
Kräftebedarf mit Genehmigung Chef OKW aus Rückstand deutscher Truppe in Oslo zu decken. Im übrigen unwahrscheinlich, daß selbst stärkstens belastete deutsche Werften Fachkräfte für Norwegen abgeben können. Wobei die Durchsetzung der norwegischen Gefolgschaft im Verhältnis 1:10 kaum ausreichen wird, sie an Gruppenbildung und Sabotageakten zu hindern. Da gerade in Norwegen Beteiligung der Werftarbeiter an Sabotageakten zu vermuten, bringt Einführung Dreischichtensystems Gefahr, daß Saboteure unter Werftangehörigen nachts unauffällig arbeiten können. Radikale Elemente lassen sich durch Gefährdung eigener Landsleute nicht abschrecken. Im übrigen siehe Stellungnahme unter Ziffer 8).

IV. Zu ergreifende Maßnahmen.
Unter Berücksichtigung aller vorstehenden Vorschläge und der gegen sie geltend zu machenden Bedenken ordne ich folgendes an:

A.) Vorbeugende Sicherung
1.) Chef OKW hat befohlen, daß die Wehrmacht die zum Objektschutz notwendigen Kräfte – insbesondere durch Heranziehung des Rückstaus an Truppen – zur Verfügung zu stellen hat, wobei die zum Sabotageschutz herangezogenen Soldaten einsatzmäßig den Befehlshaber der Sicherheitspolizei und des SD unterstellt werden.
Die Bewachungskräfte sind sinnvoll so einzuteilen, daß vor allem die "äußere" Si-

156 Se Bests telegram nr. 1268, 15. november 1944.
157 Terbovens forslag er fra begyndelsen af december 1944, men udateret (aftrykt på engelsk i *Nazi Aggression and Conspiracy*, 3, 1946, s. 623-625).

cherung der Schiffsobjekte durch Posten an Deck und an Land gewährleistet ist. Die Absperrung ganzer Werften erscheint im allgemeinen nicht nötig. Daß Werftgelände ist durch sinnvoll angesetzte Streifen zu kontrollieren. Um bewaffneten Sabotage- und Terrortrupps entgegentreten zu können, ist eine ständige militärische Wache im Werftgelände einzurichten.

Es sind nur die unbedingt notwendigen Wehrmachtskräfte anzufordern.

Die zum Sabotageschutz befohlenen Soldaten sind eingeführt über die feindlichen Sabotagemittel und -methoden zu beschulen und mit den notwendigen Richtlinien für die Durchführung der Bewachungsaufgabe zu versehen.

2.) Dem Befehlshaber der Sicherheitspolizei und des SD in Kopenhagen wird eine Anzahl von Exekutivbeamten zugeteilt, die
   a.) die Aufklärung vorgekommener Sabotageakte zu betreiben und
   b.) die Überprüfung der angeordneten Vorbeugungsmaßnahmen vorzunehmen und Ergänzungsvorschläge zu machen haben.

   Der Befehlshaber der Sicherheitspolizei und SD in Oslo hat diese Aufgaben mit seinem bisherigen Personalbestand zu lösen.

3.) die vom Reichskommissar für die Seeschiffahrt bezw. seinem Sonderbevollmächtigten angeordneten Maßnahmen, die von den Kapitänen und ihren Besatzungen zur "inneren" Sicherung der Schiffe durchzuführen sind, sind weitgehend zu unterstützen. Die Unterrichtung über feindliche Sabotagemittel und -methoden ist an Hand des vorliegenden Materials vorzunehmen. Auf Grund der bei der Überwachung dieser Maßnahmen gewonnenen Erfahrungen sind ggf. Verbesserungsvorschläge zu machen.

Je 50 Abdrucke der "englischen Sabotageanweisungen" werden in den nächsten Tagen gesondert – auch zur Belieferung der in Frage kommenden Hafenkapitäne und abwehrmäßigen Beschulung deutscher Schiffsführer – übermittelt.

B.) Straf- und Sühnemaßnahmen

Die Durchführung allgemeiner Sühnemaßnahmen gegen Werftgefolgschaftsmitglieder, die der Beteiligung an den Sabotageakten nicht überführt sind, erscheint unangebracht, da sie auf Grund der gewonnenen Erfahrungen nur dazu führen würden, daß die Fachkräfte durch Festnahme und ggf. Verbringung in Konzentrationslager der dringend in unserem eigenen Interesse liegenden Arbeit entzogen werden. Wir wollen nicht die Ruhe in den Werften um den Preis ihrer Stillegung, sondern die Förderung ihrer Produktion.

Geiselerschießungen kommen auf Führerbefehl nicht in Betracht, da keine Märtyrer geschaffen werden sollen, deren Tod lediglich zur reichsfeindlichen Propaganda ausgenutzt werden würde.

Gegen erkannte Schiffssaboteure ist mit aller Schärfe vorzugehen. Auf sie ist der Führerbefehl vom 30.7.44 nebst Durchführungserlass des OKW vom 18.8.1944[158] über die Bekämpfung von Terroristen und Saboteuren in den besetzten Gebieten anzuwenden. Nach diesen Befehlen sind Saboteure und Terroristen die auf frischer Tat gestellt werden, an Ort und Stelle niederzukämpfen. Wer später ergriffen wird, ist der nächsten

158 Trykt ovenfor.

Dienstelle der deutschen Sicherheitspolizei zu übergeben. Gerichtsverfahren werden nicht durchgeführt.

Ich erwarte, daß durch planmäßigen Ausbau der vorbeugenden Sicherungsmaßnahmen die Schiffssabotageakte auf ein Mindestmaß herabgedrückt werden. Die Aufklärung trotzdem noch durchgeführter Anschläge und die Unschädlichmachung der Täter ist mit allen zu Gebote stehenden Mitteln zu betreiben.

gez. **Dr. Kaltenbrunner**

234. Hermann von Stutterheim an Werner Best 7. Dezember 1944

Von Stutterheim bad om fortsat at få fremsendt *Politische Informationen*.

Kilde: BArch, RH 43/II/1430. RA, pk. 7.

v. Stutterheim *Berlin W 8, den 7. Dezember 1944*
Reichskabinettsrat in der Reichskanzlei
Voßstraße 6
Reichskanzlei

An den Reichsbevollmächtigten in Dänemark
Herrn SS-Obergruppenführer Dr. Best
Kopenhagen

Sehr geehrter Herr Dr. Best!
Haben Sie verbindlichsten Dank für Ihren Brief vom 2. d.Mts.[159] und die damit übersandten "Politischen Informationen." Diese Informationen sind für mich von großem Wert und ich wäre Ihnen daher aufrichtig verbunden, wenn Sie mir diese Informationen fortlaufend zukommen ließen.

Heil Hitler!
Ihr sehr ergebener
N.d.H.R KabRats v. **Stutterheim**

235. Kriegstagebuch/Seekriegsleitung 7. Dezember 1944

I forlængelse af OKW/WFSts ordre 17. november 1944 og OKMs opfølgende spørgsmål 21. november fik Seekriegsleitung ordre vedrørende bl.a. tropperokeringer, der skulle sikre en øget bevogtning af de østvendte jyske kyster samt Fyn og Sjælland i vintermånederne (Andersen 2007, s. 249 med note 164, hvor der dog henvises til KTB/Skl 6. december).

Kilde: KTB/Skl 7. december 1944, s. 165f.

[...]
Besonderes.

159 Trykt ovenfor.

I.) Betr. Ostraum:
a.) OKW/WFSt drahtet betr. Verteidigung dänischen Raumes ergänzend[160]:
"Um den während der Wintermonate besonders günstigen Landungsverhältnisse an der Ostküste Jütlands und der Insel Fünen und Seeland vermehrt Rechnung zu tragen, wird zu der Weisung vom 14.11.[161] ergänzend befohlen:
1.) Der Raum um und nördlich Esbjerg ist wie bisher durch 160. Res. Inf. Div. zu verteidigen.
2.) Der Küstenabschnitt der 160. Res. Inf. Div. ist so aufzulockern, daß dadurch eine Regimentsgruppe frei wird. Durch sie ist der Raum nördl. Limfjorden (nördl. Aalborg) zu verstärken.
3.) Zur Schaffung eines großen, kampfkräftigen Verbandes an der Nordspitze Jütlands ist beabsichtigt, die russ. Truppenteile des Verteidigungsbereiches Aalborg zu einer verstärkten Brigade zusammenzufassen. Ihre spätere Umbildung zu einer Division ist vorgesehen.
4.) 233. Res. Pz. Div. ist an der ostjütischen Küste so einzusetzen, daß sie
a.) den Küstenabschnitt etwa zwischen Aarhus und Limfjorden sichern und
b.) im Falle einer feindlichen Anlandung an anderer Stellen schnell als bewegliche Reserve eingesetzt werden kann.
5.) 553. Volks-Gren. Div. (Eintreffen Restteile Ende Dezember) ist im Raum Horsens und auf Fünen neu aufzustellen. Einsetzen einzelner Kampfgruppen in besonders landbedrohten Küstenabschnitten ist baldigst vorzubereiten. Nach Abzug dieser Division ist Zuführung einer neuen Volks-Gren. Div. zur Aufstellung beabsichtigt.
6.) Seeland ist mit Schwerpunkt an der Nordküste zu sichern, ihre Verteidigung ist vorzubereiten. Schnelle Zuführung von Kräften aus Jütland im Falle einer erkannten feindlichen Landungsabsicht ist vorzubereiten.
7.) Weitere Ersatz- und Ausbildungseinheiten des Chefs H Rüst und BdE zur Verstärkung der Küstenverteidigung stehen nicht zur Verfügung.
8.) W. Befh. Dänemark meldet Absichten an Hand Karte 1:300.000."
MOK Ost ist von Skl unterrichtet.
[...]

236. Georg Ripken an Werner Best 7. Dezember 1944

Best fik en afskrift af konsul Türks referat af mødet i OKW 1. december. Best blev bedt om at lade de ekstraudgifter, som Waffen-SS' forsorgsofficer skulle afholde, betale af sikringskontoen. Ripken bad om et hurtigt svar. Walter og Ludwig fik afskrift af brevet.

Best kom med et svar 8. januar 1945, dog uden henvisning til dette telegram, hvis datering er foretaget ved hjælp af Ripkens telegram til Best 23. december 1944. Ludwig svarede Ripken 20. december 1944.

Kilde: PA/AA R 100.989. BArch, R 901 113.555. RA, pk. 232 og 271.

160 OKWs ordre blev givet 5. december. Jfr. også KTB/WB Dänemark 7. december 1944.

161 Der henvises til ordren af 14. november 1944, men som påpeget af Jens Andersen (2007, s. 328 note 133) er den identisk med OKW/WFSts og Hitlers ordre af 17. november, idet forklaringen er, at ordren blev udstedt 14. november, men først udsendt 17. november.

Ref.: Ks. Türk i.V. *Berlin, den 7. Dezember 1944*
zu Ha Pol. VI 3048/44 II
Ha Pol. VI 3050/44 II

An den Reichsbevollmächtigten in Dänemark,
Kopenhagen

Auf eine Besprechung am 1. d.M., zu der das OKW eingeladen hatte, wurden hinsichtlich der Wehrmachtsfinanzierung in Dänemark die aus der anliegenden Aktennotiz ersichtlichen Fragen behandelt.[162]

Bezüglich der Sicherstellung dänischer Geldmittel für den Fürsorgeoffizier der Waffen-SS ist wegen der Übernahme des sogenannten "Überhanges," d.h. den bisher schon mangels Transfermöglichkeit über Clearing ungedeckten Teiles des Geldmittelbedarfe von 250.000 RM auf die für Sicherungszwecke (zivile Besatzungskosten) bei Ihnen zur Verfügung stehenden Mittel ein Erlaß seitens Abtlg. Inland – Inl. II 2541/44g vom 24. v.M.[163] nebst anschließenden Drahterlaß – ergangen. Zu der weitergehenden Anforderung von Mitteln sind das Reichswirtschaftsministerium und der Vorsitzende des deutschen Regierungsausschusses für Dänemark um Äußerung gebeten worden, ob die vorgeschlagene Änderung in der Verrechnung der Kosten für Wehrmachtsverpflegung statt wie bisher über Clearing in Zukunft über Besatzungskosten beim Wehrmachtintendanten möglich ist. Da indes meines Erachtens nicht mit einer Billigung des Vorschlages zu rechnen ist, wäre ich dankbar, wenn schon jetzt dort geprüft werden könnte, ob die Übernahme der Gesamtanforderungen des Fürsorgeoffiziers der Waffen-SS auf Sicherungskosten zulässig und durchführbar erscheint. Verneinendenfalls muß wohl damit gerechnet werden, daß der Wehrmachtintendant sie zur Verfügung stellen muß, was nach dem Bericht vom 18. Juli d.J. – III 10246/44[164] – den dortigen Interessen nicht entsprechen würde.

Für möglichst umgehende Stellungnahme zu diesen Punkt der Aktennotiz wie auch zu den Wünschen des OKW, hinsichtlich der Abstimmung der Geldmittelbewirtschaftungsgrundsätze der Wehrmacht, SS und Polizei wäre ich dankbar.

I.A.
gez. **Ripken**

Abschriftlich
dem Reichsministerium f. Ernährung und Landwirtschaft
z.Hd. Herrn Min. Dir. Walter
dem Reichswirtschaftsministerium
z.Hd. v. Herrn Min. Rat Ludwig
– Sammelanschr. je besonders

I.A. gez. **Ripken**

162 Der henvises til Türks mødereferat 1. december 1944.
163 Skrivelsen 24. oktober 1944 er ikke lokaliseret.
164 Bests skrivelse er ikke lokaliseret. Se dog Best anf. dato.

237. Wilhelm Keitel an WB Dänemark u.a. 8. Dezember 1944

Keitel forelagde von Hanneken en række eksempler, som SS havde samlet på sabotager i Norge og Danmark, hvor der havde været tale om forsømmelighed fra værnemagtens side. Keitel forlangte, at der fremover blev udvist større årvågenhed ved bevogtningen og forsvaret af værnemagtens objekter (Rosengreen 1982, s. 151).

Kilde: BArch, Freiburg, RW 4/754. RA, Danica 1069, sp. 1, nr. 299-301 og Danica 628, sp. 10, nr. 9361f. Gengivet i KTB/Skl 11. december med tilføjelsen: "Zu den nicht durchaus zutreffenden Angaben des Reichsführers SS ist, soweit Kriegsmarine in Betracht kommt, Auszuschließenden des Kmdr. Ad. Skagerrak angefordert." Endvidere gengivet i KTB/ADM Dän 11. december 1944, hvor også Wurmbachs svar er indført. Se dette.

Fernschreiben

2 Ausfertigungen
1. Ausfertigung

An
[?]r.:
1.) W. Befh. Dänemark
2.) W. Befh. Norwegen
3.) Gen.St. d.H./Führungsgruppe
4.) Chef H Rüst u BdE/AHA/Stab
5.) OKL/Lw. Fü. Stab
6.) OKM/1. Skl.
8.) Reichskommissar f.d. Seeschiffart.

Mit Anschriftenübermittlung!
Betr.: Sabotage in Norwegen und Dänemark

Die Bemühungen um wirksamen Sabotageschutz in Norwegen und Dänemark durch Repressalien gegenüber der Bevölkerung, verstärkte Einschaltung von Polizeikräften und sonstige Maßnahmen müssen zum Scheitern verurteilt sein, solange nicht die Truppe selbst in nie erlahmender Aufmerksamkeit und Abwehrbereitschaft gegen Saboteure überall ihre Pflicht tut.

Daß dies nicht der Fall ist, zeigen folgende vom Reichsführer SS zusammengestellte Beispiele aus Dänemark:

1.) Auf dem Militärflugplatz Kastrup, der militärisch bewacht wird, wurden drei deutsche Bombenflugzeuge gesprengt.[165]

2.) Auf dem Flugplatz Aalborg-West wurden die Ost- und Westhalle sowie die Motorstuben teilweise und die Wohlfahrtsbaracken total durch Sprengungen zerstört. Zwei Soldaten wurden schwer-, ein Soldat leicht verletzt. 20 Sprengladungen englischen Ursprungs wurden vor den erfolgten Explosionen aus den Gebäuden entfernt.[166]

165 Sabotagen fandt sted 29. oktober, hvorved en Ju 86, en Ju 88 og en Siebel 204 blev fuldstændig ødelagt (RA, BdO Inf. nr. 93, 1. november 1944, tilfælde 19). Kjeldbæk 1997, s. 475 henlægger en lignende aktion udført af BOPA til 2. november 1944. Der er givetvis tale om samme aktion, og BdO opgiver ingen sådan sabotage for 2. november.

166 Den omfattende sabotage fandt sted 2. november 1944 (RA, BdO Inf. nr. 96, 7. november 1944, tilfælde 3. Hos Alkil, 2, 1945-46, s. 1237 henført til 3. november).

3.) Am 4. und 7.2.44 konnten in Svendborg Schiffe der Kriegsmarine trotz Bewachung durch Kriegsmarine mit eigenen Wachen sabotiert werden.[167]

4.) Bezeichnend ist ferner die Entführung der größten Fähre Dänemarks am 6.11.44 von Korsör nach Göteborg trotz Bewachung von 2 Schiffen der Kriegsmarine,[168] nachdem erst kurze Zeit vorher 1 Gross-Eisbrecher bei der Fahrt durch den Öresund, ebenfalls unter Bewachung von Schiffen der Kriegsmarine, nach Hälsingborg entweichen konnte.[169]

5.) Ebenso wurde ein Zollboot der Marine am 11.11.44 in Middelfart in die Luft gesprengt, obwohl die Besatzung an Bord war.[170]

6.) In Kopenhagen wurden sechs 2 cm-Pak, die zum Einschießen fertiggestellt waren, von einem Oberleutnant der Abnahmekommission durch einen dänischen Lkw. mit dänischen Zivilbegleitern zum Schießstand geschickt und dabei unterwegs, kurz vor Kopenhagen, auf offener Landstraße, durch eine Sabotagegruppe geschnappt, der ½ Stunde später mit den Verschlußstücken folgende Oberleutnant wurde an derselben Stelle von denselben Saboteuren in seinem Pkw. aufgehalten und gezwungen, die Verschlußstücke sowie seine Pistole abzuliefern.[171]

7.) Am 14.11.44 bei der Sprengung Dampfer "Ingeborg" und "Franz Holm" waren die Kapitäne nicht an Bord und die Bewachung völlig unzulänglich.[172]

Die Zahl der Beispiele kann durch Aufführung ähnlicher Vorkommnisse erweitert werden.

Angesichts derartiger Fälle von Versagen und Pflichtvergessenheit hilft nur rücksichtsloses Durchgreifen gegen jeden, den unmittelbar oder mittelbar ein Verschulden trifft.

Es muß gefordert werden, daß die Wehrmachtbefehlshaber als oberste Territorialbefehlshaber ihres Bereiches gegen solche Erscheinungen mehr noch als bisher mit der gebotenen Härte und Energie persönlich vorgehen und damit den Grundsatz peinlichster Pflichterfüllung in der Bewachung und Verteidigung der der Wehrmacht anvertrauten Objekte in kürzester Frist bei sämtlichen nachgeordneten Dienststellen wieder zur Selbstverständlichkeit machen.

Reichskommissar für die Seeschiffahrt wird um einen entsprechenden Hinweis innerhalb seines Befehlsbereiches gebeten.

gez. **Keitel**
OKW/WFSt/Qu. 2 (Nord)
Nr. 0014372/44 g.Kdos

167 Se Bests telegram nr. 154, 4. februar 1944 og Jensen 1976, s. 25f.

168 Se KTB/ADM Dän 9. november 1944.

169 De to danske isbrydere "Mjølner" og "Holger Danske" var 18. september 1944 flygtet til Sverige.

170 RA, BdO Inf. nr. 99, 14. november 1944, tilfælde 17 (der henlægger aktionen til kl. 0.30, 12. november. Jfr. Alkil, 2, 1945-46, s. 1237).

171 En halv snes modstandsfolk standsede 7. november 1944 to lastvogne fra Dansk Industri-Syndikat ved Flaskekroen på Køgevej, den ene var lastet med 6 20-millimeter kanoner, som skulle til Mosede Batteri. Modstandsfolkene forsvandt med vognene og kanonerne (*Information* 9. og 13. november 1944, *Daglige Beretninger*, 1946, s. 384f.).

172 De to skibe lå på Orlogsværftet, hvor de blev saboteret af Holger Danske (Birkelund 2008, s. 685).

238. [Dr. Flügel] an Werner Naumann 8. Dezember 1944

På baggrund af henvendelsen fra von Kielpinski i RSHA foreslog RMVPs personaleafdeling, at G.W. Müller blev sendt til København for på stedet at undersøge mulighederne for at styrke propagandaen i Danmark. Problemer med AA skulle undgås. AA havde i Danmark en stærk indflydelse, og RMVPs repræsentant i landet, Gernand, var netop blevet kaldt hjem.[173]

Af en påtegning på notatet fremgår det, at Naumann tiltrådte forslaget.

G.W. Müller var leder af hovedafdelingen for Volksaufklärung und Propaganda hos rigskommissær Terboven i Oslo (Benz 2000, s. 63-65, 119f., 189).

Se Müller til Naumann 15. december 1944.

Kilde: BArch, R 55/219.

[RMVP]
Der Leiter der Personalabteilung
[Sa]chbearbeiter Min. Rat Dr. Fl[ügel]

Berlin, den 8. Dezember 1944

An den Herrn Staatssekretär

Betrifft: Propagandasituation in Dänemark.
Schreiben des Chefs der Sicherheitspolizei v. 4.12.44.[174]

Es könnte daran gedacht werden, die propagandistische Betreuung Dänemarks G.W. Müller mit zu übertragen, zumal er gerade erst bei seinem jetzigen Aufenthalt in Berlin darum gebeten hat. Auf das Schreiben des SD schlage ich daher vor, G.W. Müller zunächst zu beauftragen, sich möglichst umgehend einmal nach Kopenhagen zu begeben und dort über die Angelegenheit mit dem Befehlshaber der Sicherheitspolizei und des SD zu sprechen. Eine persönliche Aussprache halte ich für notwendig, damit an Ort und Stelle die Frage des organisatorischen Einbaus der angeforderten Propagandisten geklärt wird. Wir müssen vermeiden, durch eine ungeschickte Behandlung Schwierigkeiten mit dem Auswärtigen Amt heraufzubeschwören. Das Auswärtige Amt besitzt in Dänemark starke Zuständigkeiten und wir haben unseren bei ihr akkreditierten Vertreter, Heinrich Gernand, gerade jetzt erst zurückgezogen und zur Wehrmacht freigegeben.

Im Falle Ihres Einverständnisses werde ich G.W. Müller entsprechend beauftragen und ersuchen, uns nach der Rücksprache konkrete Vorschläge zu unterbreiten.

Das Schreiben des SD vom 4.12.44 liegt bei.

Heil Hitler!
[underskrift][175]

[Påtegning:] Ja!

173 Om Gernand se Bests telegram nr. 630, 21. maj 1943 og tillæg 4.

174 Trykt ovenfor.

175 Afdelingslederens underskrift er ulæselig, sagsbehandlerens, dr. Flügels, navn er benyttet i stedet, da han også siden tog sig af sagen.

239. Kriegstagebuch/Seekriegsleitung 8. Dezember 1944

Seekriegsleitung fik forelagt den aftale, der blev indgået 5. december i København om beskyttelse af handelsskibe og værfter mod sabotage. WB Dänemark og BdS skulle hver stille med mandskab til bevogtning af udvalgte havne og værfter. Kriegsmarine skulle bidrage med 415 mand.

WB Dänemark refererede aftalen til OKW 9. december 1944.

Kilde: KTB/Skl 8. december 1944, s. 179f.

[…]

Chef 3/Skl:

MOK OST übermittelt folgende Meldung des Adm. Skagerrak:

"In Sitzung am 5.12. bei W. Befh. Dänemark über Sabotageabwehr auf Handelsschiffen und Werften wurde in Übereinstimmung aller Beteiligten festlegt:

1.) Das zur Bewachung erforderliche Personal wird aufgeteilt auf die 3 Wehrmachtteile und BDS.

2.) Marine stellt danach für Sabotagewache für Kopenhagen 100 Mann, für Helsingör 50 Mann, für Svendborg 100 Mann, für Nakskov 50 Mann, für Aarhus 50 Mann, für Frederikshavn 50 Mann, für Esbjerg 15 Mann, insgesamt 415 Mann. Personal ist in erster Linie aus MLA'en und SStA'en zu entnehmen, daneben haben Seekdt'en strengste Durchkämmung aller Dienststellen einschl. der eigenen Stäbe durchzuführen mit dem Ziel, Wachpersonal, das evtl. zusätzlich zum normalen Dienst nachts zu Sabotagewache eingesetzt werden kann, herauszuschälen. Die in Svendborg eingesetzten 80 Mann Sonderpersonal sind auf die Rate für Svendborg anzurechnen. Das eingesetzte Wachpersonal soll, um die Ausbildung nicht zu stark zu hemmen, alle 4 Tage gewechselt werden."

MOK Ost prüft diese Forderung nach und stimmt sie mit bereits vorliegenden Forderungen ab.

[…]

240. Kriegstagebuch/Admiral Skagerrak 8. Dezember 1944

Seekriegsleitung noterede sig, at MOK Ost havde tilsluttet sig, at DSBs fire færger benyttet til operation "Nordlicht" kun blev givet tilbage, hvis "Store Bælt" vendte hjem fra Sverige.

Se Wurmbach til Seekriegsleitung 14. december 1944.

Kilde: KTB/ADM Dän 8. december 1944, Danica 628, sp. 3, s. 3763.

[…]

Allgemeines:

Mit F.S. 7409 G erteilt MOK Ost seine Zustimmung, die Fähren nur an dänische Staatsbahnen zu übergeben, wenn "Store Belt" zurückkommt.

[…]

241. Joachim von Ribbentrop an Werner Best 9. Dezember 1944

Da Best fik svar på sin indstilling til sabotagebekæmpelse, havde spørgsmålet forud været drøftet på højeste plan, hos Hitler selv. Hitler delte ikke Bests syn på sabotagebekæmpelse. Der skulle repressalier til, da den danske befolkning ikke havde deltaget i sabotagebekæmpelsen, men i stedet støttede sabotørerne. Best fik derfor af Ribbentrop ordre til at udstede den forordning, som Keitel havde krævet.

Så let gav Best sig imidlertid ikke på dette principielle punkt. Han skrev tilbage og fik på ny et svar med ordre fra AA 27. december (ingen af telegrammerne er lokaliseret), før sagen sluttede med Bests telegram nr. 1, 1. januar 1945. Når Best turde være standhaftig i dette spørgsmål skyldtes det, at han for en gangs skyld dels havde både von Hannekens og Panckes støtte (Pancke skulle i givet fald eksekvere repressalierne), dels blev Bests argumenter mod repressalier anvendt af Kaltenbrunner (se von Hanneken til OKW 9. december). Også sikkerhedspolitiets centrale ledelse fandt visse former for repressalier uhensigtsmæssige i Danmark, hvilket også fremgik af den instruks, som var tilgået sikkerhedspolitiet i Danmark og Norge med Kaltenbrunners brev 7. december 1944 (Rosengreen 1982, s. 148-153, Best 1988, s. 74).

Kilde: PA/AA R 101.041. RA, pk. 232. LAK, Best-sagen (på dansk). PKB, 13, nr. 775. Best 1988, s. 73f.

Telegramm

Sonderzug Westfalen, den 9. Dezember 1944
Ankunft, den 9. Dezember 1944

BRAM Nr. 1182/44 R Citissime!
Diplogerma Kopenhagen
Für Reichsbevollmächtigten.

Auf Telegramm Nr. 1304 vom 23.11., Nr. 1345 und 1347 vom 1.12.[176]
In der Frage der Anwendung von Repressalien gegen die Zivilbevölkerung bei Sabotageakten teilt der Führer nicht die von Ihnen und dem Höheren SS- und Polizeiführer vertretene Auffassung. Ich stehe auf dem gleichen Standpunkt, daß die Sabotage nicht nur allein von abgesetzten Kampfgruppen des Feindes durchgeführt wird, sondern daß auch die dänische Bevölkerung direkt und indirekt an den Sabotageakten beteiligt ist. Umfang und Ausführung der Sabotageakte in Dänemark lassen zweifellos erkennen, daß die dänische Bevölkerung nicht nur an der Bekämpfung und Ergreifung der feindlichen Saboteure in keiner Weise mitwirkt, sondern den feindlichen Saboteuren auch noch weitgehend aktive Unterstützung gewährt. Es wird deshalb die Anwendung von Repressalien gegen die Zivilbevölkerung für berechtigt und auch für wirksam gehalten, da die Zivilbevölkerung in diesem Fall ein eigenes Interesse daran haben würde Sabotageakte zu verhindern und aufzuklären, um die Repressalien gegen sich abzuwenden.

Ich bitte deshalb, eine Verordnung im Sinne des Fernschreibens des GFM Keitel zu erlassen. Die Einzelheiten des Wortlauts der Verordnung sowie ihrer Durchführung überlasse ich Ihnen festzusetzen.

Ribbentrop

Vermerk:
Unter Nr. 1422 an Diplogerma Kopenhagen weitergeleitet.
Telko, 9.12.44.

176 Telegrammerne nr. 1304 og 1347 er trykt ovenfor, mens nr. 1345 ikke er lokaliseret.

242. Hermann von Hanneken an OKW 9. Dezember 1944

Von Hanneken orienterede OKW om, at både tysk militær og politi i Danmark tilsluttede sig Bests syn på de foranstaltninger mod skibssabotage, der skulle tages i brug. Det gjaldt også den særbefuldmægtigede for RKS, admiral Mewis. Derfor betragtede han de andre forslag, der var fremkommet i denne sag, som bortfaldet. På et møde, ledet af von Hanneken og med deltagelse af Wurmbach samt repræsentanter for Luftwaffe og tysk politi, var man blevet enige om at nedsætte behovet for vagter fra 3.000 til 860 mand, hvoraf BdO stillede 150 mand og de tre værn resten (Rosengreen 1982, s. 151 skriver fejlagtigt, at værnemagten skulle stille ⅔ af de rundt regnet 3.000 vagter (!)).

Kilde: BArch, Freiburg, RW 4/754. RA, Danica 1069, sp. 1, nr. 285-287.

WFSt/Qu. 2 (Nord) *10.12.44.*
Abschrift Geheime Kommandosache

KR – Fernschreiben vom 9.12.44 20.30 Uhr
Eingegangen: 10.12., 2.00 Uhr.

An OKW/WFSt/Qu. 2 (Nord)

Bezug: FS. OKW/WFSt/Qu. 2 (Nord) Nr. 001372/44 g.K. vom 29.11.44.[177]
Betr.: Schiffssabotage in Dänemark.

Zu 1.) des Bezugsfernschreibens hat Reichsbevollmächtigter nach seiner hierher gegebenen Mitteilung dem Auswärtigen Amt berichtet, daß der Erlaß einer solchen Verordnung und ihre Durchführung der sicherste Weg wäre, die dänischen Werften in kürzester Frist stillzulegen. Denn der Feind würde sich die Gelegenheit nicht entgehen lassen, schleunigst durch "Präzisionssabotage" uns zur Anwendung unserer Verordnung zu zwingen. Da das Mindeste, was nach dem Vorschlag des Generalfeldmarschalls Keitel mit den Arbeitern einer sabotierten Werft geschehen müßte, die Festnahme der Arbeiter und ihre Verbringung in ein Konzentrationslager wäre, würden wir durch wenige Sabotageakte gezwungen, die Facharbeiter der Werften, die als hochqualifizierte Spezialisten nicht ersetzt werden können, zu beseitigen und damit die Werften stillzulegen. Der Feind hätte damit die Einstellung der gesamten Werftarbeiten für deutsche Zwecke erreicht, während ihm bisher nur Einzelbeschädigungen, die Mehrarbeit und Lieferungsverzögerungen verursachten, gelungen sind. Mit der durch uns selbst durchgeführten Stillegung der Werften wäre allerdings die Werftsabotage im dänischen Raum beendet. Reichsbevollmächtigter könne nur immer wiederholen, daß die Kleinkriegsmaßnahmen des Feindes nur dadurch wirksam bekämpft werden können, daß seine Kampfgruppen ermittelt und vernichtet werden, wofür Verstärkung unserer Sicherheitspolizei erforderlich ist, und daß die gefährdeten Objekte ausreichend geschützt werden, wofür bewaffnete Wachkräfte (Ordnungspolizei oder Wehrmacht) zur Verfügung gestellt werden müssen. Jede andere Maßnahme schadet mittelbar deutschen Interessen und nützt dem Feind.

177 Trykt ovenfor.

Im gleichen Sinn hat Sonderbevollmächtigter des Reikosee[178] diesem berichtet. In einer Besprechung unter Leitung des W. Befh. Dänemark (Teilnehmer Kd. Admiral Skagerrak, Vertreter des Kd. Gen. d. Lw., Höh. SS- und Pol. Führer, BdS, BdO) haben sich alle Beteiligten dieser Auffassung angeschlossen. W. Befh. Dänemark hält daher eine weitere Verfolgung dieser Frage für nicht geeignet.

Zu 2.) In erwähnter Besprechung hat Höh. SS- u. Pol. Führer den Kräftebedarf von 3.000 auf vorläufig täglich 860 Mann herabgesetzt. Hierzu stellen Ordnungspolizei 150, den Rest alle drei Wehrmachtteile. Dadurch sind die zur Verfügung vorgesehenen Wehrmachtkräfte auch bei Einschränkung der Wachen auf das unbedingt notwendige Maß aufs äußerste im Wachdienst angespannt. Erschwert wird die Wachgestellung außerdem künftig dadurch, daß gem. Chef H Rüst u BdE/AHA/Stab II (2) Nr. 58667/44 g. vom 29.11.44 die D-Bataillone in ihren Stärken erheblich vermindert werden sollen. Trotzdem konnte in der Erkenntnis der Wichtigkeit des Sabotageschutzes durch die Vertreter der drei Wehrmachtteile der Kräftebedarf von täglich 860 Mann aufgebracht werden. Hierzu muß Heer neben den Stäben auch Alarmeinheiten heranziehen und in Kopenhagen die notdienstpflichtigen Reichsdeutschen einberufen. Marine und Luftwaffe müssen Ausbildungseinheiten und Schulen einsetzen. Wenn auch hiesige Befehlshaber dem zugestimmt haben, so werden doch möglicherweise deren vorgesetzte Dienststellen später Einwände erheben. W. Befh. Dänemark bittet, diesen nicht stattzugeben. Die zum Wachdienst zur Verfügung gestellten Wehrmachtkräfte werden dem BdS einsatzmäßig unterstellt.

W. Befh. Dänemark Abt. Ic
Nr. 624 44 g.Kdos. vom 9.12.44

gez. **von Hanneken**
Gen. d. Inf.

F.d.R.d.A.:
Hauptmann.

243. Wilhelm Keitel/Alfred Jodl an Hermann von Hanneken 10. Dezember 1944

OKW indskærpede ordren om, at forsyningstropperne i videst muligt omfang skulle deltage i fæstningsbyggeriet og være til rådighed som sikkerhedsbesætninger i stillingerne.

Von Hanneken reagerede 18. december med en ordre til forsyningstropperne m.m. i Danmark, se nedenfor.

Kilde: KTB/WB Dänemark december 1944, Anlage.

Wehrmachtbefehlshaber Dänemark — *Gef.St., den 10.12.44*
Abt. Ia Br. B. Nr. 2583/44 g.Kdos — 38 Ausfertigungen
37. Ausfertigung

Unter Hinweis auf die Ia-Besprechung vom 9.12.44 werden nachstehende Fernschreiben zur weiteren Voranlassung übersandt:

178 Admiral Mewis.

"Der Führer hat aus einer Reihe von Vorkommnissen den Eindruck gewonnen, daß der wiederholt, zuletzt durch OKW/WFSt/Op. Nr. 0014109/44 g.Kdos. vom 29.11.44[179] erteilte Befehl, wonach alle rückwärtigen Dienste (Stäbe, Versorgungstruppen usw.) grundsätzlich in größtmöglichen Umfange zum Stellungsbau und als Sicherheitsbesatzungen einzusetzen sind, nicht in dem zu fordernden Umfange durchgedrungen ist. Immer noch liegen Versorgenstruppen usw. im rückwärtigen Gebiet in Ortschaften, anstatt daß sie vorhandene Stellungen als Sicherheitsbesatzung besetzt haben und an deren weiteren Ausbau arbeiten oder neben ihren sonstigen Aufgaben an der Herstellung neuer rückwärtiger Stellungen arbeiten.

Der Führer verlangt, daß nunmehr diesem Grundsatz überall voll entsprochen wird und daß die Herren Oberbefehlshaber durch geeignete Überwachungs- und Kontrollmaßnahmen die gegebenen Befehle unter allen Umständen durchsetzen. Dann kann es nicht vorkommen, daß durchgebrochene, an sich schwache Feindteile durch rückwärtige vorbereitete Stellungen oder sogar Befestigungen ungehindert durchfahren oder durchmarschieren.

gez. **Keitel**
Generalfeldmarschall
OKW/WFSt/Op. Nr. 0014340/44 g.Kdos"

"Der Führer hat erneut befohlen, daß alle Versorgungstruppen und rückwärtigen Dienste (einschl. der Trosse der fechtenden Truppen) grundsätzlich in größtmöglichem Ausmaß zum Stellungsbau, mindestens im Rahmen der Selbstverteidigung, einzusetzen sind und in diesen rückwärtigen Stellungen, auch in der Masse untergebracht werden. Damit wird der Ausbau gefördert und das Zusammendrängen in Ortschaften vermieden.

Die Wehrmachtteile, Reichsführer SS, Oberbefehlshaber der Kriegsschauplätze werden gebeten, diese Forderung mit schärfsten Maßnahmen durchzudrücken und zu überwachen.

gez. i.A. **Jodl**
OKW/WFSt/Op. Nr. 0014109/44 g.Kdos."
Für den Wehrmachtbefehlshaber Dänemark
Der Chef des Generalstabes
I.A.
Toepke

244. Hans-Heinrich Wurmbach an Seekriegsleitung 11. Dezember 1944

Seekriegsleitung havde bedt om Wurmbachs kommentar til Keitels brev til WB Dänemark 8. december (trykt ovenfor) Wurmbach korrigerede en række enkeltheder vedrørende de fremhævede sabotager og bortførelsen af "Store Bælt" og gjorde det klart, at ansvaret for bevogtningen af skibsværfterne og de der placerede handelsskibe m.m. lå hos det tyske sikkerhedspoliti. Han tilføjede afsluttende, at så længe kvaliteten af det personale, der skulle forestå sabotageværnet, ikke var bedre, var en væsentlig bedring af situationen ikke forventelig.

179 Befalingen er ikke lokaliseret.

Det var en synligt irriteret Wurmbach, der svarede, og tilmed havde han ikke i alle tilfælde ret i sine korrektioner af Keitel og – bag Keitel – Himmler. Wurmbachs afsluttende bemærkning var den mest alvorlige, som der dog på dette tidspunkt af krigen ikke var noget at gøre ved. Der blev dog taget andre initiativer til at øge sabotagebekæmpelsen, se KTB/Kriegsmarinedienststelle Kopenhagen 24. og 25. januar 1945.

Kilde: KTB/ADM Dän 11. december 1944, RA, Danica 628, sp. 3, s. 3772f.

[...]

Ich nehme auf Anforderung dazu mit F.S. Gkdos 00244 folgende Stellung:

Zu im Bezugs-Fs. aufgeführten Sabotagefällen in Dänemark wird gemeldet:

Zu 3.) 4.11.44 Svendborg keine Schiffsabotage. 7.11.44 VS 153 Svendborgwerft durch 2 Sprengungen trotz ausreichender Postengestellung und Kontrollen versenkt. Sprengstoff konnte an Bord gebracht werden, solange Leibesvisitation Arbeiter unzulässig. Am gleichen Tage daselbst Neubau 48 versenkt.[180] Verantwortung für Sicherheit Neubauten trägt BdS.

Zu 4.) Dän. Fähre "Store Belt" auf Überfahrt Korsör-Kopenhagen von einem (nicht zwei) Fahrzeuge geleitet, in Höhe Helsingör auf Position 300 m von schwed. Hoheitsgrenze nach Helsingborg ausgebrochen. Geleit stand vorschriftsmäßig 200 m vor Fährschiff. Geleitboot unterließ befehlsgemäß Waffengebrauch, da hierdurch schwed. Hoheitsgebiet verletzt worden wäre.[181]

Zu 5.) Zwei (nicht ein) gesprengte Zollboote gehörten nicht Marine sondern dän. Zoll., deutsche Interessen nicht berührt.[182]

Zu 6.) Verantwortung für Sicherheit Transport trug Fa. Dansk Industrie Syndikat Madsen. Gegen Offizier schwebt wegen Entwaffnung und Auslieferung Verschlußstükke kriegsgerichtliches Verfahren.[183]

Zu 7.) Für Sicherheit Handelsschiffe MS. "Ingeborg" und "Franz Holm" trug Verantwortung BdS.

Im übrigen ist dazu zu sagen: Solange das für Sabotageschutzzwecke beantragte Personal nicht gestellt wird, bzw. in einer Qualität ankommt, die selbst für einfachste Postenaufgaben nicht ausreicht, ist eine wesentliche Besserung nicht zu erwarten. Es erscheint erforderlich, die verantwortlichen Personalstellen (II. A. d.) über den Ernst der Lage zu unterrichten, damit hier einmal außergewöhnliche Maßnahmen von diesen Stellen getätigt werden. Ich komme an anderer Stelle auf die Personalnot zurück, da die Rückgriffe auf die Ausbildungsabteilungen (MLA'en und SStA'en) auf die Dauer gesehen nicht zu verantworten sind. So sind beispielweise die beiden Kompanien der 21. SStA in Kopenhagen durch den Wachdienst zahlenmäßig völlig aufgebracht.

[...]

180 Wurmbachs korrektion er ikke rigtig. Se Bests telegram nr. 154, 4. februar 1944.

181 Jfr. KTB/ADM Dän 9. november 1944.

182 Der var kun tale om en motorbåd. Jfr. RA, BdO Inf. nr. 99, 14. november 1944, tilfælde 17.

183 Se Keitel til WB Dänemark 8. december 1944.

245. Gerhard Rühle an Hans Fritzsche 11. Dezember 1944

Rühle havde været i København (16. november ifølge Bests kalenderoptegnelser) og med Best og Lohmann drøftet indførelse af rigstyske radioprogrammer i Danmark. De havde taget stilling imod det, idet de mente, at det ville give den danske befolkning ny næring til mistro mod radioen. Den mistro var blevet forstærket efter 19. september, da der blev indført særlige udsendelsesrækker af HSSPF og radioavisens medarbejdere flygtede, men siden var det lykkedes at overvinde krisen og få betydelige danske kunstnere til at medvirke i radioen og dermed sikre videreførelsen af dansk-nationale radioprogrammer. Rühle var af den opfattelse, at der skulle tages hensyn til denne indstilling, da han viderebragte sagen til Fritzsche i RMVP.

Det var tydeligvis Bests holdning, der mere eller mindre ordret blev gengivet af Rühle, og det skinnede igennem, at Best mente, at RSSFS' indtrængen med egne radioprogrammer havde været skadelig. På den anden side ville han fastholde kontrollen over dansk radio, derfor talte han så stærkt mod indførelse af rigstyske udsendelser, selv om troværdighedsargumentet måske havde sværere ved at vinde forståelse i RMVP. Troværdigheden ramte imidlertid også Bests eget udsagn om, at betydelige danske kunstnere var blevet formået til at medvirke i radioen. Det var kun undtagelsesvis tilfældet, og når det overhovedet skete, var det først og fremmest for at undgå en fuldstændig tysk radio eller lukning af radioen og konfiskation af radioapparaterne, hvilket ville hindre aflytning af udenlandsk radio. På den vis trak Best og de danske kunstnere i samme retning (Christiansen/Nørgaard 1945, s. 212f., Frisch, 3, 1945-48, s. 317).

Kilde: RA, Danica 465: Moskva, Osobyj Archiv, 1363/1/163/143.

Auswärtiges Amt
Gesandter Rühle
Ru 7873

Berlin W 8, 11.12.44.

An das Reichsministerium für Volksaufklärung und Propaganda
z.Hd. Herrn Ministerialdirektor Fritzsche
Berlin W. 8

Betrifft: Übernahme des Reichsprogramms über den dänischen Langwellensender Kalundborg.

Vorstehendes Thema habe ich anläßlich meiner Anwesenheit in Kopenhagen mit dem Reichbevollmächtigten und seinem Rundfunkattaché erörtert.[184] Ich erhielt eine Stellungnahme nachstehenden Inhaltes:

"Nach dem 19. September 1944 wurde die Zahl der deutschen Propagandasendungen des dänischen Rundfunks weiterhin erhöht durch die Einführung einer neuen Sendereihe, die vom Höheren SS- und Polizeiführer in Dänemark durchgeführt wird,[185] und durch die Übernahme des dänischen Rundfunknachrichtendienstes nach der Flucht der bisherigen Redaktionsmitglieder. Hierdurch hat die von der feindlichen Propaganda oft wiederholte Behauptung, daß der dänische Rundfunk ausschließlich den Interessen der deutschen Propaganda diene, in der Bevölkerung weiteren Boden gewonnen. Trotz der feindlichen Stimmungsmache ist es nach Überwindung einer anfangs entstandenen Krise gelungen, bedeutende dänische Künstler aufs neue zur Mitarbeit im Rundfunk heranzuziehen und damit die weitere Durchführung eines national-dänischen Rundfunkprogramms sicherzustellen.[186]

184 Radioreferent Ernst Lohmann.

185 HSSPFs egne udsendelser i radioen begyndte efter 19. september med to programmer om ugen (Christiansen/Nørgaard 1945, s. 211).

186 Både store og mindre fremtrædende danske kunstnere var delte i spørgsmålet om fortsat medvirken i

Die Aussendung eines deutschen Programmes würde dem Mißtrauen der dänischen Bevölkerung dem Rundfunk gegenüber erneut Nahrung geben. Zudem würde man nicht mit Unrecht dänischerseits darauf hinweisen, daß – obwohl auf Grund der schwierigen Kohlensituation das dänische Programm um 23.00 Uhr schließen muß – der deutsche Rundfunk sich der größten dänischen Station für seine Zwecke auch noch bis in die Nacht hinein bedienen darf. Und man würde allgemein hierin ein offenes Zeichen einer fortschreitenden Verdeutschung des dänischen Rundfunks sehen, wie sie von der Feindpropaganda schon lange vorausgesagt wurde.

Einer technischen Durchführung der Übernahme des Reichsprogrammes über den Sender Kalundborg dürfte nichts im Wege stehen. Es muß jedoch darauf hingewiesen werden, daß erfahrungsgemäß die ständige Bereithaltung von Leitungen durch Feindeinwirkung (Luftangriffe) stark gefährdet ist."

Die Bedeutung der vorstehenden Bedenken darf nicht übersehen werden. Andererseits bin ich der Auffassung, daß im äußersten Notfall – aber nur dann – über diese Bedenken hinweggegangen werden müßte. Wegen der Frage, ob ein solcher bereits vorliegt, wäre ich für eine mündliche Besprechung dankbar.

Heil Hitler!
Ihr
Rühle

246. Gerhard Rühle an Hans Fritzsche 11. Dezember 1944

Rühle havde endnu et punkt på dagsordenen, da han besøgte Best og Lohmann i København, nemlig anvendelsen af Kalundborgsenderen til tyske formål. De gjorde klart, at der kun stod et begrænset antal bølgelængder til rådighed, at en del af radiorørene trængte til udskiftning, og at det ikke kunne garanteres, at de tyske udsendelser over stationen kunne hemmeligholdes, selv om der blev anvendt forskellige bølgelængder, da det danske personale skulle medvirke. Rühle foreslog Fritzsche en mundtlig drøftelse af sagen, hvor det var vigtigt, hvilke bølgelængder det skulle dreje sig om.

Det fremgår af Rühles fremstilling af Bests og Lohmanns holdning, at de ikke var interesseret i, at der blev udsendt tyske programmer fra senderen. Når de gjorde opmærksom på, at anvendelsen til tyske formål ikke med sikkerhed kunne holdes skjult, var det samtidig et sikkerhedsproblem: Kalundborgsenderen ville da blive et sabotagemål.

Fritzsche skrev til Rühle i sagen 18. januar 1945.

Kilde: RA, Danica 465: Moskva, Osobyj Archiv, 1363/1/163/143.

Rfk/Lt 3000 6.1.43/708-1,2(II)
Auswärtiges Amt *Berlin W 8, 11.12.44.*
Gesandter Rühle
Ru 7874

An das Reichsministerium für Volksaufklärung und Propaganda
z.Hd. Herrn Ministerialdirektor Fritzsche
Berlin W. 8

radioen og endnu stærkere var andres holdninger til, om de burde medvirke.

Betrifft: Zeitweisen Einsatz des Kurzwellensender Kalundborg für deutsche Zwecke.

Vorstehendes Thema habe ich anläßlich meiner Anwesenheit in Kopenhagen mit dem Reichbevollmächtigten und seinem Rundfunkattaché erörtert. Ich erhielt eine Stellungnahme nachstehenden Inhaltes:

"Der hiesige Kurzwellensender sendet von 2-5 Uhr auf Welle 31,51 m mit Richtstrahler-Antenne nach USA. Der dänische Kurzwellensender Skamlebäk kann mit jeweils 1 Stunde Schaltpause auf beliebige Wellen zwischen 15 und 60 m geschaltet werden. Jedoch stehen nur für folgende Wellenlängen Richtstrahler-Antennen zur Verfügung:

	17,45	m	Richtstrahler nach USA
	24,40	m	Richtstrahler nach Island
unter	45	m	Richtstrahler nach Fernost (Japan) (Rombus-Antenne). Diese Antenne-Anlage ist bisher nicht fertiggestellt worden.
unter	30	m	Richtstrahler nach Südamerika (Rombus-Antenne).
unter	35	m	Richtstrahler nach Grönland (Rombus-Antenne).

Der dänische Kurzwellensender Skamlebäk verfügt über eine Energie von 20 kW.

Für die bisher durchgeführten Sendungen von 3 Stunden täglich steht nur eine beschränkte Anzahl von Röhren zur Verfügung, die zum Teil reparaturbedürftig sind.

Für die Geheimhaltung der Durchführung von Berliner Aussendungen über den dänischen Kurzwellensender kann trotz der Benutzung verschiedener Wellen nicht garantiert werden, da auf die Mitwirkung des technischen Personals des dänischen Post- und Telegrafenwesens nicht verzichtet werden kann."

Ich schlage vor, daß wir diese Angelegenheit noch einmal mündlich besprechen. Wichtig erscheint mir dabei vor allem die Frage, auf welchen Wellen gesendet werden soll.

Heil Hitler!

Ihr

Rühle

247. Werner Best an das Auswärtige Amt 12. Dezember 1944

Den tyske motorbåd "Roland" var undveget til Sverige, hvilket igen hos OKW bragte spørgsmålet om repressalier mod *danske* skibes kaptajners og besætningsmedlemmers familier op til drøftelse i de tilfælde, hvor de flygtede til Sverige. OKW havde henvendt sig til AA i spørgsmålet, og AA indhentede påfølgende Bests indstilling. Best imødegik den form for repressalier, både af folkeretslige grunde og fordi han ikke mente, at det ville have den ønskede virkning. Det folkeretslige aspekt ville han gerne have undersøgt, og hvis repressalierne ville blive indført, ville det kun være et vidnesbyrd om den danske skibsfarts store betydning for Tyskland og føre til endnu flere undvigelser til Sverige. Han mente, at man måtte afstemme forholdsreglerne efter det mål, man ville opnå.

AA sendte uden kommentarer en kopi af Bests indstilling til OKM 20. december (Ha Pol XII 1142 g), hvorefter Seekriegsleitung 24. december lavede et notat derom.[187] Se dette.

Kilde: RA, Danica 203, pk. 38, læg 462.

187 På trods af at AA sendte Bests indstilling ukommenteret videre, fremgår det af en påtegning, at hans argumentation i pkt. 2b og 2c blev drøftet. Det blev i sidste ende set som en konsekvens af pkt. 2b, at man slet ikke kunne anvende foranstaltninger for at hindre skibsflugten.

Der Reichbevollmächtigte in Dänemark *Kopenhagen, den 12. Dezember 1944.*
S/SCH 3/1a

An das Auswärtige Amt
Berlin

Betr.: Den nach Schweden ausgewichenen deutschen Motorschoner "Roland".
Vorgang: Dortiges Schreiben vom 28.11.44[188] (HA Pol XII 1075 g).
2 Durchschläge

Zu dem Schlußsatz des Schreiben des Oberkommandos der Kriegsmarine vom 25.11. 1944[189] (B. Nr. 1 Skl. I i 41 249/44) äußere ich mich wie folgt:

1.) Da die Frage, ob im Falle des Ausweichens dänischer Schiffe in fremden Häfen Repressalien gegen die Angehörigen der Kapitäne bezw. der Besatzungen ausgeübt werden sollen, offenbar nicht zur Ruhe kommen wird, bitte ich das Auswärtige Amt um die Prüfung der folgenden völkerrechtlichen Fragen:
   a.) Sind Repressalien gegen die Angehörigen dänischer Staatsbürger, die Straftaten oder andere Handlungen gegen deutsche Interessen begehen, auf Grund der Haager Landkriegsordnung, die wohl als Mindestgrundlage für die Begrenzung der Befugnisse der deutschen Besatzungsmacht gegenüber dem vertragsmäßig besetzten Dänemark angesehen werden muß, zulässig?
   b.) Sind auf Grund der zwischen dem deutschen Reich und Dänemark geltenden Schiffahrtsabkommen die dänischen Kapitäne und Schiffsbesatzungen in einer Weise in der Verfügung über ihre Schiffe beschränkt, daß ein Ausweichen in fremde Häfen als eine Straftat oder als eine solche Handlung, die Repressalien rechtfertigt, anzusehen ist?
2.) Wichtiger als völkerrechtliche Erwägungen ist die Frage, ob durch die vorgeschlagenen Repressalien der gewünschte Zweck das Ausweichen dänischer Schiffe in fremde Häfen zu verhüten, erreicht werden kann. Diese Frage muß ich aus folgenden Gründen verneinen:
   a.) Wenn ein deutscher Schiffer in ein fremdes Land ausweicht, ist dies ein Einzelfall, in dem der Flüchtling von seinem Volk und von seinem Gewissen verurteilt wird und in dem der zusätzliche Druck, der durch Repressalien gegen seine Angehörigen ausgeübt wird, durchaus zu dem in dem Falle des Johann Plath aus Stade erzielten Ergebnis führen kann. In Dänemark aber ist die Lage so, daß die meisten Dänen sich seit dem 29.8.1943 von jeder Verpflichtung gegenüber Deutschland befreit und ausschließlich zur Wahrung dänischer Interessen verpflichtet fühlen. Wenn ein dänischer Schiffer einmal die Überzeugung gewonnen hätte, daß es für Dänemark besser sei, wenn sein Schiff – statt jetzt für die Versorgung des Landes und mittelbar für deutsche Interessen zu fahren – für die dänische Nachkriegs-Schiffahrt erhalten wird, so würde er mit gutem Gewissen sein Schiff aus den

188 Skrivelsen er ikke lokaliseret.
189 OKWs skrivelse er ikke lokaliseret, men se Seekriegsleitungs notat fra samme dag, trykt ovenfor.

dänischen Gewässern fortführen und hierfür auch persönliche Opfer bringen. Aus diesem Grunde ist die Erfolgsaussicht von Repressalien im Falle dänischer Schiffer viel geringer als im Falle deutscher Schiffer.

b.) Die Ankündigung der vorgeschlagenen Repressalien oder ihre Anwendung in einem ersten Falle würde sowohl die dänischen Schiffer wie auch die dänische Öffentlichkeit und die Widerstandskräfte erst richtig darauf hinwiesen, welchen gewaltigen Wert man von deutscher Seite den im dänischen Raum fahrenden dänischen Schiffen zumißt. Während bisher die Meinung vorherrscht, daß die Schiffahrt vor allem im eigenen Landesinteresse stattfinde, würde man aus den für dänisches Empfinden ungeheuerlichen Repressalien gegen Unschuldige schließen, daß Deutschland auf diese Schiffe entscheidend angewiesen sei. Diesen Anstoß auszunützen, würde sich der Feind nicht entgehen lassen, sodaß von da an eine umfassende Agitation für Schiffsfluchten einsetzen würde, an deren Erfolg nicht zu zweifeln ist.

c.) Der erste Fall von Repressalien gegen Angehörige dänischer Seeleute würde – wie die Polizeiaktion vom 19.9.1944 und wie die seit einiger Zeit betriebene Festnahme ehemaliger dänischer Offiziere – sofort dazu führen, daß alle, die sich bedroht fühlen, sich in Sicherheit brächten. Wenn man nicht vorsorglich auf einen Schlag *alle* dänischen Seemannsfamilien festnähme, würde man in den späteren Einzelfällen nicht einen einzigen Angehörigen flüchtiger Seeleute mehr finden. Da eine solche Generalaktion aus Mangel an deutschen Kräften nicht durchführbar ist, wäre das Repressaliensystem praktisch nur in einem ersten Falle anwendbar. Dieser erste Fall aber würde eine Massenflucht erst der Menschen und dann der Schiffe auslösen.

3.) Wenn man das Verhältnis zwischen dem erstrebten Zweck und den zur Verfügung stehenden Mitteln richtig einschätzt und die aus bestimmten Maßnahmen zwangsläufig erwachsenden Folgen richtig erkennt, kommt man zu dem Ergebnis, daß im deutschen Interesse so lange wie möglich die dänische Handelsschiffahrt an dem psychologischen Zügel der eigenen Landesinteressen geführt werden sollte. Hierdurch wird mit minimalem deutschen Kraftaufwand ein maximaler Erfolg für mittelbare deutsche Interessen erzielt. Für den Fall, daß der erwähnte psychologische Zügel von uns selbst – durch vollen Einsatz der fahrenden dänischen Tonnage für militärische Zwecke – zerrissen werden muß, ist bereits die schlagartige Sicherstellung aller in den dänischen Gewässern befindlichen Schiffe vorbereitet.

gez. **Dr. Best**

248. Werner Best an das Auswärtige Amt 13. Dezember 1944

Det tyske mindretal havde rejst spørgsmålet om behovet for en bank i Nordslesvig, der kunne tage sig af alle mindretallets erhvervsmæssige funktioner. Best tog spørgsmålet op og redegjorde for, at Kreditanstalt Vogelsang ikke var egnet til formålet. Der var allerede ansatser til en kreditanstalt i DBNs Liefergemeinschaft, som der kunne bygges videre på. Liefergemeinschaft havde fået stillet store beløb til rådighed til gennemførelse af krigsvigtige opgaver. Ud fra ansatserne kunne der dannes en egentlig erhvervsmæssig kreditinstitution.

I Inland II i AA tog man 8. januar 1945 direkte telefonisk kontakt til dr. Werner ved gesandtskabet i København. Han oplyste, at mindretalsledelsen ville lade oprettelsen af en kreditinstitution vente. Det fremgår af en håndskrevet notits på skrivelsen.

Når Best søgte at fremme DBNs Liefergemeinschaft på denne måde, må det ses i forbindelse med de store lån, som DBN modtog og lod gå videre til Liefergemeinschaft. Lånene skulle finansiere de store foretagender, som de tyske virksomheder var engageret i. Blandt disse var først og fremmest Schumann Skibsværft og Maskinfabrik A/S i Sønderborg, som udførte omfattende reparationer for Kriegsmarine.[190] Lånene til værftet lige til april 1945 skulle opbygge det som et foretagende, der også kunne klare sig efter krigen. Det har Best næppe været uvidende om (Hvidtfeldt 1953, s. 112f. og PKB, 14, nr. 251 om DBN og Liefergemeinschafts rolle i denne periode).

Kilde: RA, pk. 249.

Abschrift Inl. II D 825 g Rs — Geheime Reichsache
Der Reichbevollmächtigte in Dänemark — *Kopenhagen, den 13.12.44*
I C/N Sch 3 g Rs

Auf den Erlaß vom 17.10.1944[191] – Inl. II 634 g Rs –

An das Auswärtige Amt
Berlin

Betr.: Kreditanstalt G. Vogelgesang.

Die planmäßige Lenkung und die Einschaltung der volksdeutschen Wirtschaft in kriegsbedingte Aufgaben hat auch auf dem Gebiete der Finanzierung die Volksgruppenführung vor neue Aufgaben gestellt. Die Frage der Bildung einer Bank in Nordschleswig, die wirklich in der Lage ist, allen Funktionen der volksdeutschen Wirtschaft gerecht zu werden, ist daher wie mir vom Kontor der deutschen Volksgruppe beim Staatsministerium mitgeteilt wird, schon längere Zeit Gegenstand von Erörterungen innerhalb der Volksgruppenführung.

Die Erweiterung des Geschäftsbereiches der Kreditanstalt G. Vogelgesang von einem reinen Realkreditinstitut zu einer allgemeinen volksdeutschen Bank, die auch für die gewerbliche Wirtschaft zuständig wäre, stößt aber auf Schwierigkeiten. Die Kreditanstalt G. Vogelgesang ist als Kommanditgesellschaft aufgezogen mit dem Reichsanwalt Vogelgesang in Hadersleben als persönlich haftendem Gesellschafter. Als solche ist sie nicht berechtigt, Einlagen entgegenzunehmen. Wenn daher in der Volksgruppe selbst verfügbares Kapital dem Unternehmen nutzbar gemacht werden sollte, wäre die Umwandlung in eine Aktiengesellschaft nach Maßgabe des dänischen Bankgesetzes in der Fassung vom 25. Juli 1938 erforderlich. Nur Unternehmen, die den Bestimmungen dieses Gesetzes entsprechen, sind neben Sparkassen zur Annahme von Einlagen berechtigt. Mit einer solchen Umwandlung wäre die Kreditanstalt G. Vogelgesang aber der staatlichen Bankaufsicht unterworfen. Die Umwandlung kann daher nicht empfohlen

190 I slutningen af marts 1945 beskæftigede Schumanns værft ca. 400 mand, men arbejdet blev hindret af stor materialemangel og transportproblemer. En ny afdeling af værftet var opført, men endnu ikke taget i brug (Skov Kristensen 1995d, s. 195).

191 Skrivelsen er ikke lokaliseret.

werden, umso mehr als das Unternahmen dann in seiner Tätigkeit ähnlichen Beschränkungen unterworfen wäre, wie die bereits bestehenden deutschen Banken.

Ich halte es im Einvernehmen mit der Volksgruppenführung für zweckmäßiger, untersuchen zu lassen, wie weit sich neben der Kreditanstalt Vogelgesang ein gewerbliches Finanzierungsunternehmen entwickeln läßt, das den Bestimmungen des angezogenen dänischen Bankgesetzes nicht unterworfen wäre. Ansätze hierfür sind bereits vorhanden. Der Liefergemeinschaft der Deutschen Berufsgruppen Nordschleswig A/S sind seinerzeit Geldmittel in Höhe von Kr. 550.000,- zur Durchführung kriegswichtiger Aufgaben zur Verfügung gestellt worden. Mit diesen Mitteln und einem eigenen Kapital von Kr. 200.000,- wurde eine Kreditgewährung ohne bestimmende Einflußnahme durch die Banken auf dem Gebiet der Auftragsverlagerung ermöglicht. Weitere Möglichkeiten der Kreditgewährung wurden erschlossen durch die Gewerbehilfe Nordschleswig, die sich hauptsächlich mit Sanierungsfragen befaßt hat, sowie durch das Werkhilfeverfahren der Deutschen Berufsgruppen, das der Hergabe von Betriebsauf- und ausbaukrediten dient. Aus diesen Ansätzen müßte sich ein gewerbliches Finanzierungsunternehmen entwickeln lassen, das dann später in einem geeigneten Zeitpunkt gegebenenfalls zu einer Handels- und Gewerbebank umgewandelt werden könnte. Vorschläge für eine solche Neuregelung sollen von der Volksgruppenführung vorgelegt werden.

gez. **Best**

249. Joachim von Ribbentrop an Lutz Schwerin von Krosigk 13. Dezember 1944

Ribbentrop svarede på Schwerin von Krosigks brev, at han ikke fandt det formålstjenligt at efterkomme danskernes ønske om at få clearing-kontoen omstillet fra RM til kroner. Det ville ikke ændre væsentligt ved danskernes leveringslyst. Ribbentrop fandt det fortsat heller ikke klogt at kræve et krigsbidrag af Danmark af de grunde, han tidligere havde givet. Med hensyn til forslaget om at udpege en generalingeniør for OT til at tage sig af byggeprisregulering og -kontrol henviste han til Bests stilling dertil, som han delte og gerne ville have RFMs reaktion på.

Ribbentrop lod 14. december en afskrift af brevet tilgå Walter Funk, Albert Speer, Keitel, Herbert Backe, Göring, Reichsbankdirektorium og Reichskommissar für die Preisbildung.

Keitel udtalte sig i sagen 8. januar 1945. Schwerin von Krosigks eventuelle svar er ikke lokaliseret.

Kilde: PA/AA R 105.210. RA, pk. 282. RA, Danica 201, pk 81A.

Abschrift
Der Reichsminister des Auswärtigen *Berlin, den 13. Dezbr. 1944*

An den Herrn Reichsfinanzminister
Graf Schwerin von Krosigk
Berlin W 8
Wilhelmplatz 1/2

Lieber Graf Schwerin von Krosigk!
Auf Ihr Schreiben vom 10. November 1944[192] teile ich Ihnen mit, daß ich auch der Auf-

192 Trykt ovenfor.

fassung bin, daß es zurzeit nicht zweckmäßig ist, die Frage der Umstellung des dänischen Clearing-Guthabens auf Dänenkronen entsprechend den Wünschen des Vorsitzenden des dänischen Regierungsausschusses Wassard weiter zu verfolgen. Ein Nichteingehen auf diesen Wunsch wird meiner Ansicht nach die dänische Bereitwilligkeit zu Warenlieferungen und anderen Leistungen für das Reich nicht wesentlich beeinträchtigen.

Was die Frage der Heranziehung Dänemarks zu einem Kriegskostenbeitrag betrifft, so halte ich es nach wie vor nicht für ratsam, diese Frage jetzt aufzurollen. Die Gründen hierfür, die in meinem Schreiben vom 31.5. d.Js.[193] dargelegt sind, haben auch heute noch im vollen Umfang Gültigkeit.

Zur Frage der Ernennung eines besonderen Generalingenieurs der OT für die Baupreisregelung und für die Baupreisprüfung in Dänemark habe ich die Stellungnahme des Reichsbevollmächtigten in Dänemark eingeholt. Von dem Inhalt des Telegramms des Reichsbevollmächtigten, das in der Anlage beigefügt wird, bitte ich, Kenntnis zu nehmen.[194] Die von dem Reichsbevollmächtigten geltend gemachten Gesichtspunkten scheinen mir einleuchtend zu sein. Ich wäre Ihnen deshalb dankbar, wenn Sie sich zu dem Bericht des Reichsbevollmächtigten Dr. Best noch einmal äußern würden.

Abschrift dieses Schreiben erhalten die Empfänger meines Schreibens vom 31.5.1944.

Mit bestem Gruß und Heil Hitler!
Ihr
gez. **Ribbentrop**

250. Walter Forstmann an Emil Hemmersam 13. Dezember 1944

Med oprettelsen af stillingen som Feldwirtschaftsofficer hos WB Dänemark i slutningen af august 1944 overgik forsyningen af værnemagten med alle typer af materialer og leverancer til denne funktion. Det gjorde det nødvendigt at korrigere den rigsbefuldmægtigedes forordning af 23. maj 1944 på enkelte punkter. Dette meddelte Forstmann gesandtskabet.

Best lod 13. februar 1945 beskeden gå videre til UM, hvor M.A. Wassard 21. februar præcist kommenterede det med, at det ikke betød nogen udvidelse af området for tyske krav eller rekvisitioner, da "Feldwirtschaftsoffiziers" forretningsområde var udskilt fra Rüstungsstab Dänemark (KB, Herschends arkiv).

Kilde: BArch, Freiburg, RW 27/17. RA, Danica 1069, sp. 11, nr. 14.773. KTB/Rü Stab Dänemark 4. Vierteljahr 1944, Anlage 19.

Abschrift! Anlage 19.
Chef Rüstungsstab Dänemark *13.12.1944*

Bezug: Dort. Schr. II D. vom 2.12.44.[195]
Betr.: Verordnung des Reichsbevollmächtigten in Dänemark über Lieferungen und Leistungen für die deutsche Wehrmacht vom 23. Mai 1944.

193 Trykt ovenfor.
194 Bests telegram nr. 1343, 30. november 1944.
195 Trykt ovenfor.

An Reichsbevollmächtigten in Dänemark
– Leiter der Hauptabteilung II –
Vesterport.

Mit dem 28.8.44 hat Chef Rü Stab Dän. die "Abt. Wehrwirtschaft im Rü Stab Dänemark" an den "Feldwirtschaftsoffizier beim Wehrmachtbefehlshaber Dänemark", Oberstleutnant Lambert, abgegeben.[196]

Damit nahm Oberstleutnant Lambert die Bearbeitung gewisser Aufgaben für die Versorgung der Besatzungstruppe, die bisher dem Chef des Rü Stab Dän. als gleichzeitigem Leiter der Abt. Wehrwirtschaft im Rü Stab Dän. oblagen, z.B. die Versorgung der Truppe mit Bau- und Generatorholz, Zement, Eisen, Metallen. Besonders bei der Beschaffung von Holz für die Truppe kam es wiederholt zu beschlagnahmen, die im Einvernehmen mit Oberforstmeister Dr. Wiedemann verfügt wurden.

Es ist deshalb richtig, § 5 der o.a. Verordnung vom 23. Mai 1944 wie folgt zu ergänzen:
"Für
1.) die Erteilung der Auflage, Aufträge nach § 1 anzunehmen und durchführen.
2.) die Erteilung von Zustimmungen nach § 2,
3.) die Anordnung von Beschlagnahmen nach § 4,
4.) die Festsetzung und Auszahlung von Entschädigungen nach § 4
sind der Wehrmachtintendant Dänemark, der Rüstungsstab Dänemark und der Feldwirtschaftsoffizier beim Wehrmachtbefehlshaber Dänemark zuständig.

Der Chef des Rüstungsstabes Dänemark
gez. **Forstmann**
Kapitän zur See

Nachrichtlich:
Feldwirtschaftsoffizier beim Wehrmachtbefehlshaber Dänemark, Kopenhagen.

251. Werner Best an das Auswärtige Amt 13. Dezember 1944

Best var blevet pålagt at afgive tre af sine kvindelige funktionærer til den totale mobilisering, hvilket var sket. Efterfølgende fandt han ud af, at de tre ikke var afrejst til krigsindsats, men i stedet via RSHA var overført til tjeneste hos BdS i København. Best protesterede til AA over det dårlige indtryk, som denne fremgangsmåde måtte fremkalde.

Reelt var det endnu et eklatant eksempel på, at Bovensiepen udnyttede sin styrkede position i Danmark. Best fik svar fra AA 18. december, efter at Büro RAM 15. december havde givet Wagner instrukser i sagen.

Kilde: PA/AA R 69.205.

Telegramm

Kopenhagen, den	13. Dezember 1944	19.10 Uhr
Ankunft, den	13. Dezember 1944	21.00 Uhr
Nr. 1378 vom 13.12.[44.]		

196 Se Forstmann til Waeger 31. juli 1944 og Feldwirtschaftsofficer Lamberts notat 31. august 1944.

Mir ist bekannt geworden, das von den Arbeitskräften, die ich anläßlich des Personalabbaues im Zuge der totalen Mobilmachung dem Auswärtigen Amt zur Verfügung gestellt habe, die Kanzleiangestellten Frau Willich, Fräulein Obst und Fräulein Hertel vom Reichssicherheitshauptamt übernommen und dem Befehlshaber der Sicherheitspolizei in Kopenhagen zugeteilt worden sind. Ich bitte um Klärung und Unterrichtung, wie dies möglich war. Denn wenn diese Angestellten nicht für einen Kriegseinsatz im Zuge der totalen Mobilmachung benötigt werden, sondern wieder nach Kopenhagen entsandt werden können, hätte ich ebenso gut in meiner Behörde behalten können, die infolge des konsequent durchgeführten Personalabbaus durch Mangel an Arbeitskräften beeinträchtigt ist. Im übrigen macht es einen schlechten Eindruck, wenn gerade einige junge Frauen, die zum Kriegseinsatz im Reich abgegeben wurden, auf einem solchen Umweg nach Kopenhagen zurückkehren, von wo nicht nur sie, sondern auch alle anderen in das Reich abgegebenen Arbeitskräfte sehr ungern weggegangen sind. Es sollte deshalb unbedingt verhindert werden, daß Arbeitskräfte, die von einer hiesigen Behörde zum Kriegseinsatz im Reich abgegeben worden sind, einer anderen Kopenhagener Dienststelle zugewiesen werden.

Dr. Best

252. Kriegstagebuch/Admiral Skagerrak 13. Dezember 1944

Wurmbach indførte i krigsdagbogen meddelelsen om, at en række danske værfter fra 12. december var besat med tropper fra sikkerhedspolitiet og fra alle tre værn for at hindre sabotage. Det var sket uden problemer.

BdO havde en tilsvarende melding i sin krigsdagbog dagen før, men var mere præcis med opgivelse af de steder, det drejede sig om: "12.00 Uhr: In Kopenhagen wurden die Werften Burmeister & Wain, Orlogswerft, Nordhavnswerft, die Maschinenfabrik Strandgade, Gießerei Teglholm, die Werften in Christiansminde, Svendborg u. Korsör durch milit. Wachen und Pol.-Kdos. schlagartig ohne Zwischenfälle besetzt." (BArch, R 70 Dänemark, KTB/BdO 12. december 1944).

I den illegale presses fremstilling gik besættelsen af skibsværfterne ikke helt uden problemer. På B&W blev arbejdet nedlagt, og først genoptaget, da tyskerne opgav deres plan om at overtage bevogtningen af samtlige afdelinger på værftet, og i stedet nøjedes med at bevogte tyske nybygninger og de skibe, der for tysk regning lå til reparation. Tyskerne stillede tillige krav om at foretage visitationer af arbejderne ved indgangene, hvilket også blev frafaldet igen. Portkontrollen forblev underlagt værftets egne folk, men tysk politi skulle have lov til at undersøge f.eks. ind- og udkørende vogne (*Information* 13. december 1944, *Morgenbladet* 14. december 1944. Se også KB, Bergstrøms dagbog 12. december).

Visitation af arbejderne på B&W kom igen på dagsordenen i begyndelsen af 1945, se KTB/Kriegsmarinedienststelle Kopenhagen 24., 25. og 28. januar 1945.

Kilde: KTB/ADM Dän 13. december 1944., RA, Danica 628, sp. 3, s. 3776.

[...]

Ich gebe mit Admiral Skagerrak G 21846 MOK Ost, nachr. Wehrm. Bef. Dän. folgendes:

Dänische Werften Kopenhagen, Helsingör, Odense, Svendborg, Nakskov, Aarhus, Aalborg, Frederikshavn, Esbjerg, Korsör 12.12. vom Befehlshaber der Sicherheitspolizei durch Truppen aller Wehrmachtsteile schlagartig besetzt zur Sicherstellung Sabotageschutz. Bisher keine Zwischenfälle.

[...]

253. Rudolf Bobrik an Horst Wagner 14. Dezember 1944

Der var på AAs foranledning blevet afholdt et møde i AA med deltagelse fra justitsministeriet, værnemagten og SS vedrørende oprettelsen af en civil tysk domstol i Danmark under den rigsbefuldmægtigede. Bobrik tog referat af mødet. Forslaget fra Best om oprettelsen af en civil domstol blev mødt med ligegyldighed fra både værnemagtens og SS' side, mens justitsministeriets repræsentant forbeholdt sig ministeriets stilling. Bobrik konstaterede, at der ikke var politiske betænkeligheder forbundet med forslaget, men lod det gå til referatet, om Bests prestigegrunde til at fremsætte forslaget kom på det rette tidspunkt. Der var også nogle praktiske problemer forbundet med forslaget, som skulle løses.

Hvordan forslagets videre skæbne blev, vides ikke, men sandsynligvis blev det henlagt som uaktuelt, ikke mindst hvis referentens holdning dækkede AAs (Rosengreen 1982, s. 156).

Kilde: RA, pk. 233.

Inl. II B — e o. Inl II B 2833/g
LR Dr. Bobrik — Geheim

In der heutigen Ressortbesprechung kam zum Ausdruck, daß der Reichsbevollmächtigte eine eigene Gerichtshoheit in Dänemark für sich beansprucht, weil bereits die Wehrmacht und die SS eine eigene Gerichtsbarkeit besitzen. Dieser Gerichtsbarkeit des RBV sollten in sachlicher Beziehung ursprünglich alle Straftaten unterstellt werden, die gegen deutsche Interessen gerichtet sind, und in personeller Beziehung alle deutschen Staatsangehörigen, die eine strafbare Handlung begangen haben, soweit sie nicht unter die Gerichtsbarkeit des Militärbefehlshabers oder des Höheren SS- und Polizeiführers fallen oder von der Weisung des Führers über Sabotage- und Terrorakte erfaßt werden. Ursprünglich war auch gedacht, dänische Staatsangehörige unter diese Gerichtsbarkeit zu stellen, soweit sie Handlungen begangen haben, die gegen deutsche Interessen gerichtet sind. Hierauf ist jedoch von Seiten des RBV verzichtet worden, so daß diese Frage ausschied. Die Vertreter der Wehrmacht und der SS waren hinsichtlich dieser Gerichtsbarkeit des RBV uninteressiert. Der Vertreter der Wehrmacht äußerte sogar insofern ein eigenes Interesse, als sie personell und sachlich von diesen Angelegenheiten befreit zu werden wünschten (früher waren diese Dinge, soweit es sich aus der Besprechung ergab, von den Militärgerichten abgeurteilt worden).

Es wurde festgestellt, daß politischerseits keine Bedenken gegen die Schaffung einer Gerichtsbarkeit des RBV bestehen.

Es entstand jedoch die Frage, ob diese Prestigegründe des RBV in heutiger Zeit berechtigt seien und von wem die Gerichtsbarkeit, die einer Konsulargerichtsbarkeit ähnele, ausgeübt werden soll, insbesondere durch wen nachher der Strafvollzug gewährleistet werden soll.

Zu einer abschließenden Vereinbarung über die weitere Behandlung kam es nicht. Der Vertreter des Reichsjustizministeriums behielt sich die Auszuschließenden des Justizministeriums zu den aufgestellten Fragen vor.

Hiermit Herrn Gruppenleiter Inl. II vorgelegt

Berlin, den 14. Dezember 1944.

Bobrik

254. Hans-Heinrich Wurmbach an Seekriegsleitung 14. Dezember 1944

Wurmbach havde fået Bests tilslutning til sit forslag om kun at levere de fire færger, der deltog i operation "Nordlicht" tilbage, hvis "Store Bælt" vendte hjem fra Sverige. Best bad dog om at få meddelelse tre uger forud om færgernes hjemkomst, så han kunne tage de nødvendige diplomatiske skridt (Bests kalenderoptegnelser 14. december 1944).

"Store Bælt" vendte først tilbage til Danmark efter 5. maj 1945.

Kilde: BArch, Freiburg, RM 7/1813. RA, Danica 628, sp. 3, nr. 3778 og sp. 7, nr. 5920.

SSD MDKP 0241 14/12 01.30 =
M AÜ = SSD Nachr OKM 1 Skl =

GLTD SSD MOK Ost = SSD Nachr OKM 1 Skl = SSD Nachr OKM Skl Qu A VI =
Gkdos

Angelegenheit Austausch Fähre "Store Belt" gegen beschlagnahmte dän. Fähren im norw. Raum heute mit Reichsbev besprochen. Dieser stimmt Vorschlag zu und bittet, etwa 3 Wochen vor Heimkehr der Fähren um Unterrichtung, um diplomatischen Schritt bei Dänischer Regierung einzuleiten.

Kom Adm Skag

255. Karl Kaufmann an Joachim von Ribbentrop 14. Dezember 1944

Kaufmann henvendte sig til Ribbentrop, da han fra sin skibsfartssagkyndige i København[197] havde hørt, at Best havde til hensigt at udstede en forordning som foreslået af Keitel. Imidlertid var Kaltenbrunner 7. december kommet med instrukser om de forholdsregler, der skulle følges til bekæmpelse af sabotage og de soneforanstaltninger, der skulle bringes i anvendelse mod sabotører. Disse forholdsregler anså Kaufmann for de bedste i den nuværende situation, og han antog derfor, at Keitels forslag bortfaldt og ville være taknemmelig for, at det blev bekræftet over for Best.

Kaufmanns brev tjente som støtte for Best, som forud havde givet udtryk for de synspunkter, som Kaltenbrunner 7. december gjorde til sine. Mewis og Best så også ret ens på de forholdsregler, der skulle tages med hensyn til sabotagebekæmpelsen. Endelig er der ikke noget, der tyder på, at Best ville følge Keitels forslag, hvilket han da heller ikke gjorde, da han skrev derom til AA 1. januar 1945.

Noget svar fra Ribbentrop til Kaufmann er ikke lokaliseret, men endnu 27. december arbejdede AA ud fra Keitels forslag, da det skrev til Best (i et ikke lokaliseret telegram), så Kaufmanns indgriben til Bests fordel kan ikke være blevet taget nådigt op af RAM.

Kilde: PA/AA R 100.693.

Büro RAM Abschrift

F e r n s c h r e i b e n

SSD HKHB 02317 14.12.44

An Reichsminister des Auswärtigen Herrn Joachim von Ribbentrop

197 Om den skibsfartssagkyndige var Duckwitz eller Mewis er uklart.

Sehr geehrter Parteigenosse von Ribbentrop.
Erfahre von meinen Schiffahrtssachverständigen in Kopenhagen, daß Reichbevollmächtigter Dr. Best eine Verordnung im Sinne des Vorschlages des Gen. Feldmarschall Keitel zu erlassen beabsichtigt. Inzwischen hat Obergruppenführer Dr. Kaltenbrunner mit seinem Erlaß vom 7.12.[198], von den auch Ihn Kopie zuging, diejenigen Maßnahmen befohlen, die als Vorbeuge gegen Sabotagen und als Strafe- und Sühnemaßnahmen gegen Saboteure zur Anwendung zu bringen sind. Ich halte diese Anweisung für zweckmäßig und der Lage am besten gerecht werdend. Ich nehme an, daß damit eine Verordnung in Sinne des Vorschlages des Generalfeldmarschalls Keitel sich erübrigt und wäre Ihren dankbar, wenn sie dies Herrn Dr. Best bestätigen würden.

Heil Hitler!
Ihr
Karl Kaufmann, HKS
Nr. 2582/44 GRS

Verteiler:
VLR Ripken
VLR Tannenberg
Ges. Martinus
Ha POL VI

256. Werner Best an das Auswärtige Amt 15. Dezember 1944

Best videresendte den sjette af Bovensiepens "Meldungen aus Dänemark" uden kommentarer.
Kilde: PA/AA R 101.041. RA, pk. 233.

Der Reichsbevollmächtigte in Dänemark — *Kopenhagen, den 15.12.1944*
II 2374/44. — Geheim!

An das Auswärtige Amt
Berlin

Betr.: Die "Meldungen aus Dänemark" des Befehlshabers der Sicherheitspolizei und des SD in Kopenhagen, Nr. 6
2 Durchschläge
1 Anlage – dreifach –

In der Anlage wird die Nr. 6 vom 8. Dezember 1944 der "Meldungen aus Dänemark" des Befehlshabers der Sicherheitspolizei und des SD in Kopenhagen in dreifacher Ausfertigung mit der Bitte um Kenntnisnahme übersandt.

W. Best

198 Trykt ovenfor.

Der Befehlshaber der Sicherheitspolizei
und des SD in Dänemark
– III C 4 –

Kopenhagen, den 8. Dezember 1944
Geheim!

Meldungen aus Dänemark
Nr. 6

Vorliegender Bericht ist nur persönlich für den Empfänger bestimmt und enthält Nachrichtenmaterial, das der Aktualität wegen unüberprüft übersandt wird.

Verteiler: [se "Meldungen aus Dänemark" Nr. 3 (Best til AA 22. november 1944)]

1.) Allgemeine Stimmung:
Nachdem sich die deutsche Front im Westen stabilisiert hat und der Angriffsschwung der Alliierten gebrochen zu sein scheint, hat das Interesse für diesen Frontabschnitt innerhalb der dänischen Bevölkerung nachgelassen.

Trotzdem aber hört man immer wie der den Hinweis auf die Materialüberlegenheit der Engländer und Amerikaner, die letzten Endes doch den Krieg zu ihren Gunsten entscheiden werde. Andererseits ist jedoch festzustellen, das durch die zähe deutsche Verteidigung die Alliierten eine Einbuße ihres Prestiges hinnehmen mußten. Der Durchbruch der französischen Truppen an der Schweizer Grenze in das Elsaß wird auch weiterhin mit Interesse aufgenommen. Viele Dänen sind erstaunt, daß Deutschland noch imstande ist, so starken Widerstand zu leisten. Vor allem wundert man sich darüber, daß die Wehrmacht immer noch Benzin hat. Rumänien sei längst verlorengegangen und synthetischer Brennstoff nur im begrenzten Umfange vorhanden.

Die Versorgung Deutschlands wird als außerordentlich gefährdet angesehen. Allein der Verlust von bisher lebenswichtigen Gebieten zwinge Deutschland in die Knie. Die deutsche Bevölkerung könne nicht mehr lange die Belastung aushalten.

Bei der Erörterung des Kriegsgeschehens beschränkt man sich in der Hauptsache auf die Westfront. Einige rechnen mit einer sowjetrussischen Großoffensive noch vor Einbruch der Kälte, da es den Sowjets in den letzten beiden Winterhalbjahren gelungen sei, unsere Truppen stark zurückzudrängen.

Bezüglich der Front in Ungarn wundert man sich, daß es den Sowjets trotz ihres ungeheuren Einsatzes an Menschen und Material nicht gelungen ist, Budapest einzunehmen. Doch herrscht auch hier der Glaube vor, daß die Verdrängung unserer Truppen aus dem Balkangebiet und den südosteuropäischen Staaten nur noch eine Frage der Zeit sei.

Die Verhältnisse in den von den alliierten Truppen besetzten Gebieten, werden immer mehr mit Skepsis betrachtet. Die letzten Ereignisse in Griechenland sind auch in anglophilen Kreisen nicht ohne Eindruck geblieben. Man rechnet aber damit, daß es den Engländern gelingt, in kürzester Zeit die Ordnung in diesem Lande wieder herzustellen.[199] Die in den besetzten Gebieten herrschende Not wird zum größten Teil auf das Schuldkonto der Deutschen geschrieben, die beim Abzug alles vernichtet oder

199 Der var borgerkrig i Grækenland, kommunistiske styrker søgte at sætte sig i besiddelse af Athen.

mitgenommen hätten. Naturgemäß dauere es längere Zeit, um die Verhältnisse wieder einigermaßen zu normalisieren. Der Versuch, in Frankreich und Belgien die Widerstandsbewegung in die regulären Truppen einzugliedern, wird als Beweis dafür gewertet, daß der Kommunismus in diesen Ländern von den Alliierten nicht gewünscht sei.

Im Einblick auf die Entwicklung des Verhältnisses zwischen Schweden und Deutschland rechnet man in absehbarer Zeit mit einem schwedischem Kriegseintritt auf Seiten unserer Feinde.

Anlaß dieses schwedischen Schrittes sei die Sperrung der Ostsee durch die Deutschen. Die Schweden würden dann mit ihrer gut ausgerüsteten Armee die dänischen Inseln besetzen.

In deutschfreundlichen Kreisen ist nach wie vor das Vertrauen der deutschen Führung vorhanden. Allgemein wird hier mit einer baldigen Wendung des Krieges gerechnet. Hierzu haben nicht nur der Einsatz der neuen Waffe, sondern auch die Gerüchte um weitere in Vorbereitung befindliche Waffen beigetragen. So wird u.a. erzählt, daß einige hundert feindliche Flugzeuge, die nach Deutschland eingeflogen seien, völlig zerstört wurden. Ferner wird in diesen Kreisen viel von einem neuen Flugzeugtyp gesprochen, der in die feindlichen Verbände hineinstößt und sie durch Rammen unschädlich macht. Auch die Mitteilung Churchills, daß der Krieg wahrscheinlich erst im Sommer 1945 zu Ende geht, hat dazu beigetragen, die Siegeszuversicht zu stärken.

Im allgemeinen ist festzustellen, daß die Begeisterung für den Bolschewismus in allen Bevölkerungskreisen einen Dämpfer erhalten hat, was nicht zuletzt auf das gespannte Verhältnis zwischen der Sowjetunion und den übrigen Feindstaaten zuführen ist. Man gibt nur ungern zu, daß Dänemark im Falle eines alliierten Sieges durch den Kommunismus bedroht ist.

Auch in der Einstellung Sabotageakten gegenüber ist ein spürbarer Umschlag zu bemerken. Die meisten Dänen lehnen sie ab, wagen es aber nicht, öffentlich dagegen zu protestieren.

Die Möglichkeit eines deutschen Sieges hat die Bevölkerung Gerüchten gegenüber weit vorsichtiger gemacht. Das Unsicherheitsgefühl wegen der angeblich fehlenden Rechtsicherheit hat ebenfalls abgenommen. Die immer stärker ins Auge fallende Tätigkeit der deutschen Polizei der Verbrecherwelt gegenüber hat die Mehrzahl der Bevölkerung mit Genugtuung zur Kenntnis genommen, obwohl sie auch hier in ihren Äußerungen sehr zurückhaltend ist. Das Auftreten deutscher Polizeibeamter in den Straßen der Stadt hat besonders in deutschfreundlichen Kreisen erfreut, die sich wesentlich sicherer fühlen als früher.

2.) Presse und Rundfunk:

In der allgemeinen Haltung der Presse hat sich kaum etwas geändert. Das Gros der Zeitungen berichtet neutral und loyal über die Kriegsereignisse. Einzelne Provinzzeitungen fahren dagegen fort, in ihren Überschriften die Dinge so darzustellen, als ob es nur Erfolge auf Seiten unserer Feinde gebe. Besonders das in Nordschleswig erscheinende dänische Blatt "Dannevirke" tut sich hier immer wieder hervor. Es brachte am 28. November die Überschrift: "Amerikanische Panzertruppen bis zum Saargebiet vorgedrungen." Auch "Heimdal" und "Jydske Tidende" sowie "Sönderjyden" und "Vestjyden" brachten in ihren Ausgaben vom 28. und 29. November die Überschriften "Neue alliierte Reserven bei Aachen eingesetzt", "Der Druck bei Aachen stark erhöht," "In Lothringen ziehen die Deutschen ihre Truppen zurück" und "Amerikanische Armeen nahmen den Angriff nordöstlich von Aachen wieder auf." Die letztgenannte Zeitung brachte allerdings am 4. Dezember die positive Überschrift "Deutsche Gegenangriffe gegen die Offensive sechs alliierter Armeen." Die bisher als besonders deutschfeindlich bekannten Zeitungen "Svendborg Amtstidende" und "Langelands Tidende" enthielten sich antideutscher Überschriften und Mitteilungen. "Langelands Tidende" ist seit dem 1. Dezember von einem lokalen Konsortium übernommen worden und untersteht somit nicht mehr der "Svendborg Amtstidende."

Aus der Bevölkerung wird immer wieder die Bemerkung laut, daß durch die Bezeichnung "Ritzaus Büro" das Interesse an den einzelnen Veröffentlichungen von vornherein genommen sei, da es sich klar um deutsche Produkte handele.[200]

Im großen und ganzen beschäftigte sich die Presse auch weiterhin in starkem Umfange mit den Kriegsereignissen, namentlich mit der Westfront. Es wurde in der Berichterstattung vor allem auf die schweren Kämpfe und den wechselnden Charakter der Schlacht hingewiesen. So berichtete "Fyens Stiftstidende" am 29. November: "Der Kampf um die Saarlinie hat seinen Anfang genommen mit einer erbitterten Panzerschlacht bei Saarunion." "Kolding Avis" sprach von "Gewaltigen Kämpfen von Holland bis zur Schweiz." "Sönderjyden" am 30. November: "Die Schlacht bei Aachen hat ihren Höhepunkt erreicht." "Politiken" schrieb am 2. Dezember über drei Großschlachten am Westwall, und zwar: "Die Materialschlacht im Gebiet Köln-Aachen," "Die Kämpfe an der Saarlinie von Merzig bis Saarunion" und "Die Kämpfe am deutschen Brückenkopf des westlichen Rheinufers." Am gleichen Tage wurde von "Socialdemokraten" der amerikanische Frontalangriff in den Vogesen bei Markirch mit großer Überschrift hervorgehoben. Man hat jedoch den Eindruck, als ob die Presse vermeidet, zum Ausdruck zu bringen, daß die deutsche Westfront sich voll und ganz gegen sechs alliierte Armeen behauptet und die deutschen Truppen bei Aachen und in Lothringen wiederholt zum Angriff antreten. Lediglich "Fädrelandet" stellte dieses in seiner Ausgabe von 4. Dezember klar heraus.

Die Kämpfe an der Ostfront fanden nur selten Erwähnung. "Vestjyden" schrieb am 2. Dezember: "Die Russen bereiten einen neuen Großangriff gegen Budapest vor." "Sönderjyden" wählte am 2. Dezember die Überschrift: "Die Russen haben die Winteroffensive an der ungarischen Front begonnen."

Einen großen Raum nahm in der Berichterstattung die Churchill-Rede ein. Den Lesern wurde mitgeteilt, daß Churchill vor eine schnelle Entscheidung des Krieges warnt.

Die Mitteilungen über die Unruhen und die Unzufriedenheit in Kanada wurden nur in bescheidenem Umfange gebracht. Sie blieben aber trotzdem nicht ohne Beachtung und Interesse in der Öffentlichkeit.

Die Verhältnisse in Griechenland wurden besonders von "Berlingske Tidende" in auffälliger Weise hervorgehoben. Die Zeitung schrieb am 4., 5. und 6. Dezember auf

200 Det skyldtes, at besættelsesmagten i mange tilfælde pålagde pressen tvangsartikler fra Standarte "Kurt Eggers" forsynet med RB som kilde (Bindsløv Frederiksen 1960, s. 434).

der ersten Seite in großen Überschriften von blutigen Tumulten in Athen und gab als Veranlassung der Unruhen an, daß die Widerstandsbewegung – wie in Belgien – die Regierungsforderung über die Entwaffnung aller irregulären Formationen kritisiert habe. Weiter wurden die Spannung und die allgemeinen Zustände während des Generalstreikes in Athen beschrieben. Die offizielle deutsche Bezeichnung der Zustände als Anarchie und Revolution fand dabei Anwendung. Die Vorgänge in den von den Alliierten besetzten Ländern waren Gegenstand vieler Meldungen und Berichte.

Das dänische Rundfunkprogramm wird in allgemeinen von der Hörerschaft als wenig inhaltsreich bezeichnet. Schuld daran sei die gegnerische Propaganda, die die dänische Künstlerschaft aufgefordert habe, sich dem Rundfunk fernzuhalten. Die deutschen Vorlesungen, die verschiedentlich in der Zeit von 21.00 bis 21.45 Uhr stattfanden, werden im allgemeinen abgelehnt. Wenn ein Hörer deutsche Sendungen hören möchte, so sei es ihn ja freigestellt, einen deutschen Sender einzuschalten, im dänischen Rundfunk wolle man diese deutschen Vorlesungen jedoch nicht hören.

Die Vorträge von Redakteur Hoyer fanden nach wie vor Anklang. Vor allem interessiert man sich für seinen Briefwechsel mit Gegnern.

Von den Vorträgen über Sozialismus wird der am Freitag, den 1. Dezember 1944, gehaltene kritisiert. Der Sprecher habe zu sehr im Arbeiterjargon und im Stil einer sozialistischen Wählerversammlung gesprochen. Vor allem in bürgerlichen Kreisen ist man über den sozialistischen Ton empört.

Die "Aktuelle Uge-Revue" am Freitag Abend wird verschieden beurteilt. Einige behaupten, das Programm sei früher besser gewesen, andere wieder fühlten sich durch die Sendung angesprochen. Kritik fand die Tatsache, daß diese Sendungen mit einem Hornsignal, ähnlich wie in Deutschland, eingeleitet werden.

Die "Aktuellen 5 Minuten des Tages" werden im allgemeinen gut beurteilt. Die dänische Hörerschaft ist an Themen über andere Länder und deren politische und militärische Leiter interessiert.

Die in der letzten Zeit von dem Lektor Grüther von dem Deutschen wissenschaftlichen Institut gehaltenen Vorträge fanden Interesse.[201] Sympathisch berührt habe die Bekanntgabe, daß ein Deutscher den Vortrag hält und man dieses nicht, wie es sonst so oft der Fall ist, auf diese oder jene Weise verschleiert.

3.) Innerpolitisches:

Die Vernichtung der "Folkeregister" wird lebhaft erörtert. Man kann sich nicht erklären, aus welchem Grunde diese Attentate durchgeführt werden. Lediglich die stark politisch Interessierten stimmen den Zerstörungen zu, da es hierdurch den Deutschen unmöglich gemacht werde, verdächtige Personen zu verhaften.[202]

201 Lektor W. Grütter holdt fem foredrag 1943-44 (Christiansen/Nørgaard 1945, s. 195).

202 Modstandsbevægelsens aktioner mod folkeregistrene fandt sted landet over og skulle besværliggøre Gestapos arbejde (se bl.a. *Daglige Beretninger*, 1946, s. 381, 385f. (Ålborg), 406 (Gentofte), 425 (Viborg), 432f. (Hobro, København, Frederiksberg, Tikøb), 449 (Horsens), 450 (Kalundborg, Holbæk), 453 (Gladsaxe), 471 (Lyngby), 483 (Randers), Hæstrup 1979, s. 399 (Odense)). Imidlertid tog ødelæggelserne eller fjernelserne af folkeregistrene et sådant omfang, at Frihedsrådet 6. december 1944 manede til at overveje det hensigtsmæssige heri (Alkil, 1, 1945-46, s. 270, *Information* 7. december 1944).

Die Mitteilungen des schwedischen und englischen Rundfunkes über die Errettung des Pastors Sandbeck hat bei der gesamten Bevölkerung als Sensation gewirkt.[203] Die Freude im gegnerischen Lager war sehr groß. Deutschfreundliche Kreise fragen sich, wie dieses möglich sei und vor allem, warum man deutscherseits den Pastor Sandbeck für tot erklärt habe. Die angebliche Folterung des Pastor Sandbecks gab ebenfalls zu reichlichem Gesprächsstoff Anlaß. In Zusammenhang damit wurden zahlreiche Gerüchte über angebliche Folterungen von Gefangenen bei der deutschen Sicherheitspolizei in Umlauf gebracht.

Die in der illegalen Presse "Budstikken" veröffentlichte Mitgliederliste der nationalsozialistischen Lehrer in Dänemark hat in NS-Kreisen zu großer Beunruhigung geführt.[204]

Am letzten Wochenende erhielten verschiedene Hotels in Aarhus telefonische Anrufe, in denen sie aufgefordert wurden, ihren Betrieb zu schließen. Es handelt sich hier in erster Linie um das Hotel "Royal," in dem vorwiegend Angehörige der deutschen Wehrmacht einquartiert sind. Für den Fall, daß der Aufforderung nicht Folge geleistet werde, sollte das Hotel in die Luft gesprengt werden. Um diesen angedrehten Sabotageanschlägen entgegenzuwirken, wurden 11 prominente Personen der Stadt Aarhus zwangsweise in das Hotel eingewiesen, wo sie während der Nacht bis zum nächsten Morgen untergebracht sind.[205] Die Stadtverwaltung Aarhus hat am 6. Dezember 1944 gegen die Sicherstellung der Aarhuser Prominenz Protest erhoben. In der Öffentlichkeit stießen die deutschen Maßnahmen auf Ablehnung. Sie waren Anlaß zu einer Gerüchtewelle, die davon sprach, daß die Deutschen nun dazu übergegangen sind, Geiseln zu nehmen, die dann bei jeder Sabotage gegen Wehrmachtseigentum erschossen wurden.

Die am 4. Dezember 1944 an zwei Odenseer Konservenfabriken durchgeführte Sabotage, wodurch die Fleischkonservenfabrik Eckhoff völlig vernichtet und "Fyens Konserves-Fabrik" schwer beschädigt wurde, hat bei der Bevölkerung allgemeine Zufriedenheit hervorgerufen. Da die Bombenexplosionen zwischen 18.00 und 18.30 Uhr erfolgten, waren sie bald in aller Munde. Man befürchtete, daß nun eine "Schalburgtage" durchgeführt wird. In den Mittagsstunden des 7. Dezember erfolgte eine weitere Explosion in einer Odenseer Gross-Schlachterei.[206]

203 Se "Meldungen aus Dänemark" Nr. 5 (Best til AA 6. december).

204 *Budstikken Gaar*, november 1944, s. 4-5 bragte navnene på 75 medlemmer af Nationalsocialistisk Lærerforbund, hvilket blev betragtet som et meget ringe resultat i betragtning af, at der var ca. 15.000 lærere. På listen optrådte både kendte nazister (f.eks. Carl Brodthagen) og familiemedlemmer til sådanne (f.eks. Gudrun Vibensgaard), såvel som tilkomne og atter udmeldte som cand.mag. Gordon Norrie (f. 1912).

205 Denne forebyggende anvendelse af gidsler fra Gestapos side er ret enestående og må ses dels på baggrund af, at "Hotel Royal" 2. december skulle have indlogeret højtstående tyske officerer, bl.a. admiral Wurmbach og Pancke (*Information* 4. december 1944, *Morgenbladet* 5. december 1944, Andrésen 1945, s. 83f., *Daglige Beretninger*, 1946, s. 462, 467, 471), dels at Gestapo samtidig havde indledt en mere aggressiv kurs i Århus under dets nye chef Kriminalrat Rudolf Renner, der 30. november havde krævet fremover løbende at modtage en hel række oplysninger fra de danske myndigheder, herunder om drab, røveri, sabotage, om piger med veneriske sygdomme, om hotelanmeldelser o.a, samt at de Gestapofolk, der havde mistet alt under det engelske bombardement, fik nyt tøj. Kravene var tilføjet trusler om bl.a. at deportere pigerne med veneriske sygdomme til Tyskland (KB, Herschends dagbog nr. 287 -289, 1.-2. december 1944).

206 Se om sabotagerne *Daglige Beretninger*, 1946, s. 469, 472 og Hæstrup 1979, s. 399f. Muligvis var schalburgtagen mod Odinstårnet 14. december gengældelsen herfor (Bøgh 2004, s. 181, Skov 2005, s. 10 og tillæg 3 her).

In illegalen Kreisen spricht man darüber, daß im Lande augenblicklich große Ausbildungen in Lagern stattfinden. Die Leiter dieser Lagern sollen meistens alte Polizeibeamte oder Offiziere des früheren dänischen Heeres sein. Man sei unzufrieden darüber, daß etwa 20 % der auszubildenden Leute Kommunisten sind. Man wolle sie gern loswerden, doch müsse man sie aus verschiedenen Gründen behalten. Der Zweck dieser Ausbildung sei die Organisation eines Revolutionsheeres. An dem Tage, an den es losgehe, sollen Uniformen aus Schweden gebracht worden. Auch seien bereits Windjacken in Uniformart angefertigt worden.

Ferner werde innerhalb der DNSAP eine Waffenausbildung durchgeführt. Zwei alte SA-Männer, namens Carl Hansen und Nannested-Möller, seien die Leiter. Beide hätten stets in scharfer Opposition gegen das Schalburgkorps gestanden.

Die vertrauliche Mitteilung an die Hauptverwaltung der Sozialdemokratie berichtet über die Agitationsergebnisse der letzten Woche folgendes:

"Rönde (Kreis Ebeltoft) 122 neue Mitglieder, Kreis Nyborg 449 neue Mitglieder, Frederikshavn 287, Tyrsted-Uth 70 und Viborg hat 577 neue Mitglieder zu verzeichnen. In der vertraulichen Mitteilung steht weiter, daß 119 Internierte des Fröslev-Lagers nach Deutschland gebracht worden sind."

Auf der jährlichen Generalversammlung der landwirtschaftlichen Gesellschaft legte der deutschfreundliche und nationalsozialistisch eingestellte Lehnsgraf Bent Holstein sein Mandat als Verwaltungsmitglied nieder. Die Verwaltung hatte die Wiederwahl des Grafen vorgeschlagen. Als aber der Pächter Boserup den Gutsbesitzer Bech anstelle des Grafen vorschlug, erhob sich Graf Bent Holstein und sagte entrüstet:

"Seit 19 Jahren bin ich Mitglied der Verwaltung, seit vier Generationen ist das Geschlecht Holstein in der Verwaltung vertreten. Mein Urgroßvater gründete 1833 die Gesellschaft. Wenn ich so oft wiedergewählt wurde, war es meine Auffassung, daß man damit dem Geschlecht eine Ehre erweisen wollte. Bei der 100-Jahr-Feier 1933 waren der Landrat und die Verwaltung meine Gäste. Wenn jetzt über meinen Namen gestimmt werden soll, ziehe ich mich zurück."

Nachdem der Graf dann weiter seine stete Einsatzbereitschaft in den 19 Jahren für die Sache der Landwirtschaft erwähnt hatte und der Vorsitzende den Grafen danken wollte, sagte diesen: "Lassen Sie es lieber." Daraufhin wurde der Gutsbesitzer Bech zur Arbeit willkommen geheißen. "Berlingske Tidende" gab dieser Vorfall Anlaß zur Veröffentlichung eines witzigen Gedichtes, das mit folgenden Worten endete: "Man ist nicht über jede Diskussion erhoben, weil man einen erstklassigen Urgroßvater hatte."

4.) Kulturelles:

Nach einer in Odense vorliegenden Mitteilung muß in der Mulernes Skole in Odense ein Stück aus dem Roman von Martin Andersen-Nexö (Pelle Erobreren), das im dänischen Lesebuch enthalten ist und von der roten Fahne handelt, von den Schülern auswendig gelernt werden.

Das frühere Erholungsheim "Dalumschloß" bei Odense wird am 11. Dezember 1944 als Schulungsheim für die nationalsozialistischen Führungsoffiziere der deutschen Wehrmacht eingeweiht. Die Einweihung wird wahrscheinlich durch Gauleiter Bohle vorgenommen werden.[207] Es ist beabsichtigt, Fünf-Tage-Kurse mit je 50 Teilnehmern laufend abzuhalten. Neben den Führungsoffizieren sollen auch die Kameradschaftsführerinnen der Nachrichtenhelferinnen geschult werden. Trägerin der Führerschule ist die AO der NSDAP.

Die deutschen Filme haben auch weiterhin einen guten Besuch zu verzeichnen. Zu Zwischenfällen ist es nirgends gekommen. Die mit mehr Bildern als bislang durchsetzte dänische Wochenschau verfehlte ihren Eindruck nicht. Die in einigen Szenen gezeigten Kämpfe zwischen der deutschen Wehrmacht und den kommunistischen Banden auf dem Balkan wurden verschiedentlich als "Atelieraufnahmen" kritisiert. Die Bilder von gefangenen Kommunisten zeigten ausgesprochene Judentypen. Bei der Erklärung des Sprechers, daß dieses die von Moskau gesandten Befreier sind, setzte in vielen Theatern ein schallendes Gelächter in. Die gezeigten Typen seien die schlimmsten, die man zu diesen Gebrauche in Deutschland bereit hätte.

5.) Wirtschaftliches:
Verstärkte Sabotage der Lebensmittelindustrie:

Ende November wurde die Trockenmilchfabrik in Odense, die für den Nachschub in Norwegen arbeitet, vernichtet.[208]

Am 2. Dezember 1944 gingen zwei Konservenfabriken in Odense mit großen Wehrmachtsaufträgen in die Luft. Am 7. Dezember wurde die Odenseer Exportschlachterei durch Sabotage schwer beschädigt. Es verbrannte Fleisch im Werte von einer halben Million Kronen, das für den Export nach Deutschland bereit stand.[209]

Auf landwirtschaftlichem Gebiet wurde in weiten Kreisen der Bevölkerung der starke Rückgang des Schweinebestandes beobachtet. Von 7. Oktober bis zum 19. November 1944 ging die Schweinezahl um 159.000 Stück auf insgesamt 1.989.000 Schweine zurück. Besonders bedenklich ist der Rückgang bei Jungschweinen um 6.000 auf nur noch 34.000 Stück. Man führt den Rückgang der Schweine zum Teil auf den Futtermangel, zum Teil aber auch auf die hohen Preise für das Freihandelskorn zurück. Obwohl der Verbrauch an Freihandelskorn im Lande verhältnismäßig gering ist, rechnet der Bauer in seinen Kalkulationen nur mit diesen hohen Preisen.

Das geringe Interesse an der Schweinezucht zeigt sich in den schlechten Preisen für Ferkel. Der Preis ging von 50,00 auf 30,00 Kronen und weniger zurück. Die Bauern verzehren ihre Ferkel häufig im eigenen Haushalt.

Auf die hohen Freihandelskornpreise führt man auch die Kartoffelknappheit bzw. die hohen Preise für Kartoffeln zurück. Es wird erklärt, daß der Bauer nur dann seine Kartoffeln verkaufe, wenn er einen höheren Anreiz darin sähe als beim Verfüttern. Die Zeitungen beschäftigen sich in steigendem Maße mit den erhöhten Kartoffelpreisen

207 Ernst Bohle kom til Danmark og talte ved indvielsen af "Schulungsburg Skagerrak" på Dallund Slot på Nordfyn, hvor bl.a. Best, von Hanneken og Pancke var til stede, men indvielsen fandt først sted 10. januar 1945 (*Skagerrak* 3:8, 1945, s. 4f. med fotos. Hos Drostrup 1997, s. 185f. den oplysning, at von Hanneken ikke deltog. Dog er han med på fotografierne fra indvielsen).

208 Dette havde Bovensiepen også oplyst i "Meldungen aus Dänemark" Nr. 5.

209 Bovensiepen havde allerede omtalt dette ovenfor under pkt. 3, vel at mærke med angivelse af den korrekte dato (4. december) for de to første sabotager.

und bringen teilweise Interviews mit Arbeitern, die von einer wesentlichen Erhöhung der Lebenshaltungskosten durch die Kartoffelpreise sprechen.

Die erhöhte Rindviehzufuhr auf den Schlachtviehmärkten wird sich nach Ansicht des Landwirtschaftsrates in einer verhinderten Milchzuteilung auswirken. Eine Beeinträchtigung der Buttererzeugung ist zu erwarten.

In Kopenhagen wird die verringerte Fischzufuhr, die in wesentlichen auf geringere Fänge zurückzuführen ist, den Deutschen in die Schuhe geschoben. Es wird behauptet, daß die Ausfuhr von Fischen nach den Reich unter deutschen Druck vergrößert werden mußte (entspricht nicht den Tatsachen).

In landwirtschaftlichen Kreisen wird eine Mitteilung, die einem englischen Weißbuch entstammen soll, mit Bezug auf die spätere Ausfuhr Dänemarks stark beachtet. Es soll in den Auszuschweißende heißen, daß das Landwirtschaftsareal in England während des Krieges von 13 auf 19 Millionen Acres erhöht wurde.

In vertraulichen Rundschreiben fordert die Vereinigung gelernter Kaufleute in Dänemark augenblicklich die Lebensmittelgeschäfte auf, Lagerreserven zu schaffen. Es heißt in den Rundschreiben, daß Kolonialwarenhändler eine weitere Zuteilung bekommen können, die für einen 5-tägigen Verkauf von Butter und einen 14-tägigen Verkauf von Zucker, Kahl und Nährmitteln ausreichen.

Der Vorstand der LS hat sich am 3. Dezember mit den Männern der Opposition in Fredericia getroffen. Auch der schon wiederholt genannte, aus der LS ausgetretene Axel Hansen war erschienen. Es wurde beschlossen, alle wichtigen Fragen bis zur Generalversammlung – Ende Januar 1945 – ruhen zu lassen. Wie verlautet soll als Gegenkandidat gegen den Oppositionsführer Axel Hansen der Häusler (Husmand) Lund, Kratholm, aufgestellt werden.

Der Geldumlauf im Monat November fiel nach den Veröffentlichungen der Nationalbank erneut um 23 Millionen Kronen. Der anhaltende Rückgang wird auf und die zahlreichen Räubereien und die allgemeine Unsicherheit zurückgeführt.

Die Versicherungsgesellschaften, die eine Zeitlang die Auszahlung von Versicherungssummen bei Raubüberfällen gesperrt hatten, haben jetzt beschlossen, die Auszahlung wieder aufzunehmen. Es soll ein Risikozuschlag auf die Versicherungsprämien erhoben werden.

Neben den Rationierungen der Stromzuführung bei Industriebetrieben sind jetzt teilweise einschränkende Bestimmungen für den allgemeinen Lichtverbrauch erlassen worden.

So müssen z.B. in Apenrade Kontore und Ladengeschäfte um 16.00 Uhr schließen.

Verschiedene dänische Firmen haben ihre Aufträge in Norwegen annulliert. Gleichzeitig ist ein verstärktes Interesse der dänischen Geschäftswelt an Geschäften mit Schweden und teilweise auch mit Übersee für die Nachkriegszeit festzustellen. Es werden schon konkrete Vorschläge für gegenseitige Lieferungen abgegeben.

gez. **Bovensiepen**
SS-Standartenführer

257. Werner Best an das Auswärtige Amt 15. Dezember 1944

Der verserede rygter om, at de danske pengesedler ville blive afstemplet eller inddraget. Fra Abwehr havde Best erfaret, at nationalbankdirektør C.V. Bramsnæs havde antydet, at nye 500-, 100- og 50-kronesedler blev planlagt. Abwehr havde bedt om, at AA kun lod meddelelsen gå videre til den tyske rigsbank.

Ombytningen af de danske pengesedler blev planlagt før befrielsen, men fandt først sted 23. juli 1945.

Kilde: PA/AA R 101.041.

Abschrift zu Ha Pol 6244/44 g — zu Inl. II D 119 g
Der Reichsbevollmächtigte in Dänemark — *Kopenhagen, den 15. Dezember 1944*
III/10626/44

An das Auswärtige Amt
Berlin.

Betr.: Abstemplung bezw. Einziehung dänischer Noten
Vorg.: Dortiges Schreiben vom 28. November 1944[210] – (Ha Pol 5871/44 g) –

Es laufen in Dänemark seit längerer Zeit Gerüchte um, die eine Abstempelung oder einen Umtausch der jetzt gültigen dänischen Noten zum Gegenstand haben. Während es sich bis vor kurzem noch um Gerüchte handelte, die in Kreisen umliefen, welche eine solche Maßnahme zu befürchten hätten (Kriegsgewinnler), konnte man in der letzten Zeit in anderen, auch in Bankkreisen, über solche Maßnahmen Vermutungen hören.

Die Abwehrstelle hat dazu folgendes festgestellt:

Der Nationalbankdirektor Bramsnäs hat in einer vertraulichen Sitzung des Verwaltungsausschusses der Nationalbank angedeutet, daß eine Neuausgabe von dänischen Scheinen zu 500, 100 und 50 Kr. vorbereitet sei. Es handele sich im wesentlichen um eine binnenwirtschaftliche Maßnahme, um nach Abzug der Deutschen die gehorteten Beträge aus dem Verkehr zu ziehen. Man müsse auch damit rechnen, daß die Wehrmacht nicht unerhebliche Kronenbeträge mit nach Deutschland nehmen würde, was die Devisenbilanz der Nationalbank später irgendwie beeinflussen könnte.

Die Abwehrstelle hat gebeten, die Angelegenheit als geheim zu behandeln. Von einer Weitergabe der Mitteilung an die deutschen privaten Geldinstitute bitte Ich daher abzusehen, dagegen die Deutsche Reichsbank zu unterrichten.

Unterschrift
[mangler]

210 Skrivelsen er ikke lokaliseret.

258. G.W. Müller an Werner Naumann 15. Dezember 1944

RMVP havde på foranledning af RSHA 4. december 1944 ladet G.W. Müller sende til Danmark for at undersøge mulighederne for at styrke den tyske propaganda. Müller kunne efterfølgende meddele, at Standarte "Kurt Eggers" havde udfyldt det opståede propagandatomrum og havde bemægtiget sig radioen og stort set også pressen. Müller foreslog, at han fik Standarte "Kurt Eggers" underlagt, som det også var planen i Norge.

Müllers udsagn om, at Standarte "Kurt Eggers" skulle have bemægtiget sig den danske radio var ikke langt fra sandheden, men pressen havde bureauet på ingen måde underlagt sig, selv om der blev bragt en stribe tvangsartikler fra det.

Müllers forslag blev drøftet i RMVP, se Flügel til Naumann 18. januar 1945.

Kilde: BArch, R 55/219.

Georg-Wilhelm Müller
Ministerialdirigent und SS-Oberführer
Oslo 15. Dezember 1944

Lieber Herr Dr. Naumann!
Bezugnehmend auf unsere kürzliche Besprechung wegen der eventuellen Übernahme unserer Geschäfte in Dänemark durch mich möchte ich nach einem kurzen Aufenthalt in Kopenhagen noch darauf hinweisen, daß anscheinend die Standarte "Kurt Eggers" das propagandalose Interregnum in Dänemark dahingehend ausgenutzt hat, das sie vor allen Dingen den Rundfunk, aber auch zum großen Teil der Presse bemächtigt hat.

Wenn weiterlich ernstlich daran gedacht wird, und der Reichskommissar und das Auswärtige Amt ihr Einverständnis erteilen, daß ich auch den Propaganda-Apparat in Dänemark übernehme, so wäre es vielleicht am zweckmäßigsten, wenn mir auch die dortige Dienststelle der Standarte "Kurt Eggers" unterstellt würde, was nebenbei auch für die hier in Norwegen befindliche analoge Dienststelle geplant ist. Praktisch ist dies durchaus möglich, da ich ja noch immer aktiver SS-Untersturmführer der Waffen-SS bin.

Ich teile dies vorsorglich schon jetzt mit, damit nach Möglichkeit alle möglichen Kompetenz-Konflikte vorher bereinigt werden können.

Heil Hitler
Ihr **Müller**

259. Büro RAM an Horst Wagner 15. Dezember 1944

Bests telegram vedrørende fjernelse af tre af hans ansatte og deres overførsel til BdS fik Ribbentrop til at reagere. Der skulle ske en henvendelse til Kaltenbrunner i sagen. Ribbentrop var af den opfattelse, at de tre kvinder måtte hjemkaldes fra Danmark og overgå til arbejdstjeneste i Tyskland.

Best fik et foreløbigt svar fra AA 18. december, mens Kaltenbrunners svar til Ribbentrop forelå 19. januar 1945.

Kilde: PA/AA R 69.205.

Büro RAM

Betr.: Personalabbau beim Reichsbevollmächtigten i. Kopenhagen.
Über St.S. VLR Wagner vorgelegt:

Zu dem Telegramm aus Kopenhagen Nr. 1378 vom 13.12.[211] läßt Sie der Herr RAM bitten, die Angelegenheit mit dem SD aufzunehmen und dem Herrn RAM hierüber zu berichten.

Der Herr RAM äußerte, das er es für notwendig hielte, daß die Frauen wieder aus Dänemark zurückgezogen und zum Arbeitseinsatz ins Reich geschickt werden (s. handschriftlichen Vermerk des RAM).[212]

Berlin, den 15.12.1944

Brenner

Doppel: MD Schroeder.

260. Werner Best an das Auswärtige Amt 16. Dezember 1944

Best fremsendte Bovensiepens aktivitetsberetning for november. Selv om det talrige gange i løbet af 1944 var blevet meddelt, at den kommunistiske modstand var blevet slået ned, måtte Bovensiepen igen og igen konstatere, at rest-kommunisterne, som de blev kaldt, fortsat øvede modstand. Der blev for novembers vedkommende tillagt dem betydelig indflydelse på modstandsbevægelsens politiske hovedorganer, mens deres betydning var ringere i den nationale militær- og sabotageorganisation. Der kunne for første gang gives et indblik i de illegale organisationers sammensætning og arbejdsmåde – månedens væsentligste resultat – skabt på grundlag af de forudgående arrestationer og Bovensiepens rapport af 1. december. Endelig fortsatte arbejdet med oprulning af spionagenetværkene, både den illegale militære efterretningstjeneste og den polsk-danske efterretningstjeneste. Det fremgår, at arbejdet hæmmedes af, at personerne bag dæknavnene vanskeligt lod sig identificere.

Kilde: PA/AA R 101.041. RA, pk. 233.

Der Reichsbevollmächtigte in Dänemark — *Kopenhagen, den 16.12.1944*
II 2376/44. — Geheim!

An das Auswärtige Amt
Berlin

Betr.: Die deutsche Sicherheitspolizei in Dänemark.
2 Durchschläge
1 Anlage – doppelt –

In Anlage lege ich den Bericht des hiesigen Befehlshabers der Sicherheitspolizei und des SD vom 1. Dezember 1944 betreffend die sicherheitspolizeiliche Tätigkeit in der Zeit vom 1. November bis 1. Dezember 1944 vor.

W. Best

Der Befehlshaber der Sicherheitspolizei — *Kopenhagen, den 1. Dez. 1944.*
und des SD in Dänemark
L IV – 68/44 g

211 Trykt ovenfor.
212 Notitsen er på Bests telegram nr. 1378, 13. december 1944.

An
das Reichssicherheitshauptamt – IV
z.Hd. von SS-Gruppenführer Müller – o.V.i.A –
das Reichssicherheitshauptamt – III
z.Hd. von SS-Brigadeführer Ohlendorf – o.V.i.A –
Berlin
den Reichsbevollmächtigten in Dänemark
SS-Obergruppenführer Dr. Best – o.V.i.A –
den Höheren SS- und Polizeiführer in Dänemark
SS-Obergruppenführer Pancke – o.V.i.A –
Kopenhagen
den Wehrmachtbefehlshaber in Dänemark
General von Hanneken – o.V.i.A –
Silkeborg
Admiral Skagerrak
Admiral Wurmbach – o.V.i.A –
Aarhus
den Befehlshaber der Sicherheitspolizei u. des SD Norwegen
SS-Oberführer Fehlis – o.V.i.A –
Oslo
die Außendienststelle Aalborg,
z.Hd. von Krim. Rat Bolle – o.V.i.A. –
die Außendienststelle Aarhus,
z.Hd. von Krim. Rat Renner – o.V.i.A –
die Außendienststelle Kolding,
z.Hd. von Krim. Rat Burfeind – o.V.i.A. –
die Außendienststelle Odense,
z.Hd. von Krim. Rat Guttmann – o.V.i.A. –
die Außendienststelle Bornholm,
z.Hd. von SS-Untersturmführer Schulz. – o.V.i.A. –

Betrifft: Die sicherheitspolizeiliche Tätigkeit in der Zeit vom 1. November bis 1. Dezember 1944.

1.) Kommunismus:
Der kommunistische Parteiapparat konnte weiterhin zerschlagen werden. Es wurden in Groß-Kopenhagen insges. 66 Pers. und von den Außenstellen insgesamt 27 Pers. wegen komm. Betätigung festgenommen. Darüber hinaus konnten in Kopenhagen 14 illegal lebende Funktionäre, die maßgeblich an dem Neuaufbau des Parteiapparates beteiligt waren, festgenommen werden. Hierunter befanden sich 3 Mitglieder der Distriktsleitung von Kopenhagen, 2 Unterdistriktsleiter und 2 Abteilungsleiter.

Die Druckerei, in der die neue Ausgabe der komm. Schrift "Land og Folk" und die Hetzschrift "Frit Danmark" hergestellt wurden, konnte ausgehoben werden. Es wurden je 25.000 fertige Exemplare erfaßt. Ebenfalls wurde eine Vervielfältigungsstelle ausgehoben und das gesamte Herstellungsgerät beschlagnahmt.[213]

Die bisher noch nicht erfaßte Herstellungsquelle der komm. Jugendschrift "Ungdommens Röst" konnte nach langwierigen Ermittlungen festgestellt und ausgehoben werden. Ein Vervielfältigungsapparat und 1000 bereits fertige Exemplare, sowie weitere Hilfsmittel wurden erfaßt.[214]

Die komm. Hilfs-Organisation "Frit Danmark" wurde weiterhin in systematischer Arbeit aufgerollt, und es konnten 46 aktive Funktionäre, 2 Kuriere, 2 Großverteiler und 21 weitere Mittäter festgenommen werden.

Von der militärpolitischen Gruppe der "Frit Danmark"-Organisation wurden 1 Abteilungsleiter, 4 Gruppenleiter und mehrere Mitglieder erfaßt, die zum größten Teil im Besitz von Pistolen, Gewehren und Munition waren.[215]

Die in der Berichtszeit durchgeführte Aufrollung des komm. Parteiapparates und der Hilfs-Organisation "Frit Danmark" zeigt, daß der eigentliche Parteiapparat durch die laufenden und systematischen Festnahmen der Funktionäre besonders in Gross-Kopenhagen, aber auch im übrigen Dänemark stark geschwächt ist und zur Zeit keinen besonders aktivistischen Apparat mehr darstellt. Die aktiven intellektuellen Kräfte haben sich im wesentlichen in die ursprünglich als Hilfs-Organisation zur Erfassung bürgerlicher Kreise gedachte Organisation "Frit Danmark" verlagert. Bemerkenswert ist die Tatsache, daß die "Frit Danmark"-Gruppe sich nicht nur mit der Herausgabe der illegalen Schrift "Frit Danmark" und der getarnten national-kommunistischen Propaganda befaßt, sondern daß sie ebenfalls militärische Gruppen aufbaut, die in die allgemeine nationale Militärorganisation eingebaut werden. In diesem Zusammenhang ist bemerkenswert, daß innerhalb der allgemeinen Militärorganisation sich teilweise in auch führenden Stellen aktive Kommunisten eingeschaltet haben, die hier teilweise eine bedeutende Rolle spielen. Durch die Vernehmung eines in der allgemeinen Militär- und Sabotagenorganisation festgenommenen Stadtleiters konnte festgestellt werden, daß die Kommunisten innerhalb der nationalen Militär- und Sabotageorganisation neben den allgemeinen von der Leitung zugeleiteten Aufträgen durch besondere kommunistische Instrukteure, die offensichtlich unmittelbar dem ZK unterstehen, mit Sonderaufträgen bedacht werden. Sie haben die besondere Aufgabe, die führenden nationalen Köpfe auszumachen und insbesondere die Waffenlager der nationalen Organisationen für einen kommunistischen Coup zu erkunden.[216] Offensichtlich ist der bisher in Dänemark noch nicht festgestellte militärpolitische Apparat der KP mit dieser Aufgabe betraut und innerhalb der nationalen Organisationen zu suchen. Der Instrukteur für diese Aufgabe für Jütland konnte ermittelt und identifiziert werden. Zur Zeit läuft eine intensive Fahndung nach ihm, und es steht zu erwarten, daß bei seiner Festnahme die Aufgaben-

213 Trykkeriet er ikke lokaliseret.

214 Trods ødelæggelsen af *Ungdommens Røsts* trykkested fortsatte bladet med at udkomme jævnligt til maj 1945.

215 Frit Danmark havde ingen militærpolitisk gruppe, men der var enkelte medlemmer, der også indgik i de militære ventegrupper.

216 Den udbredte mistænksomhed over for kommunisternes fremtidshensigter deltes af både socialdemokrater og borgerlige kredse. For Gestapo var udbredelsen af oplysninger om kommunistiske kupplaner en måde at skabe splittelse i modstandsbevægelsen på.

stellung und die Organisation des militärpolitischen Apparates erkundet und festgestellt werden kann.[217]

Die Kommunistische Partei entfaltet aber darüber hinaus in Richtung auf die dänische Sozialdemokratie und vor allen Dingen in Richtung auf die dänische Sozialdemokratische Jugend eine eifrige Agitation. In verschiedenen Fällen konnten sozialdemokratische Jugendgruppen erfaßt und festgenommen werden, die sich unmittelbar kommunistischer Leitung unterstellt hatten. In dieser Hinsicht kommt den Kommunisten zugute, daß die Sozialdemokratische Partei ihre Jugendgruppen entsprechend ihrer grundsätzlichen Politik der Ruhe und Zurückhaltung vor illegaler Tätigkeit warnt und alle aktivistischen Elemente aus ihren Reihen entfernt.

Zusammenfassend ergibt sich das Bild, daß das Rest-ZK einen grundsätzlichen Einfluß auf die gesamte Politik in Dänemark und auf die Gestaltung der illegalen Bewegungen zur Zeit durch seinen offiziellen Vertreter im Freiheitsrat, Nielsen,[218] durch die Aktivierung des Apparates "Frit Danmark" und durch die Einschaltung besonders aktiver Funktionäre in die nationalen Organisationen wahrnimmt. Bei der Aufrollung der nationalen Militär- und Sabotageorganisationen konnten bisher ermittlungsmäßig gute Erfolge dadurch erzielt werden, daß den rein national eingestellten Offizieren diese Taktik der Kommunisten vorgehalten wurde. So war die rasche Erreichung einer Aussage durch den Distriktsleiter für Südjütland, Premierleutnant Iversen, auf diese Weise möglich.[219]

2.) Sabotage- und Militärgruppen:

a.) Festnahmen weg. Sabotage u. Waffenbesitzes: 230 Pers.

b.) Beschlagnahme von Waffen u. Munition:

1.) Waffen:

141 MP,
47 amerikan. Karabiner, Kal. 7.65,
34 Gewehre,
5 MG,
29 Pistolen versch. Kal.
420 Handgranaten,
2 Panzerschreck mit 28 Granaten.

2.) Munition:

47.500 Schuß 9 mm für MP,
240 Magazine für MP,
5.800 Gewehrmunition,
600 Schuß Pistolenmunition versch. Kal.

c.) Beschlagnahme von Sabotagematerial:

etwa 1750 kg Sprengstoff,
24 Abwurfbehälter mit Waffen u. Sprengstoff,
3 – chem. Zeitzündern,

217 Der er sandsynligvis tale om Elias Bredsdorff, der havde været jysk rejsesekretær for Frit Danmark, men havde måttet forlade Århus i oktober 1944, da Gestapo var på sporet af ham.

218 Børge Houmann.

219 Børge Broder Iversen, se om ham Bovensiepens rapport 1. december 1944.

1 – Schienenknallzundern,
1 – Eisenbahnzündern,
7 – Zwischenladungen,
1 – Sprengkapseln,
1 – Brandsätzen
60 Mammonbomben,
24 Heydrich-Bomben,
59 Rollen Knallzünd- u. Zeitzündschnur und andere Sabotagemittel.
6.500 Liter Benzin und
200 Liter Öl.

d.) Beschlagnahme von Kraftfahrzeugen:
5 Lkw.,
1 Tankwagen,
3 Pkw.,
1 Kraftrad mit Beiwagen,
1 Kraftrad.

e.) Erfaßte Abwürfe aus Feindmaschinen: 4
f.) Erschossene Terroristen: 5

Im Monat Oktober 1944 wurden erstmalig Abwürfe von Sabotagematerial auf der Insel Seeland festgestellt.[220] Nach umfangreichen Ermittlungen gelang es, Ende Oktober/Anfang November das Empfangskomitee dieser Abwürfe in der Gegend von Ringsted zu ermitteln und verschiedene Mitglieder des Empfangskomitees, sowie den Leiter der Verteilerzentrale festzunehmen. Aus dieser Aktion entwickelte sich ein umfangreiches Ermittlungsverfahren gegen die Militär- und Sabotageorganisationen in Seeland. Im Laufe des Monats November konnten die Distrikte Sorö und Hilleröd fast restlos aufgerieben werden. Insgesamt wurden dabei etwa 120 Personen, darunter Distriktsleiter, Stadtleiter, Gruppenführer und Mitglieder der Organisation festgenommen. Mehrere große Lager mit Sabotagematerial, Waffen und Munition wurden sichergestellt.[221]

Aus den Ermittlungen ergaben sich grundsätzliche Erkenntnisse über den Aufbau, die Stärke und die Aufgabenstellung der Militär- und Sabotageorganisationen. Insbesondere konnte festgestellt werden, daß die rein militärischen Organisationen und die reinen Sabotageorganisationen seit Oktober zu einer Organisation vereinigt wurden. Über den Aufbau der Organisation, ihre Führung, Leitung und ihre Taktik wird Sonderbericht vorgelegt.[222]

Am 16.11.44 konnte in enger Zusammenarbeit mit dem Funkpeilzug der Wehrmacht der Funker für Nord-Jütland, der unter dem Decknamen Noah arbeitete, in der Person des früheren Radioquartiermeisters der dänischen Wehrmacht Hans Friedrich Stotz festgenommen werden.[223] Da Stotz bei Mitgliedern der nordjütländischen Sabo-

220 Som ovenfor meddelt var det sket første gang 25. september 1944.
221 Se Bovensiepens rapport 1. december 1944.
222 Se Bovensiepens rapport 1. december 1944.
223 Se Bovensiepens rapport 1. december 1944.

tage- und Militärorganisation Wohnung genommen hatte, gelang es, durch die Festnahme seiner Quartiergeber in die Militär- und Sabotageorganisation Nord-Jütlands einzubrechen. Bisher sind etwa 20 Personen festgenommen worden. Die Ermittlungen sind noch im Gange.[224]

Ferner gelang es, in Aalborg ein umfangreiches Waffenlager und 3 Mitglieder einer Militär- und Sabotagegruppe festzunehmen.[225]

Durch die Außenstelle Odense konnten 2 Fallschirmlasten mit Waffen und Sprengstoff erfaßt werden.[226]

Darüber hinaus konnten in verschiedenen Fällen illegale Benzinlager und Transportmittel der illeg. Organisationen erfaßt und sichergestellt werden.

3.) Illegale politische Organisationen:
Erstmalig gelang es, Einblick in die Zusammensetzung und Arbeitsweise des "Freiheitsrates" zu gewinnen, weil einer der führenden Männer – Prof. Mogens Fog – der fast 2 Jahre "unter der Erde" gelebt hat, festgenommen werden konnte. Fog war Repräsentant innerhalb des "Freiheitsrates" und steuerte die illegale Presse. Er selbst vertrat das Blatt "Frit Danmark." Einer seiner engsten Mitarbeiter, der Redakteur Holbäk von "Dansk Presse" wurde auf der Flucht erschossen. Im Zusammenhang mit diesem Komplex könnte der Direktor des in Kopenhagen bekannten Lokals "Skandia", Mikkelsen, als Geldgeber für die illegale Presse ermittelt und festgenommen werden. Ebenso gelang die Festnahme des illegalen Schnellberichters Börge Outze, der seine Informationen von amtlichen Stellen erhielt, sie vervielfältigte und als Grundlage für die verschiedensten illegalen Hetzblätter weitergab.[227] Desgleichen wurde in dieser Sache der illegale Post- und Hetzblätterverkehr von und nach Schweden durch die Festnahme des Barons Ebbe Wedell-Wedellsborg mit seinen Helfern, Gebrüder Waage-Petersen, vorläufig lahmgelegt.[228] Wichtiges Postmaterial und größere Geldsummen, die für den "Freiheitsrat" bestimmt waren, wurden sichergestellt. Prof. Fog hat eindeutig bestätigt, daß der "Freiheitsrat" den Terror und Stikkermord gebilligt und befürwortet hat, allerdings mit der Einschränkung, daß Terrorakte gegen Einzelsoldaten oder Polizeiangehörige unterbleiben sollten, um drakonische Gegenmaßnahmen zu vermeiden.

Auch gegen die illegale Presse konnten erfolgreiche Unternehmungen gestartet wer-

224 Stotz blev arresteret på adressen Skipper Clementsvej 7 i Hjørring af tysk sikkerhedspoliti, der derpå bevogtede lejligheden og anholdt alle, der kom på besøg. Det førte til arrestation af hele den gruppe, der stod i forbindelse med efterretningstjenestens radioafdeling, bl.a. direktør Svend Nielsen, Biscuitfabriken Oxford, murermester Valdemar Vangsted og købmand Chr. Jespersen, der alle blev ført til Bangsbo og forhørt. Hustruerne til de to førstnævnte blev også anholdt og kom siden til Frøslevlejren. Valdemar Vangsted begik selvmord 20. november under uopklarede omstændigheder. Blandt de øvrige stærkt eftersøgte var Falckmanden Jørgen Færch, der imidlertid undgik de tyske razziaer (*Information* 24. november 1944, *Morgenbladet* 27. november 1944, *Daglige Beretninger*, 1946, s. 442, *Det stod ikke i Avisen*, 1945, s. 186f., *Faldne i Danmarks frihedskamp*, 1970, s. 112f.).

225 De anholdte i Ålborg er ikke identificeret.

226 Fra oktober 1944 til april 1945 modtog Fyn i alt 30 store ladninger, svarende til 700 containere på tilsammen 125 tons (Hæstrup 1979, s. 388). Gestapos beslaglæggelser af det nedkastede var beskedne, også vurderet ud fra Bovensiepens aktivitetsberetninger for perioden oktober-december 1944.

227 Se Bovensiepens aktivitetsberetning for august-oktober 1944 (Best til AA 6. november).

228 Af de tre arresterede undslap Ebbe Wedell-Wedellsborg ved Shellhusets bombardement 21. marts 1944.

den. Diese betrafen in der Hauptsache das illegale Blatt "Kirkens-Front" und "Dansk Presse." Es wurden druckfertige Klischees, Vervielfältigungsapparate und sonstiges Material sichergestellt. Bei "Dansk Presse" war die Zentrale als vollkommen legales Presse- und Bilderdienstbüro getarnt.[229] Auch der nach außen hin als legal erscheinenden dänischen Konservativen Partei konnte durch die Festnahme des Geschäftsführers und Folketingsmand Poul Sörensen, der seit fast einem Jahr illegal wohnte, nachgewiesen werden, daß die sogenannten von der Partei herausgegebenen vertraulichen Mitteilungen illegalen Ursprungs waren.[230] Ebenso befaßte sich die Konservative Partei schon jetzt mit dem Plan der Bestrafung der sogenannten Kriegsverbrecher in Dänemark, zu denen alle Leute gehören sollten, die irgendwie für deutsche Interessen gearbeitet hatten einschl. der nationalsozialistischen Presse.

In den letzten Tagen gelang ein erneuter Einbruch in eine Spezialgruppe der Widerstandsbewegung, indem ein Zentralbüro der Kampffraktion der "S.E." (Studenternes Efterretningstjeneste) in der Bornholmsgade 6 ausgehoben werden konnte. Hierbei wurden 1 Zugführer, 4 Gruppenführer dieser Organisation und 1 Oberführer einer anderen Organisation, der bereits diese "S.E."-Gruppen übernommen hatte, nebst 12 weiteren Hauptbeteiligten festgenommen. Ein Teil dieser Leute war bei der Festnahme bewaffnet und ist an der Entführung zweier Dänen, die laut Urteilsspruch des "Freiheitsrates" zwangsweise nach Schweden transportiert und dort selbst inhaftiert werden sollten, maßgeblich beteiligt gewesen. Eine dritte Entführung war am Tage der Aushebung des Zentralbüros vorbereitet und eingeleitet worden. Da anzunehmen war, daß die beiden Entführten sich noch in Kopenhagen befanden, wurden die Ermittlungen mit Nachdruck fortgesetzt. Bereits am 28.11. konnte die Villa in Kopenhagen festgestellt werden, in der die Gefangenen untergebracht waren. Sie wurden am gleichen Tage befreit. Die Gefangenen wurden von 5 bewaffneten Mitgliedern der "S.E."-Gruppe bewacht. In der Zeit vom 18.-28.11. waren die Entführten an 7 verschiedenen Stellen untergebracht. Einer der Entführten war die Kassiererin des Schalburg-Korps Christensen.[231] Da in der Villa, in der die beiden gefangen gehalten wurden, außerdem noch Sprengstoff und illegales Material gefunden wurde, wurde das Gebäude am 29.11, in die Luft gesprengt.[232] Im Verlaufe der Ermittlungen konnten weitere 10 Personen, die Angehörige der gleichen Gruppe sind, festgenommen worden. Darunter befindet sich der Schriftsteller de Hemmer Gudme, alias "Peter Lassen," der Mitglied des illegalen Presseausschusses

229 *Dansk Presse* havde til huse hos W. Dates Trykkeri, Westend 3, København, hvor tre aktive gruppefolk og ni hjælpere blev arresteret i oktober, men ingen fra *Kirkens Fronts* bladgruppe blev arresteret (KB, Illegal Samling, Spørgeskemaer vedr. illegale blade).

230 Poul Sørensen blev arresteret 15. november ved en razzia mod Det Konservative Folkepartis hovedkontor, hvorfra der blev fjernet et stort arkivmateriale. Gestapo var tydeligvis ude efter at spore illegale kontakter. Poul Sørensen var ikke illegalt organiseret, men Gestapo valgte alligevel at arrestere ham på et spinkelt grundlag, da man ikke var i tvivl om hans indstilling (KB, Bergstrøms dagbog 15. november 1944, *Daglige Beretninger*, 1946, s. 410f., Helge Larsen i DBL og Hans Kirchhoff i *Hvem var hvem 1940-1945*, 2005, s. 354f.).

231 Ellen Margrethe Christensen (kaldet "Det kolde Ben"). Hun og en blakket embedsmand var blevet kidnappet på anmodning af Arne Sørensen og Peter de Hemmer Gudme.

232 Villaen lå Vamdrupvej 40. HSSPFs Pressekontor gav meddelelse om både sprængningen og modstandsbevægelsens kidnapning af to danske (Alkil, 2, 1945-46, s. 916f., Birkelund 2000, s. 339, tillæg 3 her).

und zugleich Verbindungsmann zu Arne Sörensen war.[233] Desgleichen wurde der Leiter der Kampffraktion "S.E.", der frühere Leutnant Suadecani, alias "Carlsen",[234] sowie die Wachmannschaft in Stärke von 5 Mann, die die Gefangenen bewachte, festgenommen. Anläßlich eines vermutlichen Treffs sämtlicher Pressevertreter, wozu auch Arne Sörensen erscheinen sollte, wurde der Repräsentant von "Nordisk Front", cand.jur. Axel Möller, festgenommen.[235]

Die weiteren Ermittlungen und Vernehmungen ergaben wichtige Anhaltspunkte für die weitere Aufrollung der Widerstandsgruppen, insbesondere aber auch in Bezug auf die illegale Presse aller Richtungen. U.a. ergaben sich auch Anhaltspunkte dafür, daß diese Gruppe sich durch Überfälle auf Sabotagewachen und sonstige Einrichtungen Ausrüstungsmaterial beschafft hatte. Es konnte einwandfrei festgestellt werden, daß diese Widerstandsgruppen – sogenannte Partisangruppen – dem "Freiheitsrat" angeschlossen sind und in letzter Zeit eine besondere militärische Ausbildung erhielten.

4.) Spionage:
Im Verlauf der Auswertung des von hier erfaßten umfangreichen Sp.-Materials (siehe Oktober-Bericht) hat sich bestätigt, daß der illegale dänische Generalstab Dänemark in nachrichtendienstlicher Hinsicht in 4 Ausspähbezirke, und zwar in die Bezirke Nordjütland, Mitteljütland, Südjütland mit Fünen und Seeland eingeteilt hat. Die 4 Bezirksleiter, bisher nur unter den Decknamen "Peter,"[236] "Eneboeren,"[237] "Viktor"[238] und "Godfredsen"[239] bekannt, sind geklärt. Es handelt sich um drei aktive und einen Reserveoffizier, die illegal leben, weshalb ihre Ermittlung bisher noch nicht möglich war.

Ferner wurde durch Vernehmung eines wegen Spionage festgenommenen dänischen Offiziers festgestellt, daß der Leiter der Spionage im illegalen dänischen Generalstab mit einer Person identisch ist, die in der nachrichtendienstlichen Korrespondenz mit Schweden immer als "Großvater" bezeichnet wurde. Frühere Erkenntnisse besagen, daß der Leiter des dänischen ND mit dem früheren dänischen Oberst Helge Benneke identisch ist. Bei der Sichtung des vorerwähnten Sp.-Materials wurde ein Brief aus Schweden gefunden, aus dem eindeutig hervorgeht, daß "Großvater" (Benneke) mit der Leitung der gesamten dänischen Widerstandsbewegung in Lande beauftragt ist.[240]

Auf Grund des vorgefundenen Sp.-Materials konnte inzwischen ein dänischer Brükkenwärter festgenommen werden, der eine Nachrichtenanlaufstelle für einen Agenten

233 Peter de Hemmer Gudme blev arresteret 28. november og begik selvmord to dage senere (*Faldne i Danmarks frihedskamp*, 1970, s. 134f.).

234 Bjørn Suadicani var delingsfører for 3. deling i SEs Kampfraktion og blev arresteret 28. november sammen med Peter de Hemmer Gudme (Birkelund 2000, s. 339).

235 Cand.jur. Axel Møller var med broderen Harald ledende i *Nordisk Front* (Birkelund 2000, s. 294).

236 Peter: Leder af det nordjyske distrikt var på dette tidspunkt I. Bruhn Petersen

237 Eneboeren: Leder af det midtjyske distrikt var på dette tidspunkt F. Tillisch.

238 Viktor: Leder af det sydjyske distrikt med Fyn var på dette tidspunkt H. Rodtwitt-Nielsen.

239 Gotfredsen eller Petrus Gotfredsen var Flemming Bussenius Larsen, der var blevet arresteret 2. september 1944. Han havde været leder af hele organisationen og blev formelt afløst af Svend Schiødt-Eriksen. P.V. Hammershøj var leder af det sjællandske distrikt.

240 Bedstefar var Ebbe Gørtz og ikke Helge Bennike. Helge Bennike havde ikke andel i dette arbejde.

mit der Deckbezeichnung "R 800" unterhielt.[241]

Von meiner Außendienststelle Kolding wurde ein Nachrichtenagent ermittelt, der längere Zeit auf dem Flugplatz in Vojens gearbeitet hat, um dort Zeichnungen und Pläne zu entwenden. Der Agent wurde festgenommen, die Pläne und Zeichnungen sichergestellt.[242]

Die Ermittlungen gegen den im letzten Bericht erwähnten Bauunternehmer, der an der Durchführung der Flucht der deutschen Büroangestellten Siegfried nach Schweden beteiligt war,[243] haben inzwischen ergeben, daß er seit August 1944 mit der illegalen Organisation "Holger Danske" Verbindung hatte. Er wurde als vermögender, für die deutsche Wehrmacht tätiger Bauunternehmer von der genannten Organisation zu geldlichen Zuwendungen erpreßt und hat innerhalb kurzer Zeit etwa 45.000 Kronen gezahlt. Da er nach seinen Angaben inzwischen an der illegalen Tätigkeit Gefallen fand, stellte er sich gänzlich der "Holger Danske" zur Verfügung. So führte er mit seinem Pkw. Waffentransporte durch, nahm an Treffs teil und stellte hierzu seine Wohnung zur Verfügung, die fortan auch als Unterschlupf für Angehörige der "Holger Danske" diente.[244] Auf diese Weise bekam er angeblich ferner Verbindung mit einer von einem Engländer geleiteten Nachrichtenorganisation. Der Engländer soll ein aus deutscher Kriegsgefangenschaft entflohener Offizier sein, der von seinen Agenten, die teils in Kopenhagen, teils auf Jütland nachrichtendienstlich tätig sind, mit "Lille Mand" bezeichnet wird.[245] Als sein Verbindungsmann nach Schweden ist ein Mann mit dem Decknamen "Olaf" tätig, der mit der schwedischen Polizei in Malmö Verbindung hat und angeblich auch für den schwedischen ND tätig ist.[246] Die Decknamen von 6 der Agenten konnten ermittelt werden. Die näheren Ermittlungen schweben noch. Als Anlaufstelle wurde die Wohnung eines dänischen Lehrers benutzt, der festgenommen wurde und geständig ist. Es hat bis jetzt den Anschein, als ob die Gruppe des Engländers für sich arbeitet und mit der dänisch-britischen Nachrichtenorganisation, dessen Auswertungsbüro für Jütland und Fünen von hier ausgehoben wurde (siehe letzter Bericht), nur lose Verbindung hat.[247]

Im Laufe der Ermittlungen gegen den vorerwähnten Bauunternehmer, sowie gegen in anderer Angelegenheit Festgenommene wurden ein Waffenlager, ein mit Panzerplatten ausgelegter Pkw., sowie weitere 9 Pkw. und 4 Kräder sichergestellt.

Weiter wurde eine bei der Telefonzensur in Kopenhagen tätige dänische St.A. festgenommen. Sie ist geständig, von Juli bis Oktober 1944 laufend Berichte aus der Telefonzensur an einen illegal lebenden dänischen Bankbeamten, der vermutlich für den

241 Personen med kodenavnet "R 800" er ikke identificeret.

242 Der er sikkert tale om en person tilknyttet nedennævnte entreprenør Poul Wagga-Andersen.

243 Se Bovensiepens aktivitetsberetning for august-oktober 1944 (Best til AA 6. november).

244 Det var entreprenør Poul Wagga-Andersen, arresteret af Gestapo 17. november, der leverede tegninger og anden hjælp til den polsk-engelske efterretningstjeneste, og som også havde forbindelse med Holger Danske (Nellemann 1989, s. 25, 30, 73). Se tillige Bovensiepens forrige aktivitetsberetning.

245 "Lille Mand" var lederen af den polsk-danske efterretningstjeneste Lucjan Maslocka.

246 "Olaf" er sandsynligvis identisk med den danske politibetjent Ove Winter-Hansen, hvis arbejde og kontakter er beskrevet hos Nellemann 1989, s. 45.

247 Lærer Preben Lunddal blev arresteret 17. november for at have givet husly til og arbejdet for den polsk-engelske efterretningstjeneste (Nellemann 1989, s. 30, 73).

feindlichen ND arbeitet, geliefert zu haben.[248]

Insgesamt erfolgten in der Berichtszeit im Zuge der verschiedenen schwebenden Sp.-Ermittlungen 34 Festnahmen.

Im Zuge der Grenzabwehr wurden 159 Festnahmen durchgeführt.

Der Befehlshaber der Sicherheitspolizei und des SD in Dänemark – IV –

gez. **Bovensiepen**
SS-Standartenführer

Beglaubigt:
[ulæseligt]
Büroangestellte.

261. Helmut Bergmann an Werner Best 18. Dezember 1944

Den ydmygende fjernelse af tre af Bests funktionærer fik i første omgang (15. december) Ribbentrop til at bede SD om at trække de tre kvinder tilbage og sætte dem til krigsindsats i Tyskland. I mellemtiden fik Best nedenstående besked, at AA havde sat sig i forbindelse med Gauarbeitsamt.

For sagens videre forløb se Wagner til Ribbentrop 19. januar 1945.

Kilde: PA/AA R 69.205.

AW Nr. 116, am 18.12. 16.30 Uhr abgesandt *Berlin, den 18. Dezember 1944*
zu Pers. Ma 7205

Diplogerma Kopenhagen
Nr. 1456

Fernschreiber

Auf Nr. 1378 vom 13.[249]
Im Zuge der Abbaumaßnahmen sind Frau Willich, Fräulein Obst und Fräulein Hertel dem Arbeitsamt zur Verfügung gestellt worden. Nach dem hier vorliegenden Verpflichtungsbescheid hat das Arbeitsamt die drei Kräfte dem Sicherheitsdienst zugestellt, worauf das Auswärtige Amt keinen Einfluß hatte. Der Einsatz der Genannten in Kopenhagen ist hier erst durch die dortige Mitteilung bekannt geworden. Wegen der grundsätzlichen Regelung solcher Fragen wird sich das Auswärtige Amt mit dem Gauarbeitsamt in Verbindung setzten.

Bergmann

262. Hermann von Hanneken: Einsatz von Versorgungstruppen und rückwärtigen Diensten 18. Dezember 1944

Von Hanneken reagerede på OKWs krav om, at forsyningstropperne skulle deltage aktivt i forsvaret, bl.a. skulle forsyningstropperne indkvarteres feltmæssigt, og de skulle i reglen selv opbygge deres kvarter. Tilbagemelding om ordrens udførelse skulle ske senest 31. december.

Kilde: KTB/WB Dänemark december 1944, Anlage.

248 Den kvindelige agent ved telefoncensuren er ikke identificeret.
249 Trykt ovenfor.

Geheime Kommandosache
Wehrmachtbefehlshaber Dänemark — *Gef.St., den 18.12.44*
O. Qu./Ia Nr. 2583/44 g.K. II. Ang. — 38 Ausfertigungen
37. Ausfertigung

Betr.: Einsatz von Versorgungstruppen und rückwärtigen Diensten.
Bezug: WB Dän. Ia Nr. 2583/44 g.Kdos. vom 10.12.44.[250]

Der mit o.a. Bezug befohlene Einsatz von Versorgungstruppen und rückwärtigen Dienste im Bereich WB Dän. ist sofort zu überprüfen und durchzuführen.

Dabei ist zu beachten, daß diese Einheiten zur Verteidigung ihrer eigenen Unterkunft vorgesehen sind. Sie sind jedoch mit ihrer Unterbringung in den Rahmen der Gesamtverteidigung einzubeziehen und daher dieser Aufgabe entsprechend unterzubringen (z.B. in rückwärtigen Stellungen, an wichtigen Straßenknotenpunkten, Straßenübergängen pp.).

Es gilt der Grundsatz:

Unterbringung erfolgt nicht in Bürgerquartieren, sondern feldmäßig.

Diese Unterbringung ist von den Versorgungstruppen im allgemeinen selbst auszubauen.

Darüber hinaus haben sämtliche Stäbe und Truppenteile die Unterkunftsorte zur Ortverteidigung auszubauen. Dabei wird nochmals zum Ausdruck gebracht, daß auch die Kommandeure innerhalb ihres Vert. Bereichs (bei ihren Dienststellen) zu wohnen haben.

Zum 31.12.44 ist zu melden, wie weit dieser Forderung entsprochen ist oder wird.

O. Qu. überprüft und meldet für die Einrichtungen des WB Dän.

gez. **von Hanneken**
General der Infanterie
F.d.R.
Toepke
Major i.G.

263. Karl Schnurre an Werner Best 19. Dezember 1944

Best blev i forbindelse med Ripkens brev af 7. december bedt om at sætte sig i forbindelse med Ludwig, der telefonisk havde meddelt, at han ikke mente, at finansieringen af Waffen-SS' forsorgsofficer i Danmark kunne finde sted over clearingkontoen. Da det tillige var tvivlsomt, om betalingen kunne finde sted over Bests sikkerhedskonto, bad Schnurre ham om at spørge værnemagtsintendanten i Danmark, om han kunne afholde udgiften. Kunne det heller ikke lade sig gøre, skulle Best søge andre veje til løsning af problemet.

Karl Schnurres indgriben i sagen på dette tidspunkt bragte den næsten tilbage til start, bortset fra at den nu fuldt og helt blev anbragt på Bests bord. AA havde kun sendt en observatør, konsul Türk, til mødet i OKW 1. december, og han havde påfølgende ikke alene videregivet de fremmødtes holdninger, men også lavet en indstilling i sagen, der fulgte disse. Den accepterede AA (Ripken) og lod den videresende til Best i ordrens form med kopi til Walter og Ludwig. AA vågnede først rigtigt op, da Ludwig telefonerede til departementet til støtte for Best, og Schnurre så blandede sig i Ripkens sagsbehandling.

250 Trykt ovenfor.

Ludwig fulgte 20. december op med et brev i sagen til AA, trykt nedenfor. Se endvidere Bests telegram til AA 21. december 1944.

Kilde: BArch, R 901 113.555. RA, pk. 271.

zu e.o. Ha Pol 3162/44 *Berlin, den 19. Dezember 1944*

Telegramm

Diplogerma Kopenhagen Nr. 1468
Ref.: Ks. Türk i.V.

Bitte den im Erlaß Ha Pol VI 3050/44 II[251] aufgeworfenen Fragenkomplex, betreffend Aufbringung dänischer Zahlungsmittel für Fürsorgeoffizier der Waffen-SS auch mit Ministerialdirektor Walter besprechen, der die Frage seinerseits mit Ministerialrat Ludwig kurz erörtert hat. Letzterer wiederholte mündlich, daß seines Erachtens über Clearing höhere Zahlungen als die bisher bewilligten RM 525.000 (fünfhundertfünfundzwanzigtausend) nicht ermöglicht werden könnten. Da gemäß Drahtbericht Nr. 29 vom 6. d.M.[252] eine Zahlung aus den Ihnen zur Verfügung stehenden Sicherheitskosten zweifelhaft ist, bitte ich den Wehrmachtintendanten Dänemark zu befragen, ob die auf RM 1,5 Millionen (anderthalb) bezifferten Fürsorgekosten laufend aus Besatzungskosten gezahlt werden können. Falls auch dies nicht angängig ist, bitte ich um Vorschlag, auf welchem Wege der Kronenbedarf des Fürsorgeoffizier der Waffen-SS gedeckt werden könnte. Drahtbericht.

Schnurre

264. A. Pollow an das Auswärtige Amt 19. Dezember 1944

Best lod fremsende en afskrift af den aftale, der var indgået med Lorenz Christensen med virkning fra 1. januar 1942, som AA havde ønsket 2. december.

Se von Thadden til Best 9. januar 1945.

Kilde: PA/AA R 99.414.

Der Reichbevollmächtigte in Dänemark *Kopenhagen, den 19.12.1944.*
RBZ: Pers. R 17d.

U. dem Auswärtigsten Amt, Berlin zurückgesandt.

Im Auftrag:
Pollow

Auswärtiges Amt *Berlin W 8, den 16. März 1944*
Nr. D III 1439 Wilhelmst. 74-76

251 Trykt ovenfor under 7. december 1944.
252 Trykt ovenfor.

An die Deutsche Gesandtschaft
Kopenhagen

Auf den Bericht vom 24.2.1942
Tgb. Nr. 124/42

Betr.: Transfer des Gehalts von Dr. Christensen.

Die mit Bericht vom 22.1.1942 – Pers. P/6 – vorgeschlagene Zahlung von monatlich 450,- RM an den Beauftragten der Volksdeutschen Mittelstelle Dr. Lorenz Christensen mit Wirkung vom 1.1.1942 wird bis auf Weiteres genehmigt.

Im Auftrag:
gez. Unterschrift

265. Seekriegsleitung: Vermerk 19. Dezember 1944

Seekriegsleitung havde fået fremsendt de danske protestskrivelser over beslaglæggelserne af de danske skibe 24. november tillige med Bests følgebrev. Det blev konstateret, at ingen af protestskrivelserne nævnte, at der havde været tale om en gengældelsesaktion, og at Best i sit følgebrev lagde vægt på, at der i svaret kom til at stå, at beslaglæggelserne var sket af krigsnødvendige grunde. Det havde ført til en forespørgsel hos Engelhardt, der havde angivet tre grunde til beslaglæggelsen: At det var en gengældelsesaktion, at der var behov for tonnage, og at der var sabotagefare. Engelhardt ville ikke gå ind på den af Best foreslåede uddybende forklaring på, hvorfor hvert enkelt skib var beslaglagt. De danske protester skulle afvises, men der skulle af hensyn til danskernes leveringsvillighed stilles dem i udsigt, at de ville få skibene igen, når der ikke længere var brug for dem.

Sagen var påfølgende blevet forelagt Seekriegsleitungs chef, der tilsluttede sig Engelhardts bemærkninger til svar på protestskrivelsen, men ytrede i øvrigt, at de opståede stærke spændinger skyldtes, at danskerne troede, at de stadig indtog en særstilling blandt de besatte lande, mens krigens nødvendighed krævede stadig større indgreb i landets tonnage.

Se Martius til Eckhardt 20. december 1944.

Kilde: BArch, Freiburg, RM 7/1813. RA, Danica 628, sp. 7, nr. 5923-25 (enkelte ulæselige omformuleringer).

Seekriegsleitung — *Berlin, den 19. Dezember 1944*
B. Nr. 1/Skl I i 43403/44 g — Geheim

I.) Vermerk:
Das Dänische Außenministerium führt Beschwerde über die am 24.11.1944 erfolgte weitere Beschlagnahme von 6 dänischen Schiffen. Die Maßnahme war in erster Linie als Strafe für die Abwanderung der dänischen Fähre "Store Belt" nach Schweden gedacht. Ein Vermerk durch IIa vom 27.11. besagt folgendes:

"Admiral Skagerrak teilte 27.11. mit, daß die genannten Schiffe als Strafe für Ausbruch "Store Belt" beschlagnahmt sind. Es sei Admiral Wurmbach und Admiral Engelhardt gelungen, den Reichsbevollmächtigten zum Einverständnis mit der Beschlagnahme im Verhältnis von 1:4 zu bringen."

Demgegenüber fällt auf, daß weder in der Beschwerdeschrift des Dänischen Außenministeriums vom 27.11.[253], noch in dem Schreiben der Dänischen Gesandtschaft vom 9.12.[254] von der Begründung der Beschlagnahme als Sühnemaßnahme auch nur mit einem Wort die Rede ist. Auch in dem Begleitschreiben des Reichsbevollmächtigten Dr. Best vom 2.12.[255] ist nur davon die Rede, daß (durch Admiral Engelhardt mündlich geltend gemachte) kriegsentscheidende Gründe dazu gezwungen haben, auf die Schiffe zurückzugreifen.

Nach Dr. Best wäre es für die Zurückweisung der dänischen Beschwerden "von großem Wert, den Dänen gegenüber nachzuweisen zu können, daß die Schiffe tatsächlich in kriegsentscheidendem Einsatz stehen." Darüber hinaus erklärt es Dr. Best für wichtig, auch über den erfolgten Einsatz der bereits früher beschlagnahmten 14 dänischen Schiffe dem Dänischen Außenministeriums gegenüber die erforderlichen Erklärungen abgeben zu können.

Konteradmiral Engelhardt erklärte hierzu fernmündlich folgendes:

Für Beschlagnahme und Besetzung der genannten 6 Schiffe seien mehrere Gründe gleichzeitig maßgeblich gewesen, und zwar:
1.) Sühneaktion,
2.) darüber hinaus weiterer Tonnage-Bedarf der Kriegsmarine,
3.) die Verhinderung weiterer Sabotage-Akten an den Schiffen.
Im übrigen lehnt es Konteradmiral Engelhardt ab, eine ins einzelne gehende Darstellung der Kriegswichtigkeit der Beschlagnahme-Aktion zu geben. Es müsse sowohl Herrn Dr. Best wie auch den Dänen genügen, wenn reichsseitig erklärt wird, daß die Fahrzeuge sämtlich zum kriegsentscheidenden Einsatz bestimmt seien.

Das Auswärtige Amt beabsichtigt, am 20. d.M. einen nur kurz gehaltenen Entwurf zur Diskussion der beteiligten Reichsressorts zu stellen.[256] Die dänische Beschwerde soll zurückgewiesen werden. Es soll aber versucht werden, im Hinblick auf die wichtigen Belange der übrigen Ressorts bezgl. der Aufrechterhaltung der Lieferwilligkeit bei den Dänen gewisse Hoffnung wach zu halten, daß sie die Fahrzeuge, wenn sie von der Kriegsmarine nicht mehr benötigt werden, wieder zurückbekommen.

Zu diesem Punkt kann darauf hingewiesen werden, daß MS "Kronprinz Olaf" als Lazarettschiff eingerichtet wird und daß seine Erhalten über den Krieg hinaus wegen dieser Zweckverwendung einigermaßen wahrscheinlich ist.[257] Auch bestehen keine Bedenken dagegen, den Dänen die Rückgabe der Schiffe für den Fall in Aussicht zu stellen, daß sie von der Kriegsmarine nicht mehr benötigt werden.

Im übrigen ist es geboten, die Fahrzeuge möglichst bald dem dänischen Gesichtskreis zu entziehen, solches schon früher bezgl. der anderen beschlagnahmten Schiffe für notwendig erachtet wurde. Konteradmiral Engelhardt gab dazu an, daß die Maschinen-

253 Svenningsens protestskrivelse 27. november 1944 er udførligt refereret hos Hæstrup, 2, 1966-71, s. 157f. og gengivet ovenfor som bilag til Bests brev til AA 2. december 1944.

254 Mohrs skrivelse 9. december 1944 til Steengracht er i afskrift i BArch, Freiburg, RM 7/1813.

255 Trykt ovenfor.

256 Se Martius' udkast til Eckhardt 20. december 1944.

257 Se Seekriegsleitung til Skl. Adm. Qu VI 22. november 1944.

anlagen der bisher aufgelegt gewesenen Fahrzeuge erst in Ordnung gebracht werden müssen.[258]

Zu bemerken ist noch, daß "M.G. Melchior" inzwischen wieder freigegeben worden ist.

II.) Bei Chef/Skl.
mit der Bitte um Entscheidung, ob sich die 1. Skl. bei der Besprechung vertreten lassen soll. Konteradmiral Engelhardt hat die Teilnahme eines Vertreters von Skl/Adm Qu VI abgelehnt.

Das Auswärtige Amt wird eine Beteiligung an der Beratung des Antwortentwurfs aus dem Grunde erwarten, daß die Beschlagnahmeaktion lediglich auf Betreiben der Kriegsmarine erfolgt ist. Eine ins einzelne gehende Darstellung des Verwendungszwekkes der Schiffe wird den Dänen gegenüber von der 1. Skl. nicht für nötig erachtet. Auch Dr. Best müßte an sich mit dem zufrieden sein, was ihm über die beabsichtigte Verwendung der Schiffe von den Admiralen Wurmbach und Engelhardt bereits mündlich gesagt worden ist.

Die eingetretenen starken Spannungen erklären sich letzten Endes daraus, daß man in Dänemark noch heute gegenüber den durch Waffengewalt besetzen Ländern eine Sonderstellung einnehmen zu können glaubt, während die dringende Kriegsnotwendigkeit in immer zunehmendem Maße dazu zwingt, auf die noch in Dänemark befindlichen Tonnagereserven zurückzugreifen.

266. Waldemar Ludwig an das Auswärtige Amt 20. Dezember 1944

Ludwig gentog over for AA, at det ikke var muligt at finansiere de forhøjede udgifter til Waffen-SS' forsorgsofficer i Danmark over clearingkontoen. De allerede af danskerne accepterede udgifter til forsorgsofficeren var kun sket efter svære forhandlinger og en forhøjelse deraf var udelukket. Når Best heller ikke mente at kunne betale via de civile besættelsesmidler, ville det være en gunstigere løsning, at det skete af de militære betalingsmidler. Ludwig havde hørt, at OKW skulle være villig dertil.

Se Bests telegram til AA 21. december 1944.

Kilde: RA, pk. 271. BArch, R 901 113.555 (afskrift efter indtelefoneret tekst, da telegrammet ikke indløb til AA).

Der Reichswirtschaftminister
III Ld. I-1/8462/44 g

Berlin, den 20. Dezember 1944

An das Auswärtige Amt
z.Hd. v. Herrn VLR Ripken – o.V.i.A. –
Berlin W 8

258 Der manglede maskindele på flere af de beslaglagte skibe, og Kriegsmarinedienststelle Kopenhagen konstaterede 25. november: "Infahrtsetzung stößt auf Schwierigkeiten, da Maschinenteile ausgebaut sind." (KTB/Kriegsmarinedienststelle Kopenhagen 25. november 1944 (RA, Danica 628, sp. 6, nr. 4330)).

Auf das Schreiben vom 7. Dezember 1944[259] – Ha Pol VI 3050/44 II –

Der Vorschlag unter I, Absatz 2 der Aktennotiz, die Verpflegungskosten für die Wehrmacht in Dänemark aus dem Clearing heraus- und auf Besatzungskosten zu übernehmen und den dadurch frei werdenden Clearingbetrag für die Fürsorgekosten einzusetzen, ist m.E. indiskutabel. Die verschiedenen Fragen können nicht miteinander verquickt werden. Die Bezahlung der Lebensmittelentnahmen über Clearing ist den Dänen ausdrücklich vertraglich zugesichert worden. Ganz abgesehen davon würden die Dänen, auch wenn es gelänge, das Clearing durch Herausnahme gewisser Zahlungen zu entlasten, nicht bereit sein, die nach schwierigen Verhandlungen auf 525.000 RM monatlich bemessenen Zahlungen an den Fürsorgeoffizier der Waffen-SS um irgendeinen Betrag zu erhöhen. Wie schon wiederholt zum Ausdruck gebracht worden ist (vgl. mein Schreiben an das Auswärtige Amt vom 25. Sept. 1944 – III Ld. I-1/7080/44 g – sowie Schreiben an das OKW vom 16. Aug. 1944 – III Ld. I-1/2774/44 g und vom 14. November 1944 – III Ld. I-1/7939/44 g –)[260] wird auch keine Möglichkeit gesehen, mit den Dänen über solche Erhöhungen zu verhandeln.

Ich habe schon früher zugegeben, daß bei Anlegung eines strengen Maßstabes die Fürsorgezahlungen ihrer Natur nach weder zu den zivilen noch zu den militärischen Besatzungskosten gerechnet werden können, aber gleichzeitig darauf hingewiesen, daß eine andere Möglichkeit, als sie aus Besatzungsmitteln zu decken, praktisch nicht gegeben ist. Wenn gegen die Bereitstellung ziviler Besatzungsmittel seitens des Reichsbevollmächtigten Bedenken bestehen, dagegen aber, wie ich jetzt höre, das OKW bereit ist, die Zahlungen aus militärischen Besatzungsmitteln zu finanzieren, so scheint mir das die günstigere Lösung zu sein.

Im Auftrag
gez. **Ludwig**

267. Karl Dönitz: Die Notwendigkeit, zusätzliche Mittel für Kriegsmarine und Handelsschiffahrt einzusetzen 20. Dezember 1944

Storadmiral Dönitz konstaterede, at Tysklands nordfront var beskyttet af forholdsvis svage styrker. En invasion af Danmark kunne forholdsvis let finde sted, og sandsynligheden steg i takt med at vestfronten stivnede. En invasion ville hindre en tysk udsejling fra Østersøen og bringe Sverige i armene på de allierede. For at hindre den truende udvikling ville Dönitz have tilført flere ressourcer til Kriegsmarine og handelsflåden. Værftskapaciteten skulle udvides, så antallet af nybygninger og skibsreparationer kunne forøges. Arbejdskraften til værfterne skulle bl.a. findes ved tilførsel af koncentrationslejrfanger. Sabotagen på de danske og norske værfter var det ikke lykkedes at stoppe, selv om de blev bevogtet af tysk sikkerhedspoliti. Der var indledt en skærpet bekæmpelse af sabotørerne, men det var spørgsmålet, om det ikke var nødvendigt med en ændring af den politiske linje, der blev ført over for Danmark og Norge. Anvendelsen af koncentrationslejrfanger som arbejdere skulle virke afskrækkende på sabotørerne. Det var også meget ønskværdigt at få beslaglagt de stærkt nødvendige danske kraner og dokker til brug for det tyske skibsbyggeri.

Dönitz' til dels meget drastiske forslag lod sig på dette fremskredne tidspunkt af krigen ikke iværksætte.

259 Ripkens brev til Best 7. december 1944, trykt ovenfor.
260 De omtalte skrivelser er ikke lokaliseret.

Det forblev stort set ved forslagene. De kom til gengæld Dönitz dyrt at stå ved krigsforbryderprocessen i Nürnberg. Dog førte ønsket om kraner og dokker fra Danmark til en førerordre, der straks imødekom Dönitz' ønske, se AA til OKM 25. december og Keitel til AA 31. december 1944 (IMT, 13, s. 378-382 (afhøring i sagen), Rosengreen 1982, s. 141, 152f., Taylor 1993, s. 405).

Kilde: RA, pk. 465. Knudsen/Ringsted 1946, s. 242 (uddrag på dansk). IMT, 35, s. 783ff. (uddrag). Salewski 1973, s. 386-398. Kort og figurer er udført med forlæg i Salewski 1973.

Die Notwendigkeit,
zusätzliche Mittel für Kriegsmarine und Handelsschiffahrt einzusetzen

I. Augenblickliche Lage:

Gegen den feindlichen Ansturm auf das Reich stehen im Westen, Osten und Süden Landfronten, die mit allen uns verfügbaren Kräften verteidigt werden.

Die Nordfront des Reiches ist demgegenüber nur durch verhältnismäßig schwache Kräfte geschützt.

Da nur geringe bzw. gar keine Heerestruppen in Norwegen, Dänemark und an den deutschen Küsten bereitgestellt werden und die Küstenbatterien auf den langen Strekken nur Stützpunkte mit großen Zwischenräumen bilden können, sind unsere Seestreitkräfte das wirksamste Abstoßungsmoment gegen den Gegner.

Kommen unsere Seestreitkräfte mangels Ersatz zum Erliegen, so hört ihre abstoßende Wirkung auf und entsprechend steigt der Anreiz für den Gegner, diese unsere weiche Stelle anzupacken.

Er bedroht unsere Nordfront:

1.) Durch Landungen, deren bedrohlichste Stoßrichtung in den dänischen Raum weisen würde, weil hier der strategische Zentralraum unserer ganzen Nordfront liegt. Eine Landung auf Seeland bzw. den anderen dänischen Inseln und Jütland würde nicht nur Norwegen abschneiden, sondern auch den kommenden Tonnagekrieg der U-Boote durch Verblockung der Aus- und Einlaufwege lahmlegen, zum Einsatz starker Heereskräfte zwingen und Schweden in das Lager unserer Gegner bringen. Die Kräfte dafür hat der Feind, denn er braucht dazu vor allem die Flotte und nur geringe Heerestruppen; außerdem weiß er jetzt, daß er entscheidendes Eingreifen deutscher Kampfflugzeuge nicht zu fürchten braucht. Die Wahrscheinlichkeit für eine solche Operation wird umso größer, je mehr sich die Westfront festigt und der Gegner dort sein Ziel nicht erreicht.
2.) Durch Unterbindung unserer Seeverbindungen in Nordsee, Skagerrak und Nordmeer für Nachschub- und Wirtschaftsverkehr und die U-Bootswaffe durch Angriffe mit See- und Luftstreitkräften.
3.) Durch Verminen des Küstenvorfeldes, das in Nord- und Ostsee wassertiefenmäßig in großem Umfang durch Grundminen gefährdet ist. Hiermit trifft er nicht nur unseren deutschen Küstenseeverkehr, dessen Bedeutung durch den Leistungsrückgang des Landverkehrs immer mehr steigt, und die Nachschubwege, sondern auch die neue U-Bootswaffe auf den Übungsgebieten und beim Aus- und Einlaufen.
4.) Durch Luftangriffe auf die Häfen und Werften, die trotz aller Bemühungen zum Auflockern gedrängt belegt sind, weil kein anderweitiger Platz vorhanden ist und der Schiffbau nicht verlagert werden kann.

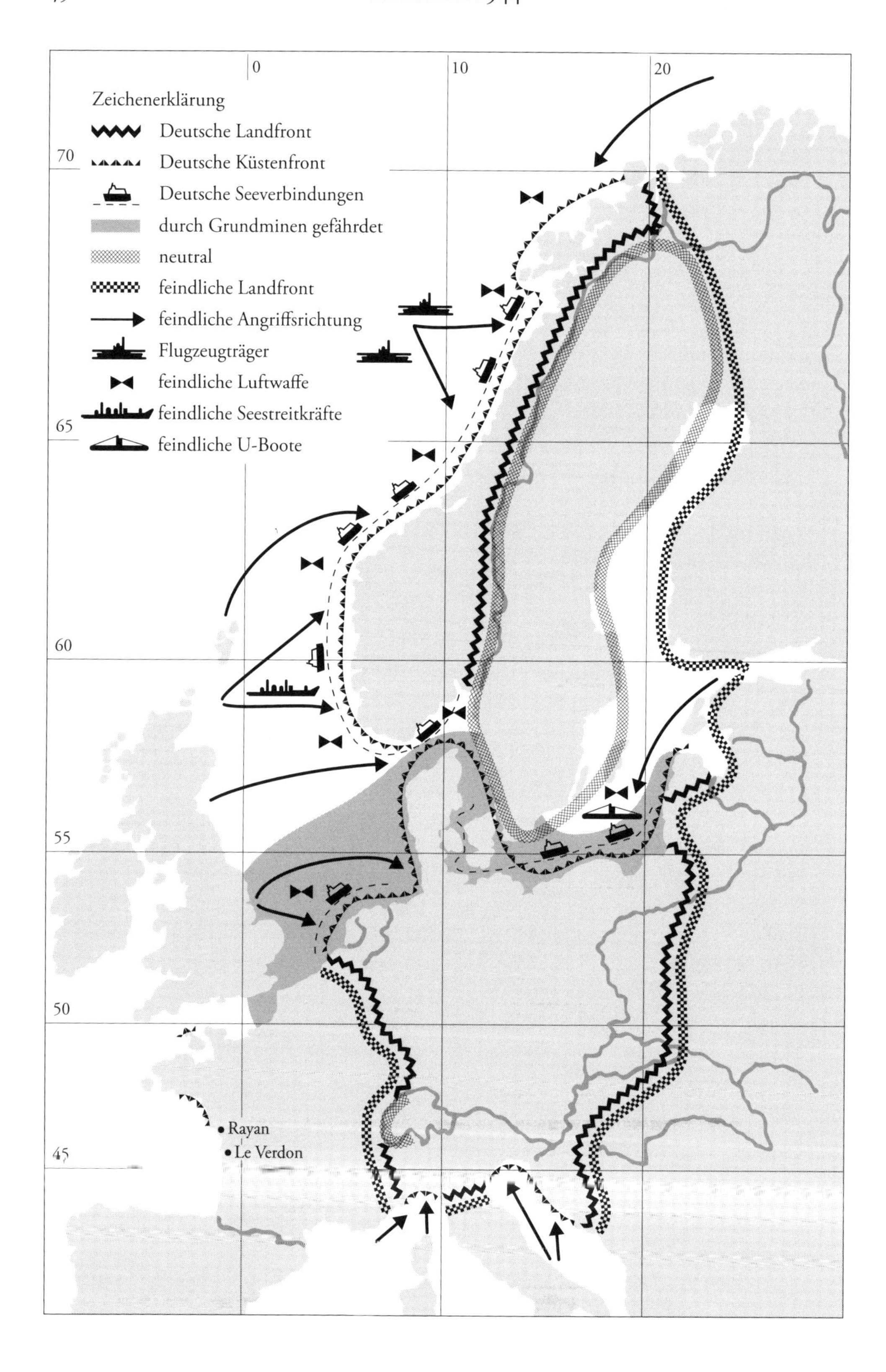
0
10
20
70
65
60
55
50
45
Zeichenerklärung
Deutsche Landfront
Deutsche Küstenfront
Deutsche Seeverbindungen
durch Grundminen gefährdet
neutral
feindliche Landfront
feindliche Angriffsrichtung
Flugzeugträger
feindliche Luftwaffe
feindliche Seestreitkräfte
feindliche U-Boote
Rayan
Le Verdon

Die feindlichen Anstrengungen gegen die U-Boote werden schlagartig zunehmen, wenn die neue U-Bootswaffe zu wirken beginnt und damit die einzige Gefahr wieder akut wird, die unsere angelsächsischen Gegner z.Zt. fürchten. Die Bedrohung für unseren kommenden Tonnagekrieg liegt deshalb nicht im Kampfgebiet, sondern in den Werften, den Heimathäfen und auf den Aus- und Einlaufewegen.

Zur Abwehr der unserer Nordfront und dem Seekrieg drohenden Gefahr wurde vorausschauend die Bereitstellung der unbedingt notwendigen Seestreitkräfte durch das Flottenbauprogramm Anfang 1943 befohlen. Die Entwicklung der Kriegslage hat es mit sich gebracht, daß die geplante Leistung dieses Programms trotz größter Anstrengungen und Ausschöpfung aller Möglichkeiten nicht erreicht Werden konnte.

Die Folge ist der in diesem Jahre bei allen Schiffsklassen eingetretene Kräfteschwund, der zur Folge hat, daß die Zahl der Sicherungsfahrzeuge schon jetzt zur Abwehr der Feindangriffe auf die Seewege nicht ausreicht, geschweige denn zur Landungsabwehr.

Unser Seetransport wird jedoch außerdem durch die bedrohliche Entwicklung des Handelsschiffsraums gefährdet.

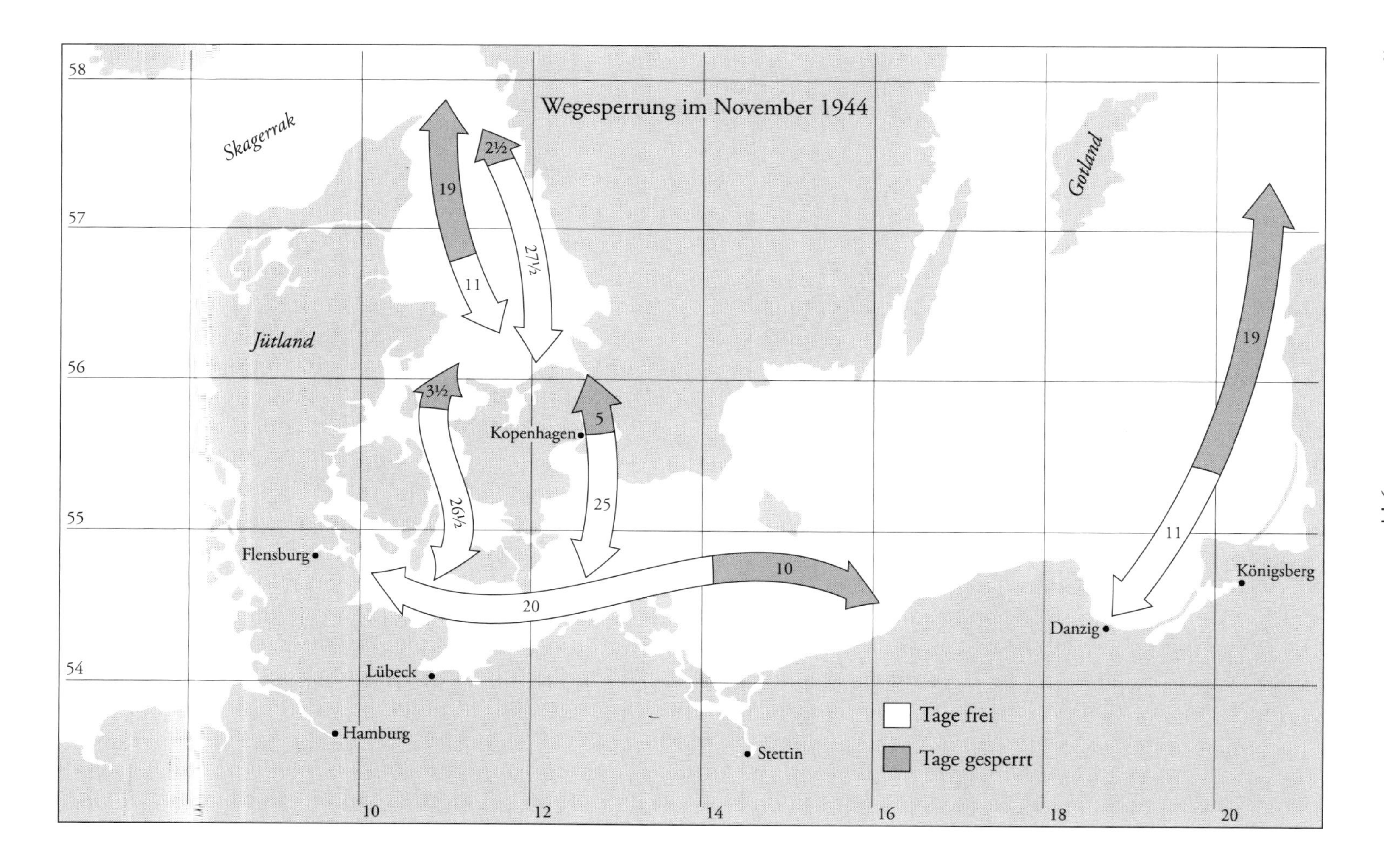

Wegesperrung im November 1944
Skagerrak
Jütland
Gotland
Kopenhagen
Flensburg
Lübeck
Hamburg
Stettin
Danzig
Königsberg
19
11
2½
27½
3½
26½
5
25
20
10
19
11
Tage frei
Tage gesperrt
58
57
56
55
54
10
12
14
16
18
20

Marinefährprähme

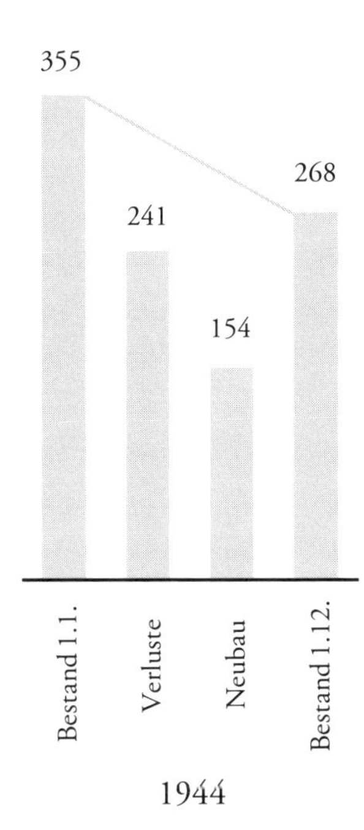

Kriegsfischkutter

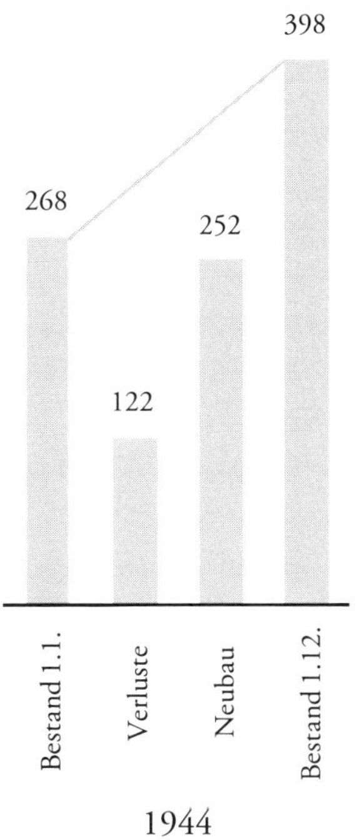

Minensuch-Boote

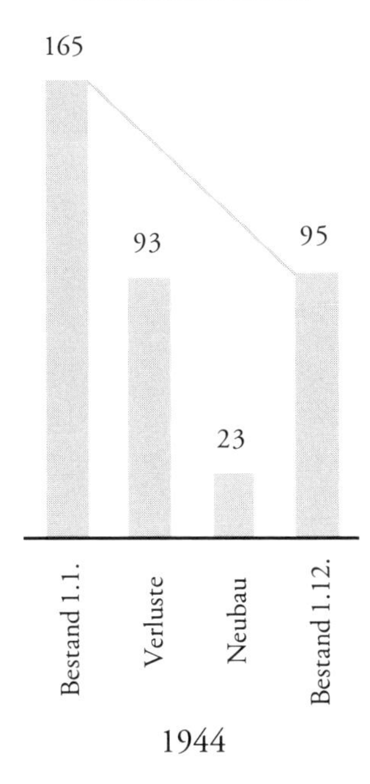

Sperrbrecher

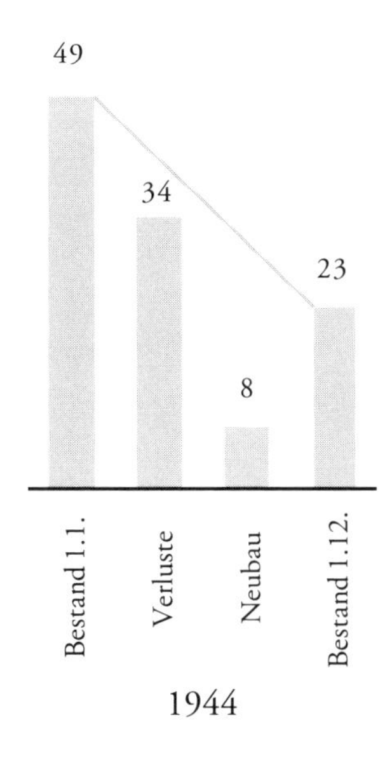

Im November sind ebenso viele Handelsschiffe ausgefallen, wie in den 6 Monaten seit Juni 1944 neu gebaut worden sind. Die Entwicklung von Neubau und Verlusten in diesem Jahr ist folgende:

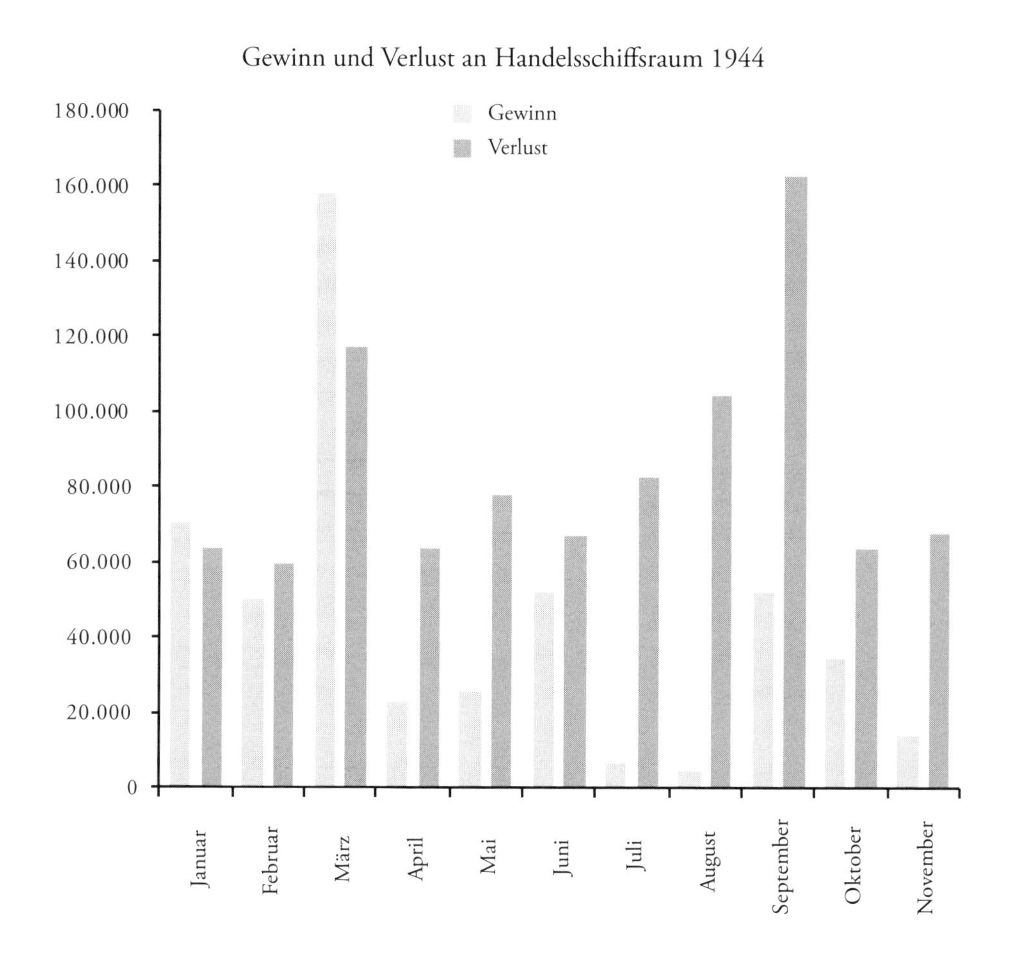

Die allgemeine Leistung des Seetransports wird seit dem Sommer zunehmend gehemmt durch Sperrung der Seewege wegen Minengefahr.

Bei der jetzigen Neubaulage gewinnt die Reparaturfrage für Seestreitkräfte und Handelsschiffahrt eine entscheidende Bedeutung.

Die Lage auf diesem Gebiet ist folgende:

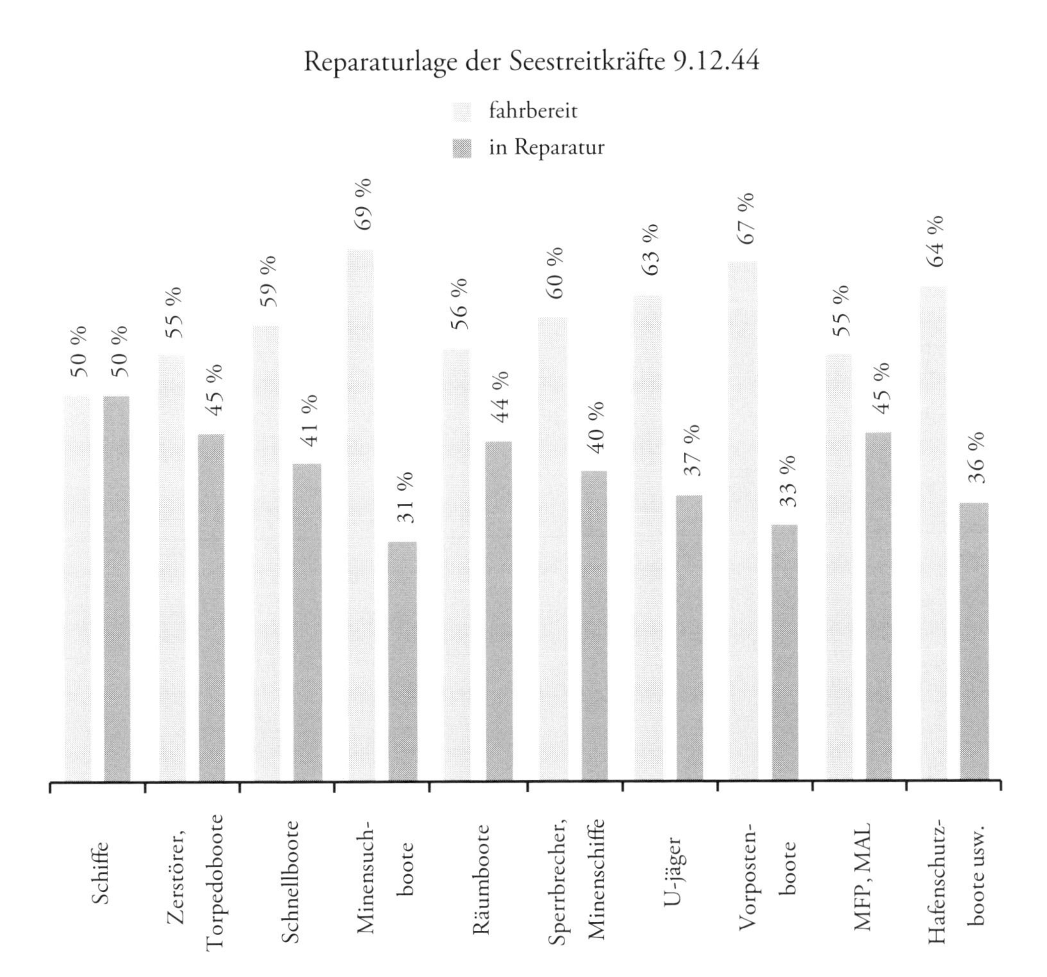

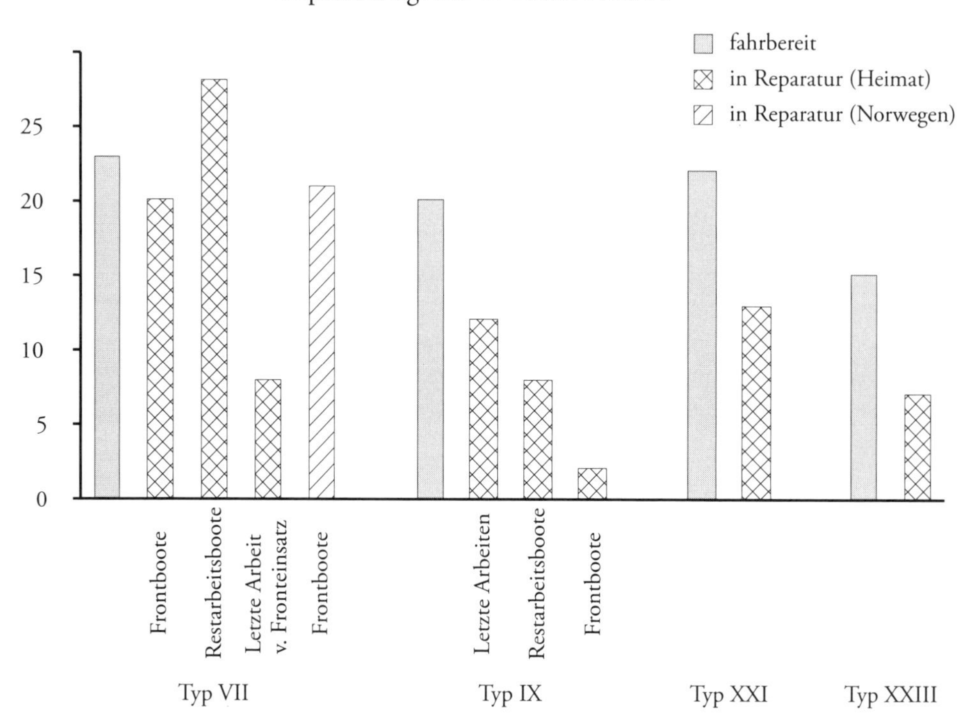
Reparaturlage der U-Boote 1.12.44
fahrbereit
in Reparatur (Heimat)
in Reparatur (Norwegen)
25
20
15
10
5
0
Frontboote
Restarbeitsboote
Letzte Arbeit
v. Fronteinsatz
Frontboote
Letzte Arbeiten
Restarbeitsboote
Frontboote
Typ VII
Typ IX
Typ XXI
Typ XXIII

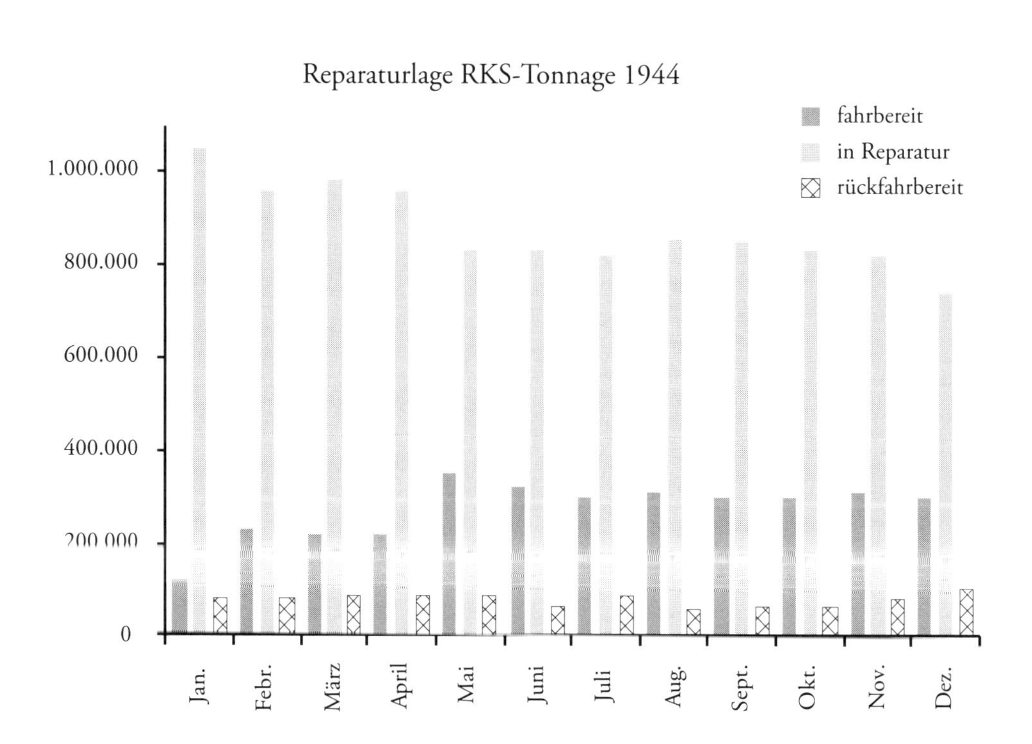
Reparaturlage RKS-Tonnage 1944
fahrbereit
in Reparatur
rückfahrbereit
1.000.000
800.000
600.000
400.000
200.000
0
Jan.
Febr.
März
April
Mai
Juni
Juli
Aug.
Sept.
Okt.
Nov.
Dez.

II. Abhilfemaßnahmen:
Die bisherigen Maßnahmen zur Steigerung der Reparaturkapazität genügen nicht. Es wird zwar eine gewisse Erleichterung bringen, wenn man auf Kosten des Neubaus mehr Arbeitskräfte in die Reparatur steckt. Das erfolgt zur Zeit. Dies ist aber nur eine Augenblickslösung und kann keine dauernde Maßnahme sein, weil sonst in wenigen Monaten die Neubauten ganz fortfallen würden.

Ich halte es vielmehr für erforderlich, zur Verbesserung der Arbeiterlage noch rückständige Arbeitskräfte für das Hansa-Programm den Werften beschleunigt zuzuführen. Hierbei handelt es sich um 8.000 Arbeitskräfte, die nach mündlich erteilter Entscheidung dem RKS beim Führervortrag Ende September d.J.[261] zugesagt, aber vom GBA[262] noch nicht gestellt worden sind.

Des weiteren beantrage ich Verstärkung der Werftbelegschaften durch KZ-Häftlinge und als Sondermaßnahme zur Behebung des derzeitigen Mangels an Kupferschmieden vor allem im U-Bootsbau Abzweigung von Kupferschmieden aus dem reduzierten Lokomotivbau zum Schiffbau.[263]

Die Arbeitsleistung der Werften ist in letzter Zeit aber auch durch Kohlen- und Strommangel abgesunken. Ich halte es deshalb für erforderlich, daß die Werften bevorzugt mit Kohle versorgt, möglichst bevorratet und mit elektrischer Energie bevorzugt beliefert werden.

Schließlich erbitte ich Anweisung an die Reichsverteidigungskommißare, daß Arbeitszeitverkürzung bzw. Arbeitseinstellung auf den Werften nur nach Unterrichtung und Zustimmung des Reichsministers für R.u.K. und des Ob.d.M. verfügt werden darf, damit dort vorhandene Möglichkeiten zur Behebung der Ursachen für diese Maßnahmen rechtzeitig ausgenutzt werden können.

Eine Frage von besonderer Bedeutung ist die Sabotage auf den dänischen und norwegischen Werften. Aus politischen Gründen ist bisher ein scharfes Durchgreifen gegen diese Pest unterblieben. Während an sich schon die Arbeitsleistung der nordischen Werftarbeiter nur 75 % der Deutschen erreicht, wird es vollends sinnlos, unter Aufwendung unseres kostbaren Materials und der knappen Devisen Schiffe im Ausland bauen zu lassen, wenn z.B. jetzt in Dänemark von 8 Neubauschiffen 7 durch Sabotage versenkt werden.

Die Bewachung durch militärische und SD-Posten allein hat sich trotz dauernder Verstärkung als nicht ausreichend erwiesen; sie ist vor allem so lange unvollständig, wie z.B. nicht einmal die Arbeiter beim Betreten der Werften darauf untersucht werden dürfen, ob sie Sprengstoff bei sich führen. Maßnahmen zur vermehrten Bekämpfung der Saboteure selbst sind durch den SD eingeleitet.

Sollten diese nicht zum Ziel führen, dann bitte ich, zu prüfen, ob nicht doch eine Änderung der Dänemark und Norwegen gegenüber verfolgten politischen Linie notwendig würde.

Da sich an anderer Stelle Sühnemaßnahmen gegen ganze Belegschaften, bei denen

261 Ikke omtalt hos Wagner 1972.
262 General-Bevollmächtigter für den Arbeitseinsatz.
263 Jfr. IMT, 34, s. 785 f.

Sabotage vorkam, bewährt haben und z.B. in Frankreich die Werftsabotage völlig unterdrückt wurde, kommen möglicherweise ähnliche Maßnahmen auch in den nordischen Ländern in Betracht.

Durch Einsatz betroffener Belegschaften (ganz oder teilweise) als KZ-Arbeiter würde nicht nur ihre Leistung auf 100 % steigen, sondern u.U. auch durch Fortfall des bisherigen guten Verdienstes eine beträchtliche Abschreckung gegen Sabotage eintreten, weil diese zwar wahrscheinlich durch aktivistische Feindelemente, aber nur mit stillschweigender Duldung der Arbeiterschaft durchgeführt wird.

Die Sorge vor Nachteilen durch Streiks oder Fortlaufen der Arbeiter ist nicht mehr begründet, wenn durch das Fortdauern der Sabotage der praktische Nutzeffekt dieser Arbeiter so gering ist wie jetzt.

Sehr erwünscht wäre es außerdem, wenn wir die im deutschen Schiffbau dringend benötigten dänischen Kräne und Docks beschlagnahmen könnten.

Materiell kann der Schiffsneubau noch so lange fortgeführt werden, wie die bereits in Auftrag gegebenen Neubauten durch die Fertigung laufen.

In wenigen Monaten ist dann infolge des Rückgangs unserer Eisen- und Stahlerzeugung die volle Durchführung des Flottenbauprogramms nicht mehr möglich, wenn es nicht gelingt, die Ausbringung der eisenschaffenden Industrie wieder wesentlich zu steigern.

Außer den Maßnahmen zur Verbesserung der Neubau- und Reparaturlage ist es notwendig, den militärischen Schütz des vorhandenen Schiffsbestandes zu verbessern.

Da die Seestreitkräfte allein nicht ausreichen, muß eine stärkere Unterstützung durch Luftstreitkräfte erfolgen. Sie muß sich erstrecken auf:

a.) Verstärkung der Tagjagd zum Geleitschutz und zur Hafenverteidigung.
b.) Vermehrung der Nachtjagdkräfte zur Bekämpfung der feindlichen Minenflieger und nächtlicher Bombenangriffe auf die Häfen.

In Norwegen kann die Bodenorganisation noch erheblich mehr Tagjagdkräfte aufnehmen, als jetzt nach der bereits erfolgten Vermehrung dort liegen. Dort können auch diejenigen Jagdflugzeugtypen zum Erfolg kommen, die über dem Reichsgebiet wegen des überlegenen Jagdschutzes der feindlichen Kampfverbände nichts erreichen, denn in Mittel- und Nordnorwegen kann der Gegner seinen Kampfflugzeugen diesen starken Jagdschutz nicht mitgeben, weil die Entfernung von den Heimathorsten zu groß ist bzw. der Einsatz vom Träger aus erfolgt. Die Erfolgsaussichten für Jagdeinsatz an der norwegischen Küste sind durch die Praxis erwiesen. Sobald es Ausbildungsstand und Kräftelage der Luftwaffe erlauben, sollte eine dritte Tagjagdgruppe nach Norwegen verlegt werden.

Darüber hinaus muß die Jagdluftwaffe im Reichsgebiet darauf eingestellt sein, daß jederzeit schwere Luftangriffe gegen die Werften und Häfen erfolgen können und mit Sicherheit dann kommen, wenn der neue U-Bootskrieg beginnt. Eine vorausschauende Dislozierung der Jagd-Luftwaffe für diesen Zweck ist erforderlich, sobald ihre Kräfte es irgendwie zulassen.

Die Nachtjagd gegen Minenflugzeuge im Raum Skagerrak-Kattegat kann sofort verstärkt werden, da hierfür Kräfte vorhanden sind, die in der Reichsverteidigung nicht unbedingt gebraucht werden. Ein entsprechender Antrag ist an das OKL gegangen.

Die artilleristische Bewaffnung der fahrbereiten Handelsschiffe und die Luftverteidigung der Häfen sind lückenhaft und zu schwach.

Die Bordflakformationen, die den Flakschutz auf 957 Handelsschiffen stellen, haben einen Fehlbestand von:

73	7,5 bis 10,5 cm Geschützen
207	3,7 cm Einzelgeschützen
155	2 cm Vierlingen
351	2 cm Einzelflak
839	MG 151

Folgender weiterer Bedarf läßt sich übersehen:

	8,8 cm	3,7 cm	2 cm Vierl.	2 cm	MG 151
Rheinschiffe	–	–	20	80	–
Dänische Schiffe	16	48	39	123	98
Hilfsbeischiffe	24	61	54	154	112
Noch nicht besetzte RKS-Schiffe	6	12	24	336	60
Für Hansa-Schiffe (bis Oktober 45)	53	103	103	248	184
Reserve für Ausfälle	20	69	53	200	207
Summe	119	293	293	1.141	651

Demgegenüber sah die Dezemberverteilung an leichten und mittleren Flak für die ganze Kriegsmarine folgendermaßen aus:

	3,7 cm M 42 (einzeln)	3,7 cm M 42 (doppelt)	3,7 cm M 42 (L 43 U)	2 cm Vierl.	2 cm (doppe.)	MG 151
Anfall	25	30	70	60	232	50
Zugeteilt f. U-Boote u. Flotte	10	30	70	45	175	40
Bordflak Handelsschiffe	–	–	–	10	10	10
Kriegsschiffsneubauten	15	–	–	5	47	–

Hier ist eine Verbesserung dringend, weil wir sonst gegen die Verluste zu schwach oder gar nicht bewaffneter Handelsschiffe nicht ankommen. Ausbildung und Kriegserfahrung der Bedienungen und die Abschußerfolge sind gut; es fehlen nur die Waffen.

Da das Flakprogramm eine erhebliche Zahl von 2 cm Drillingen liefert (monatlich 5.000), beantrage ich Zuteilung derartiger Waffen für die Kriegsmarine durch das OKW. Die Luftwaffe kann nichts abgeben, weil sie bei einem Bestand von 6.000 Drillingen fast ⅓ für wichtige andere Verwendungen abgegeben hat.

Hinsichtlich der Verteidigung von Schutzobjekten mit schwerer Flakartillerie hat die praktische Erfahrung gezeigt, daß zur wirksamen Abwehr der Bombenteppiche für 1 Schutzobjekt etwa 200 schwere Rohre notwendig sind. Demgegenüber sind zur Zeit zum Schutz der stark mit Schiffen und Werften belegten Häfen nur folgende Röhrzahlen eingesetzt:

Pillau	32	(Kriegsmarine)
Gotenhafen	78	(Kriegsmarine)
Danzig	28	+ 24 Alarmflak (Luftwaffe)
Swinemünde	33	(Kriegsmarine)
Kiel	104	(Kriegsmarine)
Wilhelmshaven	82	(Kriegsmarine)
Emden	64	Kriegsmarine)

Sobald der Schutz der lebenswichtigen Industrie sichergestellt ist, bitte ich die Flakverteidigung von Gotenhafen, Danzig, Pillau und Swinemünde zu verstärken; in zweiter Dringlichkeit folgen dann Kiel, Hamburg, Bremen. Die besondere Dringlichkeit für Gotenhafen, Danzig und Pillau ist dadurch begründet, daß in diesen engen Häfen erhebliche Mengen von Fahrzeugen unterkommen müssen, weil Erprobung und Ausbildung in der westlichen Ostsee nicht mehr möglich sind.

Für die Verbunkerung der Werften hat Reichsminister Speer alles überhaupt Mögliche getan.

III. Zusammenfassung:
Die in den letzten Monaten immer bedrohlicher werdende Entwicklung des Seetransports und der Feindlage im Küstenvorfeld habe ich zum Anlaß genommen, mit allen beteiligten Stellen die vorstehenden Probleme und die möglichen Hilfen zu besprechen.

Als Ergebnis schlage ich folgende Sofortmaßnahmen vor:

1.) 8.000 für das Hansaprogramm zugesagte Arbeitskräfte werden vom GBA gestellt. (Für 4.000 bereits eingeleitet, Rest noch fraglich.)
2.) Als zusätzliche Arbeitskräfte werden 12.000 KZ-Häftlinge auf den Werften eingesetzt. (SD einverstanden.)
3.) Zur Überwindung des Engpasses an Kupferschmieden werden 50 Kupferschmiede aus dem Lokomotivbau zum Schiffbau überführt. (Versuch durch Hauptamtsleiter Sauer eingeleitet.)
4.) Die Reichsverteidigungskommißare erhalten Anweisung, die Werften bevorzugt mit Kohle und Energie zu versorgen und Arbeitsbeschränkungen nur nach möglichst frühzeitiger Unterrichtung und Absprache mit Rüstungsminister bzw. Ob.d.M, anzuordnen. (Mit Reichsminister Speer abgesprochen.)
5.) Genehmigung zur Beschlagnahme der für den H. A. Schiffbau dringend benötigten 3-4 Kräne und 2 Docks in Dänemark. (Politische Angelegenheit.)[264]
6.) Verstärkung der Nachtjagd gegen Minenflugzeuge in Südnorwegen und Dänemark auf 3 Nachtjagdgruppen. (Luftwaffe einverstanden, Antrag gestellt.)
7.) Verstärkung der Tagjagd in Norwegen durch baldmöglichste Verlegung einer 3. Tagjagdgruppe. (Luftwaffe einverstanden.)
8.) Dislozierung von Tag- und Nachtjagdkräften zum Schutz der Häfen und Werften, sobald es die Kräftelage erlaubt.
9.) Zuteilung von 2 cm Drillingen für die Kriegsmarine zur Bewaffnung von Handelsschiffen. (Sache des OKW.)

264 Se Keitel til AA 31. december og der anf. henvisninger.

10.) Zuteilung derjenigen schweren Flakbatterien, für die der Luftwaffe das Personal fehlt; an die Kriegsmarine zum Schutz der Häfen und Werften und Erhöhung der Kriegsmarinezuteilung an schwerer Flak, sobald es die Lage erlaubt. (Sache des OKW.)

Ich bitte um Entscheidung.

gez. **Dönitz**

268. Georg Martius an Kurt Eckhardt 20. Dezember 1944

Martius sendte et udkast til Eckhardt, som skulle være svar til den danske gesandt Mohr i anledning af dennes protest mod beslaglæggelsen af de danske skibe 24. november. Udkastet var en entydig afvisning af den danske protest, men rummede ikke gengæld (for beslaglæggelsen af færgen "Store Bælt") som argument.

Seekriegsleitung svarede dagen efter.

Kilde: BArch, Freiburg, RM 7/1813. RA, Danica 628, sp. 7, nr. 5926-29.

S BLN AW Nr. 153 20.12. 2145 = Citissime.
OKM 1. Seekriegsleitung
z.Hd. Herrn Admiralrichter Dr. Eckhardt.

Im Anschluß an Mitteilung 15. Dezember Ha Pol 12 – 2897.[265]

Nachstehende Entwurf ist das Ergebnis der heutigen Besprechung mit dem Sonderstab HWK, dem Reichswirtschaftsministerium und dem Reichskommissar für die Seeschifffahrt:

"Herr Gesandter.
Den von Ihnen bei mir und von dem Dänischen Außenminister bei dem Herrn Reichsbevollmächtigten in Kopenhagen eingelegten Einspruch wegen der am 24. Nov. 1944 ausgesprochenen Beschlagnahme von dänischen Handelsschiffen muß ich zurückweisen. Die Beschlagnahme ist von dem Herrn Reichsbevollmächtigten auf Antrag der deutschen Kriegsmarine ausgesprochen und im Rahmen der dem Deutschen Reich als kriegsführender Macht nach Völkerrecht zustehenden Befugnisse erfolgt. Sie war durch zwingende Bedürfnisse der deutschen Wehrmacht geboten, die über das Vorliegen derartiger Bedürfnisse allein zu entscheiden berufen ist.

[Bei der Entscheidung sind auch die dänischen Belange in Betracht gezogen worden, für die Schiffe ist, wie es schon bei den früher beschlagnahmten Schiffen der Fall war, wiederum eine Verwendung vorgesehen, die sie den Kriegsgefahren in möglichst geringem Masse aussetzt. Beispielweise als Lazarettschiffe, Wohnschiffe, Zielschiffe für Schulungszwecke und dergleichen. Hierdurch werden deutsche Schiffe für den Einsatz in gefährlicher Fahrt frei. Es ist daher völlig irrig, aus der Verwendung der Schiffe zu schließen, daß ihr Einsatz nicht kriegsnotwendig ist.][266]

265 Meddelelsen er ikke lokaliseret.

266 For afsnittet i skarpe parenteser, se Seekriegsleitungs notat 21. december 1944.

Ihrem Wunsche, die Beschlagnahme rückgängig zu machen, kann auf Grund des vorstehenden Sachverhalts nicht entsprochen werden. Ich kann auch nicht in Aussicht stellen, daß die Frage der Entschädigung für die Schiffe in anderer Weise geregelt wird als bei sonstigen Requirierungen auf dänischem Boden.

Die Erfüllung ihres weiteren Wunsches, spätere Beschlagnahme dänischer Schiffe zu vermeiden – einen Wunsch, dem ich voll würdige – hängt ebenso wie die Möglichkeit der Rückgabe beschlagnahmter Schiffe noch während des Krieges von dem weiteren Verlauf der Kriegsergebnisse ab.

Im übrigen ist mir bekannt, daß der Herr Reichsbevollmächtigte ebenso wie die anderen beteiligten Reichsstellen den Beitrag der dänischen Volkswirtschaft – namentlich für die deutsche Ernährungswirtschaft – voll anerkennen und ständig bemüht sind, dem auch Ihrerseits bei Ihren Entschließungen Rechnung zu tragen.

Zum Schluß Ihres Schreibens glauben Sie, die auf dänischen Werften vorgekommenen Sabotageakte als Folge der deutscherseits vorgenommenen Beschlagnahme dänischer Schiffe hinstellen zu können. Das kann ich nach den gegebenen Tatsachen nur als abwegig bezeichnen."

Ich bitte um Prüfung und fernmündliche Rückäußerung im Laufe des Donnerstag (21.).

Martius

269. Werner Best an das Auswärtige Amt 21. Dezember 1944

Best havde været i kontakt med Walter i spørgsmålet om finansieringen af et forhøjet bidrag til Waffen-SS' forsorgsofficer i Danmark. Walter bekræftede den af Ludwig telefonisk givne holdning i sagen. Best ville ikke spørge værnemagtsintendanten i Danmark i sagen, da OKW forhandlede sagen med de relevante instanser.

Ripken svarede Best 23. december 1944.

Kilde: BArch, R 901 113.555. RA, pk. 271.

DG Kopenhagen Nr. 87 vom 21.12.1944. 16.55

Auf Telegramm Nr. 1468 vom 19.12.44.[267]
Ministerialdirektor Walter bestätigt die vom Ministerialrat Ludwig mitgeteilte Auffassung – die Anfrage ist dem Wehrmachtintendanten Dänemark nicht verständlich, da diese Frage Gegenstand einer eingehenden Besprechung der zuständigen Ressorts mit dem OKW gewesen sei.

Dr. Best

267 Trykt ovenfor.

270. Seekriegsleitung: Beschlagnahme dänischer Schiffe 21. Dezember 1944

Seekriegsleitung havde enkelte mindre ønsker om tilføjelser og ændrede formuleringer til Martius' udkast til svarskrivelse til Mohr angående beslaglæggelsen af danske skibe. Martius var straks gået ind derpå.

Dermed lykkedes det til det sidste at holde UM uvidende om den egentlige baggrund for, at beslaglæggelserne 24. november havde fundet sted. Både Kriegsmarines repræsentanter og AA havde accepteret, at beslaglæggelserne ikke blev udlagt som gengæld for færgen "Store Bælts" flugt. Trods materialets fragmentariske karakter fremgår det af Seekriegsleitungs notat 19. december, at der var andre hensyn, der måtte tages til Danmark, og tillige til andre tyske instansers muligheder for at udnytte den danske leveringsvillighed. Enten var det Best selv eller AA, der endnu en gang havde bragt det på bane over for Kriegsmarine.

Kilde: BArch, Freiburg, RM 7 1813. RA, Danica 628, sp. 7, nr. 5921f.

Seekriegsleitung
Zu: B-Nr. 1. Skl. I i 43 403/44 geh.
hvbd. 1. Skl. 43 404/44 g.

Berlin, den 21.12.1944.
Geheim

Vermerk

Betr.: Beschlagnahme dänischer Schiffe.

Im Benehmen mit I a und II a wurde von I i dem Ausw. Amt am 21.12.44 fernmündlich durchgegeben, daß der ablehnende Antwortentwurf unserer Auffassung entspräche, daß es sich aber zur Vermeidung späterer neuer dänischer Vorwürfe empfehle, die in dem Eingang blau eingeklammerten Sätze loser zu fassen, um die Kriegsmarine nicht darauf festzulegen, daß die neu beschlagnahmten Schiffe lediglich für ungefährliche Zwecke, nicht aber auch z.B. als Truppentransporter eingesetzt werden. Es wurde hierfür etwa folgende Neuformulierung in Anregung gebracht:

"Bei dem Einsatz der Schiffe werden wie auch schon bei den früher beschlagnahmten Fahrzeugen die dänischen Belange möglichst mit in Betracht gezogen. So ist z.B. das Motorschiff "Kronprinz Olaf" als Lazarettschiff bestimmt, wodurch es den Kriegsgefahren in möglichst geringem Maße ausgesetzt wird. Wenn in dem Schreiben des dänischen Außenministeriums vom 27.11.44 gesagt ist, daß die schon früher beschlagnahmten Schiffe u.a. als Übungs- und Wohnschiffe benutzt werden, so ist dazu zu bemerken, daß auf diese Weise deutsche Schiffe für den Einsatz in gefährlicherer Fahrt frei werden oder bleiben. Es ist daher völlig irrig, aus der Benutzung beschlagnahmter Schiffe für Schulungs- und Wohnzwecke zu schließen, daß ihre Verwendung nicht kriegsnotwendig ist."

Gesandter Martius erklärte sich bereit, der obigen Anregung Rechnung zu tragen, meinte aber, daß es genüge, wenn in der von den übrigen Ressortvertretern bereits gutgeheißenen Wortfassung die Worte "Beispielweise als Lazarettschiff, Wohnschiffe, Zielschiffe für Schulungszwecke und dergleichen" gestrichen werden.

Da den Dänen bereits bekannt ist, daß das Motorschiff "Kronprinz Olaf" nur als Lazarettschiff eingesetzt werden soll, ist gegen den Gegenvorschlag von Martius nichts einzuwenden.

Der endgültige Wortlaut der Antwort wird der Skl. nach Genehmigung durch den Außenminister noch zugeleitet werden.[268]

268 AAs svar er ikke lokaliseret.

271. Georg Ripken an Werner Best 23. Dezember 1944

Ripken bad Best sørge for, at Waffen-SS' forsorgsofficers ekstraudgifter til underhold af de danske frivilliges familier straks blev betalt af værnemagtsintendanten, og at værnemagtskontoen blev forøget med et tilsvarende beløb, der skulle tages fra clearingkontoen. Imidlertid skulle dette holdes hemmeligt for de danske myndigheder.

Forud var fremsendt et telegram af Best (ikke lokaliseret), hvor han fastholdt, at han ikke ville betale af sikringskontoen. AA sendte 27. december kopi af punkt 1 i Ripkens brev til Kuchenbaecker i Rasse- und Siedlungshauptamt-SS (RA, pk. 232).

Der var med Ripkens brev fundet en løsning på finansieringsproblemet, som kom uden om Bests, Walters og Ludwigs hidtil fremførte indvendinger. Det var næppe Best, der havde leveret denne konstruktive løsning, som Schnurre 19. december havde bedt ham bidrage til. OKW havde foretaget det fornødne uden AAs positive medvirken.

Best svarede først med telegram nr. 31, 8. januar 1945 direkte på skrivelsen.

Kilde: PA/AA R 100.989.

Auswärtigen Amt
Ha Pol 6252/44 g

Den 23. Dezember 1944
Geheim

An den Reichsbevollmächtigten in Dänemark,
Kopenhagen

Im Nachgang zu dem Erlaß vom 7. d.M. – Ha Pol VI 3050/44[269] – das Telegramm 1460 vom 19. d.M., sowie dem telegrafischen Bericht 1399 vom 21. d.M.[270] übersende ich in der Anlage Abschrift der vom OKW, Amtsgr. Wehrmachtsverwaltung, angefertigten Niederschrift über die Besprechung vom 1. Dezember 1944.[271] Zu den in dieser Besprechung behandelten Fragen bemerke ich folgendes:

1.) Der Vorschlag des Oberkommandos der Wehrmacht betreffend Herausnahme der Kosten für die Verpflegung der deutschen Truppen in Dänemark aus dem deutsch-dänischen Clearing ist völlig unannehmbar, da die bestehende Regelung betreffend Überweisung dieser Kosten im Wege des deutsch-dänischen Clearings auf einer seit Jahren bestehenden Vereinbarung mit den Dänen beruht. Der erhöhte Bedarf des Fürsorge-Offiziers SS kann somit nur durch Zahlungen zu Lasten des Besatzungskosten-Kontos gedeckt werden. Da das Oberkommando der Wehrmacht hierzu seine grundsätzliche Zustimmung erteilt hat und auch das Reichswirtschaftsministerium mangels anderer Möglichkeit mit einer solchen Regelung einverstanden ist, bitte ich, das Erforderliche zu veranlassen, damit der Wehrmachtsintendant:
   a.) den bis jetzt entstandenen Überhang vom 250.000 RM umgehend den Fürsorgeoffizier SS zur Verfügung stellt,
   b.) daß gleichfalls zu Lasten des Besatzungskosten-Kontos der erhöhte Bedarf des Fürsorgeoffiziers für Unterstützungszahlungen, d.h. der Betrag, der die im Clearingwege monatlich zur Überweisung gelangenden RM 525.000,- übersteigt, laufend den Fürsorgeoffizier zur Verfügung gestellt wird; das OKW veranschlagt

269 Trykt ovenfor.

270 Telegrammet fra 19. og indberetningen fra 21. december er ikke lokaliseret.

271 Trykt ovenfor 5. december (Arndts referat).

den künftigen monatlichen Bedarf insgesamt auf rund 1.160.000 Reichmark, sodaß zu Lasten der Besatzungskosten monatlich etwa 635.000 RM zu decken wären.

Das OKW legt allergrößten Wert darauf, daß der Verwendungszweck dieser vom Wehrmachtsintendanten geleisteten Zahlungen den dänischen Behörden nicht bekannt werden. Ich bitte, hierüber sich mit dem Wehrmachtsintendanten ins Benehmen zu setzen.

2.) Was die in Punkt 2 der beiliegenden Niederschrift behandelten Frage der Abgrenzung der militärischen und zivilen Schutzkosten sowie die Abstimmung zwischen der Zahlstelle des Reichsbevollmächtigten und derjenigen des Wehrmachtsintendanten bezüglich solcher Zahlungen, die von beiden Stellen an dieselben Zahlungsempfänger geleistet werden, anlangt, so dürfte diese Frage durch den dortseitigen Bericht vom 1. Dezember 1944 – III 10 496 –, von dem Abschrift sowohl dem OKW, Amtsgr. Wehrmachtsverwaltung, wie den Reichsfinanzministerium übersandt wurde, erledigt sein.

3.) Bezüglich des vom OKW bereits vor einiger Zeit geltend gemachten Wunsches, einen ständigen Vertreter in den deutschen Regierungsausschuß zu entsenden, folgt demnächst ein weiterer Erlaß.

Ich bitte um möglichst umgehenden Bericht über das zu Punkt 1.) veranlaßte.

Im Auftrag
gez. **Ripken**

272. Seekriegsleitung: Repressalien gegen Angehörige der Kapitäne dänischer Schiffe, die nach Schweden ausweichen 24. Dezember 1944

Seekriegsleitung havde modtaget kopi af Bests indstilling 12. december vedrørende repressalier mod slægtninge til danske kaptajner og besætninger, der undveg med skibe til Sverige. Man ville nu afvente AAs egen indstilling, men i notatet gjorde Seekriegsleitung opmærksom på det problematiske retlige grundlag for at gennemføre repressalierne.

17. januar 1945 rykkede Seekriegsleitung AA for et svar på dets indstilling til Bests skrivelse af 12. december. AA svarede herpå mundtligt, som det fremgår af Seekriegsleitungs skrivelse til 3. Seekriegsleitung 16. marts 1945, pkt. 3.

Se RFSS til OKM 8. marts 1945.

Kilde: RA, Danica 203, pk. 38, læg 462.

Seekriegsleitung
Zu: B-Nr. 1. Skl. I i 43 598/44 geh.
Vfg.

Berlin, den 24.12.1944.
Geheim

I.) Vermerk

Betr.: Repressalien gegen Angehörige der Kapitäne dänischer Schiffe, die nach Schweden ausweichen.

Nachdem der Reichbevollmächtigte Dr. Best die Frage der Repressalien gegen Familienangehörige nunmehr nochmals grundsätzlich dem Auswärtigen Amt gegenüber angeschnitten hat, kann marineseitig wohl zunächst abgewartet werden, zu welchem Ergebnis das Auswärtige Amt gelangt. Uns ist der Vorgang vorläufig nur zur Kenntnis zugeleitet worden, so daß die Notwendigkeit einer Stellungnahme zur Zeit nicht besteht.

Es handelt sich, nachdem für den deutschen Rechtsbereich das neue Prinzip der Sippenhaftung eingeführt worden ist, darum, inwieweit dieses Prinzip auch gegenüber der Bevölkerung kriegsbesetzter Länder Anwendung finden kann, obwohl die Haager Landkriegsordnung eine derartige Familienhaftung nicht kennt. Eine kollektive Verantwortlichmachung für die Handlung einzelner ist vielmehr gemäß Artikel 50 der Landkriegsordnung ausdrücklich verboten.

II.) Bei Skl Adm Qu V
III.) I i

1. Skl.
Ia IIa Ic

273. Georg Martius an OKM 25. Dezember 1944

AA havde 24. december fået besked om, at Kriegsmarine ifølge en rapport fra Dönitz havde et påtrængende behov for at få dokker og kraner fra Danmark. AA bad omgående om OKMs stillingtagen.

Af en påtegning på fjernskrivermeddelelsen dateret 28. december fremgår det, at der den 26. blev telefoneret for at finde ud af, hvad meddelelsen skulle betyde, og at man afventede yderligere oplysninger. Det gør det fra starten klart, at Dönitz ikke havde orienteret sin egen organisation om ønsket forud, men at det var Dönitz' betænkning 20. december, der satte sagen i gang.

Se Keitel til AA 31. december 1944.

Kilde: BArch, Freiburg, RM 7/1816.

Dringend
+ S Berlin Ausw Nr. 190 25/12 21.35 =

Für OKM 1. Skl.
OKW Wehrmachtsführungsstab Ag Ausland übermittelt unter dem 24. nachstehendes:

"Der Oberbefehlshaber der Kriegsmarine hat in einem Bericht über die eigene Schiffahrtslage darauf hingewiesen, daß für den eigenen Schiffbau die Beschlagnahme von Kränen und Docks in Dänemark dringend erforderlich sei."

Bitte sonst beteiligte Marinestellen um umgehende Auszuschließenden.

Martius

274. Das Agentennetz des dänischen N.D. 29. Dezember 1944

Det var en stor succes for det tyske politiarbejde, da det centrale danske kontor for illegal efterretningsvirksomhed med et stort arkiv, der var bevaret trods alle sikkerhedsregler, blev afsløret og beslaglagt i oktober 1944.[272] Imidlertid fik man fra tysk side ikke det udbytte af fangsten, som man havde forventet. Den konsekvente brug af dæknavne gjorde det næsten umuligt at komme på nært hold af de agenter, der skjulte sig bag dem, selv om man fik et godt indblik i selve efterretningsstrukturen. Arrestationerne som følge af materialet var derfor få, hvilket blev forsøgt underspillet i den foreløbige rapport. Den blev udarbejdet ved årsskiftet med henvisning til, at bearbejdelsen af materialet stadig pågik (Bjerg 1985, 2, s. 157, 218f., Tillisch, 2, 2009, s. 65-66).

Kilde: RA, Stockholmarkivet CXXI. H.C. Bjergs arkiv (privateje).

Kopenhagen, den 29.12.1944

Das Agentennetz
des dänischen N.D.

Das in dem am 17.10.1944 ausgehobene Zentralauswertungsbüro Sichergestellte Spi.-Material des dänischen N.D. enthält nur sehr wenig Anhaltspunkte welche zu einer eindeutigen Klärung des Agentennetzes führen könnten. Wo Namen auftauchen, handelt es sich nur um Decknamen, und nie werden nähere Angaben über die Person, den Stand oder den früheren Beruf der Träger dieser Decknamen gemacht. Durch genaues Studium aller Berichte und vor allem der Begleitbriefe zu den Filmsendungen sowie der Briefe welche aus Schweden an das Zentralbüro gerichtet waren war es jedoch möglich, einen einigermaßen klares Bild des Agentennetzes zu bekommen. Die hier vorgelegten Erkenntnisse sind jedoch nur vorläufiger Art, ist da noch nicht das gesamte Material zur Bearbeitung vorgelegen hat. Es ist anzunehmen, daß bei weiterer Bearbeitung neue Erkenntnisse auftauchen, welche eine Ergänzung oder gar Veränderung der bisherigen Erkenntnisse zur Folge haben können.

Sämtliche Filmsendungen wurden von Kopenhagen aus an "Hugo Larsen" geschickt der in Stockholm wohnt und Leiter der Stelle zu sein scheint bei der alle Fäden der in Schweden lebenden und für den N.D. oder die Widerstandsbewegung arbeitenden Dänen zusammenlaufen.[273] Der Deckname "Hugo Larsen" wird seit dem 12.2.1944 gebraucht, bis zu dem Zeitpunkt hieß der Betreffende, wahrscheinlich seit Beginn des Aufbaues der Organisation, "Fuldmägtige Nielsen."

Der Absender der Filme und Leiter des Zentralbüros in Kopenhagen arbeitet seit dem 20.7.1944 unter dem Namen "Petrus Godtfredsen.[274]" Vom 19.5.1944 –20.7.1944 bedient er sich des Namens "Sofus", vor dem 19.5.1944 nennt er sich "Jansen." Der ursprüngliche Leiter dieses Büros zeichnet sich als "Landsretssagförer Thomsen",[275] ab 21.4.1944 taucht der Name "Jansen" auf. Es ist nicht ersichtlich, ob "Thomsen" und

272 Se Bovensiepens indberetning for august, september og oktober 1944 (pkt. 4, spionage), som Best sendte til AA 6. november.

273 Hugo Larsen = Einar Nordentoft. I det omfang agenterne i det følgende er identificeret, skyldes det Bjerg 1985 og Tillisch, 1, 2009, bilag 14.

274 Petrus Gotfredsen = Flemming Bussenius Larsen.

275 Landsretssagfører Thomsen = Svend Truelsen.

"Jansen" identisch sind, und nur der Deckname gewechselt worden ist, da eine Lücke in den Briefe ist, welche eventuell Aufschluß darüber geben könnte. Es ist jedoch mit ziemlicher Sicherheit anzunehmen, daß ein Wechsel in der Leitung des Büros vorgenommen wurde während der Name "Jansen" gebraucht wurde.[276] An diesen Büro wurden sämtliche Briefe von Schweden nach Dänemark geschickt, die sowohl Nachrichtenaufträge für den N.D., als auch Mitteilungen für sämtliche anderen Zweige der dänischen Widerstandsbewegung enthielten. Diese Briefe werden, obwohl sie nur Andeutungen, Decknamen und Tarnbezeichnungen enthalten, tiefere Einblicke in die Organisation der gesamten Widerstandsbewegung und deren Beziehung zu England und Rußland ermöglichen. Sie können zur Zeit aber noch nicht ausgewertet werden, weil sie noch nicht vollständig in Ablichtung vorliegen und Kombinationen aus dem unvollständigen Material wegen der verschleierten Ausdrucksweise zu Fehlschlüssen führen könnten.

In diesem Büro liefen ferner alle Meldungen der für den dänischen N.D. arbeitenden Agenten zusammen, wurden dort gefilmt und nach Schweden zur weiteren Bearbeitung gesandt. Ob auch alle übrigen Mitteilungen der dänischen Widerstandsbewegung zum Versand nach Schweden über dieses Büro geleitet wurden, konnte noch nicht geklärt werden.

Aus dem vorliegenden Material ist klar ersichtlich, daß der dänische N.D. in jedem Landesteil einen Hauptagenten hat für den wiederum mehrere Unteragenten Erkundungen vornehmen.

Hauptagent in Südjütland ist "Victor" von dem 6 Unteragenten erkannt sind.[277] Sie tragen die Decknamen "Sonny Boy",[278] "Nolfi",[279] "Ludvig",[280] "Evald", "Jens" und "Ernst." Hauptagent in Mitteljütland ist "Eneboeren"[281] von dem nur 2 Unteragenten erkannt worden sind, "Sönnen"[282] und "Parvenu"[283], die beide im Gebiet zwischen Ringköbing und Lemvig arbeiten. Aus der Fülle der Meldungen des "Eneboeren" kann man schließen, daß er noch mehrere Unteragenten beschäftigt, da nicht ein Mann alleine sämtliche Orte dieses Gebietes so genau durchforschen kann. Hinweise auf weitere Unteragenten waren in dem Material jedoch bisher nicht festzustellen.

Hauptagent für Nordjütland ist "Peter"[284] mit den Unteragenten "Hans" in Aalborg und Umgebung,[285] "Punzig" in Thy und Hanherred,[286] "Fritz" in Himmerland (Als Nachfolger für den im September verhafteten "Mosquito"), "Fn" in Frederikshavn. In Vendsyssel arbeitet ein Agent, der seine Meldungen mit "TR" unterzeichnet. Es konnte

276 Thorkild Jansen blev brugt som dæknavn af både Svend Truelsen og senere Flemming Bussenius Larsen.

277 H. Rodtwitt-Nielsen var leder af efterretningsarbejdet i Sydjylland (Bjerg, 2, 1985, s. 186f.).

278 Sonny Boy = P.H.H. Wille-Jørgensen.

279 Nolfi = N.F.Z. Jessen.

280 Ludvig = Otto K. Lind.

281 Eneboeren = Frits G. Tillisch.

282 Søn = Erik Fournais.

283 Parvenu = Otto K. Lind.

284 Peter/Petter = Ib Bruhn-Petersen var leder af det nordjyske efterretningsarbejde (Bjerg, 2, 1985, s. 180f.).

285 Hans = Jørgen Rosenfeldt.

286 Punzi = Aksel Smith Møller.

nicht eindeutig geklärt werden, ob dieser Agent seine Meldungen an "Peter" oder direkt nach Kopenhagen gibt.

Die Meldungen aus Fünen enthalten keine Hinweise auf die dort arbeitenden Agenten.

Die meisten Meldungen aus Seeland tragen das Zeichen "S", also wird "S" der Hauptagent für Seeland sein.[287] Kleinere Agenten in Seeland sind: "Rita" oder "Ri" in Korsör, "Svend" in Helsingör, "Stoffer" in Ringsted und "Kontorius" in Roskilde. Eine Verbindung dieser kleineren Agenten zu "S" könnt nicht festgestellt werden.

In Kopenhagen arbeitet "Nuntius", der politische und Handelspolitische Berichte macht sowie Angaben über die Organisation der Gestapo. Dieser Agent scheint über ausgezeichnete Beziehungen zu dänischen Behörden wie auch zu deutschen Dienststellen zu verfügen. Ferner arbeitet in Kopenhagen ein Agent unter dem Zeichen "Ca" der seine Mitteilungen vor allem von einer Frau Mentz und von "Solbärret" zu bekommen scheint. Frau Mentz ist Telefonistin. Am 10.9.1944 meldet sie, daß sie mit einigen anderen Frauen als Telefonistin nach Fröslev sollte, vorher arbeitete sie offenbar in Kopenhagen, vielleicht im Shellhaus.[288] "Solbärret" scheint eine hochstehende Persönlichkeit zu sein, die gute Beziehungen zum BdS hat. Er berichtet von Vorkommnissen im Shellhaus, hat selbst Besprechungen mit Dr. Hoffmann gehabt. Ähnliche Beziehungen muß "Ca" selbst haben, denn er bringt Listen von verhafteten Personen, unter anderem sogar die Abschrift eines Schreibens vom Vestre Fängsel an Krim. Rat Hermannsen.

Aus den Briefen geht hervor, daß neben dem hier aufgezeigten N.D. noch andere Agentengruppen tätig sind oder waren, deren Arbeit von dem dänischen N.D. als Störung und Einmischung in ihre Angelegenheiten betrachtet wurde. Dem Agenten "Peter" gelang es im August mit einer dieser Gruppen Fühlung aufzunehmen und einen Teil ihrer Post in die Hände zu bekommen. Er schreibt, daß er mit Hilfe dessen, was er von den Leuten weiß und der aus den abgefangenen Briefen ersichtlichen Adressen, Telefonnummern usw. imstande ist, die ganze Organisation aufzurollen. Die Interessantesten Meldungen hat er mit "Kon" bezeichnet (Konkurrenz) und an das Zentralbüro weitergeschickt, wo man sich dieser Meldungen zur Weitergabe nach Schweden bedient hat. Es handelt sich hier um eine Agentengruppe, die von "Mister West" (Hampton) in Stockholm direkt gesteuert wird.[289] Diese Gruppe arbeitet nicht so vorsichtig wie der dänische N.D. Aus dem Material sind zahlreiche Hinweise auf die Personen zu entnehmen. Auf Grund der Bezeichnung mit Ziffern muß angenommen werden, daß es sich hier um verschiedene Gruppen handelt, die neben und miteinander arbeiten. Eine direkte Verbindung zu "Mr. West" war jedoch nur bei dem einen Leiter einer Gruppe ersichtlich. Diese Gruppen haben ihr Netz über ganz Dänemark, vor allem aber über Jütland ausgebreitet. Zahlreiche Fäden führen auch nach Deutschland, sowohl durch fest ansässige als auch durch herumreisende Agenten. "R 550" ist Leiter einer Agentengruppe die ca. 50 Mann umfaßt.

Ab 1.9.1944 bezeichnet er sich mit "B 20." Dieser Agent sendet Mitteilungen an

287 P.V. Hammershøi var leder af det sjællandske efterretningsarbejde (Bjerg, 2, 1985, s. 162f.).

288 Det drejer sig muligvis om Edith Karin Siegfried, en kvindelig funktionær ved det tyske politi (se Bovensiepens aktivitetsberetning for august-oktober 1944 (Best til AA 6. november)).

289 Englænderen Victor Hampton var kontaktmand for SIS i Stockholm.

"Mr. West." Er steht u.a. in Verbindung mit einem Österreicher, der leitender Ingenieur in der Gegend von Korsör ist und ihm Aufklärung gegen Buttermarken u.a. Artikel des schwarzen Markets verschafft. Die Unteragenten von "R 550" sind: "R 550 1" dieser baut selbst eine Gruppe auf. Er steht u.a. in Verbindung mit einem Manne, welcher täglich mit verschiedenen hochstehenden Deutschen zusammentrifft.

"R 550/2" (taucht auch auf als "B 20/2" hat 6 Unteragenten davon 3 in Deutschland, welche ihm Meldungen und Skizzen über Schleusen bei Brünsbüttelkogg, Flugbasen bei Holten, Werften in Hamburg und Rensburg u.a. liefern.

"R 550/3" ist z.Zt. stillgelegt.

"R 550/4" hat unter sich offenbar mehrere Agentengruppen.

"R 550/4a" (auch "B 20/4a") ist eine besonders gute Organisation von 5 Mann in Korsör.

"R 550/4b" (auch "B 20/4b") hat eine Gruppe von 5 Mann welche ihm Nachrichten bringen. Er arbeitet mit Burmeister u. Wain und mit der Nakskov Schiffswerft.

"R 550/4c" (auch "B 20/4c") ist eine Organisation in Südjütland. Sie besteht aus 3 Mann, jeder hat 2-6 Mann unter sich,[290] später, als die Bezeichnung "B 20/4c" heißt es, der Leiter sei ein Oberst. "R550/5" ist ein früherer hochstehender Marineoffizier.

"R 550/6" ist ein Student aus Ribe. Er hat 4 Mann unter sich und versucht seine Gruppe zu erweitern und 1-2 Mann zu bekommen, die in Flensburg arbeiten.

"R800" ist Leiter einer Agentengruppe. 3 seiner Männer sind in der Gegend von Stettin tätig gewesen. Er selbst reist in ganz Dänemark herum und besitzt eine Legitimationskarte als Ingenieur, mit der er den Festungsbereich von Hansted betreten kann.

"R 800 1" bringt Meldungen aus Bornholm

"B 7", Leiter einer Agentengruppe, von der nur 3 Agenten in dem Material auftauchen:

"B 7 1", vermutlich in Aarhus tätig.

"B 7 2" ebenfalls in Aarhus tätig, hat Verbindung zur Eisenbahn.

"B 7/7" ist ein Bauunternehmer in deutschen Diensten wahrscheinlich bei der Org. Todt. Er scheint großes Vertrauen bei deutschen Offizieren zu haben, die ihm Mitteilungen über neue Waffen gemacht haben.

"B 50" ist Leiter einer Agentengruppe und wohnt in Stockholm. Unter ihm arbeiten folgende Agenten:

"B 50 1" der eine Seemannsabteilung (siehe unten) eingerichtet hat.

"B 50 2" wird als unzuverlässig geschildert, er hat Geld bekommen und ist verschwunden.

"B 50 3" hat einen Seemannsabteilung von 9 Mann eingerichtet. Die Steuermänner sind und in alle möglichen Häfen kommen, auch schwedische Häfen anlaufen. In Schweden sollen sie Verbindung mit "B 50" aufnehmen. Jeder dieser 9 Mann traft einen Decknamen u.zw. Fortlaufend im Alphabet: Anders, Börge, Christian, usw. Ein Verbindungsmann hält den Kontakt zwischen diesen 9 Mann aufrecht.

290 zum Teil Offiziere, einer davon sehr hochstehend. [rapportens note]

275. OKW an OKL 31. Dezember 1944

Der var vanskeligheder med at få alle tre tyske værn til at deltage i den aftalte vagtordning for skibsværfterne i Danmark, hvilket foranledigede Jodl til at skrive til OKL, at det var Hitlers ordre, at de nødvendige foranstaltninger blev truffet, hvorfor Luftwaffe havde at stille det aftalte antal vagter (Rosengreen 1982, s. 151).

Kilde: BArch, Freiburg, RW 4/754. RA, Danica 1069, sp. 1, nr. 278f.

WFSt/Qu. 2 (Nord) *31.12.1944.*

Geheim

S S D - F e r n s c h r e i b e n

An 1.) OKL/Gen. Qu.
nachr.: 2.) W. Bfh. Dänemark

Bezug: OKL/Gen. Qu. Az. 19 a 30 Nr. 28153/44 g (2. Abt. II K) vom 23.12.1944.[291]
Betr.: Heranziehung von Luftwaffenpersonal für Wachzwecke in Dänemark

1.) Zunehmende Schiffssabotage in Dänemark hat Verstärkung der Wachen in Häfen und Werften notwendig gemacht. Hierbei handelt es sich um eine Aufgabe des BdS, die nicht nur "luftwaffenfremd," sondern auch heeres- bezw. marinefremd ist, die jedoch durch Wehrmacht unterstützt werden muß, da BdS über ausreichende Kräfte nicht verfügt.

"Belange" der einzelnen Wehrmachtteile haben im übrigen da zurückzutreten, wo es sich um für die Gesamtkriegführung des Reiches wesentlich und notwendige Maßnahmen handelt. Das ist nach einer Entscheidung des Führers in dem hier vorliegenden Fall gegeben.

2.) Nach Meldung W. Bfh. Dänemark sind die Wachabgaben der Wehrmachtteile im Einvernehmen der Vertreter der Obersten Kommandobehörden von Heer, Marine und Luftwaffe in Dänemark nach dem Grundsatz gleichmäßiger Belastung festgelegt worden.

Aus diesem Grunde kann Benachteilung der Luftwaffe, die bei einer Gesamtverpflegungsstärke von 32.248 Köpfen 225 Mann Wachpersonal zu stellen hat, nicht angenommen werden.

3.) Wegen Dringlichkeit der besonderen Bewachungsaufgaben muß es daher bei der Heranziehung des Luftwaffenpersonals in genannter Stärke verbleiben.

I.A.
gez. **Jodl**

291 Skrivelsen er ikke lokaliseret.

276. Wilhelm Keitel an das Auswärtige Amt 31. Dezember 1944

Efter Dönitz' ønske havde Hitler beordret, at der skulle beslaglægges 3-4 kraner og 2 dokker i Danmark. De skulle bringes til Tyskland, hvor de var uundværlige til reparationsformål. Best skulle effektuere ordren, og der skulle meldes tilbage derom til Hitler.

Ordren har en udateret håndskreven påtegning fra Seekriegsleitung, hvis indhold fremgår af Seekriegsleitungs notat 9. januar 1945, trykt nedenfor.

Best reagerede øjeblikkeligt på den givne ordre med en indstilling til AA 1. januar, en indstilling som sammen med AAs eget svar blev sendt fra OKW til WFSt og OKM 6. januar.[292]

Kilde: RA, Danica 203, pk. 38, læg 461.

GWSSL 023871 31.12 2225
Nachr. OKM/ 1. Skl.
Gltd: Ausw. Amt, Botschafter Ritter.
Nachr.: Reichsbev. Dänemark. Nachr. OKM/ 1. Skl. Nachr. Reichsministerium für RuK. Hauptausschuß Schiffbau. Nachr M W. Bfh. Dänemark.
gKdos

Betr.: Beschleunigte Beschlagnahme von Krähnen und Docks in Dänemark.

Der Führer hat auf Antrag des Oberbefehlshabers der Kriegsmarine und des Reichsministers für Rüstung und Kriegsproduktion entschieden, daß 3-4 Krähne und 2 Docks in Dänemark, die für Reperaturzwecke des Hauptausschusses Schiffbau unentbehrlich sind, beschlagnahmt werden.

Ausw. Amt wird gebeten, mit Rücksicht auf die dringende Notwendigkeit dieser Maßnahmen den Reichbevollmächtigten in Dänemark anzuweisen, die Beschlagnahme im unmittelbaren Einvernehmen mit dem Vertreter des Hauptausschusses Schiffbau in Dänemark beschleunigt durchführen. Um laufende Unterrichtung zur Meldung an den Führer wird gebeten.

gez. **Keitel**
OKW/WFSt Qu 2 (Nord) Nr. 0015239/44
gKdos

277. Kriegstagebuch/Admiral Skagerrak 31. Dezember 1944

WB Dänemark lagde ikke længere vægt på en fuldstændig ødelæggelse af Københavns havn, men holdt en blokering af havneindløbet for tilstrækkelig. Da hæren nu i tilfælde af en invasion helt ville rømme København, måtte en række for Kriegsmarine vigtige problemer tages op i anden sammenhæng, herunder bl.a. sikringen af den danske skibstonnage.

WB Dänemarks beslutning om at rømme København i tilfælde af en invasion var på dette tidspunkt ikke konfirmeret af OKW og Hitler. Se von Hanneken til OKW 15. januar 1945.

Kilde: KTB/ADM Dän 31. december 1944, RA, Danica 628, sp. 3, s. 3807.

292 I Bests redegørelse 21. marts 1948 "Hvorledes Det tyske Udenrigsministerium har indvirket paa Situationen i Danmark i Tidsrummet 5.11.1942-5.5.1945" (afsnit VIII), lagde han særlig vægt på, at der var tale om en direkte førerordre fra Hitler selv; en ordre han arbejdede for at hindre gennem retlige synspunkter stillet til AAs disposition sammen med "særlige taktiske Argumenter", som det blev formuleret (Best-sagen, LAK).

[...]
Da Wehrmachtbefehlshaber Dänemark auf völlige Zerstörung des Hafens Kopenhagen keinen Wert legt und die Blockierung der Hafeneinfahrt durch versenkte Schiffe und Minen entsprechend meinem Vorschlag für ausreichend hält, gebe er dem Seekommandanten Dän. Inseln. entsprechende Anweisung.

Insgesamt muß die Frage an anderer Stelle aufgegriffen werden, da das Heer nach neue Überlegungen beabsichtigt, im A-Fall Kopenhagen zu räumen und damit die Kriegsmarine vor eine Reihe von wichtigen Problemen stellt (beschleunigte Hafenzerstörung, Erfassung der dänischen Handelstonnage, Werft- und Stützpunktfragen).
[...]

278. Rüstungsstab Dänemark: Lagebericht 31. Dezember 1944

Der var en stigende sabotage mod danske virksomheder, der arbejdede for Tyskland. Det var blevet sværere at få danske firmaer til at påtage sig kontrakter på grund af trusler fra illegale kredse, mens industriarbejderne nu ikke længere havde noget imod, at virksomhederne blev militært besat. Der var stadig kapacitet for kontrakter ved dansk industri, men de tyske firmaer var blevet mere tilbageholdende med at afgive ordrer, og det var da mest som underleverandører. Der var indført militær- og politimæssig bevogtning af en række værfter og virksomheder, og der blev forhandlet om at få flere virksomheder bevogtet, men dette stødte på vanskeligheder pga. størrelsen af det til rådighed værende vagtmandskab. I december var rustningsproduktionen ikke i væsentlig grad berørt af hverken den politiske spænding eller de stadigt tiltagende transportproblemer. Energiforsyningen var tilfredsstillende, men i den kommende tid ville forsyningen med kul og jern på grund af faldende produktion og transportproblemer venteligt falde.

Kilde: BArch, Freiburg, RW 27/17. KTB/Rü Stab Dänemark, 4. Vierteljahr 1944, Anlage 22.

Anlage 22.

Rüstungsstab Dänemark — *Kopenhagen, den 31. Dez. 1944*
des Reichministers für Rüstung und Kriegsproduktion
ZA/Ia Az. 66 d 1/Wi-Ber. Nr. 947/44 geh. — Geheim

Bezug: OKW/Wi Rü Amt/Rü IIIb Nr. 21755/42 v. 9.5.42
Betr.: Lagebericht.

An das Rüstungsamt
des Reichsministers für Rüstung und Kriegsproduktion,
Berlin NW 7
Unter den Linden 36

Rü Stab Dänemark übersendet in der Anlage den Lagebericht für Monat Dezember 1944.

Forstmann

Rüstungsstab Dänemark *Kopenhagen, den 31. Dez. 1944*
des Reichministers für Rüstung und Kriegsproduktion
ZA/Ia Az. 66 d 1/Wi-Ber. Nr. 947/44 geh.

Beurteilung der gesamtrüstungswirtschaftlichen Lage
In der zweiten Hälfte des Monats Dezember zeigte sich eine Zunahme der Sabotageakte gegen die mit deutschen Aufträgen belegten dänischen Firmen. Das ist anscheinend darauf zurückzuführen, daß die Saboteure zur Zeit an eine Invasion nicht glauben und deshalb weniger militärische Ziele, sondern Fabriken als Angriffsobjekte wählen.

Auf rüstungswirtschaftlichem Gebiet macht sich als Folge der angespannten politischen Lage eine zunehmenden Verängstigung der Firmen, für deutsche Belange einzutreten, bemerkbar. Die von illegalen Kreisen geleitete Verhetzung führt zu anonymen und offenen Bedrohungen derjenigen Firmeninhaber, die sich für deutsche Interessen einsetzen.

Andererseits hat sich die Stimmung der Industriearbeiter zweifellos geändert, da sie sich heute einer militärischen Besetzung der Betriebe nicht mehr widersetzten, während sie früher ihre Ablehnung gegenüber einem derartigen deutschen Vorgehen durch Streik oder passive Resistenz zum Ausdruck brachten.[293]

Im November-Lagebericht wurde darauf hingewiesen, daß Gauleiter Kaufmann versuchen wolle, die Gestellung von 3.000 Mann aus Deutschland zum Schutze der Werften und Rüstungsbetriebe zu erwirken. Das ist nicht erreicht worden. Dagegen haben Wehrmacht und Polizei hier im Lande auf Befehl der Führers rd. 1.000 Mann zur Sicherung der Werften abzustellen. Diese Besetzung, die wegen der erheblichen Sabotage an deutschen Schiffen für erforderlich gehalten wurde, verlief reibungslos. Auch die Besetzung der Firmen Ford und Sörensen in Kopenhagen im Berichtsmonat hat keine Schwierigkeiten gemacht.[294]

Der Abtransport der bei der Fa. A/S Frichs, Aarhus, in Bau befindlichen 10 Reichsbahn-Lokomotiven wurde unter militärischem Schutz, der hierzu etwa 4 Wochen im Betrieb eingesetzt werden mußte, reibungslos durchgeführt.[295]

Im Ganzen gesehen, sind die rüstungswirtschaftlichen Interessen im Berichtsmonat weder durch die gespannte politische Lage noch durch die auch im dänischen Raum immer grösser werdenden Material- und Transportschwierigkeiten wesentlich berührt worden.

Die Auslieferungen waren mit RM 11.156.939 beachtlich.

293 Her hentydede Forstmann givetvis i første række til den værftsbevogtning, som blev indført 12. december.

294 Ford havde allerede fået vagter fra BdO 24. november. Hvornår i december Sørensens maskinfabrik fik det, vides dog ikke, men fabrikken havde endnu 4. maj 1945 10 vagter fra BdO, se vagtbataljonernes styrkemeldinger til HSSPF 4. maj 1945.

295 Afleveringen af de 10 lokomotiver var blevet forsinket pga. sabotage, og de havde siden 25. november været under tysk bevogtning. For at hindre yderligere sabotage blev lokomotiverne ufærdige og til dels i form af løsdele transporteret til Tyskland (se *Information* 28. november 1944 og Rü Stab Dänemarks situationsberetning 30. september 1944, Christiansen 1998, s. 27f.).

Vordringliches
Zur Zeit schweben zwischen der für die Bewachung und Sicherung der Rüstungsbetriebe nunmehr zuständigen Dienststelle des Befehlshabers der Sicherheitspolizei und des SD in Dänemark und dem Rü Stab Dän. Verhandlungen, die die Frage des militärischen bzw. polizeilichen Schutzes weiterer Rüstungsbetriebe und besonders auch der Sauerstoffherstellung klären sollen. Diese Bemühungen des Rü Stab Dän. führten noch zu keinem positiven Ergebnis, da die oben erwähnte Dienststelle Wachpersonal im angeforderten und ausreichenden Masse ohne Zuführung neuer Mannschaften aus dem Reich anscheinend nicht zur Verfügung stellen kann.[296]

Die dänische Industrie ist noch in der Lage, in weiterem Umfange deutsche Verlagerungsaufträge aufzunehmen. Es wird aber von seiten der deutschen Industrie in der letzen Zeit eine stärkere Zurückhaltung geübt. Allerdings sollten mit Rücksicht auf die hiesigen Verhältnisse nur solche Geräte verlagert werden, die nicht ohne weiteres als Kriegsgerät erkennbar sind, also nach Möglichkeit Teilfertigungen.

1a. Stand der Fertigung

a.) *mittelbare und unmittelbare Wehrmachtaufträge (A-Aufträge):*	RM
Gesamtverlagerung nach Dänemark vom 9. April 1940-30. Nov. 1944	590.007.672,-
Auftragsbestand am 31.10.1944 an noch zu erledigenden Aufträgen	158.089.506,-
Wertveränderungen durch Auftragserhöhungen bzw. Auftragsermäßigungen im Nov. 44	– 3.240.945,-
	154.848.560,-
Auftragszugang im Nov. 1944	+ 8.350.899,-
	163.199.459,-
Auslieferungen im Nov. 1944	–11.156.939,-
Auftragsbestand am 30.11.1944 an noch zu erledigenden Aufträgen	152.042.520,-
b.) *Aufträge des kriegswichtigen zivilen Bedarfes (C-Aufträge):*	
Gesamtverlagerung nach Dänemark v. 9. April 1940 – 30. Nov. 1944	75.650.279,-
Auftragsbestand am 31.10.1944 an noch zu erledigenden Aufträgen	25.735.576,-
Wertveränderungen durch Auftragserhöhungen bzw. Auftragsermäßigungen im Nov. 44	–161.186,-
	25.574.390,-
Auftragszugang im November 1944	+ 291.856,-
	25.866.246,-
Auslieferungen im November 1944	–594.663,-
Auftragsbestand an noch zu erledigenden Aufträgen am 30. November 1944	25.271.583,-

296 I situationsberetningen for januar 1945 omtalte Forstmann, at der stadig ikke var kommet en positiv løsning i bevogtningsspørgsmålet, men i februarberetningen var det blevet anderledes efter Lindemanns tiltræden som WB Dänemark (se indberetningerne, trykt nedenfor).

Fertigungslage:
Am 2.12.44 wurde die Fa. Standard Elektric A/S sabotiert. Hier lagen Aufträge auf Nachrichtengeräte der Fa. C. Lorenz A.G., Berlin-Tempelhof im Werte von d.Kr. 900.000,-. Die Fertigung ist für viele Monate völlig gestört. Die Fa. Lorenz hat ihre Fertigungsvorrichtungen und Rohstoffe zurückgezogen, um die Fertigung in Deutschland weiterzuführen.[297]

Da ein Trockenofen der Fa. Dansk Skovindustri, Nästved durch Sabotage am 18.12. zerstört wurde, ist in der Fertigung vom Flugzeugsperrholzplatten mit einer Unterbrechung von 2-3 Monaten zu rechnen.[298]

Durch Sabotage bei den Firmen Georg Andersens Maskinfabrik A/S,[299] A. Jörgensen & Co. und Poul Kjär, wurden wohl größere Zerstörungen in den Werkstätten verursacht, jedoch blieben die Werkzeugmaschinen zum größten Teil erhalten, so daß nur mit einer zeitweiligen Unterbrechung der Wehrmachtsfertigung (Rohrklauen für Geschütze, Teile für russische Beutegeschütze u.dgl.) zu rechnen ist.[300]

Am 18.12.44 wurde die Fa. ESAB, Kopenhagen, die einzige Elektroden herstellende Firma in Dänemark, durch Sabotage so schwer beschädigt, daß mit einer teilweisen Wiederaufname des Betriebes nicht vor dem 1.4.45 zu rechnen ist.[301]

Bei der Fa. Eha Maskinfabrik A/S, Kopenhagen, ist die Serienfertigung der M-Boot-Anhänger soweit fortgeschritten, daß ab Januar 1945 mit einer monatlichen Auslieferung von 20-25 Anhängern gerechnet werden kann.

Bei der Fa. Ford-Motor Co. A/S, Kopenhagen, sind die durch Sabotage Ende November verursachten Schäden wieder beseitigt. Die Fertigung der M-Boote 100 PS ist wieder in vollem Umfange aufgenommen, so daß bereits im Januar 1945 größere Auslieferungen zu erwarten sind.

Bei der Fa. Dansk Industri Syndikat Comp. Madsen A/S, Kopenhagen, sind die Hauptschäden der Sabotage vom Juni 1944 beseitigt. Anfang Februar 1945 wird mit der Industrieabnahme des restlichen Teiles der Maschinenhalle gerechnet.

Energieversorgung.
Schwierigkeiten in der Energieversorgung sind nicht aufgetreten.

297 BOPA forøvede sabotagen mod A/S Standard Electric, Rådmandsgade 71, i København. Skadesummen udgjorde 2.401.000 kr. (Kjeldbæk 1997, s. 476). Der blev øjeblikkeligt stillet vagt ved fabrikken af BdO for at sikre de i det væsentlige ubeskadigede færdigvarer (BArch, R 70 Dänemark, KTB/BdO 2. december 1944).

298 Ca. 15 pistolbevæbnede mænd trængte ind på fabrikken og lagde tre sprængbomber efter at have truet to sabotagevagter og tre arbejdere. Et tørrerum og et trælager blev ødelagt og flere maskiner beskadiget (RA, BdO Inf. nr. 112, 21. december 1944, tilfælde 12, Bjørnvad 1988, s. 295f.).

299 Andersens Maskinfabrik, Bergsø Allé 9, København blev udsat for sabotage 23. december, da adskillige bevæbnede mænd trængte ind og lagde flere bomber. Skaderne var omfattende (RA, BdO Inf. nr. 115, 29. december 1944, tilfælde 1).

300 De to sidstnævnte maskinfabrikker var muligvis Rixen, Holmbladsgade 87, København, udsat for sabotage 20. december af BOPA, og Asra, Gl. Køge Landevej 75, København, hvis lagerhal 21. december blev sprængt ligeledes af BOPA (RA, BdO Inf. nr. 114, 27. december 1944, tilfælde 1, Kjeldbæk 1997, s. 476f.).

301 Der eksploderede flere sprængbomber på Maskinfabrikken A/S ESAB, Trekronergade 92, København, hvor der skete betydelige bygningsmæssige og andre materielle skader (RA, BdO Inf. nr. 112, 21. december 1944, tilfælde 11).

1c. Versorgung der Betriebe mit Roh- und Betriebsstoffen
Der deutsche Lieferungsrückstand an Eisen und Stahl für im dänischen Raum untergebrachte Verlagerungsaufträge betrug per 31.10.44 15.903 t, d.h. 2.067 t mehr als im Vormonat. Dazu kommt ein Rückstand für das innerdänische Versorgungskontingent von rund 50.000 t, der auch für die deutsche Fertigung von Bedeutung ist, weil aus ihm Bevorschussungen deutscher Verlagerungsaufträge erfolgen.

Für NE-Metalle ist der Lieferungsrückstand am 31.10.44 208 t, mithin 6 t mehr als im Vormonat.

Der Nachschub an Eisen und Stahl aus dem Reich gestaltet sich von Monat zu Monat schwieriger. Teilweise können größere, bereits fertiggemeldete Partien mangels Transportmitteln nicht zum Versand nach Dänemark kommen, teilweise erfolgt auf schriftliche und fernschriftliche Rückfrage bei den Eisenverbänden oder den Werken keinerlei oder gänzlich unbestimmter Bescheid. Es zeichnen sich daher bereits erhebliche Schwierigkeiten für die nahe Zukunft ab, nachdem sowohl die von Rü Stab Dän. eingerichteten Bereitschaftsläger, wie die Läger für den allgemeinen Verbrauch einen bisher nicht gekannten Tiefstand erreicht haben.

Bei der stark gesunkenen Kohlen- und Eisenproduktion im Westen und der Verschlechterung der Transportlage ist an eine Besserung dieser Verhältnisse in absehbarer Zeit nicht zu denken. Rückwirkungen, insbesondere auf den Schiffsneubau wie auch auf Schiffsreparaturen sind unvermeidlich.

Wegen der durch die Anordnung E 72 der Reichsstelle für Eisen und Metalle annullierten Mengen ist im Verhandlungen mit der Reichstelle 10 Eisen und Metalle und dem Planungsamt erreicht worden, daß ungefähr 1.000 t nicht der Streichung anheim fallen, sondern bestehen bleiben.

Ebenfalls konnte geklärt werden, daß für Blechbestellungen, die für den Schiffbau besonders wichtig sind und die, soweit sie vor dem 1.1.44 bestellt waren, ebenfalls laut Anordnung E 72 annulliert werden mußten, als Tag der Auftragsannahme das Datum der Nachreichung der Blechbestellrechte gilt. Da letztere ausnahmslos nach dem 1.1.44 hergegeben wurden, bleiben die Blechbestellungen somit erfreulicherweise in Kraft.

Bei NE-Metallen har sich mit Ausnahme einer vorübergehenden Störung bei Antimon und des Mangels an Zinkblechen der Nachschub bisher normal gestaltet.

In Kautschuk und Buna stocken die Lieferungen aus dem Reich. Parbunan ist seit September nicht mehr geliefert worden.

2b. Lage der Treibstoffversorgung

Es wurden im Monat November	Dieselöl	Benzin
Angefordert:	68 t	1.120 l
Zugewiesen:	66 t	1.020 l

2c. Lage der Kohlenversorgung.
Im Monat November wurden eingeführt:

Kohle	161.900 t	(November	198.900 t)
Koks	25.000 t	(November	29.300 t)
Sudetenkohle	17.400 t	(November	31.700 t)
Braunkohlenbriketts	25.000 t	(November	55.000 t)

Sonstiges:
Die im Lagebericht vom 31.9.44 gemeldete Besserung in der Elektrodenversorgung hat bis zum Berichtsmonat angehalten, jedoch durch die Sabotage bei der Fa. ESAB, Kopenhagen, am 18.12.44 eine erneute Verschärfung erfahren. Es wird versucht, mit dem im Werk verbleibenen Bestand von 1,2 Mill. Elektroden den deutschen Gesamtbedarf im Raum Dänemark einstweilen zu decken.

279. Rüstungsstab Dänemark: Darstellung der Rüstungswirtschaftliche Entwicklung 31. Dezember 1944

Forstmann benyttede årets sidste oversigt over rustningsopgavernes udvikling til at kaste blikket helt tilbage til maj 1940 samt at opgive samlede taloversigter. Året 1944 havde på ingen måde været skuffende, værdien af antallet af indgåede kontrakter havde været stigende i forhold til 1943, mens antallet af afsluttede leveringer havde været faldende i forhold til året før. Det sidste tilskrev han sabotagerne og den stigende mangel på de materialer, der skulle sikre produktionen.

Fremstillingen kan opfattes som Forstmanns status over sin virksomhed i Danmark siden 1940. Det er tydeligt, at han selv var tilfreds med de opnåede resultater. Han undlod at forudsige noget om den kommende udvikling, og han undlod også at fortælle, at de danske virksomheders tilsyneladende store lyst til fortsat at opnå rustningskontrakter var begrundet i håbet om i det mindste at få del i nogle af de materialer, der til gengæld blev overført fra Tyskland.

Kilde: BArch, Freiburg, RW 27/17. KTB/Rü Stab Dänemark, 4. Vierteljahr 1944, Anlage 21.

Anlage 21

Chef Rü Stab Dänemark *Kopenhagen, den 31.12.1944.*

Darstellung
der rüstungswirtschaftlichen Entwicklung.

Vom 1.5.40-31.12.44 sind über den Rüstungsstab Dänemark des Reichsministers für Rüstung und Kriegsproduktion (Rü Stab Dän.) Rüstungsaufträge (reine Fertigungsaufträge, also ohne Frachten, mieten etc.) im Werte von RM 590.387.000 verlagert worden. Es wurden hiervon im gleichen Zeitraum für RM 449.448.000 ausgeliefert. Der Auftragsbestand am 31.12.44 war demnach noch RM 140.939.000. Die Gesamtauslieferungsquote beträgt somit 76 %.

Trotz aller Erschwerungen durch zunehmende Sabotage, Streiks, passiven Widerstand dänischerseits sowie Material , Betriebsmittel- und Transportschwierigkeiten deutscherseits ist eine Steigerung der Auslieferung von Rüstungsaufträgen auch im Jahre 1944 erreicht worden. Dies ist darauf zurückzuführen, daß

a.) neue Firmen mit deutschen Rüstungsaufträgen belegt werden konnten,
b.) bereits beschäftigte Firmen ausgebaut und erweitert wurden,
c.) sabotierten Firmen durch Schaffung von Ausweichbetrieben in den früheren dänischen staatlichen Betrieben (Waffen- und Munitionsarsenal und Orlogswerft) in verhältnismäßig kurzer Zeit geholfen werden konnte.

Vergleicht man die Auslieferungen der beiden letzten Jahre, so ergibt sich, daß 1943 für

RM 115.792.661 (Monatsdurchschnitt RM 9.649.000) und 1944 für RM 124.702.291 (Monatsdurchschnitt RM 10.392.000) ausgeliefert wurden. Im Jahre 1944 ist demnach eine um 8 % höhere Auslieferung als im Jahre 1943 erzielt worden.

Außer der eisen- und holzverarbeitenden Industrie arbeiten auch die Konfektionsfirmen in Dänemark weitgehend für deutsche Rechnung. Es waren 1944 durchschnittlich 30 Konfektionsfabriken mit Uniformanfertigung beschäftigt, die insgesamt 1.273.000 Uniformstücke fertigten.

Von lederverarbeitenden Betrieben in Dänemark wurden 1944 u.a. 145.000 Stck. Patronentaschen, 100.000 Stck. Koppeltragegestelle, 400.000 Stck. Stahlhelmkinnriemen und 200.000 Stck. Seitengewehrtaschen gefertigt.

Auch die Verlagerung von kriegswichtigen zivilen Aufträgen nach Dänemark erfolgt über den Rü Stab Dän. Vom 1.1.41-31.12.44 wurden derartige Aufträge im Werte von RM 75.789.168 verlagert. Im gleichen Zeitraum wurden davon ausgeliefert für RM 51.093.591, sodaß am 31.12.44 noch ein Auftragsbestand von RM 24.695.577 vorhanden war. Die Gesamtauslieferungsquote beträgt somit 70 %.

Vergleicht man die Auslieferungen der beiden letzten Jahre, so ergibt sich, daß 1943 für RM 20.519.291 (Monatsdurchschnitt RM 1.710.000) und 1944 für RM 17.649.800 (Monatsdurchschnitt RM 1.471.000) ausgeliefert wurden. Dieser Rückgang in der Auslieferung ist darauf zurückzuführen, daß 1943 Aufträge im Werte von RM 13.263.494 eingingen, dagegen 1944 Aufträge im Werte von nur RM 7.102.290. Die dadurch frei gewordenen Fertigungskapazitäten wurden mit Rüstungsaufträgen belegt.

Die Gesamtauslieferung an Rüstungsaufträgen und Aufträgen des kriegswichtigen zivilen Bedarfs wäre noch günstiger gewesen, wenn vor allem Rohstoffe und Zulieferungen aus dem Reich nicht so schleppend eingegangen wären. Hierdurch sind wesentliche Herabsetzungen der an sich in der dänischen Industrie guten Durchlaufsgeschwindigkeiten bei vielen Aufträgen eingetreten.

Ganz besonders aber ist die weitestgehende Verhinderung von Sabotage in den dänischen Betrieben die Voraussetzung für eine weitere, erfolgreiche Auftragsverlagerung nach Dänemark, da andernfalls die Aufnahmebereitschaft der dänischen Industrie und die Verlagerungsfreudigkeit der deutschen Unternehmer leiden.

Im Jahresdurchschnitt waren 325 dänische Betriebe mit Aufträgen über Rü Stab Dän. belegt. Die Zahl der Unterlieferanten ist bedeutend höher und beträgt allein bei der Liefergemeinschaft der Deutschen Berufsgruppen in Nordschleswig 185.

Vom 1.5.40-31.12.44 wurden über den Rü Stab Dän. 11.001 Rüstungsaufträge und 1.263 Aufträge des kriegswichtigen zivilen Bedarfs an die dänische Industrie vergeben.

Für die Entscheidung aller Streitigkeiten, die sich aus den über Rü Stab Dän. erteilten deutschen Aufträgen an dänische Firmen zwischen den Partnern ergeben können, ist das paritätische deutsch-dänische Schiedsgericht in Kopenhagen zuständig. Es wurde bisher in keinem Falle in Anspruch genommen, ein Beweis dafür, daß Deutsche und Dänen auf wirtschaftlichem Gebiet durchaus zusammen arbeiten können.[302]

302 Se om forligsretten Forstmann til Waeger 31. august 1944.

280. Jahresbericht des 8. Sicherungsdivision für das Jahr 1944, 31. Dezember 1944

Wurmbachs 8. sikringsdivision, der dækkede Jylland, meldte ved slutningen af 1944 om store problemer med at få skibene repareret. Der var både flere skibe til reparation og en betydeligt forlænget liggetid på værfterne. De danske arbejderes produktivitet var gået stærkt tilbage.

8. Sicherungsdivision havde i en Lagebetrachtung 1. juni 1944 gjort opmærksom på, at produktiviteten på de danske værfter var gået betydeligt tilbage og tilskrev det dengang, at lønningerne hos Luftwaffe var dobbelt så høje, hvilket var indberettet til Rüstungsstab Dänemark (KTB/8. Sicherungsdivision (RA, Danica 628, sp. 6, nr. 4446)).

Kilde: KTB/8. Sicherungsdivision, RA, Danica 628, sp. 6, nr. 4749f.

[...]

H.) Maschine:

Zur Aufrechterhaltung eines genügenden KB-Zustandes der Schiffe und Boote der 8. Sicherungsdivision mußten erhebliche Anstrengungen gemacht werden. Die Höchstausfälle an einem Tage betrugen:

	I. Hälfte:	II. Hälfte:
im Juni 1944	26,4 %	25,1 %
im Juli 1944	24,5 %	22,6 %
im August 1944	23,4 %	20,5 %
im September 1944	22,1 %	24,8 %
im Oktober 1944	23,1 %	31,5 %
im November 1944	33,4 %	28,8 %
im Dezember 1944	29,0 %	33,0 %

Die Werftlage war sehr angestrengt, weil einmal die Gesamtzahl der Schiffe, für die Werfthilfe gestellt werden mußte, erheblich gewachsen war und zum anderen die Arbeitsleistung der dänischen Werftarbeiter auf ½ bis ⅓ derjenigen von 1940/41 zurückgegangen ist. Im gleichen Maße sind die Reparatur- und Werftliegezeiten angestiegen. Docken und Slippen verursachten wachsende Schwierigkeiten. Das Slip in Aarhus Ziel durch Sabotage aus und das Slip in Esbjerg ist wegen Schienenbruches nicht benutzbar. Nach den Angriffen auf deutsche Werften und Dockanlagen ergab sich eine noch anhaltende, außerordentliche Verschärfung der Docklage.

Die Beschaffung von Ersatzteilen für die zahlreichen und sehr unterschiedlichen Maschinenanlagen auf den Fahrzeugen des Verbandes erwies sich als sehr viel schwieriger als im Vorjahre.

Die Versorgung mit Betriebsstoffen war in Berichtsjahr ohne Beanstandungen möglich.

[...]

281. Werner Best an das Auswärtige Amt 31. Dezember 1944

Ved årsskiftet fremsendte Best en kort beretning om udviklingen i Danmark i 1944, der var bestemt for både AA og førerhovedkvarteret. Sidstnævnte sted kunne han ikke forvente sine lange *Politische Informationen* læst, selv om de fra december 1944 blev rekvireret af Rigskancelliet.[303] Best syntes velinformeret om stridighederne i Danmarks Frihedsråd, han havde kun lovord til overs for den danske administration, og så stod han ved sin personlige opfattelse af modterrorens negative betydning og virkning. Det var en direkte kritik af både Hitler og af den politik, HSSPF praktiserede i Danmark. Opløftende var derimod oplysningerne om landbrugseksportens størrelse, mens de danske nationalsocialister for Best helt havde udspillet deres rolle.

Frits Clausen havde Best ikke på noget tidspunkt satset på, men K.B. Martinsen havde været hans mand, og nu var Martinsen dømt for en meget alvorlig forbrydelse.

Kilde: PA/AA R 105.210. RA, pk. 282. ADAP/E, 8, nr. 327.

Telegramm

Kopenhagen, den	31. Dezember 1944	16.25 Uhr
Ankunft, den	31. Dezember 1944	17.40 Uhr

Nr. 1417 vom 31.12.[44.] Geheim!

Kurzbericht:
Entwicklung in Dänemark 1944

1.) Politisch:
Einstellung der Bevölkerung entscheidend durch Gesamtkriegslage und nur ergänzend durch deutsche Maßnahmen, durch Feindpropaganda usw. bestimmt.

Typische Mentalität eines Kleinvolkes (4 Millionen), das nur fragt, wer tatsächlich siegen wird. Für die allgemeine Meinung hierüber die folgende Äußerung aus grundsätzlich deutschfreundlichen Kreisen bezeichnend: "Die Deutschen möchten verstehen, daß das kleine dänische Volk lieber mit den anderen leben als mit den Deutschen untergehen will."

Dezember-Offensive hat überrascht, aber Auffassung über Kriegsausgang noch nicht grundlegend verändert.[304]

Innenpolitisch wachsender Gegensatz zwischen den im "Freiheitsrat" zusammengefaßten illegalen Kräften (nationalistische Partei "Dansk Samling" und kommunistische Partei) und den bisherigen Regierungsparteien (Sozialdemokraten bis Konservative), die die illegalen Gewaltmethoden und die für die Zukunft angemeldeten Machtansprüche des "Freiheitsrates" ablehnen. König weiter außer Funktion, tritt in persönlichen Gesprächen mit Politikern und ehemaligen Offizieren für Besonnenheit und gegen Gewaltanwendung ein. Verwaltung arbeitet weiter sachlich und korrekt, wünscht in allen wichtigeren Angelegenheiten Rückendeckung durch Anordnung des Reichsbevollmächtigten.

303 Best til von Stutterheim 2. december og Stutterheim til Best 7. december 1944, trykt ovenfor.
304 Tyskland havde 16. december indledt Ardenneroffensiven.

2.) Wirtschaft:
In Produktionsjahr 1943/44 (1.10.43-30.9.44) Erhaltung und teilweise Steigerung der landwirtschaftlichen Ausfuhr in das Reich. Steigerung bei Fleisch von 77.000 to auf 157.000 to, bei Butter von 51.000 to auf 60.000 to, bei Pferden von 27.000 auf 34.000 Stück.[305] Weitere wichtige Ausfuhren: Sämereien (u.a. 80 v.H. des deutschen Grassorten-Bedarfes), Fische (70 v.H. der deutschen Fischversorgung), Käse, Milchkonserven, Blutalbumin, Obst u.a.m. Dazu die Versorgung der deutschen Truppen in Dänemark und teilweise Versorgung der deutschen Truppen in Norwegen.

Für das Produktionsjahr 1944/45 liegen ähnliche Ertragsschätzungen vor wie für 1943/44. Produktionshemmend wirkt Mangel an Produktionsmitteln (Eisen, Düngemittel, Kohle, Treibstoffe) und an Arbeitskräften (30.000 fehlen im Jahresdurchschnitt). Produktionsvernichtend würden Maßnahmen gegen die Bevölkerung (Repressalien, Aushebung von Zwangsarbeitern) wirken.[306]

Gewerbliche Fertigung dänischer Betriebe im Auftrage des Rüstungsstabes ist trotz Sabotagen und schleppender Rohstoffeingänge über den Stand des Vorjahres (120 Millionen Kr.) gesteigert worden.[307]

3.) Finanzpolitisch:
Von dänischer Nationalbank im Jahre 1944 über 2 Milliarden Kronen für deutsche Wehrmacht zur Verfügung gestellt (zum Vergleich: Dänischer Staatshaushalt eine Milliarde Kronen). Insgesamt bis jetzt über 4 Milliarden Kronen für Wehrmacht und 2,5 Milliarden Kronen für Export nach Deutschland zur Verfügung gestellt. Inflationsgefahr durch erfolgreiche Abschöpfung und Bindung flüssiger Gelder in Verbindung mit Preisbildung, Preisüberwachung, Rationierung vorläufig gebannt.

4.) Sabotage:
Entwicklung der Sabotage in Wellen je nach Gesamtkriegslage und englischen Aufträgen. Höhepunkt im September, am Jahresende etwa gleicher Stand wie am Jahresanfang. Führung der Saboteure durch englische Offiziere (dänischer Herkunft) und Befehlserteilung seitens englischer militärischer Stellen festgestellt. Der seit Jahresbeginn intensiv geübte Gegenterror ist ohne jeden Erfolg geblieben, da der Gegner sich nicht nur durch Gegenterrormaßnahmen nicht abschrecken ließ, sondern sie geradezu provozierte, um sie dann politisch – in Dänemark und im Ausland – auszunutzen.[308] Denn bei den engen übersichtlichen Verhältnissen Dänemarks ist jede Erschießung Unschuldiger und jede Gegensabotage sofort erkennbar und wird sofort verbreitet. Rückblickend muß festgestellt werden, daß die Verurteilung und Hinrichtung von Saboteuren (die im Juli 1944 eingestellt wurde) das einzige Mittel war, das auf die Saboteurgruppen Eindruck machte, da sie hierdurch ihre wertvollsten Kameraden verloren.

305 Se *Politische Informationen* 1. januar 1945.

306 Hermed advarede Best direkte mod indførelse af repressalier og tvangsforanstaltninger over for befolkningen.

307 Her kunne Best henholde sig til Rü Stab Dänemarks månedsindberetninger.

308 Se Best til Bähr 13. januar 1943.

5.) Nationalsozialistische Gruppen:
Weiterer Rückgang nicht nur durch Kriegsentwicklung, sondern vor allem durch Uneinigkeit und durch Versagen der Führer. Der Parteiführer der DNSAP Dr. Frits Clausen im Mai 1944 von seinem Amt zurückgetreten und im November wegen krankhafter Trunksucht aus der Partei ausgeschlossen.[309] Gegen den Führer des "Schalburg-Korps" Martinsen Untersuchung wegen Verdachts des Geheimnisverrates eingeleitet.[310]

6.) Deutsche Volksgruppe Nordschleswig:
Weitere Steigerung der Kriegsleistungen durch Stellung von Freiwilligen und durch landwirtschaftliche und gewerbliche Erzeugung (Bewährung der Organisation "Deutsche Berufsgruppen Nordschleswig") wirksame Vertretung der Volksgruppeninteressen durch das "Volksdeutsche Kontor beim dänischen Staatsministerium." Die "Nordschleswigsche Zeitung" mit Hilfe des Reichsbevollmächtigten zur Tageszeitung aller Deutschen in Dänemark (einschließlich Wehrmacht) entwickelt (von 12.000 auf 35.000 Auflage).

7.) Befestigungsarbeiten:
Seit dem Beginn der verstärkten Befestigungsarbeiten (1.12.1943) wurden unter Leitung des OT-Einsatzes geleistet: 645.000 Kubikmeter Stahlbeton und Stampfbeton im Festungsbau, 2.050.000 Quadrat-Meter Startbahnen und Rollstraßen im Flugzeugbau, 510 Kilometer Panzergräben, 810 Kilometer Drahthindernisse, 300 Straßen- und Eisenbahnsperren und Holzbrücken.

Die Arbeiten wurden mit dänischen Arbeitskräften, die auf freiwilliger Grundlage angeworben wurden, ausgeführt. Die Baustoffe – besonders Zement und Holz – wurden, soweit Nachschub ausblieb, aus dem Lande entnommen.

Dr. Best

309 Se *Politische Informationen* 1. december 1944.
310 Se SS-Richter … 2. november 1944.